ISBN 978-975-22-0247-4
2008. 06. Y. 0105. 3501

1. - 58. basım Mart 2008

59. basım
Mart 2008

BİLGİ YAYINEVİ
Merkez: Meşrutiyet Cd., No: 46/A, Yenişehir 06420 / ANKARA
Tlf.: (0-312) 434 49 98 • Faks: (0-312) 431 77 58
Temsilcilik: İstiklâl Cd., Beyoğlu İş Mrk. No: 187,
Kat: 1/133, Beyoğlu 34433 / İSTANBUL
Tlf.: (0-212) 244 16 51 - 244 16 53 • Faks: (0-212) 244 16 49

BİLGİ KİTABEVİ
Sakarya Cd., No: 8/A, Kızılay 06420 / ANKARA
Tlf.: (0-312) 434 41 06 • Faks: (0-312) 433 19 36

BİLGİ DAĞITIM
Merkez: Gülbahar Mh., Gülbağ Cd., No: 27/1, A-B Blok,
Gülbağ, Mecidiyeköy / İSTANBUL
Tlf.: (0-212) 217 63 40 - 44 • Faks: (0-212) 217 63 45
Şube: Narlıbahçe Sk., No: 17/1, Cağaloğlu 34360 / İSTANBUL
Tlf.: (0-212) 522 52 01 - 512 50 59 • Faks: (0-212) 527 41 19

www.bilgiyayinevi.com.tr • info@bilgiyayinevi.com.tr

Turgut Özakman

Diriliş
Çanakkale 1915

roman

Sevgili Ergem'e

10.05.2008

BİLGİ YAYINEVİ

kapak resmi, harita ve krokiler: murat sayın
kapak düzeni: bilgi yayınevi

baskı: pelin ofset
(0312) 418 70 93 - 94

Diriliş

Önsöz

1948'den beri yakın tarihimiz, özellikle Milli Mücadele hakkında anı, belge, bilgi toplamaktaydım. Milli Mücadele'yi yazmak için birçok hazırlık da yapmıştım.

Ama tarih sırasına uyarak önce Çanakkale'yi yazıp bitirmeliyim diye düşündüm. Çünkü Çanakkale bir dirilişti, Türkün geri dönüşüydü, Milli Mücadele'nin ve Cumhuriyet'in habercisi, taç kapısı, arifesiydi, 'yeni Türkiye'nin önsözü'ydü.

Hazır olduğumu sanarak başladım. Epeyce de yazdım ama sürdüremedim. Hazırlığımın yeterli olmadığını anladım. Kendimi o siperlerde yatmış, o ateş altında kalmış, yüzüme kan sıçramış gibi hissetmiyor, Çanakkale'yi yaşamıyordum.

Bu büyük olayın hakkını verecek bir hazırlık gerekti. Çanakkale'yi yazmayı erteledim, hatta bıraktım.

Milli Mücadele'yi yazmaya hazırdım. Bu konudaki neredeyse 50 yıllık birikimim beni 'yaz!' diye zorlayıp duruyordu zaten. Onu her aşamasıyla yaşamaktaydım. Bu nedenle önce **Şu Çılgın Türkler**'i yazdım.

Sevgili okurlarımdan gelen cesaret verici dilekler, içimde yeniden Çanakkale'yi yazmak isteğini parlattı. Yakın tarihimizi, Çanakkale, Milli Mücadele ve Cumhuriyet'ten oluşan bir üçleme olarak yazmak hevesi uyandırdı.

Bu üçlemeyi yazmayı hem günümüze, hem geleceğimize karşı bir görev, bir borç olarak benimsedim.

Çanakkale Savaşı ve o dönemle ilgili kitaplığımı hızla tamamladım. Bu konudaki dergileri, makaleleri derledim, internette konu ile ilgili başlıca siteleri taradım, birçok bilgi, harita ve resim indirdim.[1]

Bu bilgileri birçok kez elden geçirdim, fişledim, birbirleriyle karşılaştırdım, o dönemin tam ve gerçek bir resmini görmeye çalıştım. Bir konuda yargıya varmak için konuyla yakından uzaktan ilgili her kaynağa başvurdum. 'Kaynakça'nın, Çanakkale olayına ve gerçeğe duyduğum saygıyı, verdiğim büyük önemi, gösterdiğim özeni yansıttığını sanıyorum.

***

Çanakkale hakkındaki ciddi, dürüst, saygıdeğer araştırmaların dışında üç tür yaklaşım var.

Bunların üzerinde biraz durmak istiyorum.

Birinci yaklaşım, Çanakkale'yi M. Kemal'siz, M. Kemal'i yok sayarak anlatmaya yeltenıştir. Bu yaklaşımla yazılmış yazılar, bazı uyduruk kitap ve romanlar, ayrıca bu nitelikte cd'ler de var. Bu cd'ler öğrencilere, halka ücretsiz dağıtılıyormuş. Utandırıcı bir durum. Bile bile gerçeğe ihanet ediyor, tarihi kirletiyorlar. Bunları yazanların, yaptıranların kimler olduğu, amaçlarının ne olduğu, yaptıkları işin niteliğinden belli.[2]

Dünyanın bildiği, on binlerce belge ile kanıtlı gerçekleri değiştirmeye, çarpıtmaya cüret eden bu insanlar, ellerine fırsat geçse acaba daha neler yaparlar?

Bir gençlik yalanla dolanla yetiştirilip eğitilir mi? Bu gençlikten kime hayır gelir?

Allah bu güzel milleti ve ülkeyi cahilin, yalancının ve sahte tarihcinin şerrinden ve iktidarından korusun!

İkincisi: Çanakkale'de M. Kemal'in rolünü küçültmeye çalışmak. Bu çizgide birkaç yazar var. Bunlar "Çanakkale'de M. Kemal yoktu" diyemiyorlar, bu kadar büyük yalanı göze alamıyorlar ama M. Kemal'in Çanakkale zaferindeki rolünü bin dereden su getirerek, gülünç olmayı göze alarak küçültmeye, önemsizleştirmeye, dikkatten kaçırmaya çalışıyorlar. Bunlar gerçeğe saygısız, maksatlı, bilgisiz, zavallı, küçük kalemler. Sahte tarihçilere ve onların karanlık amaçlarına hizmet ediyorlar.

Üçüncü tür yaklaşım, Çanakkale'yi bir mucizeler, kerametler sergisi halinde anlatmak.

Bu hikâyelere bakılırsa Çanakkale Savaşı askeri bir zafer değil. Komutanların, subayların ve Mehmetçiklerin önemli bir rolleri yok. Bunlara göre savaşı, komutanlar, dövüşenler, can verenler değil, ilahi, gizli güçler, veliler, erenler, dervişler kazanmış. Yaygın bir örnek vereyim.

Nusrat mayın gemisiyle dökülen 26 mayın ile ilgili uydurma hikâyelerin biri de Mehmet Gençcan'ın *Çanakkale Savaşlarından Menkıbeler* adlı kitabında bulunuyor (s.23 vd.). Bazı ifadelerini koruyarak özetliyorum. Yazar savaşa Allah'ı da katıyor:

"Cevat Paşa'ya rüyasında Allah tarafından buyruldu ki:

'Ey Cevat, sen Müslüman Türk topraklarının kumandanısın. Bu topraklar üzerinde yaşayan sizler, benim kelamıma hürmet ve tazim edersiniz. Size müjdeler olsun ki yakında zafere müyesser olacaksınız. Deniz üzerine bak.'"

Cevat Paşa dönüp denize bakar, denizin üstü yoğun bir nurla kaplıdır. O nurlu dalgalar arasında çiçeklerle bezenmiş kef ve vav harflerini görür, uyanır. Bu ilahi işaretin anlamını çözemez. Kilitbahir'de kızının mezarını ziyaret ederken rüyasında aşina olduğu sesi (Allah'ın sesini) burada da işitir:

"Ey Cevat. Depolardaki 26 mayını denize döşe. Türke Türkten başka dost yoktur."

Ne yapılması gerektiğini yüce Allah Cevat kuluna Türkçe olarak apaçık söylüyor. Ama Cevat Paşa nedense anlamıyor. Neyse ki karşısına pir yüzlü bir zat çıkar ve rüyayı yorumlar, ebcet hesabıyla[3] kef ve vav harflerinin 26 demek olduğunu açıklar, sonunda da der ki:

"Bu 26 mayını hemen denize döşe ki zaferinize sebep olsun."

Yüce Allah emretmiş, pir yüzlü zat da doğrulamış. Cevat Paşa'nın hemen gereğini yapmaya koşması beklenmez mi? Hayır, koşmuyor. Hiç telaşı yok. Eve geliyor. İftar ediyor. İftar ederken olayı eşine anlatıyor. Allah'tan eşi akıllı. Hemen Paşa'yı uyarıyor: "Mayın Grup Komutanından meseleyi öğren! Depolarda kaç mayın var?"

Paşa eşi de böyle olmalı! Bunun üzerine Müstahkem Mevki Komutanı Cevat Paşa nihayet ayılıp harekete geçiyor, Mayın Grup Komutanını çağırıyor, depoda 26 mayın olduğunu öğreniyor ve bunların döşenmesi için emir veriyor...

Nusrat mayın gemisiyle dökülen 26 mayın olayının içyüzü meğerse bu imiş !

M. Gençcan'ın kitabında Çanakkale Savaşı'na hiçbir güzellik, derinlik, yücelik, değer katmayan, inceliği olmayan bunun gibi bir hayli uydurma hikâye, daha doğru deyişle hurafe var. Bu kitabı kim yayımlamış dersiniz? 1990'da Gençlik ve Halk Dizisinin 50. kitabı olarak, TC Kültür Bakanlığı! Kitabın önsözünde ve arka kapağında özetle şöyle deniliyor: "Bu olayları, resmi ve ilmi tarih söylemez, söyleyemez. Bunlar tarihi olayların arka planıdır." Dev Osmanlı Devleti'ni ilkelleştiren, çağdışı hale getiren, ölümüne yol açan, akla ve gerçeğe saygısız Ortaçağ kafası işte bu. Bu kafanın Türkiye Cumhuriyeti Kültür Bakanlığında da kendine yer edinebilmiş olması çok düşündürücü.

Aynı hurafe biraz farklı olarak bir Gelibolu rehberinde de yer alıyor.[4]

Yazar hurafeye bir ön bilgi vererek başlıyor, özetleyerek aktarıyorum: "Boğaz'da 377 mayın bulunmaktaydı. Düşman mayın tarama gemileri ile Boğaz'da aralıksız olarak mayın tarıyordu. Müstahkem Mevki Komutanlığına gelen rapora göre artık Çanakkale Boğazı'nda hiçbir mayın kalmamıştı. Harekâtın yapılacağı sabah düşman filosu Boğaz'dan gönül rahatlığı ile geçebilecekti." (s.198)

Mayınların temizlenmiş olduğu hakkındaki bu iddianın gerçekle hiç ilgisi yok. Yazar hurafeyi önemsetmek için düpedüz uyduruyor. Düşman Kepez'le Geçit arasındaki 10 hattan sadece birini temizleyebilmiştir. 9 hat sapasağlam durmaktaydı. Durmasa düşman ilerleyip geçerdi zaten. Yazar şöyle devam ediyor: "Ama düşmanların bilemedikleri şey yüce makamlarda hangi planların yapıldığıydı."

'Yüce makamlar', olağanüstü, gizli, ilahi güçler demek. Çünkü bunlar devreye girmeden Müstahkem Mevki Komutanı da, karargâhı da gerekli yere mayın dökmeyi akıl edemiyor. Yazar bu ön bilgiden sonra bildiğiniz hurafeyi anlatıyor: Cevat Paşa rüya görüyor, sonra ilahi ses, derken denizi kaplayan nur, kef ve vav harfleri, bunu yorumlayan nur yüzlü ihtiyar ve 26 mayının denize dökülmesi! Bu mayınların nereye dökülmesi gerektiğini Cevat Paşa sonunda akıl edebiliyor. Karanlık Liman'a döktürüyor.

Düşman donanması 377 mayından temizlenmiş Boğaz'ı düpedüz ilerleyip geçmiyor, nedense kuytu koydan geçiyor, mayınlar patlıyor, zaferi kazanıyoruz. O müthiş 18 Mart deniz zaferi böyle bir hurafeye indirgeniyor. Bu kitapta akla ziyan daha bir sürü hurafe, abartı, yanlış, saptırılmış bilgi var.

Aynı hurafeyi bir başka yazar da kitabına almış, gerçekmiş gibi yansıtıyor. Bu yazarın tarih öğretmeni olması durumu daha trajikleştiriyor.[5] Allah'ın yardım edeceğine, ettiğine inanmak, güvenmek başka şey, ettiğini kanıtlamak için böyle hikâyeler uydurmak başka şey.[5a] Allah'ın bizim yalanlarımıza ihtiyacı yoktur!

Böylesi rehberler, kitaplar Gelibolu'daki şehitliklerde satılıyor. Kafileler halinde çocuklar, gençler Gelibolu'ya getiriliyor, şehitlikler gezdirilirken özel rehberler genç beyinleri bu hurafelerle yıkıyorlar. Gerçek saklanıyor, M. Kemal'in adı bile ağızlara alınmıyor. Bu insancıklar Çanakkale Savaşı'yla ilgili gerçekler hakkında hiçbir şey öğrenmeden, hurafelerin yarattığı zihin bulanıklığı içinde Gelibolu'dan ayrılıyorlar. Gün gelecek bu bilgi ve kafayla Türkiye'yi yönetmeye heveslenecekler. Belki de asker olmak isteyecekler.

Milli Park yönetimi hiçbir önlem almıyor. Gelibolu bir sömürü alanı ve zevksiz bir panayır halinde. O görkemli zafer, o kutsal toprak bunu hak etmiş değil. Tarihe saygılı ve zevkli birileri Gelibolu'ya ve Orhaniye çevresine kesinlikle sahip çıkmalı.

Bu ve benzeri hikâyelerin bir teki bile savaş sırasında, savaş ertesinde, yakın zamanlara kadar herhangi bir anıda, araştırmada, belgede, raporda, makalede, mektupta, haberde, söylentide yer almıyor. Hiçbirinin tanığı, duyanı yok.

Yani hiçbiri gerçek değil. Apaçık uydurma.

Sevgili okurlarım!

Halk muhayyilesi bir zaferi süslemek, yüceltmek için bazı olağanüstü hikâyeler yaratabilir. Bu tıpkı türkü yakmak gibi doğal, güzel, masum bir şeydir. Bunlara menkıbe denilir. Gerçek olmadığı bilinir. Bu nedenle tarih kitaplarında yer almaz. Ancak edebiyat ve halkbilimi bakımından bir değer taşır. Halkın yarattığı birkaç menkıbe var ki onlara ben de kayıtsız kalmadım.

Ama aktardığım bu örnekler, gerçek olmadığı gibi halk yaratısı menkıbe de değil.

Ne bunlar?

Bunlar, yazanlar tarafından yakın zamanlarda, maksatlı olarak uydurulmuş hikâyeler, sahte menkıbeler. Bu durum şöyle özetlenebilir: Çanakkale üzerine menkıbe mi, uydur uydur söyle!

Bunlara göre Çanakkale askeri bir zafer değil, mucizeler sergisi. Askeri bir anlamı, değeri, yüceliği yok. Şehitler boşuna ölmüş. Askeri tarih kitapları boşuna yazılmış.

Bu sahte menkıbeler, uyduruk hikâyeler Çanakkale zaferini basitleştiriyor, masallaştırıyor, gerçek olmaktan uzaklaştırıyor, büyüklüğünü, anlamını zedeliyor, kahramanların, milletin hakkını yiyor, daha önemlisi, zaferin, dirilişin gerçek nedenlerini örtbas ediyor.

Hurafecilik Allah'la yetinmiyor, Çanakkale Savaşı'na Hazret-i Peygamber'i de katıyor.[6] Hazret-i Peygamber 1915 yılında, Çanakkale Savaşı sırasında türbedarının rüyasına girerek demişmiş ki:

"Ben şimdi Medine'mde değilim. Çanakkale'deyim. Çok zor durumda olan asker evlatlarımı yalnız bırakmaya gönlüm razı olmadı. Şimdi onlara yardım ediyorum."[7]

Bu da yetmiyor. Mehmet Gençcan "Çanakkale'ye Anadolu'dan alay alay, tabur tabur erenler, veliler ordusunun geldiğini" de ekliyor.[8]

İnsanın sorası geliyor:

Bir:

Yüce Allah, Hazret-i Peygamber, erenler ve veliler, iki yüz yıldan beri yenilip duran Osmanlı Devleti'ne ve ordularına neden böyle yardım etmediler? Rusya ile savaşlarda, hele Balkan Savaşı'nda acaba neden hiç yardımcı olmadılar? Sarıkamış'ta, Süveyş'te, Filistin'de, Kudüs'te, Suriye'de, Irak'ta, Bağdat'ta, Musul'da niye hiç yardıma koşmadılar?

Neden yalnız Çanakkale Savaşı'nda ordumuza yardımcı oldular, mucizeler, harikalıklar yarattılar, öbür cephelerde hiç yardımcı olmadılar?

Soru iki:

Allah'ın taraf olduğu bir savaş 9 ay sürer mi? Yani İngilizler ve Fransızlar yüce Allah'a 9 ay kafa tutabilecek kadar güçlü müydüler? Bunu düşündürmek Allah'a saygısızlık, kudretine inançsızlık olmuyor mu? Yüce Allah, hurafecilerin anlattığı gibi savaşa katılsaydı, savaş bu kadar uzar mıydı? Bir saniyede bitmez miydi?

Sorulara devam ediyorum.

Üç:

Menkıbelerde anlatılan onca mucizeye rağmen, 3 yıl sonra yenildik, İngiliz ve Fransızlar 1918 Kasımında Gelibolu'yu, Çanakkale'yi ve düşmanın ele geçirmemesi için yüz bine yakın şehit verdiğimiz İstanbul'u işgal ettiler.

Bu durumu nasıl yorumlayacağız?

O hurafeler neydi, bu acı, zavallı sonuç ne? Böylece düşman, yalnız ordularımızı değil, hurafecilerin Çanakkale Savaşı'na sürekli katıldığını ileri sürdükleri yüce Allah'ı, Hazret-i Peygamber'i, velileri, erenleri, dervişleri, nur yüzlü ulu kişileri de yenmiş mi oldu?

Hurafelere inanırsanız, evet!

Önünü ardını düşünmeden hurafe uydurmanın sonu buna varır. Allah'a saygısızlığa, küçük düşürmeye kadar uzanır, Allah'ı İngilizlere yenilmiş gösterir.

Ama tabii ne bu hurafeler doğru, ne de bu sonuç.

Bu hurafeleri üreten kafa hiçbir çağda çağdaş değildir. Görkemli Osmanlı Devleti'ni yiyip bitiren, acınacak duruma düşüren bu kafadır. Şimdi Cumhuriyet aydınlığını karartmaya çalışıyor.

Bu hurafelere ve bu hurafeci kafalara, bu akla, sağduyuya, gerçeklere aykırı anlayışa, tarihçilerden, bilim adamlarından önce gerçek dindarlar, özellikle de Türkiye Cumhuriyeti Diyanet İşleri Başkanlığı karşı çıkmalı.

Hurafe beyni uyuşturur.

Dini de, gerçeği de, masala çevirir.

Bilimi, bilim anlayışını öldürür.

Çanakkale konusunda hurafeciliğe son verileceğini ummak istiyorum. Kitapların hurafelerden temizlenerek yeniden basılmasını diliyorum. Milli Park yönetiminden, şehitliklerin ve anıtların, eğitimli, bilgili, dürüst rehberler eşliğinde gezilmesini sağlamasını, bu işi ciddi denetim altında tutmasını rica ediyorum.[9]

Çanakkale'nin hurafeye, yalana, abartıya, bulutlara, sislere, rüyalara, keflere, vavlara, kısacası uydurma olağanüstülüklere ihtiyacı yoktur.

Kendi olağanüstüdür.

İnançlılar bu olağaüstülükte birçok ilahi anlamlar, işaretler bulabilir. Hurafeler uydurmaya hiç gerek yok!

Uyduruk tarihle uyduruk gençlik yetişir. Uyduruk gençlik de güçlü yabancıyı 'efendi' bilen, işgalcinin elini öpen sömürge gençliği, büyüyünce de sömürge yöneticisi, sömürge politikacısı, sömürge öğretmeni, sömürge işadamı, sömürge yazarı, sömürge tarihçisi olur.

Çanakkale hakkında dördüncü tür diyeceğim bir yaklaşım daha var. Ona da değinmeliyim. Bu yaklaşımı abartı diye özetleyebiliriz. Birinci örnek:

Birçok yazı ve konuşmada şehit sayısı 250.000'den aşağı düşmüyor. Bu, abartılı, gerçeğe aykırı bir sayı. Doğru değil. Ama bu yanlışa Çanakkale ile ilgili her anmada, törende, seminerde rastlanıyor. Devlet adına konuşanlar bile bu yanlışta direniyorlar. Gerçek sayıları son bölümde vereceğim.

İkinci örnek:

Çanakkale'yi Milli Mücadele'yi gölgede bırakacak, neredeyse silecek kadar abartmak.

Hayır!

Taşları doğru yerine koymalıyız.

Çanakkale'nin, tarihin uğursuz akışını durdurarak, geciktirerek Milli Mücadele'ye zaman ve millete özgüven kazandırdığı, Kuva-yı Milliye ruhunu hazırladığı doğrudur. Ama bu uğursuz akışı geri çeviren Milli Mücadele'dir.

Çanakkale'de emperyalistleri elimizden kaçırmıştık. Milli Mücadele'de denize döktük, galipleri Lozan'ı imzalamak zorunda bıraktık, üzerimizdeki bütün ipotekleri kaldırdık. Milli Mücadele yalnız bir Kurtuluş Savaşı değil, Çanakkale'nin de görkemli bir rövanşıdır.

Çanakkale, Milli Mücadele ve Cumhuriyet, bir büyük sürecin, biri ötekine milyonlarca can ve kan damarıyla bağlı üç büyük aşamasıdır. Bunları birbirinden ayırmaya, maksatlı olarak karşılaştırmaya kalkışmak, bütünlüğü parçalamak, gerçeğe ihanet etmektir.

***

Çanakkale ve Gelibolu'ya 1960'lı yıllarda iki kez gitmiştim. 2006 sonbaharında iki kez daha gittim. Asya yakasındaki Kumkale'yi, Orhaniye'yi ve öteki tabyaları, konunun uzmanı bir dostla birlikte gezdim. Gelibolu yarımadasındaki tabyaları, savaş alanlarını, yerleşim noktalarını, limanları ve şehitlikleri yine uzman bir rehberle dolaştım.

Yüzlerce fotoğraf çektim.

Çanakkale'yi yaşamaya başlayınca, **Diriliş**'i yazmaya oturdum.

Çanakkale Savaşı'nı ve o dönemi en iyi özetleyen ve sonrasını sonsuza açan sözcüğün **Diriliş** olduğunu düşünüyorum.

Çanakkale Birinci Dünya Savaşı içindeki büyük savaşlarımızdan en önemlisi, örneği olmayan bir savunma zaferidir. Yazık ki bu zafer Birinci Dünya Savaşı'ndan galip çıkmamıza yetmedi. Dört yıl süren bu acımasız savaşı yenik ve ezik bitirdik. İstanbul yönetimi o uğursuz Mondros Mütareke Anlaşmasını imzalamak zorunda kaldı. Galipler dört bir yandan Türkiye'ye girdiler, Gelibolu ve Çanakkale'yi de işgal ettiler. O gazi tabyalara, gazi toplara el koydular. Subaylarımız ve askerlerimiz tabyaları ve topları ağlayarak galiplere bırakıp çekildiler.

Eğer Çanakkale Savaşı, bazı özellikleri olmasaydı, o acı yenilgiler içinde bir teselli olarak kalacak ve hüzünle anılacaktı. Ama geleceği kuran büyük özellikleri dolayısıyla unutulmaz bir diriliş, yeniden doğuş anıtı olarak yükseliyor.

Diriliş'te bu özellikleri yansıtmaya çalışacağım.

Çanakkale de tıpkı Milli Mücadele gibi bir yazarın hayal gücüne ihtiyacı olmayan bir destan. **Diriliş** de, Şu Çılgın Türkler gibi, gerçeklere, belgelere ve dürüst tanıklıklara dayalı bir çalışma. Pek çok bilgi derledim, birçok anı dinledim. Birçok kahraman, birçok ilginç olay var! Hepsini işleyemeyeceğim için çoğunu üzülerek feda ettim. Böyle yapmasam kitap birkaç cilt olurdu. Yanlış bilinen önemli olayların doğrusunu anlattım. Çok bilinen, doğru sanılan ama gerçek olmayan olaylara, masallara yer vermedim. 'Çanakkale olayı'nın nasıl damla damla oluştuğunu yansıtmaya çalıştım.

Bazı bilgiler gereksiz diye düşünülebilir. Bu ayrıntılara bilerek yer verdim. Çünkü Çanakkale'yi ve sonrasını işte bu damlalar, adımcıklar, noktalar, ayrıntılar oluşturuyor.

Kolay okunması için **Diriliş**'i de bir belgesel roman gibi kurguladım. Belgeler, bilgiler, raporlar, emirler, anılar, mektuplar, haberler, yazılar, kronolojik bir sıralama içinde öyküleştirildi.

İlke olarak bütün kişiler gerçektir. Bulabildiklerimin soyadlarını belirttim. Hayal ürünü pek az kişi var. Orhan ile Dilber dışındakiler, benzeri çok olan tipik kişiler. Gerçek kişilerden çoğu ve hayal kişilerden bazıları ile **Şu Çılgın Türkler**'de de, üçlemenin sonuncu kitabı **Cumhuriyet**'te de karşılaşacaksınız.

Diriliş bir askeri tarih kitabı değildir. Ama ana konusu Çanakkale Savaşı, kısacası savaş. Savaşları ve cepheyi anlatırken insanlara öncelik verdim. Karmaşık olayları ana çizgiyi koruyarak özetledim. Zorunlu olmayan ayrıntıları ve yer adlarını kullanmadım. Askeri terimlerin bir kısmını, herkesin anlaması için günlük dile dönüştürdüm. Bazı gerekli bilgileri dipnot olarak sundum.

Büyük çıkarmanın yapıldığı 25 Nisan 1915 günü, Çanakkale Savaşı'nın en uzun, en önemli, en anlamlı günüdür. 'Olmak ya da olmamak' günüdür. Bu gün savaşın geleceğini belirler. İki yan için de kızılca kıyamet günü olan 25 Nisanı eksiksiz anlatmak çok zor. Bu kıyamet bir yerde değil, aynı anda birçok yerde birden yaşanıyor. Bu olağanüstü günü dikkate değer ayrıntıları feda etmeksizin, zaman dilimlerine bölerek, ileri geri giderek, anlatmaya çabaladım.

Savaşın 6 Ağustos günü başlayan ikinci dönemi de birincisi gibi. Kıyamet bir yerde değil birkaç yerde birden yaşanıyor. Bu günü ve sonrasını da, yine önemli ayrıntıları feda etmeksizin zaman dilimlerine bölerek anlattım.

Ey sevgili gençler!

Bu savaşları, lütfen sabırla, dikkatle, düşüne düşüne okuyunuz. Bunları heyecanlı, kanlı savaş sahneleri anlatmak için değil, hele savaşı övmek için hiç değil; irade, akıl, buluş, yurtseverlik, milli duruş, bilinç, sebat, kararlılık, inanç, benlik, gerçek kahramanlık, insanlık ve karakter sergisi oldukları için, bir milletin dirilişinin, uyanışının aşamalarını oluşturdukları için anlattım, bilmenizi istedim.

Karşımızdakiler dünyanın dörtte üçüne egemendi. Çok güçlü, çok zengin, çok etkiliydiler.

Atalarımız bu kudreti yendiler.

Bu olağanüstü zaferi hikâye ederken olayları hiç abartmadım. Ucuz kahramanlık hikâyelerine, hamaset edebiyatına, şovence anlatıma hiç yer vermedim. Sahte kahramanlar yaratmadım. Şu var ki belgelerdeki bilgileri sıralayıp aktarmakla yetinmedim. Biraz farklı bir şey yaptım: Askeri tarih kitaplarının ve anıların satır aralarını, arka planlarını hayal etmeye, görmeye, somutlaştırmaya, yaşamaya ve yansıtmaya çalıştım. Tarihin adını vermediği bazı kahramanlara ad verdim. Dikkatten kaçmış bazı olayları öne çıkardım.

Öyle harikalıklar var ki yazarların hayalleri, onların yanında çok soluk kalır. Gerçek kahramanları ve kahramanlıkları anlattım.

Dayandığım kaynakları gösterdim.

Koyu renkli **dipnotlar** sözcük açıklamalarıdır ya da 'haritaya bakınız' gibi uyarıları içermektedir.

Dipnotlarda genel konularla ilgili kaynakları açıklarken, hepsini değil, ancak başlıcaları belirtmekle yetindim.

Birçok sayfayı, o kan deryası içinde, yarı aç, yarı tok, yurtlarını ve insanlıklarını koruyan kahramanlara duyduğum saygı ve minnet nedeniyle gözlerim yaşara yaşara yazdığımı söylemeliyim.

Diriliş'i yazarken bazı şehitlerin omuzbaşımda durdukları, yazdıklarımı denetledikleri duygusuna kapıldığım çok oldu. Bu nedenle de her satırı, bu duygunun etkisi altında, yanlış olmaması, yanlış anlamaya yol açmaması için birçok kez elden ve gözden geçirdim.

Karşı yanın kahramanlarını belirtmeyi de ihmal etmedim. Ayıplarımızı ve başarısızlıklarımızı da gösterdim.

Çanakkale cephe gerisiyle bir bütündür. Dirilişi bir bütün olarak yansıtabilmek için cephe gerisine de yer verdim. Belli başlı olaylara, tartışmalara, etkisi günümüze kadar uzanan akımlara, toplumsal çekişmelere dokundum. Özellikle kadın hareketini yansıtmaya önem verdim. Türk kadın hareketi 19. yüzyılda başlamış, gelişerek sürmüş, 1914-1918 arasında hızlanıp güçlenmiş, Cumhuriyet'le zafere ulaşmıştır.

Ermeni sorununu, başlıbaşına bir konu olduğu için bu çalışmanın kapsamı dışında tuttum. Birkaç evresine dokunmakla yetindim.

Yoğunluğu sağlamak ya da durumu özetlemek için bazı olayları birleştirdim. Hurafelere değil ama halkın yarattığı menkıbelere yer verdim.

Bazı olayları okuma kolaylığı için gerçeği etkilemeyen küçük eklerle, ayrıntılarla süsledim.

Kitapta adı geçen her başlıca yer, kitabın sonundaki büyük haritada var. Boğaz'la, Gelibolu ve Çanakkale ile ilgili olayları, anlatımları o haritayı izleyerek okumanızı dilerim. Daha ayrıntılı, yakın plan haritalar, krokiler ise kitabın içinde, konuyla ilgili sayfalarda.

Çanakkale olayının doğru anlaşılması için Çanakkale Savaşı'ndan önceki olayların anlatıldığı 'Başlangıç' bölümünü genişçe tuttum. Özellikle gençlerimize yararlı olmak için açıklamalara yer verdim. Bazı kolay bulunabilir kitaplar da önerdim. Çünkü hayli zihin karıştırıcı kitap var.

Kendi tarihini çarpıtan, abartan, küçülten, yalanlarla kirleten yazarlar, aydınlar yeryüzünde yalnız bizde bulunuyor.

Yalan oldukları besbelli olan bu yazılara inananlar da yazık ki az değil.

Ne utanç verici ve üzücü bir durum.

Gerçeğe saygısı olmayanın hiçbir şeye saygısı olmaz. Aklı olan, hangi amaçla olursa olsun yalan söyleyenden korkar ve uzak durur.

Çanakkale hakkındaki her kitabı okudum diyebilirim. Yararlanamadıklarım ile uyduruklara kaynakçada yer vermedim.

Sevgili okuyucularım!

Diriliş, üçlemenin ilk kitabı oluyor.

2007 yılı Mayıs ayından 2008 yılı Ocak ayı sonuna kadar sekiz ay içinde bir-iki zorunlu kısa çıkış dışında evden hiç çıkmadım, kitaba son biçimini vermeye çalıştım.

Diriliş ile sizlere, gurur ve ibret verici olaylarla dolu o unutulmaz, olağanüstü, geleceği hazırlayan büyük dönemin gerçek ve doğru resmini sunmayı amaçladım.

Saygı ve sevgilerimle.

Turgut Özakman
Mart 2008, Ankara
tozakman@bilgiyayinevi.com.tr

Başlangıç

27 Temmuz 1914-27 Ekim 1914

25 TEMMUZ 1914, Cumartesi. Sadrazam (Başbakan) Sait Halim Paşa, Sultan Reşat'ın Başkâtibi Ali Fuat Bey'e masasının önündeki koltuğu gösterdi:

"Buyrun!"

"Teşekkür ederim efendim."

Ali Fuat Bey ellerini kucağında birleştirerek saygıyla koltuğa ilişti. Osmanlı İmparatorluğu'nun ikinci adamının huzurundaydı. Bir saat kadar önce telefon ederek 'çok önemli ve gizli bir iş için' hemen Sadrazamlığa gelmesini rica etmişti. O da Padişahtan izin alarak uçar gibi gelmişti. Sadrazamın yüzüne baktı. Sait Halim Paşa'nın yüzü her zamanki gibi donuk, gözlerinin altı çürüktü. Uzun bir sessizlikten sonra, "Beyefendi.." dedi, "..şimdi söyleyeceğim işi bu aşamada bir Padişah, bir ben, bir de siz bileceksiniz."

Bakışları sertleşti:

"Herhangi bir şekilde duyulursa ikimiz de sorumlu oluruz. Son kurtuluş ümidimiz de biter."

Hırıldayarak bir soluk aldı:

"Önce İtalyanlara, sonra da Balkanlılara yenildik. İki koca ordumuz dört küçük Balkan devletinin askerlerinin önünde dağıldı, bozguna uğradı. Düne kadar birer ilimiz olan bu devletçikler, kısa bir süre içinde bizi yenecek kadar ilerleyip gelişmişler. Bizse uyumuş, daha da gerilemişiz. Bize 'Hasta Adam' diyorlar.[1] Hasta değil, çok hastayız. Bizi bu hale düşürenlere lanet olsun! Avrupa bir büyük savaşın eşiğinde. Ordumuz hazır değil. Bir tek müttefikimiz bile yok. Bir dost edinebilmek için yalnız büyük devletlere değil, Yunanistan'a bile yanaştık. Biri bile yüz vermedi."

Bildiği halde, bu acıklı durumu, bu onur kırıcı yalnızlığı en yetkili kimsenin ağzından işitmek Ali Fuat Bey'in içini titretti. Sait Halim Paşa yutkundu:

"Bu görüşmelerden biri sonuç verecek gibi görünüyor. Almanya ile Rusya'ya karşı bir savunma anlaşması yapmak ümidi belirdi. Eğer gerçekleşirse bu anlaşma devletimizin geleceğini kurtaracaktır. Durumu gizlice Padişahımıza arz ediniz ve görüşmeleri resmi olarak sürdürebilmem için beni yetkilendirmesini sağlayınız."[2]

Ali Fuat Bey toparlandı:

"Başüstüne efendim. Yetki belgesini bugün imzalatır, getirip takdim ederim."

"Teşekkür ederim."

Kalktılar. Bakışları buluştu.

İki namuslu Osmanlının gözleri ümit ve korkuyla yaşardı.

***

Balkan Savaşı Meşrutiyet'in ilanından dört yıl sonra patlak verdi. Dört yıl hızla geçmiş, halk özgürlüğün tadını çıkaramadan ardarda gelen acı olayların içinde kalmış, sorunlar birikmiş, dertler çoğalmış, devlet daha da zayıflamıştı.

Ekim 1912'de küçük Karadağ devletçiği Osmanlı Devleti'ne savaş ilan etti; savaş Yunanistan, Bulgaristan ve Sırbistan'ın da katılmasıyla büyüdü.

Başkomutan Nazım Paşa iki büyük orduyu savaşa sürdü. Gösteriler, fiyakalı demeçler Türk ordularının bu dört devleti de kısa zamanda hizaya getireceğini düşündürüyordu.

Bunca yıllık koca devlet dört kıtırık devlete yenilecek değildi ya. Büyük devletler küçük Balkan devletleri adına telaşa düştüler. Ama boşuna telaşlandıkları anlaşıldı.

İki büyük ordu da komutanların ve eğitimin yetersizliği dolayısıyla ardarda bozguna uğradı. Batı ordusunun artıkları Arnavutluk'a sığınabildi, öteki ordu İstanbul'un kapısı Çatalca'ya kadar kaçtı. Bu kaçak selini durdurmaya çalışanlar bozgun selinin altında kaldılar.[3]

Selanik tek kurşun atılmadan Yunanlılara, Kırklareli Bulgarlara teslim edildi. Rumeli ve Ege adaları bütünüyle elden çıktı. Bu, toprağın yüzde otuzu, nüfusun yüzde yirmisi demekti. Yanya, İşkodra ve Edirne kuşatma altında direniyordu. İmdada yetişecek kuvvet olmadığı için üçü de yiyecek ve cephane bitince teslim olacaklardı.

500 yılda kazanılan topraklar birkaç hafta içinde yitirilip gitmişti. Orduların birçok topu, cephanesi, yiyeceği, atı, arabası bu küçük devletlerin eline geçti. Birçok esir verildi.[4]

Bulgar ordusu ilerleyip İstanbul'un burnunun dibine, Çatalca'ya kadar geldi. Çatalca'da toplanan ordu artıkları son bir gayretle Bulgarları durdurdular. O da yorulmuştu zaten, cepheyi zorlamadı.[5] Çatalca hattında biriken askerleri bu kez de önce dizanteri, sonra kolera salgını kırmaya başladı.[6]

Herkes dehşet içindeydi.

Kanuni Sultan Süleyman'ın o büyük, o görkemli, o güçlü, o yenilmez İmparatorluğu, ne olmuştu da gerileye gerileye, küçüle küçüle, sonunda bu yoksul, güçsüz, acıklı duruma düşmüştü?

Dünya tarihinde, Kanuni dönemindeki gibi bir zenginliği, güçlülüğü, gelişmişliği elde ettikten sonra bu zavallı duruma düşmüş bir tek devlet yoktu.

Bu olumsuzluğu yalnız Osmanlı yönetimleri başarmıştı.[7]

Ordu genel olarak çağdışıydı. Yeni savaş usullerini bilen komutan yok gibiydi. Ordu yekpare değildi. Çeşitli siyasi ve duygusal akımlar yüzünden, tıpkı halk gibi paramparçaydı. Disiplin zayıf, asker şevksiz, silahlar eskiydi. Donanma Haliç'te, ordu kışlada çürütülmüştü.

Yalnız ordu değil, tüm ülke çağdışıydı. Sanayisiz, yolsuz, yoksul, sağlıksız, eğitimsiz, geri, ilkel bir tarım ülkesi, bir yarı-sömürgeydi. Yeraltı servetleri, yerüstü imkânları, bütün ekonomik kurumlar yabancıların elindeydi.[8]

Düşkün bir soyluya benziyordu.

Devlet bitmekteydi.

Bunun saklanacak, gizlenecek bir yanı kalmamıştı. Şimdi sorunları çözmeye yönelmek gerekiyordu. Evlerde, işyerlerinde, derneklerde, kışlalarda, okullarda, kahvelerde çözüm yolları konuşuluyor, gazetelerde, dergilerde tartışılıyordu. Çeşitli kurtuluş reçeteleri ileri sürülmekteydi.

Artık üstünkörü değil, ciddi, köklü, kurtarıcı bir şeyler yapmanın, akıl çağını başlatmanın şart olduğunu anlayanlar günden güne çoğalıyordu.

Dini çok dar ve katı yorumlayan, içtihat kapısını kapanmış sayan, her yeniliğe karşı çıkan, yaygın, kökleşmiş bir anlayış vardı.[8a] Bu anlayışı yenmek, aşmak, geleneksel temeller üzerine kurulu durgun, kadınsız toplumu uyandırmak, çağın gereklerine açmak gerekiyordu.

Bu tartışmalarla birlikte kadın hareketi de başlamış, dönemin elverdiği hızla gelişiyordu. Öncü hanımlar, 'kadının artık saygı görmesini, eşit haklara sahip olmasını, hayata katılmasını, okuyabilmesini, çalışabilmesini, peçeden-çarşaftan kurtulmasını' sağlamak için çabalıyor, dernekler kuruyor, toplantılar düzenliyor, dergiler çıkarıyorlardı.[9]

Enver Bey

Erkek ya da kadın ham sofular, en çok kadın hareketinden rahatsızlardı.

Toplum bu çalkantılar içinde gerine gerine, gözlerindeki çapakları sile sile, debelenerek, inleyerek, çatırdayarak, acı çeke çeke yüzlerce yıllık uykudan uyanıyordu.

Bir yandan da sorunlar ve acılar üst üste yığılmaktaydı. Laf boldu ama bir şey yapabilmek için ne hükümette enerji vardı, ne de hazinede para. Yaralılar hastanelere sığmıyor, yüzlerce yıllık köklerinden sökülen, koparılan göçmenler İstanbul'a akıyor, cami avlularına sığınıyorlardı.

İstanbul ölü evi gibiydi.[10]

Büyük devletlerin Edirne'nin Bulgarlara verilmesi görüşünde oldukları anlaşılmıştı. İşbaşında büyük devletlere boyun eğmeye alışık 80 yaşındaki Sadrazam Kâmil Paşa ve onun çare üretmekten aciz hükümeti vardı. Aydınlar bu hükümete 'darülaceze' adını takmışlardı. Oysa şartlar dinamik, cesur, kararlı bir yönetim istiyordu. Hükümetin barışı sağlamak için Edirne'yi gözden çıkardığının duyulması bardağı taşıran damla oldu.[11]

'Hürriyet kahramanı' diye ünlü Yarbay Enver Bey, hükümeti değiştirmek için bir avuç İttihatçı ile birlikte Sadrazamlığı bastı. Sadrazamı istifaya zorladı.[12] İstifayı alıp saraya gitti, Padişahın Mahmut Şevket Paşa'yı Sadrazamlığa atamasını sağladı.[13]

İttihat ve Terakki Partisi, Enver Bey'in neredeyse tek başına gerçekleştirdiği bu darbe ile iktidara geldi. 1918 yılı Ekimine kadar iktidarda kalacaktır.[14]

Öncelikli sorun Edirne'yi geri almaktı.

Mahmut Şevket Paşa

Ayrıca evin içini de düzenlemek gerekiyordu. Ne var ki Mahmut Şevket Paşa'da da, İttihatçılarda da, devleti yenileyecek, köklü ve geniş atılımlar yapacak ufuk genişliği ve birikim yoktu.

Orduyu ele almakla yetindiler.

Büyük komutanlar, ordunun yenilenmesi ve çağa uydurulması konusunda kendilerini yeterli bulmadılar. Almanya'dan ordunun yeniden düzenlenmesi ve yeni usullere göre eğitilmesi için bir reform kurulunun gönderilmesi istendi.[15] Yenilginin her şeyi unutturan acısı içinde orduyu yabancıların eline teslim etmenin çok pahalıya mal olabileceği düşünülmedi.

Almanya'nın Anadolu, Mezopotamya ve Asya üzerinde hayalleri vardı. İmparator II. Wilhelm bu isteği olumlu karşıladı. Alman hayallerinin gerçekleşmesini kolaylaştıracak çok iyi bir fırsat olarak gördü.

Görüşmeler sürerken, Harbiye Nezareti ve Genelkurmay Başkanlığı da boş durmadı, Balkan Savaşı'ndan çıkarılan derslere dayanarak orduda iyileştirici önlemler almaya başladı. Ordunun örgütlenmesi, asker alma usulleri, seferberlik esasları gibi çok önemli konular yeniden düzenlendi, çağa uyduruldu. Ama para yetersizliğinden ancak çok zorunlu sayıda silah ve cephane ısmarlanabildi.[16] Birkaç suçlu, yetersiz komutan emekli edildi. Daha köklü bir karar alınması gerekiyordu ama buna cesaret edemediler.

Donanma, eğitmesi için İngiliz Amirali Limpus'a emanet edilecek, havacılığa önem verilecekti.[17]

Bu iyileştirmeler yapılırken halka bir sessizlik çökmüştü. Görünüşe bakılırsa halkın yenilgiyi içine sindirdiği sanılabilirdi.

Bunun çok yanlış bir sanı olduğu kısa zamanda anlaşıldı.

Barış görüşmelerinde Osmanlı temsilcilerinin itirazlarının da, sızlanmalarının da kabul edilmediği, son taşına kadar Müslüman ve Türk olan Edirne'nin kesin olarak Bulgarlara verildiği öğrenildi. Bu acımasız, haksız, katlanılmaz karar, dünyaya egemen büyük devletlerin ortak dayatmasıydı. Mahmut Şevket Paşa hükümeti de büyük devletler önünde boyun eğerek barış andlaşmasını imzaladı.[18]

Batılıların 'salibin olan toprak hilale geri dönmez' ilkesi gereğince Edirne sonsuza kadar Bulgarların kalacak demekti.[19] Bu haberin, devletinin ve ordusunun aczini öğrenen toplumu yıkması, bitirmesi, sesini soluğunu kesmesi, mücadeleden düşürmesi beklenirdi.

Öyle olmadı.

Batının Türkiye ve Türkler hakkında hiçbir zaman doğru tahmin ve tanıda bulunamayan politikacıları yine şaşırdılar. Haksız karar, beklediklerinin tam tersi sonuç verdi:

Müthiş bir millilik, yurtseverlik patlaması oldu!

Milliyetçilik akımı bütün milletleri ve dünya siyasetini etkilemiş, siyasi coğrafyayı değiştirmiş, Almanya, İtalya gibi küçük devletçikler halinde yaşayan milletleri büyük tek devlette birleştirmiş, çok milletli imparatorlukları ise parçalamaya başlamıştı. Bunların ilki Osmanlı İmparatorluğu'ydu. Balkan milletleri ayaklanarak bağımsızlıklarını kazanmışlar, son olarak Arnavutlar da İmparatorluktan ayrılmışlardı. Araplar bile ayrılıkçı örgütler kurmaktaydılar.

İmparatorlukların son dönemiydi. Milli devletler çağına girilmişti.

Milliyetçilik akımı en son Türkleri etkilemiş, özellikle emperyalizme, Balkan ve Arap ırkçılığına karşı bir tepki olarak büyümüş, kollara ayrılmış, haklı, güzel, yanlış, tehlikeli, her çeşidiyle de yayılmaya başlamıştı.

Devleti kuran, ayakta tutan ve büyük çoğunluk olan Türkler uzun zaman, bölünmeye yol açar kaygısıyla Türk adının kullanıldığı bir dernek kurmaktan bile kaçınmışlardı. Türk milliyetçileri İmparatorluğu sarsan millilik akımları içinde hak ettikleri yeri almaya dikkat ederken, Selçukluların ve Osmanlının dinlere ve ırklara hoşgörülü bakışını korumaya da çalışmaktaydılar.

Ama bazı çevreler Türklerin bu akımın en masum çeşidine bile kapılmasını istemiyor, bunu tehlikeli buluyorlardı.[19a]

Ama artık engellemeleri, durdurmaları mümkün değildi.

Milli duyguları besleyen, coşturan şiirler dilden dile geziyor, marşlar besteleniyor, dil sadeleşiyor, Türk dili ve tarihi hakkında yazılar çevriliyor, yazılıyor, fakültelerde, Türk Ocağı'nda, derneklerde verilen konferanslar dolup taşıyordu.[20] Yalnız millet değil, bütün unutulmuş, unutturulmuş önderleri, kahramanları, bilgeleri, ozanları ile Türk tarihi de canlanıyordu. Türklük, devşirme, dönme yöneticilerin, levantenlerin, büyük devletlerin, milli duygudan ve bilinçten yoksun Osmanlı aydınlarının, Arapçıların, ümmetçilerin yüzlerce yıllık çabalarını yırtarak, dağıtarak, bir yeraltı ırmağının yeryüzüne fışkırması gibi gürleyerek, yeniden doğuyordu.

Bu hava özellikle İstanbul çevresindeki kışlaları da sarmıştı. Asker bu yeni ruhla eğitiliyordu.[21]

Türk, Dede Korkut ocağından gelme aksakalların, bilgelerin ve ozanların yardımıyla unuttuğu kimliğini, benliğini buluyor, tarihine sahip çıkıyordu. Çok eski, büyük, geniş, olağanüstü maceralar yaşamış, uzun yollar aşmış, devletler kurmuş bir millet olduğunu algılıyor, bir kimlik ve duruş kazanıyordu.

Milli duygu milli bilince dönüşüyordu.[21a]

Kadın da evden dışarı çıkmıştı. Yardım ve eğitim dernekleri kuruyor, özel okullar açıyor, dergiler çıkarıyor, toplantılar yapıyordu. Artık hiçbir güç onu yeniden eve kapatamazdı.

O günlerde şaşırtıcı bir olay oldu: Pelerinli siyah çarşafları, topuklu rugan ayakkabıları, uzun, beyaz eldivenleri, buğu gibi peçeleri ile üç İstanbul hanımı Türk Ocağı'ndaki bir konferansı dinlemeye geldiler. Hayal gibi geçip bir köşeye oturdular. Büyük bir saygı ve dikkatle konuşmacıyı dinlediler. Bunlar Nezihe Muhittin Hanım'la kendi gibi yürekli iki hanım arkadaşıydı.[22]

Nezihe Muhittin

Birçok erkeğin şaşkınlıktan dili tutuldu. Bugüne kadar böyle bir durumla hiç karşılaşılmamış, kadınların bir erkek toplantısına katıldıkları hiç görülmemişti.

Hayata her gün bir yeniliğin eklendiği o büyük değişim dönemi yaşanıyordu.[23]

31 Mart gericilik ayaklanmasının arkasındaki eylemci kara anlayış sindirilmişse de yok edilememişti. 31 Mart artıkları gizli gizli biraraya geldiler. Milli patlayış hepsini ürkütmüştü. Kadınların uyanışı da rahatsız ediyordu. Bu gidişi durdurmak şarttı. Hazır Edirne'nin elden çıkması gibi harekete geçmek için iyi bir bahane de vardı. Sonunda korkunç bir karara vardılar:

Bu gidişin sorumlusu olan İttihatçı liderleri öldürmek!

Geniş, ayrıntılı bir hazırlık yapıldı. Amaç İttihatçıları siyasi hayattan silmek, kendi anlayışları doğrultusunda bir hükümet ve düzen kurulmasını sağlamaktı.

Vakit yitirmeksizin eyleme geçildi.

İlk olarak 12 Haziran 1913 günü, Sadrazam Mahmut Şevket Paşa arabasıyla Beyazıt Meydanı'ndan geçerken, çok ustaca bir düzenle durduruldu ve öldürüldü. İz bırakmadan kaçacaklardı. Plan bu dikkatle hazırlanmıştı. Ama suikastçılardan biri yakalandı ve konuştu.

Suçluların çoğu ele geçti, birkaçı yurtdışına kaçtı, geniş tutuklamalar yapıldı, darağaçları kuruldu. Hürriyet ve İtilaf Partisi sustu, kimi yurtdışına gitti, kimi sürüldü, çoğu sindi. Politik hayat denetim altına alındı.[24]

Sait Halim Paşa Sadrazam oldu. Kültürlü, olgun, efendi bir insan, Mısır asıllı dürüst bir Osmanlı, yumuşak bir devlet adamıydı. Bu büyük çalkantıdan sonra ihtiyaç duyulan sakinliği sağlayacağı umuluyordu. Barışın sürmesini güven altına almak için Ege'de ve Karadeniz'de Yunan ve Rus donanmalarına karşı dengeyi korumak gerekiyordu. Bu amaçla İngiltere'ye iki modern savaş gemisi ısmarlanmasına karar verildi. Gemilerin bedeli 7 milyon lira tutuyordu. Hazinede ilk taksiti ödeyebilecek kadar bile para yoktu. Donanma Cemiyeti aracılığı ile halktan yardım istendi.

Bu istek büyük heyecan uyandırdı. Yeni bir yenilgi onursuzluğu ve acısı yaşamak istemeyen halk harekete geçti. Ortam zaten hazırdı. Heyecan köpürerek, dalga dalga yayıldı.

Parası olanlar para veriyordu. Birçok kadın mücevherlerini verdi. Elleri dar olanlar ve yoksullar da bu heyecan verici hareketin dışında kalmadılar. Kimi çeyizini armağan etti, kimi kefen parasını bağışladı, kimi dilenip verdi. Öğrenciler yayan yürüdüler, yavan ekmek yediler, küçücük harçlıklarını bu büyük özveriye kattılar.

Tarihin yazık ki adını kaydetmediği kimsesiz, yoksul bir kadın da unutulmayacak bir kahramanlık yaptı. Beyoğlu berberlerinin peruka (takma saç) yapmak için parasıyla saç aradıklarını duymuştu. Müslüman Türklerde kadınlar genellikle saçlarını kesmez, kesenlere iyi gözle bakılmazdı. Ama uzun saçından başka varlığı yoktu. Cepheden gelen yaralıları, iniltileri kesilmeyen göçmenleri, caddelerden yenilginin utancı içinde başları eğik geçen namuslu subayları düşündü. Günahsa günaha girmeyi, ayıplanmayı, hor görülmeyi, çirkin olmayı göze aldı, o kadar sevdiği saçlarını ağlaya ağlaya dibinden kesti. Rum berbere sattı, aldığı üç kuruşu koşa koşa Donanma Cemiyeti'ne yetiştirdi.

Olay duyulup yayıldı.

Birçok kimsesiz kadın, yoksul kız da saçlarını satıp aldıkları parayı Donanma Cemiyeti'ne helal ettiler. Halk yüzlerce yıllık durgunluğu üzerinden atmıştı. Bir milli heyecanı paylaşıyordu. Hiçlikten birey olmaya yükseliyorlardı.

Sultan Osman ve Reşadiye adı verilen savaş gemileri sipariş edildi.[25]

Türkleri kızdıran barış andlaşması, Balkan Devletlerini de memnun etmemişti. Adım adım gelişen anlaşmazlık kördüğüm oldu. Yunanlılar, Sırplar ve Romenler, Bulgarlarla savaşa tutuştular.

Bu bir fırsattı.

Hükümet lanetli barış andlaşmasını çiğnemeyi göze aldı. Büyük devletlerin tehditlerine kulak asmadı. Büyük devletlerin alttan aldıkça azdıklarını öğrenmişlerdi. Ordu can havliyle ileri atıldı, Meriç nehrine kadar bütün Trakya'yı, Rumeli'nden kalan son yadigâr Edirne'yi geri aldı. Bazı özel birlikler Meriç'in batısına da geçtiler.[26]

Çatalca ve Gelibolu Kolorduları Edirne'ye birlikte girmişlerdi. Çatalca Kolordusunun öncü birliğinin başında Kolordu Kurmay Başkanı Yarbay Enver Bey, Gelibolu Kolordusunun öncü birliğinde de Kolordu Kurmay Başkanı Yarbay Fethi Okyar ve Harekât Şubesi Müdürü Binbaşı M. Kemal vardı.

İttihatçı yönetim kendi liderleri dışındaki kimselerin ün kazanmasına izin vermezdi. Bu kez de böyle oldu. Yarbay Enver Bey Edirne Fatihi olarak parlatıldı. Başka hiç kimsenin adı anılmadı. Enver Bey'in ünü iyice yayıldı. Herkesin tanıdığı, saydığı bir milli kahraman oldu.

Fethi Bey elçi, M. Kemal ataşemiliter olarak Sofya'ya atanarak göz önünden uzaklaştırıldılar.[27]

Edirne'nin alınışı, bütün yurdu düğün evine çevirdi. Büyük devletler bu oldubittiyi kabul etmek zorunda kaldılar. İlk kez salibe geçmiş bir toprak hilale geri dönmüştü. Bu olay İttihatçı liderlerde eski toprakları geri alma hevesi uyandıracaktı.

Bu günlerde, şartların zorlaması sonucu İstanbul'da Kız Öğretmen Okulu açılmıştı. Alınacak öğrenci sayısı sadece 28 kişiydi. 300 kız başvurdu. Kadınlar Dünyası adlı dergi bu günü özetle şöyle anlatacaktı:

"Bugün okul mahşer halini aldı. Anneler, yöneticilerin, öğretmenlerin ayaklarına kapanarak çocuklarının okula kabul edilmesi için yalvarıyorlar. Anladık ki millet uyanmıştır, okumanın değerini anlıyor, okumak için açılan kapıya hücum ediyor ama devlet uyuyor."[28]

Bu başvuru patlaması, uyuyan devleti uyandıracak, bazı olumlu adımlar atmasına neden olacaktı. Bu konudaki en önemli olay 7 Şubat 1914 günü yaşanacaktır.

O önemli güne birkaç aşamadan geçilerek üç ay sonra ulaşılacaktı.

Alman Reform Kurulu Başkanı Tümgeneral Liman von Sanders ve kurulun ilk üyeleri 1913 Aralık ayında İstanbul'a geldiler.[29]

Türk subayları tarafından saygı ve ümitle karşılandılar. Çünkü kimse bir daha Balkan Savaşı'ndaki o utanılacak durumlara düşmek istemiyordu. Çoğunluk yoğun bir çalışmaya razıydı. Türk kurmaylar, ordunun yeni usulleri öğrenmesi ve kendine gelebilmesi için en az iki yıla ihtiyaç olduğunu hesaplamışlardı. Bir savaş olasılığı bulunmadığına göre zaman bakımından sorun yoktu. Gerekirse üç yıl, dört yıl çalışılır, sağlam, modern bir ordu kurulurdu.

Liman von Sanders

Sorun, komuta ve subay kadrosundaydı. Turşusu çıkmış, bilgisiz, yenilgi arsızı olmuş paşalar, partici, uzlaşmaz, tembel, disiplinsiz, korkak subaylar ile orduda duygu ve düşünce birliği nasıl sağlanacak, silah arkadaşlığı ve disiplin nasıl kurulacak, bu döküntü ordu nasıl düzeltilecekti? Bu soruna bir çözüm bulmak gerekti. Yazık ki böyle geniş bir temizlik yapmayı göze alacak hiç kimse yoktu.[30]

Liman von Sanders önce Ordular Genel Müfettişi oldu. Sonra 1. Ordu Komutanlığına getirilecektir. Osmanlı üniforması ve kalpak giydi. Liman Paşa diye anılmaya başlandı.

Ülkesinde bir süvari tümeni komutanıydı. Hiçbir savaşa katılmamış, tümenden yukarı bir birliğe komuta etmemişti. Astlarına danışmayan, söz hakkı tanımayan, inatçı, sert Prusya anlayışıyla yetişmişti.

Birlikleri, okulları denetlemeye koyuldu. Sert, kırıcı davranıyordu. Herkesten bir Alman gibi davranmasını istiyordu. Kabalığından Alman subaylar da şikâyetçiydi. İncitici söz ve davranışları Türk subayları daha da milliyetçi yapmaktaydı. Ordunun bir felaketten yeni çıktığını anımsatan, daha anlayışlı davranmasını tavsiye eden Alman Büyükelçisini önemsemedi, kırıcı üslubunu korudu. Zamanla başta Büyükelçi, neredeyse herkesle anlaşmazlığa düşecek ama disiplini ve çalışkanlığı ile görebildiği birliklere oldukça yararı dokunacaktı.

İttihat ve Terakki yönetimi de bu arada boş durmadı. Partinin üç liderinden biri olan Enver Bey'i de hükümete katmak için harekete geçti.

Enver Bey bir ay içinde iki kez terfi ettirilerek 'paşa', sonra da Harbiye Nazırı ve Genelkurmay Başkanı yapıldı.[31]

Enver Paşa

Bu sırada 34 yaşındaydı.

Göbekli, sakallı, geri kafalı, gösterişçi paşalardan, cahil komutanlardan bunalmış olan genç subaylar Enver Paşa'yı sevinçle karşıladılar.

Enver Paşa gençlerin sevincini boşa çıkarmayacaktı.

Liman Paşa Enver Paşa'yı ataşemiliter olduğu sırada Almanya'da bir manevrada görmüştü. Terbiyeli, saygılı, alçakgönüllü genç bir subaydı. Alman ve Almanya hayranı olarak tanınıyordu. Bu genç Paşa'yı kolay yöneteceği umuduna kapıldı. Genç Paşa Alman hayranıydı ama kendine de hayrandı, hatta kendine daha çok hayrandı. Liman Paşa bunu çabuk anladı.

Ordu ile ilgili her önemli karar için, anlaşma gereği Liman Paşa'nın onayının alınması gerekiyordu. Enver Paşa göreve başladığı gün Liman Paşa'ya bir nezaket ziyareti yapmakla yetindi. Sonra Harbiye Nezaretindeki ilgilileri topladı. Emrini verdi.

Büyük temizlik başladı.

Yaklaşık 1.300 beceriksiz, yetersiz, ordunun birliğini bozan paşayı ve subayı bir kalemde ordudan attı.[32] Rütbeler konusunda yapılmış farklı işlemleri düzeltti, adaleti sağladı.

Kimsenin hayal bile edemediği çok önemli bir olay, bir devrimdi bu. Ordu birdenbire gençleşti, dinçleşti, siyasetten arındı. Yeni bir ordu oldu. Tümen komutanlıklarına göbekli, gerdanlı, sakallı, çağdışı paşalar yerine tığ gibi kurmay yarbaylar, albaylar geldi.

Bu büyük olayın onayı alınmadan yapılmış olmasına itiraz eden Liman Paşa, o nazik, masum yüzlü, konuşurken kızaran Enver Paşa'nın bir başka yüzünü daha gördü: Verdiği kararı tartışmıyor, bir itiraz halinde sesi bir kılıç gibi keskinleşiyor, gözleri ateş topuna dönüyordu.

Liman Paşa geri adım attı. Enver Paşa ile çok dikkatli olmak gerektiğini anladı. Tekin değildi bu Paşa.

Eğitim alanındaki önemli olayın vakti gelmişti.

Genç öğretim üyelerinden İsmail Hakkı Baltacıoğlu, üniversite yönetimine beklenmedik bir öneride bulundu. Üniversitenin kadınlara da borcu olduğunu söyleyerek bazı günler yalnız kadınlara yönelik eğitim amaçlı konferanslar düzenlenmesini istedi. Birkaç yaşlı başlı, alaturka hoca isyan etti. Böyle zıpçıktı bir öneriye ne gerek vardı? Kadınları azdırmaktan başka ne işe yarayacaktı? Zaten üç kadın bile gelmezdi.

İsmail Hakkı
Baltacıoğlu

Feryatlar sona erince Dr. Besim Ömer Paşa söz aldı, "Bu çok uygarca, insanca, hakça bir öneri." dedi. "..Bu öneriyi reddedemem. Annemden, kız kardeşimden, eşimden, hastalarımdan, dünyaya gelmelerine yardımcı olduğum kız çocuklardan utanırım."

Paşa ünlü bir doktor, çok saygın bir hocaydı. Öneriyi destekleyenler çoğaldı. Karşı çıkanlar azınlıkta kalınca homurdanarak sustular. Bir deneme yapılması kabul edildi.

Gazetelere, kadın derneklerine ve dergilerine, haftada dört gün yalnız kadınlar için konferanslar düzenlendiği bildirildi. İlk konferans 7 Şubat 1914'te saat 14.00'te üniversitenin konferans salonunda verilecekti. Haber büyük ilgi topladı.

Kadınlar gelecekler miydi?

Kaç kadın gelecekti?

Ünlü kadınlardan kimler katılırdı?

Bu etkinlik sürebilir miydi?

Acaba bağnazlar tepki gösterirler miydi?

Kimsenin hanımları rahatsız etmemesi için üniversite binasının yolunda, önünde ve içinde ciddi güvenlik önlemleri alındı. Gelenlere üniversitenin yaşlı hademeleri yol gösterecekti.

Saat bir buçukta konferans salonu dolmaya başladı. Hepsi çarşaflıydı. İstanbul hanımlarına özgü başlık, pelerin ve etekten oluşan son moda, zarif çarşaf çoğunluktaydı. Tabii hepsi peçeliydi.

Romancılar, şairler, yazarlar, dernekçiler, yaşlılar, gençler, zenginler, orta halliler, hatta zorlukla geçinenler gelmekteydi. Saat ikiye doğru Talat Paşa'nın eşi Hayriye Hanım da geldi.

Saat ikiydi.

Besim Ömer Paşa

700 kişilik salon dolmuştu. İlk konferansı verecek olan Besim Ömer Paşa kulisten salona bakınca heyecanlandı. Bu kadar büyük ilgi olacağını tahmin etmemişti. Ceketini ilikleyip sahnede ilerledi, kürsünün yanına geldi. Saygıyla eğilip hanımları selamladı.

Büyük bir alkış koptu.

Paşa kürsüye geçip konuşmaya başlayınca ön sıradaki birkaç hanım büyük bir doğallıkla peçelerini açtılar. Onları yakınlarındaki hanımlar izledi. Bunlar doktorun hastalarıydı. Hareket büyük bir hızla yayılıp genişledi. Bütün salonu kapladı. Uzun zaman Paris'te kalmasına, sık sık kaçgöçün kalktığı ortamlarda bulunmasına rağmen Besim Ömer Paşa bu ânı unutamayacaktı. Sanki birdenbire sihirli bir rüzgâr esmiş ve ardarda yüzlerce ay çiçeği açmıştı.

Bu konferanslar bahara kadar sürecek, salon her zaman dolacak, bu durum üniversite yönetimini önemli bir karar almaya zorlayacaktı:

Kız üniversitesi açmak.

Bu devrim sonbaharda gerçekleşecekti.[33]

Enver Paşa'nın gelmesi Genelkurmay Başkanlığındaki Türk kurmayları da sevince boğmuştu. Çoğu Enver Paşa'nın silah, savaş, örgüt, eylem, ülkü arkadaşıydı. Enver Paşa'nın çok ahlaklı ve cesur olduğunu iyi bilir, yurtseverliğine bütün yürekleriyle inanırlardı. Ama sevinçleri kursaklarında kalacaktı.

Enver Paşa'nın Alman hayranlığı etkisini göstermeye başladı. Genelkurmay 2. Başkanlığına Bronsart von Shellendorf'u atadı. Bronsart Paşa'nın yanına yardımcı olarak da yakın arkadaşı Albay Hafız Hakkı Bey'i verdi.

Enver Paşa ayrıntıyla, hesapla kitapla, cetvelle pergelle uğraşmaktan hoşlanmadığı için demek ki Genelkurmay Başkanlığını asıl Bronsart Paşa yürütecekti.

Genelkurmay şubelerine de üst amir olarak Liman Paşa'nın tavsiye ettiği Almanları getirdi. Enver Paşa geldi diye sevinen şube müdürü Türk subaylar, bu Almanların emrine girdiler. Orduyla ilgili her bilgi Almanlara açıldı. Devletin gizli kapaklı bir yanı kalmadı. Osmanlı Genelkurmayı, Berlin'deki Genelkurmayın İstanbul şubesi gibi oldu.

Bu olay Genelkurmaydaki Türk kurmayları çok tedirgin etmişti. Enver Paşa tepkileri hiç umursamadı, "Mahmut Şevket Paşa'nın imzaladığı anlaşmayı uyguluyorum" deyip kestirip attı.

Enver Paşa'nın tehlikeli yanları ağır ağır ortaya çıkmaya başlamıştı.

İki sınıf arkadaşı, Kurmay Binbaşı İsmet İnönü ve Kurmay Binbaşı Kâzım Karabekir akşam Genelkurmaydan birlikte çıktılar, kalabalık olmayan bir pastahaneye girip oturdular. İkisi de Genelkurmayda şube müdürüydü. Bu tatsız gelişme canlarını sıkmıştı. Uzun uzun dertleştiler. Genelkurmaydaki bu onur kırıcı yeni durumdan bir süre olsun uzaklaşmak iyi olacaktı. Yıllardan beri bir gün bile tatil yapmadan çalışmışlardı. Avrupa gezisine çıkmayı kararlaştırdılar. İsmet Bey bu vesile ile doktorlara ağırlaşan kulağını da gösterecekti. İstihbarat Şubesi Müdürü olan Karabekir de yarı görev yarı izinle geziye katılmayı sağladı.

Birkaç gün sonra akılları Türkiye'de kalarak trenle Sirkeci'den hareket ettiler.

Aynı gün Doğu Ekspresi'nden Sirkeci'ye önemli biri indi, sade bir törenle karşılandı: Gelen Fransız tiyatro dünyasının en önemli isimlerinden Mösyö Antoine'dı. Belediye Başkanı Cemil Topuzlu Paşa tarafından bir konservatuar kurması için çağrılmıştı.

Böylece tiyatro ciddi bir nitelik kazanacak diye düşünülüyordu.[34] Basın genel olarak bu olayı destekleyecektir. Tabii her zaman olduğu gibi "Sanata gelene kadar sırada yapılması gerekli daha önemli işler var" diye bu güzel girişime karşı çıkanlar oldu. Gerçekten yapılacak pek çok iş vardı. Mesela Osmanlı İmparatorluğu'nun 450 yıllık başkenti İstanbul pislik içinde yüzmekteydi. Bir metre kanalizasyon bile yoktu. Sokakların ortasından çirkef suları akıyordu.[35] Fakat sanat da gerekliydi. Cemil Paşa bir toplumun ilkellikten kurtulmasında 'birlikte izlenilen sanatların' büyük yararı olduğunu iyi biliyordu.

Darülbedayi adı verilen kurum, okul ve sahne bölümlerinden oluşacaktı. Temmuz ayı sonunda başvuranlar arasında seçme sınavları yapılacağı ilan edildi. 197 kişi başvurdu. Başvuran birkaç Türk kızı Müslüman oldukları için sınava alınmadılar. Türk kızlarından biri diretti:

"Ama niçin?"

Sınav kurulundan biri gülerek "Peçeyle tiyatro olmaz da ondan kızım" dedi. Genç kız bütün Müslüman hanımlar gibi peçeliydi. Mösyö Antoine sahneyi merakla izliyordu. Dimdik duran genç kız hiç sesini çıkarmadı, çok zarif bir el hareketi ile peçesini açıverdi.

Odaya bomba düşmüş gibi oldu.

Çok güzel bir yüz. İki harika göz. Delici, hesap soran, meydan okuyan bakışlar.

"İşte yüzümü açtım, ne deprem oldu, ne ateş yağdı, ne salgın hastalık çıktı. Yüzümüzü peçeyle örtmemiz için dini bir zorunluk var mı? Hayır. Anadolu'da kadınlar peçeli mi? Peçeyle tarla sürülür, üzüm toplanır, inek sağılır, odun taşınır mı? Bu durum şehir bağnazlarının yarattığı, zorladığı, savunduğu bir görenek. Sizler bunun yanlışlığını, dayanaksızlığını görüyor ama kılınızı bile kıpırdatmıyorsunuz, böyle gelmiş böyle gitsin diyorsunuz. Bizi toplumdan uzak utuyor, umacı gibi gezdiriyorsunuz. Yazıklar olsun! Ama bilin ki bu böyle gitmeyecek!"

Döndü, çarşafının eteklerini havalandırarak çıkıp gitti.

Kurul üyeleri bakıştılar ve anlaştılar. En iyisi bu olayı olmamış saymaktı. Sıradaki adayı çağırdılar. Sonuçta 8 Ermeni hanım, 63 erkek başarılı oldu. Erkekler arasında Muhsin Ertuğrul birinci gelmişti.[36]

Konservatuar sonbaharda eğitime başlayacaktı.

Bu sırada Roma'da Kadınlar Kongresi toplanmış, Kongreye Türkiye'den hiçbir kadın katılmamıştı. İkdam gazetesi bu durumu belirtince Nimet Cemil Hanım Kadınlar Dünyası'nda bir acı açıklama yayımladı. Özetle şöyle yazıyordu:

"O Kongreye gidecek bir Türk kadını ne diyecekti? Herhalde şöyle bir konuşma yapacaktı:

'Hanımlar, sizin sahip olduğunuz hakların yarısı bize verilmiş olsa biz kendimizi bahtiyar sayar, şikâyet etmeyi hatırımıza bile getirmeyiz. Siz haklarınızı genişletmeye çalışıyorsunuz. Biz en basit hakları kazanmak için didiniyoruz. Biz hayat hakkı için çırpınıyoruz.

Bizde kız okulları erkek okullarının onda biridir. Kadınlarımızın yüzde doksanı hiç eğitim görmemiştir. Bizde kadın, erkeksiz yaşamaz, yalnız bir kadın ev kiralayamaz. Geçinmek için çalışma imkânı yoktur. Bizde kadını kocası dilediği anda, nedensiz olarak boşayıp kapı dışarı edebilir. Bizde kadın sokakta, mesire yerlerinde peçe altında, kimliği bilinmez koyun sürüsü gibi gezer. Bizde kadın eşiyle birlikte bir lokantada oturup yemek yiyemez, birlikte bir ziyafete iştirak edemez. Tiyatroda, vapurda, tramvayda eşiyle birlikte oturamaz. Sokakta eşinin koluna girip yürüyemez, birkaç adım arkasından yürür...'

Lakin konuşma buraya geldiği zaman Kongre üyeleri şüphesiz ayağa kalkacak, öfke ve nefretle, 'Behey kadın, senin burada ne işin var? Siz daha insan haklarını elde edememişiniz, bizimle kadın hakları için görüşmeye nasıl geliyorsunuz?' diyecekler ve herhalde hanımı kapı dışarı edeceklerdir."[36a]

1914 yılında kadının durumu böyleydi.

İsmet ve Kâzım Beyler, çok tutumlu davranarak, Viyana, Münih, Berlin ve Paris'i gezdiler, görülmeye değer her yeri görmeye çalıştılar, tiyatroya, operaya gittiler, çevreyi, insanları dikkatle gözlemlediler. Kendi ülkelerinin durumu ile bu zengin, güzel, temiz, kalabalık şehirlerin temsil ettiği uygarlık arasındaki büyük, çarpıcı fark, ikisini de mahzunlaştırdı. En çok da kadınların toplum hayatındaki yeri etkiledi. Kadın her alanda vardı ve insanlar yaşama sevinci içindeydiler. Bu ileri, renkli, özgür hayatı aşağılık duygusuna kapılmadan ama imrenerek izliyorlardı.

İngiltere'de yapılmakta olan gemilerin teslim zamanı yaklaşmış, Binbaşı Rauf Orbay'ın başkanlığındaki 1.200 denizci İngiltere'ye gelmişti. Bu gemilerin katılımıyla donanma büyük güç kazanmış olacaktı. İki arkadaş bu hayalin mutluluğu içindeyken uğursuz bir olay oldu. Bir Sırplı, 28 Haziran 1914 günü, Avusturya-Macaristan Veliahtı ile eşini Saray Bosna'da öldürdü.

Haber Avrupa'da bomba gibi patladı.

İsmet ve Kâzım Beyler yurda döndüler.

Olaylar büyük bir savaşa doğru akmaya başladı. Çünkü genelde dünyayı, özelde Osmanlı Devleti'nin topraklarını paylaşma konusunda çıkan ciddi anlaşmazlıklar büyük devletleri iki düşman kampa ayırmıştı:

Bir yanda İngiltere, Fransa ve Rusya vardı, öte yanda Almanya, Avusturya-Macaristan ve İtalya.

İki kamp da anlaşmazlıkları savaşla çözüp bitirmek için fırsat kollamaktaydı. Kaç zamandır bunun için hazırlık yapıyorlardı.

Fırsat ayaklarına gelmişti.

Savaş tamtamları, hazırlıklar, güç gösterileri, Rusya'nın kuşku verici tavırları, Osmanlı hükümetini çok tedirgin etti, alınan bazı bilgiler bu kuşkuyu korkuya dönüştürdü.

Rusya'ya karşı bir savunma, dostluk anlaşması yapabilmek, en azından bir güvence alabilmek için büyük devletler ile temas edildi, bir sonuç alınamadı. Almanya bile ümit vermemişti.

Almanya, ordusu sürekli yenilen, sanayisiz, yolsuz, parasız, geri kalmış, çağdışı Osmanlı Devleti'yle anlaşma yapmayı tehlikeli bulmakta, Osmanlı Devleti'nin kendisi için yük ve sorun olacağını düşünmekteydi. İmparator konuyla ilgilenene kadar Alman Büyükelçisi, Sadrazam Sait Halim Paşa'yı oyalamıştı.

İmparator Osmanlıdan yararlanılabileceğini söyleyince, Büyükelçi resmi görüşmelere başlayabileceklerini Sadrazama bildirdi.

***

Başkâtip Ali Fuat Bey Padişahın imzaladığı yetki belgesini öğleden sonra Sadrazam Sait Halim Paşa'ya getirip saygı ile verdi. Sait Halim Paşa da Alman Büyükelçisini resmi görüşmelere başlamak üzere akşam Yeniköy'deki yalısına çağırdı.[37] Görüşmeler gizli olarak başladı. Hükümet Rusya'ya karşı korunmak istiyordu. Almanya ise bir savaş durumunda Osmanlı ordusunun yönetimine Reform Kurulu Başkanının katılmasını öneriyordu. Bu hususlar karşılıklı kabul edilince görüşme sürdü. Görüşmelerin başlamasından yalnız Enver ve Talat Paşalar ile Meclis Başkanı Halil Menteş haberliydi. Çalışmalar ilerleyince Cemal Paşa ile Maliye Bakanı Cavit Bey'in de bilgisi oldu.[38]

Olayı en son Padişah öğrenecektir.

Sultan Reşat babacan, tonton, kibar, yaşlı biriydi. Ömrünce tahta çıkmayı hayal etmiş, II. Abdülhamit'in tahttan indirilmesi üzerine hayali gerçekleşmişti. Artık tek isteği vardı: Tahttan indirilmemek. Onun için İttihatçılarla iyi geçinmeye çok dikkat ediyor, sorun çıkarmıyordu. Bu adamların şakaya gelmediklerini anlamıştı.

28 Temmuz günü dünyayı değiştirecek olan büyük savaşın ilk yangını patlak verdi: Avusturya Sırbistan'ın başkenti Belgrad'ı bombaladı.

Rusya'nın Slav dayanışmasını göstermek için Avusturya-Macaristan'a saldırması bekleniyordu. Almanya ön aldı ve Rusya'ya saldırdı. Alman-Rus savaşı başladı. Avusturya-Macaristan da az sonra Rusya'ya savaş ilan etti.[39]

Genişleyen savaş Almanya'yı Türk ordusunu dikkate almaya zorladı. Bu orduyu özellikle Balkan Savaşı'na bakarak aciz, zayıf, yetersiz bulmaktaydılar. Ama gerektiğinde can deposu olarak kullanılabilir, verilecek bazı ödevleri yapabilir diye düşünmeye başladılar.

Alman Başbakanı Büyükelçiye son olarak şu talimatı verdi: *"Türkiye bu savaşta Rusya'ya karşı ciddi bir harekete girişmeyecekse anlaşmayı imzalamayınız!"*[40]

Sadrazam ve üç İttihatçı Paşa buna söz verdiler.[41] Bunun anlamı Alman çıkarları için gerektiğinde Türkler feda edilecekti.

Oysa ordu bir savaşa katılacak durumda değildi. Yaralar henüz sarılmamış, Balkan Savaşı'nda boşalmış erzak depoları doldurulmamış, silahlar yenilenmemiş, cephane yetişmemiş, ikmal örgütü, yollar, sağlık işleri tamamlanmamıştı. Boğazların savunmasını düşünmeye sıra gelmemişti. Savaş eğitimi daha başlamamıştı bile.

Deneyli kurmaylar durumu şöyle özetliyorlardı: "Savaş için hazırlıklı değiliz. Girersek yalnız yenilmeyiz, biteriz."

Karabekir Avrupa izlenimlerini anlatırken, erken bir savaştan korktuklarını da söyleyince, Enver Paşa sertleşti:

"Ordunun durumunu siz biliyorsunuz da ben bilmiyor muyum? Sizinki kuruntu. Savaşa girecek değiliz. Yeter ki biri bize saldırmasın."

Almanya'ya verilen sözü bilmeyen Karabekir rahatladı. Enver Paşa'nın yalan söyleyeceği aklının ucundan bile geçmezdi. Kaygı duyan arkadaşlarını yatıştırdı.

Anlaşma kesinleşmiş, 2 Ağustos Pazar akşamı gizlice imzalanması kararlaştırılmıştı.

Savaşın yayılacağı anlaşılıyordu. Hükümet önlem olarak 2 Ağustos Pazar gündüz toplanıp seferberlik kararı aldı. Sıkıyönetim ilan edildi. İki de yasa çıkarıldı: Lise mezunları ile üniversite, yüksekokul ve bazı medreselerin öğrencileri yedek subay olacak, yedi gün içinde başvurmayanlar kaçak sayılarak kurşuna dizilecekti. Meclis Aralık ayına kadar tatile sokuldu.[42] Basına ve telgraf haberleşmesine sansür kondu.

Harbiye Nazırı ve Genelkurmay Başkanı Enver Paşa, ek olarak Başkomutan da oldu.[43]

Hükümetin yaklaşımı 'silahlı tarafsızlık' olarak açıklandı.

Her iki Boğaza iki sıra mayın döşendi. Ticaret gemileri kılavuz gemilerin yardımıyla mayın hatlarında bırakılmış boşluklardan geçeceklerdi.

Gün baş döndürücü bir yoğunluk içinde geçti.

Akşam, Sadrazam Sait Halim Paşa ile Almanya Büyükelçisi Baron Hans von Wangenheim 8 maddelik gizli ittifak anlaşmasını Yeniköy'deki yalıda imzaladılar.[44] Böylece Osmanlı Devleti, yazgısını, Türkiye üzerinde gözü olan Almanya'nın yazgısına bağlamış oldu.

Enver Paşa ve Naciye Sultan, yaz olduğu için Naciye Sultan'ın Kuruçeşme'deki yalısında oturuyorlardı. Talat, Enver ve Cemal Paşalar gizli imza töreninden sonra olayın tadını çıkarmak için Kuruçeşme'deki yalıya geldiler. Erkekler bölümüne geçtiler.

Anlaşmanın imzalanması üçünü de çok ferahlatmıştı. Almanya'nın askeri kudretine büyük güven duyuyorlardı. Rusya tehlike olmaktan çıkmıştı. Almanya onu kısa zamanda çökertir, savaş dışı bırakırdı.

Alman Büyükelçisi
Baron von Wangenheim

Talat ve Cemal Paşalar ceketlerini çıkarttılar. Enver Paşa yakasını gevşetti. Börekler, çörekler ve çaylar geldi. Koltuklara yayıldılar, ayaklarını uzattılar, ay ışığında pırıldayan Boğaz'a bakarak engin hayallere daldılar.

Büyük bir fırsat belirmişti. Alman rızası ve desteği ile Rumeli'yi, Anadolu kıyısındaki Ege adalarını, belki Mısır'ı bile geri alabilir, devleti eski görkemine kavuşturabilirlerdi. Hatta Libya, Tunus ve Cezayir'le birleşerek büyük İslam İmparatorluğunu ya da Doğuya açılarak Azerbaycan, Kafkasya, Hazar'ı da aşıp

Enver, Talat ve Cemal Paşalar

Türkistan'la birleşerek Büyük Turan İmparatorluğunu kurabilir, birkaç yıldır konuşulan, tartışılan bu rüyaları gerçek yapabilirlerdi. Daha başka rüyaları da vardı. Yoksulluğu, cahilliği yenecek, ekonomiyi millileştirecek, sanayileşmeyi başlatacaklardı.[45]

Cemal Paşa coşkuyla sordu:

"Ya kapitülasyonlar?"

Talat ve Enver Paşalar avazları çıktığı kadar bağırdılar:

"Kaldıracağız!"

Öyle bağırmışlardı ki koca avize neşeyle şıngırdadı. Hep böyle bir mutlu günün özlemiyle yana yana yaşamışlardı. Çocuklar gibi güldüler. Ne var ki Alman rıza ve desteğini sağlamak için orduyu ayağa kaldırmak, işe yarar hale getirmek, sonra da ateşe sürmek gerekiyordu.

Ya da bu haliyle yetinilecek, eksiklik Türk askerinin kanıyla kapatılacaktı.

Kalktılar.

Sabah yeni bir dönem başladı. Her yere seferberlik afişleri yapıştırılmıştı:

"Seferberlik var! Asker olanlar silah altına!"

Çok asker isteyen Almanların ısrarı yüzünden, 20 yaşından 35 yaşına kadar herkes askere çağrılmıştı. Bu hesapsız çağrı birçok soruna yol açacak, giysi, postal, tüfek yetmeyecekti.

Akşama doğru Almanya'nın sabahleyin yıldırım gibi Belçika'ya saldırdığı haberi geldi. Belçika'dan geçip Fransa'yı en beklemediği yerden, kuzeyden vuracağı anlaşıldı.[46] Almanya Fransa'ya saldırınca İngiltere de savaşa girecek, Avrupa baştan başa ateş ve kan denizine dönecekti.

Balkan Savaşı'ndan sonra, değişen durum nedeniyle savaş planlarının yenilenmesi gerekmekteydi. Bu görevin geciktiğini sanan Türk kurmaylar, gelen haber üzerine konuyu kurcaladılar ve şaşırtıcı bir şey öğrendiler: Yeni savaş planlarını tek başına Bronsart Paşa hazırlamış, Enver Paşa da onaylamıştı. Bir gün savaş çıkarsa bu gizli planlar uygulanacaktı.

Harekât Şubesi Müdürü Kurmay Binbaşı Ali İhsan Sabis güncesine üzüntü içinde şu notu düştü:

"Türkiye'nin en gizli savaş planlarını bir Alman general hazırlıyor. Hiçbirimizin ilgisi ve bilgisi yok.. Bu orduyu ve geleceğimizi bütünüyle Almanlara teslim etmişiz demektir."[47]

Türk Şube Müdürlerinin hiçbirinin Almanya ile imzalanan anlaşmadan haberi yoktu.

Bu sırada Enver Paşa Harbiye Nazırlığındaki büyük odasında heyecan içinde İmparator II. Wilhelm'in yayımladığı savaş bildirisini okumaktaydı. Kayzer diyordu ki:

"Alman milleti Tanrı'nın seçkin milletidir. Alman milletinin imparatoru olmam haysiyeti ile Tanrı'nın ruhu benim üzerime inmiştir. Ben Tanrı'nın kılıcı ve savunucusuyum. Bana itaat etmeyenlerin vay haline! Bana inanmayanların vay haline!"[48]

Bildirinin mistik yanı yüreğine işledi.

İçinde benzer duygular uçuştu.

Birkaç saat sonra iyimserliğe son veren o uğursuz, o lanetli, o aşağılık haber geldi: İngiltere Donanma Bakanlığı parası ödenmiş ve yapımı bitmiş iki Türk savaş gemisine el koymuş, milli güvenlik gerekçesiyle vermeyeceğini açıklamıştı.

Donanma Bakanı
W. Churchill

Donanma Bakanı Winston Churchill duyarlı biri olsaydı, acı çığlıkları ve öfke haykırışlarını İngiltere'den bile duyardı. Kayıtsız şartsız İngilizci olan Hürriyet ve İtilaf Partililer bile sarsılıp sızlandılar:

"Ah İngiltere, bunu yapmayacaktın!"

Türkiye'yi yeniden İngiliz politikasının uydusu yapabilmek için çok emek vermeleri gerekecekti.

İngiliz Büyükelçisi Sir Louis Mallet de telaşa kapıldı. Rusya'yla bağlantı Boğazlar yoluyla sağlanabiliyordu. Bu beklenilmez karar dolayısıyla Türkiye'nin tarafsızlıktan cayıp Boğazları kapatması işleri çok zora sokardı. Dışişlerini uyardı ama İngiltere Türkleri yatıştıracak bir açıklamada bulunmaya gerek görmedi. Kimseye hesap vermeyecek kadar büyüktü.

İlişkiler gerildi.

Bu sırada Washington'da da benzer bir olay yaşanıyordu. Türk Büyükelçiliği, ABD'nin Missisipi ve Idaho adlı iki zırhlıyı Yunanistan'a satmayı kabul ettiğini öğrenmişti. Büyükelçi Ahmet Rüstem Bey harekete geçmiş, bunun barışı bozacağını, Yunanistan'ı kışkırtacağını anlatmaya çalışmış, bir sonuç alamamıştı. Yunan propaganda örgütü çok akıllıca çalışıyor, ortamı etkilemeyi başarıyordu. Büyükelçi son olarak Başkan Wilson'a çıktı. Kısa, enerjik, etkili bir konuşma yaparak Başkanı uyardı. Başkan Wilson, büyük bir saflıkla, Yunanistan'ın bu iki savaş gemisini 'savaş amacıyla kullanmayacağını' ileri sürdü; çünkü Başbakan Venizelos bu konuda kendisine güvence vermişti!

İki gemi de Yunanistan'a satıldı.

İngiliz darbesini ABD darbesi tamamladı.[49]

Almanya Türklerin, seferberlik tamamlanınca savaşa girmesi gerektiğini düşünmeye başlamıştı. Yönetimi ve halkı daha eskisinin acıları dinmemişken yeni bir savaşa razı etmenin kolay olmadığını biliyordu. Ama İngiltere'nin Türkleri çok üzen kararından yararlanarak yönetimi ve kamuoyunu kazanmak mümkündü. Almanya'nın bu sırada Akdeniz'de Göben ve Breslau adlı iki güçlü savaş gemisi vardı. Görevleri Cezayir'den Fransa'ya asker taşınmasını engellemekti.

Yavuz'un komutanı Amiral Souchon'a acele Çanakkale'ye hareket etmeleri emri verildi.

Bir İngiliz filosu gecikmiş olarak peşlerine takıldı.

Almanlar durumu Enver Paşa'ya bildirdiler. Enver Paşa müjdeyi alır almaz Çanakkale Müstahkem Mevki Komutanlığına, Alman gemilerinin ulaştıkları anda içeri alınmalarını emretti. Onları izleyen İngiliz gemilerinin Boğaz'dan geçmelerine izin verilmeyecek, zorlarlarsa ateş açılarak durdurulacaklardı. Bu tutum Boğazlarla ilgili uluslararası anlaşmaya aykırıydı. Tarafsızlığın sona ermesi anlamına geliyordu. Enver Paşa kimseye bilgi vermemiş, sorumluluğu bir başına üstlenmişti.

Heyecanlı bir yolculuktan sonra iki Alman savaş gemisi 10 Ağustos Pazartesi günü Çanakkale Boğazı ağzına geldi.

Saat 17.15'ti.

İngiliz filosu yetişememişti. Boğaza girmek için izin istediler. Yaklaşan bir torpidobot flama ile işaret verdi:

"Beni izle!"

Torpidobotun kılavuzluğunda ağır ağır ilerleyerek iki mayın hattındaki geçitlerden geçip Çanakkale'ye ulaştılar.

Halk kıyıda toplanmıştı. Gemileri büyük bir coşkuyla karşıladılar. Sevinçten ağlayanlar oldu. Dev toplarıyla Göben hepsinin gözlerini kamaştırmıştı.

Yavuz Zırhlısı

Ne harika gemiydi bu![50]

İyi dost Almanya gibi olurdu!

Hiçbirinin aklına bu görkemli geminin Osmanlı Devleti'ni batıracağı gelmiyordu.

İngilizlerin hainliğine inat bu gemilerin gelmesi İstanbul basınını sevinç sarhoşu etti. Alman dostluğu göklere çıkartıldı. Gemileri İstanbul'da on binlerce Türk büyük sevgi gösterileriyle karşılayacak, geminin taş baskısı resimleri dağ köylerine kadar yayılacaktı.

Amiral Souchon

Dört saat sonra gelen İngiliz filosuna Boğaz'ın savaş gemilerine kapatıldığı bildirildi. Bu farklı işlem üzerine İngiliz, Fransız ve Rus büyükelçileri kıyameti kopardılar. Hükümet gerginliği iki geminin satın alındığını açıklayarak yatıştırmaya çalıştı. Gemilere Yavuz ve Midilli adları verildi, Alman denizciler fes giydiler.

Bu açıklama İngilizleri kandırmamıştı. Boğaz'ın çıkışını denetim altına aldılar. Göben ve Breslau dışarı çıkarsa vuracaklardı.

Almanya % 6 faizle 5 milyon altın lira kredi açtı. İlk bölüm olarak 250.000 altını hemen ödedi. Osmanlı hazinesini birdenbire ferahlattı. Kaç aydır bekletilen memur ve subay aylıklarının ödenmesini sağladı.

Eh artık savaşa girmeleri için Türklere ciddi baskı yapılabilirdi. İlk baskı girişimi Ağustosta yapıldı.[51] Hafız Hakkı Bey'le görüşen ve ordunun durumu hakkında doğru bilgi alan Enver Paşa baskıya direndi. Buna karşılık Yavuz gemisinin komutanı Amiral Souchon'u Deniz Kuvvetleri Komutanlığına getirdi. Böylece Almanlar hem kara ordusuna hem donanmaya egemen duruma geçtiler.[52]

Giderek her şeye karışacak, Müttefik, silah arkadaşı gibi Türkler için anlamı önemli kavramları kullanarak Türkiye'ye yön vereceklerdi. Yalnız dış politikada değil iç politikada da etkili olacaklardı. Birçok konuda Alman Büyükelçisi yoluyla Alman hükümetinin görüşü, onayı, izni, rızası alınmadan bir karar verilemeyecekti.

Osmanlı Devleti zaten bir yarı-sömürgeydi. Bu durum daha da ilerleyecek, bir kukla devletçik olacaktı.[52a]

Harp Okulu kapatıldı. Öğrenciler sınıflarına göre subay adayı, subay vekili (asteğmen) rütbeleriyle eğitimleri sona ermeden ordulara dağıtıldılar. Mucip (Kemalyeri) Gelibolu'da bulunan 9. Tümenin 27. Alayına, arkadaşı Mehmet Fasih de (Kayabalı) Mersin'de bulunan 16. Tümenin 47. Alayına subay vekili olarak atandılar. Yeni ordunun ilk subaylarıydı bunlar. Uygulama ve kuram bakımından çok canlı bir eğitim görmüşlerdi. Hepsi iliklerine kadar yurt sevgisi ve milli duyguyla doluydu. Yeni askerleri bunlar eğitecekti. Birbirlerinden, aynı ruhu askerlere de vereceklerine yemin ederek ayrıldılar.

Mucip kendini nasıl bir kızılca kıyametin beklediğini bilmeden, tatile çıkıyormuş gibi büyük bir sevinç içinde vapura bindi: Ver elini Gelibolu!

Mehmet Fasih de trenle Mersin'e gitti.

Altı ay sonra 19 Mayıs günü Gelibolu'da yan yana siperlerde savaşacaklardı.

Yeni teğmenler görevlerine gitmek için yola düşerken, üniversite öğrencileriyle mezunlarının eğitimleri yeni başlamıştı. Yedeksubay Talimgâhı Harp Okulu içindeydi.

Talimgâh çeşitli meslekten üniversite mezunu ağabeyler ve üniversite öğrencisi gençlerle dolup taştı. Subaylar işlemlere yetişemiyorlardı. Ağabeyler ve gençler çok çabuk kaynaştılar. Silah arkadaşlığının tadına vardılar. Kimseye ayrıcalık tanınmadığı için bu kadar çok okumuş insan orduda ilk kez biraraya gelmişti. Eğitim çok sıkıydı. Gündüz yoğun talim, akşamları kuramsal dersler, özellikle tarih. Boş kaldıkça ülke sorunlarını tartışma.

Daha geniş bir alanda talim yapabilmek için sabah erkenden Şişli caddesinden geçilerek Maslak'a gidilmeye başlandı. Akşam aynı yerden dönülüyordu. Dönüş harika oluyordu. Hepsi hiç yorulmamış gibi büyük bir canlılık içinde marşlar söyleyerek o kadar düzenli yürüyorlardı ki subayları bile şaşıyordu. Nedenini sezince onlara da bir çalım geldi. Şişli caddesinin iki yanındaki evlerin pancurları, perdeleri aralanıyor, hayal gibi genç kızlar el sallayarak, gülerek, belki de ölümün kapacağı bu aydın askerleri sevindiriyorlardı.[53]

Bir süre sonra bu gençler çeşitli birliklere dağıtılacaklardı. Kadınlar da boş durmadılar. Orduya yardımcı olmayı amaçlayan çeşitli dernekler kurdular. Asker ailelerine, göçmenlere yardım etmek gerekiyordu. Babaları, eşleri askere alınmış aileler çaresiz kalmışlardı. Bunların çalışma yaşındaki üyelerine iş bulmalı, bunun için de önce iş alanları yaratmalıydı. Bazı girişimci hanımlar kadın işçilerin çalışacağı iş yerleri açtılar. Bu girişimler olumlu sonuçlar verince arkası gelecekti. Kadın toplumsal hayatta adım adım yer almaya başlamıştı.[53a]

Savaştan korkan M. Antoine sessizce ülkesine döndü.[53b]

Bugünlerde Yunan Başbakanı Venizelos İngiltere Donanma Bakanı Churchill'e uğursuz bir öneride bulundu: Çanakkale Boğazı'nı zorla açmak! Yunanistan'ın bu saldırıya katılmaya hazır olduğunu açıkladı. Churchill bu öneriyi havada kaptı ve ilgili birimlerce incelenmesini istedi. Kendi de bu ilginç konuyu irdelemeye başladı.[54]

Almanlar 30 Ağustosta Doğu cephesinde Tannenberg'te Rus ordusunu çok ağır bir yenilgiye uğrattılar. Batıda da Belçika'dan geçip Paris'e doğru Fransa'ya dalmış, ilerliyorlardı. Panikleyen Fransızlar başkentlerini Paris'ten Bordeaux'ya taşıdılar.

Bu hız Genelkurmay'daki Almanları daha kibirli, alaycı yapmıştı. "Bir an önce savaşa girin, yoksa savaş yakında bitecek, zafer meyvelerini toplayamayacaksınız" diyor, gülüşüyorlardı. Bu hıza, başarıya, üstünlüğe imrenen Türk subaylar az değildi. Ama şöyle düşünenler de vardı: "Devletimiz gerçekten geri ama hiç olmazsa Almanya gibi deli değil. Hiçbir devlet iki cephede birden savaşa girip kazanamaz!"

Bu görüşlerini yumuşatarak söylemelerine rağmen Almanlar gazaba geldiler: Almanya asla yenilmezdi! Almanya her şeyin üstündeydi.

Bu tartışmalar sürüp giderken hükümet, tarihi sarsacak çok önemli, namuslu bir karar aldı: Kökleri 300 yıl geriye giden kapitülasyonları kaldırdı! Sivil asker bütün yurtseverleri sevindirdi. Onur kırıcı, adaletsiz, rezil düzeni sona erdirdi. Bütün kusurlarını affettirdi. Böyle bir kararı hiç beklemeyen büyük devletlerin elçileri ile kapitülasyonlardan yararlananlar çarpılmışa döndüler. Bu aşağılık düzenin somut örneklerini günlük hayatta her gün yaşayan halk ise bayram etti, dükkânlar bayrak astı, gece fener alayları düzenlendi.[55]

İstanbul'da halkın coşkusu

İkdam gazetesi manşet çekti:

"Oh! İşte bu defa tam kurtuluyoruz!"

Tramvay arabalarındaki, duraklardaki Fransızca yazılar boyayla kapatıldı. Beyoğlu'nda adı Türkçe olan bir tek mağaza yoktu. Yavaş yavaş adlarını Türkçeleştireceklerdi.

Halkın coşkusu, sevinci sömürgecilerin homurtularını bastırdı. Ama bunu unutmayacaklardı. Sömürgecilerin bellekleri çok güçlüydü.

Kapitülasyonların kaldırılması sömürgeci Almanların da canını sıkmıştı. Türklerin bilinçlenmesi, uyanması, tasarladıkları gelecek için iyi haber değildi. Yeni ve can yakıcı bir haber Almanlara bu olayı unutturdu:

Fransız ordusu Alman ordusunu, Paris'e 70 km. kala, Marne nehri kıyısında yenip durdurmuştu. Alman ordusu geri çekiliyordu. Bu yenilgi üzerine durum Batı cephesinde düğümlenecek, siper savaşları dönemi başlayacaktı.

Schlieffen planı iflas etmiş, uzmanlara göre Almanya savaşı kaybetmişti.

Beklenilmez yenilgi Almanları çok şaşırttı. Genelkurmay Başkanını değiştirdiler. Yeni hamlelerle düğümü çözeceklerini, durumu kurtaracaklarını iddia ederek hem kendilerini, hem Türkleri kandırmaya koyuldular.

Savaş örümceği Osmanlı Devleti için sesizce ağını örmekteydi.

Bir İngiliz savaş gemisi Boğaz dışına çıkan bir Türk torpidosunu geri dönmek zorunda bıraktı. Çok kısa bir süre önce, istihkâmcı Weber Paşa Çanakkale'ye Başkomutanlık temsilcisi olarak atanmıştı. Boğaz kıyılarını inceliyordu. Olaya el koydu. Kimseye danışmadan verdiği bir emirle Çanakkale Boğazı'nı ticaret gemilerine de kapatarak İstanbul yönetimini bir oldubitti karşısında bıraktı.[56]

Toplam 350.000 tonluk 100'den fazla gemi Akdeniz'e geçemedi. Rusya'nın şiddetle silaha ve cephaneye, İngiltere ve Fransa'nın da acele Rusya'nın buğdayına ve petrolüne ihtiyacı vardı.

Gerginlik çok arttı.

Kahramanlığa, gözüpekliğe, hülyaya değil, akıla, hesaba, ölçülüğe ihtiyaç olan çok tehlikeli bir sürece girilmişti.

Albay Hafız Hakkı Bey ve Şube Müdürü Türkler toplanıp dertleşiyor, erken bir savaş için ordunun hazır olmadığını her fırsatta Enver Paşa'ya hatırlatıyorlardı. Yine hatırlattılar. Hiç olmazsa bahardan önce savaşa bulaşılmamalıydı. İkmal düzeni, sağlık hizmeti hâlâ çok yetersizdi.[57] Enver Paşa güvence verdi:

"Savaş söz konusu değil. Merak etmeyin. Durumu biliyorum. Ama siz de ordunun hazırlanmasını hızlandırın."

Bahara altı ay vardı. Ordu iyileşmekteydi. Altı ayda yeterli hale gelebilirdi. Ordu sırtını devlete dayayacaktı. Devlet yeterli miydi? Bu konuşulmadı. Oysa asıl sorun buydu. Devletin uzun bir koşuya dayanacak soluğu yoktu.

Gelibolu'daki 9. Tümenin 27. Alay 3. Taburunda takım komutanı olarak göreve başlamış olan Asteğmen Mucip anı defterine şöyle yazdı:

"Bizim alayımızın iki taburu Kaba Tepe-Arıburnu arasında görevde. Bizim tabur, yedekte. Tabur komutanımız Uşaklı Halis Bey (Ataksor). *Balkan Savaşı'nı görmüş, bilgili, baba bir komutan. Çalışmalarımızı sürekli denetliyor, yönlendiriyor.*

İngilizlerin Boğaz'a hücum etmeleri olasılığı var. İngiltere dünyayı sömürdüğü için zengin. Her sömürdüğü yeri pençesi altında tutmak zorunda. Bu yüzden donanması da, ordusu da çok güçlü. Bizim eksiğimiz çok. Ama biz vatanımızı savunacağız. Eksiğimizi vatan sevgisiyle, iyi hazırlanarak kapatacağız. Bu nedenle hiç durmadan çalışıyoruz. Asker Türk olduğunu yeni yeni öğreniyor."[57a]

Batı cephesinde sıkışan Almanların 'savaşa girin' baskısı Ekim sonuna doğru dayanılmaz olmuştu. Savaşa zorlamak için krediyi askıya aldılar. Bu zorlamaya, Ruslar karşısında bocalayan Avusturyalıların ısrarı da eklendi. Bazı gazetelerde savaşı savunan yazılar çıkmaya başladı. Maceracı, savaşçı, Almancı İttihatçılar çevrelerini kışkırtmaya koyuldular. Bazıları "Ordu savaşa hazır değil" diyen komutanları "korkak" diye Başkomutana ihbar ediyordu.

Osmanlı - Almanya ilişkisinin özeti:
Alman İmparatoru ve Başkomutan Enver Paşa

Enver Paşa Almanlarca kuşatılmıştı.

Amiral Souchon Türk denizcileri, sanki alışık değillermiş gibi, sert denize alıştırmak gerektiğini ileri sürerek Karadeniz'de tatbikat yapmak istiyordu. Hükümetin Alman Amirale hiç güveni yoktu. Türkiye kıyılarını gözlem altında tutan Rus donanması ile bir çatışmaya yol açar, savaşa neden olur diye tatbikata zorlukla ve sınırlı olarak izin vermekteydi.

Savaşa girmeye karşı çıkan Türk kurmaylar devre dışı bırakılmışlardı.

Herkesin gözü Enver Paşa'nın üzerindeydi. Savaşa girmenin söz konusu olmadığını daha yeni söylemiş, bu konuda güvence vermişti. Ordunun hazır olmadığını bilen Enver Paşa'nın Almanlara boyun eğeceği ya da kapılacağı, kanacağı düşünülemezdi.

Oysa savaş örümceği ağını tamamlamıştı.

20 Ekim 1914 günü Enver Paşa ile Liman Paşa bir süre odaya kapanıp konuştular. Sonra Bronsart Paşa içeriye alındı. En son da Hafız Hakkı Bey'i çağırdılar.

Türk kurmaylar göz ve kulak kesilmişlerdi.

Toplantı bitince Hafız Hakkı Bey arkadaşlarına bilgi verdi. Değişik durumlara göre savaş ihtimalleri incelenmiş, Enver Paşa Bronsart Paşa ile kendisinden rapor istemişti.

Soğukkanlı Hafız Hakkı Bey'in elleri titriyordu. Dedi ki: "Enver'i Almanlara bizden daha yakın gördüm."

Bütün maharetlerini göstererek savaşa erken girmenin tehlikeleri hakkında birer rapor yazıp Hafız Hakkı Bey'e sundular.

Enver Paşa ertesi sabah bütün raporları okudu. Bronsart Paşa, Alman Genelkurmayından aldığı emre göre bir rapor hazırlamıştı. Rapor, Osmanlı Devleti'nin savaşa nasıl gireceğini belirliyordu. Bir çeşit savaş senaryosuydu.

Odasında yapayalnızdı.

Tarih, geçmişi görkemle dolu imparatorluğun kaderini elinde tutan genç adamın bir karar vermesini bekliyordu. Durumu Türk kurmaylarla değerlendirebilirdi. Sadrazama bildirebilir, hükümete götürebilirdi. Cemal ve Talat Paşalarla toplanıp görüşebilirdi. Hiçbirini yapmadı. Tarihin huzurunda tek başına durdu ve müthiş kararı verdi:

Bronsart Paşa'nın raporunu onayladı!

Osmanlı Devleti'nin savaşa nasıl gireceğini açıklayan çok gizli belge Alman Genelkurmayına gönderildi.[58]

Bu belgeye göre Amiral Souchon komutasındaki Türk Donanması Karadeniz'e çıkacak, savaş ilan edilmeden Rus donanmasına saldırarak imha edecek, Karadeniz egemenliği ele geçirilecekti. Türk ordusu Doğu cephesinde Rus birliklerini, Süveyş Kanalı'na taarruz ederek Mısır'da toplandığı öğrenilen İngiliz, Avustralya, Yeni Zelanda ve Hint birliklerini oyalayacak, bunların Alman ordularının karşısına getirilmelerine engel olacaktı.[59]

Alman Genelkurmayı Türk ordusu için fedailik rolünü uygun görmüş ve bu rolü Başkomutan Enver Paşa kabul etmişti.

Neden?

Allah'a, kendine, talihine, orduya, Almanlara mı güvendi, ne düşündü, bunu kimse bilemeyecekti. Çünkü o andaki düşünce ve duygularını hiç kimseyle paylaşmadı. Kendine sakladı.

Olaylar zincirleme gelişti.

Almanya'dan iki milyon altın geldi. Osmanlı hazinesi kaç zamandır bu kadar parayı birarada görmemişti. Kimse bu paranın kan parası olduğunu anlamadı. Yüzler güldü. 25 Ekimde toplanan Nazırlar Kurulu birçok tartışmadan sonra iki karar aldı:

Meclis Başkanı Halil Menteşe ve Hafız Hakkı Bey Berlin'e giderek yetkililerle görüşüp zaman kazanmaya çalışacaklardı; donanma tatbikat için Karadeniz'e çıkarsa savaşa yol açabilecek her türlü halden kesinlikle kaçınacaktı.[60]

Toplantıda Enver Paşa da vardı.

Sustu.

Yüzünden hiçbir şey anlamak mümkün değildi.

Toplantıdan sonra makamına geldi. Sakindi. Gizli emrini yazıp zarfladı, zarfı kapattı. Donanma Komutanı Amiral Souchon'u çağırdı. Tatbikat için Karadeniz'e çıkabileceğini bildirdi. İçinde gizli emrinin bulunduğu zarfı teslim etti. Sonra da önce sözlü, sonra yazılı olarak şu emri verdi:

"Bütün filo Karadeniz'de manevra yapmalıdır. Vaziyeti müsait bulduğunuz anda Rus filosuna hücum ediniz. Savaşmaya başlamadan önce size verdiğim gizli emri açınız."[61]

Sonunda Almanların istediği olmuştu.

Amiral Enver Paşa'nın yanından uçar gibi çıktı. Hiç vakit geçirmeden durumu Büyükelçiye bildirdi. Enver Paşa **müsait** bir durumda hücum edilerek Rus donanmasının ciddi kayba uğratılmasını istiyordu. Doğuda Ruslarla savaşılacaktı. Doğu cephesine deniz yoluyla tehlikesizce asker ve malzeme yollayabilmek için Karadeniz'e egemen olmak şarttı. Doğuya ne demiryolu vardı, ne de yeterli bir karayolu.

Baron von Wangenheim ise Osmanlı Devleti'nin en çabuk biçimde savaşa katılmasını istiyordu. **Müsait** durumu beklemek, o duruma göre savaş planı yapmak çok zaman alacaktı. Amirale, İmparatorun ve kutsal Alman çıkarlarının temsilcisi olarak "Hemen denize açılınız!" emrini verdi.[62]

Donanma Karadeniz'e çıkmak için hızla hazırlığa girişti. Bahriye Nazırı Cemal Paşa, Amiral Souchon'la birlikte Türk savaş gemilerini gezerek komutan, subay ve erlere Amiralin her emrine itaat etmelerini emretti. Bu hususu yazılı bir emirle de pekiştirecektir.[63]

Gemiler demir alırken, Kuleli Askeri Lisesi öğretmenleri ve nöbeti olmayan subaylar okuldan çıkıyorlardı. Güzel bir İstanbul akşamı başlıyordu. Subayların çoğu Balkan Savaşı'na katılmış gazi subaylardı. O utancı bir daha yaşamamaya yemin etmişlerdi. Bu yemini bir an bile unutmuyor, öğrencileri buna göre eğitip yetiştiriyorlardı. Teğmen Faruk da iskeleye inmekteydi. Vakit geçirmeden eve gidip annesini dışarı çıkarıp biraz gezdirmek istiyordu. Balkan Savaşı sırasında cepheden gelen kötü

Halide Edip Hanım

haberler oğlunu merak eden kadıncağızı hasta etmişti.

Gittikçe büyüyen bir uğultu belirdi.

Büyük filo yaklaşıyordu. Başta Yavuz olmak üzere 15 kadar savaş gemisi, bir dizi halinde ağır ağır Karadeniz yönünde ilerlemekteydi. Bu kadar çok gemiyi kaç zamandır birarada görmeyen halk kıyılara, yalı rıhtımlarına toplanıp gemileri selamlamaya, pencerelerden eller sallanmaya başladı.

Bir süre durup seyrettiler. Gemilerin yarı karanlık hali Teğmen Faruk'a bir ürperti verdi.

Gemiler Büyükdere'ye yaklaştığı sırada, kaderin yıllar sonra İnebolu yolunda Faruk'la karşılaştıracağı Nesrin odasında, güncesine günün notlarını yazıyordu. 15 yaşındaydı. Bugün okula ünlü romancı Halide Edip Hanım gelmiş, tarih, edebiyat, kadın hakları ve gelecek üzerine çok dokunaklı bir konuşma yapmış, kızları heyecanlandırmış, ağlatmış, çok alkışlanmıştı.[64] Bu güzel olayı annesine anlatmamıştı. Anlatsa hemen paşababasına yetiştirir, o da Nesrin'i okuldan almaya kalkışırdı. paşababası koyu bir Abdülhamitçi, sıkı bir İttihatçı düşmanıydı. Genç subaylardan, Türkçülerden, Halide Edip gibi kadınlardan nefret ederdi. Çünkü Abdülhamit'i tahttan indirenler, onu da emekliye ayırmışlardı. Ayırmasalar paşababası belki de şimdi İttihatçı, Türkçü, Halide Edip hayranı olurdu. Nesrin utanarak böyle düşünüyordu.

Birden yalı titremeye, camlar zangırdamaya başladı.

Filo yalının önünden geçiyordu. Cama yapıştı. Gemilerin baş direklerinde Türk bayrakları çırpınıyordu.

Gözlerini kapayıp esenlikleri için dua etti.

Gemiler gece yarısına doğru Boğaz'ın Karadeniz'e açılan ağzının batısında toplandılar. Amiral Souchon Enver Paşa'nın verdiği zarfı açtı. Gizli emir şuydu:

"Türk filosu Karadeniz'de zorla hâkimiyet kazanmalıdır. Rus filosunu arayınız ve nerede bulursanız harp ilan etmeksizin hücum ediniz."[65]

Cemal Paşa'nın Amiral Souchon'a kesin itaat edilmesini isteyen yazılı emri ile Souchon'un savaş emri, bir torpidobot ile gemi komutanlarına ulaştırıldı.

Hücuma 11 gemi katılacaktı.[66] Filonun dönüşünü güven altına almak için Barbaros, Turgutreis ve Kemalreis gemileri boğazın ağzında kalacak, bir Rus baskını olursa karşı koyacak, mayın dökülmesini engelleyeceklerdi. Souchon'un savaş emrine göre asıl hedef 6 Rus limanıydı. Eğer rastlanırsa Rus savaş gemilerine de hücum edilecekti. Bu, Enver Paşa'nın yazılı emrine aykırı, Osmanlı Devleti'ni savaşa sokmayı amaçlayan bir plandı.

Gemiler savaş düzenine geçti.

Savaş planı gereğince 5 gruba ayrıldılar. Işıklar söndürüldü. Yavuz'dan verilen işaretle harekete geçtiler, yelpaze gibi açılarak kara geceye karışıp ağır ağır kayboldular.[67]

Osmanlı Devleti'nin ölüm yolculuğu başlamıştı.

Birinci Bölüm

Rus Ruleti

28 Ekim 1914-18 Şubat 1915

28 EKİM günü yolda geçmişti. 29 Ekim Perşembe günü beş grup da hedefine ulaştı. Türk denizciler ambarlarda topluca namaz kılıp helalleştiler.

Her grup hedefi olan limana hücuma geçti. Yavuz'un hedefi Sivastopol'du.

Sivastopol'dan başka Odesa, Kerç, Yalta, Kefe ve Novorosiski üs ve limanları bombardıman edildi.

Toplam üç gambot, bir mayın gemisi, bir topçeker, 20 ticaret gemisini batırdılar, 50'den fazla petrol ve buğday deposuyla bir telsiz istasyonunu tahrip ettiler, 3 subay, 72 eri esir aldılar.

Amiral Souchon olayı İstanbul'a şöyle bildirdi:

"Çatışmayı Rus filosu başlatmıştır."[1]

Birkaç kişi dışında herkes, Padişah, Sadrazam, Nazırlar, subaylar, aydınlar, yazarlar, tarihçiler, Osmanlılar ve genel olarak Almanlar uzun zaman gerçeğin böyle olduğunu sanacaklardı.

Sonuç fiyaskoydu. Rus donanması bir kayba uğramamış, Karadeniz'deki üstünlüğünü korumuştu.

Enver Paşa Rus ruleti oynamış ve kaybetmişti.

Devlet hazır olmadan savaşa girdiğiyle kalacaktır.

Haber İstanbul'u sarstı. Olayı bir Alman oldubittisi sanan bazı Nazırlar istifa etti. Sadrazam da istifa etmişti, Padişahın ricası üzerine istifasını geri aldı. Savaşı önlemek için çok çabaladı. Ama altı limanı birden bombalanan Rusya'yı yatıştırmak mümkün değildi. Rus Büyükelçisi İstanbul'u terk etti. Onu İngiliz ve Fransız Büyükelçileri izledi.

Rus ordusu bu olaya 1 Kasımda Doğu sınırını geçip saldırarak karşılık verdi. İngiltere de fırsatı kaçırmadı. Bir İngiliz savaş gemisi İzmir körfezine girerek iki gemiyi batırdı.

O kadar korkulan savaş başlamıştı.

4 uzun yıl sürecekti.

Gazeteler olayı büyük başlıklarla verdiler. En etkili başlığı İkdam gazetesi atmıştı:

"Silah başına!"

Savaşı o güne kadar bir alaya bile komuta etmemiş bir Başkomutan (Enver Paşa) ile hiç savaş görmemiş Prusyalı bir süvari tümeni komutanı (Liman Paşa) yönetecekti.

RUS ÇARI II. Nicola savaşın başlaması dolayısıyla bir bildiri yayımlayarak Çarlık Rusyasının değişmez amacını ilan etti:

"Bu savaşın ecdadımız tarafından bize vasiyet edilen tarihi emellerin gerçekleşmesine imkân vereceğine inanıyorum."

Başbakan Trepov, Rus Meclisinde yaptığı konuşma ile bu bildiriye açıklık getirecektir:

"İstanbul ve Çanakkale Boğazları ile İstanbul şehri, Rus milletinin yüzyıllar görmüş samimi amaçlarıdır. Bütün tarihi boyunca beslemiş olduğu bu emeller şimdi gerçekleşmek üzere. İngiltere ve Fransa ile yaptığımız anlaşma ile Boğazlar ve İstanbul üzerindeki hakkımız tanınmıştır. Rus milleti ne için kanını döktüğünü bilsin!"[2]

İngiltere Başbakanı Asquit

İstanbul'u işgal için Odesa'da bir kolordu oluşturmaya başlayacaklardı.

Enver ve Bronsard Paşalar ejderhayı azdırmışlardı.

İNGİLTERE Başbakanı Asquit savaşa giren Osmanlı Devleti'ni çok sert bir üslupla suçladı:

"Osmanlı Devleti'ni çok ağır biçimde cezalandıracağız."

Birkaç gün önce Malta Tersanesi Komutanlığına atanan Amiral Limpus, bu sırada daha Londra'daydı. Donanma Bakanlığında göreviyle ilgili temaslar yapıyordu. Çanakkale

Boğazı girişindeki tabyaların ertesi gün bombardıman edileceğini öğrenince şaşırdı, bir İngilizin sinirlenebileceği kadar sinirlendi.

İki yıla yakın Türkiye'de kalmış, ayrılalı iki ay olmuştu. Çanakkale Boğazı'nı iyi bilirdi. Savunma düzeni çok zayıftı. Tabyalardaki bütün toplar eski, çağı geçmiş toplardı. Bir gün Boğazı zorlamak gerekirse geçmek için güçlük çekilmeyecekti.

Ama böyle hesapsız bir hareket uyuyan Türkleri uyandırır, savunmayı güçlendirirlerdi. Bu tehlikeyi belirterek bombardımandan cayılması için ilgilileri uyardı:

"Bu çok yanlış olur. Yapmayınız!"

Donanma Bakanı Winston Churchill'in Çanakkale Boğazı'nın savunması hakkında bilgisi vardı. Sanayisiz bir devletin gücü kadardı. Kuvvetlice bir filo bu savunmayı yıkıp Marmara'ya geçebilirdi. Biraz güçlendirilmesi bir sorun yaratmazdı.

Verdiği emri geri almadı.

Bir İngiliz-Fransız filosu, ertesi gün Boğaz girişindeki dört tabyayı[3] bombardıman ederek bir gövde gösterisinde bulunacak, böylece Türk savunmasını da yoklamış olacaktı.

3 KASIM 1914 Salı sabahı Seddülbahir tabyasındaki gözcü ufukta belirmeye başlayan savaş gemisini izliyordu.

Saat 05.28'di.

Yaklaşık 3 aydır, sayıları gittikçe artan İngiliz ve Fransız savaş gemileri, Çanakkale Boğazı'nı sıkı denetim altında tutuyorlardı. Nöbette kalan gemiler Boğaz'a girişin uzağında aç köpekbalıkları gibi dolaşıp durmaktaydılar.

Sabah pusu ağır ağır açılıyordu. Gözcü ilk geminin arkasından bir başka geminin daha geldiğini fark etti. Sonra da öteki gemileri.

Ooof!

Hemen nöbetçi subayı uyandırdı.

"Komutanım, gemiler!.."

Nöbetçi subay Müstahkem Mevki Komutanlığını arayarak durumu bildirdi. Beş dakika geçmeden tabyalar silah başı yaptı.

Önde birbirinin dümen suyunda ilerleyen dört büyük savaş gemisi vardı. Bunları irili ufaklı 14 savaş gemisi izliyordu. Kıyılara 15 kilometre kala yavaşladılar. Öndeki 4 gemi, birbirinden ayrıla-

Amiral Carden

rak atış düzenine geçti. Ağır topların namluları hedeflere doğrultuldu.

Amiral Carden'in işaretiyle saat 07.00'de bombardımana başladılar.

Girişteki dört tabyada uzunca menzilli sadece 4 top vardı. İkisi Ertuğrulda'ydı, ikisi karşıda, Orhaniye'de. Bunların subay ve erleri topları başında kaldılar. Öteki subay ve erler, gerideki sığınaklara, kalın duvarlı cephaneliklere, derince siperlere sığındılar.

2 İngiliz gemisi, Gelibolu yarımadasının ucundaki Seddülbahir ve Ertuğrul tabyalarını, 2 Fransız gemisi ise Anadolu yakasındaki Kumkale ve Orhaniye tabyalarını bombardıman ediyordu.

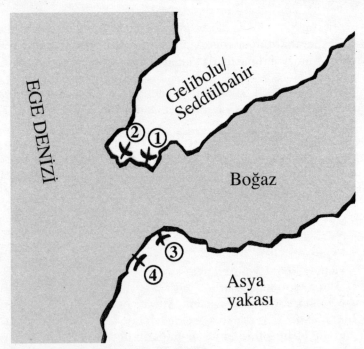

Çanakkale Boğazı girişindeki dört tabya

Subaylar askerleri aylardan beri gece gündüz çalışarak böyle bir gün için hazırlamışlardı. Sevindiler. Hiçbir asker korksa bile yerini bırakmamıştı. Verilen bilinçli eğitimin sonucuydu bu. Ama ciddi bir sorun vardı: En uzun menzilli toplarının bile atış mesafeleri yeterli değildi. Attıkları mermiler gemilerin yakınına bile erişemiyordu. Düşman da yakına sokulmuyordu.

"Lanet olsun!"

Bu savaş değil, tek yanlı bir atış tatbikatıydı sanki.

Bombardıman giderek yavaşladı. Bitiyordu herhalde. Bir serseri mermi Seddülbahir tabyasının gerisindeki merkez cephanesinin damına isabet etti. Cephaneliğin taş tavanı bir metre, tavanın üzerine yığılmış koruyucu killi toprak iki metre kalınlığındaydı. Bir merminin bu kalınlığı yarması mümkün değildi. Hain mermi toprağa saplanmadı, havalandırma deliğinden kaydı, cephanenin içine düşüp patladı. En sağlam bina diye bazı subaylar ve birçok er buraya sığınmıştı. Cephanelikte 11 ton kara barut ve 300 ağır top mermisi vardı.

Cephanelik içindekilerle birlikte havaya uçtu.

5 subay, 80 er şehit oldu. Çevredeki 23 er yaralandı. Yeni ordunun ilk şehit ve gazileriydi bunlar.[3a] Cephaneliğin yerinde kocaman bir çukur kalmıştı.

Amiral Carden'in emriyle filo ateşi kesti. Geride nöbetçi 2 savaş gemisi bırakıp uzaklaştılar.

Bu sırada bir İngiliz birliği Arapların coşkun gösterileri arasında Basra'ya çıkmaktaydı. Bir süre sonra birkaç vefalı kabile ve aydın dışında Arap yarımadasında Osmanlıya bağlı kimse kalmayacaktı.

İstanbul bu gidişin farkında bile değildi. Çok uzun yıllardan beri uyuyordu.

ÇANAKKALE BOĞAZI Müstahkem Mevki Komutanı Cevat Paşa (Çobanlı) gece Çanakkale'deki Çimenlik tabyasında bulunan karargâhında kalmıştı. Karadeniz olayından dolayı alarm halindeydiler. Belki Boğaz'a girmeye çalışırlar diye yalnız giriş tabyalarını değil, Boğaz'daki bütün tabya ve bataryaları silah başı ettirdi.

Boğazı gözlemek için Çimenlik kalesinin burcuna çıktı. Buradan bütün Boğaz görünmekteydi.

Boğaz'ın en güzel zamanıydı.

Bu soluk kesici güzelliği girişteki tabyalardan yükselen kara dumanlar kirletiyor, patlayan mermilerin yırtıcı şaklamaları tepeden tepeye yansıyarak Çanakkale'ye kadar geliyordu.

Kurmay Başkanı Yarbay Selahattin Adil Bey de geldi. Bir süre acı içinde savaş denilen vahşetin sesini dinlediler, dumanını izlediler.

Bu görevlere iki buçuk ay önce atanmışlardı. Savunma düzenini şaşılacak kadar dağınık ve yetersiz bulmuş, topların yeri ve sayısı hakkında doğru dürüst bilgi bile edinememişlerdi. Yetkiler Genelkurmay'daki birçok Alman arasında bölüşüldüğü için komuta birliği de kaybolmuştu.[4]

Müstahkem Mevki Komutanı
Cevat Paşa

Yarbay
Selahattin Adil Bey

Bu kısacık süre içinde kimseyi huylandırmadan, yetki tartışmalarına yol açmadan, usul usul çok yol almışlardı. En önemlisi komuta birliği sağlanmış ve Almanların yaptığı hayalci savunma planı akla ve imkânlara uydurulmuştu.[5]

Birden gökyüzüne doğru, içinde kızıl şimşeklerin kaynaştığı kıvrım kıvrım bulutlar yükseldi, patlayışın korkunç sesi yayılıp Boğaz'ı kapladı.

Telefona sarıldılar. Cephaneliğin uçtuğunu öğrendiler. Cevat Paşa sapsarı kesildi, "Hazırlıksız yakalanacağımızdan korkuyorum.." dedi, "..Mondros limanında biriken savaş gemilerinin hedefi Çanakkale'den başka neresi olabilir? Şu 13 eski bataryamızı da ne yapıp edip yeniden savunmaya katalım!"

"Başüstüne!"

Almanlar yerine yeniler gelmeden, küçük çaplı toplardan oluşan 13 adet bataryayı eski diye devre dışı bırakmışlardı.[6] Yenilerin geleceği yoktu. Almanlar bir işi yapılamayacak kadar büyük tutuyor, sonra da sonunu getiremiyorlardı.

Tabyaları denetledikten ve yaralıları ziyaret ettikten sonra karargâha döndüler.

Yapacak çok iş vardı.

Amiral Limpus savunmanın ilkelliğini koruduğunu sanarak yanılıyordu ama bu kanlı gösterinin çalışmaları hızlandıracağını doğru kestirmişti.

Hatta çok hızlandıracaktı.

Hurdaya çıkarılmış toplar yeniden elden geçirilecek, çürümüş gemilerin silahları sökülecek, depolarda unutulmuş işe yarar ne kadar top varsa, eski püskü olmalarına bakılmaksızın hepsi Çanakkale'ye postalanacaktı.

Müzeye kaldırılmış havan topları bile yollanacaktı.

Yaşlı Mesudiye zırhlısı da sağlam toplarından yararlanılmak üzere Çanakkale'ye gönderildi.

Yüzyıllardır bir şeyleri birbirine ekleyip kenetleyerek, bulup buluşturarak, yapıp yakıştırarak yaşamışlardı. Keşke devlet zengin, toplum gelişmiş olsa, bu dilenci buluşlarına, bu fukara çözümlerine gerek kalmasaydı. Yurtlarını Kanuni döneminde olduğu gibi kendi işliklerinin ürünü toplarla, tüfeklerle, kendi tersanelerinde yapılmış gemilerle savunabilselerdi. Ah ne olurdu!

Neden böyle geri kalmış, yoksul olmuşlardı?

Nedeni ne dindi, ne de dindarlıktı. İlk aydınlanma Müslümanlığın ürünüydü. Başlıca neden dinin, dolayısıyla toplumun ve devletin, gitgide ham sofuluğun, bağnazlığın ve medrese tutuculuğunun etkisine girmiş olmasıydı. Allah'ın koyduğu kurallar ile yetinmeyip onlara yeni kurallar, yasaklar, sıkılıklar ekleyen bu anlayış öyle yaygın ve güçlüydü ki kimse karşı gelemiyordu.

Bunu söyleyebilecek, dini de, toplumu ve devleti de kurtaracak kahraman henüz yoktu. Kader o kahramanı tarih sahnesine çıkarmak için hazırlık yapıyordu.

SAYILARI gittikçe artan İngiliz ve Fransız savaş gemileri Limni adasının Mondros limanını üs olarak kullanmaya başladılar.[7] Burası giderek bir baca ve direk ormanına döndü. Limanın girişi, olası bir Alman denizaltı hücumuna karşı çift kat çelik ağlarla kapatıldı. Işıldaklar bütün gece çevreyi tarıyordu.

Donanma Bakanı Winston Churchill bu gelişen filoya komutan olarak Amiral Carden'i getirdi.

Amiral bu görevi sevmiş, bugünkü ilk işi de heyecanla yönetmişti. Boğaz'ın girişindeki tabyaları 20 dakika bombardıman etmişler, 200 mermi savurmuşlardı. Mondros'a dönerken yolda görevin yapıldığını Londra'ya bildirdi.

Donanma Bakanı Churchill makamına geldiği zaman şifresi açılmış raporu masasının üzerinde buldu.

Carden'in hevesli olmasına sevindi.

Batı cephesinde sonuç almak çok zorlaşmıştı. Savaşı kısaltacak ve zafere götürecek en elverişli ve ses getirecek savaş sahnesinin Çanakkale olduğunu düşünüyordu. Düşünmüyor inanıyordu. Ama inancını Deniz Kuvvetleri Komutanı Amiral Fisher paylaşmamıştı. Amiral bilgisine ve biraz da yaşına güvenerek –73 yaşındaydı– bu yararsız, gereksiz düşüncesinden dolayı Churchill'i azarlamış, o da susmuştu.

Deniz Kuvvetleri Komutanı
Amiral Fisher

Churchill İngiliz hükümetinin en genç Bakanıydı. 40 yaşındaydı. Savaşı en etkili politik araç ve çözüm yolu olarak görüyor, savaştan dev bir oyun zevki alıyordu.

Bir puro yaktı.

Düşüncesinden vaz geçtiği için değil, daha iyi hazırlanmak, sonra da konuyu yeniden açarak istediği sonucu koparmak için susmuştu.

Masasının üzeri Bakanlığın arşivinde bulunan Çanakkale ile ilgili dosyalarla doluydu. Fırsat buldukça bunları inceliyordu. Yeni bir dosyayı önüne çekti.

İKİ HAFTA önce Yarbay von Thauvenay Genelkurmay'da Harekât ve İstihbarat gibi iki çok önemli şubenin başına getirilmişti. Türkleri sürekli küçümseyen bir Almandı.

Çanakkale ağzındaki tabyaların bombalandığı haberi Yarbay von Thauvenay'ı panikletti.

"Eyvah!"

Düşman donanmasının fazla zorlanmadan Boğaz'ı geçeceğini, Marmara'ya girip İstanbul'u tehdit edebileceğini düşünüyordu. Çünkü Çanakkale'de bir tek yeni, büyük top olmadığını biliyordu. Türklerin düşman donanmasının yoğun ateşine dayanabileceklerini de hiç sanmıyordu.

Bu nedenle Harbiye Nezareti ile Genelkurmay'ın, tehdit altında kalmamak için bir an önce İstanbul'un Anadolu yakasına taşınmasını önerdi. Oradan daha içerilere kaçılabilirdi.

Savaşa erken girilmiş olması Türk kurmaylarını çok üzmekteydi. Şimdi ordunun Alman çıkarları için kullanılmamasını sağlamaya çalışıyorlardı. Çok gergindiler. Ama Thauvenay'ın ortalığı telaşa vermesi, hele önerisi hepsini güldürdü.

"Kalınkafa'nın önerisini duydunuz mu?"

Adı aralarında 'Kalınkafa'ydı. Tam da adının adamıydı. Türk Başkomutanını iki haftadır bu 'Kalınkafa' bilgilendiriyordu.

Liman Paşa'nın tutumu ise hepsini çok düşündürdü.

Çünkü 1. Ordu Komutanı, Ordular Genel Müfettişi, Reform Kurulu Başkanı Mareşal Liman Paşa da Boğaz'ın aşılacağını düşünüyor olmalıydı ki İstanbul'un Marmara kıyılarına ve adalara İngiliz zırhlılarına karşı bataryalar yerleştirilmesini emretmişti.[8] Bir yüksek komutan daha ilk girişimde böyle paniklerse gerçek savaş içinde kalınca ne yapacaktı acaba?

Ne yapacağı dört ay sonra görülecekti.

MECİDİYE tabyası Çanakkale'nin tam karşısında, Kilitbahir'deki tabyalardan biriydi. Alçak bir tepenin üstündeydi. Az ilersinde Hamidiye Tabyası; önünde, deniz düzeyinde Namazgâh tabyası vardı.

Komutanı Yüzbaşı Hilmi Şanlıtop, işinin ustası, çalışkan, öğretmen ruhlu, yurtsever, sakin bir askerdi.

Balkan Savaşı'nı görmüş, kepazeliği yaşamıştı. İyi eğitilmemiş, disinlinsiz, bilinçsiz, bilgisiz askerin ne kadar kolay bozulduğuna, sürüye döndüğüne, utanılacak kadar bencilleştiğine tanık olmuştu. Hurafeciliğin halkı ilkelleştirdiğini biliyordu. Bu nedenle askerlerini her fırsattan yararlanarak aydınlatıyor, eğitiyor, onları iyi, uyanık, yurtsever, bilinçli asker yapmaya çalışıyordu.

Bu sabah Müstahkem Mevki alarm verince mürettebat üç dakikada topbaşı yapmıştı. Kaç zamandır buna çalışıyorlardı. Ama bugüne kadar hiç öylesine hızlı olmayı başaramamışlardı.

Hilmi Bey hepsine teşekkür etti, yardımcısı Teğmen Fahri'ye de usulca, "Bugün akşam yemeğine irmik helvası ekleyelim." dedi, "..hak etti çocuklar."

Cebinden para vererek gereken malzemeyi aldırmasını rica etti.

Türk ordusunda karavana çok sadeydi. Fazlasına devletin gücü yetmiyordu. Asker hiç şikâyetçi olmaz, bu kadar verebilen devletine dua ederek karnını doyururdu.

İrmik helvası büyük olaydı.

Akşam az etli bulgur pilavı vardı. Bir de helva olduğunu duyunca asker bayram etti. Bataryanın uğuru Deli Mustafa ile Deli İbrahim zıpzıp zıpladılar. Bunlar 40 yaşında iki iyi çocuktu.

"Hey hey heyyyy!"

Er Edremitli Seyid'in gözleri dört açıldı, "Anaav." diye inledi minnetle, "..padişah sofrası da anca bu kadar olur!"

RUSYA'DAN sonra İngiltere, Fransa, Belçika da yazılı olarak Osmanlı Devleti'ne savaş ilan ettiler. Bunları Sırbistan, Karadağ ve formalite olarak Japonya izleyecektir.[9] Yunanistan, Bulgaristan ve Romanya taraf tutmak için savaşın gidişini izliyorlardı.

Başkomutanlık, imparatorluk limanlarında bulunan bütün düşman gemilerine, düşmanlara ait tüm işyerlerine, şirketlere, bankalara el konulmasını, düşman uyruklulardan 25-50 yaş arasındakilerin tutuklanmalarını emretti.

Rusya ve İngiltere çeşitli etnik gruplardan oluşan Osmanlı İmparatorluğu'nu sorunlara boğmak, parçalayıp çökertmek için çalışmaktaydılar.

Onlar da çalışmalara hız verdiler.

Rusya Osmanlı Ermenilerini uzun zamandır türlü vaadler ve silahla besliyordu. Savaş başlar başlamaz Rus Çarı bir bildiri ile Osmanlı sınırları içindeki Ermenileri isyan etmeye çağırdı.[10] Ermenilerin bu uğursuz çağrıya uyarak yer yer isyan etmeleri, çeteler kurarak cephe gerisini savaş alanına çevirmeleri, yüzbinlerce Türkün, Kürdün ve Ermeninin felaketine yol açacaktı.

Osmanlı Devleti'ni parçalamak için İngiltere de kaç zamandır Arabistan'daki ayrılık hareketlerini körükleyip desteklemekteydi. İngiliz propaganda makinesi ince ince çalışıyor, İngiliz altınları sessizce el değiştiriyordu.

Araplar parça parça ayrışıp kopuyorlardı.

İngiliz Dışişleri Bakanlığının Cidde Konsolosuna yolladığı gizli bir yazı ele geçirildi. Osmanlı Padişah/Halifesine yalnız uyruk olarak değil, yeminle de bağlı olan Mekke Şerifi Hüseyin ile İngilizler arasında gizli yazışmalar yapılmakta olduğu anlaşıldı.[11]

Bu ön çalışmaların sonucu olarak Peygamber ailesinden Şerif Hüseyin ve oğulları bir zaman sonra ayaklanacaklar, büyük oğlu Faysal kurduğu bir Arap birliği ile Türk ordusuna karşı İngilizlerin yanında yer alacaktır.

Belleği sağlam Türkler bu olayları unutmayacaklardı.

3. Kolordu Komutanı
Esat Paşa

3 KASIM bombardımanı Başkomutanın dikkatini kısa bir süre için de olsa Çanakkale'ye çekti. 3. Kolordu Komutanlığı karargâhının Tekirdağ'dan Gelibolu'ya alınmasını emretti, sonra yine Doğu cephesi ve Süveyş seferiyle ilgili konulara döndü. Başkomutanlık hiçbir aşamasında büyük savaşı bir bütün olarak görmeyi başaramayacaktı.

Gelibolu, tarihi bir liman ve şehirdi. Balkan Savaşı sırasında da Gelibolu Kolordusunun Karargâhına ev sahipliği yapmıştı.

3. Kolordu Karargâhı gelince şehircik yeniden hareketlendi, çarşısına bir canlılık geldi. Kolordu bandosunun akşam üzerleri kale önünde verdiği konserler kaygılı halk için teselli oldu.

Kolordu Komutanı Esat Paşa'ydı. Yanya Savunması Komutanı olarak ün kazanmıştı. Ama bu acıklı bir ündü. Çünkü Yanya, sonunda teslim olmak zorunda kalmıştı. Nazik, bilgili, azimli bir komutandı. İyi Almanca biliyordu. Yanya'da yaşanan gergin günler, bir süre Yunanlıların elinde tutsak kalmış olmak Paşa'nın sinirlerini hayli yıpratmış, alıngan ve sabırsız yapmıştı. Sükûnete, düzene meraklıydı. Tartışmaktan kaçınırdı.

Oysa beş ay sonra ancak demirden adamların dayanabileceği çok hırçın olayların içinde kalacaktı.

Emrinde iki tümen ve bazı küçük birlikler vardı.

Bu iki tümen (7. ve 9. Tümenler) baştan sona Çanakkale savaşlarına katılacaktır. Hele 9. Tümen, ilk günün inanılmaz olaylarını göğüsleyecekti.

3. Kolordu Komutanı
Kurmay Başkanı
Yarbay Fahrettin Altay

Bir tümen daha verilmesi gerekiyordu kolorduya. Bu üçüncü tümen belli değildi.

Bugüne kadar Çanakkale ve Gelibolu yarımadasının kara kuvvetleri tarafından savunusu için bir strateji saptanmış, bir görüş belirlenmiş değildi.[12] Başkomutan ile Almanlar hayaller peşindeydiler.

Bu gecikmiş işi, kendi yetki alanın içinde, 3. Kolordu toparlayacaktı.

Kurmay Başkanı Yarbay Fahrettin Altay ve kurmay arkadaşları bir savunma planı hazırlamak için çalışmaya oturdular.

Önce araziyi iyi tanıyan 9. Tümenin komutanı Albay Halil Sami Bey'i ve alay komutanlarını dinlediler. Bu komutanlar Gelibolu yarımadası ile Çanakkale'nin Ege denizi kıyılarını avuçlarının içi gibi bilirlerdi. Uzun zamandır Çanakkale ve Gelibolu'daydılar.

EDİRNE Bulgarlara verildiği zaman bazı heyecanlı üniversite öğrencileri Harbiye Nezareti'ni basmış, asker olabilmek için olay çıkarmışlardı.

Orhan da bu çılgınlardan biriydi. Oysa Dilber'e âşıktı. Masala benzer, özel bir aşktı bu. Onu bırakıp da nereye gidecekti? Ama edebiyat fakültesini öyle bir coşku sarmıştı ki Orhan da kapılmış, gönüllü er olmuştu.

Edirne'yi geri alan birlikte bulunmuş, Meriç'i geçmiş, makineli tüfek ateşiyle biçilmiş, ağır yaralı olarak günlerce çamur içinde, yağmur altında kalmış, ölümün kucağından geri alınarak Edirne hastanesine kaldırılmıştı.

Konuşabilmeyi başarınca künyesini söyledi.

Evine haber verdiler.

Annesiyle babası, askere aslan gibi yolladıkları oğullarını ilk gördükleri gün niye yüreklerine inmediğine şaşacaklardı. Bu 22 yaşında bir insan taslağı, bir yıkıntıydı. İki akciğeri de su toplamıştı (plörezi). Ateşi düşmüyor, ağrısı azalmıyor, zor nefes alıyordu. Kurşun yaraları iyileşiyordu ama bu hastalıktan kurtuluş çok zordu. Çünkü ilacı yoktu. Tek çare bol, iyi gıda almaktı. Ama yemek yiyemiyordu. Ne iştahı vardı, ne lokmaları çiğneyecek gücü.

İstanbul'daki Haydarpaşa Hastanesi'ne taşıdılar.

Annesi her gün geliyor, doktorların öğüdüne uyarak, Orhan'a bir lokma bir şey yedirmek için çırpınıyordu. Peçeyle hizmet edilemiyordu ki. Peçeyi sıyırıp attı. Bir gazinin annesine kim ne diyebilirdi ki?

Orhan yeniden savaş çıktığını duyunca hiç tepki göstermedi. Umursamadı bile. Onun aklı Dilber'deydi. Dilber'in "abicim" diyen tül gibi sesi, top, tüfek, bomba seslerinden daha güçlüydü, hepsini bastırmaktaydı.

Cesaret edip de annesine bir türlü Dilber'i soramıyordu. "Evlendi gitti" diyecek diye ödü kopuyordu. Kızcağız "abi" diye bayıldığı Orhan'ın kendisini sevdiğini bilmiyordu ki beklesin. Aynı çatı altında, bir evin katlarını bölüşen iki komşu ailenin çocukları olarak ağabey ile küçük kız kardeş gibi büyümüşlerdi. Evin girişi, erkek misafir odası, mutfak, bahçe ortaktı. Birinci katta Dilberler kalıyordu. İkinci katta Orhanlar. Aralarında altı yaş fark vardı.

Kurşun yarasına, ciğer yangısına dayanıyordu ama Dilber'siz kalmaya katlanamazdı. Katlanabilecek kadar canı yoktu.

Annesi kendiliğinden söz açtı:

"Dilber de gelmek istiyor ama çocuk seni böyle görünce üzülür diye getirmiyorum. Biraz düzelmeni bekliyorum."

Dilber daha evdeydi ha!

Bu bilgi yetti. İyileşme hevesi geldi. Zorlukla bir şeyler yemeye başladı. Başhekim Dr. Nuri Bey başını okşadı:

"Anneden daha iyi ilaç yoktur. Toparlanacaksın."

Acısına rağmen gülesi geldi.

Besbelli ki bu tonton başhekimin aşktan haberi yoktu.

3. KOLORDU Komutanlığı kolordusunun savaş araçları ihtiyacını karşılamak için tamirhane ve dikimevleri kurarken, üzerinde çalıştığı ayrıntılı savunma planına da son biçimini verdi.

Plan, düşmanın Gelibolu ya da Çanakkale kıyılarına bir çıkarma yapması halinde uygulanacak savunma yöntemini ve düzenini belirliyordu. Türk subayları, arazinin özelliklerini, eldeki imkânları ve olası düşman hareketlerini uzun uzadıya inceleyip değerlendirerek, en uygun yolu saptamışlardı.

Plan birliklere gönderildi.

9. Tümen Komutanı Albay
Halil Sami Bey

27. Alay Komutanı
Yarbay Şefik Bey

27. Alay 3. Tabur
Komutanı Yüzbaşı
Halis Bey

Plan iki tümen komutanına da güven verdi.

Düşman kıyıya çıkarken, yani en zayıf olduğu anda karşılana-caktı. Bunun için olası çıkarma yerlerinde güçlü birlikler bulun-durulacak, hazırlık ve yerleşim bu esasa göre yapılacaktı: Birliğin üçte ikisi kıyıda olacaktı, üçte biri geride yedek. Dönemin yeni silahı olan ağır makineli tüfekler de kıyıda mevzilenecekti. Bun-lar dakikada 500 mermi atan çok etkili silahlardı. Yazık ki orduda sayısı çok azdı. Önemi kavranıp da getirtilene kadar savaş patlak vermişti.

7. Tümen hemen gereğini yapmaya koyuldu.

9. Tümen Komutanı Albay Halil Sami Bey de heyecanla Alay Komutanlarını çağırdı, planı açıkladı. Emirlerini verdi. Özellikle atış talimlerinin çoğaltılmasını istedi.

"Cephaneye kıyın, atış çalışmalarını çoğaltın, asker iyice us-talaşsın."

Öbür iki alay komutanı gibi 27. Alay Komutanı Yarbay Şefik Aker de planı hemen üç taburuna yolladı. Ayrıca uygulamayla il-gili yazılı bir emir verdi. Emrin 2. maddesi şöyleydi:

"Esas, düşmanı etkili ateş altına alarak karaya çıkarmamak, çıkarsa çıktığı noktada tepelemektir. Önlemler bu esasa göre alı-nacaktır. Müfrezeler, bölgelerini gerekirse tamamen mahvolunca-ya kadar savunacaklardır. Bir tek askerin emirsiz geriye çekilmesi ölüm cezasını gerektiren bir kaçış sayılacaktır."

Çanakkale Askeri!

Liman Paşa'nın bu planı alt üst edeceği hiçbirinin aklına gelmiyordu.

27. ALAY 3. Tabur takım komutanlarından Asteğmen Mucip Kemalyeri'nin anı defterinden:

"Bugün Tabur Komutanımız Yüzbaşı Halis Bey bölük ve takım komutanlarını topladı, kolordunun hazırladığı savunma planını açıkladı. Alay Komutanımızın emrini okudu. Kendi de bazı öğütlerde bulundu. Hepimize sevgiyle bakarak, 'Size fazla bir şey söylemeye gerek yok.' dedi, '..Asker bugünkü ruhu korusun, yeter!'

O ruhu kazandırmak için çok çalışmıştık.

Köylü, askere düzgün yürümeyi, hele koşmayı bilmeden geliyor. Görünüşleri hiç güven vermiyor. Okuma yazma bilen yok. Şaşılacak kadar bilgisizler. Çünkü devlet bu talihsizleri ancak askere ihtiyacı olunca hatırlıyor.

Biz yalnız bedenlerini değil, ruhlarını ve beyinlerini de çalıştırdık. Kafaları hurafe doluydu. Dinimizin güzel kurallarını açıklayarak kafalarını hurafelerden temizledik. Milletimizin büyüklüğünü, tarihimizin zenginliğini anlattık. Çoğu, vatan, Türkiye, millet, sancak, bağımsızlık gibi sözcükleri ilk kez duydu, ne olduklarını öğrendi. Günümüz kurallarına göre savaşmayı da öğrettik.*

Anadolu çocuklarına karavana çok yarıyor.

O gösterişsiz, yoksul, hasta gibi duran köylüler doğruldular, dikildiler, kıvraklaştılar, hızlandılar. Demir gibi imanları ile yeni kazandıkları milli duygu kaynaştı, bilgiyle birleşti, yenilmez, yılmaz bir ruh yarattı. Şimdi askerin öyle babayiğit, öyle kendinden emin, öyle farklı bir duruşu var ki hepimiz iftihar ediyoruz. Tatbikatlarda bir tepeden öbür tepeye rüzgâr gibi koştuklarını görmek insanı heyecanlandırıyor.

Evelallah sömürgecileri yeneceğiz."

Asteğmen
Mucip Kemalyeri

13 KASIM akşamı İttihat ve Terakki Partisi merkezinden esnaf birliklerine, dernek ve kulüplere kısa bir yazı ulaştırıldı. Ertesi gün Halife Sultan Reşat'ın cihat ilan edeceği, Fatih camisinde bulunulması bildiriliyordu.[13]

Ruslar ya da Bulgarlar İstanbul kapısına dayandıkları zaman bile cihat ilan edilmemişti. Türk askerinin savaşmak için cihat ilanına ihtiyacı yoktu.

Bu neydi?

Halk bilmeyecekti ama ilgililer biliyorlardı: Almanların zoruyla alınmış bir karardı bu. Almanlar Osmanlı Halifesi cihat ilan edince bütün İslam âlemi İngilizlere, Fransızlara ve Ruslara karşı ayaklanacak, yer yerinden oynayacak sanıyorlardı. Birçok Türk yetkili de bu ümidi paylaşmaktaydı.

İngiliz, Fransız ve Rusların da bu dinsel silahın kullanılması olasılığından ödleri patlamaktaydı. Üçünün de egemenliği altında milyonlarca Müslüman vardı.

Halifenin etkisi ilk kez sınanacaktı.

Konu gazetelere de duyuruldu.

14 KASIM 1914 Cumartesi sabahı bütün gazetelerin birinci sayfasında iri, kalın harflerle şu iki kelime yer alıyordu:

"Cihad-ı Ekber"

Fatih Camisinde cihad bildirisi okunuyor

Şehri bir heyecan dalgası kapladı. Olayı öğrenen, okuyan İstanbullular erken saatlerden başlayarak Fatih camisinin büyük avlusunu doldurmaya başladılar. Bir cihat nasıl ilan edilir, bugüne kadar hiçbiri görmüş, yaşamış, hatta duymuş değildi. Bu yepyeni bir olaydı.

Birtakım fesatçılar ile din cahilleri, cihat ilan edildiğine göre İstanbul'da ne kadar Hıristiyan, Yahudi, din düşmanı varsa hepsinin öldürülmesi gerektiğini yaymaya başladılar. Panikleyen bazı yabancılar elçiliklere, elçilik gemilerine, Hristiyanlar kiliselere sığındılar. En zararlı cahillik dinde cahillikti ve çok yaygındı, sömürülmeye, azdırılmaya açıktı. Bu çok tehlikeli gelişim büyük zorlukla yatıştırıldı.[14]

Avlu ve cami bayraklarla donatılmıştı. Caminin girişindeki merdivenin sahanlığına bir kürsü yerleştirilmiş, şallarla süslenmiş, yere halılar serilmişti. Halk akın akın geliyor, kalabalık gittikçe artıyordu. Gazeteler kalabalığın elli bin kişiyi geçtiğini tahmin edeceklerdi. Hepsi derin bir sessizlik içinde bekliyordu.

Caminin minarelerinden tekbir sesleri yükseldi. Kalabalık dalgalandı, kabardı, heyecanla tekbirlere katıldı. Bir yanardağ kükrüyor gibi oldu. Kimileri vecde gelip ağlamaya başladı.

Fetva Emini Nuri Efendi kürsüye geldi. Coşku içindeki kalabalık ağır ağır sustu. Nefes almaz oldu. Fetva Emini gür sesiyle Halife Sultan Reşat'ın bütün Müslümanlara seslenen cihat bildirisini, sonra da beş parçadan oluşan cihat fetvasını okudu.

Fetvaya göre, tüm Müslümanlar Almanlar, Avusturyalılar ve Macarlar ile birlikte savaşacak, İngiltere ve dostlarına karşı ayaklanacaklardı. Alman, Avusturya ve Macar askerlerine karşı gelen Müslümanlar cehennem azabına uğrayacaklardı.

Bu Allah ve din uğruna bir savaş değil, en sefilinden bir dünyayı paylaşma kavgasıydı. Ama yükselen heyecan böyle şeyleri düşünmeye fırsat vermiyordu. Coşan, coşturulan halk, önde askeri bir bando, yollara döküldü. Harbiye Nezareti ile Alman ve Avusturya Elçilikleri önünde ateşli söylevler çekildi, dünyaya meydan okundu. Bu fetvaların İslamları ayaklandıracağını düşünenler zafer hülyalarına daldılar. Gösteriler gece yarısına kadar sürdü.

Dünya Müslümanlarının bu olaydan haberli olmaları için Almanların desteği ile ciddi bir hazırlık yapılmış, bildiri ve fetvalar birçok yerel dile çevrilmiş ve bastırılmıştı.

Dört bir yana yollandı.

GAZETELER ertesi gün bu olayı büyüttüler. Sayfalar iri başlıklar, bol fotoğraflar, alevli yazılarla doldu. Heyecan artarak sürüyordu. Sahibinin Rus uyruklu olduğu öğrenilen Tokatlıyan otelinin camları parçalandı. Yeşilköy'deki Rus anıtı yıkıldı.

Meşrutiyetin ilan edildiği coşku günlerine benziyordu. Bir yükselti bulan üzerine çıkıp konuşuyor, kimi sınırları Avrupa'ya, kimi Asya'ya doğru genişletiyor, kimi de hükümete Mısır'ı, Girit'i, Kıbrıs'ı geri alması için talimat veriyordu. Uzun yıllardır zafere, başarıya, gurur verici bir olaya susamış olan halk susmak, durmak bilmiyordu. Gösteriler İstanbul dışına taştı, Anadolu şehirlerine yayıldı.

İkdam gazetesi muhabiri akşam üzeri haberi yetiştirmek için gazetesine koşarken Meserret kıraathanesinin önünde tarihçi Ziya Şakir Bey'e rastladı. Saygıyla selam verdi. Ziya Şakir Bey'in yüzü iyice kararmıştı. Ateş püskürdü:

"Hazret-i Muhammed cihat için Allah'tan emir alıyordu. Biz Alman İmparatorundan alıyoruz."

Selam vermeden yürüyüp gitti.

Muhabir bunu yazsa, basılmayacağını biliyordu. İttihatçılar büyük olay çıkarırdı.

Aklına yazdı.

SOFYA'DA Elçi Fethi Okyar ile Ataşemiliter Yarbay M. Kemal, Türk Elçiliğinin alt katındaki küçük odada, Batı ve Doğu cephelerindeki savaşları bir masaya yayılmış haritadan izliyor, her akşamüstü durumu değerlendiriyorlardı.

Bu akşam da biraraya gelmişlerdi.

Ordunun durumunu bildikleri için zamansız savaşa giriş ikisini de sarsmıştı. Cihat ilanının İngiltere, Rusya ve Fransa'yı korkutacağını, dolayısıyla üçünün de büyük hıncını çekeceğini düşünüyorlardı. Bütün güçleriyle yükleneceklerdi. Üstelik Almanya ve Avusturya ile denizden ve karadan bağlantı kalmamıştı. Yardım alınamayacaktı.

Haritaya bakarak olumlu ve olumsuz tüm olasılıkları uzun uzun değerlendiren M. Kemal doğruldu. Vardığı trajik sonucu açıkladı:

"Türkiye bu savaştan sağ çıkmaz."[15]

Yaşardığını göstermemek için gözlerini birbirlerinden kaçırdılar.

M. Kemal sabah Enver Paşa'ya bir mektup yazarak orduda bir görev isteyecektir.[16]

ENVER PAŞA M. Kemal gibi düşünmüyordu. M. Kemal gerçekçi bir hesap adamıydı. Enver Paşa ise bambaşka havalardaydı. Kâzım Karabekir'in sözlü raporunu hayli dalgın dinlemişti. Karabekir kalkmak için "çıkabilirsin" demesini bekliyordu. Enver Paşa uzunca bir duraksamadan sonra sol kaşındaki küçük beyazlığı gösterdi, yüzü pembeleşerek sordu:

"Kaşımdaki beyazlığın bir cihangirlik[17] işareti olduğunu söylüyorlar. Sen ne dersin?"

Karabekir bu çocuksu soru karşısında yumruk yemişe döndü. Resmiyeti bir yana atıp "Sevgili Paşam.." dedi, "..size bütün samimiyetimle yalvarıyorum, bunu kimler dediyse hiçbirine inanmayın, sizi kandırıp maceralara sürüklemek istiyorlar. Sizin bu tür kehanetlere, fallara ihtiyacınız yok. En yüksek yerdesiniz. Sizi birçok şerefli hizmet bekliyor. Devletimizin gerçeklerinden ve kurmaylığın bilimsel hesaplarından ayrılmayın.."

Enver Paşa gülmeye çalışarak ellerini salladı:

"Tamam, tamam. Benim de inandığım yok. Ne düşündüğünü öğrenmek istemiştim."[18]

Karabekir çıkmak için izin isteyince, "Dur.." dedi, "bir şey daha soracağım."

Karabekir saygıyla durdu.

"Bizim kendi kendimize adam olmamız ihtimalini görmüyorum. Avrupalılara çabuk yetişmek için tedbir düşünüyorum ama daha kesin kararımı vermedim. Düşündüğüm şey Anadolu'ya bir miktar Alman göçmen getirmek. Her yana değil. Yalnız demiryolları boyuna. Bunlar ziraat, zanaat, sanat, işte her dalda halkı-

İstihbarat Şube Müdürü
Yarbay Kâzım Karabekir

mıza örnek olurlar. Böylece halkımızın da az zamanda kalkınması mümkün olur. Ne dersin?"

Bu ikinci yumruk Karabekir'i iyice sersemletmişti. Karşı çıkmak için kendini toparlamaya çalışırken Enver Paşa yüzünü buruşturdu:

"Anladım. Sus. Bu bir düşünceydi, karar değil. Burada konuştuklarımızın gizli olduğunu unutma. Çıkabilirsin."[19]

Karabekir Enver Paşa'dan korkmuştu. Derin bir kaygı içinde odadan çıktı.

1 KASIMDA saldırıya geçen Rus ordusu ilk birkaç gün ilerlemeyi başarmıştı.[20]

Saldırıya Rusların Güney Kafkasya'da gönüllü Ermenilerden kurduğu çeteler de katılmış, saldırıyla birlikte Türk ordusundaki Ermeni subay ve erler de kaçarak Rus ordusuna katılmaya başlamışlardı.[21]

Türk Doğu Ordusu (3. Ordu) silah, donanım ve eğitim bakımından yetersizdi. Ama ordunun morali iyiydi. Rus kolordusunu önce Köprüköy, sonra da Azap savaşında (20 Kasım) sarstı. Yeni ordunun direnci Rusları şaşırtmıştı.

Geri çekilmeye başladılar.

Bu başarı Enver Paşa'ya büyük ümit verdi.

Artık Süveyş seferini kesinleştirmenin zamanı gelmişti. Bahriye Nazırı Cemal Paşa'ya 4. Ordu Komutanlığını önerdi. 4. Ordunun bölgesi Mersin'den Yemen'e kadardı.

"Hem bu geniş bölgeyi yönetir, hem de Süveyş seferini üstlenirsin."

Süveyş'i geçer de İngilizleri kovup Mısır'ı geri alırsa, Mısır da onun bölgesine eklenecekti.[22]

Cemal Paşa İstanbul'da üçüncü adam olmak yerine bu geniş alanda tek adam olmayı ve Süveyş seferini yönetmeyi seçti.

"Kabul."

"Teşekkür ederim."

Bunun üzerine Enver Paşa iç rahatlığı ile gözlerini yeniden Doğu cephesine çevirdi. Bu cepheye büyük önem veriyordu. Bunun nedeni, yalnız Almanlara yaranmak değildi. Kafkas bolluğuna kavuşmayı ve Turan yolunu açmayı da ümit ediyordu.

Ordunun çekilen Rusları izlemediğini öğrenince dehşetli kızdı.

Ordu Komutanı Hasan İzzet Paşa ihtiyatlı bir komutandı. Ordusunu ilerletmediği gibi, yeni bir Rus saldırısını karşılamaya hazırlanmak için daha elverişli bir yer tutmak üzere 10 km. kadar da geri çekmişti.

Enver Paşa ordunun hemen taarruz etmesini emretti. Binbaşı Ali İhsan Sabis Doğuda kışın başladığını, Doğu kışının çok sert

Harekât Şube Müdürü
Ali İhsan Bey

olduğunu açıklamaya çalışırken, Enver Paşa delirmiş gibi yerinden fırladı:

"Haydi be kakavan! Bıktım senin bu ukalalıklarından!"

Ali İhsan Bey akıllılık edip odadan kaçtı.[23]

Enver Paşa Almanlarla odasına kapandı. Bir taarruz planı hazırladılar. Bu plan 'Sarıkamış Kuşatma Planı' diye anılacaktır. Sonra Albay Hafız Hakkı Bey'i çağırdı, planı özetledikten sonra, Doğu Cephesine gidip ordunun durumunu yerinde incelemesini, bu planın uygulanıp uygulanamayacağını öğrenmesini istedi.

"Hemen yola çıkacaksın!"

"Başüstüne!"

Hafız Hakkı Bey Doğu ordusunun kış savaşına hazır olmadığını iyi bilirdi. Türk kurmaylar onun gönderilmesine sevindiler. Yollayacağı ayrıntılı bir raporla taarruzu kış sonuna erteletmeyi ancak o başarırdı. Bilmedikleri bir şey vardı: Enver Paşa'nın gölgesinde kalmış olan Hafız Hakkı öne çıkmak için kaç zamandır bir fırsat kolluyordu. Sarıkamış planı aradığı fırsattı.

O gün denizden Trabzon'a hareket etti.

40 YAŞINDAKİ Mesudiye zırhlısı Çanakkale'nin güneyindeki Kepez burnu yakınına demirlemişti.

Sultan Abdülaziz döneminden kalma tarihi bir gemiydi.

Zırhlının 2 büyük topu vardı. Bunların namluları Balkan Savaşı'ndan sonra içleri yenilensin diye İngiltere'ye gönderilmiş, savaş patlayınca, Sultan Osman ve Reşadiye gemileri gibi namlular da orada kalmıştı. Yerlerine göstermelik tahta namlular takılmıştı. Ama değişik çapta, çalışır durumda 38 topu bulunuyordu.[24] Burnunu Boğaz'a vererek demirlemişti. Sol yanındaki toplarıyla Boğaz girişini ateş altına alarak savunmaya katılabilir, sağındaki toplar ise sökülüp karaya çıkartılarak karadaki savunma düzeni güçlendirilebilirdi.

Sağ yanındaki topların sökülmesi kararlaştırıldı. Söküme 15'lik büyükçe toplardan başlanacaktı. Bunlar 6 toptu.

6'sı da karşı yakadaki Baykuş tepesinin ardında hazırlanan yere yerleştirilecekti.

Sökülen topun gemiden mavnaya indirilmesi, karşıya geçirilmesi, Baykuş tepesinin ardındaki mevziye çıkartılıp yerleştirilmesi gerekiyordu. İmalat-ı Harbiyeci Yüzbaşı Ramazan Usta'yı tanımayanlar bunun imkânsız olduğunu düşünebilirlerdi. Çünkü elde bu ağırlıkta bir topu kaldırabilecek vinç yoktu. Ama Usta'yı tanıyanlar için bu iş sorun değildi. Bu yaşlı, sıska adam ağırlıklarla oynayan bir sihirbaz gibiydi.

Bir ay önce, Çimenlik kalesinin burcundaki 35,5'lik dev topu, birkaç kalas, biraz halat ve 30 kadar yardımcısıyla burçtan aşağı indirmiş, bir mavnaya koyup Hamidiye tabyasına götürüp benzerlerinin yanına yerleştirmişti.

Söz konusu top 100 ton ağırlığındaydı.[25]

Yüzbaşı Ramazan Usta çağrıldı.

YÜZBAŞI Salih Bozok, Beylerbeyi Sarayı'nda bir çeşit mahpus olarak yaşayan eski padişah II. Abdülhamit'in koruma subaylarından biriydi. M. Kemal'in yakın arkadaşıydı. Gelişen olaylar dolayısıyla görüşünü sormuştu.

M. Kemal Salih Bozok'a şu yanıtı verdi:

"Bu husustaki görüşümü sana özel olarak yazıyorum: Ben Almanların bu savaşta muzaffer olacaklarına katiyen emin değilim.

Bir vazifeye atanmam için Harbiye Nazırına yazdım. Ataşemiliterlikte kalmak istemediğimi, millet ve memleketin büyük bir savaşa hazırlandığı bir sırada benim de herhangi bir birliğin başında bulunmak istediğimi bildirdim. Henüz cevap alamadım."[26]

M. KEMAL bu mektubu yazdığı sırada İngiliz Savaş Kurulu Başbakanlıkta, Başbakanın başkanlığında toplantı halindeydi. Toplantıya Savunma Bakanı Mareşal Lord Kitchener, Dışişleri Bakanı Sir Gray, Maliye Bakanı Lloyd George, Donanma Bakanı Churchill ile öteki ilgililer katılıyordu. Toplantılarda Genelkurmay Başkanı ile Donanma Komutanı Lord Fisher de bulunuyordu.

Her zamanki gibi Lord Kitchener'in açıklamalarını dinlediler. Savaş Batı cephesinde kilitlenmişti. Doğuda Ruslar zor durumdaydı. Ama yapacak bir şey yoktu. Donanma Bakanı Churchill elini masaya vurarak, "Yapacak bir şey var!" dedi.

Kitchener saygısız genç adama öfkeyle baktı. Başbakan araya girdi:

"Buyrun Sayın Bakan."

Churchill tümcesini tamamladı:

"Hem de kolay bir şey."

Savunma Bakanı Mareşal Lord Kitchener

Bu an için günlerdir hazırlanıyordu. Kısa, tok, kolay anlaşılır tümcelerle, İstanbul'u ele geçirmek amacıyla donanmanın Çanakkale Boğazı'ndan orduyla birlikte ya da yalnız dövüşerek geçmesini önerdi.

Kurul üyeleri ilgiyle doğruldular.

"İki haftadır bu konuyu inceliyorum, inceletiyorum. Türk savunması güçlü değil. Almanya'dan bir tek yeni top bile gelmediğini biliyoruz. Boğaz'ın savunma düzeni, 'antika toplar açık hava müzesi' diye tanımlanabilir. Boğaz'da ciddi bir askeri birlik de yok. Boğaz'ı aşmak zor değil. Donanmamız kolayca Marmara'ya geçerek İstanbul'un önüne gelebilir. İstanbul yalnız bir başkent değil. İmparatorluğun bütün askeri varlığı, tüm depolar, askeri fabrikalar, tamirhaneler burada toplanmış. İstanbul imparatorluğun gerçekten kalbi. İstanbul'u alan Osmanlı İmparatorluğu'nu kalbinden vurmuş olur."[27]

Sonra da öncrdiği bu çözümün yararlarını sayıp döktü. Ana yararı şuydu: Savaş kısa sürede bitebilir ve yeni siyasi haritalar İngiltere'nin dilediği gibi çizilebilirdi.

Churchill konuştukça Amiral Fisher'in yüzü renkten renge giriyordu. Bu genç politikacı deniz gücünü bölüyor, sonu belirsiz bir maceraya sürüklüyordu. Lord Kitchener de sert bir sesle Batı cephesi dururken bir başka cephe açılamayacağını söyleyince konu kapandı.

Churchill tuttuğunu koparmadan bırakacak adam değildi. Bu konuyu irdelemeyi sürdürecek, ilk fırsatta önerisini yineleyecekti.

Toplantı ileri bir tarihe bırakıldı. Böylece Lord Kitchener ve Amiral Fisher Türklere biraz daha zaman kazandırdılar.

YÜZBAŞI Ramazan Usta İstanbul'dan Churchill'in uykularını kaçıran Çanakkale'ye geldi. Gelir gelmez Mesudiye'nin 15'lik toplarına bir göz attı. Karşıya geçti, yolu ve Baykuş Tepe'nin ardında topların yerleştirileceği gizli yeri inceledi.

Ertesi sabah erkenden kalasları, halatları, makaraları ve adamlarıyla gemiye çıktı. Mavna geminin sağına yanaştı.

"Haydi bismillah."

İşbaşı ettiler.

Gösterinin hazırlığı saatler aldı. Gün batarken uzun namlulu kocaman topu kuş gibi havalandırıp mavnaya yerleştirdiler. Gemidekiler, karadaki görevliler, Kepez köylüleri alkışa durdular.

Bu ilk topu ertesi gün gündüz gözüyle karşıya götürüp yerine yerleştirmeye çalışacaklardı. İskele ile Mesudiye mevzii arasındaki yol hayli uzun ve yokuştu. Bu iş zaman alacak gibi görünüyordu.

3 ARALIK günü Hafız Hakkı Bey'in Doğu Ordusu karargâhından yolladığı ilk rapor ulaştı.

Rapor Türk kurmayları şaşırttı.

Taarruzu erteleteceğini sandıkları Hafız Hakkı, tam tersine, taarruz düşüncesini desteklemekteydi. Taarruz edecek kola komuta etmek istediğini de kısa raporuna eklemişti.

Ali İhsan Sabis güncesine şunları yazdı:

Albay Hafız Hakkı Bey

"Bir metreden fazla karla örtülü bu yaylalarda ve dağlarda birlikler nasıl hareket edecekler? Yaralılar, hastalar nasıl taşınacak? Birliklerimiz kar içinde hareket ve dağ savaşı yapmak için gereken eğitim, donanım, çamaşır ve giysi bakımından hazır değil. Gün geçtikçe soğuk şiddetini artıracak. Bu şartlarda taarruz felaketle sonuçlanabilir."[28]

Plan ümit veriyordu. Ama mevsim şartları ve ordunun durumu büyük sorundu.

Enver Paşa bir de Ordu Komutanının görüşünü sordu.

Bu akşam Cemal Paşa İstanbul'dan ayrılacaktı. Uğurlamak için Haydarpaşa'ya geçti.

HAYDARPAŞA GARI hıncahınç dolu, bayraklarla süslüydü. Cemal Paşa yeni görevine uğurlanacaktı. Sadrazam, Enver Paşa, Talat Paşa, bütün Nazırlar, Harbiye Nezareti ile Genelkurmayın Türk subayları, Bahriye Nezaretinde çalışanların tümü, Amiral Soushon, bazı Almanlar, gazeteciler, Cemal Paşa'nın yakınları, dostları garı doldurmuştu.

Bir tören birliği ile deniz bandosu bu görkemli sahneyi tamamlıyordu.

Özel katar harekete hazırdı. Yaverleri, yeni kurmayları, karargâh mensupları trene binmek için Cemal Paşa'yı beklemekteydiler.

Cemal Paşa tek tek herkesle vedalaşıyordu. Biri heyecanlandı, herkesin duyacağı biçimde Cemal Paşa'ya seslendi:

"Aziz Paşam, sizden büyük hizmetler ve en yakın zamanda zafer haberlerinizi bekliyoruz!"

Bir alkış tufanı koptu.

Bu güzel dileği yanıtlamamak olmazdı. Cemal Paşa da sesini yükseltti:

"Buradan görevimin kutsallığını ve güçlüklerini kavramış olarak ayrılıyorum. Bize verilen görevi başaramayarak cesetlerimizi Kanal'a dökecek olursak, arkada kalan kahramanların cesetlerimiz üzerinden geçerek İslamın açıkça malı olan Mısır'ı, İngilizlerin elinden kurtaracaklarına güveniyorum."

Cemal Paşa böyle konuşarak, gizli Süveyş Kanalı seferini önceden İngilizlere duyurmuş oldu.[29] Baskın için Süveyş kıyısına vardıkları zaman İngilizlerin saldırıya karşı hazırlıklı olduklarını görerek şaşacaktı.

Vagonun kapısında durdu. Gür sakalı, toplu cüssesi, ağır havası ile bu kalabalık sahnenin en gösterişli kişisiydi. Herkesi fiyakalı bir asker selamıyla selamlayıp içeri girdi. Özel katar alkışlar ve bandonun kıvrak nağmeleri arasında hareket etti.

Her durulan istasyonda coşturulmuş kalabalıklarca karşılanıp uğurlanacaktı.

Dış propaganda konusuna hiç aklı ermeyen iktidar iç propagandada çok başarılıydı. Üç liderini büyütmeyi, önemsetmeyi çok iyi beceriyor, başka hiç kimseye fırsat tanımıyordu.

CİHAT ilan edileli tam 3 hafta olmuştu.

Bütün Müslümanlara duyurmak için çok çalışılmış, dikkatlerini çekmek için akla gelebilecek her yola başvurulmuş, hayli Alman altını da saçılmıştı.

Cihat ilan edildiğini öğrenen her Müslümanın hemen harekete geçeceği sanılıyor, özellikle Hindistan'da, Cezayir'de ve Rusya'da kıyamet kopması bekleniyordu.

Beklentiler boşa çıktı.

Ne Mısır'da, ne Hindistan'da, ne Tunus'ta, ne Cezayir'de, ne Fas'ta, ne Afganistan'da, ne İran'da, ne Kırım'da, ne Kafkasya'da, ne Türkistan'da en ufak bir kıpırtı bile olmadı. Araplar arasında da bir heyecan yaratmadı.[30] Osmanlı Halifesinin etkisi bu kadardı.

Demek ki Türk, kendi canı ve kanıyla kavrulacaktı.

Bu durum savaşın ne olduğunu bilenleri çok kaygılandırıyordu.

BAZILARI ise bayram ediyordu.

Bunlar parayı vatanından ve insanlarından daha fazla seven bazı iş adamlarıydı. Bir milyon kişinin askere alındığını öğrenince çok sevinmişlerdi.

Bir milyon ha!

Osmanlının şimdiye kadar böyle kalabalık ordusu olmamıştı. Viyana'ya bile 400.000 kişilik bir ordu yürümüştü. Bir milyon kişi demek, günde bir milyon ekmek demekti.

Bu ne demekti?

Bu günde bir milyon kiloya yakın un demekti. Ordu bu kadar unu elbette tüccardan satın alacaktı.

Dahası vardı:

Kuru ekmek yiyecek değildi ya zavallı askercik. Ekmeğin yanına katık gerekti, şeker, helva, pekmez, tuz, yağ, sebze, bakliyat, et gerekti.

Büyük para vardı bu işte, büyük!

Bir süre sonra toplu satın alımlar başlayacak, eğlence yerleri bu savaş zenginleri ile dolacak, yoksul halk bu görmemişlerin renkli dedikoduları ile oyalanacak, hovardalıklarına kızacak, eşlerinin rüküşlüklerine gülecekti.

DOĞU ORDUSU Komutanı Hasan İzzet Paşa'nın yanıtı geldi. Oldukça çekingendi. Hafız Hakkı Bey'in raporu ise kara kışa meydan okuyordu:

"Dağlar üzerindeki yolları keşfettirdim. Bir kısmını kendim de gördüm. Bu mevsimde bu yollardan hareket mümkün olduğuna inandım. Ama burada ordu ve kolordu komutanları yeterli azim ve cesaret sahibi olmadıkları için taarruza samimi olarak taraftar değiller. Bu iş, rütbem düzeltilerek bana verilirse, ben bu işi üstlenirim."[31]

Doğu Ordusu Komutanı
Hasan İzzet Paşa

Hafız Hakkı Bey, paşa ve kolordu komutanı olmak ve orduyu bu mevsimde taarruza kaldırmak istiyordu.

Hafız Hakkı'nın taarruza istekli olması Enver Paşa'yı ateşledi. 10. Kolordu Komutanını emekliye ayırdı ve yerine Albay Hafız Hakkı Bey'in atanması için gerekli işlemi başlattı.

Sorunu yerinde çözmek için Bronsard Paşa'yı ve bir Alman subayı daha yanına alarak o akşam Yavuz'la Trabzon'a hareket etti.

Ayrılmadan önce de Kâzım Karabekir ile Ali İhsan Sabis'in birer birliğe atanarak Genelkurmay'dan uzaklaştırılmalarını emretti. Bunların ukalalıklarından sıkılmıştı.

CEMAL PAŞA ve karargâhı Pozantı'da trenden indi. Toros tünelleri daha bitmemişti. Torosları kara yoluyla aşacak, Adana'da yeniden trene bineceklerdi.

4. Ordu Karargâhı Şam'daydı.

Albay von Kress bir aydır burada Süveyş seferini planlıyor ve amacı saklayarak gerekli hazırlıkları yaptırıyordu.[31a] Gizli bir görüşme yapmak, daha doğrusu vicdanını serinletmek için Almanya'nın Şam Konsolosu Loitved'i çağırdı.

Çalışma odasının kapısını eliyle kapadı. Sesini düşürdü, "Sayın Konsolos." dedi, "..Ordu Komutanı geliyor. Birkaç gün sonra buradan ayrılarak güneye gideceğiz. Belki bir daha karşılaşamayız. Gerçeğin bilinmesi için size bazı açıklamalarda bulunmak istiyorum.

Alman Genel Karargâhının Süveyş seferinin zorluklarını küçümsediğini, Türkler gibi onun da başarı hakkında abartılı ümitlere kapıldığını seziyorum. Benim ümidim çok az. Hatta hiç yok. Bu düşüncemi lütfen İstanbul'daki Elçiliğimize bildiriniz. Kimse gereksiz ümide kapılmasın. Ben Süveyş kanalını ele geçirebileceğimizi, böylece İngiltere'nin Hindistan yolunu kapatacağımızı hiç düşünmedim.

Öyleyse bu seferin yapılması için neden çok ısrar ettiğimi söyleyeyim. Türklerle İngilizler arasında kan dökülmesini sağlamak istiyorum. Kan dökülünce, Türkler aramızdaki anlaşmaya daha sıkı sarılacaktır. İngilizleri ve Rusları oyalamaları için Türklere ihtiyacımız var."[32]

Türklerin bazı dostları düşmandan daha tehlikeliydi.

DONANMA BAKANI Churchill Savaş Kurulu Sekreteri denizci Yarbay Hankey'i davet etmişti. Yarbay Hankey İngiliz askeri politikasına yön veren özel beyinlerden biriydi.

Odanın bir köşesinde bir toplantı masası, üzerinde elle çizilmiş büyük ölçekli bir Çanakkale haritası vardı. Belli ki Bakan bu haritayı kendisi için yeni çizdirmişti. Hankey'e yer gösterdi. Haritanın başına geçip oturdular.

Churchil hemen konuya girdi. Parmağını Çanakkale Boğazı boyunca gezdirdi:

"Burası dünyanın en önemli su yollarından biri. Uzunluğu 70 km. kadar. Derinliği 50 ile 100 metre arasında değişiyor. En dar yeri Çanakkale ile Kilitbahir arasında, 1.300 metre. Buraya Geçit diyoruz. Amiral Carden Geçit çevresinde Türklerin mayın hatları oluşturduklarını bildiriyor. Kaç hat oldukları daha tam saptanamadı. Boğazda bir üst akıntısı, bir de ters yönde dip akıntısı var."

Sekreterin yüzüne baktı:

"..Geçilmesi zor bir su yolu. Ama Savaş Kurulunun Boğaz'ı zorlayarak geçmemize razı olmasına büyük önem veriyorum. İstanbul'u alarak yani Türkleri kalbinden vurarak, Almanları güneyden sararak savaşı çok çabuk bitirebiliriz. Belki zorlamaya bile gerek kalmayabilir. Mesela bu su yolunu bir denizaltımız geçebilse.."

Bir an daldı:

"..ve bir sabah Padişahın sarayı karşısında beliriverse, İstanbul'da neler olur düşünebiliyor musunuz?"

Güldü. Gülünce yüzü sevimli bir Buldog köpeğini andırıyordu:

"Çanakkale yoluyla İstanbul'u ele geçirme önerimi düşünmenizi diliyorum."

"Peki efendim."

MESUDİYE İngiliz donanmasının dikkatini çekmişti. Mondros'ta 3 B tipi İngiliz, 3 de Fransız denizaltısı vardı. Denizaltıcılar Mesudiye'yi batırmak için birkaç girişimde bulunmuşlarsa da girişten ileri gitmeyi göze alamamışlardı. Sayısı belirsiz mayın hatlarının altından geçmek gerekiyordu.

Denizaltı yeni bir silahtı. Gelişim halindeydi. Uzun zaman su altında kalamıyordu. Hızı çok düşüktü. Dip akıntısıyla başa çıkmak zor, mayınların altından geçmek çok tehlikeliydi. Denizaltının kulesi, dümeni ya da pervaneleri mayın zincirlerine dolanırsa kurtulması mümkün değildi.[33]

Bu tehlikeye karşı denizaltıyı koruyacak önlemler almak gerekmişti. İlk olarak B-11 denizaltısında bu tehlikeyi önleyeceği düşünülen bazı önlemler alınmaktaydı.

Yüzbaşı Norman D. Holbrook akşam Amiralliğe, işin bittiğini bildirdi:

"Göreve hazırız."

AYNI AKŞAM Cemal Paşa'nın treni Şam garına buğu ve duman saçarak girdi. Bandonun sesiyle fren gıcırtıları birbirine karıştı. Usta makinist Cemal Paşa'nın vagon kapısını, perona serilmiş kırmızı halının tam önünde durdurmayı başardı.

Yol boyunca yaşanan karşılama törenlerinin en büyüğü Şam'da yapıldı.

Şehir Cemal Paşa şerefine donanmış, yöneticiler, eşraf, şeyhler, ulema, konsoloslar, subaylar, okul çocukları, şairler, hatipler ve halk istasyonu doldurmuştu.

Cemal Paşa alkışlar, haykırışlar arasında trenden bir hükümdar gibi indi.

Kurbanlar kesildi. Arap şairleri kasideler okudular. Hatipler övgü konuşmaları yaptılar. Tören bitince şair ve hatiplere ücretleri ödenecekti.

Lüks Damaskus oteline inildi.

MESUDİYE'NİN 15'lik 3 topu da sökülmüş, karşıya taşınmış, 2'si yerine yerleştirilmişti. Ramazan Usta ve adamları, 3. topu yerleştirmek için sabah erkenden karşıya geçtiler.

Mesudiye'de kalan 3 top ile öteki küçük topların sökümüne başlandı.

Saat 11.50'ydi.

Yüzbaşı Norman Holbrook'un yönettiği denizaltı ışıldaklara yakalanmamak için gece girişten hayli uzakta dalarak Boğaz'a sü-

Yüzbaşı Holbrook

zülmüş, epeyce bekledikten sonra derinden çok dikkatli ve yavaş seyrederek ilerlemişti. Birkaç mayın hatının altından, yeni koruyucu parçaların yardımıyla zincirlere takılmadan geçmeyi başarmıştı. Hesaba göre Boğaz'ın ortasına yaklaşmış olmalıydılar. Usulca yükselip periskopunu su üzerine çıkardı. Doğru hesaplamışlardı. Boğaz'ın orta kesiminde, Kepez burnunun karşısında, 500 metre açığındaydılar. Kaptan Holbrook çevreyi görmek için periskopunu gezdirdi. Birden periskopunu kocaman bir savaş gemisinin görüntüsü doldurdu. Mesudiye idi bu. Aradığı büyük av. Güvertede dolaşan denizciler, topları sökmeye çalışan ustalar görünüyordu.

Hiçbir savunma önlemi yoktu. Sevinçten göğsü yırtılacak gibi oldu.

İlk torpilini hedefe yolladı.

Saat 11.55'ti.

Mesudiye'nin nöbetçi çavuşu denizin içinde gemiye doğru yaklaşan bir pırıltı fark etti. Bir torpildi bu. Gemiye yaklaşıyordu. Nöbetçi Çavuş çığlığı bastı:

"Torpiiiiil!"

Alarm verildi, düdükler öttü, komutlar yükseldi, topbaşı edildi. Ama bir dakika geçmiş, torpilin yolculuğu sona ermişti. Geminin sol yanına vurdu ve patladı.

Bir zamanların amiral gemisi Mesudiye'nin sol yanında çok büyük bir yara açıldı. Koca gemi hızla yan döndü ve 10 dakika içinde suya gömüldü.

İkinci bir torpile gerek kalmamıştı.

Denizaltıyı vurmak ümidiyle kıyı bataryaları denizi ateşe boğdular ama denizaltı 20 metre derine inerek izini kaybettirdi. Boğaz'dan uzaklaşınca, su üzerine çıktı. Durumu Mondros'a bildirdi.

Denizaltı Mondros'ta bütün gemiler tarafından selamlanarak karşılanacaktı.

Bu ilk zaferdi.

Mesudiye'nin denize dökülen subay ve erlerini yetişen motorlar, sandallar topladı. 38 şehit verilmiş, Mesudiye'nin bütün öbür topları suya gömülüp gitmişti.[34]

Bu ilk felaketti.

İkinci felaket haberi Karadeniz'den geldi. Doğu ordusuna kışlık giyim, silah ve cephane götüren 2 gemiyi Rus savaş gemiler yakalayıp Rusya'ya kaçırmışlardı.

Enver Paşa ile Amiral Souchon'un planı tutmamıştı. Karadeniz'de eskisi gibi Rus donanmasının egemenliği sürüyordu.

ENVER PAŞA yollar karlı olduğu için Trabzon'dan Erzurum'a, oradan ordu karargâhının bulunduğu Köprüköy'e 7 günde gelebilmişti. İlk işi taarruz hakkında 'olumsuz düşündüğünü' öğrendiği 9. Kolordu Komutanını görevden almak oldu. Yerine bir tümen komutanını atadı. Cepheyi gezdi. Cephede erlerin durumunu gördü. Hiçbir şey kararını etkilemedi.

Bir Başkomutanlık emri yayımladı:

"Askerler! Ayağınızda çarığınız, sırtınızda paltonuz olmadığını gördüm. Yakın zamanda saldırarak Kafkasya'ya gireceğiz. Siz orada her türlü bolluğa kavuşacaksınız. İslam dünyasının son ümidi sizin son bir yardımınıza bakıyor."

22 Aralık için taarruz emrini verdi.

Ordunun bu emir üzerine taarruz hazırlıklarına girişmesi gerekirken beklenilmeyen bir olay oldu.

MESUDİYE'NİN batması, şehitler, yitirilen toplar herkesi yüreğinden vurmuştu.

Bu ikinci büyük uyarıydı.

Bir savaş çıkarsa, demek ki denizin yalnız üzerinden değil denizin altından da geleceklerdi. Akıntı ve mayınlar nedeniyle Boğaz'a denizaltı giremez sanıyorlardı. Yanıldıklarını anladılar.

3 yeni mayın hattı daha kurarak hat sayısını 9'a çıkardılar. Boğaz'ın daha iyi gözlenebilmesi için ışıldak sayısı ilk aşamada 10 yapıldı. Denizaltılara karşı çelik koruma ağları gerekiyordu. Ama ülkenin teknik düzeyi bunu sağlayabilecek durumda değildi.

Küçük bir filo oluşturuldu. Torpidobotlar nöbetleşe Boğaz'da gezerek denizin altını izleyip dinleyeceklerdi.

DOĞU ORDUSU Komutanı Hasan İzzet Paşa, taarruz emrini dikkatle incelemişti. İklim elverse, kışlık giyimler gelse, Rus ordusu bu planla zor duruma düşürülebilirdi. Fakat ordusunun durumunu ve Doğu kışının amansızlığını iyi biliyordu. İçindeki korku gittikçe büyüdü.

Bu sorumluluğu taşıyamayacağını anladı.

Akşam kendi yazıp şifrelediği kısa bir yazıyla Ordu Komutanlığından affını istedi.

Enver Paşa herhalde çıldıracaktı.

ORHAN, izleyenlerin içini parçalayan bir azimle iyileşmeye çalışıyordu. İyice toparlanmadan kimseyi istemediği için annesi ve ara sıra babasından başka kimse gelmiyordu hastaneye.

Koğuştaki bir yakınını ziyarete gelen bir fakülte arkadaşı Orhan'ı zor tanımıştı:

"Sana ne oldu arkadaş? Ah canım. Solucana dönmüşün. Haydi bir an önce iyileş, kalk, Turan bizi bekliyor!"

Arkadaşı yedeksubay olmuştu. Pek çalımlı bir hali vardı. Halit Ziya Bey'in romanlarını, Yahya Kemal Bey'in şiirlerini, Hacı Arif Bey'in bestelerini konuştuğu arkadaşı şimdi sadece savaştan söz etmekteydi.

Hayır!

Savaşın sözünü bile duymak istemiyordu artık. Eve kavuşmak, içinde define gibi sakladığı, tek yanlı, biraz günahkâr aşkını yaşamak istiyordu. Gözleri özlemle doldukça acıdan sanıyorlardı.

Annesinin evden taşıyıp getirdiği yiyecekleri, böğüre böğüre, gözlerinden isyan yaşları akarak, tıkanarak, boğularak, kusarak, inatla yiyor, Dilber' kavuşturması için sürekli Allah'tan yardım istiyor, gözdağı vermeyi de ihmal etmiyordu:

"Bak, kavuşturmazsan çok kırılırım."

DOĞU ORDUSU Komutanının şifresini alınca Enver Paşa bir öfke patlaması yaşadı. Ama uzun sürmedi. Kendine ve talihine büyük güveni vardı.

"Pekâlâ. Ben kendim yönetirim."

Şimdiye kadar bir alay bile yönetmemişti. Doğu Ordusu Komutanlığını üzerine aldı. Bronsard Paşa Kurmay Başkanlığını yapacaktı.

İkisi de Doğu ve Doğu kışı hakkında hiçbir şey bilmiyorlardı.

Ordu 22 Aralıkta Enver Paşa'nın komutasında harekete geçti.

Bir kolordu (11. Kolordu) merkezde Rus ordusunu oyalayıp yerinde tutmaya çalışacaktı. Solda ise iki kolordu vardı (9. ve 10. Kolordular). Bu iki kolordu kuzeyden ilerleyip genişçe bir kavis çizerek Sarıkamış'a inecek, böylece Rus ordusunun arkasına düşerek Kars'a çekilmesini önleyecek, Rusların işi bitirilecekti. Kuşatma kolunun toplamı 75.000 kişiydi.

10. Kolordu, Hafız Hakkı Bey'in büyük ve kesin başarı hevesi yüzünden, plandan ayrılıp daha geniş bir kavis çizerek Allahüekber dağını aşacaktı. 9. Kolordu da onun kadar sarp olan dağlar zincirini aşmak zorundaydı.

Her yan kar altındaydı. Askerin giyimi bu dehşetli kışa uygun değildi.

Baskın yapabilmek ve başarı sağlayabilmek için birliklerin hızlı hareket etmeleri, ne olursa olsun oyalanmamaları, verilen ara hedeflere gününde, saatinde ulaşmaları şarttı. Bunun için gerekirse günde 15 saat yürünecekti.

Daha ilk gün kar fırtınası patlak verdi. Birlikler dizi aşan kara bata çıka, kan ter içinde, yüzleri bıçak gibi kesen rüzgârda donarak, morararak, dudakları çatlayarak, yüzleri dilim dilim yarılarak ilerlediler. Sırt çantaları gitgide daha ağır gelmeye başladı. Göz gözü görmez tipide yolları kaybettiler. Eksi 20 derecede eller tüfeklerin madeni kısımlarına yapışıyor, geri çekmek isteyenin elinin derisi yüzülüyordu. Ağır topları karlı, buzlu tepelerden aşırmak ancak Türk askerinin başarabileceği bir çetin işti.

Zaman zaman artçı Rus birlikleri ve Ermeni çeteleriyle çatışılıyordu.

Bazılarının ayaklarında çarık vardı. İnce deriden yapılma çarığın ayakları koruması imkânsızdı. Önce çarıklıların ayakları donmaya başladı. Giderek donma olayları arttı. Yol kıyılarında, ağaç altlarında donup kalmış askerlere rastlamak doğal oldu. Birlikler savaşmadan erimekteydi. Ölen ölüyor, kalan sağlar sabırla yürüyorlardı.

Türk orduları kaç yüz yıldır, yoksulluğu yense Rusa, Rusu yense kışa yenilmekteydi.

Yine böyle mi olacaktı?

Enver Paşa ordusunu zafere götürdüğünden emindi. Kendi de ordu ile birlikte ilerliyor, birlikleri denetliyor, zorluyor, baskı altında tutuyordu. Çatışma olursa ateş hattına kadar yaklaşıyordu. Geceleri asker gibi o da bir kar çukuruna kıvrılıyor, kaputuna sarılıp uyuyordu. Böylece kimseye halinden şikâyet fırsatı vermiyordu.

Amansız şartlara rağmen Hafız Hakkı Bey'e bağlı bir tümen Oltu'yu geri aldı. Oltulular sevinçten deliye döndüler. Asker 3 gündür ilk kez sıcak yemek yedi ve sıcakta yattı. Enver Paşa Hafız Hakkı'nın rütbesini paşalığa yükseltti.

Yeni Paşa zafer coşkusu içinde Oltu'dan Enver Paşa'ya kolordusunun ertesi akşam Beyköy'e ulaşacağını bildirdi.

Beyköy Allahüekber dağından sonraki ilk, Sarıkamış'tan önceki son duraktı.

Oltu ile Beyköy arasında Allahüekber dağları vardı. Bilenlerin "Bu dağlardan insan değil kuş bile geçmez" dedikleri zamandı. Adı bile insanın içini ürperten Allahüekber dağı bir günde ve bu havada nasıl aşılabilirdi?

Hafız Hakkı Paşa bir an önce Sarıkamış'a varmak için kolordusunu dağa sürdü.

ÇARIKLI, kaputsuz, eldivensiz, atkısız Türk askerlerine karşı Rus birlikleri kıskanılacak kadar iyi giyimliydi. Hepsinin kulaklıklı kalpakları, kalın kaputları, atkıları, yün çamaşır ve çorapları, keçe çizmeleri ve eldivenleri vardı. Gerektikçe savaşçılara ısınsınlar diye votka dağıtılıyordu.

İki yüz yıl önce geri, ilkel bir toplum olan Ruslar Türklerin Deli dedikleri Büyük Çar Petro sayesinde çağdaş gelişimin önemini kavramış, Ortodoks bağnazlığını yenmiş, ilerlemiş, gelişmiş, dünyanın dört-beş güçlü devletinden biri ve Osmanlının başbelası olmuştu.

35 yıl önce bu bölgeyi işgal etmiş olan Ruslar, Sarıkamış'tan Kars'a demiryolu döşemişler, Kars demiryolunu da Kafkas demiryolu ağına bağlamışlardı. Geniş, taştan karayolları, kolay ısınır, büyük, taş binalar yapmışlardı.

Birliklerini kolayca ikmal edebiliyorlardı.

Osmanlı ise Anadolu'yu yaşanılır kılmak için sürekli ve bilinçli bir çaba göstermiş değildi. İstanbul'a kapanıp kalmış, anayurdunu kaderine terk etmişti.

İlkellik yaygın ve derindi.

Temiz, titiz bir yaşama alışkanlığı edinilemediği için savaş başladı mı, hemen salgın hastalıklar baş gösteriyordu. Şimdi de merkezde Ruslarla savaşan 11. Kolorduda tifüs salgını başlamıştı. Sağ kalan olursa onları da tifüs mahvedecekti.[35]

HAFIZ HAKKI BEY 10. Kolorduyu amansızca yürüttüğü gibi Enver Paşa da Sarıkamış'a bir an önce ulaşmak için 9. Kolorduyu neredeyse soluk almadan yürütmekteydi.[35a]

Yarışıyor gibiydiler.

9. Kolordunun öncü tümeni sabah erkenden yola çıkmış, kalın karı yara yara, durmadan yürümüştü. Hepsinin yüz ve el derileri kardan yanıp kavrulmuştu. Askerler insanın da doğanın da cefasına alışık Anadolu çocuklarıydı. Ama böyle bir yamanlık hiç yaşamamışlardı. Açlık donmayı kolaylaştırıyordu. Su yoktu. Her yer buza kesmişti. Susuzluğunu kar yiyerek gidermek isteyen büsbütün susuyordu. Bir mola sırasında ayaklarını donmaktan korumak için ağaçlara tırmananların hepsi dallar üzerinde donup kalmıştı.

Bir Rus ardçı birliğini geri atarak Kızılköy adlı Rus köyüne girdiler.

Asker de, dağ toplarını taşıyan katırlar da, yeleleri buz kesmiş binek atları da bitkindi. Komutan birliğini dinlendirmek ve yeniden düzene sokmak için mola verdi.

Rus köylüler son dakikada kaçmış olmalıydılar. Bazı evlerde ocaklarda sıcak tencereler duruyordu. Askerler boş evlere dağıldılar.

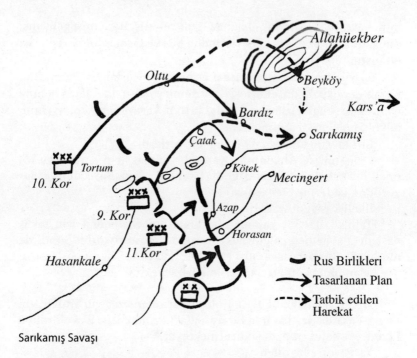

Sarıkamış Savaşı

Çok geçmeden Enver Paşa Almanları ve muhafızlarıyla köye geldi. Tümen komutanını çağırttı:

"Niye durdunuz?"

Komutan askerin durumunu anlatmaya çabaladı. Enver Paşa parladı:

"Kes! Hemen yola çıkacaksınız. Akşam olmadan Sarıkamış'a ulaşmalıyız. Haydi!"

Duracak zaman mıydı?

Sarıkamış'a, zafere az kalmıştı!

İlerisi Kafkasya'ydı, Turan'dı!

Askerler yemekten kaldırıldılar, sıcak evlerden zorla dışarı çıkarıldılar. Boru, düdük sesleri, haykırışlar arasında düzene girip yola çıktılar.

Akşama kadar durmadan yürüdüler. Soğuk usturadan da keskindi. Derin nefes alanın ciğeri yanıyordu. Soğuktan delirenler vardı. Duran donuyordu. Durmak gerekince oldukları yerde zıplamak, sıçramak zorundaydılar. Gücü tükenen yolun kıyısına çekiliyor ve donma öncesi yaşanan tatlı uyuşma içinde buz kesilip kalıyordu. Aç kurt sürüleri yolda kalanları parçalamak için birlikleri izlemekteydi.

Son tepeyi aşınca Sarıkamış görünecekti. Rus ileri karakollarını güçlerinin son kırıntısıyla geri atıp tepeyi ele geçirdiler.

"Aaaaaah!"

Sarıkamış haritada gösterildiği gibi tepenin hemen arkasında değildi. Taa ilerde, ufukta, 10 km. uzaktaydı. Arada bembeyaz, ölüm kadar soğuk, hain bir boşluk vardı.

Türklerin geçilmez sanılan dağ yollarından çıkıp geliyor olması Rusları korkutmuş, bu korku Rus Çarı II. Nicola'ya kadar yayılmıştı. Büyük bir telaş içinde Sarıkamış'a asker yetiştirmek için çırpınıyorlardı.

Allahüekber Dağı'nı aşan 10. Kolordu da çıkageldi. İki kolordu tıpkı planlandığı gibi Sarıkamış önünde buluştular.

Ruslar paniklemişlerdi.

Oysa paniklemeleri gereksizdi. Yola 75.000 kişi olarak çıkan kuşatma kolunun toplam varlığı, birkaç bin kişiye düşmüştü.

Doğu Ordusunun iki kolordusu, ciddi bir savaş görmeden, dağ yollarında eriyip bitmiş, çocuklarının çok büyük bölümünü beyaz ölüme ve kurt sürülerine teslim etmişti.

Son bir parlayışla bir avuç kahraman Sarıkamış'a girmeyi başardı. Bunlar da Sarıkamış'ın sokaklarında dövüşe dövüşe bittiler.

Sarıkamış hareketi sona ermişti.[36]

Enver Paşa Erzurum'a döndü.

Kaç zamandır haberleşemediği sevgili eşini merak etmişti. Telgrafla durumu sordu. İyi olduğunu öğrenince içi rahatladı.[37]

İKİ OLAY Churchill'in tasarısını yeniden güncel yaptı.

Savaş Kurulu Sekreteri Yarbay Hankey bir rapor vermişti. Batı Cephesinde savaşın kilitlendiğini belirterek, yeni çözüm yolları düşünülmesini öneriyordu. Politikacılar bu öneriyi haklı buldular. Savaş halkın vergisiyle yürütülüyordu. Halk bir zafer beklemekteydi.

İkinci olay ciddi gelişmelere yol açtı: Dışişleri Bakanlığına Rusya'daki İngiliz Büyükelçisinden çok ivedi bir şifre geldi.

Türklerin ilerleyişinden korkuya kapılan Rus Çarı II. Nicola, İngilizlerden "Türklere karşı deniz ya da karada askeri bir gösteride bulunulmasını" dilemiş, "böyle bir gösteri yapılması halinde Türklerin bazı birliklerini Doğu cephesinden çekerek oradaki Rus ordusunun yükünü azaltacağını" söylemişti.

Çar Türk saldırısının facia ile sonuçlandığını daha öğrenmemişti.

Her iki olay Churchill'in elini güçlendirdi.

Lord Kitchener Batı Cephesinden de, Mısır'da toplanan birliklerden de tek asker bile vermeyeceğini söyledi. Türklerin Süveyş Kanalına taarruza hazırlandıkları biliniyordu. Kitchener bunun telaşı içindeydi.

Churchill yenilmez İngiliz donanmasına güveniyor, Boğaz'ın yalnız donanmanın gücüyle geçilebileceğine inanıyordu. Kesin tavır almak için Amiral Carden'in görüşünü de öğrenmek istedi:

"Çanakkale Boğazı'nı yalnız donanma ile zorlamak sizce mümkün müdür?"

Carden 'böyle bir hareketin çok sayıda gemi gerektireceğini' bildirdi.

Churchill hemen sordu:

"Ne kadar gemi?"

Carden, Yardımcısı Amiral de Robeck ve Kurmay Başkanı Albay Keyes ile ciddi bir çalışma yaptı. Yanıtı kısaca şöyle oldu:

"12 zırhlı, 6 kruvazör, 16 muhrip, 12 mayın tarayıcı, 6 denizaltı, 4 uçak gemisi, değişik sınıf birçok yardımcı gemi, pek çok cephane ve bir ay süre."

Carden ayrıca Boğaz'ın donanmayla zorlanmasına ilişkin bir program da yolladı. Bu hareketin dört aşamada tamamlanabileceğini öngörüyordu:

* Girişteki tabyaların tahribi,
* Girişle Geçit arasındaki mayınların temizlenmesi, mayın hatlarını koruyan orta bölge bataryalarının tahribi,
* Geçit ve çevresindeki güçlü tabyaların tahribi,
* Marmara'ya geçilmesi.

Bu bilgiler ilk toplantıda Savaş Kurulu'na sunulacaktı. Churchill'in hayali adım adım gerçekleşiyordu.[38]

SARIKAMIŞ felaketle sonuçlanmıştı ama ufukta bu felaketi unutturacak bir zafer olasılığı vardı.

Süveyş seferi için her hazırlık bitmişti.

Hazırlıkları inceleyen Cemal Paşa, Albay von Kress'in yaptığı plana ve askerine güvendiğini belirtti.

Süveyş Kanalı ile sefer birliklerinin yola çıkacağı yer (Birüssebi) arasında 300 km. derinliğinde Sina Çölü ya da Tih Sahrası denilen taş ve kum çölü uzanıyordu.

Kanala doğru 3 kervan yolu, yollarda pek az su vardı. İngiliz ileri birlikleri var olan birkaç kuyuyu da körletip Kanal'a geri çekilmişlerdi. Su kıtlığı yüzünden çölü büyük kuvvetlerle geçmek mümkün değildi.

Çölün kolay geçilebilmesi için birçok önlem düşünülmüş, ağırlık en aza indirilmiş, kişi başına günlük çöl tayını şöyle saptanmıştı:

"600 gram peksimet, 150 gram hurma veya zeytin, 23 gram şeker, 9 gram çay."

Günlük su tayını kişi başına bir matraydı.

Gece yürünecekti.

Öncü birlik 7 Ocakta yola çıktı.

Cemal Paşa karargâhı ile birlikte Birüssebi'ye gelirken, Enver Paşa da Doğu Ordusu Komutanlığını Hafız Hakkı Paşa'ya bırakıp Almanlarla birlikte 10 Ocak günü karayoluyla Pozantı'ya hareket etti. Oradan trenle İstanbul'a dönecekti.

Sarıkamış faciası gizli tutulacaktı. Kesinlikle yazılmayacak, açıkca konuşulmayacaktı. Ne var ki İttihatçı iktidarın gücü bile facianın kulaktan kulağa yayılmasını engelleyemeyecektir.

KADIN HAKLARINI SAVUNMA DERNEĞİ Yönetim Kurulu ile Kadın Dünyası dergisinin ileri gelen yazarları derginin Divanyolu'ndaki yönetim yerinde toplandılar. Derneğin Başkanı ve derginin kurucusu Nuriye Elvan Hanım'ın çağrısı üzerine biraraya gelmişlerdi.

Konuyu biliyorlardı.

Doğuda savaş başlamıştı. Savaşın yayılacağı, yeni cepheler açılacağı söyleniyordu. İngiliz ve Fransız donanması Çanakkale Boğazı'nın ağzında bekliyordu. Rusların İstanbul Boğazı'na çıkarma yapmaları olasılığından söz ediliyordu.

Nuriye Ulviye Hanım, "Zaten kâğıt sıkıntısı var.." dedi, "..dergiyi zorlukla yayımlayabiliyoruz. Dergiyi kapatalım, bütün zamanımızı derneğe ayıralım. Birçok yolla ordumuza yardımcı olabiliriz. Kızılay, Donanma Cemiyeti, Müdafaa-yı Milliye Cemiyeti gibi yurtsever örgütlerin kadın kollarında da çalışabiliriz. Birçok üyemiz var. Üyemiz olmayanlardan da destek isteriz. Yardım toplayabiliriz. Çamaşır dikebilir, çorap örebilir, sargı bezi hazırlayabiliriz. Bu amaçla kadınların çalışacakları işlikler kurabiliriz. Ne dersiniz?"

Öneri oybirliği ile kabul edildi. Daha da ileri giderek Enver Paşa'ya bir telgraf çekip gerekirse askerlik yapmaya hazır olduklarını da bildirdiler.[38a]

ENVER VE CEMAL Paşalar yoldayken İngiliz Savaş Kurulu 13 Ocakta toplandı.

Churchill Amiral Carden'in yolladığı bilgiyi ve programı Kurula sundu.

Akdeniz'deki Cebel-i Tarık Boğazı ve Süveyş Kanalı'ndan sonra iki Türk boğazının da İngiliz denetimi altına girmesi olasılığı Kurul üyelerini heyecanlandırmıştı.

Kurul Çanakkkale'yi çabuk başarı kazanılacak yeni bir savaş sahnesi olarak değerlendirdi. Amiral Fisher'in muhalefeti dikkate alınmadı. Politika uyarı dinlemiyordu. Toplantı sonunda, "hedefi İstanbul olmak üzere, Gelibolu yarımadasını topa tutmak ve almak için Şubatta bir sefer yapılması" kabul edildi, Donanma Bakanlığı hazırlık yapmakla görevlendirildi.

Churchill Amiral Fisher'e rağmen amacına ulaşmıştı. Çok mutluydu. Hazırlıkları tamamlamak için büyük bir hevesle kolları sıvadı.

ENVER PAŞA'YI İstanbul'da birçok sorun ve iş bekliyordu. Hanımların askerliğe hazır olduklarını bildiren telgrafa biraz güldü, daha çok da kızdı.

Fazla öne çıkmaya başlamışlardı. Şimdi de asker olmak istiyorlardı ha!

"Pöh!"

Telgrafı buruşturup attı.

YÜZBAŞI HOLBROOK'UN başarısı büyük heyecan yaratmış, denizaltıcılarda Boğaz'ı geçme tutkusu uyandırmıştı. Boğaz'ı ilk geçen tarihe de geçecekti.

Fransız Donanma Komutanlığı bu girişim için benzinle çalışan ve bataryaları güçlü, mayın zincirlerine karşı koruyucu gereçleri olan yeni Saphire denizaltısını görevlendirdi.

Yarbay Fournier gözüpek bir denizaltıcıydı. Bu zaferi İngilizlere kaptırmamak için acele etti. Hemen yola çıktı. Kötü hava yüzünden Amiral Carden'le ilişki kurmayı başaramadı. Hava düzelince de sabırsızlık etti, izinsiz harekete geçti.

Saphire 15 Ocak günü sabah 06.00'da Kumkale önünde denize daldı, 22 metre derinliğe indi ve Boğaz'a girdi.

Çok dikkatle ilerledi.

Mayın hatlarının altından geçmeye başladı.

11.30'da mayın hatları aşılmıştı.

Marmara'ya geçmeye az kalmıştı. Sevinmeye fırsat olmadı. Güçlü dip akıntısı gemiyi sürüklemeye başladı. Makinelerde arızalar belirdi. Nefes alma zorlaşınca Kaptan Fournier gemisini zorunlu olarak su yüzüne çıkardı.

Su yüzüne çıktığı anda hem tabyalar, hem denizi denetlemekte olan İsa Reis gambotu ile Nusrat mayın gemisi tarafından görüldü.[39] Her yandan bağırtılar yükseldi:

"Denizaltııı!!!"

Saphir'i ateş altına aldılar. Denizaltı kaçabilecek durumda değildi. Kaptan batma sarnıçlarının doldurulmasını ve geminin terk edilmesini emretti. Mürettebat denize atladı. Su çok soğuktu. Hepsi iyi yüzücü değildi. İsa Reis gambotu ve Nusrat mayın gemisi 27 kişiden ancak 13 kişiyi kurtarabildi.

Saphire battı.[40]

İngiliz ve Fransızlar denizaltının battığını Türklerin yaptığı açıklama ile öğrendiler. Bu olay komutanları ihtiyatlı olmaya zorladı. 17 Nisana kadar hiçbir denizaltıya bir daha Boğaz'ı geçmeyi deneme izni verilmedi.[41]

SÜVEYŞ'E DOĞRU ilerleyen esas birlik İbin denilen bir noktada durdu. Öncüler burada bir telgraf merkezi kurmuşlardı.

Cemal Paşa Enver Paşa'ya duygu dolu bir telgraf gönderdi:

"Eğer Kanal'a taarruz sırasında ölecek olursam bu seferi idare edebilecek sizden başka kimseyi düşünemiyorum. O zaman her halde İstanbul'dan Kudüs'e gelerek bu büyük işi sonuçlandırmanızı vasiyetim ve son emelim olarak arz ve rica ederim."

Enver Paşa'dan şu yanıtı aldı:

"Cenab-ı Hakkın sizi bu büyük görevde başarılı kılacağına eminim. İnşallah sizi İkinci Mısır Fatihi olarak selamlamaya gelirim."

BİRİ FELAKETE yürüyen, öteki felaketten dönen Paşalar Mısır'ın fethedileceği hayali ile böyle yazışırlarken, M. Kemal'e Harbiye Nezaretinden bir yazı geldi.

Yazıyı Enver Paşa'nın Vekili imzalamıştı. Yarbay M. Kemal 19. Tümen Komutanlığına atanmıştı. Genç bir yarbayın tümen komutanlığına atanması önemli, onur verici bir olaydı. 33 yaşındaydı.[42]

Bu kısacık, sade yazının tarihin akışını değiştireceğini kim bilebilirdi?

M. Kemal geç kalmamak için veda ziyaretlerine başladı. Doğu Ekspresi'nde yerini ayırttı. Akşam bir Bulgar ailenin davetlisi olarak Tosca operasına gitti.

Salon ve localar frak, smoking ve tuvalet giymiş yaşlı, genç, neşeli, mutlu erkek ve kadınlarla doluydu. Çok değil, 35 yıl önce "sütçü" diye küçümsenen Bulgarlar gelişmiş, ilerlemiş, operasını bile kurmuş, yalnız Balkan Savaşı'nda değil, çağdaşlaşma yarışında da Osmanlıyı yenmişti.

Çevreye kıskanarak, içi giderek, üzülerek baktı.

İSTANBUL'DA bu saatte Nesrin odasına çekilmiş Kadınlar Dünyası adlı derginin son sayısını okuyordu. Dergi kâğıt yokluğundan yayımına ara vermişti. Yandaki küçük yalıda oturan okul arkadaşı Vedia dergiyi gizlice getirip bırakmıştı. Vedia'nın annesi derginin vefalı bir okuyucusuydu.

Babası bu feminist dergiyi okuduğunu bilse kıyameti koparırdı.

Dergi, kadınların hak savaşımını üstlenen Kadın Haklarını Savunma Derneği'nin (Müdafaa-yı Hukuk-ı Nisvan Cemiyeti) yayın organıydı. Çok hoş, çok yararlı, çok etkili yazılar vardı. Derginin dizgicileri bile kadındı.

Yayınına ara vermeden önceki son sayısında yine giyim konusu ele alınmıştı. Kaç zamandır, birçok can alıcı sorun varken, en çok tartışılan, erkeklerin kafasını vatan savunmasından daha çok yoran konu buydu.

Kadın dışarda nasıl giyinmeli?

Devlet, toplumun egemen katları, tutucular, peçe ve çarşafı uygun görmekteydi. Öncü kadınlar ise bu giyimi 'kara kefen'e benzeterek giyim özgürlüğü için mücadele ediyorlardı.

Osmanlı toplumu kadın hakları bakımından çok sorunluydu. Öyle konular vardı ki din izin verse bile bağnazlık izin vermiyordu. Peçe bunlardan biriydi. Çarşaf da öyle. Bir kadının yüzü açık dışarı çıkması, manto giymesi mümkün değildi. Bağnazlık ayağa kalkmakta, sokak, mahalle, şehir, basın, hatta devlet baskısı devreye girmekte, yalnız erkekler değil, tutucu kadınlar da tepki göstermekteydiler.

Yazı şöyle bitiyordu:

"Dünya ilerliyor, gelişiyor. Biz yerimizde sayıyoruz. Dünya kadınları seçme ve seçilme hakkı için savaşıyor. Zavallı biz daha işin başındayız. Çalışmak, okumak, bir meslek ya da iş sahibi olabilmek gibi basit hakları elde edebilmek için çırpınıyoruz. Ama önümüzde utanç verici bir engel var: Peçe ve çarşaf!

Peçeyle, çarşafla nasıl çalışılabilir, nasıl okunabilir?

Ne zamana kadar böyle gulyabani gibi yaşayacağız?

Bu ilkelliğe sonsuza kadar razı olacağımızı sananlar çok aldanıyorlar."[43]

Bazı hanımlar daha şimdiden Yeniköy, Bebek, Moda, Yeşilköy, Bakırköy gibi yerlerde evden eve peçesiz geçmeye başlamışlardı bile. Ama tepkiden çekinerek uzağa gidemiyor, caddeye çıkamıyorlardı. Nesrin bu mücadelenin başarıya ulaşacağını, sıkı

sıkı kapanan kadınların bile ilerde bu mücadeleyi başlatanlara dua edeceklerine inanıyordu.

Arkadaşı Vedia ile karar vermişlerdi. Büyükdere'de peçeyi ilk ikisi çıkarıp atacaktı.

M. KEMAL Sirkeci'de trenden indi. Selanik Yunanistan'da kalınca annesi ve kız kardeşini İstanbul'a getirtmiş, Beşiktaş Akaretler'de, genişçe bir eve yerleştirmişti.

Gar önünde bekleyen faytonlardan birine atladı.

Zübeyde Hanım oğlunu görür görmez ağlamaya başladı.

"Mustafaaaam!"

Oğlu her şeyiydi.

Zübeyde Hanım'ın kaynının kızı Fikriye zaman zaman gelip birkaç gün kalırdı. Güzel gözlü, ince, duygulu bir genç kızdı. Rastlantı eseri yine buradaydı. Sofrayı büyük bir sevinçle o kurdu.

Birlikte olmak dördünü de mutlu etti.

M. Kemal ertesi gün Harbiye Nezaretine gitti. Arkadaşlarına uğradı. Genel durum hakkında bilgi edinmeye çalıştı.

Sarıkamış felaketi duyulmuş, sessizce konuşuluyordu. Enver Paşa'yı ziyaret ederek bir tümen komutanlığına atadığı için teşekkür etti. Enver Paşa yorgun, soluk görünüyordu. Birçok yerde birlikte olmuş, iki silah ve örgüt arkadaşıydılar.

M. Kemal şefkatle, "Ne oldu?" diye sordu.

"Çarpıştık, o kadar."

"Şimdi durum nedir?"

"Çok iyi."

Sözü uzatmayı doğru bulmadı. Paşa'nın Sarıkamış konusunda konuşmaktan kaçındığı anlaşılıyordu.

İzin isteyip tümeninin yerini öğrenmek için binanın Genelkurmay bölümüne geçti. Hiç kimse 19. Tümenin yerini bilmiyordu. Biri 1. Orduya bağlı yeni bir tümen olabileceğini söyledi. Liman Paşa'nın ordusuydu bu. Liman Paşa'nın Kurmay Başkanı Yarbay Kâzım İnanç'ı ziyaret etti. Atandığı tümeni aradığını söyledi.

Kurmay Yarbay Kâzım Bey

"1. Orduda böyle bir tümen yok. Gelibolu'daki Kolordu yeni bir tümen kurmak istiyordu. Belki odur. En güvenli çözüm Gelibolu'ya gidip sormak."

Gülüştüler.

Kâzım Bey "Merak etme, buluruz.." dedi, "..Önce Komutan Paşa ile tanıştırayım."

Liman Paşa, Sofya Ataşemiliteri Yarbay M. Kemal Bey'i büyük bir nezaket ve merakla kabul etti. Yer gösterdi.

"Ne zaman geldiniz?"

"Dün."

"Bulgarlar hâlâ savaşa girmeyecekler mi?"

"Benim görüşüme göre henüz girmeyecekler."

"Niçin?"

"Alman ordusunun başarılı olup olmayacağını anlamak istiyorlar."

Liman Paşa sinirlendi:

"Nasıl? Bulgarlar Alman ordusunun başarılı olacağına güvenmiyorlar mı?"

M. Kemal ayrılmadan önce Bulgar yetkililerle konuşmuştu. Dürüstçe yanıtladı:

"Güvenmiyorlar efendim!"

Liman Paşa öfkeden kıpkırmızı oldu. M. Kemal'in doğallığı da rahatsız etmişti. Gözlerinin içine bakarak sordu:

"Peki siz ne düşünüyorsunuz?"

M. Kemal Almanların bu savaşı kazanamayacağını birçok kişiye yazmış ve söylemişti. Şimdi Komutanı kızdırmamak için bu düşüncesini saklamaya kendine duyduğu saygı engeldi. Açıkladı:

"Bulgarları haklı görüyorum."

Liman Paşa ayağa kalkarak konuşmayı bitirdi. Kısa bir süre sonra Gelibolu'da bir daha karşılaşacaklardı.[44]

Kâzım İnanç 19. Tümenin 3. Kolorduya bağlı olarak Tekirdağ'da yeni kurulmakta olduğunu öğrenmişti.

Birbirlerine başarılar dileyerek ayrıldılar.

Akşam yemeği için Salih Bozok'u Pera Palas'a çağırdı. Yemek salonunda bir Macar orkestrası çalıyordu. Masaların çoğunu gürültücü Alman subaylar ile onlara eşlik eden Rum, Ermeni ve Yahudi kızlar doldurmuştu.

İstanbul işgal altında gibiydi.

Erkenden kalktılar.

CEMAL PAŞA ve karargâhı akşam yemekten sonra İbin'den yola çıktı.

Hepsi atlıydı. Cemal Paşa'nın altında Padişahın armağan ettiği çok güzel bir kır at vardı. Bol yıldızlı bir geceydi. Yıldızların ışıkları çölü aydınlatıyor, kum tepeleri üzerinde mavi pırıltılar uçuşuyordu. Ordu Harekât Şubesi Müdürü Binbaşı Ali Fuat Erden bu geceyi belleğine şöyle yazdı:

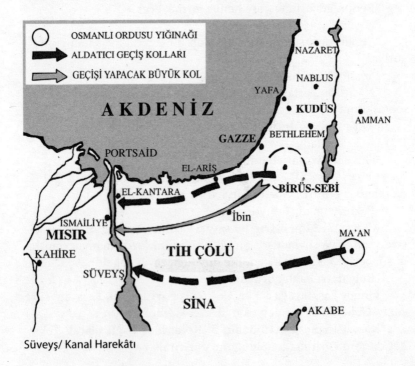

Süveyş/ Kanal Harekâtı

"Çöl perileri Cemal Paşa şerefine olağanüstü bir şenlik düzenlemişler."

1 Şubat gecesi Kanal'ın kıyısına ulaşacaklardı.[45]

Orada Cemal Paşa ve birliğini İngilizlerin hazırladığı gerçek şenlik beklemekteydi.

FRANSIZ Deniz Bakanı, Churchill'in çağrılısı olarak sabah Londra'ya geldi. Churchill Bakanı kapıda karşıladı, rahat konuşabilecekleri özel bir odaya aldı.

Oyalanmadan konuya girdiler.

Churchill Savaş Kurulu'nun ilke kararını anlattı. Çanakkale donanmayla zorlanacaktı. Bu konuda da sürekli birlikte hareket edeceklerine inandığını söyledi.

Fransız Bakan kararsız görünüyordu.

Churchill güven vermek için İngiliz donanmasının en yeni ve en büyük savaş gemisi Queen Elizabeth'in de Mondros'ta toplanan filoya katılacağını açıkladı.

"Boğaz'ın girişindeki tabyalar yıkılırsa Türkler savaşı bırakırlar."[46]

Sonra da ekledi:

"Türkiye savaştan çekilir çekilmez Yakın Doğu'ya yeni bir biçim verebiliriz."

Yakın Doğu Fransa için çok önemliydi. Suriye, Lübnan ve Çukurova'da gözü vardı. Çanakkale olayında İngiltere'yi yalnız bırakmak Yakın Doğu'nun paylaşımında bazı kayıplara yol açabilirdi.

Telefonlar, telgraflar çalıştı. Uzun konuşma anlaşmayla bitti. Fransa Çanakkale olayına sonuç alınana kadar tam destek vermeyi kabul etti.

Bu karar Fransa'ya çok pahalıya patlayacaktır.

M. KEMAL Genelkurmay'da son temaslarını yaparken İsmet Bey'e (İnönü) rastladı. Birbirlerini gördüklerine sevindiler. İsmet Bey M. Kemal'in elinden tuttu, odasına götürdü. Görüşmeyeli bir yılı geçmişti. Konuşup dertleştiler. İsmet Bey son bir olay anlattı:

"Amirim olan Almana birkaç gün önce, 'Zaferden sonraki kazancınız ne olacak' diye sordum. Aralarında çok sık konuşmuş olacaklar ki ağzından kaçırıverdi."

Genelkurmay Harekât Şubesi Müdürü Yarbay İsmet Bey

"Ne dedi?"

"*Die Türkei!*" (Türkiye!)[47]

M. Kemal'in yüzüne gölge düştü:

"Batı uyandı, çalıştı, bizi geçti, şimdi sömürüyor, aldatıyor, kandırıyor, oynatıyor, oyalıyor, adam yerine koymuyor. Her yana sızıyorlar. Kafalarına uygun adamlar buluyor, yetiştiriyorlar. Güçlenerek karşı durma çareleri arayacağımıza diplomatik oyunlarla durumu idare etmeye çabalıyoruz. Bu tutumu da akıllılık diye övüyoruz. Batının bilimine, tekniğine, sanatına saygılı olmak başka; sömürücü, saygısız, bencil yanına boyun eğmek başka. Batı önünde aşağılık duygusu ve teslimiyetçilik iliklerimize işlemiş. Bir büyük devletin kulu olmadan yaşayamayacağımızı sanacak hale gelmişiz. Bu anlayışı sürdürmek, buna katlanmak, razı olmak için onursuz, gurursuz, zavallı, gafil, satılık, düpedüz hain olmak gerek. Neyse. Şimdi vatan için elimizden geleni yapmak zamanı. Allah yardımcımız olsun!"[47a]

Kucaklaşarak vedalaştılar.

SAVAŞ KURULU 28 Ocakta toplandı.

Boğaz'ı zorlamanın ve İstanbul'u ele geçirmenin gerçekten büyük yararları olacaktı ama derinden derine gelişen bir düşünce bütün yararlardan ağır basmaya başlamıştı: Ruslara vaadedilmiş olan İstanbul'u ve Boğazları onlardan önce ele geçirmek. Boğazlara el koyacak ve Akdeniz'e inecek Rusya'yı zaptetmek çok güç olacaktı.

Amiral Carden'in planı kabul edilerek desteklenmesi kabul edildi. Lord Kitchener ve Dışişleri Bakanı Sir Edward Gray, Çanakkale'nin geçilmesi durumunda İstanbul'da ihtilal olacağını, devletin yıkılacağını sanıyorlardı.

Amiral Fisher bu hareketi hemen yapılması şartıyla uygun görmüştü. Olayın sonuçlanması gecikmiş, tehlike büyümüştü. İstifa ederek toplantıyı terk etti. Ancak Lord Kitchener'in ısrarı ile istifasını geri aldı ve toplantıya döndü. Kurul dünya tarihinin en önemli savaşlarından birinin 19 Şubatta başlamasına karar verdi.

Bu kararın yerine getirilmesi için yüzlerce askeri ve sivil çark harıl harıl dönmeye başlayacaktı.

SÜVEYŞ sefer kuvvetinin 3 kolu da 1/2 Şubat gecesi Süveyş Kanalı'na iyice yaklaşmıştı.

Kanal baştan başa ışıklar içindeydi. Işıldaklar Kanal'ı gündüz gibi aydınlatıyordu. Kanal geçişe kapatılmamıştı. Büyük küçük birçok gemi ışıklar saçarak ağır ağır geçiyordu.

Sanki donanma gecesiydi.

İngiliz, Avustralya, Yeni Zelanda, Hint ve Mısır birliklerinden oluşan iyi donatılmış 40.000 kişilik bir birlik, Kanal'ın karşı yakasında, Türk taarruzunu bekliyordu.

Birlikler gizlendiler. Hücum kolları için sactan 30 mavna (tombaz) hazırlanmıştı. Tombazlar ve ağır toplar binbir güçlükle Kanal'a yaklaştırıldı.

Gün doğarken kum çukurlarına girilerek gizlenildi. Sigara içmek, konuşmak yasaktı. Sessizlik içinde akşam olması beklenecekti.

Parola "Sancak-ı Şerif"ti.

M. KEMAL 3. Kolorduya malzeme taşıyan küçük bir gemiyle Tekirdağ'a geldi.

19. Tümen daha kuruluş halindeydi. Tümenin karargâhı bile yoktu. Üç alayı vardı. Biri 57. Alaydı. Bu alay iyi yetişmiş bir tümenin her alayından birer tabur alınarak oluşturulmuş, her tabura da komutan olarak kolordu karargâhındaki en iyi üç yüzbaşı verilmişti. Karma bir alaydı. Alayda Anadolu'nun her şehrinden birkaç kişi vardı. Türkiye sergisi gibiydi.. Alay Komutanı Binbaşı Hüseyin Avni Bey, yürekli, bilgili, çalışkan bir subaydı.

Yeni kurulduğu için alaya daha sancak verilmemişti. Öteki iki alayın kuruluşu ise daha tamamlanmamıştı.

M. Kemal göreve başladığını Kolordu Komutanlığına bildirdi: 1 Şubat 1915.[48]

M. Kemal'in ve yeni Türkiye'nin saati çalışmaya başlamıştı.

Ertesi gün tümeninin bütün subaylarını topladı, dedi ki:

"Bir ordunun ruhu subaylardır. Subay ne kadarsa ordu da o kadardır. Orduyu subay yapar. Askere örnek olun. Kendinizi iyi yetiştirin. Sırf askeri bilgiyle iyi asker olunmaz. Okuyun. Sanata ilgi duyun. Hayata bakın. Düşünen asker olun. Hepinizden askerlerinizin ruhunu, beynini yurt sevgisiyle kararak, bilgiyle donatarak eğitmenizi istiyorum. Gözüm her an üzerinizde olacak! Görevde yanlışlığı bağışlamam, bağışlayamam."

SAAT 18.00'de hava kararmıştı. Birlikler gürültü etmeksizin Kanal kıyısına sokuldular. Albay von Kress her birliğe ayrı ayrı bilgi ve yön verdi.

Saat 03.30'da tombazlar usulca suya indirildi. Hücum birlikleri tombazlara yerleştiler ve karşı kıyıya baskın vermek için hareket ettiler.

Köpeklerin havlamaları üzerine ışıldaklar Kanal'ı taramaya, sık bir biçimde yerleştirilmiş makineli tüfekler ateş yağdırmaya başladı.

Çok geçmeden toplar devreye girdi. Savaş gemileri, gün ağarırken de karşı kıyıda boydan boya uzanan demiryolu üzerindeki zırhlı trenler harekete geçtiler.

Ancak birkaç tombaz karşı kıyıya ulaşabilecekti.

Mısır'ı fethetme hayali suya düşmüştü.

Gündüz iki yakadaki topçuların ve makineli tüfeklerin düellosu sürdü. Kıyı delik deşik tombazlar, şehitler ve yaralılarla dolmuştu. Karşıya geçebilen küçük birliklerden bir daha haber alınamadı.[48a]

Bir hayal uğruna 1.500 kayıp verilmişti.

Sonuç tam bir başarısızlıktı. Cemal Paşa akşam savaşı durdurdu ve geri çekilme emri verdi. Albay von Kress şiddetle karşı çıktı:

"Evet, hiçbir başarı ümidi kalmadı. Çünkü tombazların çoğu mahvoldu. Fakat şeref bakımından buraya kadar gelen kuvvetin görevi geri dönmek değil, tümüyle Kanal'a atılarak burada ölmektir."[49]

Sefer kuvvetinin toplamı 25.000 kişiydi. Albay von Kress 25.000 kişinin planı uğruna ölmesini öneriyordu.

Cemal Paşa iki sözcükle tartışmayı kesti:

"Geri çekiliyoruz!"

Sefer kuvveti şehitlerini çöle gömdü, yaralılarını alarak gece geri çekildi. Durum İstanbul'a bildirildi. Başkomutanlık olayı bir keşif taarruzu olarak açıklayarak yenilgiyi saklayacaktı.[50]

Bu bir ay içinde ikinci yenilgiydi.

Bu yenilginin Türkiye açısından asıl olumsuz sonucu, Türklerin Mısır'a hücum edeceğinden korkan Lord Kitchener'in içini rahatlatması oldu. Türk ordusunun korkulacak bir ordu olmadığı bir kez daha anlaşılmıştı.

Gerekince Mısır'dan asker vermeye razı olacaktı.

Avustralyalı ve Yeni Zelandalı askerler de, bütün Türk birliklerinin bu kadar kolay yenileceğini sanacak, Gelibolu'ya bu iyimserlikle çıkacaklardı.

MONDROS ve Bozcaada'da 50 kadar savaş gemisi ile 200'den fazla yardımcı gemi birikmişti. Hastane, cephane, erzak, malzeme, tamir, su gemilerine ek olarak uçak ve mayın arama-tarama gemileri de geldi. İki büyük devletin imkânlarının bolluğu göz kamaştırıyordu. Yok yoktu. Tarihin en büyük armadasını kurmaktaydılar.

Amiral Wemys Üs Komutanlığına atandı.

Fransızlar da Mondros'ta toplanan Fransız filosunun başına en atak komutanlardan Amiral Quépratte'i getirdiler.

Gerekirse deniz hareketine yardımcı olmak üzere Mondros'a bazı kara birlikleri gönderilmesi uygun görüldü.

Rusya da bu büyük hareketin dışında kalmamak için Uzak Doğu'da bulunun Askold adlı savaş gemisini yola çıkardı. Birleşik Donanma Çanakkale'yi geçip Marmara denizine girdiği anda Rusya da İstanbul'a çıkarma yapmayı tasarlıyordu. Türk ordusunun Sarıkamış yenilgisi dolayısıyla Doğu cephesinin yükü azalmıştı. Bazı birlikler İstanbul'a çıkarma amacıyla Odesa'ya taşınıyordu.

Fransız Filosu Komutanı
Amiral Quépratte

Kâğıt üzerinde her şey Türkiye'nin sonunun geldiğini göstermekteydi.

HASTANENİN şişman berberi Orhan'ın saçını kesmiş, özene bezene tarıyordu.

Başhekim Nuri Bey de doktorlar da bu şair ruhlu gaziyi çok sevmiş, iyileşmek için verdiği mücadeleyi şefkatle izlemişlerdi. Sağlığına kavuşması için ellerinden geleni yapmaktaydılar. Tehlikeyi kesinlikle atlatması için birkaç ay daha hastanede kalması gerekiyordu.

Sonra evine çıkabilirdi.

Berber sakalını da tıraş etti. Yüzünü yıkadı, kolonyaladı. Çünkü bugün bütün aile ziyarete gelecekti. Yüzü gözü az çok yerine gelmişti çocuğun. Eserini sevinçle seyretti. El aynasını uzattı. Orhan hiç aynaya bakmamıştı şimdiye kadar.

Bu kez kaçınamadı.

Kanı dondu. O iyimser, güçlü, yaşama sevinciyle dolu genç insan bu muydu? O insandan geriye sadece hüzünle bakan iki göz kalmıştı. Ziyaretçileri durdurmak için artık çok geçti. Ziyaret saatine çok az kalmıştı. Yattı, büzüldü. Annesi, babası, Dilber'in annesiyle babası ve Dilber koğuş kapısında göründüler.

Ah!

Küçük Dilber de çarşafa girip peçe takmıştı. O kadar olmuş muydu? Olmuştu demek ki. Ürküntü içinde en arkadan geliyordu. Yaklaştılar. Ağabeyinin yüzünü görünce ağlamaya başladı; öne atıldı, koştu, yatağın önünde diz çöktü, peçesini açtı, bakışları sarmaştı, biri aşkla bakıyordu, öteki kardeşçe. Başı ağabeyinin zayıf, dümdüz göğsüne düştü, "Ben sana dargınım.." diye inledi. "..Niçin bizi bırakıp da gittin? Niçin yaralandın? Niçin eve gelmiyorsun? Yazık değil mi sana, bize? Biz sana daha iyi bakamaz mıyız?"

Bir şey, büyük bir şey oldu, sanki dünya dağıldı, ayrıştı, sonra yeniden kuruldu.

Orhan zayıflıktan derisi buruşmuş elini uzattı, eli titriyordu, Dilber'in başına dokundurdu. Tüy kadar hafif bir eldi. Sesi de öyleydi:

"Beni çıkarın."

Hastanede kalırsa hayatı kurtulacaktı. Ama eve gitmezse özlemden öleceğini anladı.

BAŞKOMUTANLIK 19. Tümenin kuruluşu tamamlanmamış iki alayını aldı, bunların yerine 'savaşa hazır' olduğunu ileri sürdüğü iki yeni alay gönderdi.[51]

M. Kemal sevinmişti.

Ama alaylar gelince aldatılmışlık duygusuna kapıldı. İki alay da Kuzey Suriye'de oluşturulmuş, seferberliğin başında İstanbul'a getirilmişti. Çoğu Arap, Maruni, Nuseyri, Yezidi filandı. Bir kısmı inanışı gereği savaşa karşıydı. Hiçbiri Türkçe bilmiyordu.

M. Kemal ilk kıta hizmetini Şam'da yaptığı, bölgeyi iyi tanıdığı için kaygıya kapıldı. Çevre halkı askerliğe yatkın değildi. Yüzyıllardır askerlik yapmamışlardı. Bedeviler dövüşkendi ama disipline gelmezlerdi, yalnız çapulculuğu bilirlerdi. Ayrıca yollanan alayların 'savaşa hazır oldukları' da doğru değildi.

Durumu Kolordu Komutanlığına bildirdi.

'Halis Türk delikanlılardan kurulu' olan eski iki alayının geri verilmesini istedi.[52]

ALMAN haberalma örgütü Mondros'da büyük bir filonun toplandığını bildiriyordu.

Durum kaygı vericiydi.

Geçitin çevresindeki tabyalarda 16.000 metre menzilli sadece 22 ağır top bulunuyordu. Bunların mermi sayısı sınırlı, zırh delici mermi sayısı çok azdı. En yeni top 1905 tarihliydi. Tabyalarda modern mesafe ölçme aygıtları bile yoktu.

"Ne kadar yoksuluz!"

"Bu para değil akıl yoksulluğu. Ciddi bir devlet binde bir olasılığı bile hesap eder, ihtiyaçları sıralar, ona göre önlem alır. Biz felaket kapıya dayanmadan harekete geçmiyoruz."

Queen Elizabeth yalnızca bir yanındaki toplarla bir seferde 7,5 ton mermi atabiliyordu. Buna karşılık en güçlü tabya olan Anadolu Hamidiyesi'ndeki bütün topların aynı süre içinde atabileceği mermilerin toplam ağırlığı ancak 800 kilo kadardı.

Durum buydu.[53]

Her şeyiyle dışarıya bağımlı, yarı sömürge, hastalıklı bir devlet, hiç yenilmemiş bir imparatorlukla savaşacaktı.

Bu durumu bilen, Balkan Savaşı hakkında anlatılanları unutmayan, bolluğa alışmış Almanlar derin kuşku içindeydiler.

Bu hava hükümeti de etkilemişti.

Bir önlem olarak Haydarpaşa'da iki trenin harekete hazır tutulması kararlaştırıldı. Biri Padişahı ve saraylıları, öteki hükümeti ve büyük yöneticileri Anadolu'ya kaçıracaktı.

Queen Elizabeth

Arşiv ile Topkapı sarayında korunan mukaddes emanetler ve tarihi hazine Konya'ya taşınacaktı. Padişah için Eskişehir uygun görülmüştü. Bir saray yöneticisi Eskişehir'e yollanmış, Padişah ve saraylılar için evler kiralanmıştı.

Ermeniler ve Rumlar sevinçlerini zor saklıyor, İstanbul işgal edildiği zaman evlerine asmak için gizlice İngiliz ve Fransız bayrakları yaptırıyorlardı.

İNGİLİZ deniz uçakları Boğaz üzerinde keşif uçuşları yapmaya başladı.

Savaşın eli kulağındaydı.

Boğaz'ın girişindeki ve iki yanındaki bütün tabya ve bataryalarda mürettebat artık giysi ve ayakkabılarıyla uyuyordu. Kara birlikleri savaş eğitimlerini yoğunlaştırdılar. Kıyılardaki mevziler sağlamlaştırıldı.

Ateş altında kalması olası köyler boşaltıldı. Çanakkale de ağır ağır boşalmaktaydı.

Rumeli Mecidiyesi Komutanı Yüzbaşı Hilmi Şanlıtop subaylarını, yeni gelen subay adaylarını ve askerleri topladı. Son bir konuşma yaptı:

"Kardeşlerim, çocuklarım!

Bu savaş çok önemli. Burada yenilgi başka yenilgilere benzemez. Devletimiz yıkılır. Savaş çok sert geçecek. Düşman güçlü. Ama biz de çok kararlıyız. Çünkü vatanımızı savunacağız. İçinizde kendine güvenemeyen varsa, söylesin, değiştireyim. Savaş sırasında kimse yaralı ve şehitlerle uğraşmayacak. Ben ölürsem üzerime basıp geçin, işinize bakın. Yaralanırsam yine önem vermeyin. Ben de böyle yapacağım. Şehit olacaklar ve yaralanacakların yerini alacak olanlar belirlenmiştir. Başka bir şeyle ilgilenmeden görevinizi yerine getirin."[54]

Ölmeden savaşmayı bırakmayacaklarına yemin ettiler.

18 ŞUBAT Perşembe günü öğlene doğru Orhan'ı sedye içinde hasta arabasına taşıdılar.

Balkan Savaşı'ndan kalan son yaralı gaziyi, başhekim, doktorlar ve hastane çalışanları ile yürüyebilen hastalar uğurlamak için kapının önüne çıkmışlardı. Başhekim annesine yapılması gerekenleri iyice anlatmıştı. Arada bir uğrayıp bakacağına da söz verdi.

Annesi de Orhan'ın yanına bindi.

İki atlı beyaz hasta arabası alkışlar arasında hastaneden ayrıldı.

Anadolu Hisarı'nda bir yokuşun ortasındaki eskice bir İstanbul evinin önünde durdu. Ailenin ve mahallenin erkekleri kapıda bekliyorlardı. Hanımlar içerdeydi.

Arabacıyla hastabakıcı Orhan'ı sedye ile içeri taşıdılar.

Sütbeyaz sakallı bir ihtiyar, küçücük kalmış gaziyi gözleri yaşararak askerce selamladı. O da Plevne'de dövüşmüş, savaşın ne yaman bir şey olduğunu görmüş bir evvel zaman gazisiydi.

Orhan için geniş diye ikinci kattaki oturma odasını hazırlamışlar, yatağını pencerenin kenarına yerleştirmişlerdi. Pencereden Boğaz görünüyor, vapur ve martı sesleri yansıyordu.

Yatağa yatırdılar. Annesi yeni gecelik giydirdi. Dilber saçını taradı. Sonra ortadan çekildiler. Önce erkekler, sonra komşu kadınlar odaya doluşup ayak üstü geçmiş olsun dediler. Mahallenin Molla Ninesi okuyup üfledi.

Herkes gitti.

Dilber başını uzattı kapıdan:

"Geleyim mi?"

"Gel."

Yine yatağın yanına diz çöktü. Bahar kokusu yayıldı. Ağabeyinin sıska elini okşadı:

"Durmadan ağlıyordum ama senin sağ salim döneceğini de adım gibi biliyordum."

"Nasıl bilebilirsin?"

"Çünkü çok dua ettim. Allah'a da bir sürü söz verdim sağ dönesin diye. Döndün işte."

Elini usulca öpüp başına koydu.

"Bu ne?"

"Ağabeyim değil misin? Öperim."

"Ama sen hiç elimi öpmezdin."

Dilber ciddileşti:

"Haklısın. Geri dönersen elini öpeceğime, seni hiç üzmeyeceğime, hiçbir sözünden çıkmayacağıma, akıllı olacağıma söz vermiştim."

"Başka?"

"Söylemem. Ötekiler Allah'la benim aramda."

"Söyle diye yemin verirsem?"

"Yemin verirsen ölümü öp."

Hep yaramaz, oyunbaz bir çocuk diye bakarken birdenbire büyüyüp güzelleşmiş, Orhan'ı aptala çevirmişti. Kaynak suyu gibi duru, kar kadar temiz bir kızdı. Çekinmesi, sakınması yoktu. Çünkü bu evde doğmuş, ağabey-kardeş gibi, kavga-dövüş, itiş-kakış birlikte büyümüşler, birbirlerinin anne-babalarını anne-baba bilmişlerdi.

Acımasız gerçek kafasına dank etti.

Bu kıza sevdiğini hiçbir zaman söyleyemezdi. Söylese kesinlikle bağışlamaz, bir daha yüzüne bakmazdı. İki aile de lanetlerdi.

Bir vapur çığlığı Boğaz'ı doldurdu.

Bu aşkı ölene kadar içindeki zindanda tutmak zorundaydı. Çaresizlik içinde gözlerini yumdu. Bunu başarabilir miydi? Gücü buna yetecek miydi?

Orhan'ın büyük iç savaşı böyle başladı.

Ertesi gün de Çanakkale Savaşı başlayacaktı.

İkinci Bölüm

Denizin Tutuştuğu Gün
19 Şubat 1915-19 Mart 1915

19 ŞUBAT 1915 Cuma sabahı ufuk çizgisinde 12 savaş gemisinden oluşan bir filo belirdi.

Saat 06.30'du.

Müstahkem Mevki Komutanlığına bilgi uçuruldu. Tabyalar ve bataryalar ayaklandı.[1]

Gemiler yayılarak ağır ağır yaklaştılar. Aralarında Queen Elizabeth de vardı. Amirallik forsunu o taşıyordu. Dünyanın en büyük ve güçlü savaş gemisiydi. Giriş tabyalarındaki topların menzillerini 3 Kasımda öğrenmişlerdi. Onun için 17.000 metre uzakta durup ateş düzeni aldılar.

Her şey hazırdı. Amiral gemisinden ateş işareti verildi.

Saat 09.50'ydi.

İlk atışı topçu subayı Yüzbaşı Harry Minchin'in "Ateş!" komutuyla Cornwallis zırhlısı yaptı.

Çanakkale Savaşı başladı.

Tabyalarda, gözcüler dışındaki subay ve erler sığınaklara çekilmişlerdi. Mermiler düşüp patladıkça yer sarsılıyordu. Ağır topların yoğun ve sürekli ateşi 13.00'e kadar sürdü.

3 Kasım saldırısından sonra birçok önlem alınmış, cephaneler yıkılmaz sığınaklara taşınmıştı.

Gemiler hareket halinde oldukları için atışları isabetli olmuyordu. Uçak keşifleri tabyaların ezilmediğini gösterdi.

Görevli gemiler daha yakından ateş etmek için kıyıya yaklaştılar. Böylece tabyalardaki bazı topların menzilleri içine girdiler. O topların mürettebatı şevk içinde koşarak topbaşı yaptı. Toprak altında kalmış toplarını hızla temizleyerek çalışır hale getirdiler.

Saat 14.00'te savaşın ikinci aşaması başladı.

Bu âna kadar toplarının yetersizliği yüzünden cevap verememiş olan topçular çok hırslıydılar. Yaklaşan gemilere olanca öfkeleriyle yüklendiler. Mermiler güvertelerde, gövdelerde patlamaya başladı. Mermiler zırh delici olmadıkları için etkileri çok değildi. Yine de gemilerden birinin arka tareti parçalandı, birinin direği kırıldı. Filo bütünüyle menzil dışına çekildi. 17.30'da hava kararıyordu. Ateşi kesip uzaklaştılar.

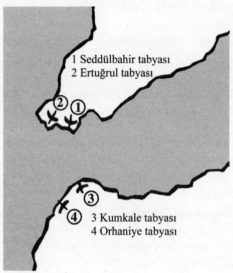

1 Seddülbahir tabyası
2 Ertuğrul tabyası

3 Kumkale tabyası
4 Orhaniye tabyası

"Cehenneme kadar yolunuz var!"

Türk kaybı 4 şehit 11 yaralıydı. Yalnız 2 top kullanılmaz hale gelmiş, çevrenin bir bölümü hasar görmüştü.

Tabyalar ayaktaydı.

Deniz ve kara topçuları arasındaki bu ilk düello yenilmez diye ünlü filonun başarısızlığı ile sonuçlanmıştı. Bir İngiliz yazarı olayı "fiyasko" olarak niteleyecekti.[2]

Türkler ateş kesilir kesilmez sığınaklardan çıkarak topları örten toprakları temizlediler. Ortalığı derlediler. Şehitler defnedildi. Yaralılar gerideki Alçıtepe köyüne (Kirte'ye) taşındı.

Yeni bir savaşa hazır oldular.

Akşam hava bozdu, lodos şiddetlendi. Amiral Carden ertesi günkü taarruzu ileriye erteledi.

Kötü hava beş gün sürecek, bu fırsattan yararlanılarak özellikle girişle geçit arasındaki orta bölgedeki toplar çoğaltılacak, sahte bataryalar eklenecekti.

ÇANAKKALE SAVAŞI'NIN başladığını ajanslar dört bir yana yaydılar. Olay bütün dünyada büyük ilgi uyandırdı. İngiliz gençlerini heyecanlandırdı. İstanbul hepsine Binbir Gece Masallarını duşunduruyordu. Her sınıftan ve şehirden gençler gönüllü yazılmaya başladılar.

İngilizlerle Türkler ilk kez savaşacaklardı.

Churchill'in sabırsızlığını bilen Amiral Carden Londra'ya şu telgrafı görderdi:

"Kötü hava şartları altında yeniden hücuma geçmeyi doğru bulmuyorum. Hava düzeldiği vakit Boğaz girişindeki tabyaların işini bir günde bitirmenin mümkün olduğu kanısındayım."

Telgrafın kesinliği Churchill'i yatıştırdı.

Amiral Carden'e güveniyordu.

M. KEMAL yeni yollanan iki alayın da 57. Alay kadar disiplinli olmasını istiyor, erlerini savaşa iyi hazırlamaları için komutanlarını sıkıştırıyor, her gün denetliyordu. Arapların çoğunluğu bir alayda (77. Alay) toplandı, Türklerle karıştırıldı ve eğitimleri sıkılaştırıldı.

57. Alay Komutanı
Binbaşı Hüseyin Avni Bey

Beklenilmez bir şey oldu. Başkomutanlıktan M. Kemal'i Eceabat (Maydos) Bölge Komutanlığına atama emri geldi. 57. Alayla birlikte hemen Eceabat'a hareket edecek, öteki iki alay sonra taşınacaktı.

57. Alayın sancağı da yollanmıştı.

Sancak subay ve erleri titreten sade ama çok etkili bir törenle M. Kemal tarafından 57. Alay Komutanı Binbaşı Hüseyin Avni Bey'e teslim edildi.

Hazırlanıp ertesi gün iskeleye indiler. Talihleri vardı. Gelibolu ve Çanakkale'ye gidecek olan Halep ve Reşit Paşa gemileri Tekirdağ'a uğradı.

Zorlukla ikisine sığıştılar.[3]

25 ŞUBAT 1915 Perşembe sabahı Çanakkale deniz savaşı yeniden başladı.

Hava düzelmişti. Filo gruplar halinde ufukta göründü.

"Geliyor iblisler!"

Plana göre büyük kısım uzakta ve hareketsiz durarak tabyaları sürekli ateş altında tutacak, bu yolla Türklerin topbaşı yapması önlenecekti. Bazı gemiler de kıyıya iyice yaklaşıp tek tek topları vurmaya çalışacak, böylece tabyalar susturulacaktı.

Amaç bugün genel planın birinci aşamasını kesinlikle sona erdirmekti.

İlk olarak saat 10.15'te Queen Elizabeth dev toplarıyla Seddülbahir tabyasını ateş altına aldı. 38 cm. çapında insan boyundaki dev mermiler, çarptıkları yerleri parçalıyor, düştükleri yerlerde derin ve geniş kuyular açıyordu.

Öbür gemiler de öteki tabyaları ateşe boğdular. Topçular sürekli yağan ateş yüzünden topbaşı yapamıyor, göz açamıyorlardı.

38 cm'lik bir topun mermisi

Tabyaları yakından vurmakla görevli gemiler 3.000 metreye kadar yaklaştılar ve bütün toplarıyla birden saldırdılar.

Bir olay hepsini şaşkına çevirecekti.

BU SAATTE Halep ve Reşit Paşa gemileri Gelibolu iskelesine yanaşmaktaydı.

Gemilerden Gelibolu'ya kolorduya yollanan bazı eşyalar çıkarılırken M. Kemal de Kolordu Karargâhına uğradı. Komutanı gördü. Kurmay Başkanı Fahrettin Bey'le görüştü. İstediği eski iki alayı için Başkomutanlıktan red yanıtı geldiğini öğrendi. Tehlikeli bir bölgeye böyle iki alayın gönderilmiş olması ikisini de çok düşündürdü. Üstelik tümenin bütün tüfekleri eski tüfeklerdi (muaddel martin). Birkaç atıştan sonra tetik düzenekleri bozuluyordu. Savaş olsa asker daha savaşın başında elinde sopaya dönen tüfeklerle kalakalacaktı.

Başkomutanlık ve Almanlar hakkındaki olumsuz düşüncelerini sakınmadan söyledi. Fahrettin Bey bu ilk görüşmeyi güncesine şöyle yazacaktı:

"Enerjik, muhatabına güven veren, tok sözlü, sarı saçlı, mavi gözlü bir komutan."

Oyalanmadan Gelibolu'dan ayrıldılar.

Boğaz girişindeki amansız savaş sürerken Eceabat'a ulaştılar. Müstahkem Mevki Komutanlığı tümen karargâhı ile alay için gerekli hazırlığı yapmıştı. Bir görevli de iskelede bekliyordu.

Savaşın boğuk sesi Eceabat'a kadar yansımaktaydı.

Askerin gelişi Eceabatlı Türkler için bir teselli oldu. İzlemek için toplandılar. 57. Alay karaya çıkmaya, iskele meydanında sıralanmaya başladı. Yaşlılar, bu alayın farklı bir alay olduğunu sezdiler. Telaşsız, ağırbaşlı, düzenli, çok disiplinli bir alaydı bu. Binek atları, beygirleri, katırları bile farklıydı.

Karaya çıkış tamamlanınca Hüseyin Avni Bey alayını alıp ordugâh kuracağı Bigalı'ya hareket edecekti.

M. Kemal küçük karargâhı ile şehirde kaldı. Müstahkem Mevki Komutanına telefon ederek geldiğini bildirdi.

DENİZCİLER çok şaşırmışlardı. Çünkü gemilerin yaklaştığını gören Ertuğrul tabyasındaki topçular gözlerini kırpmadan topbaşı yapmışlardı.

"Çılgın mı bu adamlar?"

Öyleydiler. Ölüme meydan okuyarak, ateş içinde, taş-toprak yağmuru altında, boğucu barut ve yangın dumanı ortasında, yaklaşan gemilere karşılık vermeye başladılar. Zaman zaman duyulan tekbir sesleri öylesine candandı ki savaşın uğultusunu bastırıyordu.

Komutanı, subayı, astsubayı, erbaşı, eri Balkan Savaşı'nın kara lekesini silip ordunun namusunu tertemiz etmekteydi.

Savaş gemileri sürekli hareket ederek, zikzaklar yaparak, fır dönerek ölüm ve yıkım kusuyorlardı. Ama bu hareketlilikleri vurulmalarına engel olamadı. Agamemnon zırhlısı 10 dakika içinde 7 isabet aldı, 3 kişi öldü, 5 kişi yaralandı. Dublin kruvazörü ateşi yiyince geri çekilmek zorunda kaldı. Fransız Gaulois zırhlısı bir isabet alarak 9 kişi kaybetti, demir bırakarak kaçtı.[4]

Düello kıyasıya sürdü.

Seddülbahir köyü yanıyordu. Anadolu yakasındaki Yeniköy de öyle.

Gemilerin, sayıca 8 kat fazla, hızlı, büyük, modern toplarına karşı, çağı geçmiş toplar daha ne kadar dayanabilirlerdi?

Orhaniye tabyası bugün hareketsiz kalmış, Alman mürettebat erkenden geri çekilmişti. Ertuğrul dışındaki öteki tabyalar da ağır ateş altında pek az varlık gösterebilmişlerdi.

Sonunda Ertuğrul da tükendi.

Saat 17.00'de dört tabya da susmuştu.

Hâlâ kuşkuda olan Amiral Carden'in emriyle bazı gemiler daha da sokularak tabyaları iyice tahrip ettiler.

Fransız Amiral Quépratte Paris'e şu telsizi yolladı:

"Bugün eşsiz bir gün. Başlangıçta kuvvetli bir karşılık gösteren tabyalar giderek sustular. Mayın tarayıcılar bu gece giriş kesimindeki mayınları taramaya başlayacaklar."

GİRİŞTEKİ tabyalar sustuğuna göre Birleşik Donanma demek ki ertesi gün Boğaz'a girecekti. Girişle Geçit arasındaki orta bölge büyük önem kazanmıştı.

Cevat Paşa yedekte tuttuğu son dört topu da Anadolu yakasındaki İntepe'ye yolladı. Giriş tabyalarındaki mürettebatın geri çekilmesine izin verdi.

"Kayıp var mı?"

"Var efendim."

13 şehit, 19 yaralı vardı. Bütün toplar kullanılmaz hale gelmiş, tabyaların gerisinde bulunan kışlalar yıkılmıştı.

Ertuğrul ve Seddülbahir topçuları, şehitleri gömdükten sonra, yaralılarını alarak iki tabyayı da boşalttılar.

Korkusu kalmayan düşman gemileri Boğaz ağzına geldiler. Zafer şerefine bandolar çalmaya başladı.

Yenik, yorgun, yaralı topçular karaya yansıyan bu zafer ezgileri arasında, içleri kan ağlayarak, Alçıtepe köyüne yollandılar.

BOĞAZLAR Genel Komutanı Amiral von Usedom durumu öğrenmek için İstanbul'dan gelmişti. Akşam Müstahkem Mevki Komutanlığında toplanıldı. Toplantıya deniz işlerine bakan Amiral Merten ile Müstahkem Mevki Komuta Kurulu ve 9. Tümen Komutanı Albay Halil Sami Bey katıldı.

Amiral von Usedom ve Amiral Merten

Amiral von Usedom bol silaha, bol cephaneye, yeni araç ve gereçlere alışıktı. Boğaz savunmasının içyüzünü bildiği için iyice karamsardı. Büyük bir topun sadece 50 zırh delici mermisinin olması tüylerini diken diken etmeye yetiyordu.

Savaş görmüş bu koca Amiralin kırılgan hali her şeyi tutumlu kullanmaya alışık Türk subaylarına tuhaf gelmekteydi. İki yüz yıldır böyleydiler. Ordunun hiçbir zaman bol bulamaç cephanesi olmamıştı. İdareli ve akıllı kullanılırsa, top başına zırh delici 50 mermi büyük varlıktı, birkaç savaşa bile yeterdi. Amiral Usedom'un oflayıp poflamasına bakıp bıyık altından gülüştüler.

Amiral ertesi gün Birleşik Donanma'nın canavar gibi toplarıyla orta bölgedeki küçük topların çatışmasından hiç ümitli değildi.

Amiral Merten için asıl güvence mayınlardı. Ama birkaç aydır Çanakkale'de olduğu için Türkleri tanımıştı. En beklenmedik zamanda şaşırtıcı işler başardıklarını, canlarını hiç esirgemediklerini görmüştü. Bu nedenle en az mayınlar kadar Türklere de güvenmekteydi.

Amiral von Usedom karamsarlığını korudu:

"Göreceğiz. Birkaç gün burdayım."

YARALILAR Alçıtepe köyündeki küçük sahra hastanesinde bakıma alındılar. Topçular için yemek hazırlanmıştı ama hiçbirinin boğazından bir lokma bile geçmedi. Ne halleri vardı, ne istekleri.

Bir top kaybetmek Türk askerini kahretmeye yeterdi.

Bir değil, iki tabya dolusu top kaybetmişlerdi. Hepsi eskiydi ama olsun. Türk için eski top da toptu. Yoksulun ekmeği 'aziz' bilmesi gibi, Türk askeri de topu 'aziz' bilirdi. Geride top fabrikaları yoktu. O yüzden her topa gözü gibi bakar, uzun yıllar korur, yaşatır, iyice yaşlansa da hurdaya çıkarmaz, ramazan topu yapar, en güzel tepeye yerleştirir, şehrin baştacı ederdi.

Boğaz girişindeki düşman gemilerinden gelen bando sesleri hepsinin kanına dokunuyor, mermi yarasından daha çok can yakıyordu.

MAYINLARI temizlemek üzere bir kruvazörün koruması altında, balıkçı gemilerinden dönüştürülme 7 mayın arama-tarama gemisi gece ilk kez Boğaz'a girdi. İstanbul yolunu açmak için bu bölgedeki topları susturmak ve mayınları toplamak gerekiyordu.

Mayın tarama gemilerinin mürettebatı bol parayla tutulmuş İngiliz balıkçılardı. Mayın taramayı iyi öğrenmişlerdi.

Set bataryaları 24 saat nöbetteydiler.[5] Mayın gemileri ilk mayın hattına yaklaşırken ışıkdaklar birdenbire yandı. Boğaz gündüz gibi aydınlandı. Denizin birçok yerine mesafeyi gösteren renkli şamandıralar yerleştirilmişti. Set bataryaları bunlardan yararlanarak mayın gemilerini ateş altına aldılar.

Daha uzun menzilli ve büyükçe çaplı toplar da kruvazöre mermi yağdırmaya başladılar.

Bu ilk avdı.

Kruvazör savaşmaya hazır ve kararlıydı ama hangi birine karşılık verecekti? Orta bölgede tahmin edilenden daha çok top olması gemi komutanının aklını karıştırdı. Bu topların yerlerini kestirmek de çok zordu. Her tepenin arkasından mermi yağıyordu.

Giriş tabyalarının susturulduğunu, köylerin yakıldığını duyan Türk topçuları dövüşe bilenmiş haldeydiler.

Göz açıp kapayıncaya kadar 4 mayın gemisini batırdılar, birini yaraladılar. Dardanos Bataryası da kruvazöre ardarda birkaç mermi yapıştırdı.[6]

Kruvazör ve sağlam kalan mayın gemileri apartopar Boğaz dışına kaçtılar.

4 mayın gemisinin battığı duyulunca neşeli bandolar sustu. Gemiler şenlik ışıklarını söndürdüler.

ECEABAT Bölgesi Komutanlığının görev alanı, Gelibolu yarımadasının bütün güney bölgesiydi. Suvla'dan Eski Hisarlık'a kadar olan tüm kıyı.

M. Kemal'e bu bölgeyi ve kıyıları savunma görevi verilmişti. Çanakkale kara savaşları iki ay sonra tam da bu bölgede geçecek, bütün dünya buradaki küçük tepelerin bile adını öğrenecekti.

M. Kemal Balkan Savaşı sırasında Akdeniz Kolordusu Harekât Şubesi Müdürü olarak Gelibolu yarımadasını, ya gezerek ya harita üzerinde incelemişti. Arazinin özelliklerini iyi biliyordu.

Savunmayı sağlaması için emrine 9. Tümenin Gelibolu yarımadasında bulunan 26. ve 27. Alayları da verilmişti.[6a]

Tümen karargâhı için hazırlanan evde, açılır-kapanır asker masasının başında, bir gaz lambasının ışığında, kolordunun yolladığı savunma planını, iki alayın yerleşimini ve haritayı inceliyordu.

Düşman buraya çıkarma yapar mıydı?

Boğaz'ı donanma ile geçemezse yapabilirdi.

Hangi amaçla çıkarma yapardı?

Çanakkale'deki ya da Kilitbahir'deki tabyaları ele geçirip susturarak donanmaya Boğaz yolunu açmak için.

Hangisini ele geçirmek daha kolay görünüyordu?

Kilitbahir'i ele geçirmek daha kolay görünüyordu.

Kilitbahir tabyalarını nasıl ele geçirebilirdi?

Arazinin yapısına göre oraya karadan ulaşabilmek için iki yol vardı. Biri **Seddülbahir**'di, yarımadanın ucu, düşman oradan Kilitbahir'e ilerleyebilirdi. Öteki yol **Kabatepe**'nin kuzeyi ve güneyiydi. Buradan Kilitbahir sadece 8 km. idi. Kuzeye ilerleyip **Kocadağ**'ı ele geçiren de yarımadaya egemen olurdu.

Kolordu akıllı bir plan hazırlamış, 9. Tümen de bir alayını Seddülbahir'e, ötekini Kabatepe civarına yerleştirmiş, Kocadağ'ın eteklerinde savunma mevzileri hazırlamıştı.

Kısacası coğrafyanın sözü dinlenerek doğru olan yapılmıştı.

Kritik kıyılar güçlü tutulmuş, alayların karargâhları ve öteki birlikleri, bir çıkarma halinde hemen yetişebilmeleri için biraz geriye yerleştirilmişti.[7]

Şimdi buraları görmeli, alayları tanımalı, ne hazırlık yapıldığını anlamalı, savunmayı denetlemeli, eksik varsa düzelttirmeliydi. İtalyanların donanmanın ateşi altında çıkarma yapmalarını Trablus'ta yaşamıştı. Bu önemli bir deneydi.

İlk fırsatta da Kolordu ve Müstahkem Mevki Komutanları ile konuşmalıydı. Bu iki komutanın emrinde çalışacaktı.

26 ŞUBAT günü Birleşik Donanma planın ikinci aşamasına geçecekti. Ne var ki Türk topçularının dünkü direnci Amiral Carden'i tedirgin etmişti.

Bugün öncelikle giriş tabyalarının bir daha tahrip edilmesini emretti.

Sağlamcıydı.

Gün, 3 savaş gemisinin giriş tabyalarını döne döne bir daha bombardıman etmesiyle başladı. Yetmedi, Kumkale ve Seddülbahir tabyalarına, geride ne kalmışsa yok etmeleri için 50'şer kişilik iki müfreze çıkarıldı.

Kumkale'ye çıkarılan müfreze, ateşle karşılandığından fazla bir iş beceredemeden bir ölü, iki yaralı vererek gemiye döndü.

Seddülbahir'e çıkan müfreze talihliydi. Terk edilmiş tabyada ve yanık köyde kimse yoktu. Karacılar bu kesimleri daha denetim altına almamışlardı. Bu nedenle çok rahat hareket ettiler. Topların namlularını dinamit doldurarak patlattılar, namlu ağızları çiçek gibi açıldı. Bir ışıldak bulup kırdılar. Ertuğrul tabyasına yöneldilerse de burada kalmış olan bazı topçular tüfeklere sarılınca, çekildiler.

2 savaş gemisiyle 9 mayın arama-tarama gemisi Boğaz'a girdi. Dün geceden kalma ürkeklik sürüyordu. Önce mesafe şamandıralarını topladılar.

Mayıncılar Erenköy Körfezini aramakla yetindiler. Birleşik Filo'nun manevra alanıydı burası. Mayın gemileri çelik levhalarla ateşe karşı korunaklı hale getirilmişti. Fakat top sesi bile balıkçıları ürkütüyordu.

Gün batarken çekildiler.

Savaş gemileri çok mermi harcamış, iki yakayı da ateşe vermişlerdi ama bütün çabalarına rağmen sadece bir bataryayı susturabilmişlerdi.

MÜSTAHKEM MEVKİ Komutanlığı, 27 Şubat sabahı Çanakkale'nin 3 km. güneyindeki savaş karargâhına, Hacıpaşa çiftliğine taşındı. Burdaki gözetleme yerinden de bütün Boğaz görünüyordu.

Lodosa rağmen gün doğarken Nusrat mayın gemisiyle 53 mayından oluşan 10. mayın hattı da dökülmüştü. Böylece Kepez burnunun biraz ilerisi ile Geçit arasındaki mayınların toplam sayısı 350'yi geçti. Bunlar deniz yüzeyinin 2,5-4,5 metre altında, dev sualtı bitkileri gibi, çıpalarına ve zincirlerine bağlı, akıntının etkisiyle ağır ağır sallanarak bekliyorlardı. Biri zincirinden kopup da akıntıya kapılsa, yerine hemen yenisi eklenmekteydi. Bir teki bile bir gemiyi batırmaya yetecek güçteydi.

Barbaros ve Turgut Reis adlı zırhlılar da İstanbul'dan Nara'ya geldiler. Bunlar artık donanmada görevi kalmamış iki yaşlı gemiydi. Son savunma hattı olarak Boğaz çıkışında yer aldılar. Boğaz'ı geçmeyi başarırsa, Birleşik Donanma'yı Boğaz çıkışında ateşle karşılayacak, gerekirse kendilerini feda edeceklerdi.

Başkomutanlığa bilgi verildi.

Başkomutanlığın –ya da Almanların– çok gergin olduğu, öğleden önce gelen bir emirle anlaşılacaktı.

BİRLEŞİK DONANMA'NIN gittikçe şiddetlenen lodostan dolayı bugün ciddi bir iş görmesi zordu. Hareket halindeki gemilerden isabetli atış yapılması kolay değildi. Buna bir de dalga eklenince isabet olasılığı iyice azalacaktı.

Nitekim başarılı bir sonuç alamadılar.

Bugün giriş tabyalarına yine müfrezeler çıkartılarak tabyalar denetlenecek, ne kalmışsa tahrip edilmesine çalışılacaktı. Amiral Carden bu tabyalara yeniden top yerleştirilmesinden korkuyordu. Bu Birleşik Donanma için tehlikeli olurdu.

Bu işi tek gemi bile kaybetmeden başarmak istiyordu.

Churchill için gemiler ve insanlar değil sonuç önemliydi. Donanma birkaç gemi ve denizci kaybetmeyi göze alarak bu işi tek başına ve bir an önce bitirmeliydi. Bir yandan da huzurunu kaçıran bir sorunun yanıtını arıyordu: Giriş tabyaları düştüğü halde İstanbul yönetimi savaşı neden bırakmamıştı?

İstanbul yolu açılmış demekti.[8]

SARIKAMIŞ felaketi ve Kanal yenilgisi yöneticilerin moralini sarsmış, kafalarını bozmuştu. Çanakkale savunmasının sağlamlığından –karamsar Almanların da etkisiyle– kuşkuya kapılmışlardı. Başkomutanlığın bu psiklojiyi yansıtan çok gizli emri öğleden önce geldi.

Başkomutanlık Müstahkem Mevki Komutanlığına, "eğer Birleşik Donanma tabyalardan yapılan ateşlere bakmayarak hızla Boğaz'dan geçmeye kalkarsa, bu durumun iki sözcüklük bir kapalı telgrafla ânında bildirmesini" emretmişti. İki gizli sözcük şuydu: *"Tahkimat yapıldı!"*

En kötü olasılığı düşünmek askerliğin demir kuralıydı ama Birleşik Donanma tabyalardan yapılan ateşlere bakmayarak hızla Boğaz'dan nasıl geçebilirdi? Bunu düşünmek bile saçmaydı. 350 mayını nasıl aşacaktı? Set bataryalarının ateşi altında bu kadar mayını nasıl temizleyebilirlerdi?

Başkomutanlık adına bu telgrafı kim çektiyse, bunları düşünemeyecek kadar mı şaşkındı?

Tanıyanlar bunun 'Kalınkafa' Yarbay von Thauvenay olabileceğini düşündüler. Bu şaşkınlık ona yakışıyordu.

M. KEMAL sabah çok erkenden yola çıkmıştı.

Gelibolu yarımdası genel olarak çıplaktı. Orman, zeytinlik, ağaçlık alan ve ağaç azdı. Ağaçlık gibi görünen yerlerin çoğu boyları yüksek fundalıklardı.[8a]

Önce Alçıtepe köyüne uğradı. Köy boşaltılmıştı. Burada bir batarya ve küçük bir sahra hastanesi vardı. 26. Alay karargâhı köyün yakınındaydı. 26. Alay Komutanı Kadri Bey ile Seddülbahir'e indi, çevreyi inceledi, gereken talimatı verdi. Topçuların boşalttığı kesimler hemen denetim altına alınacaktı. Trablus deneyinden söz etti:

"Donanma topları düz yollu olduğu için karaya karşı sanıldığı kadar etkili olamıyor. Cepheden vuruyor. Açık hedefleri tahrip ediyor. Ama derin kazılmış sığınakları, siperleri yok edemiyor. Sığınakları siperlerden geride ve derin yaptırın."

Oradan Kabatepe'ye geldi.

Burası düşman için Kilitbahir'e ilerlemek bakımından Seddülbahir'den daha elverişliydi.

En kritik yerdi.

Bu kesimde 27. Alaydan bir tabur (3. Tabur) vardı. 27. Alay da iki taburu ve topçularıyla biraz geride, oldukça ağaçlık Kocadere köyündeydi. Bir çıkarma olsa hemen yetişebilecek kadar yakındaydı.

Taburun dört bölüğü vardı.[8b]

Kabatepe'nin güneyi ve kuzeyi birer bölükle tutulmuş, bir bölük Arıburnu kesimine verilmişti. Bir bölük de yedekteydi. 4 ağır makineli tüfek çok iyi yerleştirilmişti.[8c] Bunlarla düşman daha kıyıya çıkarken bitirilirdi.

Alay Komutanı Yarbay Hafız Kadri Bey

Bazı pratik tavsiyelerde bulundu.

Alay Komutanı Yarbay Şefik Aker ve Tabur Komutanı Yüzbaşı Halis Ataksor ile Kabatepe'ye çıkarak çevreyi seyretti.[8d]

Deniz lodosta hırçınca güzel, denizden içeriye doğru Kocaçimen Tepesine kadar birçok tepelerden oluşarak kat kat yükselen büyük kütle (Kocadağ) daha hırçın, daha güzeldi. Yer yer fundalıklarla kaplıydı.[8e]

Kocadağı gösterdi:

"Bu güzel dağı iyi koruyun. Burayı ele geçiren Gelibolu yarımadasına egemen olur. Bunu hiç unutmayın."

Öğle yemeğini tabur subayları ile yedi. Yemeğin sonunda kısa bir konuşma yaparak dedi ki:

"Uzun zamandır bizi 'hasta adam' diye niteliyorlar. Gerçekten hastaydık. Balkan Savaşı ağır hasta olduğumuzu kanıtlamıştır. Savaştan koma halinde çıktık. Denilebilir ki birçokları, yaşama kabiliyetimiz kalmadığını düşündü. Ama bakınız, kısa zamanda toparlandık, kendimize geldik. Yeni bir savaşa bile hazırız. Bunun anlamı ne? Milletimizin tarihine bakınca şunu görüyoruz: Birçok engele, soruna, felakete rağmen, hiç bitmeyen tükenmeyen, kendiliğinden çoğalan bir yaşama kabiliyetimiz var. Devlet yenilse bile millet yenilmiyor. Milletimizin yaşama kabiliyetine güvenin! Bu güven en ümitsiz anda bile size güç verecektir."

Yemekten sonra yola çıktı. Tekirdağ'da bıraktığı iki alayı geliyordu. Karşılamak ve son durumlarını görmek istiyordu. Kuzey Suriye'den gelen askerlerden bir kısmı sıkı eğitim sonucu askere benzemişti. Bir kısmının ise uzun bir eğitimden daha geçmesi gerekiyordu. Bu askerler sorundu.

ORHAN yine yemek yememişti. Geceleri silkinerek uyanıyor, ateşi inip çıkıyordu. İyileşmesi durmuş, yüzü süzülmüş, ellerinin üstü yine buruşmuştu. Gözlerine bir ayrılık gölgesi düşmüştü. Bunu bir Dilber fark etmişti. Orhan'ı konuşmak için elverişli bulduğu anda yatağın yanına diz çöktü.

"Ağabey?"

"Hıı."

"Senin bir derdin var."

Orhan sıkıldı:

"Bir şeyim yok. Git."

"Var, hem de çok büyük. Seni yiyip bitiren bir dert bu."

"Yok."

"Kardeşine söylemez misin? Minicik aklıyla belki bir çare bulur."

"Beni rahat bırak."

Dilber hiç aldırmadı, başını ağırlığını vermeden Orhan'ın göğsüne dayadı. Gözlerini gözlerine dikti:

"Söyle bana ağabey. Yalvarırım. Kaç gündür iyi değilsin. Oysa ne kadar iyi gelmiştin. Çok mutluydun. Ne güzel bakıyordun. İyileşiyordun. Sonra bizim bilmediğimiz bir şey oldu. Sanki yine savaşa gittin sen. Burda değilsin. Neden bizi bırakıp da gittin yine?"

Orhan kız anlamasın diye içine ağladı.

"..Sen meğerse bizi sevmiyormuşsun! Beni sevdiğini sanırdım. Hele beni hiç sevmiyormuşsun."

Ah neler saçmalıyordu bu aptal kız!

"..Sevsen bana anlatırdın. Kaç gecedir başımı yastığın altına sokup sabaha kadar ağlıyorum. İnşallah senden önce ölürüm."

Teninin sıcaklığı Orhan'ın yüzüne vuruyor, içini büsbütün yangına veriyordu.

Kurtulabilmek için "Peki.." diye inledi, "..söyleyeceğim."

Dilber çok sevindi, bin kat güzelleşti. Gözleri donanma gecesine döndü.

"Söyle."

"Yarın. Yo, hayır, daha sonra."

"Ne zaman?"

"Bilmiyorum. Ama söyleyeceğim. Söz. Şimdi lütfen git."

Soluk soluğa kalmıştı. Dilber uzanıp çirkin, kirli yüzünden öptü:

"Tamam."

Ânında uçup gitti.

Orhan iyice büzüldü.

Uçup gideceğine, gerçeği anlamış olsaydı, sevinçle sarılıp "Ben de seni seviyordum" deseydi, ey büyük Allahım, ne olurdu? Mucizeler, lütuflar, sevindirmeler, nimetler, ödüller, mutlu etmelerle dolu hazinen boşalır mıydı?

SULTAN REŞAT öğle uykusuna yatmış ama uyuyamamıştı. Kalktı, Başkâtip Ali Fuat Bey'i çağırdı. Bu kargaşalıkta kimsenin düşünmediği bir konu aklını kurcalayıp durmuştu. Beylerbeyi

Üç müttefik hükümdar:
Alman İmparatoru, Sultan Reşat ve Avusturya-Macaristan İmparatoru

Sarayı'nda korunan, daha doğrusu mahpus tutulan ağabeyi, eski Padişah Abdülhamit ne olacaktı? Kendisi Anadolu'ya geçince o burada, İstanbul'da mı kalacaktı?

Bu durumu sakıncalı, belki de tehlikeli buldu ki Başkâtibe emir verdi:

"Bugün uygun birini yollayalım, gerekince sabık Padişah da bizimle birlikte Anadolu'ya geçmek için hazırlıklı olsun. Bu durumu hükümete de haber verin."

"Başüstüne efendimiz. Başmabeyinci Tevfik Bey'i bu hizmet için uygun görür müsünüz?"

"Evet, iyi düşündünüz."

Ali Fuat Bey Padişaha sırtını dönmeden arka arka yürüyerek odadan çıktı.

19. TÜMENİN Tekirdağ'da kalmış olan iki alayı da Eceabat'a geldi. Eceabat'ta Rumlar çoğunluktaydı. Türk azdı. Türklerin çoğu memur ve küçük esnaftı. Birkaç esnaf ile iskelede ve şehirde görevli askerler, gelen yeni askerleri seyretmek için toplandılar.

Önce meşin kılıflara sarılı iki sancak çıkarıldı karaya. Sonra Komutanlar çıktılar. Sonra da alaylar takım takım çıkmaya başladı. Bazı askerlerin görünümü, davranışları seyredenleri yadırgattı.

Bunların yürüyüşlerinde, sıraya girişlerinde, duruşlarında değişik bir şey vardı. Tüfekleri ağır geliyor, üniformaları üzerlerinden kaçıyor gibiydi. Çoğunda askerlere özgü o güzelim çalım yoktu.[8f]

Gözlüklü biri, "Bunlar bizim asker değil" dedi.

Sakallı, "Nasıl anladın?" diye sordu.

Gözlüklü içerledi:

"Sen anlamadın mı? Bizim asker böyle midir? Bizim Kürdümüz, Zazamız, Çerkezimiz, Abazamız, Tatarımız, Gürcümüz, Boşnakımız, Arnavutumuz, Arabımız farklıdır."

Sakallı uzun uzun baktıktan sonra, "Doğru diyorsun" dedi.

Bu askerlerin çoğu Anadolu çocuğu değildi.

Anadolu'nun toprağı, suyu, havası, ekmeği, kurdu kuşu da, insanı da, askeri de başkaydı. Anadolu'yu ve Anadolu insanlarını sevenlere böyle geliyordu.

Bin yıllık toprak, tarih ve yazgı kardeşiydiler de ondan.

ABDÜLHAMİT Başmabeyinci Tevfik Bey'i hemen kabul etmiş, kardeşinin mesajını ayakta saygıyla, yüzü gittikçe sararak dinlemişti.

Tevfik Bey'in konuşması bitince, yaşlı ama tok bir sesle, "Hayır." dedi. "..Ben Bizans İmparatoru Kostantin'den daha az haysiyetli değilim. Biraderim hazretlerine bağlılığımı arz ediniz. İstanbul'dan çıkmam. Kendisinin de çıkmamasını atalarımızın şerefi adına istirham ederim."[9]

II. Abdülhamit meziyet ve kusurlarıyla son İmparatordu. Ondan sonra Osmanlı tahtının bir pırıltısı ve ağırlığı kalmamıştı. Sultan Reşat İttihatçıların oyuncağıydı. Daha sonraki de Damat Ferit'in ve İngilizlerin oyuncağı olacaktı.

Tevfik Bey saygıyla eğilerek huzurdan ayrıldı.

28 ŞUBAT günü hava iyice bozmuştu. Birleşik Donanma harekete bir gün ara verdi.

Başkomutanlık ise havaya bakmadan bir muhasara bataryası ile çeşitli birliklerden derlediği 12 topu küçük bir nakliye gemisiyle Çanakkale'ye yollamayı kararlaştırdı.

Muhasara bataryası 1877'den kalma, dönemi çoktan kapanmış bir batarya idi. Topların her birini 8 manda zorlukla çekebiliyordu. Çanakkale savaşı dolayısıyla canlandırılmıştı. Görevleri ağır olduğu için iri yarı, güçlü kuvvetli askerlerden seçilmiş bir mürettebatı vardı. İstanbul depolarında haki renkli üniforma kalmadığı için bu askerlere, bir depoda unutulan eski, kaba, siyah abadan yapılma üniformalar verilmişti. Yalnız topları değil, tüfekleri ile süngüleri de antikaydı.

Görenler güldüler.

Bu müzelik birlik Haziranda Alçıtepe köyü önünde destan yazacaktı.[10]

Küçük gemi her yanı gacırdayarak koca dalgalı lodos denizine daldı.

BİR GÜN arayı yeterli gören Amiral Carden hareketi yeniden başlattı. Mayın hatlarında bir kanal açıp da Çanakkale körfezine (Sarısığlar körfezine) girdikleri gün iş bitmiş demekti. Oradan Kilitbahir ve Çanakkale'deki bütün tabyalar kolayca susturulurdu.

Mayın konusuyla Kurmay Başkanı Albay Keyes ilgileniyordu. O bu konuda güvence verince, Londra'ya ihtiyatlılığına hiç uymayan şu iddialı mesajı gönderdi:

"Hava güzel giderse 14 gün sonra İstanbul'dayım."

1 Mart ile 3 Mart arasındaki üç gün, orta bölgedeki inatçı bataryalarla yırtıcı savaş gemileri arasında geceleri de süren sert bir didişme ile geçti.[11]

Boğaz ateş ve duman içindeydi. Top sesleri yankılanarak daha da büyüyor, kulakları sağır ediyordu. Bazı bataryalar tahrip oldu, bazı gemiler yara aldı. Set bataryaları gerekirse ölümü göze alıp açığa çıkıyor, mayın arama-tarama gemilerine fırsat vermiyorlardı.

Cevat Paşa'nın güzel genelgesi topçuları daha da güçlendirecekti:

"..tek bir top kalıncaya kadar ateş püsküreceğiz, o da sönmeye mahkûm olunca, yiğitçesine tüfeklerimize sarılacağız, düşmana asla boyun eğmeyeceğiz."

4 Mart günü de kara ve deniz topçuları arasında didişme ile geçecekti. Bugün savaş gemilerinin ateş desteği altında, sabah Kumkale'ye güçlü bir birlik çıkarıldı.

Birlik ateşle karşılandı. Bunun üzerine savaş gemileri kıyıya iyice yaklaşarak topları ve ağır makineli tüfekleri ile çevreyi ateş altına alarak çıkan birliğe kanat gerdiler. 1.200 top mermisi harcadılar. Kumkale köyünü ve Yenişehir'i yıktılar. Bazı keskin nişancı Türklerin Kumkale köyünün yıkıntılarına saklanarak düşman askerlerini avlamaları, birliğe çok zor saatler yaşattı. Birlik 20 ölü, 24 yaralı, 4 kayıp vererek gemiye güçlükle geri döndü.[12]

Bu olay Türk askerinin kendine güvenini iyice pekiştirdi. İngiliz de mermiyi yiyince devriliyordu işte!

Seddülbahir'e çıkarma öğleden sonra yapılacaktı.

Bu sırada Seddülbahir'deki tabyaların cephaneliklerindeki mühimmat, topçular ve 26. Alayın askerleri tarafından geriye kaçırılıyordu.

MARSİLYA limanındaki uzun rıhtımlardan birinde Provence adında, siyah gövdeli, siyah-kırmızı bacalı, üst kısmı ve direkleri beyaz, büyük yolcu gemisi, hareket etmek için Tümen Komutanı General d'Amade'ı bekliyordu.

Saat 16.00'ydı.

Çanakkale'ye gidecek tümenin karargâh subay ve erleri ile bir taburu gemiye binmişlerdi. Lüks geminin her yanı at ve katır pisliği kokuyordu.

Teğmen Charles F. Roux, karargâh görevlileri arasında Türk dili bilginlerinden Jean Deny, Arap edebiyatı öğretmeni Gautier, Vatikan'ın Doğu Bölümü kütüphanecisi Mariste gibi ilginç kimselerle tanıştı. Fransa Yakın Doğu'ya hazırlıklı gidiyordu.

Rıhtımda bir otomobil göründü. Geminin merdiveni önünde durdu. General d'Amade gelmişti. Çevik adımlarla güverteye çıktı, törenle karşılandı.

17.15'te gemi rıhtımdan ayrıldı.

15 Mart günü, kalabalık tümeni taşıyan öteki gemilerle birlikte Mondros limanında olacaklardı. Batı, paylaşmak için Doğu'ya akıyordu.

DİLBER kapıdan içeri seslendi:

"Üç Güzeller Kumpanyası geliyor!"

Anneler ailenin mutlu günlerindeki eğlence akşamlarını canlandırarak Orhan'a biraz iyileşme hevesi ve neşe vermek ümidiyle, kanto söyleyerek ve oynayarak içeri daldılar.

Dilber yemek tepsisini taşıyordu.

Bu gösteri Dilber'in işiydi elbette. Eskiden de bu koca popolu, uysal anneleri kılıktan kılığa, kimlikten kimliğe sokarak böyle oyunlar düzenlerdi, birlikte eğlenirlerdi.

Gülmek yenilmek olacaktı. Orhan yenilmemek için yorganı başına çekti. O an zihninde bir çözüm parladı. Evet, öyle yapabilirdi! Niye şimdiye kadar düşünmemişti? Bu karar içini rahatlattı. Dilini sıkı tutması yetecekti.

Yüzünü açmadan, ellerini yorganın iki yanından dışarı çıkararak havaya kaldırdı: "Teslim!"

Bu, yemek yiyeceğim demekti.

Ev sevinç çığlıkları ile sarsıldı.

ÜÇ SAVAŞ GEMİSİ, 7 torpidobot, bir önlem olarak, Seddül-bahir tabyasını, kaleyi ve köyü 45 dakika ateş altına aldı. Atışlarını daha geriye de uzattılar. Bağlar bahçeler alt üst oldu. Uyanmaya hazırlanan bütün meyve ağaçları kavruldu.

Bir bölük asker motorlara bindi. Seddülbahir kalesinin önüne çıkılacaktı. Motorlar kıyıya yaklaşırken saat 15.30'u gösteriyordu.

İngilizleri bir sürpriz beklemekteydi.

Topçuların boşalttığı kesimler de kara birliklerinin denetimi-ne geçmişti. Kritik yerlere ağır makineli tüfekler yerleştirilmişti. Savunma mevzileri güçlendiriliyordu. Seddülbahir kalesinin ku-zeyinde bir batarya, batısında bir ileri karakol, önünde iyi gizlen-miş, 30 kişilik bir posta vardı. Bu postanın komutanı Bigalı Meh-met Çavuş'tu.[13]

Motorlar yaklaşırken, Çavuş askerlerini topladı, "Bana ba-kın.." dedi. "..Üzerinde durduğumuz, ayağımızı bastığımız yer ata yadigârıdır, vatanımızdır. Ha anamızın ırzı, ha vatanın ırzı. Bu ge-lenler de ırz düşmanları. Ona göre dövüşeceğiz. Bu ırz düşmanla-rını geldiklerine pişman edeceğiz."

"Evelallah!"

Her gece subaylardan Türk tarihinin kahramanlarını öğre-nerek eğitilmişlerdi. Şimdi unutulmaz kahramanlar olarak tarihe geçmek sırası kendilerindeydi. Bunu seziyorlardı. Herkes yerini aldı, duasını etti. Sessizce beklediler. Çevrede hiç canlı kalmadığı-nı sanan İngilizler neşe içinde kumsala çıkmaya başlayınca, Meh-met Çavuş askerlerinin beklediği emri verdi:

"Haydi bismillah. Ateş!"

Otuz bir tüfek birden patladı.

CEVAT PAŞA M. Kemal'e bugün için "Kilitbahir'de buluşa-lım" demişti. Buluşup konuştular. Dert alışverişinde bulundular. Amiral von Usedom da gelmişti. Asker karavanasına katıldılar. Sonra birlikte tabyaları gezdiler.

Kilitbahir'de büyüklükleri farklı beş tabya vardı.[14] En büyük-leri deniz kıyısındaki Namazgâh'tı. Beşi de savaşa hazırdı.

Boğaz savunmasının son dayanağı bunlar ile Çanakkale'deki dört tabyaydı.

Bir subay M. Kemal'e koşarak bir telefon notu getirdi. 26. Alay Komutanı Yarbay Kadri Bey, 'bir İngiliz birliğinin Seddülbahir'e çıktığını' bildiriyordu. Paşa ve Amirale bilgi vererek izin istedi. Tümenine telefon ederek üç alayın da harekete hazır bulunmasını emretti. Kadri Bey'e de telefonla şu kesin emri verdi:

"Şimdi yanınıza geliyorum. Ben oraya gelene kadar kıyıya çıkmış olan düşman kesin olarak denize dökülecektir."

Sonra da atını dörtnala kaldırdı.[15]

M. KEMAL emir subayı ve seyisi ile yolu kısaltmak için tarlalardan, tepelerden at sürerken İngiliz Dışişleri Bakanlığında da, İngiltere, Fransa ve Rusya arasındaki gizli görüşme başlamıştı.

Rusya, bir nota vererek, yazılı bir anlaşmaya bağlanmamış olan isteklerini bir daha açıklamış ve bu isteklerin artık bir anlaşmaya bağlanmasını talep etmişti.

Rusya'nın sahip olmak istediği yerler şuralardı:

"İstanbul şehri, Boğaziçi'nin, Marmara'nın ve Çanakkale'nin batı yakası (Gelibolu ve Trakya), İstanbul Boğazı'ndan Sakarya ırmağına kadar Asya yakası (İzmit), Marmara adaları, Bozcaada ve Gökçeada"

İngiltere Almanya'ya karşı bir güç olarak Rusya'yı kazanmak için bu istekleri ilke olarak kabul etmişti. Ama iki Boğaz'ın da Rusya'nın egemenliğine geçmesi şimdi İngiliz Dışişlerini de askeri çevrelerini de düşündürmekteydi. Kabul etmek de geri dönmek de zordu.

Görüşmeler 10 Nisanda sonuçlanacak, Rusların istekleri kabul edilecekti.[16]

M. KEMAL Alçıtepe köyüne hava kararmadan yetişti.

Durumu öğrendi. Çatışma sona ermiş, Mehmet Çavuş ile askerleri İngilizleri durdurmuş, yardıma gelen birlikle birlikte kaçırtmışlardı.

Kadri Bey'le birlikte Seddülbahir'e indiler. 6 şehit, 13 yaralı vardı. Şehitler uğrunda öldükleri toprağa verilmiş, yaralılar kışla yıkıntısına taşınmış, ilk tedavileri yapılmıştı. Mehmet Çavuş da yaralılar arasındaydı. İki elinin içi parça parçaydı.

Yaralıları ziyaret ettiler. Savaşan askerleri kutladılar. Sigara dağıttılar. Olayı Mehmet Çavuş'un askerleri anlattı:

İngilizler ateşi yiyince oraya buraya siperlenmişler. Ateş savaşı sürmüş. Gittikçe birbirlerine yaklaşmışlar. Mehmet Çavuş tüfeği tutukluk yapınca çok öfkelenmiş, tüfeği atıp yerden zorla kopardığı taşları fırlatmaya başlamış. Elleri bu sırada parçalanmış. Bir küçük kürek bulmuş. Birliğini süngü hücumuna kaldırmış. Mehmet Çavuş en öndeymiş. Çok adam tepelemiş o kürekle. Yedek birlik de yetişmiş. Kurtulabilen İngilizler motorlara binip kaçmışlar.

Bigalı Mehmet Çavuş hastanede

M. Kemal Müstahkem Mevki Komutanlığına uzunca bir rapor yazarak olayı ayrıntısıyla anlattı. Örnek alınması için Mehmet Çavuş'a madalya verilmesini diledi.[17] Gelen savaşın birçok Mehmet Çavuş'a ihtiyacı olacaktı.

Düşman bu sert tepkiden sonra 25 Nisana kadar bir daha çıkarma girişiminde bulunmayacaktır.

Bu boşluktan yararlanarak M. Kemal, çıkarmaya karşı iyice hazırlıklı olmaları için 26. ve 27. Alaylara Seddülbahir ve Kabatepe'de arazi üzerinde birkaç kez 'harp oyunu' yaptıracaktı. Her oyunda sayılar, şartlar değişiyor, subaylar ve erler savaş cilvelerine, sürprizlere, gerekince kendi başlarına karar vermeye alışıyorlardı.[17a]

SAVAŞ ve mayın gemileri ile orta bölgedeki bataryalar arasındaki didişme 5 ve 6 Martta da geceli gündüzlü sürdü. O gösterişli, ünlü donanma, o küçük gördükleri kimi gizli, kimi gezici bataryaları bulup susturamıyor, bu yüzden mayınları imha etmeyi başaramıyordu.

Çakılı bataryalar tepe gerilerindeydi. Düz yollu gemi topları bunlara etki yapamıyordu. Gezici bataryalar ise sürekli yer değiştirerek düşmanı şaşırtıyorlardı.

Sahte bataryalar ise bir âlemdi. Bunların mürettebatı asıl bataryaları korumak için kendilerini feda etmeye hazır bir çavuşla birkaç erden oluşuyordu. Ateş etmiş gibi duman salarak düşman ateşini üzerlerine çekiyorlardı.

Amiral Carden'in sinirleri bozulmaya başladı. 7 Martta Boğaz'ı zorla geçmenin provasını yapmaya karar verdi.

4 Fransız, 2 İngiliz büyük savaş gemisi, çevrelerinde koruyucu olarak yer alan muhrip ve torpidobotlar Boğaz'a girdi. Mayın hatlarına yaklaşmadan savaş düzeni aldılar.

Fransız gemileri orta bölge bataryalarını ateş altına alarak 2 İngiliz zırhlısını koruyacak, 2 İngiliz zırhlısı da 16.000 metre uzaktan Kilitbahir ve Çanakkale tabyalarını bombardıman edecekti. Mayın tarama gemileri de bu ateş cehenneminden yararlanarak mayın toplayıp patlatacaklardı.

Fransız gemileri ile orta bölge bataryaları arasında çok sıkı bir düello başladı. İngiliz zırhlıları da sabit hedef olmamak için geniş çemberler çevrerek ateş saldırısına geçtiler.

Ana tabyaların ilk ateş sınavıydı bu.

Mürettebat ateş yoğunlaşınca sığınaklara çekiliyor, azalınca ya da düşman atışa ara verince topbaşı ediyordu. Savaş kızışınca sığınaklara çekilmediler. Ateş altında da topbaşında kalarak karşılık vermeye koyuldular.

Vurulanın yerine ânında yedeği geçiyordu.

Savaş çok hızlanmıştı.

Büyük mermilerin cephanelikten kaldıraçla alınıp kapı önünde küçük vagona yüklenmesi, vagonla topun yanına taşınması, topun asansörüne verilmesi, yukarı çıkarılması, topa yerleştirilmesi Mecidiye'deki askere iyice uzun gelmeye başladı. Sabırları taştı, yürekleri köpürdü; 190 kilo, 215 kilo ağırlığındaki mermileri, cephaneliğin kapısı önünde kaldıraçtan sırtlarına alıp koşa koşa topların asansörlerine taşımaya başladılar.[18]

Mermilerin ağırlığından kemikleri çatırdıyor, kasları eziliyor, her yanlarından ter fışkırıyordu. Bu sırada öteki askerler de ciğerlerinin olanca gücüyle tekbir getirerek arkadaşlarının canına canlarını katıyorlardı. Olağanüstü bir durumdu. Teğmen Fahri gözyaşlarını tutamadı.

Asker, silahlarının eskiliğini ve yetersizliğini, inancı ve özgüveni ile aşıyordu.

Yoğunlaşan, hızlanan Türk ateşi Birleşik Filo'yu ürküttü. Kısa süre içinde iki İngiliz zırhlısının kuleleri sakatlanmış, birinin komutanı yaralanmış, ötekinde büyük bir delik açılmıştı. Filo saat 15.00'te ateşi keserek Boğaz'dan uzaklaştı.

Türkler hiç top kaybetmemiş fakat Rumeli Mecidiyesi'nin kışlası yıkılmış, Çanakkale'de bir mahalle yanmıştı.

4 şehit, birçok yaralı vardı.

Müstahkem Mevki Komutanı, ilgili subaylar, Amiral von Usedom ve Merten Paşa yeni savaş karargâhındaki gözetleme yerinden dört saatlik kesintisiz savaşı ayaklı, büyük dürbünlerle izlemişler, gerektikçe tabya ve bataryalarla konuşmuşlardı.

Uzaklaşan gemilerin ardından mutlulukla baktılar. Tüm topçular bugün çok iyi bir sınav vermişti. Cevat Paşa tabyalara ve bataryalara telefon ederek hepsini kutladı.

Topçuların tavrı Amiral von Usedom'a oldukça güven verdi. Ama onun aklı uzun menzilli, zırh delici mermilerin azlığına takılıp kaldığı için hâlâ tam rahat değildi. Asıl saldırıyı karşılamaya topçuların fedakârlığının yetmeyeceğini düşünüyordu.

Merten Paşa deniz savaşının başlamasından bu yana düşman filosunun hareketlerini izlemekteydi. Büyük gemiler çeşitli hareketler için Erenköy körfezini kullanıyorlardı. Burasının büyük bölümü uzun mezilli, ağır Türk topları açısından ölü noktaydı.

Gözetleme yerinden çıkarken Cevat Paşa'ya o kesime mayın dökmeyi önerdi. Öyle sıradan bir şey gibi söylemişti ki bu önerinin tarihin akışını etkileyeceği düşünülemezdi.[19]

Karargâha dönünce, Cevat ve Merten Paşalar ile Selahattin Adil Bey harita başında durumu bir daha görüştüler. Bu iş için Erenköy körfezinin en uygun ve duyarlı yerinin Karanlık Liman kesimi olduğuna karar verildi. Kıyı burada çok yükseliyor, güneş ışığı öğlene kadar denize yansımıyordu. Bu nedenle Karanlık Liman deniyordu buraya. Bu durum mayınların bir kısmının görünmeden gizli kalmasını sağlayabilirdi.[20] Ama her halde çok tehlikeli bir görevdi bu. Çünkü İngiliz nöbetçi gemileri bütün gece Boğaz içinde denetimi sürdürüyorlardı. Görülürse mayın dökecek gemiye kurtuluş yoktu.

Fakat bu görev yapılmalıydı. Bir düşman gemisine zarar verilebilse kazançtı. Müstahkem Mevki Mayın Grup Komutanı Yüzbaşı Nazmi Akpınar'ı çağırdılar.

Geldi.

Yüzbaşı Nazmi Bey

İşinin ustası, soğukkanlı bir denizciydi. Boğaz'ın özelliklerini, cilvelerini, gizli huylarını iyi bilirdi. Harita başına geçtiler. Görevi anlattılar.

"Elimizde kaç mayın var?"

"Şu anda 26."

Bu 26 mayın kıyıya paralel olarak Karanlık Liman'a dökülecekti. Tam yeri belirlediler. Bu iş için Nusrat gemisi seçildi. Mayın gemisi olarak yapılmış tek gemiydi. Su kesimi derin olmadığı için mayınlara değmeden mayın hatlarının üzerinden rahatça geçebiliyordu.

"Ne zaman hazır olursunuz?"

"Hemen hazırlık yapılırsa, gece yola çıkılır, görev sabahtan önce yerine getirilebilir."

"Öyleyse hazırlığınızı yapın."

"Başüstüne."

Komutanlar da, Yüzbaşı Nazmi de tehlikenin büyüklüğünü biliyorlardı. Bu nedenle vedalaşma dokunaklı oldu.[20]

NUSRAT Nara'daydı. Emir gelir gelmez sefere hazırlandı. 26 mayın yüklendi, ateşleme düzenekleri yerleştirildi.

Gece yarısı Nara'dan ayrıldılar. Yıldızsız, hafif sisli bir geceydi. Deniz az dalgalıydı. Çanakkale'ye yanaşıp Yüzbaşı Nazmi Bey'i aldılar. Gemi Komutanı Yüzbaşı Hakkı ile Yüzbaşı Nazmi sarılıp öpüştüler. Yüzbaşı Hakkı kalbinden rahatsızdı ama önemli olduğunu anladığı görevi kimseye bırakmak istememişti.

"İyi misin Hakkı?"

"Çok şükür."

Gemi subayları da çağrıldı. Boğaz haritası açıldı. Nazmi Bey görevi açıkladı. Olası tehlikeleri anlatmaya gerek görmedi. Hepsi her gün Boğaz'da ölümle yüzgöz yaşamaktaydı. Görevin gün doğmadan bitirilmesi gerekiyordu. Hakkı Kaptan hareket saatini buna göre hesapladı. Nusrat'ın ışıkları söndürüldü. Bacadan kıvımcım atmasın ve duman çıkarmasın diye ocak bastırıldı. Çanakkale'den sessizce ayrıldılar.

Nusrat Mayın Gemisi Komutanı Yüzbaşı Hakkı Bey

Boğaz'ın Anadolu kıyısı izlenecekti. Çanakkale körfezinden çıkıp Kepez burnunu dönecekler, büyük Erenköy körfezine gireceklerdi.[21]

Bataryalara Nusrat'ın son mayın hattını geçip ileri gideceği ve geri döneceği haber verilmişti. Düşman nöbetçi gemilerine karşı bu küçük gemiyi korumak için bütün bataryalar tetikte bekliyordu.

Mayın arama-tarama gemileri önemli bir sonuç alamadan çekip gitmişlerdi.

Boğaz sessizdi.

Gemide Nazmi Bey ile Hakkı Kaptan dışında 6 subay, 60 kadar da denizci vardı.[22] Kepez burnunu dönünce birbirleriyle helalleştiler. Tehlikeli bölgeye girilmişti.

Makinelerin sesi en aza düşürüldü.

Gözcüler bütün canlarını gözlerinde toplamış, ileriye ve sağa bakıyor, düşman gemisi arıyorlardı. Hava da deniz de kapkaraydı. Sis ince yağmuru dönüştü. Gemi çok yavaş ilerlemeye başladı. Tayfalar derinliği ölçüyor, arka güvertede raylar üzerinde sıralı bekleyen mayınlar döküm için hazırlanıyordu.

Sancak alabanda ile geri döndüler.

Gemi Kepez'e doğru hızla yol alırken, birkaç saniyede bir, bir mayın, zinciri ve ağırlığı ile suya bırakılacaktı. Öyle ki mayınlar

Nusrat Mayın Gemisi

arasında 100-150 metre aralık kalacak, 80 kg ağırlığındaki mayınlar su yüzeyinden yaklaşık 4,5 metre altta sıralanacaklardı.

Nöbetçi düşman gemileri sabaha karşı geri çekilmişlerdi. Görev rahatlıkla gerçekleştirilecekti.

Gemi hızlandı.

"Bir numaralı mayın hazır!"

"Bir numaralı mayın bismillah fundo!"

"Bismillah fundo!"

İlk mayın geminin arkasından suya bırakıldı, Çanakkale Boğazı'nın kutlu suyuna köpükler saçarak gömüldü.

"İki numaralı mayın hazır."

"İki numaralı mayın bismillah fundo!"

"Bismillah fundo!"[23]

Paleo Castro'dan başlayarak Erenköy hizasına kadar 26 mayın döküldü.[24] Bu 11. ve sonuncu mayın hattıydı. Mayın sayısı bunlarla 400'ü geçmişti.

Ortalık yeni ağarıyordu.

Küçük gemi yine kıyıyı yalayarak tam yol ilerledi. Saat 08.00'de Çanakkale'deydiler. Yüzbaşı Nazmi Akpınar, Selahattin Adil Bey'e afili bir denizci selamı çakarak tekmil verdi:

"Görev olaysız yerine getirilmiştir."

"Sağ olun!"[25]

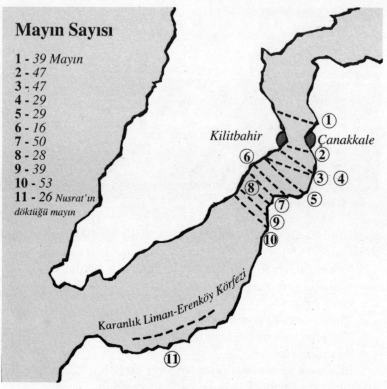

Mayın Sayısı

1 - *39 Mayın*
2 - *47*
3 - *47*
4 - *29*
5 - *29*
6 - *16*
7 - *50*
8 - *28*
9 - *39*
10 - *53*
11 - *26 Nusrat'ın*
döktüğü mayın

Kilitbahir

①

Çanakkale

②

⑥

③ ④

⑧

⑤

⑦

⑨

⑩

Karanlık Liman-Erenköy Körfezi

⑪

AMİRAL CARDEN gündüzleri Geçit'teki tabyaları susturmak, geceleri mayınları toplamak için her yolu deniyordu. Ama başarılı bir sonuç alamadıkça sinirleri geriliyordu. Hava iyice düzelince, hiç kimsenin beklemediği kadar inatçı çıkan Türk savunmasına tüm donanma ile yüklenerek, tabyaları susturup Boğaz'ı geçeceğini ümit ediyordu.

Londra ve Paris ümit etmiyor, inanıyordu.

Mondros'a özellikle İstanbul'un işgali için kullanılmak üzere kara birlikleri yollamaya karar vermişlerdi.

12 Mart Cuma günü Lord Kitchener Orgeneral Ian Hamilton'u çağırdı.

General Hamilton Lord Kitchener'in kapısını vurup içeri girdi, "Günaydın" dedi, masasının önüne kadar yürüdü. Saygıyla bekledi. Lord Kitchener başını kaldırıp baktı, pat diye dedi ki:

"Çanakkale'deki donanmayı desteklemek üzere bir askeri kuvvet gönderiyoruz. O ordunun komutanı sizsiniz!"[25a]

Hamilton gülümsemeye çalıştı: "Güveninize çok teşekkür ederim. Hiçbir bilgi istemeden elimden geleni yapmaya her zamanki gibi hazırım. Fakat bu kez birkaç söz söylemem, birkaç soru sormam gerek."

Çanakkale hakkında hiçbir şey bilmiyordu, Türkleri tanımıyordu. Komutanı olacağı ordu hakkındaki bilgisi de sıfırdı.

General Ian Hamilton

Lord Kitchener sinirliydi. Ağır sorumluluk altında ezilmeden durmaya çalışıyordu. Yavaş yavaş tersliği azaldı. Oturup uzunca konuştular.

Mondros'ta 80.000 kişilik karma bir ordu toplanmaktaydı: İngilizler, Anzaklar, Fransızlar, dominyon ve sömürge askerleri. Birçok sorun vardı. Hamilton'un bir an önce gidip bu işleri düzene koymasını istedi. Türkleri yenmek için bu kadar kuvvet yeterdi. Sayı belki biraz daha artırılabilirdi. Ama daha fazla kuvvet istemeyecekti. Ne olacak, Hindistan bile Türkiye'yi tek elle yenebilirdi. İstanbul'da Türklerden daha çok Rum ve Ermeni bulunuyordu. Donanma Marmara'ya girer girmez bunlar ayaklanır, hükümeti devirirlerdi.[26]

Lord Kitchener sonuçtan o kadar emindi ki Hamilton'a iyi şans dilemek gereğini bile duymadı.

LORD KITCHENER Türkler hakkında yanılıyordu. Yanıldığını kısa zamanda anlayacaktı.

Rumların büyük çoğunluğu İstanbul işgal edilirse sokaklara dökülür, şenlik yapardı. Ama isyan edecek kadar cesur değillerdi. Bir örgütleri de yoktu. Çok az da olsa bir bölümünde yurttaşlık duygusu vardı. Bunlar orduda dürüstçe görev yapıyorlardı.[27]

Rumlar ilerde, büyük yenilgiden sonra, Patrikhanenin önderliğinde örgütlenmeye başlayacaklardı.

Ama Ermeniler konusunda haklıydı. Onlar uzun zamandan beri örgütlüydü. Örgütlenmek için Rusya ile birlikte İngiltere'nin de yardımını görmüşlerdi.[28]

Rusya ve İngiltere, bin yıldır toprak kardeşi olan ve barış içinde yaşayan Ermeniler ile Türklerin ve Kürtlerin arasını açmayı başarmışlardı.

Anadolu'da ayaklanmayı başlatmak için hazırlıklar sona ermişti. İlk aşama olarak Van'da, Zeytun'da isyan edeceklerdi.[29]

İstanbul bütün hazırlıkların odak noktasıydı. Büyük bir gizlilik içinde çalışıyorlardı. Daha doğrusu böyle sanıyorlardı. Ermeni sorunu konusunda çok deneyli olan İstanbul polisi sessizce hepsini izlemekteydi.

Her an hepsini toparlayabilirlerdi ama hükümet Batı dünyasında bu olayın büyütülerek aleyhte kullanılacağından çekiniyor, hepsini tutuklamak için dünya kamuoyunun da bu işlemi haklı göreceği ânı bekliyordu. Çünkü Ermeni siyasi örgütleri isyan ediyor, yakıyor, yıkıyor, öldürüyor, hükümet isyanı bastırmak için harekete geçince, Ermeni propaganda motoru çalıştırılıyor, bütün Hıristiyan ülkelerde çığlıklar yükseliyordu: "Müslüman Osmanlılar Hıristiyan Ermenilere kıyıyor!" Gerçekler, bu haçlı çığlıkları arasında kaybolup gidiyordu. Kırk yıldır hep böyle olmuştu.

Hükümet bu nedenle ağırdan almaktaydı.

GENERAL D'AMADE Paris'teyken İngilizlerin Ermeni, Arap ve Kürtlerle ilgilendiklerini duymuştu. Yolda gelirken hep bu konuyu düşünmüştü. Kendi de Adalardaki Yunanlılardan bir birlik kurarak, çeteler oluşturarak, Anadolu kıyılarında karışıklıklar çıkarabilir, Türkleri uğraştırıp gücünü bölmeyi sağlayabilirdi.

Türkiye aleyhine bir iş olurdu da Yunanlılar katılmaz mıydı? Mondros'ta bu düşüncesini açar açmaz birçok Yunanlıdan olumlu yanıt aldı.

Bir Yunan taburu kurulması için emir verdi. Teğmen Bon'u bu işle görevlendirdi. Venizelos'un yeğeni Binbaşı Karasevdas taburun komutanlığına getirildi.

Katılanların hevesini görünce bu taburun çok işe yarayacağına inandı.[29a]

AKDENİZ Sefer Kuvveti Başkomutanlığına Orgeneral Ian Hamilton'un seçilmiş olması Donanma Bakanı Churchill'i memnun etmişti. Kültürlü, şair, kibar bir insan, iyi bir emperyal askerdi. Herhalde denizcilerle iyi geçinecekti.

Hamilton'u kutladı ve şöyle dedi:

"Benzersiz bir zaferi izlemeye gidiyorsunuz."

Yolladığı telgrafların Amiral Carden'i ateşlediğini, birkaç gün içinde son darbeyi vurmak için harekete geçeceğini sanıyordu.

OYSA acele etmesini isteyen her telgrafı Amiral Carden'in sinirlerini bozmaktaydı. Times nehrine bakarak Çanakkale hakkında hüküm veriyor, bol uçak göndereceğine emir yağdırıyordu. Boğaz'ın iç kısımları uçaksız keşfedilemiyordu.[30]

Bunca çabaya, denizci kaybına, cephane masrafına, değerli top namlularının yıpranmasına, mayın tarama gemilerinin batmasına karşılık, elle tutulur bir ilerleme sağlanamıyordu işte.

Uzun yıllardır her savaşta yenildiklerini duyduğu Türklere ne olmuştu?

Albay Keyes bu gece, sivil balıkçılarla değil, denizciler arasından topladığı gönüllülerle mayın taramaya çıkacağını bildirerek komutanını ümitlendirdi. Keyes bu gece 2 mayın hattını temizleyebileceklerini düşünüyordu. Bu hızla iki gece sonra Çanakkale körfezine girecek genişlikte bir geçit açılabilirdi.

Amiral Carden yüreğini kemiren başarısızlık korkusunu yenmek için dolu bir kadeh viski aldı, haritanın başına geçti. Saldırı planını kimbilir kaçıncı kez, bir daha incelemeye oturdu.

Plan kâğıt üzerinde mükemmel görünüyordu.

DİLBER sevinç içinde, "Ağabey.." dedi, "..sen yine eve, bize döndün."

Orhan yemeğini bu akşam da nazlanmadan, homurdanmadan yemişti. Şimdi de pekmezli ekmek tatlısını yiyordu. Zaten yeni kararından beri yemek yiyor, sabahları itiraz etmeden yumurtalı süt bile içiyordu. Bu hastalığı bilenleri şaşırtan bir hızla iyileşmekteydi.

"Bir yere gitmemiştim ki."

"Gitmiştin. Burda değildin. Bir derdin vardı. Aklın başka yerdeydi. Şimdi burdasın, her şeyin farkındasın. Mesela dün saç tokamın yeni olduğunu hemen anladın."

Anlamaz mıydı?

Saçının tek teli eksilse anlardı.

Dilber kahvaltıdan ve akşam yemeğinden sonra yatağın başucuna koyduğu küçük, hasır iskemleye oturuyor, Orhan'ı oyalamak için hikâye okuyordu. Bir sözcüğü doğru söylemezse Orhan hemen yanlışını düzeltiyordu. Anneler de Orhan'ı beslemek için gide gele meyve, yemiş taşıyıp duruyorlardı.

Dilber en kolay Ömer Seyfettin'in hikâyelerini okumaktaydı. Bu hikâyelerde dilinin dönmediği ve anlamadığı hiçbir sözcük yoktu. Türkçe de tıpkı Türkler gibi yeniden kendine gelmekte, kimliğini, tadını bulmaktaydı. Orhan'ın deyişi ile Türkçe, Hacivat Türkçesi olmaktan kurtuluyordu.

Bugün Halide Edip Hanım'ın Handan romanına başlayacaklardı.

KADINLAR ülke savunmasına yönelik derneklerin kadın kollarını kurmuş, çalışmaya başlamışlardı.[30a]

Birçok da işlik açmışlardı. Buralarda hem ordunun ihtiyacı olan dikim işleri yapılıyor, hem geliri olmayan kadınlara bir iş sağlanmış oluyordu.[30b]

Toplantılar yaparak, bazı gazete ve dergilerde yazarak kadın haklarını savunmayı da, peçeyle, çarşafla, tacizle, yalnız erkeklere hak tanıyan bencil anlayışla ciddi mücadeleyi de sürdürüyorlardı. Eğitim fırsatı verilmemiş, durumunu yazgı sanan kadınları uyandırmaya, eşitlik ve özgürlük davasına kazanmaya da büyük önem veriyorlardı. İktidar büyüklerinin eşleri kocalarını uyarmakla görevlendirilmişti.

Kızılay Kadınlar Kolunda çalışan Nezihe Veli hanım, gönüllü hemşirelik kursu açılmasını önerdi. Öneri heyecanla, alkışlarla benimsendi. Bu olay yalnız bir hayır etkinliği olmaz, gerçekleşirse, birçok zincirin kırılmasını da kolaylaştırırdı. Öyle de olacaktı.

Kızılay Genel Başkanı Dr. Besim Ömer Paşa'yı ziyaret ettiler.

Öneriyi öğrenince Paşa'nın gözleri yaşardı.

Kadınların çalışmasını, meslek gereği de olsa bir erkeğe el sürmesini kabul etmeyen bağnazların tepkilerine göğüs gererek

Nezihe Veli Hanım

hemşirelik mesleğini o başlatmıştı. Açtığı kursu bitiren Müslüman hanımlar Trablus ve Balkan Savaşı sırasında Kızılay hastanelerinde çalışmışlardı. İçini çekti:

"O felaket günlerinin ertesinde, yeni kurs açmayı düşünemedik. Eskilerden bu önemli mesleği sürdüren ancak bir-iki kişi kaldı. Evlenenler, belki de kocaları izin vermediği için ayrıldılar. İlk kursa pek az hanım katılabilmişti. Anlıyorum ki bu kez öyle olmayacak. Kurs açılacağını duyurun!"

Hanımlar odadan çıkar çıkmaz bu güzel hizmeti başlatmak için yardımcısını çağırdı.

13 MART gecesi Albay Keyes ve gönüllüleri, kruvazör ve torpidoların koruması altında Boğaz'a girdiler ve mayın hatlarına sokuldular. Balıkçı gemileri de az su çektikleri için mayın hatları üzerinden takılmadan geçebiliyorlardı.

İlk mayın hattını aşıp hedef büyütmek için dağıldılar.

Işıldaklar cayır cayır yandı. Sinek uçsa görülebilirdi. Orta bölge bataryaları, kruvazörlerin sindirme ateşi altında toplarını konuşturdular.

Vuruşma İngilizler bakımından acı sonla bitti:

Mayın gemileri hayli mayın patlatmış ama 2 geminin bütün mürettabatı vurulmuş, 4 mayın gemisi, 2 motor delik deşik olmuştu. Amethist adlı kruvazör balıkçı gemilerini kurtarmak için Kepez Burnu yakınına sokulunca, buradaki 3 bataryanın ateş alanı içine düşerek birçok ölü ve yaralı vermişti.

Birkaç mayına karşılık İngilizlerin kaybı 27 ölü, 43 yaralı, 4 mayın gemisi, 2 motordu.

"Olamaz!!!"

Her başarısız girişim Amiral Carden'i eritmekteydi.

GENERAL HAMILTON, bir günlük bir hazırlıktan sonra, Kurmay Başkanı General Braithwaite ve karargâhının çekirdeğini oluşturan ilk 12 subayla birlikte 14 Mart günü Londra'dan ayrıldı. Buradan Fransa'ya geçecek, Marsilya'da kendini bekleyen Phaeton muhribine binerek Mondros'a gidecekti.

Çeşitli sömürge savaşlarına katılmış, deneyli bir askerdi. Afganistan savaşında yediği bir kurşun yüzünden sol eli sakat kalmıştı.

Gazeteler bu atamayı yazdığında Çanakkale için bir de Birleşik Ordu kurulduğunu herkes öğrendi.

Ama Türk Başkomutanlığı bu gelişime gereken önemi vermedi. Çanakkale için hâlâ bir strateji geliştirilip saptanmış değildi. Sadece 11. Tümen Balıkesir'den Çanakkale'ye doğru yaklaştırıldı. Tümen Edremit körfezini savunmakla görevlendirildi. Karargâhı Ezine'de olacaktı.

General Hamilton ve Kurmay Başkanı General Braithwaite

Buna karşı Gelibolu savunmasını güçlendirmek için bir şey düşünülmedi. Yarımdadaki ikinci tümen olan 19. Tümenin iki alayı yetersiz, tüm tüfekleri hâlâ çakaralmaz martin'di.[31] M. Kemal Kolorduyu, Kolordu Başkomutanlığı sıkıştırıyor ama bir sonuç alınamıyordu.

Savaşmak gerekse, zehir gibi hazır 57. Alay bile o hurda tüfeklerle bir işe yaramayacaktı.

CHURCHILL 14 Martta Amiral Carden'e bir telgraf daha yolladı. Bu telgraf şöyle bitiyordu:

"Kayıpların göze alınması ve Alman denizaltıları gelmeden önce, en kısa süre içinde sonuca ulaşılması gerekiyor."

Saldırı planı hazırdı. Donanma da hazırdı. Bir uçak gemisi de gelmişti. Hava düzelir düzelmez büyük saldırıya geçilecekti. Hazır olmayan Amiral Carden'di. Uyuyamıyordu. Omuzları çökmüş, sakalı daha beyazlaşmıştı.

Yardımcısı Amiral de Robeck ve Kurmay Başkanı Keyes ile görüştükten sonra, "saldırının 17 Martta, hava o gün uygun olmazsa 18 Martta yapılacağını" bildiren mesajı istemeye istemeye imzaladı.

İnatçı Keyes gece yine mayın tarama işine çıkacaktı. Amiral Carden Keyes'e anlaşılmaz bir şeyler mırıldandıktan sonra, erkenden Queen Elizabeth zırhlısındaki kamarasına çekildi.

Bu kadar güçlü bir donanma ile Boğaz'ı elbette yarıp geçecekti. Ama başarısızlık korkusu beyninde büyüdükçe büyüyordu.

Ya geçemezse?

Ya Queen Elizabeth batarsa?

Ya yenilmez armada yenilirse?

İKİNCİ ORDU Karargâhında görevli Kurmay Binbaşı İzzettin Bey (Çalışlar) bugün sevindirci bir telgraf almıştı.

Önceden tanıdığı ve çok saygı duyduğu Yarbay M. Kemal "19. Tümen Kurmay Başkanlığı için kendisini istediğini, atama işleminin bittiğini, Eceabat'a beklediğini" bildiriyordu.

Çanakkale kesimi çok önemliydi.

M. Kemal ile çalışmak talihti.

Akşam eşiyle birlikte evi toplamaya başladı. Edirne'den trenle ayrılacaklar, eşi Kevser Hanım'la kızı İstanbul'a gidecek, İzzettin Bey tahta bavulu ve asker yatağıyla Uzunköprü'de inecekti. Ağlaşmadan vedalaşacaklardı. Bütün subay aileleri gibi İzzettin Bey ailesi de görev ayrılıklarına alışkındı.

Binbaşı İzzettin Bey

Bu görev İzzettin Çalışlar için M. Kemal ile birlikte çıkacağı uzun, şereflerle dolu, büyük yolculuğun başlangıcı olacaktı.

AMİRAL CARDEN sabah kamarasına çağırdığı Keyes'e bu görevi götüremeyeceğini açıkladı. Keyes akşam yine hayli mayın temizlediklerini bildirerek komutanını yüreklendirmeye çalıştıysa da bunun bir yararı olmadı. Gemi doktoruna ve Amiral de Robeck'e durumu bildirdi.

Doktor Amirali görür görmez hasta listesine aldı: Tam bir çöküntü içindeydi.

Amiral de Robeck ve Kurmay Başkanı Albay Keyes

Amiral o gün bir savaş gemisiyle Mondros'tan ayrıldı. Her şey o kadar çabuk gelişmişti ki bir uğurlama töreni yapılamadı. Amiral Carden korkusu yüzünden sessiz sedasız tarihe karışıp gitmişti.

Birleşik Donanma Komutanlığına Carden'in yardımcısı Amiral John Michael de Robeck getirildi.

Donanmanın doktorlarından Fransız Yüzbaşı Laurent Moreau şöyle diyecekti:

"Sakallı, biraz beli bükük, hayli sağır Amiralin yerine Amiral de Robeck geçti. Sevindik. Amiral de Robeck, sporcu, genç, pembe yüzlü, kanlı canlı bir komutan."

Albay Roger Keyes Kurmay Başkanı olarak kaldı.

Saldırının 18 Mart Perşembe günü yapılmasını kararlaştırdılar.

Birleşik Donanma mayın hatlarına fazla sokulmadan uzun menzilli toplarıyla tabyaları susturacak, orta bölge bataryalarını ezecek, bu sırada mayın gemileri ateş şemsiyesi altında mayın hatlarını temizleyerek donanmaya yol açacaktı.

Bütün olasılıklar düşünülerek hazırlanmış olan plan ana çizgileriyle buydu. Donanmanın gücü düşünülünce, bu hedeflere ulaşmak uzak ve zor görünmüyordu. Hedef herkesi heyecanlandıracak kadar büyüleyici idi: İstanbul! Tarihi surlar, kubbeler, çeşmeler, haremler şehri, halı, gümüş, lokum ve baharat cenneti.

Planın dikkate almadığı bir husus vardı: Yurdunu anası gibi, kadını gibi, çocuğu gibi seven, canından aziz bilen çılgın Türkler.

DARDANOS bataryasında 2 eski gemiden sökülmüş 5 deniz topu vardı. Bunlar 15 cm. çapırda seri ateşli Wickers marka çok güzel toplardı. Batarya Kepez burnuna yakın, Boğaz'ın girişine ve mayın hatlarına egemen bir tepe üzerine yerleşmişti. Geçit'teki tabyalardan önceki son en önemli bataryaydı.

Deniz topları için denizci topçular görevlendirilmekteydi. Bu bataryanın başına ilk kez bir karacı topçu, Kilitbahirli Üsteğmen Hasan Hulusi atanmıştı. Çalışkanlığı, bilgisi ve gözüpekliği ile bu atamayı yapanları gururlandırmıştı.

19 Şubattan beri sürüp gelen didişme içinde Dardanos bataryası büyük ün kazanmıştı.

Dardanos ile çevresindeki iki bataryanın üst komutanı olan Yüzbaşı Mithat Bey bugün, Üsteğmen Hasan Hulusi'nin 20 gün önce ikinci bir çocuğu, bir kızı olduğunu duydu. Şaşırdı. Görmek için izin

Kilitbahirli Üsteğmen
Hasan Hulusi

istememişti. Kendi de babaydı, halden anlardı. İçi içini yiyor olmalıydı. Hemen telefona sarıldı. "Benden sana iki gün izin.." dedi. "..Bugün git, yarın dön. Merak etme, seni aratmayız."

Komutanının bu ilgisi, anlayışı Üsteğmen Hasan'ı utandırdı, ter içinde bıraktı. Savaşta kurt kesilen koca topçu çocuk gibi kekeledi:

"Sağ olun komutanım. Haber geliyor. Hepsi iyiler. Burdan ayrılamam. Yapamam. Ben yokken burda bir şey olursa kahrolurum. Hele başımızdan şu bela bir gitsin. Çocuğu nasıl olsa görürüm."

Çocuk sevgisini bile bastıran bu görev duygusu Komutanın içini titretti:

"Peki kardeşim."

EŞİ HATİCE HANIM günlerdir "Beni Sultanahmet meydanına götür, sana orada göstermek ve söylemek istediğim şeyler var" diyordu. Mithat Şükrü Bey eşinin bu isteğini bir türlü yerine getirmemişti. Hiç zamanı olmamıştı. Bu isteğin nedenini de öğrenememişti. Sorduğu zaman eşi gülümsüyor ve susuyordu.

Bugün zamanı vardı. Hava da açık ve ılıktı. Kahvaltıdan sonra eşine, "Ben hazırım" dedi.

"Ben de şimdi hazır olurum."

Çarşafını giyiverdi.

Kapalı arabayla Sultanahmet meydanına geldiler. Araba meydanda durdu. Hatice Hanım peçesini kapatıp sıkıştırdı. Arabadan indiler.

Dünyanın en önemli meydanlarından biriydi burası. Tarihin harman olduğu yerdi. Arabadan biraz uzaklaştılar. Mithat Şükrü Bey kaç kez gördüğü meydana yine hayranlık içinde baktı.

Hatice Hanım, "Mithat Şükrü Bey.." dedi. "..Ben Sultanahmet Camisini, dikili taşları, Aya Sofya Camisini iyice görmek istiyorum. Peçenin arkasından her şey soluk, gölge gibi, belirsiz, yarım yamalak görünüyor. Peçemi açıp bakabilir miyim?"

Mithat Şükrü Bey'in aklı başından gitti. Çevreden birçok sarıklı, fesli erkek geçmekteydi. Tanıyanlar saygıyla selam veriyorlardı. İttihat ve Terakki Partisi Genel Sekreteri Mithat Şükrü Beyefendi'nin eşi Hatice Hanım'ın yüzünü açıp da bir frenk kadını gibi çevreye baktığını görünce neler demezler, neler olmazdı! Yerinden zıpladı:

"Aman, hayır, sakın!"

Hatice Hanım gülümsedi:

"Korkmayın, korkmayın, açmam. Ama düşünün lütfen! Bir Müslüman Türk kadını çıplak gözle bu tarihi meydana bakamıyor, güzelim camilerini göremiyor, bir yalıda oturmuyorsa cennet Boğaz'ı seyredemiyor, eşsiz şehrini tanımıyor. Çünkü peçeli. Görmek için peçesini açsa kıyamet kopar. Din, namus, ırz, şeriat elden gidiyor diye çığlıklar atılır. İstanbul'un güzelliklerini siz erkekler biliyorsunuz. Rumlar, Ermeniler, Yahudiler, Frenkler, Moskoflar, trahomlular, şaşılar, miyoplar biliyor. Ama biz bilmiyoruz. Şu kahrolası peçenin arkasından ne kadar görünürse o kadar görebiliyoruz. Yarı kör gibiyiz. Bu peçe ile gözlerimize mil çekiyorsunuz. Karşıya geçmek için vapura binebiliriz ama açıkta oturup, Boğaz'ı seyredemeyiz, Boğaz havası alamayız, yüzümüzü o güzelim rüzgâra veremeyiz. Alt katta, bizlere ayrılmış bir yere kapanmak zorundayız. Açıkta, eşimizle, babamızla, kardeşimizle bile birlikte oturamayız. Allah'ın emri mi bu? Hayır. Kendini Allah'ın yerine koyan, O'nun adına yeni yasaklar getiren yobazın emri. Peki iktidar olarak ne yapıyorsunuz? Nice sorunlar varken çarşaf eteğinin uzunluğunu tartışıyorsunuz. Bunları size burada söylemek için arkadaşlarıma söz vermiştim. Sözümü tuttum. Savaştan korkmayan ama bir avuç yobazdan ödü kopan iktidarınıza sitemlerimizi arz ediyoruz."

Arabaya bindi.

Mithat Şükrü Bey donup kalmıştı. İstanbul'a hayranlık içinde bakagelmişti hep. Eşinin bu güzellikleri göremediğini hiç düşünmemişti. Bundan hiç utanmamıştı. Bu zulmü bitirmek için hiçbir şey yapmamıştı. Hiçbiri yapmamıştı.

Bencilliklerin içinde boğulup kalmışlardı. Başı önünde arabaya girdi.[31a]

BUGÜN Müstahkem Mevki karargâhında sade bir tören yapılarak Yüzbaşı Nazmi Bey'e Karanlık Liman'a dökülen mayınlar nedeniyle Başkomutanlığın gönderdiği 'gümüş savaş madalyası' takıldı. Nusrat mayın gemisi kaptanı ve mürettebatı için yollanan madalyalar da Nara'da yapılacak bir törenle dağıtılacaktı.

Hoş bir toplantı oldu.

Ama Baykuş bataryası gözcüsünden alınan bir haber herkesin canını yaktı: Karanlık Liman'a dökülen mayınlardan 7 tanesi mayın tarayıcılar tarafından bulunup patlatılmıştı.

Ah!

Ertesi gün bir mayın daha bulup patlatacaklardı.[32]

Aah!

Onca emeğe, heyecana, korkuya, ümide, övgüye, madalyaya yazık mı olacaktı yoksa? 8'i bulan, kalan 18'i de bulurdu!

17 MART çarşamba günü sabahı Ark Royal uçak gemisinin vinci 922 No.lu uçağı güverteden alıp yavaşça denize indirdi.

Pilot N.S. Douglas, gözlemci B.J. Brodie idi. İkisi de pilottu. Sırayla pilotluk ve gözlemcilik yapıyorlardı.

Görevleri çok önemliydi. Ertesi günkü büyük saldırıdan önce Boğaz'ın girişi ile Kepez yakınında başlayan mayın hatlarının arasındaki alanı son kez havadan sıkı sıkı denetleyecek, durumu saptayacaklardı. Donanma savaşa bu alanda başlayacaktı. Durgun havada yüksekten deniz 8-10 metre derinliğe kadar gözlenebiliyordu. Bu konuda birkaç deneme de yapmışlardı. Ama bugün hava durgun değildi.

Ark Royal uçak gemisi

Uçak dalgalı su üzerinde zıplayarak ilerledi, hızlandı ve havalandı.

Saat 10.50'ydi.

Bir eğri çizerek Çanakkale'ye doğruldu.

Bu saatte bir torpidobot da Çanakkale iskelesine yanaşıyordu. Enver Paşa kimseye haber vermeden bazı tabya ve bataryaları görmeye, son durumu anlamaya gelmişti. Torpidobotta pilot-öğretmen Yüzbaşı Serno da vardı.

Serno Çanakkale'ye 3 km. uzaklıktaki derme çatma havaalanına yürüyerek geldi. Havaalanı toprak bir pist ile çadır bezinden yapılma iki hangar ve birkaç çadırdan kuruluydu. Birkaç gün önce sandıklar içinde Rampler B1 uçağının parçaları ve birkaç teknisyen gelmişti.

Enver Paşa karşı yakaya geçerek bazı bataryaları gezdi. Topçuların gözlerinde her şeyi göze almışlık vardı. Bunu görünce kaygısı oldukça azaldı. Gelen haberlere dayanarak batarya komutanlarını her an büyük bir saldırıya hazır olmaları için uyardı.

Gerçekçi bir uyarıydı bu.

Amiral de Robeck ertesi gün büyük saldırıya geçeceğini, bu kararı sabırsızlıkla bekleyen Churchill'e bildirmişti.

Saldırıya katılacak savaş gemileri Bozcada'nın gerisinde toplanmaktaydılar. General Hamilton da Queen Elizabeth'in büyük salonunda yapılan son toplantıya yetişti.

Toplantıda Amiral de Robeck, Kurmay Başkanı Albay Roger Keyes, Üs Komutanı Amiral Wemyss, Fransız Donanması Komutanı Amiral Quepratte, Mondros'a gelmiş olan Fransız tümeninin komutanı General d'Amade bulunuyordu. Amiral de Robeck General Hamilton'u ve Kurmay Başkanını büyük bir nezaketle karşıladı, herkesle tanıştırdı.

Yuvarlak masanın çevresinde yerlerini aldılar.

Amiral hazırlanmış olan planı uygulanabilir bulduğu için ertesi gün bütün donanmanın katılımıyla Boğaz'ı zorla geçmeye karar verdiğini söyledi, ana çizgileriyle planı açıkladı. Topluca Boğaz'a girecek olan Birleşik Donanma'nın ağır toplarına karşı Türk savunmasının direnebileceği düşünülemezdi. Birleşik Ordu'ya bu aşamada bir görev düşmeyecekti.

Bu açıklama hiçbir hazırlığı olmayan General Hamilton'u memnun etti.

Üs Komutanı Amiral Wemyss Hamilton'a Mondros'ta bir orduyu barındırabilecek imkânlar olmadığını duyurdu. Özellikle adada su büyük sorundu. Gelmiş olan askerler gemilerde kalıyorlardı.

"Orduyu hazırlamak için İskenderiye'yi üs olarak seçmenizi tavsiye ederim. Orada her imkân var."

"Anladım. Teşekkür ederim."

Hamilton'a düşen, ertesi gün, tarihte gerçekten eşi bulunmayan savaşı izlemek olacaktı.[33]

922 NO.LU İngiliz deniz uçağı Ark Royal uçak gemisine alçalarak yaklaştı, dalgalı denize oldukça zorlukla indi.

Bugün bir daha uçmayacaktı. Vinçle geminin güvertesine alındı. Saat 12.10'da merakla beklenen raporu verdiler.

Özellikle Boğaz'ın girişinden Kepez'e kadarki bölüm denetlenmişti: Rüzgâr yüzünden deniz oldukça bulanıktı ama çok dikkatle gözlemişlerdi. Söz konusu alan temizdi, mayın yoktu.[34]

Rapor Amiral de Robeck'e ulaştırıldı. Amiral bu kesimin geceleyin bir de mayın arama-tarama gemileriyle denetlenmesini emretti.

Gemiler tam bir güven içinde hareket etmeliydiler.

ÜSTEĞMEN FAZIL ve Üsteğmen Cemal Durusoy Yüzbaşı Serno'yu dostlukla karşıladılar. Serno'nun Batı Cephesindeki başarıları dolayısıyla havacılar arasında büyük ünü vardı.

İyi bir pilot, iyi bir silah arkadaşı ve öğretmendi.

Yüzbaşı Serno ve teknisyenler Rampler B1'i kurmak için işbaşı ettiler. Oldukça güçlü, iki kişilik bir keşif uçağıydı. Öyle hızlı çalıştılar ki gün batmadan önce Rampler B1 kuruldu ve uçuşa hazır duruma getirildi. Serno bir deneme uçuşu yaptı.

Uçak çok iyiydi.

Gözlemciliği Çanakkale'de görevli Deniz Kurmay Yüzbaşı Karl Schneider yapacaktı.

Sabah erkenden keşfe çıkmak için anlaştılar.

17 MART akşamı kimse, ertesi günün hiç yaşanmamış, yaşanamaz bir gün olacağını, yerle göğün birbirine karışacağını, denizin bile tutuşacağını bilmiyordu. Ama büyük günün yakın olduğu seziliyordu.

Hava yumuşamış, denizin hırçınlığı azalmıştı.

Bu sonuçsuz didişme sürüp gidemezdi. Bugün yarın büyük hesaplaşmanın başlaması gerekirdi.

Güzel sesli askerler topların üzerine çıkarak yatsı ezanını okumaya başladılar. Tabyalardan ve bataryalardan ezan sesleri yükseldi, yatsı saatinin dokunaklı sessizliği içinde kaynaşıp yayıldı, büyüdü, için için bahar şenliğine hazırlanan tepeleri, vadileri okşayarak Boğaz'ı dolaştı.

Namaz topluca kılındı.

Allah'tan yardım dilemeyi hak edecek kadar çok çalışıp hazırlanmışlardı. Yoksa yardım istemeye yüzleri mi olurdu?

Bütün yürekleriyle zafer dilediler.[34a]

18 MART 1915 Perşembe.

Gün doğumuna az var.

Hava çok güzel. Hafif bir lodos rüzgârı esiyor.

Yeni, eski, büyük, küçük, çeşitli savaş gemileri, torpidobotlar, motorlar, mayın arama-tarama gemileri, Bozcaada'nın kuzeyinde toplanıyorlar.

Yakın tarihin en büyük armadası oluşuyor.

Gece savaş alanını denetleyen mayın filosu da, havacı Brodie gibi, girişten Kepez yakınına kadar savaş alanının temiz olduğunu rapor etmişti. Mayın hatları Kepez yakınında başlıyordu. Bugün tabyalar susturulacak ve mayın hatları temizlenecekti. Gemiler demir almaya başladılar.

YÜZBAŞI SERNO ve Yüzbaşı Schneider Rampler B1 ile havalandılar. Hızla 1.600 metreye çıktılar.

Gün yeni ağarmaktaydı.

Uzaktan denizi, Bozcaada'yı, Bozcaada'nın arkasında da büyük armadayı gördüler. Heyecanla yaklaşarak armadanın çevresinde döndüler. Saldırıya katılacak gemiler ağır ağır savaş düzenine giriyorlardı.

Yüzbaşı Schneider'in durumu anlaması için daha fazla gözlem yapmasına gerek yoktu: Sonunda büyük gün gelmişti.

Serno'ya 'geri dönelim' diye işaret etti.

Geri döndüler.

Rampler B1

CEVAT PAŞA bir gün önce Seddülbahir savunma düzenini birlikte incelemek için M. Kemal'le sözleşmişti.

Her zamanki gibi erkenciydi.

Serno ve Schneider geri dönmeden önce Müstahkem Mevki motoruyla Eceabad'a geçti.[35]

Olaylar gelişecek, Müstahkem Mevki Komutanı, tam da görevinin başında bulunması gereken günde, ateş altındaki Boğaz'ı geçip de hemen Çanakkale'ye dönmeyi başaramayacaktı.

RAMPLER B1 uçağı toprak piste hızla indi, sanki çakıldı. Yüzbaşı Schneider acele şehre inebilmek için bir jandarma atına atladı. Mahmuzladı.

Çeyrek saat sonra Amiral von Usedom'a raporunu sunmuştu. Daha uykusunu alamamış olan Amiral ânında ayıldı. Durumu Müstahkem Mevki nöbetçi subayına bildirdi: Geliyorlardı!

Seddülbahir ve Kumkale'deki gözetleme postalarından da benzer bilgiler gelmişti.

Bütün tabya ve bataryalara bilgi uçuruldu. Durum İstanbul'a da bildirildi. İstanbul gelişimin her 10 dakikada bir telgrafla Sadrazamlığa bildirilmesini emretti.[36]

Selahattin Adil Bey bir keşif uçuşu daha istedi. Sıra Üsteğmen Cemal Durusoy'daydı. Gece Ertuğrul adındaki emektar uçak Bleriot da bakımdan geçmişti.

Ertuğrul ile havalandı. Çabucak yükseldi. Kumkale üzerinden Ege denizine çıktı.

Armada özel bir düzen içinde, Boğaz girişine doğru yaklaşmaktaydı. Çevrelerinde denizaltılara ve mayınlara karşı koruyucu olarak daha küçük savaş gemileri ile torpidobotlar dolaşıp duruyordu.

18 zırhlı saydı. Bunlar mürettebatı en az 600 kişi olan yüzen kalelerdi. Her birinin değişik çapta birçok topu vardı. Görünüşleri

Topçular

bile ürperticiydi. Bu gemilerin korkunç toplarının ateşleri altında kalacak topçuları düşününce içi parçalandı.

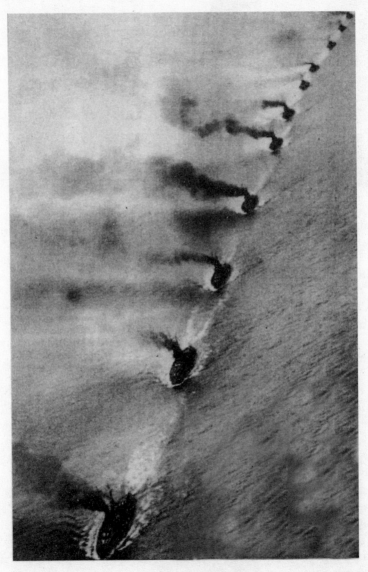

BİRLEŞİK DONANMA 3 grup halinde savaşacak, gruplar dalgalar halinde birbirlerini izleyecek, her aşamada Kilitbahir ile Çanakkale'deki tabyalara biraz daha yaklaşılacaktı.

Birinci grupta 4 İngiliz zırhlısı vardı: **Queen Elisabeth, Agamemnon, Lord Nelson** ve **Inflexible.**

Amirallik forsunu Queen Elizabeth taşıyordu. Bunlar yeni ve çok güçlü gemilerdi. 16.000 metre uzaktan Geçit çevresindeki ana tabyalara ateş açacaklardı.

İkinci grup 4 Fransız zırhlısından oluşuyordu: **Gaulois, Charlemagne, Suffren, Bouvet.**

Fransız Amirali Guepratte'ın forsu da Suffren'de dalgalanıyordu. 2.000 metre arkadan ilerleyen bu grup zamanı gelince birinci grubun önüne geçerek, Geçit'e daha yaklaşacak, birinci grubun ezdiği ana tabyaları susturma çabasını sürdürecekti.

Bu iki grubun sağında ve solunda, orta bölgeki Dardanos, Baykuş, İntepe gibi önemli Türk bataryalarına göz açtırmamakla görevli birer zırhlı yer alacaktı: **Prince George** ile **Triumph.**

Üçüncü grupta 8 İngiliz zırhlısı bulunuyordu: **Majestic, Ocean, Vengeance, Irresistible, Albion, Swiftsure, Cornwallis, Canopus.**[37]

Bu sonuncu grup, zamanı gelince ilerleyip, birinci ve ikinci grupları geçerek, en öne gelerek, iyice ezilmiş olacağı düşünülen

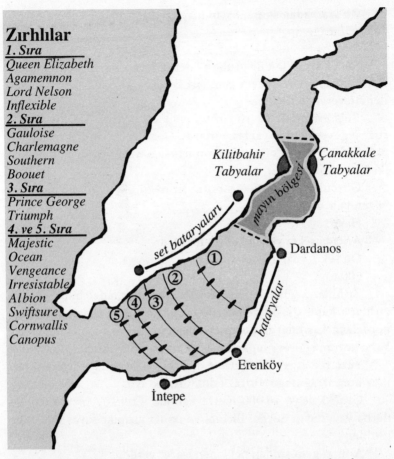

Zırhlılar

1. Sıra
Queen Elizabeth
Agamemnon
Lord Nelson
Inflexible

2. Sıra
Gauloise
Charlemagne
Southern
Boouet

3. Sıra
Prince George
Triumph

4. ve 5. Sıra
Majestic
Ocean
Vengeance
Irresistable
Albion
Swiftsure
Cornwallis
Canopus

Kilitbahir
Tabyalar

Çanakkale
Tabyalar

mayın bölgesi

set bataryaları

① ② ③ ④ ⑤

Dardanos

bataryalar

Erenköy

İntepe

tabyaları ateşe boğup susturacaktı. Bu sırada öteki gruplar da ateşi kesmeyeceklerdi.

Bu büyük planı uygulamak için 18 zırhlının Boğaz içinde, dar bir alanda zor, karışık manevralar yapması gerekmekteydi. Ama kaptanlar deneyli oldukları için bu işi sorun olarak görmüyorlardı.

Saldırının ikinci saatinde, mayın arama-tarama gemileriyle mayın hatlarının temizlenmesine başlanacak, Çanakkale körfezine 800 metre genişliğinde temiz bir yol açılacak, gemiler bu yoldan körfeze girerek ana tabyaları iyice yakından ateş altına alarak yerle bir edeceklerdi.[38]

Bu aşamadan sonra, kalan mayın hatlarının temizlenmesi çocuk oyuncağıydı.

SAAT 10.30'DA ilk grubun öncüsü kruvazör, destroyer, muhrip, torpidobot ve mayın gemileri Boğaz'a girdiler. Savaş alanını denetleyerek ilerlediler.

Boğaz ağzında ilk 10 zırhlının silueti belirdi. Müthiş bir gurur ve güven içinde yaklaşıyorlardı. Gemilerin bandoları marşlar çalıyordu. Dev motorlarının homurtusu havayı titretiyor, dalgaları iki kıyıyı dövüyordu.

Gözcülerin göğüsleri sıkıştı. Bir değil, iki değil, üç değil, on yüzen kale geliyordu.

Hayır!

Arkada sekiz yüzen kale daha vardı.

On sekiz yüzen kale!

600 top!

Zırhlıların gövdeleri ancak özel mermilerin delebileceği çelik zırhlarla kaplıydı. Bu gemilerde herkes çelik duvarlar, kalkanlar, perdeler arkasındaydı. Çevrelerinde denizaltı ve mayın tehlikesine karşı koruma görevi yapan savaş gemileri dört dönüyordu.

Yüzlerce ateş dili olan bir ejderha, uzayarak, yayılarak, homur homur, ağır ağır, Boğaz'ı doldurmaktaydı.

Çanakkale'ye 16.000 metre kalınca, Erenköy hizasında, erderha yavaşlayıp durdu. Birinci ve ikinci gruplar savaş düzenine girdiler.

Amiral gemisinden beklenen işaret verildi:

"Ateş!"

Kaptan köşklerindeki ve ateş idare kulelerindeki subaylar kulaklarını mumla tıkadılar. İlk ateşi sağdaki **Triumph** zırhlısı açtı. İntepe'deki batarya hemen karşılık verdi.

Saat 11.15'ti.

Tarihe '**18 Mart Çanakkale Deniz Savaşı**' adıyla geçecek olan benzersiz savaş başladı.[39]

Dünya Birleşik Donanma'nın Çanakkale Boğazı'na saldırdığını öğrenince kulak kesilecekti.

Hangi zırhlının hangi tabyaya ateş edeceği belirlenmişti. Zırhlıların hedeflere çevrili uzun namlularının ağızlarında alevler parladı. Ölüm, yıkım, yangın yağdırmaya başladılar. Patlama sesleri havayı altüst etti. Mermilerin düştüğü yerlerde taş, toz, toprak bulutları, su sütunları yükseldi.

Bir ateş kasırgasıydı bu.

Toplarının menzilleri yetersiz olduğu için tabyalar bu kasırgaya yanıt veremediler. En uzun menzilli topların bulunduğu Anadolu Hamidiye tabyası bile, mermilerin zırhlılara erişemediğini görünce, boşa mermi harcamamak için ateşi kesti.

Bu toplu, yoğun, arasız ateş otuz beş dakika sürecek, bütün tabyalarda zavallı topçular toplarının yetersizliği yüzünden sığınaklarda bekleyecekler, kimileri öfkeden ağlayacaktı.

Geçit ve çevresi cehenneme döndü.

Yanlardaki iki zırhlı da, koruyucu gemilerle birlikte orta bölgedeki çakılı, gezici ve sahte bataryaları ateş altına aldı. Bataryalar da zırhlılara ve koruyucularına yüklendiler. Tepeler ve deniz, yağmur gibi yağan mermiler dolayısıyla fokurdamaya başladı.

Bataryaların mermileri gövdeyi saran zırhı delemiyordu ama zırhlılara rahat da vermiyordu. Gemilerin üst yapıları zırhsızdı. İsabetli atışlar üst yapıları etkiliyordu. Birinin bacası delindi, ötekinin ateş idare kulesi yara aldı, üçüncünün telsiz anteni yıkıldı, dördüncünün bir tareti sakatlandı.[40] Bir mayın gemisi de battı.

Zırhlılar boylarından büyük işler beceren bu bataryaların etkisinden kaçınmak için öne arkaya, sağa sola hareket ettikçe, döndükçe, tam isabet sağlayamıyorlardı. Bu nedenle bu korkunç ateş tabyaları ezmeye yetmeyecekti ama hayli etkili olacaktı.

Birkaç top tahrip olmuş, birkaçı sakatlanmış, Çimenlik tabyasının cephaneliği ateş almış, Anadolu Hamidiyesi ile Namazgâh tabyalarındaki kışlalar yıkılmıştı. Uzaklara kaçamayan motor ve sandallar ya batmış, ya yanmıştı. Birleşik Donanma sivil hedefleri de bombalıyordu.

Çanakkale'de yangın başlamıştı.

Kilitbahir yanıyordu.

Yangın kızıllığının yansıdığı Boğaz, ateşten bir nehir gibiydi.

BU SIRADA İstanbul'da Nazırlar, İttihatçı yöneticiler ve devletin ileri gelenleri Sadrazamlıktaki toplantı salonunda toplanmışlardı.

Sessizlik içinde oturuyorlardı.

Devlet çarkı durmuştu.

Sadrazam 10 dakikada bir Çanakkale'den gelen telgrafı bir göz attıktan sonra Talat Paşa'ya uzatıyor, Talat Paşa yüksek sesle okuyordu.

Gelen telgrafları kim yazıyorsa, sözcükleri çok dikkatli kullanıyor, ümitsizlik yaymıyor ama ümit de vermiyordu. Ziya Gökalp iyimserdi. Bu iyimserlik bazılarına inandırıcı, gerçekçi gelmedi. Üzerinde güneş batmayan bir imparatorluğun yenilmemiş armadasına karşı gelmek kolay mıydı, hatta mümkün müydü? Ayrıca Rus donanmasının da İstanbul Boğazı'na saldırmasından korkuluyordu. İstanbul

Sait Halim Paşa

Boğazı'nın girişi de mayın hatları ile kapatılmıştı. Burdaki bataryalar da gözler ufukta bekliyorlardı. Yeşilköy havaalanından kalkan bir uçak Karadeniz'i denetlemiş, yaklaşan bir filo görmemişti.

Bu biraz huzur verdi.

Ama Çanakkale'den gelmesi beklenen telgraf biraz gecikince Sadrazam çok huzursuzlandı. Ziya Gökalp konuşmak gereğini duydu:

Ziya Gökalp

"Sevgili paşam, İngiliz askeri iyidir ama vatan savaşı nedir bilmez. Bunların subayları da erleri de emperyalist siyasetin emrinde ve vatandan uzakta, sömürü ve çıkar için dövüşmüş insanlardır. Bu yüzden vatanı için dövüşen bir askerin gücünü, kararlılığını, fedakârlığını da bilmez ve ölçemezler. Biz şimdi Çanakkale'de vatanımızı savunuyoruz. Vatanını savunan askerin gücü silahın gücünü aşar. İngiliz, vatanını savunan Türk'ü ne anlayabilir, ne yenebilir."

Enver Paşa da odasında Bronsard Paşa ile birlikteydi. Liman Paşa Rus saldırısı olasılığından dolayı 1. Ordu Karargâhında kalmıştı.

Çanakkale'den yollanan telgrafın bir eşi de Başkomutanlığa geliyordu. Enver Paşa Çanakkale konusunda oldukça iyimser görünmekteydi. İyimserliğinin nedenini üç sözcükle açıklamıştı: "Topçuların gözlerini gördüm."

AMİRAL DE ROBECK tabyaların yanıt vermemesini donanmanın etkili olmasına bağladı, birinci grubun yarattığı kasırgayı yeterli gördü. Sabırsızca geride bekleyen ikinci gruba, ileri geçmesi için emir verdi.

Saat 12.00'ydi.

Amiral Quepratte komutasındaki 4 Fransız zırhlısı emri alır almaz harekete geçti. **Gaulois** ve **Charlemagne** soldan, **Suffren** ve **Bouvet** sağdan ilerleyerek, İngiliz zırhlılarının önüne geçtiler. Amiral Quepratte atılgan, kavgacı bir komutandı. Tabyaları bir an önce ezip bitirmek için filosunu gereğinden fazla ilerletti.

Arkada kalan İngiliz zırhlılarının da ateş edebilmeleri için yelpaze gibi açıldılar, hedefleri yönündeki bütün topları ile tabyalara ateş püskürmeye başladılar. Arkadaki İngiliz zırhlıları da ilerlediler, Fransız gemilerinin arasından ateşe katıldılar.

Saat 12.15'ti.

Fransız ve İngiliz zırhlıları bu ilerleyişleri ile tabyalardaki büyük topların menzilleri içine girmişlerdi. Gözcüler bu durumu bildirince bütün tabyalarda sevinç haykırışları, komutlar ve tekbirler yükseldi. Büyük topların subayları ve askerleri sığınaklardan fırlayarak ateş seli altında topbaşı ettiler. Yine vurulanların yerini yedekler alacaktı. Hızla hedeflere ayarlanan toplar ardarda gürlemeye başladı.

Saat 12.20'ydi.

Mermilerin bir kısmı, tedbirli komutanların, topçuların yalvarmalarına rağmen kullanım izni vermedikleri, işte böyle bir gün için sıkı sıkı sakladıkları zırh delici mermilerdi. Bugün bile hepsinin kullanılmasına evet demeyeceklerdi.

Çimenlik tabyasında mermi cimrisi komutan avaz avaz bağırıyordu:

"Tek mermi bile boşa atılmayacak. Atanı doğduğuna pişman ederim."

Kara ve deniz toplarının ölüm dansı başladı.

Zırhlılar ve koruyucu gemiler batarya ve tabyalara, batarya ve tabyalar da zırhlılara, koruyucu gemilere, torpidobotlara ve mayın tarama gemilerine ateş yağdıracaklardı.

İlk mermiler Fransız zırhlılarını buldu. **Bouvet**'de yangın çıktı. **Suffren**, **Gaulois** ve **Charlemagne** daha ilk adımda önemli yaralar aldılar.

İngiliz gemileri de bu ateş yağmuru altında kalmışlardı. **Inflexible** zırhlısında bulunan bir İngiliz savaş muhabiri bu durumu şöyle anlatacaktı:

"Türklerin uzun süre ateşlerimize karşılık vermemesi hepimizi şaşırtmıştı. Fakat tam 12.20'de bir anda kendimizi müthiş bir ateş yağmuru içinde bulduk. Bir Türk mermisi Inflexible zırhlısının ön direğini parçaladı ve güvertede yangın çıktı. Üç dakika sonra ikinci bir mermi taretlerden birini parçaladı. İki dakika

geçmeden güvertede üç mermi birden patladı. Öteki gemilerde de hasar fazlaydı. Queen Elizabeth top ambarı tam isabetle hasara uğradı, ikinci mermi vinçleri parçaladı, bir üçüncüsü ön bacasında koca bir delik açtı."[41]

Beklemediği bu sert ve başarılı karşılık Birleşik Donanma'yı şaşırtmıştı.

Ateşi şiddetlendirdi.

Boğaz'ı barut, baca ve yangın dumanları, yıkıntı ve buhar bulutları, minare boyu su sütunları, köpükler, alevler, patlayış şimşekleri ve sağır edici savaş gürültüsü kapladı. Hava kömür, petrol, barut ve yanık kokuyordu.

Yerle gök, ateşle su birbirine karışmıştı.

Patlayışın yarattığı basınç zaman zaman insanları yaprak gibi savuruyor, taş binaları çatlatıyordu. Tabyalarda can kaybı başlamıştı. Birçok telefon hattı tahrip oldu. Müstahkem Mevki savaş idare yeri ile karşı yakanın bağlantısı kesildi. Rumeli Hamidiyesi'ndeki 2 büyük top tam isabet alarak savaş dışı kaldı. Büyük mermilerin uçurduğu taşlar ve havalandırdığı topraklar, üzerlerine çöküp topları örtüyor, kullanılmaz duruma getiriyordu. Sık ateş eden bazı toplar da şişecekti.

Bu tür nedenlerle giderek bazı tabyaların ateşi seyrekleşti. Karşı yakadaki bazı tabya ve bataryalar ise topları temizlemek, dinlendirmek için ateşe ara verdi.

Müstahkem Mevki savaş idare yerinde gergin, kuşkulu, sinirli bir hava esti ama uzun sürmedi. Beklenmeyen bir gelişme herkesin moralini yükseltti.

Cevat Paşa çıkageldi.

Uyarılara aldırmaksızın, nasılsa sağlam kalmış bir motorla ateş yağmuru altındaki denizden geçip gelmişti.

İdareyi ele aldı. Her zamanki gibi sakindi. Karşı yakada ne olduğunu bildiği için durumu anlatıp kuşkuya düşenleri yatıştırdı. Sakinliği ve ümidi herkese yayıldı.

Ateşin azalması Amiral de Robeck'i sevindirmişti. Tabyalar ezilmiş olmalıydı.[42] Mayın arama-tarama gemilerinin ileri çıkarak mayın taramaya başlamalarını emretti. Öndeki Fransız gemileri çok yıpranmışlardı. Savaştan çekilmelerini gerekli gördü, Boğaz dışına çıkmalarını istedi.[43]

Üçüncü grup en öne geçerek Fransızların yerini alacaktı. Fransız filosu, üçüncü gruptaki 8 İngiliz zırhlısına yer açmak için geri çekilmeye başladı. Boğuşmayı kesemedikleri için bir yandan da delice ateş etmeyi sürdürüyorlardı.

RUMELİ Mecidiye tabyasına ve çevresine dakikada 35 mermi düşmekteydi bu sırada. Hayli kayıp verilmiş, bazı topların üzerine toprak yığılmıştı. Tabyanın en büyük ve yararlı topunun yanında bir tek mermi kalmıştı.

Yüzbaşı Hilmi Şanlıtop gözüne, Erenköy Koyu'na çekilmeye çalışan **Bouvet** zırhlısını kestirdi. Son mermi ona atıldı. Kıl payı boşa gitti. Yüzbaşı geminin uzaklığını çok iyi hesaplamıştı.

Ah, birkaç mermi daha olsaydı!

Ama mermi taşıyan vagoncuk parçalanmış, rayı dağılmıştı. Bu topun mermileri onlarsız taşınamayacak kadar ağırdı.

Topun çaresiz kalışı sıra eri Edremitli Seyit'in içine dokundu. Cephaneliğe koştu. 275 kilo ağırlığındaki dev mermi, rayın tahrip olması yüzünden cephaneliğin kapısında, kaldıraca bağlı, havada duruyordu. Daha önce 215 kiloluk mermileri kaldırmışlardı. Seyit bu güvenle, mermiyi işaret etti:

"Sırtıma verin!"

Cephaneciler, "Bunu taşıyamazsın Seyit!" dediler.

Taşıyamazsın ne demekti? Şu canavara benzeyen gemi kurtulacak mıydı? Top boynu bükük mü kalacaktı? Savaş heyecanı içindeydi. Sağda solda mermiler patlıyor, üzerlerine taş toprak yağıyor, yüzlerine patlayışların çakıntıları yansıyor, biri vecde gelmiş gözlerinden ip gibi yaş akarak ezan okuyordu. Seyit'in içi dolup taştı. Bağırdı:

"Siz verin ! Haydi, çabuk!"

"Hay çılgın!"

Koca mermiyi usul usul Seyit'in sırtına indirdiler. Mermiyle birlikte yere kapaklanır diye mermiyi kaldıracın askılarından ayırmadılar. Seyit iki eliyle, anasını kucaklar gibi mermiyi kavradı. Tarttı. Kemikleri zangırdadı, eklemleri ezildi, dizleri titredi. Zorlukla da olsa ayakta durabildi. Mermiyi çözdüler. Damarları çatlıyordu. Burnundan kan boşandı. Besmele çekip yürüdü, geç kalıyordu, hızlandı. Mermiyi topun asansörüne yerleştirdi.

Deli Mustafa ile Deli İbrahim bile bir olağanüstülüğe tanık olduklarını anlayarak bir köşeye sinip nefeslerini tutmuşlardı. Kanayan burnunu koluna silerek koşa koşa geri döndü. Cephaneci-

Edremitli Topçu Eri Seyit

lere de güven gelmişti. Mahzenden bir mermi daha çıkardılar. O mermiyi de sırtlayıp koşar adım asansöre ulaştırdı. Üçüncü mermi ağır geldi. Güçlükle, dizleri çözüle çözüle taşıdı, mermiyi topun asansörüne koydu, oraya çöktü.[44]

İlk mermi geminin kulesini yaralamıştı. İkinci mermi baş taretini parçaladı. Sırada son mermi vardı. Dualarla uğurlandı.

Son mermi **Bouvet**'nin su kesiminin biraz altına isabet etti. Gövdesinin alt kısmında büyük bir yara açılmış olmalı ki dev gemi ânında yana yattı.

Mecidiye mürettebatı sevinç sarhoşu oldu. Deli Mustafa ile İbrahim gerçekten delirdiler.

Kader **Bouvet**'nin ağır ağır batmasını uygun görmedi. Gemi Karanlık Liman'a kayıyordu. Orada Nusrat'ın hâlâ keşfedilmemiş 18 mayını vardı. O kutlu suyun derinliğinde kuzu kuzu yatmaktaydılar.

Sürüklenen **Bouvet**'nin yaralı gövdesi bunlardan birine değdi. Göğü çatlatacak şiddette bir patlama oldu. Havaya kızıl bir duman yükseldi. 45 denizci denize döküldü. Gemi ancak iki dakika su üzerinde kalabildi, birdenbire alabora oldu, Kaptan Rageot, 20 subay ve 600 erle birlikte batıp gözden kayboldu.[45]

Saat 14.10'u gösteriyordu.

Bouvet'nin battığını gören çakılı, gezgin, sahte bataryaların mürettebatı, gözcüler, subaylar, erler açığa çıktılar, sevinçleri yüreklerine sığmıyordu, binlerce ağızdan gök gürültüsü gibi bir sevinç haykırışı, bir şükran çığlığı yükseldi:

"Allah-ü ekber!"

Yorgun gazilere yeni bir can geldi.

Sağ kalanları kurtarmak için torpidobotlar olay yerine üşüşmüşlerdi.

Fransız Zırhlısı Bouvet batıyor.

Türk tabya ve bataryaları, kurtarma çalışmalarını engellememek için bir yerden emir almış gibi hep birden ateşi kestiler. Başka, uzak hedeflere yöneldiler.[46]

GENERAL HAMILTON Phaeton muhribi ile Boğaz'ı ve Gelibolu kıyılarını incelemek için sabah erkenden yola çıkmıştı. Beraberinde Fransız Tümeni Komutanı General d'Amade, İngiliz Deniz Tümeni Komutanı General Paris ve iki kurmayı vardı.

Gökçeada ile Gelibolu arasındaki Türk mavisi denizi geçerek hızla Saros körfezinin sonuna kadar gittiler.

Körfezin bittiği yerdeki bataklığı ve savunma mevzilerini, kat kat siperleri gördüler.

Kıyıyı yakından inceleyerek döndüler.

Suvla'daki büyük tuz gölü dikkatlerini çekti.

Arıburnu'dan Kocaçimen Tepe'ye doğru yükselen kütle çok etkiliydi. Bu kütle birçok tepe, uçurum, vadi, boyun, bayır ve yamaçtan oluşuyordu. Burayı ele geçiren Gelibolu yarımadasına sahip olurdu.

Kabatepe çevresi bir çıkarma için çok uygun görünmekteydi. Ama Türkler boş durmamış, iki yanını, özellikle güneyini iyice berkitmişlerdi.

Kabatepe ile Teke Burnu arasında arazi çok sert olarak yükselmekteydi.

Seddülbahir'e döndüler. Bu kesimde çıkarmaya elverişli birkaç kumsal vardı. Türkler herhalde buralarda da sıkı önlemler almışlardı.

Savaşın yırtıcı sesi duyuldu.

İzlemek için Boğaz'a girdiler.

General Hamilton savaşla ilgili ilk izlenimlerini güncesine şöyle yansıtacaktı:

"Evren son derece öfkeliydi. Mermiler her taraftan uçuşuyor, vızıldıyor, dumanlar göğü kaplıyordu. Wikers ve Armstrong markalı toplar, hayatı temsil eden her varlığı öldürmek için, yeri göğü sarsıyordu."

Saat 14.30'du.

INFLEXIBLE zaten yaralıydı. Türkler **Bouvet**'yi batırmış olmanın neşesi içinde, bu yeni ve değerli gemiyi iki kez daha vurdular. **Inflexible** bu iki darbeden sonra savaşı sürdüremeyeceğini anladı. Geri çekilmeye başladı.

General Hamilton'un gemisi Phaeton sağa sokulmuştu. **Inflexible** Phaeton'a yaklaşıyordu. Birleşik Donanma ikinci felaketi bu sırada yaşadı.

Büyük bir patlama oldu, gemiden duman, alev ve buhar fışkırdı. Dev zırhlı 45 derece yan yattı. Patlayış yüzünden 27 kişi öldü.

Inflexible de Nusrat'ın mayınlarından birine çarpmıştı.

Patlayış o kadar etkili olmuştu ki Phaeton'un güvertesindeki generaller az kaldı denize yuvarlanacaklardı.

Inflexible 'mayına çarptığını' işaret etti ve Phaeton'un mutlaka yanında kalmasını, Bozcaada'ya kadar eşlik etmesini istedi. Her an batacağından korkuyordu.[47]

Kaptan, mürettebatının fedakârlığı ve disiplini sayesinde **Inflexible**'ı Bozcaada'ya ulaştırmaya başaracaktı.

Bu kayıplar Birleşik Donanma'yı çok öfkelendirdi.

AMA öfke giderek çoğalan sorunları çözmüyor, Türklerin direncini azaltacağına artırıyordu. Türk topçular şaşırtıcı bir sabır ve güvenle savaşıyorlardı.

Sayılı mermileriyle çok isabetli atışlar yapmaktaydılar.

Inflexible'den sonra bu kez de Fransız zırhlısı **Gaulois**'yı bir zırh delici mermi ile gövdesinden vurdular. Koca gemide büyük bir yırtılma oldu. Zırhlı yan yattı ve burnu suya gömüldü.

Suffren ve **Charlemagne** adlı Fransız zırhlıları da savaş niteliklerini yitirmişlerdi. Bu yüzden Amiral de Robeck'in kesin emriyle savaş alanını terk ediyorlardı.

Yaklaşık üç saat içinde, o kadar küçümsedikleri Türk savunması, eski diye önemsemedikleri topları ve sayıca az diye dikkate bile almadıkları mermileri ile Birleşik Donanma'nın 1 İngiliz, 4 Fransız, toplam 5 büyük zırhlısını savaş dışı bırakmıştı.

Phaeton Bozcaada'dan Boğaz'a dönerken General Hamilton ve generaller **Gaulois**'nın yarı batık bir halde kaçışını izlediler. Geminin burnu suya gömük, kıçı havadaydı. Pervanelerin yarısı açıkta dönüyordu. **Gaulois** Bozcaada'ya kadar dayanamayacağını anlayarak Tavşan adalarında kayalıklara bindirip baştan kara edecekti.

Gittikçe tehlikeli olmaya başlayan gelişme donanmayı çok germiş, daha da öfkelendirmişti.

Büyük topları ile tabyaları, orta ve küçük topları ile başlarının cezası bataryaları delice bombardıman etmeye başladılar. Donanmayı en çok rahatsız eden Baykuş ve Dardanos bataryaları idi. İkisini de ateşe boğdular.

Batarya komutanları düşmanın bu öfke krizi geçene kadar adamlarını siperlere çektiler.

Baykuş'ta birkaç top sakatlandı.

Dardanos bataryasının çevresine de dolu gibi mermi düşüyordu.

Telefoncu er, Üsteğmen Hasan'a Grup Komutanının telefonda beklediği haberini getirdi. Telefon geride, sargı yerinin yanındaydı. Üsteğmen ateşten sakınarak geriye yürüdü. Gözlem subayı Teğmen Mehmet Mevsuf da geriye gitmekteydi.

"Hayrola?"

"Çok susadım."

Üsteğmen Hasan güldü:

"İyi ki dedin. Ben de susamışım."

Sabahtan beri kendilerini düşünecek bir dakikaları bile olmamıştı. Telefonun bulunduğu boy siperinin başına geldiler. Aşağıda, telefonun yanında Çanakkale toprağından yapılma büyük bir testi duruyordu. Tersine çevrilmiş bir maşrapayla ağzını örtmüşlerdi. İkisinin de gözleri parladı. Bakışıp gülüştüler. İçleri yanmıştı. Birlikte sipere atladılar. Haberleşmeyle görevli subay adayı Halim ve iki er ayakta komutanlarını karşıladılar. Teğmen suya atıldı, Üsteğmen telefona:

"Komutanım ben Hasan. Beni..."

O anda bir toplu atış, siperin önündeki toprağı havaya kaldırıp siperin üzerine yığdı, büyük bir tepe oluşturdu.

Bataryanın subayları, erleri, sağlıkçılar, sargı yerindeki yaralılar, çığlık atarak koşuştular, küreklerle, elleriyle, maşrapalarıyla, kaşıklarıyla bağıra bağıra ağlayarak, Allah'tan yardım dileyerek, toprağı kaldırmaya çabaladılar, komutanlarını, kardeşlerini kurtarmak için çırpındılar.

Siper derin, toprak çok, zaman azdı.

Ancak şehitlere ulaşabildiler.[48]

MAYIN GEMİLERİ **Bouvet**'nin battığı yerde ve çevresinde çok sıkı arama yapıyorlardı.

3 mayın bulup patlattılar.

Başka mayın olsa bulunurdu. Birleşik Donanma komutanları böyle düşünmüş olmalıydılar. Çünkü savaş alanını yine bütünüyle güvenli saydılar ve yayıldılar.

Oysa geride barut ve Türkün hıncıyla dolu 14 mayın daha vardı.

Yeni öne geçen 8 İngiliz zırhlısı büyük bir heves ve şiddetle savaşa asıldı. Gerideki İngiliz zırhlıları da, savaşı terk eden **Inflexible**'in dışında, ateşe katıldılar. Savaş alanına tabya ve iki yakadaki bataryalara ateş yağdıran 11 yüzen kale yayılmıştı.

Savaşın üçüncü ve son aşaması başlamıştı. Gün batmadan iki yandan biri pes edecekti.

İngilizlerin ataklığına karşı Türkler bu sırada yine yavaşlamışlardı. Donanma komutanları bu durgunluğa bakarak savaşı kazanmak üzere oldukları düşüncesine kapıldılar.

Yanılıyorlardı.

Tabyalar topları kapatan toprakları temizlemek, kızan namluları dinlendirmek için yine mola vermişlerdi. Çok geçmedi, saat 15.00'te yeniden canlandılar. Yüzen kalelere mermi yağdırmaya başladılar.

Ateş kavgası gittikçe hızlandı ve çok sertleşti. Savaş sisi gittikçe yoğunlaştı, gürültü gittikçe arttı. İki yan da bir insanın dayanabileceği en çetin zorluklara katlanmakta, silahlarının hakkını vermekteydi.

Zafer sarkacı iki yan arasında gidip geliyordu.

Bu duyarlı aşamada tabyalar **Irresistible**'ı yakaladılar. Bırakmadılar. Zırhlı çok yakınına düşen tehlikeli mermilerden kurtulmak amacıyla Türk topları için kör nokta olduğunu bildiği Karanlık Liman'a çekilme manevraları yapmaya başladı. Kaptanın bilgili bir denizci olduğu anlaşılıyordu. Ama bu suların tekin olmadığını bilmiyordu.

Saat 16.00'da büyük bir patlama oldu.

Irresistible da Nusrat'ın döktüğü mayınlardan birine çarpmıştı.

Zırhlının altı parçalandı. Makine dairesine su doldu. Gemi felç oldu. Cesur bir destroyer zırhlıya yanaşarak mürettebatını kurtardı, kaptanıyla birlikte bir başka zırhlıya taşıdı.[48a]

Irresistible başıboş kaldı.

Bir İngiliz zırhlısı Çanakkale Boğazı'nda akıntıya kapılarak sarhoş gibi oraya buraya sürükleniyordu.

Bu trajik görünüm Amiral de Robeck'i çok sarstı. Amiral Carden'i hasta eden korkular onun içinde de uyandı. Bu korkuları ancak kesin ve çabuk bir zafer bastırabilirdi. Öndeki zırhlılara ardarda daha yakın, daha yoğun, daha sert hücum etmeleri emrini verdi.

Artık Boğaz'ı yarıp geçmeliydiler!

Çok olmuştu bu Türkler!

Birleşik Donanma bütün toplarını konuşturarak son gücüyle hücuma geçti. Kıyamet herhalde böyle bir şey olmalıydı.

Batan ikinci zırhlı: Irresistible

Boğaz, toprağı, havası ve denizi ile cayır cayır yanıyordu.

Ocean adlı zırhlı bir yandan tabya ve bataryalara ateş kusmakta, bir yandan da onların ateşlerinden korunmak için Erenköy körfezinde dans etmekteydi. Denizcilikten anlayanların övgüyle izleyeceği bir ustalık gösterisiydi bu.

Gösteri uzun sürmedi.

Ocean da Nusrat'ın mayınlarından birine dokundu.

Dans sona erdi.

Dehşetli bir patlayış sesi savaş alanını allak bullak etti. Zırhlı ağır yaralanmıştı. Kurtarmak imkansızdı.

Ocean da boşaltıldı. Denizciler disiplin içinde güvertede toplanıp gelen gemilere, torpidobotlara geçtiler.

Bu zırhlı da başıboş bırakıldı.

Bouvet batmıştı. **Irresistible** ile **Ocean** bir süre sonra batacaklardı. 5 zırhlı da yaraları nedeniyle savaş alanından ayrılmak zorunda kalmıştı. Donanma yarıya yakın kuvvetini kaybetmişti.

Bu sonuç katlanılabilir kayıp oranının çok üstündeydi. Ayrıca kaybedilmiş küçük savaş gemileri de vardı. Amiral de Robeck geri çekilme emri verdi.

Batan üçüncü zırhlı: Ocean

Saat 18.00'di.

Yenilmez armada yenilmişti.[49]

TÜRKLER armadanın yenilgiyi kabul ederek savaş alanını terk ediyor olmasına inanmakta güçlük çektiler.

Bu çok büyük, tarihin akışını etkileyecek bir sonuç, olağanüstü bir zafer demekti.

İnanmak kolay değildi.

Bir keşif uçağı geri çekilişi kesinlikle saptadı. Birleşik Donanma da artık açıkça dönüşe geçmişti.

O zaman inandılar.

Gün batıyordu.

Deniz de gök de kan kırmızıya kesmişti.

Sabah marşlar çalarak Boğaz'a giren Birleşik Donanma'nın gururlu zırhlıları, orta ve küçük savaş gemileri, torpidobotları, motorları, mayın arama-tarama gemileri —Hamilton'un deyişi ile bir cenaze korteji gibi— sessizce Çanakkale Boğazı'nı terk ediyorlardı.

Sonunda onlar da yenilginin acı tadını tatmışlardı.

Topçular şükür secdesine kapandılar.

Bu zafer yüzlerce yıllık ezikliğe, emperyalizmi yenilmez sanmaya son veriyordu. Balkan yenilgisinin, Sarıkamış felaketinin, Süveyş fiyaskosunun cesaret kırıcı etkilerini silecekti.

Emperyalistleri, parayı, çeliği, makineyi, barutu, kader sanılan zavallılığı, aşağılık duygusunu, Avrupa önünde emireri gibi durma alışkanlığını yenmişlerdi.

Bu zafer daha büyük, zorlu direnişlerin, atılımların mayası olacaktı. Yurseverler mutlu bir Türkiye yaratmak için kimi ciddi, kimi çocuksu, hepsi sevgi ürünü tasarılar düşünecek, hayallere dalacak, reçeteler yazacaklardı.

Müstahkem Mevkide, tabya ve bataryalarda, bir Türk geleneği olarak herkes komutanını kutladı. Rütbelerine göre komutanı kucaklıyor ya da elini öpüyorlardı. Şamatasız, ağırbaşlı, soylu bir kutlamaydı.

Sonuç İstanbul'a bildirildi.

Yaralılar hastanelere kaldırıldı, şehitler vatana eklendi.

Bu akşam asker zafer yemeği yiyecekti: Etli kuru fasulye, bulgur pilavı, un helvası. Başta Edremitli Seyit olmak üzere dileyene dilediği kadar da ekmek.

Bu sevince, bir çıkarma olasılığına karşı alarmda beklemiş olan 4 tümen de katıldı.[50] Düşmanı karaya çıkarken kahredecek olan kıyı birlikleri ellerini akşama kadar tetikten çekmemişlerdi.

Sonra, ertesi gün için hazırlanılacak, sabaha kadar çalışılarak tabyalar, bataryalar derlenecek, yıkıntılar temizlenecek, toplar elden geçirilecek, sakatlananlar onarılacak, mayın hatları denetlenecek, eksik mayınlar tamamlanacaktı.

Sabah herkes yeni bir savaşa hazır olacaktı.

SON DAKİKAYA kadar kuşku içinde bekleyen İstanbul'da, sonucu bildiren telgraf üzerine kıyamet koptu.

Sadrazam Sait Halim Paşa bile o kadar düşkün olduğu protokolü unutup herkesle sarmaş dolaş oldu. Başkomutanlıkta da Bronsard Paşa, sonra da şube şefi Almanlar Enver Paşa'yı kutladılar. Şaşkın bir sevinç içindeydiler.

Zafer kulaktan kulağa yayıldı.

Halk sokaklara döküldü. Evler, dükkânlar bayraklarla donatıldı. Minarelerin kandilleri yakıldı. Süleymaniye camisinin yaşlı mahyacısı çıraklarıyla geldi, düşündüğü cümleyi iki minare arasına kandillerle yazıp yatsı namazına yetiştirdi:

"Çanakkale geçilmez"

Bu kısacık cümle yıldırım hızıyla dört bir yana yayılıp benimsenecek, milli bir parola olacaktı.

Birçok İstanbullu motorlara, sandallara doluşup marşlar, şarkılar söyleyerek Boğaz'ı gezmeye çıktı. Günlerdir azap içinde yaşayan binlerce erkeği işinden evine taşıyan Boğaz vapurları bayram yerine döndü. Ada vapurundaki şamatacı Rumların bile sesi kesildi.

Aylı yıldızlı bir İstanbul gecesi başlamıştı. Boğaziçi ışıltılar içindeydi. Deniz de bu sevinci paylaşıyor gibiydi.

Orhan'ı cumbaya oturttular. Hepsi gözleri dolu dolu Boğaz'ı seyrettiler. Sözün gereksiz olduğu çok özel bir saatti.

Büyükdere'de Nesrin odasına kaçmış, rahat rahat sevinç gözyaşları döküyordu. Saldırının başladığı haberi okula öğleyin gelmiş, akılları Çanakkale'de kalmıştı. Sonucu eve döndükten sonra dayısının telefonuyla öğrenmiş, sevinçten delirmişti. Paşababası da delirmişti. Ama onu İngilizlerin yenilmesi delirtmişti. Çanakkale'yi geçip İstanbul'a gelmelerini, İttihatçıları iktidardan atmalarını istiyordu. Sonrası kolaydı. Onun gözünde İngiltere dünyanın efendisiydi. Ona karşı gelinemezdi. Hürriyet ve İtilaf Partisi'nin birçok üyesi de Nesrin'in paşababası gibi düşünüyordu. İngiltere'nin uzun zamandır Osmanlı Devleti'ni parçalamak, Türkleri ezmek için durmaksızın çalıştığını bildikleri halde İngiliz bağımlılığından cayamıyorlardı. Bağımsız, onurlu bir devlet olmanın zevkini hiç tanımıyor, anlamıyor, tatmak da istemiyorlardı.

Nesrin'in dayısı Teğmen Vedat ve birkaç arkadaşı, bu akşam evlere dağılmadılar, üniformalarını çıkarmadan, Tokatlayan'a gittiler. Büyük yemek salonunda, göze çarpan bir masaya oturdular, bol meze ve rakı istediler. Levantenlerin, İstanbul'da kalmış İngiliz ve Fransızların öfkeli, hayal kırıklığına uğramış, kıskanç bakışları altında zaferin keyfini çıkaracaklardı.

Teğmen Faruk bu gece okulda nöbetçiydi. Nöbetçi subayların odası Boğaz'ı görüyordu. Yorgun İstanbulluların, zafer şerefine bütün ışıklarını yakmış olan Boğaz vapurlarından taşan mutlulukları nöbetçi subayları duygulandırdı.

Binbaşı içini çekti:

"Türkler sevinmek için neden hep bu kadar ağır bedel ödemek zorundadır?"

Birleşik Donanma'nın zaferini bekleyen Ermeniler ve Rumlar hazırladıkları bayrakları sandıklara kaldırdılar.[51]

Türk zaferi, Rusları, özellikle de İstanbul'a çıkartma yapmak için Birleşik Donanma'nın Marmara'ya geçmesini ve Yavuz'u ezmesini bekleyen Odesa'daki birliğin komutanı General İstomin'i ve Çar II. Nicola'yı üzüntüye boğdu.

ABD Büyükelçisi Morgenthau ile İstanbul'a gelmelerini beklediği kibar İngiliz amiralleri için odalar hazırlamış olan eşi de çok üzüldüler. Büyükelçi daha yakında Çanakkale'ye gitmiş, her yeri gezmiş, Türk savunmasının eskiliğini, yetersizliğini kendi gözleriyle görmüştü.

"Şunlar, şu Türkler, o müthiş donanmayı nasıl yendiler?"[52]

Sinirden yüzünü kaşıya kaşıya kanattı.

Bu başarı Türkleri çok şımartacaktı.

Londra akşam gazeteleri, sonucun zaferle biteceğine o kadar güveniyorlardı ki duraksamadan Çanakkale'nin geçildiğini, donanmanın Marmara'ya girdiğini bildirdiler. Halk keyifle pup'ları dolduracak, sansür dolayısıyla yumuşatılmış gerçeği ancak ertesi gün öğrenebilecekti.

AMİRAL DE ROBECK çok sinirliydi. Amiral Carden'i hasta eden olasılık kendi komutanlığı sırasında gerçekleşmişti.

Yenilmişlerdi.

Carden'in korktuğu ne varsa hepsi başına gelmişti. Üç zırhlı batmıştı, beş zırhlı ağır yaralıydı, bine yakın denizci kaybedilmişti. Donanma çökmüştü.

Nasıl olmuştu bu?

Eski İngilizlerin saygıyla andıkları 'Koca Türk' geri mi dönmüştü?

Ne olmuştu?

Albay Keyes "yenilmedik, çekildik" diyordu. İyimserliğini koruyor, cephane getirtip birkaç gün içinde yeniden saldırmayı öneriyordu. Bu kez Boğaz'ın kesinlikle geçileceğine inanmaktaydı.

Hareketsiz kalıp yenilgiyi kabullenmek doğru olmazdı, olmayacaktı.

Kral, Lordlar Kamarası, Avam Kamarası, Başbakan, hükümet, Savaş Kurulu, Churchill, Lord Ficher, Lord Kitchener, basın, kamuoyu, hiçbiri, hiç kimse bu yenilgiyi bağışlamazdı. İmparatorluk Hindistan'ta saygınlığını, Yakın Doğu'da etkisini yitirirdi.

Çabuk bir zafer şarttı.

Amiral de Robeck gereken hazırlığı yaparak yeniden saldırmaya karar verdi.

BU SAATTE General Hamilton da Lord Kitchener'e günün raporunu yazmaktaydı. Donanmanın sefil bir halde Boğaz'ı terk edişini, en sağlam gemilerin bile yara bere içinde olduklarını görmüş, içi sızlamıştı.

Dar, uzun bir su yolu, karadaki topların tehdidi altında, yalnız donanmanın zorlamasıyla geçilemezdi.

Deniz ve kara işbirliğine gerek vardı.

Birleşik Ordu kara yoluyla Geçit'e varır, oradaki tabyaları ele geçirir, susturur, Boğaz'ı ve İstanbul yolunu donanmaya açardı. Orgeneral Hamilton bunu başaracağına güveniyordu.

19 MART sabahı İstanbul'da zafer şenlikleri yeniden başladı. Birbirlerini tanımayanlar bile selamlaşıyor, konuşuyor, ayrılırken kucaklaşıp öpüşüyorlardı.

Zafer haberi dün akşam şimşek gibi çakmıştı. Bugün neler olduğu hakkında geniş bilgi gelmeye başladı. Zaferin büyüklüğü daha iyi anlaşıldı.

Birçok insanın duruşu, yürüyüşü, bakışı değişti.

Bu sevinç, eğer sürerse, cemaat, aşiret, kabile, boy, soy, bölge, tarikat, mezhep halinde parça parça, bölük pörçük yaşayan Anadolu halkını birleştirecek, yurt kardeşi, millet yapacaktı.

Özlenen, hak edilen dirliği bu güzel birlik sağlardı.

Üçüncü Bölüm

Hazırlık
20 Mart 1915-24 Nisan 1915

20 MART günü hava kapalı ve rüzgârlıydı. Ertesi gün de kötü gitti. Donanma Mondros ve Bozcaada'da sıkışıp kaldı.

Felaketin büyüklüğünü, düşündükçe kavrıyorlardı.

Yenilmişlerdi.

Boğaz'ı, önemsemedikleri Koca Türk'e bırakıp çekilmişlerdi. Donanma yenilginin nedenlerini saptamakta bile güçlük çekmekteydi: Topçular mı, mayın hatları mı, akıntıya bırakılan serseri mayınlar mı, kıyıdaki torpil yuvaları mı?

Londra da sonuca inanmakta zorlanıyordu.

Churchill çok ağır bir yara almıştı.

Darbe o kadar şiddetliydi ki kimsede olaylara yön verecek bir güç ve heves bırakmamıştı.

TÜRKLER 18 Martın kazandırdığı büyük bir özgüven içinde, geleceği kestirmeye çalışıyorlardı.

İki olasılık görünüyordu:

Boğaz'ı ya yeniden donanma ile zorlayacak ya da donanma ve ordu işbirliği ile geçmeye çalışacaklardı.

3. Kolorduya ve Müstahkem Mevkiye bağlı bütün birlikler her iki olasılığa göre hazır, bekliyorlardı.

GAZETE satışlarında hiç rastlanmamış bir artış yaşanmakta, sabah ve akşam gazeteleri kapış kapış satılmaktaydı.

Kahvelerde meraklılar, okuma yazma bilenlere, çevrelerinde toplanarak Çanakkale haberlerini, yazılarını yüksek sesle okusun diye yalvarıyorlardı.

18 Marta ilişkin bazı ayrıntılar öğrenilmeye başlandı. 275 kiloluk mermiyi kaldıran Seyit'in fotoğrafı ilk kez gazetelerde yer aldı. Dardanos bataryasının şehit subayları tanıtıldı. Bu resimler çerçeveletilip duvarlara asıldı. Topçulara armağan olarak binlerce paket sigara yollandı.

Gerçek bilgiler halk muhayyilesini doyurmuyordu. Kaç yılın zafer açlığı vardı. Olayları süslemeye başladılar:

"İki batarya birbiriyle iddiaya girmiş, kim İngiliz komutanın direkteki forsunu vurup da indirecek diye. Fors dediğin el kadar bir şey. İkisi aynı anda vurup forsu duman etmişler. İngiliz komutan 'bunlar topla kırlangıç bile avlarlar, en iyisi buradan kaçmak' demiş, donanmasını toplayıp gitmiş."

"Güle güle!"

"Mecidiye tabyasında çok eski iki top varmış. Gece oldu mu bunların eski mürettebatı gelir talim yapar, gönül kulağı açık olanlar seslerini duyarlarmış. 18 Mart günü bu toplar da savaşa katılmış. Bunların ne mermisi bitiyor ne hedefini şaşırıyor. O koca donanma nasıl yenildi sanırsın?"

"İşte böyle, Allah'ın lütfuyla."

Buna benzer öyküler bir gün sonra unutuluyor, yerlerini yeniler alıyordu.

Dilber'in babasının Üsküdar çarşısında küçük bir baharatçı dükkânı vardı. Eve gelince elini yüzünü yıkayıp hemen Orhan'ın yanına çıkıyor, akşama kadar dükkândan dükkâna yayılan bu tür halk süslemelerini keyifle anlatıyordu.

Bu yakıştırmalar Orhan'ı çok mutlu etmekteydi.

Hayalinin uyanması halkın canlandığını gösteriyordu.

BU KENETLENME, coşku, hele bilinçlenme Almanları rahatsız etmeye başlamıştı. Emperyalizme, sömürüye karşı uyanma, dayanışma, birlik, yurtseverlik, hele tam bağımsızlık hevesi, Türkiye için düşündükleri gelecek için çok tehlikeliydi. Türkiye'yi İngilizlerin Mısır'ı kullanıp sömürdüğü gibi kullanıp sömürmeyi düşünüyorlardı. Dost, silah arkadaşı Almanya'nın Türkiye hakkındaki niyeti buydu.[1]

Büyüyen milli duygunun ve gururun hızını kesmek, özgüveni sarsmak için şimdilik el altından bu zaferin Almanlar sayesinde kazanıldığını yaymayı planladılar. Bu iddiayı ilerde yazıya da dökeceklerdi.

Türkiye'nin önünde açık düşman olarak İngilizler, Fransızlar ve Ruslar vardı, arkasında ise gizli tehlike Almanya.

Türkiye örsle çekiç arasındaydı.

Ya ezilip gidecek ya çelikleşecekti.

ASTEĞMEN MUCİP (Kemalyeri) ile bir takımın komutanlığına atanan subay adayı Medeni, çabucak ısınıp kaynaştılar. İkisi de on dokuz yaşındaydı.

Zafer ikisini de mest etmişti.

Mucip dedi ki:

"Ne düşündüm biliyor musun bütün gece? Demek ki biz istesek başka, büyük, yararlı, güzel şeyler yapmayı da başarabiliriz. Söz gelimi ilkellikten, cahillikten, gerilikten, yoksulluktan, hurafecilikten, yobazlıktan, kadını hor görmekten, yabancıya tapmaktan kurtulabiliriz. Biz de ilaç ve silah fabrikaları kurabiliriz."

"Nasıl?"

"Bizim kuşağımıza düşen görev işte bu 'nasıl?' sorusunun yanıtını bulmak. Sana bir kitap vereyim de oku."

"Ver!"

Kitabı uzattı:

"Bu Celal Nuri Bey (İleri) adlı bir gazetecinin kitabı. Adı Tarih-i Tedenniyat-ı Osmaniye (Osmanlının Gerileme Tarihi). 'Gidecek başka yer yok, burayı adam edelim' diyor. Nasıl sorusuna yanıt arıyor. Birçok öneride bulunuyor. İkisini söyleyeyim: Latin harflerinin kabulü, aile hayatının kadın ve erkek eşitliğini esas alacak modern bir yasa ile düzenlenmesi."[1a]

Medeni'nin ağzı açık kaldı.

Olabilir miydi bu?

Bu geri, ilkel durumdan yararlananlar, devletin ve milletin uygarlaşmasına, uyanmasına, kadın-erkek eşitliğine izin verirler miydi?

Birleşik Donanma'yı yenmekten daha zordu bu.

22 MART Pazertesi günü saat 10.00'da Queen Elizabeth'te bir toplantı yapıldı.

Amiral de Robeck'in ikinci saldırı kararını ve tarihini açıklayacağı sanılıyordu.

Bu bakımdan toplantı büyük önem taşıyordu.

Toplantıya Üs Komutanı Amiral Wemyss, General Hamilton, Hamilton'un Kurmay Başkanı General Braithwaite ve Kurmay Albay Pollen katıldı. İlerde çok ünlenecek olan Anzak Kolordusu Komutanı General Birdwood da gelmişti.

Donanmadan kimse yoktu.

Amiral de Robeck'in yüzü o felaketlerle dolu günün yorgunluğunu taşıyordu. Ama bir karara varmış insanların sakinliği içindeydi.

"Gemilerimizi kaybetmiş olmaktan dolayı üzgünüm, onları hatırladıkça kalbim sızlıyor.." dedi, uzunca bir sessizlikten sonra, kararını açıkladı:

"..Üç gündür her olasılığı düşündüm. Kara birliklerinin desteği olmadan yalnız donanmanın Çanakkale Boğazı'nı aşamayacağına kesin kanaat getirdim."

Karar saldırıdan yana olan Amiral Wemyss'i çok şaşırttı. Keyes duyunca delirecekti herhalde.

Bu açıklamadan sonra tartışmayı gerektirecek bir sorun kalmadı. Birlikte hareket edilecekti. Kısacası donanmanın desteğinde bir çıkarma yapılacaktı. Amaç donanmaya yol vermeyen Geçit'teki tabyaları kara kuvvetleriyle ele geçirmekti. Bunu sağlamak için nereye çıkılmalıydı? Coğrafya bu konuda ne diyordu?

Haritalar açıldı.[2]

Tarihte benzeri bulunmayan bir yeni savaşı kurgulamaya koyuldular. Verecekleri her karar on binlerce gencin hayatını ilgilendirecekti. Ama bir iskambil oyununa hazırlanıyor gibi soğukkanlıydılar.

HARBİYE NEZARETİ Ordu Dairesi Müdür Yardımcısı Yarbay Behiç Erkin, Harekât Şubesi Müdürü Yarbay İsmet İnönü'nün odasına baktı, yalnız olduğunu görünce girdi.

Her zaman ciddi, ağırbaşlı, kararlı bir adamdı. Bugün yüz çizgileri daha da keskinleşmiş gibiydi.

"Çanakkale için ne düşünülüyor? Orayı güçlendirmemiz gerek. İstanbul ve çevresinde birçok iyi tümeniniz var. Ama bu konuda bize bir emir gelmedi. Şimdi önlem almazsak ilerde sıkışabiliriz. Ne oluyor?"

Birliklerin durumunu iyi biliyordu. Çünkü çalıştığı dairenin görev konusu birliklerdi. İsmet Bey kırgın, huzursuz bir sesle yanıtladı:

Yarbay Behiç Bey

"Bize bir şey söylenmiyor, sorulmuyor. Çanakkale için yeni bir ordu kurulması düşünülüyor galiba. Bu konuda Alman Büyükelçiliği, Amiral Souchon, Liman Paşa devrede. Bu hava içinde Enver Paşa'nın bu yeni orduya bir Alman komutan atayacağını sanıyorum."

Behiç Bey üzülerek baktı:

"Alman Çanakkale'ye Almanya'nın güvenliği ile yakından ilgili bir savaş alanı diye bakar, Türk ise vatanım diye. Arada dünya kadar fark var."[3]

HAVA KEŞİFLERİ çok önem kazanmıştı.

6 uçak taşıyabilen bir uçak gemisi yeterli değildi artık. Bozcaada'da Yarbay Samson komutasında 18 uçaktan oluşan bir İngiliz-Fransız karma hava birliği kuruldu.

Uçakların sayısı daha da artacak, yeni bir uçak gemisi ve bir de balon gemisi gelecekti. Uçaklarla yer arasında iletişimi sağlamak için laboratuarlar, üniversitelerin teknoloji bölümleri, firmaların araştırma birimleri sürekli araştırma yapıyorlardı.[4]

Buna karşılık Başkomutanlık Çanakkale'ye yeni uçak bile yollayamadı, çünkü yoktu. Var olan üç uçak 'hava bölüğü' diye adlandırıldı, komutanlığına bir Alman teğmen getirildi. Deniz Yüzbaşı Hüseyin de gözlemci olarak görevlendirildi.

Keşif uçuşları başladı.

İki yanın hava kuvvetleri arasındaki büyük fark, savaş sonuna kadar kapatılamayacaktır.

İZZETTİN BEY'İ Eceabat iskelesinde M. Kemal'in emir subayı Teğmen Kâzım karşıladı. Ayrılan küçük eve götürdü. Binbaşı tıraş oldu. Komutan her gün mutlaka tıraş olur, bütün subaylarını da öyle isterdi. Üç gündür yoldaydı. Kendine çeki düzen verdikten sonra karargâha gitti. M. Kemal İzzettin Bey'i görünce pek sevindi:

"Hoşgeldin."

"Hoşbulduk efendim."

Oturdular.

M. Kemal yapılması gerekli işleri ve çözüm bekleyen sorunları saydı, "En önemli sorunumuz.." dedi, "..Tümenin bütün tüfekleri eski model. Bunların değişmeleri kesin şart. Bu işin amansız takipçisi ol."

"Başüstüne!"

Zaman hızlı akıyordu. İzzettin Bey kahvesini içer içmez işe girişti. Saygılı, dikkatli, ayrıntıları atlamayan bir çalışma yöntemi vardı.

CEMAL PAŞA'NIN çalışma yöntemi ise, Cemalpaşaca bir yöntemdi.

4. Ordu ikinci Süveyş seferine hazırlanıyordu. Enver ve Cemal Paşaların Mısır hayalleri sürmekteydi. Birinci seferden çok ders alınmıştı. Şimdi Sina çölünü geçmek için kara ve demiryolu yaptırılıyor, kuyular, havuzlar açılıyor, mola yerleri hazırlanıyordu. Almanlardan borç olarak alınan onbirce altın Mısır'ın yeni fethi için harcanıyordu. Anadolu'nun payına bir altın bile düşmeyecekti.

Bir yol yapılacağı zaman uzunluğu dikkate alınarak uygun bir bitiş günü saptanıyor, bu iş için bir mühendis yazıyla görevlendiriliyor, görev yazısının altına Cemal Paşa şu notu ekliyordu:

"Bitmesi gereken tarihte yolu otomobille denetleyecegim. Otomobil yürüyemez de nerede durursa, yolun yapımıyla görevli mühendis oraya gömülecektir."[5]

Korkutma yöntemini idamlar izleyecekti.

Suriye ve Filistin'de Cemal Paşa'nın ünü hızla yayılıyor, Osmanlının azalmakta olan saygınlığı aynı hızla tükeniyordu.

MISIR'DA Avustralyalı ve Yeni Zelandalı birliklerin yanında,[5a] Hintliler, Gurkalar, Sihler, Seylanlılar da vardı. Yeni Zelanda birliğinde Yeni Zelanda'nın yerlisi Maoriler de yer alıyordu. Bunlara İngiltere'den gelen iyi eğitilmiş, örnek birlikler de katılmaya başladı.

İngiliz propaganda makinesi bu genç insanları Çanakkale'ye hazırlamak için harekete geçti. İngiltere'nin komşusu bile olmayan Türkiye'ye saldırılacaktı. Türklerden nefret etmeleri için birçok olumsuz, küçültücü, aşağılayıcı söylenti, olay, fıkra yarattılar, kulaktan kulağa yaydılar:

ABDUL.

Korkak Abdul

"Türkler uygarlıktan uzak, öldürülmeyi hak eden, Hıristiyanlığın düşmanı, Avrupa'dan kovulması gereken, ilkel bir millet! Unutmayın, esir olanları öldürüyorlar!"

Anzaklar ne bu savaşın nedenlerini biliyorlardı, ne Türkiye'yi, ne de Türkleri. Kimi macera, kimi para, kimi eski vatan İngiltere'ye hizmet diye gönüllü gelmiş, uçarı gençlerdi. Söylenenlere inandılar. Anzakların gözünde Mısırlı fellahlara benzeyen, şişman, fesli, entarili, çıplak ayaklı, aptal suratlı, sinsi, barbar bir Türk imajı oluşmaya başladı. Bu Türk'e bir de ad verdiler:

"Korkak Abdul"

Mısır'a en son Fransızlar ile sömürgelerinin askerleri sökün etti. Fransızlar Müslüman Tunusluları, Cezayirlileri, Senegallileri, Müslüman Türklerle savaşmaya getirmişlerdi.

Tarihin en büyük çıkarma hareketi için çok yoğun bir eğitim başladı.

KIZILAY'IN açtığı hemşirelik kursu başarıyla sürmekteydi.

Kursta yaşça, eğitimce, gelirce farklı hanımlar vardı. Topluma bir katkıda bulunmak, varlıklarına bir anlam kazandırmak isteği hoş bir birliktelik yaratmıştı. Bu kursa katılmak elbette kolay olmamamıştı. Aile evet dese bile, yakın çevre ya yadırgamış, ya karşı çıkmıştı.

"Neeeee? Yabancı bir erkeğe dokunacaksınız ha?"

Cesareti kırılarak kursu bırakanlar çok olmuştu. Direnip bırakmayanlar da az değildi. Dersler peçesiz yapılıyor, uygulamalar sırasında beyaz gömlek giyiliyor, beyaz başörtüsü takılıyordu.

Kısa süreli kurslarla da hanım hastabakıcılar yetiştiriliyordu.

Hemşireliğin önemini, yararını kavradıkça huzur buluyor, rahatlıyorlardı. Hür kadınlığın yolunu açtıklarının da farkındaydılar.

ÇANAKKALE konusunda iyice gecikmiş olan Enver Paşa 24 Mart günü, öğleden sonra Liman Paşa'yı ziyarete geldi.

Oturdular.

Enver Paşa konuyu açtı.

Çanakkale için bir ordu kurulmasını kabul etmişti. Bu ordunun hızla faaliyete geçmesini ve Çanakkale savunmasını üstlenmesini istiyordu. Liman Paşa acaba bu yeni ordunun komutanlığını kabul eder miydi?

Görev olağanüstü önemliydi. Tarih önünde çok büyük bir sorumluluktu. Osmanlı Devleti'nin varlığıyla ilgiliydi. Liman Paşa bu büyük öneriyi, hiç düşünmeden kabul etti:

"Memnuniyetle. 1. Orduyu kime devredeceğimi belirleyin, yarın Gelibolu'ya hareket edeyim. Çünkü kaybedecek vakit yok. Çanakkale çevresindeki birliklerin yeterli olmadığını düşünüyorum. Takviye etmenizi rica edeceğim."

Geleceği çok etkileyecek olan konuşma bu kadar kısa ve böyle sade geçmişti.[6]

Liman Paşa ertesi günü 1. Ordu Komutanlığını yine bir Almana, General von der Golz'a devretti. Kızları İstanbul'daydı. Onlarla vedalaştı.

Akşam deniz yoluyla Gelibolu'ya hareket etti.

Yanına 1. Ordudaki Kurmay Başkanı Yarbay Kâzım İnanç ile iki yaverini, Süvari Binbaşı (Alman rütbesi yüzbaşı) Mühlmann ve yine Süvari Binbaşı (yüzbaşı) Prigge'yi almıştı. Karargâh kadrosu birkaç gün sonra yola çıkacaktı.

Kamarasına kapanıp haritaları açtı.

Müttefikler Çanakkale'yi geçip İstanbul'a girerlerse, Alman ve Avusturya cephesini güneyden kuşatır, Balkan devletlerini kendi yanlarına çeker, Rusya'yı iyice canlandırır ve savaşı kazanırlardı.

Tanrı korusun!

Almanya'nın yüksek çıkarı için İngiliz ve Fransız donanmasını ve kara ordusunu durdurmak gerekiyordu. Sarıkamış'ta, Süveyş'te yenilen Türk ordusuna güvenmek zordu. Donanmanın yoğun ateşine ne toprak siperler dayanabilirdi, ne de Türk askeri. Ordunun elinde yeterli sayıda ağır makineli tüfek, top ve top mermisi yoktu. Kıyıları çıkılması zor hale getirmek için gerekli olan kara mayını ve tel örgü de yoktu. Ama düşmanı durdurmalıydı.

Bunu nasıl başarabilirdi?

Düşmanın nereye, nerelere çıkarma yapacağını da doğru kestirmek gerekiyordu.

Bütün gece harita başında kalarak bu iki soruya yanıt aradı.

LİMAN PAŞA'NIN ordu komutanlığına atandığı gündüz bildirilmişti. Bu atama 3. Kolordu Karargâhındakilerin hiçbirini memnun etmemişti.

"Eyvah!"

Paşa'yı yakından, uzaktan, ününden biliyorlardı: Astına söz hakkı tanımayan, danışmayı küçüklük sayan, kaba, itiraza gelmeyen, ırkçı bir Prusyalı.

Bu gelişme yalnız Esat Paşa'yı sevindirmişti:

"Koca mareşal, Reform Kurulu Başkanı, Alman İmparatorunun en güvendiği adam. Daha ne olsun? Ayıp etmeyin!"

Bir komutana itiraz etmek zaten Esat Paşa'nın aklının almayacağı bir şeydi. Hele komutan bir mareşal ise Esat Paşa büsbütün itaatli olacaktı.

Kurmayları bu ürkütüyordu işte.

Çanakkale savunma düzeni hakkında ciddi bir bilgisi yoktu. Bu yetersiz bilgi ile savunma anlayışını ve düzenini değiştirmek isterse buna itiraz etmek gerekecekti. Çünkü Türklerin kurduğu bir düzeni ilke olarak beğenmeyip yerine yeni bir düzen kurmak Almanların değişmez tutumuydu. Hatta bir Alman, kendinden önceki Almanın yaptığını da değiştirmeden rahat edemiyordu.

Esat Paşa mutlak itaate dayalı askerlik anlayışıyla itiraza izin vermezse, ne yapacaklardı?

Çanakkale anavatanın kapısıydı.

26. ALAYIN 3. Tabur Komutanı Binbaşı Mahmut Sabri Bey taburun imamı Abdülkadir Efendi'yi çağırdı.

Efendi sevilen, sayılan bir din adamıydı. Askeri kurallara titizlikle uyar, bilmediği konularda susmayı bilirdi. Binbaşıyı saygıyla selamladı. Oturdular.

"Abdülkadir Efendi, bugün 10. Bölük askerlerine yaptığın konuşmayı dinledim. Çok güzel bir konuşmaydı. Savaşta Allah'ın Türk askerini esirgeyeceğini söyledin. İyi ettin. Askerimiz buna inanır. Ben de inanırım. Bu inanış bize büyük bir güç, sabır ve gözüpeklik verir. Ölümden korkmayız. Ama eksik konuştun. Allah Türk askerini esirger ama hepsini değil. Bunu söylemedin. Haini, gafili, yalancıyı, tembeli, kaçağı, bölücüyü, suçluyu, bozguncuyu, fesatçıyı, bencili de esirger mi?"

Abdülkadir Efendi hiç düşünmedi:

"Esirgemez elbette."

"Esirgemez ya. Bunları olsa olsa şeytan esirger.."

Gülüştüler.

"..Yüce Allah herhalde çalışkan, yurtsever, namuslu askeri, böyle askerlerden kurulu bir orduyu korur. Hiç çalışmadan, çabalamadan, sırf iman gücü ve dua yardımıyla savaş kazanılmaz. Kazanılsaydı, yüzyıldır yenile yenile başımız dönmezdi. Çalışmak, öğrenmek, zamanın şartlarını dikkate almak, kafayı da, silahları da yenilemek gerek. Kısacası kazanmak için çalışmak ve Allah'ın yardımını, esirgemesini, korumasını hak etmek gerek. Bunu söyle."

"Başüstüne."

26 MART sabahı Liman Paşa Gelibolu'ya geldi.

Kolordu Komutanı Esat Paşa, karargâh mensupları, Müstahkem Mevki Komutanı Cevat Paşa, karargâhı Gelibolu'da bulunan 7. Tümen Komutanı ile Gelibolu Mutasarrıfı karşıladılar.[7]

Komutan için eski Fransız konsolosunun evi hazırlanmış, ordu karargâhı için de büyükçe bir ev bulunmuştu.

Komutan karşılayıcılara teşekkür etti, dinlenmek istediğini söyleyerek kendisi için hazırlanmış eve kapandı.

Bir süre birlikte olacaklarını ümit edenler hayal kırıklığına uğradılar. Fakat bir olay kurmayları sevindirdi: Kâzım Bey'in Ordu Kurmay Başkanı olarak gelmesi. Orduda 'Diyarbakırlı' diye tanınan, Enver Paşa'nın sınıf arkadaşı, dil bilir, şakacı, nazik bir subaydı. Üstün bir kurmay değildi ama Liman Paşa gibi zor bir adamı idare edebilmesi iyi bir diplomat olduğunu gösteriyordu.

Bir yanlışlık olursa onun yardımıyla düzeltilebilirdi.

5. ORDU KOMUTANI Liman Paşa, o gün, evden çıkmadan, hiçbir yetkiliyle görüşmeden, son durumu görüp incelemeden, savunma anlayışının gerekçelerini öğrenmeden, Çanakkale'nin geleceğini belirleyen uzun bir rapor yazdı, akşam üstü şifreletti ve Enver Paşa'ya telgrafla gönderdi.[8]

3. Kolordu kurmaylarının korktuğu oluyordu.

Ordu Komutanı Türk komutan ve kurmaylarının bütün olasılıkları dikkate alarak hazırladıkları ve aylardır uygulayageldikleri düzeni bütünüyle altüst edecek yeni bir düzen kurmayı tasarlamış, Başkomutanlığa bu yeni düzeni önermişti.

BU ÖNERİYİ aldığı zaman Enver Paşa Edirne'deydi. İstanbul'a döndü.

Hemen yanıt vermesi gerekti. Ama araya yanıtı geciktirecek büyük bir sorun girdi: Amiral Eberhard komutasındaki Rus Karadeniz Donanması 28 Mart günü İstanbul Boğazı açığında göründü, yayılıp savaş düzeni aldı. Bu hareketi Türklerin dikkatini İstanbul Boğazı'na çekmek için General Hamilton istemişti.[9]

Filo sinir bozucu biçimde iki gün kımıldamadan bekledi. Yavuz Boğaz'dan çıksa kaçacaklardı. Ama Amiral Souchon bir türlü karar verip de Yavuz'u harekete geçirememişti.

Bu suskunluk Rus donanmasına cesaret verdi. Üçüncü gün (30 Mart) Boğaz ağzındaki tabyaları yoğun bir biçimde bombaladı.

İstanbulluların yürekleri ağızlarına gelmişti. Daha Çanakkale zaferinin tadını çıkarmadan bu kez de İstanbul Boğazı savaşı mı başlıyordu?

O güçlü Yavuz nerdeydi?

Nihayet Yavuz ve bazı Türk savaş gemileri Boğaz'dan dışarı çıktılar. Rus filosu çekip gitmişti.[10]

Enver Paşa rahatladı.

Şimdi Liman Paşa'ya verilecek yanıta sıra gelmişti.

Bu süre içinde Liman Paşa düşüncelerini Başkomutanın yanıtını beklemeden, uygulamaya koymuştu bile.

LİMAN PAŞA ilk olarak Saros'a gitmiş, savunma düzenini gözden geçirmişti.

En tehlikeli bulduğu yer orasıydı.

31 Mart Çarşamba günü yaverleri, Esat Paşa ve kolordudan bir kurmay ile Eceabat'a geldi.

Gelecekleri 9. ve 19. Tümen Komutanlarına bildirilmişti. 9. Tümen Komutanı Albay Halil Sami Bey ve 19. Tümen Komutanı Yarbay M. Kemal komutanları iskelede karşıladılar.

Liman Paşa'nın M. Kemal'e soğuk davranması, Esat Paşa'yı şaşırttı ama nedenini soramadı. M. Kemal bu tavrı çok doğal bulmuştu. Almanlara güvensizliğini açıklamış birine Liman Paşa'nın dostça davranması beklenemezdi.

Gelenler için güzel atlar hazırlanmıştı.

Önce Kabatepe'ye, sonra Alçıtepe'ye gidilecekti.[11] Ordu Komutanı daha kararını açıklamadığı için olası savaş alanlarına duyduğu bu ilgi büyük memnunluk uyandırmıştı. Araziyi ve savunma düzenlerini görerek ve ilgili komutanları dinleyerek bir değerlendirme yapacağı sanıldı.

Yanıldıklarını Kabatepe'de anlayacaklardı.

Kabatepe'nin güneyi ve kuzeyi çıkarma yapılması olasılığı en yüksek olan iki yerdi. Bu kesimden 27. Alay sorumluydu. Komutanları, 27. Alay Komutanı Yarbay Şefik Bey ile Kabatepe'den sorumlu 3. Tabur Komutanı Yüzbaşı Halis Bey karşıladılar.

Kabatepe'nin kuzeyi de güneyi de iyi berkitilmişti. Savunma düzeni, düşmanı, en zayıf olduğu anda, yani karaya çıkarken imha etmek esası üzerine kurulmuştu. Alayın büyük kısmı bu nedenle kıyıya ve kıyı yakınına yerleştirilmişti. Üçte biri çabuk yetişebileceği uygun bir uzaklıkta, yedekteydi (Kocadere köyünde). Ağır makineli tüfekler, nordanfieldler[12] gizli, sağlam yuvalara, yerlere yerleştirilmişti. Eldeki az tel örgü de iyi değerlendirilmişti.

Esat Paşa burayı ilk kez görüyordu. Mareşalin yanında izinsiz düşünce belirtmek gibi bir saygısızlık yapmamak için susuyordu ama çok beğendiği yüzünden belli oluyordu. Albay Halil Sami Bey temiz kalpli, duyarlı, onuruna çok düşkün bir komutandı. Liman Paşa'dan övgü geleceğini sanarak saygıyla beklemekteydi.

Liman Paşa verilen bilgileri yarım kulak dinliyor, gözleriyle çevreyi tarıyordu. Sıkıldığı belliydi. Sonunda patladı:

"Hayır! Bunlar bütünüyle yanlış! Ordumuzun savunmak zorunda olduğu kıyıların uzunluğu 120 km. Bu uzunlukta bir kıyı, birlikleri böyle yan yana dizerek, parmaklık düzeni kurularak savunulamaz. Eldeki birlik sayısı buna yetmez. Ayrıca düşman donanmasının yoğun ateşi altında asker asla tutunamaz. Bombardımandan sonra savaşa devam edecek cesareti de kalmaz. Daha savaş başlamadan çok büyük kayıp veririz. Onun için bu düzen tümüyle değişecek. Kıyıda gözcü postaları, küçük güvenlik birlikleri bırakılacak, büyük kısım geriye alınacak, donanma ateşinin erişemeyeceği kadar uzağa. Geride toplanan kuvvet, düşman karaya çıktıktan sonra harekete geçecek. Düşman süngü hücumuyla denize dökülecek."

Albay Halil Sami Bey çok düşünülerek gerçekleştirilmiş olan savunma ve yerleşim düzenini korumak istedi:

"Efendim, çok haklısınız. Bütün kıyılar elbette böyle korunamaz. Ünlü kuraldır, her yeri örtmeye kalkan hiçbir yeri örtemez. Ama her kıyı tehlikeli değil. Kimine çıkarma yapmak imkânsız, kimine çıkarma yapmanın bir yararı yok. Biz ancak, çıkarma yapılma olasılığı yüksek ve tehlikeli kesimleri böyle koruyoruz. Asker sayımız bunun için yeterli. Donanma ateşinin erişemeyeceği uzaklık ancak 3-4 saatte aşılabilecek bir uzaklık demektir. Kıyıya çıkan birlik iyice bir birlik ise, 3-4 saat içinde sağlamca yerleşmiş olacaktır. Onu bir daha da oradan söküp atamayız. Süngü hücumu askerimizin erimesiyle sonuçlanır. Onun için izin verirseniz..."

Liman Paşa fazla bile dayanmıştı. Albayın sözünü kesti:
"Yeter! İtirazı bırakıp ne dediğimi anlamaya çalışın. Esas kuvvet geriye gidecek, kıyılarda gözcüler, küçük birlikler kalacak. Ağır makineli tüfekler de, toplar da geriye gidecek. Bu silahların donanma ateşi altında mahvolmalarına izin veremem. Donanma buraları çıkarma başlamadan önce dümdüz edecektir. Bu silahları düşmanı denize dökmek için hücuma geçince kullanacağız."[13]

Halil Sami Bey yanıtlamak istediyse de Esat Paşa 'sus!' diye işaret etti. Koca Mareşale ayaküstü itiraz etmek yakışık almazdı. Bu sorun sonra, çok gerekirse, saygı çerçevesinde ele alınırdı.

Liman Paşa bir daha Halil Sami Bey'e bakmadı bile. Esat Paşa'ya, Yarbay Şefik ve Yüzbaşı Halis Beylere ne yapılmasını istediğini arazi üzerinde göstererek açıkladı.

Sonra hiç konuşulmadan hızla Alçı Tepe'ye gelindi. Türklerin neşesi kalmamıştı. Uzaktan beyaz bir atlı geçti. Liman Paşa düşman beyaz rengi fark eder diye çok kızdı:
"Orduda hiçbir beyaz at istemiyorum!"[14]

Komutanları burada 25. Alay Komutanı Yarbay İrfan Bey karşıladı. Halil Sami Bey dinlendirmek için Yarbay Kadri Bey'in 26. Alayını geri çekip bu kesimin sorumluluğunu 25. Alaya vermişti.

Alçı Tepe'deki gözetleme yerine çıkıldı. Alçı Tepe, Alçıtepe köyünden biraz geride, 217 m. yüksekliğinde, bütün Seddülbahir bölgesine egemen, türlü diken ve çalılarla örtülü bir tepeydi. Seddülbahir'e çıkarma yapacak kuvvetler için ilk hedef olacak, çok büyük önem kazanacaktı.

Alçı Tepe'den bütün Seddülbahir kıyıları, Boğaz'ın girişi, Anadolu yakası görünüyordu.

Liman Paşa Seddülbahir kesiminin 25. Alayca tutulduğunu öğrendi. İrfan Bey'e emrini verdi:
"Kıyıda fazla birlik kalmayacak."

Düşündüğü savunma düzenini bir daha açıkladı:

Asıl kuvvetler, geride, donanma ateşinden uzakta, birarada bulunacak, çıkarma olursa topluca hücuma geçecek. Çıkarma yerleri kesin belli olunca, bütün birlikler yardıma koşacak. Düşman hep birlikte denize dökülecek.

"Güçlü düşmanla ancak böyle oynak bir savunma düzeniyle başa çıkılabilir."[15]

Liman Paşa'nın zaten Kabatepe ve Seddülbahir'i tehlikeli görmediği de anlaşıldı. Düşmanın öncelikle Saros'a, ikinci olarak karşı yakadaki Beşige'ye çıkarma yapacağını tahmin etmekteydi.

Saros'a çıkarak yarımadanın girişini kapatabilir, yarımadadaki Türk birliklerini boğabilirdi. En tehlikeli kesim Saros'tu.[16]

Eceabat'a dönüldü.

Halil Sami Bey ile M. Kemal, paşaları yolcu eder etmez baş başa verdiler. Halil Sami Bey'in sinirleri bozulmuştu. Elleri titriyordu. Dokunulsa ağlayacak haldeydi:

"Liman Paşa da, savunma düzenini korumak için tek sözcük bile etmeyen, üstelik beni susturan Esat Paşa da, yarın düşman buralara çıkıp yerleşirse, onbinlerce gencimiz şehit olursa, hiç utanmayacaklar mı? Tarihin yüzüne nasıl bakacaklar?"[17]

Halil Sami Bey hayli söylenip sızlandıktan sonra, sordu: "Ne yapmamı tavsiye edersin?"

Bu dürüst, temiz, nazik adamın duyarlılığı M. Kemal'in dikkatini çekmişti. Daha zor bir durumda kalınca nasıl dayanacaktı?

Şefkatle, "Ben tümenimin 9. Tümenin emrine verilmesini istemiştim.." dedi, "..Bir çıkarma halinde birlikte hareket etmemiz gerekecek. Çünkü 35 km.lik bir kıyı, sadece bir tümenle tutulamaz, korunamaz, savunulamaz. Önerim uygun bulunmadı, beni ordu emrinde tuttular. Ama şükür ki Eceabat'ta alıkoydular. Birbirimize yakınız, birlikteyiz. Gerekince yardımlaşırız. Burası ilk savunma için en az iki tümen ister. Liman Paşa'nın anlayışı yüzünden çok zor günler yaşayacağımızı sanıyorum. Her durumda sakin olmalısın. İtiraz hakkını da kullan."[18]

Birkaç gün sonra bir ordu emri ile 19. Tümen, 9. Tümenden uzağa, Maltepe-Bigalı kesimine alınacaktı. Böylece iki tümen birbirinden uzaklaşmış oluyordu.

Ama yardımlaşmaları sürecekti.

ESAT PAŞA Eceabat dönüşü kurmaylarını toplamış, Liman Paşa'nın düşüncelerini anlatmış, unuttuğu yerleri birlikte gelen kurmay tamamlamıştı. Esat Paşa Ordu Komutanı aleyhinde konuşmaya izin vermediği için önünde tartışmadılar.

Paşa'nın yanından çıkınca Fahrettin Altay'ın odasına üşüştüler. Kurmay olmayan subaylar da geldi. Oda doldu. Her kafadan bir ses çıkıyordu. Ayrıntılı savunma planında hepsinin emeği vardı. Hepsi o planla, 18 Mart zaferi gibi bir güne sığacak çok büyük bir zafer kazanılacağına inanmaktaydı. Çünkü düşman karaya çıkamayacak, donanma gibi o da çekilip gidecekti. Savaş bir gün içinde bitecekti.

Öfkeli sesler, bağırtılar, aşağılamalar giderek azalıp yatıştı.

Fahrettin Bey son ümit olarak Ordu Kurmay Başkanı Kâzım Bey'i aradı, durumu anlattı. Kâzım Bey, Komutanın durumu Başkomutanlığa bildirdiğini söyleyerek 'birkaç gün sabretmelerini' tavsiye etti.

Fahrettin Bey arkadaşlarına durumu özetledi:

"Liman Paşa'nın yöntemi eski, sırasında yararlı, klasik bir yöntem. Ama Gelibolu'nun şartlarına uygun değil. Asıl kuvvetleri geride bulundurma kuralı, derinliği ve genişliği olan alanlarda geçerlidir. Burada derinlik yok ki. Düşman Arıburnu'nda 8 km., Seddülbahir'de 10 km. ilerleyebilse savaşı kazanır. Bir komutan her şeyden önce savaş alanını iyi okuyabilmeli. Coğrafyayı ordunun dostu, müttefiki yapabilmeli. Anlaşılıyor ki Liman Paşa'nın kurmaylığı zayıf. Başkomutanlığa yazmış. Orası ne diyecek, onu bekleyelim."[19]

Birlikte olmakta teselli bulanlar istemeye istemeye dağıldılar.

GENERAL HAMILTON karargâhını İskenderiye'de zengin bir otelde kurmuştu. Bir yandan plan çalışmalarını yönlendiriyor, bir yandan da toplanan rengârenk birlikleri denetliyordu.

Çanakkale için yeni bir Türk ordusunun kurulduğunu, başına bir Alman general getirildiğini öğrenmişlerdi.

"Kim bu general?"

"Bilinen biri değil."

"Özelliği?"

"Bilinmeyen biri olması."

Gülüştüler.

Hamilton bu generali çok şaşırtacağını düşünerek gülmeyi sürdürdü. Çünkü çok oyuncaklı bir plan hazırlatıyordu. Alman general ilk 24 saat ne olduğunu anlamayacak, birliklerini biraraya getirip karşı saldırıya geçiremeyecek, bu süre içinde Birleşik Ordu hedeflerine ulaşmış olacaktı.

Mısır'da Çanakkale için 83.000 kişi birikmişti. 75.000'i çıkarmaya katılacak, 8.000'i yedekte bekleyecekti.

75.000 kişinin 60.000'i savaşçıydı.

İskenderiye ve Port Sait limanlarında büyüklü küçüklü birçok gemi toplanıyordu. Bunlar tıkabasa yiyecek, yem, su, silah, cephane, çadır, ilaç, zırhlı araba, motorsiklet ve dekovil malzemesiyle doldurulmaktaydı.

Yalnız askerleri taşımak için 84 gemi ayrılmıştı.

İngiliz hazinesi Çanakkale için artık olukla para akıtmaya başlamıştı.

5. ORDU da son biçimini almaktaydı. Başkomutan sözünü tutmuş, 5. Ordu emrine iki yeni tümen vermişti: 3. ve 5. Tümenler. Liman Paşa 3. Tümeni Çanakkale kesimine verecek, 5. Tümeni Saros'a yerleştirecekti. Bütün birlikleri, kendince düşmanın çıkarma yapma olasılığı olan yerlere göre dört grupta topladı:

1. Grup: 5. ve 7. Tümenler, Saros ve Bolayır kesiminde.

2. Grup: 3. ve 11. Tümenler, Çanakkale yakasında.

3. Grup: 9. Tümen Gelibolu güneyinde (Arıburnu-Kabatepe ile Seddülbahir)

4. Grup: 19. Tümen, Maltepe-Bigalı arasında, her yana gönderilmek üzere ordu emrinde yedek.

3. Grupta yalnız 9. Tümen vardı. Geçit'teki tabyaları örten bu en duyarlı bölgenin korunmasına yalnız bu tümen ayırmıştı. Asıl büyük çıkarma da buraya yapılacaktı. Liman Paşa'nın savunma planına göre bu bölgenin 35 km. uzunluğundaki kıyılarını 9. Tümen üç taburla tutacaktı.

Liman Paşa Saros'a ve Çanakkale kesimine daha önem veriyordu.

Gruplar arasında iki günlük yürüyüş mesafesi vardı. Gerektiğinde yardıma nasıl yetişeceklerdi?[19a]

Yeni tümenlerle ordunun gücü 84.000 kişiye ulaşmıştı. Bunun 65.000'i savaşçıydı. Çıkarma yapacak kuvvetten 5.000 kişi fazlaydı.

Ordu Komutanının bu 65.000 savaşçıyı doğru zamanda, doğru yerde kullanması gerekiyordu. Kullanmazsa bu sayının bir anlamı olmayacaktı.

4 NİSANDA Enver Paşa'nın yanıtı geldi.

Enver Paşa diyordu ki:

"Düşmanın en çok **Seddülbahir** yarımadasının köşesiyle (ucuyla) **Kumkale**'ye çıkarma yapmasını olası görüyorum. Düşman bu köşelere yerleşip tahkim ettikten sonra, gemi ateşleri desteğindeki düşmanı oralardan çıkarmak çok güçtür. Bundan ötürü köşelerde bulunan kuvvetlerin çabucak takviye edilerek düşmanın yerleşmesine engel olmak düşüncesini uygun bulurum.(..)

Her bölgede olduğu gibi Anadolu yakasında da çıkarma sırasında düşmana taarruz edilmesi düşüncesindeyim."

Enver Paşa düşmanın çıkarma yapacağı yerleri oldukça doğru tahmin etmekte, eski savunma anlayış ve düzenini tercih ettiğini açıklayarak Liman Paşa'yı uyarmaktaydı.

Yanıtını şu nazik tümceyle bitirmişti:

"Bunlar benim düşüncelerimden ibaret olup ordunun alacağı düzen elbette sizin yetkiniz içindedir."[20]

Liman Paşa Enver Paşa'nın tahmin ve uyarısını dikkate almadı, nezaket tümcesini önemsedi.

Yeni anlayış ve düzenle ilgili uygulamayı hızlandırdı. Geziyor, uygulamaları şiddetle izleyip denetliyordu.[21]

Yeni düzenin aksaksız işleyebilmesi için pek çok hazırlıklık yapılması gerekti. Ama bunların çoğu yapılmayacak, geniş ve güvenli bir haberleşme ağı bile kurulmayacaktı.

Yöntemin işlemesi için çıkarma yapılan yere yakın bütün kuvvetlerin hızla yetişmesi zorunluydu. Tarih, Liman Paşa'nın, kendi yönteminin bu zorunlu ilkesini çalıştırmadığına tanık olacaktı.

ALBAY HALİL SAMİ Bey tümenini yeni anlayışa göre yerleştirdi.

Kabatepe'de bir tabur (1.000 kişi), Seddülbahir'de bir tabur, ikisinin arasındaki kıyıda da bir tabur bıraktı. Alayları, ağır makineli tüfek birimlerini, bataryaları üzülerek gerilere çekti. Binlerce kişi kıyıdan uzakta, Eceabat yakınındaki yeni ordugâhlara taşındı.

Açık, gizli mevziler ile siperlerin çoğu boşalmış, ortalık ıssız-laşmış, makineli tüfek yuvaları körelmişti. Uzun kıyılarda birbirin-den uzakta gözcü postaları ve küçük güvenlik birlikleri kalmıştı.

Taşınma ve yerleşme işi bitince Halil Sami Bey 3. Kolordu Komutanlığına, Ordu Komutanlığına sunulmak üzere, itiraz ve düşüncelerini ağırbaşlı bir yazıyla bildirdi.

Eski anlayışın gerekçelerini uzun uzun anlatmadı. Çünkü o anlayışa dayalı planı hazırlayan zaten Kolorduydu. Yeni anlayışın ve yöntemin sakıncalarını kesin bir dille belirtti.

Kolorduya yolladı.[22]

BAŞHEKİM Nuri Bey habersizce gelmiş, evdekiler telaştan birbirlerine girmişlerdi. Başhekim şaşkınlıklarına tatlı tatlı güldü: "A hanımlar, bir gün uğrarım dememiş miydim? Uğradım işte. Haydi kendinize gelin de beni Orhan'ın yanına götürün!"

Anne götürdü.

Başhekim Orhan'ı sıkı bir muayeneden geçirdi. Aletlerini çantasına kaldırırken, "Bu hanımlar sana bizden daha iyi bakmış-lar." dedi, "..Seni çok iyi buldum."

Anneye döndü:

"Bahçe var mı?"

"Evet, arkamız bahçe."

"Güzel. Bahar geliyor. Hava iyice ısınınca bahçeye çıkarın, te-miz hava alsın, yürütün. İyi yesin. Birkaç kilo almış. Birkaç kilo daha alırsa bu da Seyit Onbaşı gibi 275 kilo kaldırabilir."

Şakasına kendi güldü. Kahvesini içip gitti.

Anneler şükür namazına durdular. Dilber ağabeyinin odasına saldırdı:

"Başhekim Bey çıkarken sana iyi baktığımız için üçümüzü de kutladı. Bana ayrıca 'oğlum olsaydı, seni gelin alırdım' dedi. Sen iyileşiyorsun, Çanakkale'de zafer kazandık, bahar geliyor ve kıs-metim açıldı! Kaç olağanüstülük birarada!"

Tepkisini görmek için de Orhan'a göz attı.

Bu laubaliliğe kızmış mıydı? Yoksa hoşgörmüş, gülüyor muy-du? Baktı, bir şey anlamadı. Ağabeyi bir tuhaf olmuştu. Donup kalmış mıydı ne!

Orhan'ın kanı akmaz olmuştu. Çünkü bir gün Dilber'i isteyeceklerini şimdiye kadar hiç düşünmemişti. Söz kesilmesine, nişanlanmasına, gelin olmasına, evden gitmesine, bir başkasının olmasına nasıl katlanabilirdi? Ailenin ve Dilber'in beğeneceği biri çıkarsa, ne yapardı?

Bütün bunları yaşamadan önce iyileşmek, çabuk iyileşmek zorundaydı.

"Allahım, çok olduğumu biliyorum, affedersin. Ama bana yine yardım etmen şart ! Bir an önce iyi et beni! Lütfen!"

FAHRETTİN ALTAY Esat Paşa'nın odasına girdi. Kapıyı kapadı. Kurmaylar, karargâh subayları işleri durdurup sessizlik içinde beklemeye başladılar.

Kurmay Başkanı, Komutanla Halil Sami Bey'in itiraz yazısını görüşecekti.

Yarım saat sonra çıktı. Yüzü ter içindeydi. Başı önünde sert sert odasına yürüdü. Önce Bnb. Ohrili Kemal Bey cesaret etti yanına girmeye, bir dakika sonra kapıya çıktı, 'gelin' diye işaret etti. Odaya doluştular.

Fahrettin Bey çok üzgündü.

"Komutan, Halil Sami Bey'e hak veriyor. Yeni yöntemin acı sonuçları olabileceğini kabul ediyor. Ama 'Mareşale itiraz edemem, edilmesine aracı da olamam, beni anlayın' dedi. Sözün özü, Liman Paşa'nın yetersizliği, Esat Paşa'nın terbiyesi yüzünden canımız yanacak. Durum bu. Demek ki yalnız düşmanı değil, Liman Paşa'nın yöntemini de yenmemiz gerekiyor. Önümüz düşman, ardımız gaflet. Çok sıkı durmak zorundayız."[23]

ÇANAKKALE'YE gidecek olan 3. Tümen Selimiye kışlasından karargâh kadrosu, süvari bölüğü, sancakları, alayları, bağlı birlikleri, topçu bataryaları ve ağırlık kolları ile çıktı.

12.000 kişilik, iyi yetişmiş, oldukça iyi donatılmış bir tümendi. Halkın hoşuna gidecek gösterişli bir düzen içinde Haydarpaşa'ya doğru yürüyüşe geçti.

Asker dinç, şevkli, bakımlı ve istekliydi. Ceketlerin ikinci düğmelerine kırmızı iple bağlı meşin parçaları vardı. Bu meşinlerin üzerinde askerin künyesi ve şehit olursa bilgi verilecek adres yazılıydı.

Neşe içinde marş söyleyerek ilerlediler:

Annem beni yetiştirdi
Bu ellere yolladı
Al sancağı teslim etti
Allaha ısmarladı

Halk askerleri alkışlıyor, bazıları dua okuyup askerlerin üzerine üflüyor, bazıları arkalarından su döküyordu. Tümen, beş nakliye gemisine yerleşerek Çanakkale'ye hareket edecekti.

Komutanları Albay Nicolai şişmanca, kısa boylu, kırmızı yüzlü bir Almandı.

Teğmen Faruk bu tümendeki bir arkadaşını uğurlamak için okuldan erken çıkmış, Haydarpaşa'ya gelmişti. Gördüğü bir kalabalık yüreğini hoplattı.

Yüzden fazla hanım, rıhtımda, yüzleri açık, başörtülerini enselerinde toplayıp uçlarını aşağı salmış, büyükçe armağan torbalarıyla duruyorlardı. Tümeni uğurlamaya gelmişlerdi. 3. Tümen İstanbul'dan Çanakkale'ye yollanan ilk tümendi.

Faruk bu bilinçli, yurtsever, cesur hanımların önünden bir sancağı selamlar gibi büyük bir saygıyla selam vererek geçti. Hanımlar da başlarını zarifçe eğerek bu yürekten selama karşılık verdiler. Yüzyılların imbiğinden geçmiş taklit edilemez İstanbul zarifliğiydi bu. Bu zariflik kenar mahalle basitliğine, kadın bağnazlığına ve görgüsüzlüğe karşı varlığını titizlikle koruyordu. Bu çizgiye 400 yılda ulaşmıştı.

Torbaların içinde sigara, tütün, sigara kâğıdı, ağızlık, çakmak, mektup kâğıdı, zarf, kalem, iğne-iplik, misvak[24] gibi günlük hayata ilişkin küçük şeyler vardı. Hanımlar sırayla her takımın başındaki subaya takıma dağıtılmak üzere armağan torbasını veriyor ve Mehmetçikleri güzel sözlerle uğurluyorlardı. Yüzleri açık olduğu için hanımlara tepki gösteren bazı yobaz kadın ve erkekleri subaylar sertçe uzaklaştırdılar.

Arkadaşı ayrılırken Faruk'a takıldı:

"İstanbul'da kalmakta haklısın! Bu güzelliklere birileri göz kulak olmalı. Sana hayırlı nöbetler dilerim."

Bu şaka düşündükçe Faruk'un içine oturacaktı. Ertesi sabah Çanakkale'deki birliklerden birine atanması için dilekçe verdi. Okul Komutanı, "Okul da siper kadar kutsaldır" dedi ama Faruk'u caydıramadı.

LİMAN PAŞA, İstanbul'dan gelecek 3. Tümen ile 11. Tümeni, Çanakkale kesiminde bir kolordu olarak birleştirmeyi kararlaştırdı. Adı 15. Kolordu olacaktı.

Bu kolorduya komutan olarak çok güvendiği Alman Weber Paşa'nın atanmasını sağladı. Weber Paşa bir birlik yönetmiş, savaş görmüş bir asker değildi, sadece iyi bir istihkâmcıydı. Boğaz'ı yetkisi olmadığı halde ticaret gemilerine kapatarak Osmanlı Devleti'ni zora sokan bir gayretkeş olarak tanınmaktaydı.

Liman Paşa'nın bu konuda bir başka seçimi daha vardı ki duyan Türklerin tüylerini diken diken etmişti: Bu yeni kolordunun Kurmay Başkanlığı için Genelkurmaydaki adı 'Kalınkafa' olan Türk düşmanı Yarbay von Thauvenay'ı uygun görmüştü.

Weber Paşa

Kolordunun topçu ve istihkâm komutanlıkları da Almanlara verildi.

SAVAŞ GEMİLERİ bütün gün Gelibolu ve Çanakkale kıyılarını gözetliyorlardı. Amiral de Robeck Türklerin karaya çıkışı zorlaştıracak bir şey yapmalarına fırsat verilmemesini emretmişti.

Gemiler karada bir hareket görürlerse, hatta tek araba geçse hemen ateş ediyorlardı.

Bu mermi bolluğu Türklerin ağzının suyunu akıtmaktaydı.

Uçaklar da bir birlik görünce dalıp ateş etmeye, bomba ve çivi atmaya başlamışlardı.[25]

Birlikler yeni yol yapma, siper açma, sığınak hazırlama, tel örgü çekme gibi işleri, geceleri gizlice yapmaya başladılar.

Eskiden beri eğitim, tatbikat, savaş oyunu ve yürüyüş yapılmaktaydı. Ama bunlar Liman Paşa'nın özel meraklarına giriyordu. Bunları daha da artırdı.

Eğitim çalışmaları da donanma ateşinden korunmak için geceye alındı.

GENERAL HAMILTON 8 Nisan günü, dikkati çekmesin diye sönük bir şilep süsü verilmiş Arcadian adlı lüks yatla İskenderiye'den ayrıldı. Bu güzel gemi komutanlık gemisi olarak kullanılacaktı. İçinde cephe gazetesinin basılacağı baskı makinesi bile vardı.

Çıkış planı ana hatları ile hazırdı.

Donanma yetkilileri ile ortak bir çalışma yapılarak plan kesinleştirilecekti.

10 Nisanda Queen Elizabeth'te geniş bir toplantı yapıldı. Gelibolu yarımadası hakkında denizcilerin ve havacıların edindikleri son bilgiler dinlenildi. En ciddi konunun su sorunu olduğu anlaşılıyordu. Yarımadanın su durumu öğrenilememişti. Buna göre gerekli önlemlerin alınması kararlaştırıldı.

Sonra Hamilton planını açıkladı. Plan saygıyla dinlenildi, her açıdan tartışıldı, başarı olasılığının çok yüksek olduğu kabul edildi.

Amaç Kilitbahir'deki tabyaları susturmak ve donanmaya İstanbul yolunu açmaktı.

Kilitbahir'e varmak için birkaç yol bulunuyordu:

Saros, iyi berkitilmişti. Üstelik çıkan birlik Trakya'daki Türk ordusuyla bu kesimdeki iki tümenin arasında ezilip kalırdı. **Kabatepe'nin güneyi** de uygun değildi. Kilitbahir'e en yakın yol olduğu için Türklerin bu yolu çok sıkı koruduklarını düşünmek akıllıca olurdu. **Beşige** ise Kilitbahir'e ve karşısındaki tabyalara çok uzaktı.

Hamilton ve kurmay kurulu, asıl çıkış yeri olarak **Seddülbahir**'i seçmişlerdi. 45.000 kişi ayrılmıştı buraya. Bu kesimde aynı anda 5 yere birden çıkılacaktı. İlk hedef 10 km. ötedeki **Alçı Tepe**, ikinci hedef **Kilitbahir platosuydu**.[26]

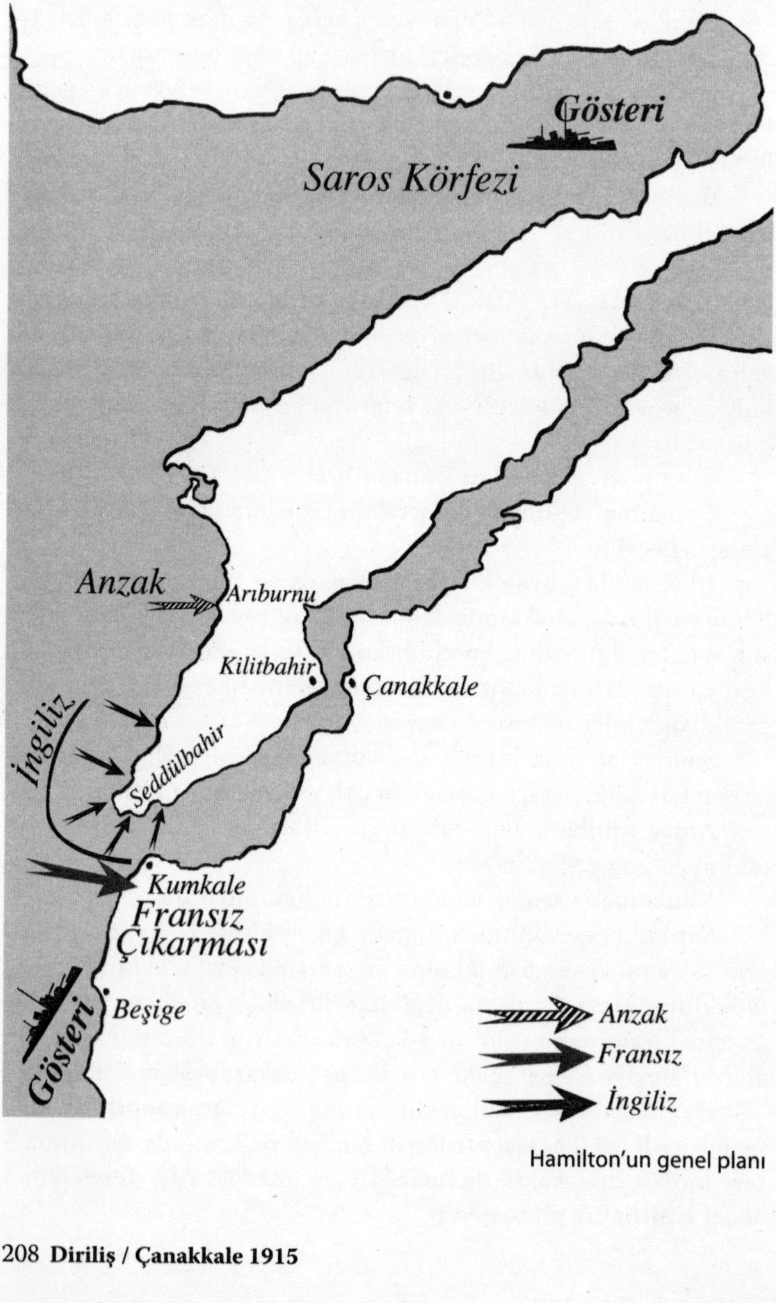
Gösteri
Saros Körfezi
Anzak
Arıburnu
Kilitbahir
Çanakkale
İngiliz
Seddülbahir
Kumkale
Fransız
Çıkarması
Beşige
Gösteri
Anzak
Fransız
İngiliz

Hamilton'un genel planı

İkinci çıkış yeri **Kabatepe'nin kuzeyi ile Arıburnu arası** idi. Buraya da 30.000 kişilik Anzak Kolordusu ayrılmıştı. Anzak'ın ilk hedefi **Kocaçimen Tepesi-Kabatepe** hattı, ikinci hedef yine **Kilitbahir platosuydu.**[27]

İki kuvvet Kilitbahir platosunda buluştukları zaman savaş sona ermiş sayılabilirdi.

3 gün içinde buluşacakları hesaplanıyordu.

Topluca şu kanıya varıldı: Türkler geri çekilmek için vakit ve fırsat bile bulamayacaklardı.

General Hamilton Alman komutanı şaşırtacak iki gösteri ile bir oyalama çıkarması daha düşünüyordu. Böylece iki uçtaki birliklerin yerlerinde kalması sağlanacak, asıl çıkarma yerlerine yardıma gelmeleri önlenmiş olacaktı.

Çıkarma için kaç savaş ve taşıma gemisi, filika ve motor gerekti? Haberleşme nasıl sağlanacaktı? Sağlıkçılar karaya ne zaman

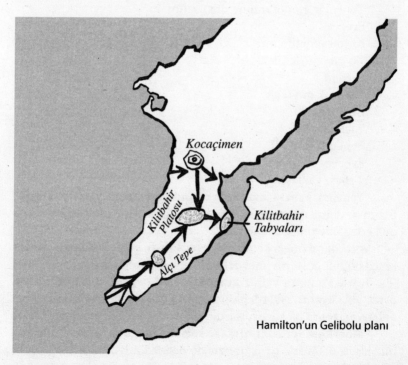

Hamilton'un Gelibolu planı

çıkarılmalıydı? Türkler direnir miydi, yoksa direnmeden geri çekilmeye mi başlarlardı?

Bunları konuşmaya başladılar.

27. ALAYIN 1. Taburunun bölükleri takım takım çalışıyorlardı. Bölük komutanlarından Yüzbaşı Cemil, eğitim sona erince bölüğünü topladı. Takımlar komutanları ve çavuşlarıyla dizilip durdular.

Askere birkaç sözcükle 18 Martı anlattı, "Topçular İngilizin yenilmez donanmasını yendi.." dedi, "..İngiliz yine geliyor. Bizden güçlü, adamı çok, silahı bol, mermisi sayısız. Çıkarma yapmadan önce kıyıları yerle bir edecek. Taş üstünde taş koymayacak. Kulaklarımız sağır olacak. Soruyorum, ne yapalım? Kaçalım mı?"

İki yüz elli kişi tek ağız gibi bağırdı:

"Hayıır!"

"Topçular gibi ölümüne dövüşelim mi?"

"Eveeet!"

"Biz de yenelim mi?"

Top gibi gürlediler:

"Eveeet!"

"Yenecek miyiz?"

"Eveeeeeet!"

Yineledi:

"Yenecek miyiz?"

"Eveeeeeeeeeeeet!"

Yüzbaşı yaklaştı:

"Yenelim ya. Düşmanın arkasında donanma varmış. Olsun! Bizim arkamız daha güçlü. Çünkü bizim arkamızda hepimiz için dua eden milyonlarca ana var."

'Ana' der demez, kendi de heyecanlandı, gözleri sulandı. Askere ağladığını göstermemek için bir şeyler geveleyip kaçtı.

Böyle konuşan yalnız Yüzbaşı Cemil değildi. Bütün subaylar ortak akla uyarak askerden düşmanın güçlü olduğunu saklamıyor, anlatıyor, sonra da soruyorlardı:

"Siperimiz yerle bir olsa, aç kalsak, tüfeğimiz kırılsa, mermimiz bitse, dişimizle tırnağımızla dövüşecek miyiz?"

Asker and içer gibi bağırıyordu:

"Evet, dövüşeceğiz!"

"Düşmanı evelallah yenecek miyiz?"

"Eveeet, yeneceğiiiiz!"

Tabur Komutanı İbrahim Bey (Çetiner) bütün gün bu çalışmaları izliyordu. Alay Komutanına durumu tek sözcükle özetledi: "Diriliyoruz!"

ZENGİNLİĞİ, yenilmezliği efsane gibi yayılmış, kendini 'dünyanın efendisi' olarak gören İngilizlere karşı topçuların kazandığı zafer Anadolu'da da duyulmuş, halkı çok heyecanlandırmıştı. Keloğlan'ın devi yenmesi gibi harika bir olaydı bu.

Halk askerlik şubelerine, kışlalara Çanakkale askerine yollasınlar diye torba torba kuru yemiş yığmaya başladı.

Sultan Nine de Kastamonu Askerlik Şubesine geldi. Komutanı görmek için diretti. Yoksul, yaşlı bir kadındı. Ama pek vakarlı bir hali vardı. Saygı gösterip odaya aldılar.

Yaşlı kadın asker selamı vererek masaya yaklaştı, "Askerimiz büyük zafer kazanmış.." dedi, "..Mübarek olsun. Kocam büyük Rus seferine, oğlum Yemen'e gittiydi. Dönünce giyerler diye onlara çoraplar ördüydüm. Dönmediler."

Torbasından bir küçük, temiz bohça çıkardı. Masaya koyup özenle açtı. İçinde işlemeli dört çift yün çorap vardı:

"Hey kumandan! Bir canım, bir odam, bir de gözüm gibi sakladığım bunlarım var. Bunları sana getirdim. Gazi evlatlarıma yolla. Birkaçının ayağını sıcak tutsa benim şehitlerimin ruhu şad olur."

Asker selamı verdi, çıktı.

Komutan ağlama yeteneğinin kalmadığını sanırdı. Yanıldığını anladı.[27a]

ÇIKARMAYA katılacak birlikler Mondros'a gelmeye başlamışlardı. Liman doldu. Sığmayanlar yakın adalara yollandı.

Birlikler gemilerden sarkıtılan ağların yardımıyla filikalara inme talimleri yapmaya başladılar. İnmek kolay değildi. Her askerin üzerinde 40 kilo ağırlık olacaktı.

İlk çıkacak birliklerin komutanlarına çıkarma yapacakları kıyılar gösterildi. Bir-iki kurmay uçakla yarımada üzerinde uçurularak araziyi iyice tanımaları istendi.

Malta tersanesinde yapılan yüzer iskeleler yetişmiş, binlerce at ve katır sağlanmıştı.

River Clyde adlı eski bir kömür gemisi yolcu gemisine dönüştürülüyor, geminin iki yanında çıkış yerleri açılıyordu. Gemi Ertuğrul Koyu'na baştan kara edecek ve gemideki 2.000 asker bu en önemli çıkış yerine baskın verecekti.

Alman komutanı şaşırtmak için Saros ve Beşige'de yapılacak iki büyük gösterinin senaryoları hazırlanmıştı.

Kumkale'ye de bir Fransız alayı çıkarılması kararlaştırıldı. Alay oradaki tümenin yerinde kalmasını ve İntepe bataryalarının Seddülbahir'e çıkacak birliğe ateş açmalarını engelleyecekti.

Bu geniş hazırlıklar ister istemez duyulmuştu. Ama General Hamilton, uygulanacak plan sayesinde düşmana taktik bir baskın vereceklerine güveniyordu. Her yerde savunuculardan daha güçlü, daha kalabalık olacaklardı.

Plan çok ayrıntılı ve karmaşıktı:

Gemiler çeşitli yerlerden hareket edecek, gruplara ayrılacak, her grup belirlenmiş saatte, belirlenen yerde toplanacak, sonra karaya çıkış saatine göre ayarlanmış bir programa göre hedefe doğru ilerlenecekti.

Bütün olasılıklar hesaplandığı için bir aksaklık olacağı düşünülmüyordu. Çıkış için hangi tarih seçilirse seçilsin hareketin 36 saat önce başlatılması gerekmekteydi.

General Hamilton ve Amiral de Robeck harekete geçme kararını vermek için havanın açılmasını bekliyorlardı.

HAVA KAPALIYDI. İnce, sinir bozucu bir yağmur başlamıştı.

M. Kemal artık tüfeklerden ümidini kesmişti. Bir milyon askeri giydirmek, yedirmek ve eline silah vermek kolay iş miydi? Acele seferberlik, hazırlıksız savaşa girme, Doğudaki ağır yenilgi, salgın hastalık, devleti çabuk yormuştu.

Emir Subayı Kâzım kapıyı tıklatıp girdi:

"Kolordu Kurmay Başkanı telefonda."

M. Kemal telefonu isteksizce açtı:

"Evet Başkan?"

Fahrettin Altay'ın sesi neşe saçıyordu:

"Komutan, sonunda iyi bir haberim var. Sizin tümenin sakat tüfeklerini mauser (mavzer) tüfekleriyle değiştirebileceğiz. Değişimi ne zaman yapalım?"

M. Kemal ayağa fırladı:

"Hemen bugün."

"Bugün mü?"

"Evet, hemen bugün! Lütfen!"

Fahrettin Bey güldü:

"Peki komutan. Haklısın. Tüfeklerle birlikte yeteri kadar da fişek yolluyorum. Bu gece Akbaş limanında olur."

"Teşekkür ederim."

Tümene alarm verildi. Eski tüfekler toplanıp arabalarla Akbaş limanına indirilecek, gönüllü bir birlik Akbaş limanında eskileri teslim edip yeni tüfekleri ve fişekleri teslim alacaktı.

M. Kemal de birlikle birlikte Akbaş'a indi.

Yağmur sürüyordu.

Birlik tedbirli gelmişti. Hemen büyük tenteler kurdular. Herkes tentelerin altına sığındı.

Zaman tırtıl hızıyla ilerliyor, yağmur azalıp çoğalıyordu. Gece yarısına doğru bir motorun patpatları duyuldu. Gittikçe yaklaştı. Karşılıklı fenerler sallandı.

Gelen beklenen motordu.

Motor Akbaş Koyu'na girdi, kıyıya yaklaşıp demir attı. Hâlâ bir iskele yapılamamıştı. Kolordu karargâhından Üsteğmen Nazmi (Kurar) bir motorun çektiği iki mavnaya yerleştirilmiş 12.000 tüfek ve sandık sandık fişek getirmişti.

Motordan çırpıntılı denize atladı, su dizlerine geliyordu. Yürüyüp karaya çıktı.

Hızır gibi karşılandı.

Tüfekler çuvallara, çadır bezlerine, muşambalara sarılı ya da sandıklar içindeydi. Genç subaylar, astsubaylar ve gönüllü askerler, denize girdiler, yağmurun ve mum fenerlerinin ışıkları altında, tüfekleri hasta bir bebek taşır gibi özenle elden ele karaya taşıdılar. Tümenin tüfekçi ustası Süleyman Efendi ilk dengi açıp bir tüfek aldı, ışığa tuttu. Hiç kullanılmamış bir mauserdi bu. Tüfeği saygı ve sevinçle öptü.

Fişek sandıkları karaya, eski tüfekler de mavnalara taşındı. İş bittiği zaman gün doğmuş, yükselmiş, saat 10.00 olmuştu. M. Kemal Üsteğmene sarıldı:

"Çocuk, büyük hizmet gördün. Sağ ol."

Motor iki mavnayı yine peşine takıp Gelibolu'ya yollandı.[28]

BU SAATTE hayli uzakta denize dalarak Boğaz'a girmiş olan E-15 No.lu bir İngiliz denizaltısı 20 metre derinlikte, usul usul ilerliyordu.

Amiral de Robeck E-15'in komutanı Yüzbaşı Brodie'nin Boğaz'ı geçme isteğini olumlu karşılamıştı. Saldırıdan birkaç gün önce Marmara'ya geçen bir denizaltı İstanbul'da panik yaratırdı.

Denizaltı Boğaz'ın dip akıntısına kapılıp savrulmamak için çok yavaş yol alıyordu. Havada bir İngiliz uçağı da geniş daireler çevirerek denizaltıya gözkulak oluyordu. Boğaz'ı geçtiğini anlayınca geriye dönüp müjdeyi yetiştirecekti. Bugün pilot yerinde gözlemci Brodie vardı. Denizaltı kaptanının ikiz kardeşiydi.[29]

Denizaltı Kepez burnu yakınına gelmişti. Mayın hatlarının altından geçecekti.

Burada anlaşılamayan bir şey oldu. Denizaltı su üstüne çıkmak zorunda kaldı. Bütün bataryaların gözcüleri denizin her metrekaresini gözlüyorlardı. Daha denizaltının periskopu görünür görünmez bataryalar topbaşı yaptılar.

Önce ağır ağır periskop yükseldi, sonra denizaltının kulesi, en son uzun kara gövdesi belirdi. Yakın bataryalar ateşe başladılar. Belki de Dardanos'tan atılan iki mermi denizaltının kulesini yaraladı.

Uçak alçaldı, canı yanan bir kuş gibi, denizaltının çevresinde dört dönmeye başladı.

Gemi denetimden çıkmış, kıyıya doğru sürükleniyordu. Bataryalar ateşi kestiler. Yaralı gemi karaya oturdu. Kaptan Brodie ve altı tayfası ölmüştü. Ötekiler denize atlamışlardı. Bir torpidobot hepsini denizden topladı.

Uçak acı haberi vermek için geri döndü.

Meraklı askerler denizaltının nasıl bir şey olduğunu anlamak için içine doluştular.

Denizciler suyun soğukluğundan ya da korkudan titriyorlardı. Çanakkale hastanesine götürüldüler. 18 Martta yaralanmış Türk yaralılar vardı burda. İngiliz denizaltıcıları misafir gibi karşıladılar, teselli etmeye çalıştılar, ikrama boğdular.[30] Türklerin esirleri öldürdüğünü sanan İngilizler bu dostça tavır karşısında afalladılar.

Müstahkem Mevki Komutanlığı bir İngiliz denizaltısının ele geçirildiğini ilan etti. Denizaltının sağlam ele geçmiş olması Birleşik Donanma'da büyük üzüntü yarattı. Almanlar bir İngiliz denizaltısının bütün özelliklerini öğreneceklerdi.

Buna izin verilemezdi.

Denizaltıyı batırmak için gece yarısına kadar birçok girişimde bulundular, sonunda bir küçük torpidobot ölümü göze alıp kıyıya sokuldu. Almanların eline geçmesin diye denizaltıyı torpille batırmayı başardı.

Bu gözü karalık Türk denizciler arasında saygı uyandırdı. Yiğidin değerini yiğit bilirdi.

SUBAYLAR sık sık biraraya geliyor, konuşup tartışıyorlardı. Düşmanın Gelibolu ya da Çanakkale kıyılarına çıkarma yapacağı belliydi. Denizden karaya çıkarma yapma, bilinen bir savaş biçimiydi. Ama bu seferki farklıydı. Karaya on binlerce asker çıkarılacaktı. Böyle bir savaşı ilk kez yaşayacak, özellikle ilk aşamaları bakımından acemisi oldukları bir savaşa gireceklerdi.

Bu yüzden düşünüyor, konuşuyor, tartışıyor, birbirlerini uyarmaya, eğitmeye, aydınlatmaya çalışıyorlardı.

26. Alay Komutanı Yarbay Kadri Bey bu konuşmaları duymuştu. Akşam tabur ve bölük komutanlarını topladı, çay demletmişti, hizmeteri çay ve sigara dağıttı.

"Komutanlar.." dedi, "..Haklısınız, daha önce böyle bir savaş yaşamadık. Kimse yaşamadı. Acemi olduğumuz için belki başta bazı yanlışlıklar yapacağız. Ama unutmayın, düşman da bu konuda en az bizim kadar acemi. Onlar da birçok yanlışlık yapacak, boş bulunacak, gecikecek, acele edecek. Öyleyse dert etmeyin, eşit durumdayız. Biz bu savaşın inceliklerini onlardan önce öğrenir, öne geçeriz. Neden? Çünkü çabuk öğrenmek zorundayız. Öğrenemezsek bir savaş değil, bir vatan kaybederiz."[30a]

GÜLNİHAL adlı küçük yolcu gemisiyle Üsküdar, 60, 61, 63 ve 70 No.lu Boğaziçi vapurları hastane gemisi yapılmış, her birinin görünecek yerlerine Kızılay işareti konulmuştu.

Boğaziçi'nin süsü ve neşesi olan bu güzel gemiler şimdi kanlı savaşı temsil ediyorlardı.

Hastaneler de işaretlendi.

İlk Türk hemşirelerinden Safiye Hüseyin Elbi

1906 Cenevre Sözleşmesi ve 1907 La Haye Anlaşması gereğince sağlık kuruluş ve araçlarının savaş dışı sayılması, her türlü saldırıdan esirgenmesi gerekiyordu. Bir yanlışlık olmaması için Uluslararası Kızılhaç Birliği'ne gemiler ve hastaneler hakkında bilgi verildi.

İlk Türk hemşiresi Safiye Hanım da Gülnihal'de görev aldı.[31]

19. TÜMENDE bayram havası esiyordu. Tüfekler temizlenmiş, bakımları yapılmış, arızalı olanlar onarılmıştı.

Tatbikata çıktılar.

Maltepe'den batıya doğru yürüdüler. Yağmur yeni dinmişti. Hava toprak kokuyordu. Çevre fundalıktı. Birçok dere araziyi kesiyor, bahar suları gürleyerek akıyordu.

Yüksek sırtlardan hem Boğaz, hem Ege görünmekteydi. Fışkıran kır çiçekleri yeri yörük halısına çevirmişti.

Soluk kesen güzellik içinde, alaylar ve taburlar dağılıp yayıldılar. Erler alışana kadar tüfeklerini deneyeceklerdi. Keskin nişancılar birer sandık fişek verilerek, serbest bırakıldı.[31a]

M. Kemal İzzetin Bey'le Tümen Başhekimine çevre hakkında bilgi veriyordu:

"Ben Akdeniz Kolordusundayken buraları dolaşmıştım. İlerde şu sağdaki tepe Kocaçimen tepesidir. Yalnız Kocadağ'ın değil, güney Gelibolu'nun doruk noktasıdır. Onun solundaki biraz daha alçak yükselti Conkbayırı. Bu ikisinden hem Saros körfezi ile Anafartalar ovası, hem Ege denizi, hem de Boğaz görünür. İnsanın güzellikten başı döner. Buradan bir yol vardı oraya ama her yan fundalarla dolmuş, yol kaybolmuş. Yazık. Yoksa giderdik. Görmenizi çok isterdim."[31b]

Birkaç gün sonra buradan koşar adım Kocadağ'a gidecekler ama bu kez gözleri hiçbir güzelliği görmeyecekti.

SAVAŞ MUHABİRİ E. Ashmead Barlette son yazısında en acımasızından emperyalist bir savaşa dini bir renk vermeye çalışmıştı:

"Son Haçlı seferinden beri ilk defadır ki Batı, Doğuya yönelmiş bulunuyor. Hıristiyanlık âlemi, Fatih Sultan Mehmet'in 29 Mayıs 1453 uğursuz tarihinde Bizans İmparatorluğu'na indirmiş olduğu şiddetli darbenin öcünü almak için toptan harekete geçmiş bulunuyor.

Birkaç gün içinde kanlı savaşlarla karşılaşacağız. Sonunda ya Ayasofia Hıristiyan âleminin eline geçecek ya da Hilal, İstanbul'a girdiği günden daha fazla şan ve şerefe kavuşacaktır."[31c]

E. Ashmead Barlette

YENİ HAÇLI Ordusu bu kez havadan geldi.

Eceabat'taki küçük hastanede operatör olarak çalışan Yüzbaşı Dr. Ömer Vasfi Bey 'annem beni yetiştirdi' marşını duymuştu. Bu marşı çok severdi. Pencereden eğilip baktı. Eceabat'a yeni geldiği anlaşılan bir bölük asker, marş söyleyerek yaklaşıyordu. Biraz sonra hastanenin önünden geçecekti. Tam bu sırada dev bir arının vızıltısına benzer bir ses duyuldu. Yine bir düşman uçağı dolanıyor olmalıydı. Dolanıp gider diye bekledi. Arı vızıltıları arttı. Müthiş bir patlama hastaneyi salladı.

7 İngiliz uçağı Eceabat'a hücum ediyordu.

Uçaklar alçalarak uçak bombalarını hiçbir askeri kuruluşun bulunmadığı şehirciğin üzerine bıraktılar. Patlamalar birbirini izledi. Alevler, dumanlar, çığlıklar yükseldi. Eceabat yanıp yıkılıyordu. Patlayışlar sürmekteydi.

Böyle bir olayı hiç yaşamamış olan Doktor Ömer Vasfi Bey donup kalmış, içini o güne kadar tanımadığı bir duygu, korku doldurmuştu. Bir türlü kımıldamayı başaramıyordu.

Hayatı boyunca unutamayacağı bir şeye tanık oldu. Bölük, o dehşet verici patlamalar arasında, marş söyleye söyleye, düzenini bozmadan yürümüştü, şimdi de azametle hastanenin önünden geçiyordu:

..Sütüm sana helal olmaz
Kurtarmazsan vatanı..

Bölüğün pervasızlığını görünce kendine geldi.

Sağlıkçıları toplayıp yaralıları taşımak için dışarı fırladı.[32]

DÜŞMANIN harekete geçmesi bekleniyordu.

9. Tümen Komutanı Halil Sami Bey bu aşamada, iki önemli karar verdi: Kabatepe'de 27. Alayın 3. Taburu vardı, bu taburu geri çekerek yerine 2. Taburu yolladı.

Seddülbahir'in savunmasını da, 25. Alayı geri çekerek, tekrar 26. Alaya verdi.

Yer değiştirme zor, karmaşık bir işti. Zaman da kritikti. Ama emir emirdi.[33]

Alçıtepe köyü ile kıyı arasında arazi saklanılması çok zor, dümdüz bir bölgeydi. Birlikler 22 Nisan günü öğleden sonra yola çıktılarsa da donanmanın fark etmesi üzerine ateş altında kaldılar. Geri çekilip saklandılar. Akşamı beklediler. Hava kararınca hareket ettiler. Donanma yüzünden gündüz geriden yardım gelemeyeceğini de böylece öğrenmiş oldular. Liman Paşa'nın oynak savunma düzeni daha savaş başlamadan iflas etmişti.

Birlikler yeni mevzilerini gece yarısı devraldılar.

Kabatepe bölgesinde savunulacak kıyının uzunluğu 12 km.ydi. Bir tabur için çok genişti. Bu yüzden her yer güçlü biçimde tutulamıyordu. Bir bölük Balıkçı Damları ile Kabatepe arasına, birer bölük Kabatepe'nin güneyine ve kuzeyine yerleştirildi. Bir bölük yedeğe ayrıldı.

Balıkçı Damları ile Kabatepe'nin kuzeyi arasındaki kıyıyı Yüzbaşı Faik'in bölüğü savunacaktı (8. Bölük).[33a]

25 Nisan sabahı Anzaklar bu kıyıya çıkacaklardı.

Seddülbahir'den sorumlu olan 26. Alay Komutanı Yarbay Kadri Bey karargâhını Alçıtepe köyünün yakınına taşıdı.

Bir taburunu, Seddülbahir'in batı kıyısına, Kumtepe bölgesine yerleştirdi.

Bir taburunu yedek olarak yakınında tuttu.

En duyarlı yer olan Teke Koyu ile Ertuğrul Koyu'ydu. Buranın savunma görevini de 3. Taburuna verdi. 3. Taburun Komutanı Binbaşı Mahmut Sabri Bey'di.

25 Nisan sabahı büyük çıkarma da bu kesime yapılacaktı.

Gerek Kabatepe, gerekse Seddülbahir kesimindeki büyük, küçük komutanlar, gelen savaşın gereklerine uygun, yılmaz, yıkılmaz adamlardı.

Ama çıkarmaların başladığı gün 9. Tümen Komutanı ile Kurmay Başkanı panikleyecekti. Nasıl paniklemesinlerdi? Kıyısı 35 km. uzunluğunda olan bu geniş bölgenin savunmasından yalnız bir tümen, 9. Tümen sorumluydu ve düşman bu bölgenin aynı anda 6 yerine birden çıkarma yapacaktı.

Pek az insanın göğüsleyebileceği çok zor bir durumda kalacaklardı.

GELİBOLU Jandarma Taburu Ece limanı ile Suvla körfezi arasındaki uzun kıyıyı gözetlemek ve gerekirse savunmakla görevliydi. Taburun bölükleri değişik yerlerdeydi.

Tabur Komutanı Yüzbaşı Kadri Bey durmadan birliklerini gezip denetliyor, eğitim çalışmalarını izliyor, askerlerle, astsubay ve subaylarla toplanıp konuşuyordu.

27. Alay Tabur Komutanlarından İbrahim Bey'in "Diriliyoruz" sözü duyulmuştu. Kadri Bey teğmenleri topladı:

Mehmet Emin Yurdakul

"Biz kendimizi Osmanlı milletinden bilirdik, böyle bir millet var sanırdık. Türk olduğumuzu bilmezdik. Dilimizin adı Osmanlıca idi. Aslının Türkçe olduğunu bilmez, anlamazdık. Ölü bir millettik. Gençliğimizde vatan ne, vatanseverlik nedir, bunları da bilmezdik.."

Gençler şaşırdılar.

"..Bilmezdik ya. Çünkü Abdülhamit döneminde 'vatan' sözcüğünün söylenmesi, yazılması yasaktı. Şimdi söylerken içimizi titreten bu sözcük otuz yıl yasaklandı. İnanılması zor ama böyleydi. Bir gün bir arkadaşımız Mehmet Emin Bey'in bir şiirini okudu. Şiir şu dizeyle başlıyordu:

Ben bir Türküm, dinim, cinsim uludur

Duyar duymaz içim titremişti. Şair bu şiiriyle 'Diril ey Türk!' diye bağırıyor ve bizi uyanmaya çağırıyordu. Bu bağırışı duyduk, bu çağrıya uyduk. Bir arayış, uyanış ve sonunda diriliş başladı. Bir kuru kalabalık değil bir millet olduğumuzu anlamaya başladık. İbrahim Binbaşı doğru söylemiş, yeniden doğuyoruz, canlanıyoruz, diriliyoruz. Türk geri geliyor! Tarih bir millete bir kez dirilme hakkı verir. Yeniden uyursak, oyuna gelirsek, bir daha dirilemeyiz. Biz olmaktan çıkar, kaybolur gideriz. Bu sözümü unutmayın!"

23 NİSAN günü hava güzelleşti. Akdeniz'e özgü bir mavi gün başladı.

Amiral de Robeck ve General Hamilton düğmeye basıp yüzlerce parçadan oluşan dev planı çalıştırdılar.

Askerlerle dolu gemiler demir aldı. Limandan çıkmak için savaş gemilerinin arasından geçerek ilerlediler. Güverteleri dolduran denizciler ve askerler birbirlerini selamlayıp alkışlıyorlardı. Zafere birlikte ulaşacaklardı. Coşanlar "İstanbul'a!" diye bağırıyorlardı. Bu coşkuya bazı savaş gemilerinin bandoları marşlar çalarak katıldılar.

Heyecan büyüdükçe büyüyordu.

Bir geminin bordasına büyük harflerle "Türk lokumu'", bir başkasının bordasına ise "İstanbul'a ve haremlere" diye yazılmıştı.

Sanki savaşa değil, uysalca yağma edilmeyi bekleyen İstanbul'a gidiyorlardı.

İSTANBUL, benzer duyguları İngiltere'nin sevilen genç şairi Rubert Brooke'ta da uyandırmıştı. Şair, yedeksubay olarak 'İstanbul Seferine' katılmak için yola çıkarken şöyle yazmıştı:

"İnanılmayacak kadar güzel bir şey bu. Kaderimizin bize bu kadar yardımcı olacağını tasavvur edemezdim. Demek Galata Kulesi 15'lik toplarımızın altında paramparça olacak. Demek deniz top gümbürtüleriyle kana boyanıp leş gibi olacak. Demek Ayasofya'nın mozaiklerini, lokumları, halıları yağmalayacağım! Demek ki bizler tarihte bir çağın dönüm noktası olacağız.

Oh Tanrım!

Şair Rubert Brooke

Hayatımda bu kadar mutlu olmamıştım. Birden anladım ki hayatımın tek arzusu İstanbul'a karşı bir askeri sefere katılmakmış."[34]

24 NİSAN Cumartesi günü 300 gemi ve deniz aracı, Bozcaada ile Gökçeada arkasında toplanmıştı. Çıkarma için gerekli son düzeni alıyorlardı.

Rus donanması da sabah bir dayanışma gösterisi olarak İstanbul Boğazı'nın iki yanındaki Karadeniz kıyılarını bombardıman etti. 150 büyük mermi attı.

General Hamilton kara-deniz işbirliğini kolaylaştırmak için karargâhını Queen Elizabeth'e taşıdı. Amiral de Robeck tarafından törenle karşılandı.

Ön direğe Hamilton'un forsu da çekildi.

Türkler ve Almanlar Birleşik Ordu'nun ve Birleşik Donanma'nın ertesi sabah harekete geçeceğini öğrenememiş ve anlamamışlardı.

Liman Paşa 11. Tümene tatbikat yaptırmak için Çanakkale'ye geçmişti. Tatbikatın konusu Beşige'ye yapılacak bir olası çıkarmaydı. Liman Paşa'nın Saros ve Beşige saplantısı artarak sürmekteydi. Çanakkale'deki Hava Bölüğü de uyumuştu.

Uyumayan yalnız Seddülbahir'deki 3. Tabur Komutanı Binbaşı Mahmut Sabri Bey'di. Deniz ve hava hareketlerine bakarak hemen, büyük olasılıkla ertesi gün çıkarma olacağını kestirmişti. Önlemini aldı. Bölüklerine özetle şu emri verdi:

"Yedek cephanelerinizi de yanınıza alın, matraları ve su tenekelerini doldurun. İki gün bunlarla idare etmek zorunda kalabiliriz."[35]

DOĞU ve Güneydoğu Anadolu'daki Valiler ve Komutanlardan Ermenilerin silahlandıkları, devlet güçlerine karşı geldikleri, Rus birliklerine yardım ettikleri, çeteleştikleri ve isyana hazırlandıkları hakkında sürekli bilgiler geliyordu.

17 Nisan 1915 günü ilk olarak Van isyanı patladı.

Hükümet artık bir karar vermek gerektiğini anladı. Dahiliye Nezareti (İçişleri Bakanlığı) 'Ermeni komite merkezlerinin kapatılmasını, belgelerine el konulmasını ve komite elebaşlarının tutuklanmasını' bir genelge ile bütün illere bildirdi.

Bu genelge üzerine İstanbul'da Emniyet Müdürlüğü de bugün (24 Nisan) bilip izlemekte olduğu tüm elebaşıları sessizce tutukladı.

Akşam dışarda hiçbir elebaşı kalmamıştı. Bu, Ermeni isyancılar için büyük bir darbe oldu. Gafil avlanmışlardı.

Bu günü unutmayacaklardı.[36]

BİRLEŞİK ORDU ve Donanma harekete hazırdı.

Akşam herkese sıcak yemek verildi. Dileyenler evlerine son mektuplarını yazdılar.

Bir asker üzerinde 3 günlük yiyecek ve 200 fişek taşıyordu. Gece yarısı güvertelere çıkılacaktı. Herkesin yeri işaretlenmişti.

Gemiler Türklerin görmemesi için ufuk çizgisinin gerisinde bekliyorlardı.

Ay batınca harekete geçilecekti.

KIYILARI bekleyen küçük/büyük bütün birliklerde, gözlerini bir saniye bile ufuktan ayırmayan gözcüler ve nöbetçiler dışında, yatsı namazı açıkta ve topluca kılınmış, birlikte dua edilmiş, Allah'tan yardım ve zafer dilenmişti.

Komutanlar ertesi günün zorlu bir gün olabileceği düşüncesiyle, kaç zamandır, erlerin erkenden uyumalarına dikkat ediyorlardı.

Çoğu uyumuştu.

Subaylar son denetimleri yapıyor, son bilgileri alıyorlardı. Hiçbir olağanüstülük görünmüyordu.

Balıkçı Damları-Kabatepe kuzeyi arasından, kısacası Arıburnu kesiminden sorumlu bölüğün komutanı Yüzbaşı Faik de son bilgileri aldı, durumu Kabatepe'deki 2. Tabur Komutanı Binbaşı İsmet Bey'e telefonla bildirdi.

Toprağa oturdu.

Yorulmuştu.

Sırtını bir kaya parçasına dayadı, kendini gecenin büyüsüne bıraktı.

Çeyrek ay pırıl pırıldı.

Deniz sessizce kumsalı okşuyordu.

Hava bahar kokuyordu.

"Ne güzel, ne mübarek bir yurdumuz var.." diye düşündü, "..Yerlisi, göçmeni, dağlısı, ovalısı, doğulusu, batılısı, hepimiz, bir aile, bir millet olsak, birbirimizi sevsek, çok çalışsak, yollar, fabrikalar, okullar, hastaneler yapsak, ilkellikten, bağnazlıktan kurtulsak, mutluluğu, refahı, uygarca ve özgürce yaşamayı biz de tanısak.."

Özlemle içini çekti.

Yüzbaşı Faik'i büyüleyen, hayallere salan bu güzellik gün ışırken kana bulanacaktı.

SEDDÜLBAHİR Gelibolu yarımadasının güneyiydi. Burun kesimi 5 km. enindeydi (Teke Burnu ile Eski Hisarlık arası). Donanma üç yandan birden sarıp ateş altına alabileceği için buradaki Türk savunması fazla önemsenmiyor, çıkarma ve ilerlemenin zor olmayacağı düşünülüyordu.

Seddülbahir'de 5 yere birden çıkacaklardı: Soldan sağa doğru, Pınariçi Koyu, İkizköy, Teke Koyu, Ertuğrul Koyu ve Eski Hisarlık.[37]

Ama asıl çıkarma Ertuğrul Koyu ile Teke Koyu'na yapılacaktı.

Saros, Beşige ve Kumkale'deki gösteriler, Türklerin buraya takviye yollamalarını engellemek için yapılacaktı.

Pınariçi, Eski Hisar ve İkizköy'e çıkarmaların amacı, bu büyük çıkarmayı kolaylaştırmak, güven altına almak ve hızlandırmaktı.

Hepsi derinlikte birleşip Alçıtepe'ye akacaktı.

Günün ilk hedefi 10 km. uzaktaki Alçıtepe'ydi.[38]

General Hamilton, Liman Paşa asıl çıkarmanın nereye yapılacağını anlayıp da, buraya kuvvet yollayana kadar Alçı Tepe'ye ulaşacaklarını hesaplıyordu.

Binbaşı Mahmut Sabri Bey yatsı namazından sonra yakınlardaki subayları topladı. Takım komutanları oğlu yaşındaydı. Ertesi gün bu çocuklar belki de toprağa düşeceklerdi. Gözünün yaşarmasına engel olmayı başardı. Dedi ki:

"Yarın çıkarma başlarsa, geriden cephane gelmesi imkânsız. Düşman donanması göz açtırmıyor. Onun için her kurşun hesaplı atılacak. Keskin nişancılar önce subayları, komutanları temizleyecek. En zor durumda bile askerin yemeği ihmal edilmeyecek. Gözcüler dışındaki askerleri bu gece geriye, sığınaklara alın. Ateş bitince yerlerimizi döneriz. Haydi çocuklarım, gazamız mübarek olsun!"

Mahmut Sabri Bey subaylarını kucakladı, subayları da onun elini öptüler, helalleşildi.

Tümenden birkaç kara mayını gelmişti. İstihkâm Bölüğü gece kumsalı mayınlamaya girişti. Işıkdaklarını sürekli gezdirerek kıyıları denetim altında tutan nöbetçi düşman gemileri çalışmayı fark edince ateşe başladılar. Çalışma durduruldu.

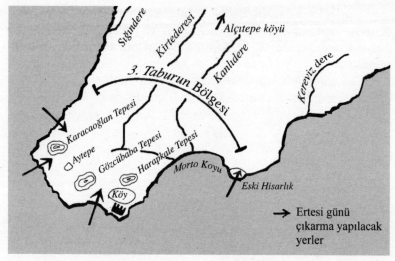

Seddülbahir bölgesi genel görünüm

Hava ılık, deniz durgundu. Aydan dünyaya nur yağıyordu. Ay batınca ölüm filoları harekete geçeceklerdi.

GENERAL HAMILTON DA, Liman Paşa da, Türk ordusu hakkında benzer biçimde düşünüyorlardı.

Türk ordusunun çok uzun zamandan beri ciddi bir başarısı yoktu. Sicili iyi değildi. Daha kısa bir zaman önce Sarıkamış'ta ve Süveyş'te yenilmişti.

Yeni bir haber daha vardı:

Bir Türk birliği Irak'ta, Şuaybe'de, İngiliz birliğine taarruz etmişse de başarılı olamamış, 14 nisan gecesi yarı yarıya dağılmış, kalanlar zorlukla geri çekilebilmişti. Bu yenilgiye katlanamayan birliğin komutanı Süleyman Askeri Bey intihar etmişti.[39]

Üç buçuk ay içinde bu üçüncü yenilgiydi.

Birleşik Ordu'nun komutanı ve kurmayları bu nedenlerle Türk ordusunun savaş yeteneğini ve yeterliliğini pek ciddiye almamışlar, planın birçok ayrıntısını bu önyargının etkisi altında hazırlamışlardı.[40]

Liman Paşa da –İngilizler ve birçok Alman gibi– benzer nedenlerle ordunun savaş yeteneğinden ve yeterliliğinden kuşku duymaktaydı. O da bu kuşkusuna uygun bir savunma yöntemi seçmişti.[41]

Çok yanıldıklarını sabahleyin anlayacaklardı.

Bu ordu, başka, bambaşka, yeni bir orduydu![42]

Dördüncü Bölüm

Diriliş
birinci dönem
25 Nisan 1915-2 Ağustos 1915

AY batıyordu.

Son anda iki gözcü 'enginde birçok düşman gemisinin görünmekte olduğunu' bildirdi.

Yüzbaşı Faik dürbünle ufku iyice inceledi. Çok uzakta, büyüklükleri, hareket edip etmedikleri anlaşılmayan birçok gölge vardı. Bunlar ufuk çizgisini aşmış gemilerdi.

Hemen Tabur Komutanı İsmet Bey'e durumu bildirdi.

Gözünü ufuktan ayırmıyordu. Gemiler sanki çoğalıyor gibiydiler. Tümen nöbetçi subayına da bilgi verdi.

Ay az sonra, saat 02.57'de battı.

Gemiler görünmez oldu. Yüzbaşı Faik birliklerini silahbaşı ettirdi.

AY BATAR BATMAZ, 308 gemi ve deniz aracı harekete geçti.

Dokuza ayrıldılar:

Bir grup gösteri için Saros'a, ikinci grup yine gösteri için Beşige'ye yöneldi. Karaya çıkarma yapmak için bir grup Kabatepe-Arıburnu arasına, beş grup Seddülbahir'e, bir grup Kumkale'ye gidecekti.

Karaya çıkacak subaylar ve erler güvertelerde sessizce yerlerini aldılar. Askerleri taşıyan gemilerin iki yanından aşağıya ağlar sarkıtıldı. Neşeli hava yerini tedirginliğe bırakmıştı. Fısıldayarak konuşanlar da bir süre sonra sustular. Türklerin direneceğini pek sanmıyorlardı ama karanlıkta, bilinmedik kıyılara çıkacaklardı. Uygun mesafeye gelince kıyıya çıkmak için gemilerden inip motorların çektiği filikalara bineceklerdi.

Gün doğmadan, Kabatepe ile Arıburnu arasına çıkacak olan Anzak Kolordusunun Komutanı General Birdwood, çıkarmadan önce kıyının bombardıman edilmesini istememişti. Anzaklar karaya sessizce yaklaşacak, baskın halinde çıkacak, ilk hedef olarak Kocaçimen-Kabatepe hattını ele geçireceklerdi. Baskının suya düştüğünün farkında değillerdi.

Gemileri terk etmeden önce savaşçılara sıcak kahve dağıtıldı, isteyenlere bir kadeh rom verildi.

AMİRAL DE ROBECK İstanbul-Çanakkale arasında deniz ulaşımı kesilirse, bu başarının savaşı çok kısaltacağını düşünüyordu. Ama bunun için bir denizaltının Boğaz'ı geçmesi, daha doğrusu Boğaz'ı geçmenin mümkün olduğunu kanıtlaması gerekti. Bugüne kadarki girişimler başarılı olmamış, Boğaz'ı geçmenin imkânsız olduğuna inanılmıştı.[1]

AE-2

Churchill Mondros'a yeni bir deneme için E tipi birkaç denizaltı yolladı. İçlerinde Nashmith, Boyle gibi ünlü ve usta kaptanlar da vardı.

Amiral de Robeck son deneme için AE-2 bordo numaralı Avustralya Denizaltısının kaptanı Yüzbaşı Henry Stoker'ı seçti.

Çünkü Stoker bir aydır bu konuyu inceliyor, geçiş için en uygun yöntemi araştırıyordu. En hazırlıklı o görünüyordu. Bir deneme de yapmıştı. İngiliz ve Fransızların başaramadığı bu çetin işi başarmak, Avusturalyalılığı yüceltmek istiyordu.

Ay batınca 308 gemiyle birlikte Stoker'ın denizaltısı AE-2 de harekete geçmiş, ağır ağır Boğaz'a yaklaşmaktaydı. İngiliz E tipi denizaltıların erken dönem örneklerinden, 800 tonluk bir denizaltıydı bu. Bataryaları dolu tutmak için mümkün olduğu kadar deniz yüzeyinde yol alacak, görülürse dalacaktı.

AE-2'nin kaptanı
Yüzbaşı Henry Stoker

İki yakadaki Türk ışıldakları Boğaz sularını tarıyor, gözcüler büyük bir dikkatle denizi denetliyorlardı.

Dikkati çekmeden hayli yol almıştı. Kepez'e yaklaşırken bir bataryanın gözcüleri fark edince vurulmaktan talih eseri kurtulup acele daldı.

Hızını çok düşürdü.

Mayın hatlarına yaklaştı.

Denizaltıda mayın tellerine takılmayı önleyici değişimler yapılmıştı. Ama kim güvenirdi buna? Kaç zırhlının canına okumuşlardı. Usul usul mayınlı bölgeden geçmeye başladılar. Mayınların zincirleri denizaltıya sürtündükçe, korkudan sinirleri kopacak gibi geriliyordu.

Çok uzun gelen bir süre sonra sürtünme sesi kesildi. Kaptan nerede olduklarını anlamak istedi.

Hafifçe yükseldi, periskopunu çıkardı.

Sevinçten uçacaktı.

Geçit'i geçmişler, mayın hatları geride kalmıştı. Sevinci uzun sürmedi. Periskopu fark eden kıyı topçuları ateş açtılar. Sultanhisar torpidobotu periskopu, dolayısıyla denizaltıyı mahmuzlamak için hücuma geçti.

"Hay aksi şeytan!"

Apar topar dalarak bu çılgın torpidobottan zorlukla kurtuldu.

Denizaltı kıyının uzantılarına çarptı. Akıntıya kapılıp sürüklendi. Karaya oturdu. Bir denizaltının başına gelebilecek her türlü aksiliği yaşayacaktı.

Zorlukla dengesini buldu ve 21 metrede hareketsiz durdu. Denizaltıyı batırmak için vızır vızır dolaşan torpidobotların pervane seslerini duyuyorlardı.

Denizaltının Marmara'ya geçmesi olasılığı Türkleri çok tedirgin etmişti. Çanakkale-İstanbul deniz yolu bağlantısının kesilmesi büyük sorunlara yol açardı. Denizaltıyı mutlaka yakalamalıydılar.

Kaptan Stoker tehlike geçene kadar burada, suyun altında beklemeye karar verdi. Geçit ile Nara Burnu arasındaydılar. Marmara'ya ulaşmaya 32 km. kalmıştı. Ama yola çıkmadan bataryaları doldurmaları gerekiyordu.

Geçebilirlerse denizaltıcılık dünyasında bir ilki gerçekleştirmiş ve savaşa büyük bir katkıda bulunmuş olacaklardı.[1a]

YEDEK TEĞMEN Fuat (Gücüyener), başının altında bir kaya parçası, kaputuna sarılmış toprak üzerinde kestiriyordu. Nöbetçi onbaşı uyandırdı.

"Ne var?"

"Gemiler efendim!"

Onbaşının heyecanı Teğmeni ayılttı. Hemen fırladı. Kumkale'nin 2 km. kadar doğusunda, deniz kıyısındaki sırttaydılar. Sırtın üzerinde gözcü siperi vardı. Sipere girip dürbüne sarıldı.

Bozcaada ile Gökçeada'nın arkasından birçok gemi açığa çıkmıştı. O kadar çoktular ki yanık bıraktıkları birkaç ışık bile denizi ışıl ışıl aydınlatmaya yetiyordu.

Bir saat önce bomboş olan denizin yüzü mahşere dönmüştü. İçi ürperdi.

Durumu bağlı olduğu tabura bildirdi.

Kıyılardaki bütün gözcüler birliklerini uyarmaya başlamışlardı:

"Geliyorlar!"

Müstahkem Mevki Komutanlığına bağlı bütün batarya ve tabyalar da alarma geçti.

KUMKALE'DEN 40 km. uzakta, Avusturalya ve Yeni Zelanda (Anzak) askerleri ile dolu büyük filikalar bu sırada sessizce kıyıya yaklaşmaktaydı.

Kabatepe'nin kuzeyindeki kumsala çıkacaklardı.

En soldaki filika karanlıkta biraz sola kaydı. Onunla birlikte bütün filikalar biraz sola kaydılar. Bu sapma yüzünden 1,5 km. kadar daha kuzeye, Arıburnu Koyu'na yöneldiler.[1b] Çıkacakları yerde arazi biraz sorunluydu ama bu kesimde sadece Yüzbaşı Faik'in kıyıya yayılmış bölüğü vardı, toplam 250 kişi.

Buraya çıkacak ilk dalga ise 1.500 kişiydi. Türkleri uykuda bastıracaklarını hayal ediyorlardı.

Oysa Türkler gözlerini dört açmış bekliyordu.

12 filika kıyıya yaklaşırken, bir aydınlatma fişeği yükseldi havaya, parçalanıp kıyıyı ve denizi aydınlattı.

Saat 04.30'du.

Kıyıda bir pırıltı görüldü. Bir keskin nişancı Türk ilk filikanın başında ayakta duran Anzak subayını başından vurdu. Dokuz ay sürecek savaşın ilk ateşiydi bu.

Anzakların çıkarma yapacağı Arıburnu kumsalının gündüz görünüşü. Arkadaki sivri tepe Anzakların Sfenks adını verdikleri tepedir. Resmin sağ yanı Hain tepenin etekleridir. Balıkçı Damları resmin sol yanının ilerisinde bulunmaktadır

Bir makineli tüfek olsa gelenlerin hepsi biçilirdi ama makineli tüfekler Liman Paşa'nın emri dolayısıyla 8 km. gerideydi. Ancak iki saat sonra yetişirlerdi.

Tüfekleri ateşlediler.

Vurulanlar denize, filikaların içine düşüyordu. Taşıdıkları ağırlık yüzünden denize düşenler kurtulamıyordu.

Sağ kalan Anzaklar, kumsala baştankara eden filikalardan "Hurraaa!" diye haykırarak atlayıp Gelibolu toprağına ayak bastılar. Ateş sağanağı ile karşılandılar. Vurulmayanlar sağa sola dağıldı.

Bir saat içinde kıyıya 4.000 Anzak çıkarılacaktı. 4.000 Anzak da çıkmak için sıradaydı. Arkası da gelecekti.

İki savaş gemisi Anzaklara yol açmak ve moral vermek için karanlık tepeleri top ateşi altına aldı. Durumu Queen Elizabeth'in köprü üstünden General Hamilton ve Amiral de Robeck birlikte izliyorlardı. Büyük heyecan içindeydiler.

Tarihin en büyük çıkarması başlamıştı.

27. ALAY tatbikattan geç gelmiş, saat 02.00'de yatmıştı. Yorgun asker derin uykudaydı.

Uzaktan gelen top sesleri, kaç zamandır yarı uykuda yatan Alay Komutanı Yarbay Şefik Bey'i uyandırdı. Ses Kabatepe yönünden geliyordu. Sorumlu olduğu bölgeden. Daha gün doğmamıştı. Hemen giyindi. Telefonla Kabatepe'yi aradı.

"Ne oluyor?"

" Düşman Arıburnu'na asker çıkarıyor."

"Kabatepe'ye karşı bir şey var mı?"

"Hayır, şimdilik birşey yok."

İki taburuna ve makineli tüfek bölüğüne haber yolladı:

"Harekete hazır olun!"

Tümeni aradı. Kurmay Başkanı Binbaşı Hulusi (Conk) Bey telefon başındaydı.

"Başkan, düşman Arıburnu'na asker çıkarıyormuş. Alay harekete hazır."

"Hareket için emir bekleyin."

"Peki."

Askere sabah çorbası verildi.[2] Top sesleri seyrekti ama derinden derine yansıyan bir uğultu vardı ki deneyli bir kulak bunun makineli tüfek ve tüfek sesleri olduğunu anladı. Taburu, kimbilir ne kadar üstün bir kuvvetle çarpışmaya başlamıştı. Şefik Bey duramadı, tümeni bir daha aradı:

"Arkadaşlarım orada ateş içinde yanıyorlar. Biz daha burda bekleyecek miyiz?"

Kurmay Başkanı huzursuzdu:

"Ya bu çıkarma bir aldatmacaysa? Gerçek çıkarmanın yerini anlamadan nasıl hareket emri verelim?"

Şefik Bey inledi:

"Rica ederim çabuk anlayınız."

Istırap içinde bekledi. Alayının bütün subay ve erlerini iyi tanırdı. Erlerin büyük bölümü Çanakkale ve çevresinden, bir bölümü de Orta Anadolu'dandı. Dörtte üçü evli, çocuk sahibiydi. Ağırbaşlı, sağlıklı, güvenilir insanlardı.

Bunlardan bir bölümü şimdi Arıburnu'nda savaşıyor ve eriyordu.[2a]

GÜN doğmaya başladı.

Sabah buğusu içinde Kabatepe'den Arıburnu Koyu göründü. Kabatepe'deki gözetleme yerine gelen 2. Tabur Komutanı İsmet Bey'in göğsü sancıdı:

Küçük koy savaş ve nakliye gemileri ile doluydu. Filikalarla kıyıya sürekli asker taşınıyordu. Bir balon gemisinden gözlem için bir balon yükseltilmişti. Balondaki gözcüler 200 metre yüksekten kıyıyı gözlüyorlardı. Bazı savaş gemileri arazinin derinliklerine ateş etmekteydi.

Duraksamak gereksizdi. Bu bir gösteri değil gerçek çıkarmaydı. Düşmanın Arıburnu Koyu'na çıkarma yaptığını kesin bir dille Tümene bildirdi.

Kabatepe'nin gerisinde bir obüs bataryası, burnunda iki Mantelli top vardı. Hepsi eski toplardı, geri alınmaya bile değer görülmemişlerdi. Bunlara ateş etmeleri için emir verdi. Hiç yoktan iyiydi.

9. Tümen Komutanı Albay Halil Sami Bey ile Kurmay Başkanı, 2. Tabur Komutanının raporunu büyük bir gerginlik içinde okudular. Yalnız Kabatepe'den değil, Seddülbahir'den de top sesleri gelmeye başlamıştı.

Eldeki azıcık kuvveti nerde, ne zaman, nasıl kullanmalıydı? Bu çıkarma girişimlerinin hangisi gerçekti, hangisi aldatmaca? Yanlış yapma korkusu içinde kararsız kaldılar. 2. Taburdan gelen bilgiyi 05.17'de Kolorduya bildirmekle yetindiler. Karar verebilmek için biraz daha beklemek gereğini duyuyorlardı.[3]

BİRLEŞİK DONANMA çıkarma ve gösterileri desteklemek için savaş gemilerini de dokuz gruba ayırmıştı.

Birinci grup Anzakları desteklemek üzere Arıburnu Koyu'ndaydı.

Sekiz grup savaş gemisi, bu sırada Saros'ta, Beşige'de, Seddülbahir ve Kumkale'de kıyıları bombardıman etmeye başlamıştı.

Sanki karada tek canlı bile bırakmak istemiyorlardı. Ateş o kadar yoğundu.

Kıyılardaki postalar, birlikler sığınaklara çekildiler. Türk askerlerine özgü bir sabırla, bu kıyametin geçmesini bekleyeceklerdi. Ateş kesilir kesilmez, eğer siperler duruyorsa siperlere koşacaklardı. Siperler yıkılmışsa acele baş, bel siperleri kazarak, yıkıntılara saklanarak, mermi çukurlarına gizlenerek, düşmana direneceklerdi.

Savaşın sert başlayacağı, amansız olacağı hepsine birçok kez anlatılmıştı.

U 21'in kaptanı Yüzbaşı Otto Hersing

SAAT 05.30'du.

Kuzey Almanya'da Wilhelmshaven limanındaki askeri kesimde dikkati çekmeyen bir hareketlenme vardı.

Burun kısmında beyaz boya ile U 51 yazılı bir denizaltı demir alıyordu. Bu, gizli gözler için bir aldatmacaydı. Aslında hareket edecek olan denizaltı U 21'di. Gittikçe sertleşen denizaltı savaşlarına katılmış, bilinen, düşmanın batırmak için aradığı bir denizaltıydı.

Demir yerinden ağır ağır ayrılan denizaltının nereye gideceğini yalnız geminin komutanı Yüzbaşı Otto Hersing ile Berlin'deki Amirallik Kurmay Başkanı biliyordu.

Uzun, tehlikeli, maceralı, çok duraklı bir yolculuğa çıkıyordu. İngiltere ve İrlanda'nın kuzeyinden geçerek Atlas Okyanusu'na çıkacak, güneye inecek, Cebelitarık Boğazı'ndan Akdeniz'e girecek, Çanakkale'ye ulaşmaya çalışacaktı.

Mürettebat 36 kişiydi.[3a]

KOLORDU karargâhı batıdaki bir küçük gözcü birliğinden gelen raporla erkenden ayaklanmıştı.

Bombardıman nedeniyle telefon hatları parçalandığı için sağlıklı ve hızlı bilgi alınamıyordu.

Arıburnu'na çıkarma başladığı öğrenilmişti.

Seddülbahir'de birçok yerin bombardıman edildiği hakkında kesin olmayan haberler gelmişti.

Genel durum karışık ve karanlıktı. Kesin olan bir tek şey vardı: Düşman Arıburnu'na çıkmaktaydı. Şu andaki tek gerçek buydu. Oraya çıkan düşmanın durdurulması için 27. Alayın gecikmeden hareket ettirilmesi gerekti. Halil Sami Bey uyarılacaktı ki 9. Tümenden haber geldi:

27. Alay Arıburnu'na hareket ettirilmişti.

TÜMENDEN 27. Alaya saat 05.45'te telefonla emir verilmişti:

"Düşmanı durdurmak ve denize dökmek üzere Kabatepe-Arıburnu yönüne hareket ediniz!"

İki tabur, Makineli Tüfek Bölüğü ve yardımcı kollar yürüyüş düzeninde emir beklemekteydiler.

Bir saat gecikmişlerdi. Şefik Bey alayını hemen hareket ettirdi.

Saat 05.50'ydi.

Gün açılıyordu.

İki bin savaşçı, düşman donanmasının dikkatini çekmemek için ana yoldan değil, Şefik Bey'in bir süre önce daha kuzeyden açtırdığı gözden oldukça saklı, ikinci yoldan ilerleyecekti.

Kabatepe'ye ancak iki saatte ulaşılabilirdi.

İki uzun, upuzun saatte.
İki saat içinde neler olmazdı ki!

SAVAŞ gemilerinin koruyuculuğu altında filikalar karaya birinci dalga Anzakları çıkarmışlardı.

Avustralyalı gazeteci C.E.W. Bean ile üç fotoğrafçı da ikinci dalgayla birlikte karaya çıkacaklardı. Yaklaşan kıyıyı izliyorlardı.[3b]
Avusturalya ve Yeni Zelanda iki İngiliz dominyonuydu. Birinci Dünya Savaşı'nın başlaması üzerine ikisi de gönüllüleri askere almışlardı.

Avustralyalıların Mısır'a hareketlerinden önceki geçit töreni

Avustralyalıların King George limanında uğurlanışları

Yerli Maoriler ile beyaz göçmenler Yeni Zelanda birliğinde buluştular. Yeni Zelanda milleti böyle oluşacaktı.

Birkaç kolonide yaşayan ve birbirine yabancı kalan Avustralyalılar da ilk kez orduda biraraya gelmişlerdi. Bunların ataları İngiltere'den, İrlanda'dan, Hollanda'dan, Danimarka'dan, İsveç'ten gelmiş insanlardı. Ortak bir vatanları ve 'kendi kimlikleriyle uluslararası olaylarda aktif bir rol oynama ülküleri' vardı. Avustralya milleti de böyle oluşmaktaydı.

Anzaklar Melbourne'de gemiye binerken

İlk grup 1 Kasım 1914 günü Avustralya'nın King George limanından yola çıkmış, büyük törenlerle uğurlanmıştı.[3c]

Bütün aileler çocuklarının şeref kazanmış olarak eksiksiz döneceklerine inanıyorlardı.

19. TÜMEN sabah tatbikata çıkacaktı. Bu nedenle herkes erkenden uyanmıştı.

Top sesleri duyulmaya başladı. Bir birlik Arıburnu Koyu'nda gemiler görüldüğünü bildirdi. Kesin bilgi az sonra 9. Tümenden geldi:

"Düşman Arıburnu'na asker çıkarıyor."

M. Kemal çok huzursuz oldu. Hatta telaşlandı.

Arıburnu'na ha!

Bu can alıcı noktaya niye asker çıkarırdı düşman? Kocadağ ile Kabatepe'yi ele geçirmek, Eceabat-Kilitbahir yolunu açmak için. Kesinlikle durdurulması gereken öldürücü bir hareketti bu.

İzzettin Bey şimdiye kadar komutanını hiç böyle görmemişti. M. Kemal haritada Kocadağ'ı göstererek telaşının nedenini açıkladı:

"Bu kütle Gelibolu yarımadasının kilididir."

Elini dolaştırarak dağın her kritik yere ne kadar yakın ve egemen olduğunu gösterdi.

"Burası ellerine geçerse savaş daha başlamadan biter."

Süvari Bölük Komutanını çağırdı:

"Bölüğünle Kocaçimen'e gideceksin. Oradan Kabatepe ve Arıburnu Koyu rahat görünür. Ne oluyor? Senden doğru ve çabuk bilgi istiyorum. Düşman yaklaşırsa son askerine kadar tepeyi savunacaksın!"

"Başüstüne!"

Bilgi almayı umarak Kolordu Komutanı Esat Paşa'ya telefon etti. Kolordu da tam bilgi edinebilmiş değildi.

06.30'da Halil Sami Bey'den bir telefon notu geldi. Tümen Komutanı diyordu ki:

"Düşmanın Arıburnu'ndaki sırtları sarmakta olduğu bildiriliyor. Yakınlığı dolayısıyla Maltepe'deki kuvvetinizden bir taburu acele Arıburnu'na göndermenizi rica ederim."[3d]

Albay aralarındaki dostluğa güvenerek yardım istiyordu!

Ordudan, kolordudan hiçbir emir gelmemişti.

M. Kemal şöyle düşündü: Çıkarmanın sürdüğü, düşmanın durdurulamayıp yayıldığı anlaşılıyor. Demek ki düşman kalabalık. Düşmanın kıyıda yerleşmesine ve yayılmasına izin verilemez, bu çok tehlikeli olur. Bu hareket bir taburla önlenemez. Emir beklemek vakit yitirmek olacak.[4]

Tarihin akışını değiştirecek olan kararı verdi:

Tümen ordu yedeği olduğu için iki alayını burada bırakacak, bir alayı ve bir dağ bataryasıyla Arıburnu'na yetişecek, bu çok tehlikeli hareketi önlemek için düşmana taarruz edecekti.

Bu, inisiyatiften daha ileri bir tavır, ağır sorumluluğu olan, ancak M. Kemal gibi birinin verebileceği bir karardı. Ordunun yedeği olan birliğinin bir alayı ile bir bataryasını kimseye danışmadan ve haber vermeden savaşa götürecekti.[5]

Suçlu görülerek mesleğinden uzaklaştırılabilir, hatta idam edilebilirdi. Bunları düşünmedi ya da önemsemedi. Tehlike her türlü kaygıdan daha önemliydi.

Kolordu Komutanına ve 9. Tümen Komutanına göndermesi için İzzetin Bey'e iki kısa bilgi yazısı not ettirdi.

57. Alay tatbikata çıkmak için çorbasını içmiş, hazır bekliyordu.

Toplanma yerine geldi.

Biraz da gülümseyerek, "Arkadaşlar.." dedi, "..bugün yine tatbikata gideceğiz. Fakat bugünkü düşman artık hayal değil gerçektir. Düşman Arıburnu'na çıkmış. En kısa yoldan Kocaçimen'i tutacağız."[6]

Genç yarbay başa geçti.

Batıya hareket ettiler.[7]

Saat 07.45'ti.

İLK BİLGİ gelir gelmez ordu karargâhındaki nöbetçi subay, Liman Paşa'nın yaveri Binbaşı Prigge'yi uyandırmış, o da Liman Paşa'yı uyandırarak haberi vermişti.

Raporlar birbirini izledi.

Bunlara göre düşman birçok yeri bombalıyor, hepsine çıkarma yapacak gibi görünüyordu.[8]

Hangisi gerçekti?

Hangisi önemliydi?

Liman Paşa'nın, gelişmeleri sağlıklı ve hızlı olarak öğrenmek için hemen ordu karargâhına gelmesi, bütün birliklerle bağlantı içinde kalması, 'esnek savunma sistemini' hızla çalıştırması, ivedilik isteyen büyük kararlar vermesi, ordusunu yönetmesi doğal bir gereklilikti.

Liman Paşa böyle yapmadı.

Hareketin başladığını Başkomutanlığa bildirdikten sonra, Saros'taki durumu gözüyle görmek için atla Bolayır'a hareket etti. Yanına yalnız yaveri Binbaşı Prigge'yi almıştı.[9]

Ne Ordu Kurmay Başkanına, ne de Kolordu Komutanı Esat Paşa'ya bir talimat bıraktı.

Ordunun yedek birliği olan 19. Tümenin nasıl kullanılacağı hakkında da bir emir vermedi.

Ordusunu yalnız, emirsiz, habersiz bırakıp gitmişti.[10]

Giderken Gelibolu'da bulunan 7. Tümeni silahbaşı ettirdi, bazı birliklerini de Bolayır'a doğru hareket ettirecekti. Saros kıştağına çıkarma yapılacağından bu kadar emindi.

3. KOLORDU karargâhı o andaki duruma göre savaş alanından çok uzaktaydı. Savaş Arıburnu ve Seddülbahir'deydi. Kurmaylar karargâhın Eceabat ya da Maltepe'ye taşınarak savaş alanına yaklaşması gerektiğini belirttiler. Esat Paşa hak verdi. Ama bunun için Ordu Komutanından izin almak gerekiyordu.

İzin almak ve durumu konuşmak için telefonla Liman Paşa'yı aradı. Paşa yoktu. Kurmay Başkanı Kâzım Bey Paşa'nın durumu gözlemek için Bolayır'a gittiğini söyledi.

"Bolayır'a mı?"

"Evet."

"Ne zaman döneceğini söyledi mi?"

"Hayır!"

"Bir emir, talimat bırakmadı mı?"

"Hayır Paşam!"

Esat Paşa ve kurmaylar şaşakaldılar.

"Nasıl olur?"

Savaş patlamışken bir ordu komutanının ordu merkezini bırakıp keşif kolu gibi cephelerden birine gidip gözlemde bulunması olayının herhalde tarihte bir benzeri yoktu.

Tek çözüm Bolayır'a gitmekti.

Esat Paşa, karargâhın taşınmasıyla ilgili gerekli hazırlıkları yapması için Fahrettin Bey'i görevlendirdi, Liman Paşa'yı aramak için otomobille Bolayır'a hareket etti.

LİMAN PAŞA çıplak Bolayır sırtına gelince, atından inmiş, görünmemek için hemen bir çalıyı siper alarak yere yatmış, dürbününe sarılmıştı.

Saros körfezi ayak altındaydı.

Körfez savaş ve nakliye gemileriyle doluydu. Daha çıkarma başlamamıştı. Erken geldiği için sevindi.

Savaş gemileri tabyaları, mevzileri ateş altına almıştı. Aldatmak için ateş etmeye akşama kadar devam edeceklerdi.

Savaş gemilerinin arkasında, askerle dolu olduğu izlenimini veren 11 nakliye gemisi vardı. Nakliye gemilerinin güverteleri asker azlığı anlaşılmasın diye yapraklı dallarla maskelenmişti. Askerler bir kaç gün sonra Seddülbahir'e çıkacak olan Deniz Piyade Tümeninden birkaç bin kişiydi. Figüranlık yapıyorlardı. Birkaç balıkçı gemisi de mayın arıyor gibi yaparak göz oyalıyordu.

5. Ordu Komutanı Mareşal Liman Paşa, General Hamilton'un sahneye koyduğu bu İngiliz oyununu izliyor, aldatmaca olduğundan zerre kadar kuşkulanmıyordu.

Bu gösteriyle buradaki 5. ve 7. Tümenlerin güneye yardıma gitmelerini engellemek isteyen General Hamilton amacına ulaşmış görünüyordu.

Saplantısının şiddeti, Liman Paşa'nın ayrıntıları görüp de ayılmasını engellemekteydi. Güneyde kan gövdeyi götürürken burada pahalı bir gösteri izlemekteydi.

Esat Paşa otomobille Bolayır'a yaklaşırken Liman Paşa'yı yaveriyle birlikte, bir çalının arkasında, yere yapışmış, dürbünle körfezi izlerken buldu. Hemen otomobilden indi. Liman Paşa düşmanın görmesinden korkarak çok telaşlandı, bağırdı:

"Eğil yere, sürünerek gel, gemilere hedef oluyorsun."

Esat Paşa Mareşal'in emrini ikiletmedi, hemen yere yattı, sürüne sürüne yanına geldi.[11] Kibarlığından kekeleyerek, 'Asıl çıkarmanın Arıburnu ile Seddülbahir'de başladığını, burdaki olayın bir gösteri olabileceğini' söyledi ve karargâhını Maltepe'ye taşımak için izin istedi.

Liman Paşa kolordu karargâhının taşınması için emrindeki 62 No.lu eski Boğaziçi vapurunun kullanılmasını uygun gördü, doğrudan kendine bağlı olan 19. Tümeni Esat Paşa'nın emrine verdi, çıkarma tehlikesi sürdüğü için 3. Kolordunun birliği olan '7. Tümeni Saros yakınında ve doğrudan emrinde tutacağını' bildirdi. Kendi bir süre daha bu tehlikeli yerde kalacaktı.

Kolordu Komutanına askeri harekât için hiçbir emir vermedi, tavsiyede bulunmadı.

Esat Paşa yine sürünerek uzaklaşıp otomobiline bindi.

İKİNCİ GÖSTERİ öbür uçta, Çanakkale kesiminde, Beşige'de yapılıyordu.[11a] Amaç buradaki 11. Tümeni yerinde tutmak, asıl çıkarmanın yapıldığı Arıburnu'na ve Seddülbahir'e yardıma gelmesini önlemekti.

General Hamilton bu görevi Fransızlara vermişti.

Dört Fransız savaş gemisiyle Birleşik Donanmaya katılmış olan Rus Ascold kruvazörü sabah erkenden Beşige çevresini bombardıman etmeye, Troya döneminden beri savaş görmemiş kıyıları, ağaçlıkları, bağları, bahçeleri yakıp yıkmaya başladılar.

Geride askerle dolu 6 nakliye gemisi vardı. Bunlar birkaç gün sonra Seddülbahir'e çıkacak olan Fransız Tümeninden birkaç taburdu. Gemilerin yanında büyük filikalar bekliyordu.

Aldatmacayı Fransızlar da iyi beceriyorlardı.

Öğlene doğru koyu bir sis Beşige bölgesini kapladı. Türkler, savaş ve nakliye gemilerinin gittiklerini ancak ertesi sabah, sis iyice kalkınca anlayacaklardı.

Bu gösteri ile General Hamilton, 5. Ordunun sol kanadındaki 11. Tümeni de yerinde tutmayı başarmıştı.

5. ORDUNUN sol kanadında ikinci bir tümen daha vardı: İstanbul'dan Çanakkale'ye yeni gelen 3. Tümen. Bu tümen Kumkale ile Çanakkale arasında, Troya kalıntıları çevresinde yer alıyordu.

Kumkale'ye yapılacak çıkarmanın amacı da bu tümeni oyalayarak, hiç olmazsa iki gün bu yakada tutmak, ilk aşamada karşı yakaya gönderilmesini önlemekti.[12]

Sınırlı bir aldatma hareketiydi.

Kumkale'ye 2.800 kişilik bir Fransız alayı, bir batarya ve bir istihkâm bölüğü çıkacaktı. Yıkık Kumkale tabyası ile yanık Kumkale köyünü işgal edecek, Menderes çayına kadar ilerleyeceklerdi.

Burası Ege ile Menderes çayı arasında, 500 metre derinliğinde bir arazi parçasıydı.

Kıyı savunmasızdı. 3. Tümenin üç alayı ve bataryaları gerilerdeydi. Liman Paşa yöntemince düşmana, karaya çıktıktan sonra geceleyin, geriden gelip hücum edilecekti.

Kumkale ile Yenişehir arasında bir bölük vardı (31. Alaydan 6. Bölük). Bölük üç takımını kıyı boyunca değişik yerlere yerleştirmişti.

Kalabalık Fransız filosu sabah 05.15'te Boğaz ağzına geldi. 128 topuyla kıyıyı dövmeye başladı. Bir zırhlısı da Boğaz içine girerek İntepe bataryalarını ateş altına aldı.

Bombardıman alay kıyıya çıkana kadar kesintisiz sürecekti. Amiral Quepratte saat 06.20'de askerlerin kıyıya çıkarılmasını emretti. Askerler filikalara alınmaya başladılar. Fransız alayının büyükçe bölümü süngü yerine satır kullanan Senegalli Müslüman askerlerdi.

Fransız kurmaylar güçlü kıyı akıntısını dikkate almamışlardı. Akıntı asker dolu filikaların kıyıya yaklaşmasına izin vermedi. Akıntı ile çıkarma araçlarının mücadelesi uzun sürecekti.

Amiral söylenip duruyordu.

Bütün filikalar, savunmacılar için açık ve kolay hedef haline gelmişti. Burada birkaç makineli tüfek bulunsa karaya çıkacak sağ Fransız askeri kalmazdı.

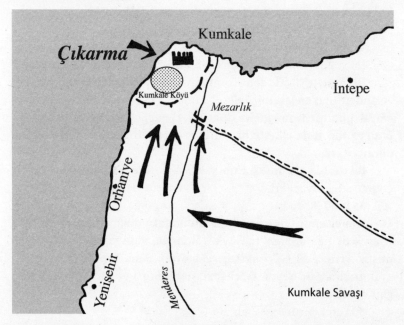

Kumkale Savaşı

Ama bu silahlar yeni düzen gereği gerideydi.

Kumkale'deki takımın komutanı Üsteğmen Şevki hırsından dişleriyle dudağını parçalıyor, bu aptal, hain düzene lanet okuyordu.[13]

Çıkarmanın başlamak üzere olduğu 3. Tümene, oradan da 15. Kolorduya bildirildi. Kurmay Yüzbaşı Bursalı Mehmet Nihat bu yeni kolordunun Hareket Şubesi Müdürlüğüne atanmıştı. Hiç mutlu değildi. Çünkü Kolordunun Kurmay Başkanı, her fırsatta Türkleri eleştiren, küçük gören Yarbay von Thauvenay idi.

Sürekli aynı şeyi söylüyordu:

"Monşer, sizin asker İngiliz ve Fransız askerinin karşısına çıkacak kuvvet değildir!"[14]

Sabah Beşige önünde gemilerinin toplandığını öğrendiği anda sinirleri bozulmuştu. Kumkale'ye çıkarmanın başlayacağını duyunca panikledi. Ona göre Avrupalı bir düşmanı durdurmaya Türklerin ne aklı yeterdi, ne yeteneği. Oysa Çanakkale Almanya için çok önemliydi. Çanakkale düşerse, İstanbul savunulamaz, Bulgaristan ile Romanya İngiltere'nin yanında yer alır, Rusya şahlanır, Almanya güneyden kuşatılmış olurdu! Türk birliklerini üst üste, durmadan düşmanın üzerine sürmekten başka çare yoktu!

En soğukkanlı olması gereken bir günde, ortalığı telaşa verdi.

Bu etkiyle 3. Tümen Komutanı Albay Nicolai bütün tümeni yerinden oynatacak, birliklere, Liman Paşa'nın yöntemine aykırı olarak gündüz Kumkale'ye doğru ilerlemeleri için emir verecekti. Fransız filosu da elbette bu birlikleri ateş altına alarak ağır kayba uğratacaktı.

Bu sırada ilk filika Kumkale iskelesine yanaşıyordu. Asker çıkmaya başlayacaktı.

Saat 09.30'du.

Genel emir, çıkışı serbest bırakmak, düşmanı gece taarruz ederek denize dökmekti. Şevki takımıyla kale yıkıntısına saklanmıştı. Artık geri çekilmesi gerekiyordu. Ama toprağına düşman ayak basmak üzereydi. Geri çekilmedi. Emri yok sayıp 'ateş!' emrini verdi.

80 tüfek birden patladı.

4 saat sürmüş ağır bombardımandan sonra bu öldürücü tepki Fransızları aptala çevirdi. Torpidobotların ve motorların makineli tüfeklerini faaliyete geçirinceye kadar epey kayıp verdiler.[15]

Takım Kumkale köyüne geriledi. Küçük köyün yangın artıkları, cam kırıkları, yıkıntılarla dolu sokaklarında ve yarı yanık evlerinde boğuşma başladı. Türk askeri bir süre Senegallilerin satırlarını yadırgadı. Cellat baltasına benziyordu bunlar. Boğuşarak alıştılar. Süngülerini şimşek gibi çalıştırmaya başladılar.

Çıkarma sürüyor, düşman sayısı arttıkça artıyordu.

Takım yaralılarını alarak Kumkale mezarlığına çekildi.[16] Bölük Komutanı ikinci takımı da yolladı. 130 kişi ettiler.

Fransız Birliği bir yandan karaya çıkmayı sürdürüyor, bir yandan da Kumkale köyünden Menderes nehrine doğru yayılmak istiyordu.

Karşılarında yalnız bu 130 kişi vardı. 130 kişi, sayısı bini geçen Fransızlara köyden dışarı adım attırmadı.

Türklerden böyle aşılmaz bir direniş beklemeyen Fransızların hesapları ve akılları karıştı. Birlik Komutanı filodan yardım istedi. Amiral Quepratte bir yerleri yakıp yıkmak için fırsat aramaktaydı. Bütün filo şirin mezarlığı ve çevresini ateş altına aldı. Kutsallık tanımıyan mermiler mezarlığı alt üst ettiler.

Küçük Türk birliği vuruluyor, parçalanıyor, havaya uçuyor, eriyor ama geri çekilmiyordu.[16a] Teğmen Fuat (Gücüyener) uzaktan, derin bir üzüntü içinde bu durumu izliyor, içi kan ağlıyordu.

Küçük birlik daha ne kadar direnebilirdi ki?

FAHRETTİN ALTAY Maltepe'ye götürülecek dosyaları, haritaları, eşyaları seçip sardırmış, birlikte gelecekleri de seçmişti.

Herkes asker yatağı ve çantasını hazırlamış, bekliyordu.

Esat Paşa yüzü sararmış, elbisesi toza toprağa bulanmış bir halde döndü. Sinir içindeydi. Niye sinirli olduğu besbelliydi ama açıklamamak inceliğini gösterdi.

Durumu sordu.

27. Alay Arıburnu'na yetişmek üzereydi. M. Kemal bir alayı ile Kocaçimen'e yürüyordu. Düşman Seddülbahir'de çeşitli yerlere çıkarma yapmaya çalışıyor, asker direniyordu.

"İyi. Haydi gidelim."

Binbaşı Ohrili Kemal Bey dayanamadı, sordu:

"Komutan ne yapıyor?"

Esat Paşa omzunu silkip yürüdü.

Liman Paşa bu sırada Bolayır sırtında, çalının arkasında yere yatmış, saplantısının emrinde, körfezi gözlüyordu. Bu bir gösteri miydi, yoksa gerçek bir çıkarmaya hazırlık mıydı, daha karar verememişti.

Harekete geçip ordusunun başına dönmek, gelişmeleri öğrenmek ya da Kurmay Başkanına savaşa yön verecek emirler yollamak ya da orduya cesaret verici bir mesaj yayımlamak, kısacası başlamış ve yayılmış olan savaşla ilgilenmek hiç aklına gelmiyor, gelse de harekete geçemiyordu. İradesi donmuş gibiydi.

Büyülenmiş bir halde gemileri izliyordu.

ARIBURNU'NDA Balıkçı Damları ile Kabatepe'nin kuzeyi arasındaki uzun kıyıya yayılmış olan Yüzbaşı Faik'in 250 adamı mıh gibi dikilmiş ve direnmişti.[17]

Biri bile 'düşman it sürüsü gibi kalabalık, çekilelim' dememiş, yılgınlık göstermemişti. Bir adım geri gitmeyi hepsi alçaklık saymıştı. Görevleri gerideki asıl kuvvetler yetişene kadar düşmanı durdurmak ve oyalamaktı.

Canlarını bunun için severek vermişlerdi. Takımlar erimiş, Bölük Komutanı Yüzbaşı Faik Bey ile 3. Takım Komutanı Astsubay Süleyman yaralanmıştı.

Az sonra Haintepe'de savaşan 2. Takımın komutanı Asteğmen Muharrem de yaralandı. Beş-on asker kalmıştı takımdan geriye. Savaşmayı sürdürseler komutanları düşman eline düşebilirdi. Bu nedenle direnişi kesip çekilmeye karar verdiler. Emireri Mehmet Ali dağ gibi bir askerdi. Ona "Komutanı al git!" dediler.

Kendileri ikisini korumak için geriden geleceklerdi.

"Allaha emanet olun!"

Mehmet Ali Asteğmen Muharrem'i derin bir şefkatle sırtına aldı, geri çekilip fundalığa daldı. Komutanı kendinden daha gençti. Sarsmamaya dikkat ederek hızlıca yürüyor, bir yandan da hıncından, hırsından çocuk gibi ağlıyordu.

"Büyük Allahım ayağını öpeyim, bu günün öcünü almama izin ver."

Ağlaya ağlaya dere tepe aşacak, Asteğmen Muharrem'i sahra hastanesine yetiştirecekti.[17a]

Bu arada bir gün sonra Kanlısırt adını alacak olan tepenin üzerindeki bataryanın dört topundan üçü düşmana kaptırılmış, ancak biri ve mermiler kurtarılabilmişti.

Topçular kan ağlıyorlardı.

Düşman da çok kayıp vermiş ama ilk bocalamayı atlattıktan sonra daha iyi savaşmaya başlamıştı. Bazıları vahşice dövüşüyor, hiç vakit harcamıyor, yaralı ve esir düşen Türkleri süngüleyip öldürüyorlardı.[17b]

En uzakta, Balıkçı Damları'nda, Asteğmen İbrahim Hayrettin'in komutasındaki 1. Takım vardı. İlk çıkan Anzak bölüğünü mahvetmişti. Ama çıkanların sayısı artıyor, Takım eriyerek direniyordu. Asteğmen düşmanın Kocadağ'ın eteklerindeki tepeleri ele geçirdiğini gördükçe kahrolmaktaydı.

Bir müfrezenin dağın yukarısına doğru ilerlediğini fark etti. Teğmen Tulloch'un girişken müfrezesiydi bu. Daha başka birlikler de dağa çıkmaya başlamışlardı.

Sağ kalan askerlerini alarak, Kocadağ'ın doruğuna doğru çekilmeye karar verdi. Bu müfrezeyi doruğa varmadan önce engellemek gerektiğini düşünüyordu.

"Haydi arkadaşlar!"

Balıkçı Damları ile Kocadağ arası, en dik yokuşlar, en sarp yarlar, en gür ve sık fundalıklarla doluydu. Elleri, yüzleri kesilerek, dizleri yaralanıp parçalanarak tırmanmaya koyuldular.

Düşman müfrezesini korkutmak, yavaşlatmak, geri çevirmek için de ara sıra durup ateş ediyorlardı.

Zaman hışım gibi geçmekteydi. Anzaklar giderek çoğalıyor, Kocadağ'a yayılıyorlardı.

Sağ kalabilen bir avuç Türk de topçular gibi kan ağlıyordu artık. Bitmek üzereydiler.

Nerede kalmıştı gerideki kurtarıcı kuvvetler? Hani bir yere çıkarma olunca Alaman Paşa bütün birlikleri yardıma yollayacaktı? Oynak savunma sistemi böyle çalışmayacak mıydı?

Ümitsizliğe düşmek üzereydiler. Bir haber mermi hızıyla askerden askere yayıldı.

27. Alay yetişmişti.

Saat 07.40'tı.

Alay çapraşık, dar, zor yolları iki saatten önce almıştı. Uçaklardan sakınmak için ikide bir yolun iki yanına dağılıp yatmasalar daha önce gelebilirlerdi. Taşıdığı ağırlık 30 kiloyu geçen asker yorulmuştu. Şefik Bey kısa bir mola verdi.

Tümene, Kabatepe'nin batısından düşmana taarruz edeceğini bildirdi. Kritik yer Kocadağ'dı. Düşman orayı ele geçirirse hem alayın arkasına dolanmış, hem gelecek için çok tehlikeli bir noktaya yerleşmiş olurdu. Ama elindeki asker sayısı, cephesini, orayı koruyacak kadar uzatmaya yetmiyordu. 19. Tümenin Kocadağ'ı tutmasını diledi.

M. Kemal'in 57. Alayla tam da o saatte yola çıkmış olduğunu bilmiyordu.

Çevreyi dikkatle inceledi.

Taarruza başlamak için düşman elinde bulunan Kanlısırt'tan daha yüksek olan 165 yükseltili tepeyi seçti.

1. Tabur solda, 3. Tabur sağda taarruz edecekti. Dört Maksim ağır makineli tüfeği yakınında ve emrinde tuttu. Gelmesi gereken dağ bataryası, komutanının beceriksizliği yüzünden toparlanıp da daha gelememişti.[17c]

Bu sırada Kanlısırt'ta üç topu düşmana kaptırılan bataryanın komutanı ile mürettebatı, kurtarıp sakladıkları dördüncü topla gelip alaya katıldılar. Şefik Bey sevindi. Öteki üç kardeşini kurtarmak için bu topa çok iş düşecekti.

Askerlerin sırt çantalarını geride bırakmaları önerisini, çeviklik sağlayacağı için yararlı görüp kabul etti. Askerler yanlarına yedek fişeklerini, matra ve ekmek torbalarını alacaklardı. Askerler sırt çantalarından temiz çamaşır alıp ekmek torbalarına koydular.

Sırt çantaları geride bırakıldı.

Bu arada sağ kalan direnişçiler taburlara katılıyor, büyük sevgiyle karşılanıyorlardı. İçleri yanıyordu ama ilk istedikleri su değil, dövüşe devam için cephaneydi.

Taburlar taarruz düzenine girmek için yayılıp açılmaya başladılar. Fundalık arazi bu hareketleri düşman gözünden saklıyordu. Tabur Komutanlarına bir emir götüren Emir Subayı Asteğmen Cevdet, dönüşünde gözleri dolu dolu, "Komutanım.." dedi, "..bir şey görmenizi istiyorum."

Şefik Bey çok önemli bir şey olduğunu anladı. Sessizce Asteğmeni izledi. Biraz ilerleyince gördü. Onun da gözleri dolup taştı. Askercikler kirli çamaşırlarını dürüp fundaların diplerine bırakmışlar, temiz çamaşırlarını giyerek şehit olmaya hazırlanmışlardı. Allah'ın huzuruna insan ve asker olarak temiz çıkacaklardı.[18]

Anzaklar dalgalı arazide yayılmaktaydılar. Çıktıkları kıyıda, birkaç yüz değil, birkaç bin Türkle savaştıklarını sanıyorlardı. Başlangıçta hayli kayıp vermiş, güçlükle toparlanabilmişlerdi.

Şimdi gülümseyerek düşünüyorlardı:

'Korkak Abdul' hemen kollarını kaldırıp teslim olmamış, tabanları yağlayıp kaçmamıştı. Aferin, iyi direnmişti. Ama kahramanlığı az sürmüştü zavallının. O binlerce kişi ortadan kayboluvermişti. İşte şimdi ilk hedefe, Kocaçimen-Kabatepe hattına doğru yürüyorlardı.

Hava açık ve serindi.

Çoğu doğa adamı, gezgin, madenci, altın arayıcı, kara ve deniz avcısı olan Anzaklar elde ettikleri sonuçtan çok memnundular. İkinci hedefe de ulaşınca bu gürültülü iş çabucak bitmiş olacaktı.

Birdenbire kıyamet koptu. Makineli tüfekler takırdamaya, tüfekler cayırdamaya, top gürlemeye başladı.

Akılları başlarından gitti.

"O my God!"

Ne oluyordu? Mavi gökyüzü kızıl ateş kesilmiş başlarına yağıyordu.

27. Alay, on bine yakın döğüşken, atılgan Anzak'a karşı taarruza geçmişti.[19]

Saat 09.00'du.

M. KEMAL, yaveri Teğmen Kâzım, Tümen Başhekimi, Topçu Taburu Komutanı, 57. Alay, dağ bataryası ve sağlık müfrezesi Kocadağ yolundaydılar.

Yolun bir görünüp bir kaybolmasına, sarplığına, darlığına rağmen, hiç durmadan ve hiç döküntü vermeden yürüyorlardı.

Topları, topları çeken, makineli tüfekleri taşıyan katırları, cephane, ekmek ve yiyecek arabalarını çetin, fundalık yollardan, derelerin kaya parçalarıyla dolu yataklarından geçirmek çok zordu ama asker bir çaresini bulup geçiriyor, gecikmeden ilerliyorlardı.

Yol Mazı Çukuru denilen cennet gibi bir vadiye çıktı. Bu cennetin içinden geçtiler.

Ne bir an durup şerbet gibi havasını içlerine çektiler, ne bütün vadiyi örten sevinç içindeki kır çiçeklerine bakabildiler.

Zamanla yarışıyorlardı.

Hızlanarak yürüdüler.

Saat 09.15'ti.

SEDDÜLBAHİR'E Kitchener'in ve Hamilton'un çok güvendikleri 29. İngiliz Tümeni çıkacaktı. Arkasında da donanma olacaktı. Bu iyi donanımlı, eğitimli 17.000 kişilik tümenin Türk savunmasını zorlanmadan aşacağı beklenmekteydi.

Bir başarısızlık, hiçbir İngilizin aklının kıyısından, ucundan, uzağından bile geçmiyordu. Bir gecikme bile söz konusu olamazdı.

General Hamilton, bugün Arıburnu'nda Kocaçimen-Kabatepe hattına, Seddülbahir'de de Alçıtepe'ye ulaşılarak, savaşın zor bölümünü bir gün içinde atlatacaklarını ve sona yaklaşacaklarını ümit ediyordu.

Plan bu amaca hızla ulaşmak için yapılmıştı.

Binlerce çark bunun için dönmüştü.

İngiliz fabrikaları bunun için silah ve mermi, İngiliz hazinesi bunun için para dökmüştü.

Yüzlerce gemi ve yüz bine yakın insan bunun için biraraya getirilmişti.

Asıl çıkarmanın yapılacağı bu kesimde, Liman Paşa yönteminin gereği olarak, sadece 26. Alayın 3. Taburu (1.000 kişi) ile İstihkam Bölüğü (180 kişi) vardı: toplam 1.180 kişi.

Ağır makineli tüfek yoktu.[20]

4 adet 37 mm.lik Maksim top bulunuyordu.

Tabur dört bölüklüydü. Tabur Komutanı Mahmut Sabri Bey Teke Koyu'na bir bölük, Ertuğrul Koyu'na bir bölük yerleştirmişti. İki bölüğünü ortada, ihtiyatta tutuyordu. Takviye gerekirse bu iki bölükten birlik alıp yollayacaktı.

Birliklerine bir gün önce şu emri vermişti:

"Düşman çıkarma girişimleri karşısında acele edilmeyip kayıklar kıyıya 200-300 metre yaklaştıktan sonra şiddetle ateş açılacaktır."

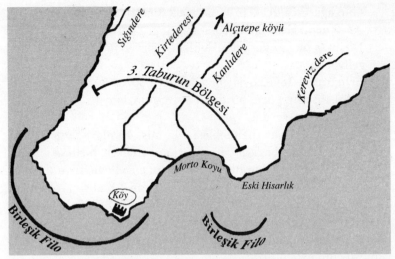

Seddülbahir'i kuşatan gemiler Türklere göz açtırmayacaklardı

Kısacası düşmanın karaya çıkması beklenmeyecekti.

Birleşik Donanma savaş gemilerinin dörtte üçünü Seddülbahir'e ayırmıştı. Sabah erkenden yarımadanın ucunu üç yandan çevirmeye başladılar.

Bu ölüm filosunda 345 top vardı.[21]

Bu sayıya savaş gemilerinin ve torpidobotların 75 mm.den küçük topları ve ağır makineli tüfekler ekli değildi.

Gemilerin cephanelikleri tıkabasa doluydu.

Queen Elizabeth de zaman zaman uğrayıp 38'lik 10 topuyla katkıda bulunacaktı. 38'lik bir merminin içinde 10.000 çelik misket bulunuyordu. Patladığı zaman dört bir yana sözcüğün tam anlamıyla ölüm saçacaktı.

Yüzlerce top kıyıda taş üstünde taş bırakmamak niyetiyle küçük Pınariçi Koyu dışında, çıkılacak dört yeri ve çevresini, ara vermeden yoğun ateş altına aldı.

Arazinin biçimi değişti. Tepeler alçaldı, çukurlar doldu, düzlükler çukurlaştı. 18 Martın öcünü almak istiyor gibiydiler. Öylesine acımasız, ağır bir bombardımandı. Kıyıda çekinecekleri top olmadığı için gemiler iyice yaklaşıp ateş etmekteydiler.

Gün ağarınca uçaklar da savaşa katılacaklardı.

AE-2 denizaltısı da Marmara'ya doğru ilerliyordu.

Düşman bu kez karadan, denizden, havadan ve denizin altından geliyordu.

Ertuğrul ve Teke koylarında, kıyılarında, çevre ve gerilerinde, sanki sürekli, ağır, yıkıcı bir deprem yaşanmaktaydı.

Yeryüzü titriyordu.

Siperler, bağlantı hendekleri silinmiş, kumlara yerleştirilen mayınlar patlamış, bazı nöbet yerleri nöbetçilerle birlikte uçmuş, deniz içine uzanan tel örgülerin çoğunun engelleyicilik nitelikleri kalmamış, yıkık Ertuğrul tabyasında bulunan 4 Maksim topundan 2'si kullanılamaz hale gelmişti. İkisi de az sonra tutukluk yapacak, bu oyuncak toplar bir kenara atılacaktı.

Mahmut Sabri Bey bu acıklı hali Alayına bildirdi. Ama raporunu şu cümleyle bitirdi:

"Tabur savaşa hazır ve son derece isteklidir."

29. Tümen 23 taşıt gemisinde bekliyordu. İlk çıkacak olanlar filikalara alındılar. Birinci çıkarma dalgasında bulunacak asker sayısı, 3. Taburun 13 katıydı. Bu oran gittikçe daha da artacak, 25 kata kadar çıkacaktı.

Ateş gerilere kaydırıldı.

Beş yere birden çıkarma başlayacaktı:

1) PINARİÇİ KOYU

Seddülbahir'in batı kıyısında bir küçük koydu. İngilizler bu küçük koydaki kumsala Y kumsalı adını vermişlerdi. Kıyı burada yüksek ve çok dikti. Bu yüzden buraya çıkarma yapılabileceği düşünülmemiş, bu küçük koy ve kumsal tutulmamıştı. Bu sürpriz çıkarmayı General Hamilton düşünmüş ve plana ekletmişti.

Gün doğarken, dört savaş gemisinin koruması altında, 3.000 İngiliz askeri, hiç ateş etmeden ve ateş yemeden, Pınariçi Koyu'na çıktı, dik yamacı tırmandı, çıktıkları yüksekliğe Sarıtepe deniyordu, Sarıtepe'ye yerleşti.[22]

Çıkarma bir saat içinde bitmişti.

Makineli tüfeklerini kurdular. Sarıtepe'nin önünden geçen Sığındere, yatağı derin, iki yanı kayalık bir dereydi. Tam bir güvenlik şeridi oluşturuyordu. Derenin batı yakasında kaldılar, karşı yakasına güvenlik birlikleri sürdüler.

Birliğin ana görevi Seddülbahir'e çıkarma yapacak olan İngiliz tümeninin sol yanını güven altına almak, Türkler güneye takviye yollarlarsa buna engel olmaktı.

En yararlı çıkarma buydu.

Çünkü ilerleseler, 5 km. ötedeki ilk hedef olan Alçıtepe'yi ele geçirebilir, güneyde ölesiye mücadele eden 3. Tabur birliklerini arkadan çevirebilirlerdi.

Yol açıktı.

Bu kesimde 3.000 savaşçıdan kurulu bu İngiliz birliğine engel olacak hiçbir önemli Türk birliği yoktu. Komutana daha güçlü hareket edebilmesi için takviye yollanacağı söylenmişti. Durdu, emir ve takviye bekledi.

Bu bekleyiş Türkler için büyük nimet oldu. Yoksa altından kalkılması çok zor bir felaketle karşı karşıya kalacaklardı. Çünkü bu İngiliz birliğinin savaşçı sayısı, Seddülbahir'i savunanların sayısından daha fazlaydı.

Çıkarmayı bir gözcü postası görmüştü. Haberi bölüğüne yetiştirdi. Seddülbahir'in batı kıyısını savunmakla görevli olan bölük, ancak yarım takımlık bir kuvvet yollayabilirdi.[22a] O yarım takımı, 45 kişiyi, Pınariçi Koyu'na yolladı:

"Düşmanın ileri hareketini önleyeceksiniz!"

"Başüstüne!"

26. Alay Komutanı Kadri Bey olayı çok geç öğrenebildi. Çünkü ağır bombardıman telefon hatlarını parçalamıştı. Haberleşme, yayan habercilerle yapılabiliyordu. Öğrenince haklı olarak telaşlandı. Tümenin gerideki yedek alayı (25. Alay) ancak 4 saat sonra yetişebilirdi. Çok geride bekliyordu.

Bu saate kadar ihtiyatta tuttuğu taburdan gerekli yerlere küçük birlikler yollamış, elinde bir takımı eksik bir bölük kalmıştı yalnız, 160 kişi (5. Bölük). Kadri Bey Bölük Komutanını çağırdı:

"Yüzbaşı, düşman Pınariçi Koyu'na kalabalık asker çıkardı, Sarıtepe'yi ele geçirdi. Alçıtepe köyüne, Alçıtepe'ye ilerleme tehlikesi var. Düşene, ölene bakmayacaksın. Son ere kadar dövüşecek, o birliği geriden yardım yetişene kadar orada tutacaksın!"

"Başüstüne!"

"Yardım dört saatten önce yetişemez, ona göre."

"Anladım komutanım!"

Yüzbaşı selam çaktı, bölüğünü şimşek gibi hazırlayıp yürüyüşe geçirdi.

Bu sırada çıkarma alanlarını gözleyen General Hamilton Queen Elizabeth ile Pınariçi Koyu'nun önünden geçmekteydi, Pınar içi Koyu'nun ele geçirilmiş olduğunu görerek çok mutlu oldu.[23]

Saat 09.30'du. *Sonrası sayfa 272'de*

2) İKİZKOY

İkizkoy Seddülbahir'in batısında, Pınariçi Koyu'nun biraz altında, Teke Koyu'nun gerisinde, kuytu, burası da çıkarma beklenilmeyen bir koydu. 200 metre boyunda, dar bir kumsalı vardı. İngilizler buraya X kumsalı adını vermişledi.

Bu kumsala, Teke Koyu'na yapılacak asıl çıkarmaya destek olması için bir tabur çıkarılacaktı.

Yüzyıllardan beri sessizlik içinde yaşayan bu minik koyu ve çevresini yine sabah erkenden yakıp yıktılar. Ağaçları, fundaları, yeni açan çiçekleri kavurdular, baharı kutlayan karıncaları, kertenkeleleri, kelebekleri yok ettiler. Bülbülleri susturdular.

Bu küçük, sapa koyda gözcü olarak yalnız bir manga vardı, 9 kişi.

Çıkarma saat 06.00'da başladı. Bir İngiliz taburu İkizkoy'a çıktı.

Manga kalabalığı görünce kaçmamış, yayılıp ateş açmıştı. Dokuz Mehmet koca taburu yardım gelene kadar oyalamayı başaracaktı.[23a]

26. Alay Komutanı Yarbay Kadri Bey, Seddülbahir'de sıkışık durumdaki 3. Tabura takviye olarak sabah erkenden yola bir bölük çıkarmıştı, 250 kişi (7. Bölük). Bu bölüğün acar ve akıllı komutanı Yüzbaşı Yusuf Kenan yolda, İkizkoy'a düşman çıktığını öğrenince, bölüğünü batıya döndürdü:

"İkizkoy'a!"

Buraya çıkan düşman, Teke Koyu savunmasının arkasına sarkarak savunmayı çökertebilirdi.

Bölük İkizkoy'a ulaştı. Mangadan sağ kalanlar bölüğe katıldı. İngiliz taburunun sol yanına hücuma geçtiler. Bölük sayıca İngiliz birliğinin beşte biriydi. Ama asker o kadar coşkulu, kararlı ve inatçıydı ki tabur şaşırdı, ürktü, büzülüp savunmada kaldı.[24]

Saat 09.30'du. *Sonrası sayfa 273'te*

3) TEKE KOYU

İngilizler bu koydaki kumsala W kumsalı kod adını vermişlerdi. Burası yaklaşık 300 metre uzunluğunda, 15-40 metre derinliğinde, sırtlarla çevrili bir kumsaldır. İki ucunda kayalık, yüksekçe yarlar bulunuyor. Sırtları Karacaoğlan Tepe'si ile Aytepe çevreliyor.

Burada bir Türk bölüğü vardı, 250 tüfek.[25]

29. Tümenden bir tabur, 1.200 İngiliz askeri, 30 kadar filika ile yaklaşmaya başladı.

Ne kıpırtı vardı, ne tepki, ne de ses. Sırtlar, tepeler terk edilmiş gibiydi. Türklerin kaçtığını sananlar oldu.

Filikalar, bir önlem olarak, kalkanlı ağır makineli tüfeklerle kumsalı, sırtları taraya taraya yaklaştılar, yaklaştılar, yaklaştılar, neredeyse kumsala baştankara edeceklerdi, birdenbire bir cayırtı koptu, 250 tüfek birden patladı.

Filikalar birbirine girdi. Kimi parçalanıp battı, kimi akıntıya kapılıp uzaklaştı. Suya düşenlerin çoğu boğuldu. Makineli tüfekler sustu. Kumsala ulaşabilen filikalardan karaya çıkanlar oldu. Çoğu çapraz ateş altına kalarak vuruldu, kaçabilenler canlarını kumsalın iki yanındaki kayalıkların arkasına attılar. Daha ilk adımda 11 subay ve 350 asker kaybetmişlerdi. Vurulanlar arasında çıkarmanın komutanı da vardı.

İlk çatışma böyle sona erdi.

29. Tümen Komutanı General Hunter Weston olup biteni anlamakta zorluk çekiyordu. O ağır bombardıman yıkıntılarının altından Türkler dirilip kalkmışlar, hiçbir şey olmamış gibi dövüşüyorlardı!

Nasıl askerdi bu asker?

Türkleri hesaba katmamakla büyük yanlış yapmışlardı galiba. İki en önemli çıkarma noktasından biri olan Teke Koyu'nda plan aksamıştı.

Çıkarmayı durdurdu.

Teke Koyu ceza olarak yeniden bombardıman edilecek, burada ne kadar Türk varsa, bu kez kesinlikle toprağa gömülüp bitirilecekti.

Savaş gemileri kıyıya biraz daha yaklaştılar. Teke Koyu kumsalının ve çevresinin her metrekaresi hınçla, ısrarla dövüldü.

İkinci olarak bir taburdan daha fazla bir kuvvet harekete geçirildi. Filikalar yaklaşmaya başladıkları için bölük sığınaklara gitmemiş, ateş altında beklemiş, yıkıntılarda, mermi çukurlarında, yeni kazılan yarım siperlerde kalmıştı.

Beklemişti.

Asker, ateş altında arkadaşlarının parçalandığını görüyor, kanları, etleri yüzüne sıçrıyor ama yılgınlığa düşmüyor, bildiği duaları okuyarak savaşı sürdürüyordu. Ateş gittikçe öyle yoğunlaştı ki kimse başını kaldıramaz oldu.

Bu andan yararlanan İngiliz birliği kumsala çıkmayı başardı. Sağdaki soldaki kayaların arkasında bekleyen askerlerle birleşerek Teke sırtlarına tırmanmaya koyuldular.

Teke Koyu'nda tehlike çanları çalmaya başlamıştı.[26]

Saat 09.30'du. *Sonrası sayfa 274'te*

4) ERTUĞRUL KOYU

Teke Koyu'nun biraz doğusundaki bu genişçe koy ve kumsal, Ertuğrul tabyası ile Seddülbahir Kalesi arasındaydı. İngilizler 300 metre uzunluğundaki bu kumsala V kumsalı adını vermişlerdi. En büyük çıkarma yeri olarak burayı seçmişlerdi.

Kumsal yüksek, oldukça dik bir yarla çevriliydi. Düşmana göre solda, yarın üzerinde Ertuğrul tabyası vardı. Artık topları ölüydü ama bonetler duruyor, sığınak olarak kullanılıyordu. Yarın yüksekliği doğuya doğru gittikçe azalıyordu.

Koyun düşmana göre en sağında ise Seddülbahir Kalesi, Kalenin arkasında da yanıp yıkılmış Seddülbahir köyü bulunmaktaydı.

Savaş başlayınca bölük üç takımıyla hilal biçimindeki yarın üzerine yerleşecekti. Cephesi 500 metreyi buluyordu.

Ertuğrul Koyu'nun gerisinde, bir yanda Gözcübaba Tepesi (Ertuğrul Tepesi), bir yanda Harapkale Tepesi vardı. İki tepe de önemli dayanak noktalarıydı.

Seddülbahir köyünden sonra geniş Morto Koyu geliyordu. Sığ olduğu için buraya çıkarma yapılması olasılığı pek yoktu. Yine de bir önlem olarak buraya da bir takım ayrılmıştı.

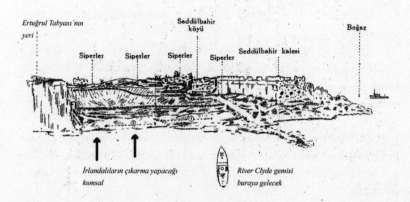

Ertuğrul Koyu'nun genel görünüşü

İngilizler Ertuğrul Koyu'na yapılacak çıkarma için farklı bir plan hazırlamışlardı.

Kumsalın Ertuğrul tabyasına yakın kesimine, öncü olarak, gözüpek İrlandalılar taburu çıkacaktı. Karşı yana çıkarma için özel hazırlanmış eski kömür gemisi River Clyde yaklaşacak, Seddülbahir kalesi altındaki kıyıya baştankara edecekti. Önce fedailer, sonra gemideki 2.400 asker geminin iki yanında açılmış kapılardan çıkıp hızla merdiven ve rampalardan inerek karaya çıkacaktı.

Sabah erkenden yıkıcı bombardıman başladı.[27]

Burayı savunacak olan bölük sığınaklarda, eski cephane mahzenlerinde bekliyordu.[28] Ateş kesilir kesilmez siperlere koşacaklardı, eğer siperler kalmışsa. Kalmamışsa, önemli değildi, her yer siperdi bu asker için.

Bombardıman bitince düdükler öttü, komutlar yükseldi. Sığınaklardan, mahzenlerden fırladılar. Barut dumanı ve yıkıntı tozu yüzünden göz gözü görmüyordu. Bağlantı yolları kalmamış, siperler yıkılmıştı. El yordamıyla yerlerini buldular. Yıkıntı taşlarıyla arkasına saklanılacak yükseltiler yaptılar.

Filikalar kıyıya doğrulmuşlardı. Burada da bazı filikaların başlarında kalkanlı ağır makineli tüfekler vardı. Ara vermeden ateş ederek yaklaşıyorlardı.

Kumsalın yapısı gereği filikaların yakına gelmelerini bekleyeceklerdi.

Bölük taş gibi sessiz ve sakin bekledi.

Filikalar koya girdi, sokuldu. Coşkun İrlandalıların bir kısmı kumsala ulaşmadan suya atladı, denizi yara yara kıyıya koşmaya başladı. Bir kısmı inmek için filikasının baştankara etmesini bekliyordu.

Mehmetler kurma kollarını şakırdatarak tüfeklerini kurdular. Keskin nişancılar subayları nişanladı. Bölük Komutanı Yüzbaşı Hasan'ın işaretiyle 250 tüfek, tek tüfek gibi patladı ve bir daha susmadı.

O uzun, derin sessizlikten sonra bu birden gürleyiş İrlandalıları sersemletti. Çoğu filikalarından inemeden vuruldu. Bazı filikalar battı. Kimi boğuldu. Kumsala çıkanların çoğu cansız serilip kaldı. 200 kadar İrlandalı, kumsalın sonundaki kayaların arkasına yatıp sindiler.[29] Bunların ancak bir kısmı sağ kalacaktı.

Bu sırada River Clyde gemisi de gelip Seddülbahir Kalesi'nin önüne baştankara etmişti. Deniz sığ olduğu için kıyıdan uzak kaldı. Bu gemi düşüncesini ortaya atan ve sonuçlandıran Binbaşı Unwin, ölümü hiçe sayarak, gemiyle kara arasında duba ve mavnalardan bir köprü kurmaya girişti. Geminin iki bordasındaki kapılar açıldı. Sabırsız askerler karaya çıkmak için kat kat iskeleler ve rampalardan inmeye başladılar.

Bu sahneyi izleyen General Hamilton ve Amiral de Robeck ümide kapıldılar. Birkaç dakika sonra erken ümide kapıldıklarını acıyla anlayacaklardı.

Türkler geminin bir tuzak olduğunu anlamışlardı.

Mahmut Sabri Bey burdaki bölüğü iki takımla takviye etti. Sayıları 430 oldu. İkiye ayrıldılar. Yarısı ikinci çıkarma dalgasıyla kumsala gelenleri biçmeyi sürdürdü, yarısı River Clyde'dan çıkanları avlamaya koyuldu.

Tek fişek bile boşa gitmiyordu.

Her yer cesetle dolmaktaydı.

Hava Birliği Komutanı Yarbay Samson keşif uçağı ile savaş alanlarının üzerinde uçmakta, durumu gözlemekteydi. Ertuğrul Koyu'nda gördüğü şey hiçbir yerde hiç kimsenin göremeyeceği bir

River Clyde'dan çıkma girişimi

şeydi: Mavi deniz kıyıdan 50 metre açığına kadar kandan kıpkırmızı kesilmişti.[30]

River Clyde'ın oldukça yüksek olan ucuna çelik kalkanlarla korunan çift namlulu ağır makineli tüfekler ve otomatik toplar yerleştirilmişti.

Bunlar ve iyice yaklaşan savaş gemileri kumsalın çevresini ateş altına almışlardı.

Türkler de erimeye başladı.

Ertuğrul tabyasının bulunduğu köşeyi 10. Bölüğün 1. Takımı tutmaktaydı. Mangadan mangaya koşarak askerlerini coşturan takım komutanı ağır yaralandı. Bölük Komutanı Yüzbaşı Hasan, takımı ikiye bölerek beş mangasını Ezineli Yahya Çavuş'un, dört mangasını bir başka çavuşun komutasına verdi.

Yahya Çavuş ile birliği (45 kişi) en uçtaydı. Burası önemliydi. Köşe olduğu için hem denize bakıyor, hem kumsalı yukardan ve yandan görüyordu.[30a]

Yahya Çavuş Balkan Savaşı rezilliğini yaşamış, bir daha yaşanmaması gerektiğine inanmış, olgun, ağırbaşlı bir insan, usta bir askerdi.

Hemen birliğin başına geçti, o da Teğmeni gibi bağırdı:

"Haydi aslanlarım!"

Ertuğrul Koyu'nun batısındaki takım komutanı yaralanınca, onun yerini de Bigalı Mehmet Çavuş doldurdu. Takım Mehmet Çavuş'un yönetimine alışıktı. Onunla kıyıda çok nöbet tutmuşlardı. O da bağırdı:

"Bir kurşun bile boşa gitmeyecek!"

"Tamam Çavuş!"

Bölük Komutanının gözü sık sık Çavuşlara kayıyordu. Çavuşların birliklerini iyi yönettiklerini görünce içi rahatladı, Tabur Komutanı Mahmut Sabri Bey'e bilgi verip onu da rahatlattı.

İngilizler bir girişimde daha bulundular. Seddülbahir köyünün iskelesine 150 kişilik bir birlik çıkardılar. Amaç köyden geçerek Türk savunmasının sol ucunun arkasına sarkmaktı. Bu hareket fark edilince, köye 30 kişilik bir müfreze yollandı. Burada bir manga vardı. Birleşip 40 kişi ettiler.

İngilizlerin önünü kestiler.

Köyün sağlamca kalmış son evleri de bombardıman yüzünden yanıyordu. Yangın yalazları ve kıvılcım yağmuru altında, bu küçük birlik ile 150 İngiliz arasında çok kısa bir hesaplaşma oldu. Uzun Türk süngülerinin tadını ilk kez tattılar. Kurtulabilen 20-25 İngiliz askeri iskeleye geri kaçtı.

Queen Elizabeth zırhlısından derin bir üzüntü içinde Ertuğrul Koyu'ndaki durumu izlemekte olan General Hamilton ve Amiral de Robeck iskeleye kaçanları gördüler, bir motor yollayarak kurtardılar.[31]

Durum ümitsizdi. O kadar güvendikleri 29. Tümenin öncüleri karaya çıkıp tutunmayı başaramamışlar, River Clyde'da 1.000'den fazla asker kapalı kalmıştı.

Israrın yararı yoktu.

"Çıkarmayı durduralım General."

"Haklısınız efendim."

29. Tümen Komutanı General Hunter Weston Ertuğrul Koyu'na çıkarmayı durdurdu.[32]

Saat 09.30'du. *Sonrası sayfa 277'de*

5) ESKİ HİSARLIK[33]

Burası Seddülbahir'de çıkarma yapılacak en doğudaki yerdi. İngilizler bu kesime S kıyısı diyorlardı.

Buraya çıkacak İngiliz birliğinin görevi büyük çıkarma hareketinin sağ yanını güvence altına almaktı. Burayı ele geçiren birlik, Türk savunmasının doğu yanı için de büyük tehlike olurdu.

26. Alay Komutanı Kadri Bey buraya savunma için ancak bir takım ayırabilmişti, 80 kişi. Takımın piyade tüfeğinden başka silahı yoktu.

Savaş gemileri bu kesimi ve çevresini de erkenden ateş altına aldı. Bombardıman korkunç bir yoğunlukla sürdü. Bu kıyıya 24 filikaya bindirilmiş üç İngiliz bölüğü, 900 kişi çıkacaktı.

Donanma ateşi yumuşatınca filikalar harekete geçtiler. Hiç tepki görmeyince kıyıdaki savunucuların ağır bombardıman sonucu toprağa gömüldüklerini düşündüler. Mehmetler gerçekten toprağa gömülmüşlerdi ama düşmanın düşündüğü gibi değil, gerideki derin siperlere girip saklanmışlardı. Ateş kesilince siperlerden çıktılar. Kıyıdaki siperler dümdüz olduğu için mermi çukurlarında, kaya parçalarının arkasında yerlerini aldılar.

Takım Komutanı Asteğmen Abdürrahim "Ah ne olurdu, elimizde bir ağır makineli tüfek olsaydı da şunları duman etseydik" diye içini çekti.

Filikalar iyice yaklaşmıştı.

Emrini verdi:

"Ateeeş!"

Takım ateşe başladı.

Filikaların başındaki ağır makineli tüfekler sustu. Filikalar birbirine girdi. Kıyıya çıkabilen İngilizler can havliyle kayaların arkasına sinip kaldılar. Kımıldayan vurulup düşüyordu.

80 kişi, 900 kişilik üç bölüğü felç etmişti.

İngilizler sorunu çözmek için tepenin doğusuna altı filika ile bir bölük çıkardılar. Burası kayalık, çok dik bir yamaçtı. Savunma bu kesimi birkaç nöbetçiyle tutmayı yeterli görmüştü. İngiliz bölüğü bu çetin yamaca tırmanıp düze çıkmayı başardı. Takımın arkasına doğru sarktı. Deniz kıyısında sinmiş bekleyen İngilizler de takımı gafil avlayan bu durumdan yararlanıp doğruldular, tepeye fırladılar.

Takım gafil avlanmıştı.

"Eyvah, sarılıyoruuuuz!"

Çevik davranarak beş-on esir bırakıp kuşatma çemberinden sıyrıldı, biraz gerideki sırtta yeniden mevzilendi.

İngilizler Eski Hisarlık tepesinde bulunan tarihî kale yıkıntısını ele geçirdiler. Ama inatçı takımın denetimi altındaydılar. Ertuğrul Koyu'na çıkmak için çırpınan arkadaşlarına yardımcı olamıyorlardı. Keskin nişancılar kımıldayanı vuruyordu.[34]

Takım rahat değildi. Cephanesi bitmek üzereydi. O yüzden Abdürrahim'in gözleri ikide bir Alçıtepe köyüne kayıyordu. Elbette Alay Komutanı yardım yollardı.

Yoksa son kurşunlarını atıp geri çekilmek, düşmanı serbest bırakmak zorunda kalacaklardı.

Buna katlanmak çok zordu.[35]

Saat 09.30'du. *Sonrası sayfa 279'da*

5. ORDU KOMUTANI Mareşal Liman Paşa, Bolayır'da Saros körfezindeki gemileri izlemeyi sürdürmekteydi.

Ertesi günü Seddülbahir'e çıkacak olan Deniz Piyadeleri, zaman zaman filikalara indiriliyor, sonra yeniden gemilere alınıyorlardı.

Liman Paşa bu hareketler gerçek bir çıkarma hazırlığı mı, yoksa gösteri mi, hâlâ bunu anlamaya çalışmaktaydı.

Bu sırada Arıburnu'nda, Seddülbahir'in bazı koy ve kumsallarında kan gövdeyi götürüyordu. Saros'ta iki, Çanakkale kesiminde bir, toplam üç tümen, yaklaşık 36.000 asker, bütünüyle savaş dışı durumda, boş bekliyordu.

ANZAKLAR Arıburnu'nda ilk çıkışta karşılaştıkları beklenmedik direnç yüzünden karışmış, bir daha da bir düzene girememişlerdi. İyi dövüşüyor ama dağınık, plansız bir biçimde yayılıyorlardı.

Yüzbaşı Faik'in bölüğü erimiş, sağ ve sağlam bir tek subay ile pek az asker kalmıştı. O tek subay 1. Takım Komutanı Asteğmen İbrahim Hayrettin'di.[35a]

Anzaklar Conkbayırı'na doğru yayılmaya başlamışlardı

Anzaklar direnen birkaç dağınık küçük birlik, birkaç perakende asker dışında karşı duracak kimse kalmadığını sanarak, oldukça rahat ilerlerken, saat 09.00'da 27. Alayın taarruzuna uğramışlardı. 'Korkak Abdul kaçtı, hedefe giden bütün yollar açık' derken, bu tepeden inme taarruz Anzakları şaşırtmıştı.

27. Alayın iki taburu da hızlıydı.[35b] 4 makineli tüfek, geride tutulmalarının acısını çıkarmak istercesine, durmadan çalışıyor; keskin nişancılar subayları vuruyor, birlikler başsız kalıyordu.

Zoru gören Anzaklar kendilerine çeki düzen verdiler. Direnemezlerse arkaları denizdi, denize süprüleceklerdi.

Zaman zaman boğaz boğaza gelinecek, Anzaklar da uzun, ince Türk süngülerinin sıcak tadını tadacaklardı.

Kırmızısırt ile Kanlısırt'ın büyük bölümü kurtarıldı, düşmana kaptırılan 3 top geri alındı. Alay Anzakların Kabatepe'ye yakın kanadını denize doğru itmeye çalışıyor, Anzaklar şiddetle direniyordu.

Savaş çok sertleşmişti.

Anafartalar köyünden küçük Adil (Şahin) yanındaki köylüsü vurulunca ağlamaya başladı. Öbür yanında da yine bir köylüsü vardı. Adil'in ensesine şaplağı vurdu:

"Sus! Şehitler ölmez! Birazdan gelir, bize destek olur."

"Gelir değil mi?"

"Gelir!"

Sağlıkçılar sokulup şehidi geriye aldılar. Adil ağlamayı kesti. savaşa döndü. 27. Alayda Küçük Anafartalar köyünden 33 kişi vardı. Bu, verdikleri ilk şehitti.[35c]

Alayın durumu Şefik Bey'i kaygılandırmaya başladı. Arıburnu Koyu'nu dolduran filonun topları alayın her hareketini ustaca izliyor ve kayıp verdiriyordu. Hızla erimekteydiler.

Alayının, Arıburnu kesiminin, Çanakkale Boğazı'nın bir kurtarıcıya ihtiyacı vardı.

Bu çok sıkışık anda 9. Tümenden haber geldi: 19. Tümen Komutanı Yarbay M. Kemal sabah 57. Alayla birlikte Kocaçimen'e hareket etmişti. Yani 27. Alayın sağ yanının gerisine.

Şefik Bey bütün yüreği ile Allah'a hamdetti.

Yalnız alayı değil, yalnız Arıburnu değil, Boğaz, dolayısıyla İstanbul kurtulmuştu.

Haberi bir gevşeme olmasın diye yaymadı. Kocaçimen yönüne bir haberci yolladı, M. Kemal'e alayının durumu hakkında bilgi verdi ve emrine girdiğini bildirdi.

Çanakkale Savaşı bitene kadar 19. Tümenin emrinde kalacaktı.

M. KEMAL ve 57. Alay, Kocaçimentepe ile Conkbayırı eteklerine ulaşmışlardı. M. Kemal bu korunaklı yerde askerin dinlendirilmesini istedi.

Durumu bir an önce görmek istiyordu. Conkbayırı'na çıkan vadi atla geçmeye elverişli olmadığından atı bırakıp yürüdü. Emir Subayı, Başhekim ve Topçu Komutanı da atları bırakarak M. Kemal'i izlediler.

Alay arkadan gelecekti.

Fundalıklı vadiden ilerleyerek Conkbayırı ile Besimtepe arasına çıktılar. M. Kemal Conkbayırı'na yürüdü. Buradan Arıburnu Koyu'ndaki savaş ve taşıt gemileri görünebiliyordu. Koy gemi doluydu.

Saat 10.00'du.

Bir grup askerin koşar adım yaklaştığı görüldü. Asteğmen İbrahim Hayrettin'in takımından kalanlardı bunlar. Yarları zorlukla aşmış, düşman ileri kollarıyla dövüşe dövüşe geri çekilmiş, çekilen başka askerlerle birleşmiş, dövüşürken yeniden küçük parçalara bölünmüşlerdi. Elleri yüzleri yara bere içinde, giysileri yırtık pırtıktı, mermileri tükenmişti. Ama Conkbayırı'na düşmandan önce yetişmeyi başarmışlardı.

M. Kemal'e tehlikeyi haber verdiler:

"Düşman efendim!"

Gösterdiler. Gerçekten bir Anzak müfrezesi Conkbayırı'na doğru yaklaşıyordu. 1 km. kadar uzaktaydı. Teğmen Tulloch'un müfrezesiydi bu. Hedefe en yakın Anzak birliğiydi.

57. Alaydan kimse yoktu daha. M. Kemal zaman kazanmak için yüksek sesle süngü taktırıp askerleri yere yatırdı.

Teğmen Tulloch Türk subayının askerleri ateş etmeye hazırladığını sandı. O da müfrezesini yere yatırdı. Yürüse, ateş açtırsa, ateş edip vurmayı başarabilse, tarihi değiştirirdi.[36]

Öncü bölük yetişmişti. M. Kemal'in emrini alır almaz, hızla açılıp hücuma geçti.

Saat 10.25'ti.

Teğmen Tulloch ve onun gibi ilerlemiş Anzak müfrezeleri durakladılar. Bu müfrezelerin arkasından Conkbayırı-Kocaçimen kesimini elde etmekle görevli beş tabur geliyordu.[36a] Bölük çok kıvrak ve ustaydı. Tulloch tutunamayacaklarını anladı. Gelen taburlarla birleşerek direnişe geçmek için geri çekilmeye başladı.

Bölük direnen müfrezeleri süngüden geçirdi.

57. Alayın üç taburu da Conkbayırı'na çıkmıştı. M. Kemal Alay Komutanı Binbaşı H. Avni Bey'le birlikte tabur ve bölük komutanlarını topladı. Durumu özetledi. Bulundukları yerin önemini anlattı. Burayı ele geçirmek için ilerleyen düşman birliklerini ezip denize süreceklerdi.

Gerekli emirleri verdi.[37]

H. Avni Bey alayını savaş düzenine soktu. Keskin nişancılar yerlerini aldılar. Ağır makineli tüfekler uygun yerlere yuvalandı.

Subaylar ve askerler ellerini temiz toprağa, tüfeklerinin kabzalarına sürerek kuru aptes alıp savaşa hazırlandılar.[37a]

Conkbayırı'ndan aşağıya, savaşın kaderini değiştirecek olan olağanüstü taarruz başladı.[37b] Bataryanın dört topu Arıburnu kıyısını ateş altına aldı.

Kurmay Yarbay M. Kemal bulunduğu yerden, dalga dalga kıyıya inen Kocadağı, Arıburnu Koyu'nu, toptan şehit defterine yazılmaya gönüllü 57. Alayının ilerleyişini izledi.

Durduğu yer Conkbayırı'nın eteği değil, kaderin M. Kemal'e açtığı yolunun başlangıç noktasıydı.

Kurmay Başkanı İzzettin Bey'e geride bıraktığı iki alayın da harekete hazır olmasını bildirdi. Çıkarma sürmekteydi. Bugün o iki alaya da gerek olacağı anlaşılıyordu.[38]

ARIBURNU'NDA savaş gittikçe daha kanlı oluyordu. 27. Alay cephesinin en sağındaki bölüğün komutanı, iki yerinden yaralandı. Geri taşınırken bölüğün komutasını Teğmen Mucip'e (Kemalyeri) bıraktı.

Bu son bölüğün en sağında Subay Adayı Medeni'nin takımı vardı. Uzaktan el salladılar birbirlerine ve savaşa kenetlendiler.

Tabur Komutanı Halis Bey gençlerin yönetiminde kalan sağ kanadın direnebileceğinden kuşkuya düştü. Yardım için geldi. Yüzü sapsarıydı. Mucip nedenini çabuk anladı. Sol kolunun kumaşı gittikçe kızarıyor, avucuna kan doluyordu.

"Yaralanmışsınız efendim."

"Gelirken oldu."

Mucip "Sıhhıye!" diye seslenecekti, Komutan susturdu:

"Sus, asker yaralandığımı duymasın."

Mucip'in yanında kaldı. Gençleri yalnız bırakmak istemediği belliydi. Düşman sağ kanadın arkasına dolanırsa 27. Alayın tümü tehlikeye düşerdi.

Mucip "Komutanım.." dedi, "..Deneysizliğimiz görevimizi başarmaya engel değil. İçiniz rahat olsun. Bize ve askere güvenin!"

Komutan zorlukla ayakta durmaktaydı. "Peki.." dedi, "..Gidiyorum ama buradan kesinlikle geri çekilmeyeceksiniz. Geriye ancak, hepinizin öldüğünü bildirecek bir haberci gönderebilirsiniz. Anladın mı?"

"Evet efendim."

"Size takviye yollayacağım."

Bir erin yardımıyla ağır ağır uzaklaştı.[38a]

Savaş gittikçe acılaşmaktaydı. Çıkarma sürüyor, Anzaklar geriden sürekli yardım alıyordu. Makineli tüfeklerinin sayısı da arttıkça artıyordu. Sağ yanlarının uzağından Kocadağ'ın doruğuna doğru Anzak birliklerinin ilerlediği seziliyordu.

Mucip'in bölüğü ise durmadan kan kaybetmekteydi. Takviye gelmemişti. Yollanacak asker yoktu demek ki.

Bölükte çalışan 50 tüfek kalmıştı. O da gittikçe azalmaktaydı. Az sonra 35'e düşecekti. Mucip, "Galiba geriye, ölmek üzere olduğumuzu bildirecek haberciyi göndermenin zamanı geldi" diye düşündü. İçi acıyla doldu taştı. Ölmek sorun değildi. Sorun görevi yarım bırakmaktı. Başaramamış olmaktı. İşte sindirilmesi zor olan buydu.[39]

Yarası ağır olmayan birini, durumu bildirmesi için geriye yollayacaktı, Alay Komutanının emirerinin geldiği bildirildi.

Emireri selam verip emri iletti:

"Alay Komutanı bulunduğunuz yeri savunmanızı, bir erin bile geri çekilmemesini emretti.."

Bunu biliyor, bunun için eriyorlardı. Bu emrin bir devamı olmalıydı. Vardı. Emireri heyecanla emrin devamını da aktardı:

"..57. Alaydan bir tabur geldi. Arkanızdaki derede. Sizi takviye edecek!"

Sevinçten kalbi duracaktı.

Kurtulmuşlardı!

Hayır, vatan kurtulmuştu!

Demek ki 57Alay doruğa doğru ilerleyen Anzak birliklerini ezerek buraya kadar gelmişti. Yıl kadar uzun gelen bir süre sonra bölüğün arkasından sağ açığına doğru, yüzleri tunçtan dökülmüş, uzun süngülü mucize adamlar, hayal gibi akmaya başladılar.

Mucip'in, Medeni'nin, askerlerin gözleri yaşardı. Korku sona ermiş, durum tersine dönmüştü. Hepsi ancak o ânı yaşayanların bilebileceği bir mutluluk içinde "Şimdi düşman korksun!" diye düşündüler.[39a]

Sert, kısa, keskin komutlar duyuldu.

Tabur, Mucip'in cılız bölüğünün karşısındaki kalabalık Anzak birliğine taarruz edecekti. Mucip'in bölüğü ile yetişen taburun solundaki bölük karışıp kaynaştı, bir oldu. Mucip'in bölüğünün biraz önceki bitkin, kaygılı bir avuç askeri canlandı. Onlar da taarruza katılacaklardı. Tüfeklerine uzun, ince, pırıl pırıl süngülerini taktılar.

Borular hücum havası vurdu.

Taarruz başladı.[40]

Biraz sonra Türk askerlerine özgü savaş çığlıkları lekesiz Arıburnu göğünü dolduracaktı:

"Allah Allah Allah Allah Allah Allah..."

Herkes fedai, herkes kahraman, herkes büyüktü.

Tarihin en eski milletlerinden biri, ateşten geçerek, kan içinde, bir daha uyumamak, benliğini unutmamak, kandırılmamak, sömürülmemek, ezilmemek, ölmemek üzere çığlık çığlığa diriliyordu.

KUMKALE mezarlığındaki küçük birlik, filonun yoğun ateşi altında taşların arkasına, yıkılan mezarların içine sinmişti. Fransızlar bu durumdan yararlanarak Kumköy'den çıkıp iki yandan adım adım mezarlığı sarmaya başladılar.

Teğmen Fuat acıyla inledi. Bu destan sona eriyordu. Askerlerinden biri haykırdı:

"Bizim asker geliyor!"

"Hani, nerde?"

"Tee ileriye bak!"

Yaklaşmakta olan birliği Teğmen de gördü. Bir taburdu bu. Yaygın ve aralıklı sıralar halinde geliyordu. Gündüz gözüyle gelmesi büyük tehlikeydi. Nitekim az sonra filo ateşinin tümünü gelen birliğin üzerine kaydırdı.

Mezarlıktaki birlik ateş kesilince, taşların arkasından, mezarların içinden çıkarak yeniden mevzilendi ve Fransızları devirmeye başladı. Keskin nişancılar işlerini iyi biliyor, subayları keklik gibi avlıyorlardı.

Bu sırada mermiler, şarapneller yaklaşmakta olan birliğin sıralarının içinde, arasında, üzerinde patlamaktaydı. Vurulan düşüyor, birlik seyrekleşiyor ama dağılmadan, düzeni bozmadan, inanılmaz bir disiplin içinde, durmadan ilerliyordu. Barut ve toz dumanı içinde kaybolup kaybolup yine beliriyordu. İki Fransız uçağı döne döne birliği bombalamaktaydı.

Birlik 31. Alayın 3. Taburuydu.

Teğmen Fuat'ın içi gururla doldu: Ne demir yürekli bir taburdu bu!

Üçte biri erimiş olan tabur Orhaniye ile mezarlığın arasına ulaştı. Sağ yanını mezarlıktaki küçük birliğe dayadı.

Fransızların karşısında eksik bir tabur ile iki eksik takımdan kurulu bir birlik oluştu. Fransız birliği bu yetersiz, topsuz birliğin direncini kırmayı başaramadı.

Köye çekildi.

Saat 13.00'tü.[40a]

Kolordu ve Tümen Komutanları Kumkale köyüne hücum edilmesini istiyorlardı. Yöntemin karaya çıkmasına göz yumduğu düşmanın şimdi denize dökülmesi gerekiyordu

Ama nasıl olacaktı bu?

Düşman karaya çıkalı saatler olmuş, toplarını ve ağır makineli tüfeklerini yerleştirmişti. Saat 17.00'de Kumkale'deki Fransız sayısı topçular ve istihkamcılarla birlikte 3.000 kişiyi aşacaktı.

Filo da yaklaşmış, bütün silahlarını kıyıya çevirmişti. Yakıp kül etmek için bekliyordu.

Ama emir kesindi.

Taarruz yapılacaktı. Ölüm mahkûmu birlikler Kumkale yakınında toplanmak için yola çıktılar.

LİMAN PAŞA Bolayır sırtında, denizdeki hareketleri dikkat ve sabırla izlemeyi sürdürmekteydi. Bazı hareket ve görüntülerden yavaş yavaş kuşkulanmaya başlamıştı. Mesela asker dolu olsa gemiler denize daha gömülmüş olurdu. Bunlar öyle değildi. Bunu sonunda fark etmeyi başarmıştı.

Esat Paşa sabahtan beri gerçek çıkarmaların yapıldığı güney kesimi için sürekli takviye istiyordu.

Ama burası da önemliydi. Saros'ta durumun bir gösteri olduğu tam anlaşılmış değildi. Gösteri izlenimi verip buraya ansızın çıkarma da yapabilirlerdi. Çok uyanık olmak gerekti. Bu nedenle buraya kendi gelmişti.

7. Tümene iki taburunu bu gece deniz yoluyla Eceabat'a göndermesini emretti.

Ordu Komutanı Saros'ta bulunan 25.000 askerden ancak 2.000 kişilik bir tabur göndermeyi uygun görmüştü. Uzunca bir duraksamadan sonra 5. Tümene de bir alayını Şarköy iskelesine yanaştırmasını emredecekti.[41]

ESAT PAŞA ve karargâhı vapurla, zaman zaman ateş altında kalarak, maceralı bir yolculuktan sonra Kilye limanına gelmişti.

Birleşik Donanma Saros'tan ve Kabatepe önünden aşırtma atışlarla Boğaz içindeki limanları ateş altında tutuyordu. Düşman çıkarma yerlerine birlikler yollandığını sanmakta, ulaşımı engellemeye çalışmaktaydı.

Boşuna bir emekti bu. Taşınan ne bir tek asker vardı, ne de bir tek top.

Karargâh atlara binerek Maltepe'ye geldi. Buradan gemilerle dolu Arıburnu Koyu görülüyordu. Gemi sayısı olayın büyüklüğünü ve 19. Tümenin nasıl öldürücü bir tehlikeyi önlediğini kanıtlamaktaydı.

Karargâh hızla evlere, çadırlara yerleşti.

Birlikler değil ama ordu ve kolordu komutanlıkları baskına uğramıştı. Bir savaş halinde karargâhların nereye taşınacağı önceden belirlenmemiş, hiçbir ön hazırlık yapılmamıştı.

Yerleşme kargaşalığı içinde bir sürpriz yaşandı. Yarbay M. Kemal Maltepe'ye geldi. Bu rastlantı hem Kolordu Komutanını, hem M. Kemal'i sevindirdi. M. Kemal sabahtan beri olanlar hakkında bilgi verdi ve niye geri geldiğini anlattı: Aldığı bir habere göre düşman **Kumtepe**'ye çıkarma yapmaktaydı.[41a]

Aman!

Kumtepe, Kabatepe ile Seddülbahir arasında, Kilitbahir platosuna açılan çok kritik bir yerdi.

Arıburnu'nu 27. ve 57. Alaylara bırakıp kalan iki alayı ile bu tehlikeli çıkarmayı durdurmak için tümeninin başına koşmuştu.

Araştırıldı. Kumtepe'ye çıkarma yoktu. Haberi getiren genç subayın heyecandan yer adlarını birbirine karıştırdığı, M. Kemal'e yanlış bilgi verdiği anlaşılıyordu.[42]

İçleri rahatladı.

Esat Paşa Liman Paşa'dan aldığı yetkiye dayanarak, M. Kemal'in, tümeninin tamamını Arıburnu'nda kullanmasına izin verdi.[42a] Sonra da sordu:

"Kararınız nedir?"

"Bütün kuvvetimle düşmana taarruz etmek."

"Güzel. Allah başarı versin."[42b]

Bu izni alan M. Kemal, 77. Alayı 27. Alayın sol yanına yolladı. Görevini de anlattı: 27. Alayın sol ucundaki taburla bağlantı sağlayacak, birlikte düşmanın sağ yanını denize süreceklerdi.[42c]

72. Alayını yedek olarak 57. Alayın arkasına gönderdi.

Topçu taburunu Kocadere Köyü sırtlarına yerleştirdi. Anzaklar iyice yerleşmeden, kök salmadan denize dökülmeliydi.

Karargâhıyla birlikte hızla Conkbayırı'na hareket etti. Saat 14.00'tü.

1) PINARİÇİ KOYU *Öncesi sayfa 254'te*

Bir yarım takım ile bir eksik bölük (5. Bölük) Sarıtepe'ye yerleştiği öğrenilen düşmanı durdurmak için yola çıkmışlardı.

Saat 09.00'da buluştular.

3.000 kişiye karşı 200 kişi!

Sayılar dünyasından bakınca bu anlamsız bir durumdu. Ama Çanakkale'de doğaldı. Ne subaylar yadırgadı, ne erler. Buna hazırdılar. İngiliz birliğinin ileri sürmüş olduğu küçük müfrezeleri temizleyerek ya da kovalayarak ilerlediler.

Sığındere kıyısında asıl büyük birlikle karşı karşıya geldiler. Kendilerinden on beş kat kalabalık düşmanı denize dökemezlerdi ama geriden yardım gelene kadar Sığındere'nın batı kıyısında tutabilirlerdi.

Tutmaları gerektiğine göre tutacaklardı!

Sığındere'nin doğu kıyısına yerleşip toprağa yapıştılar. Ateş savaşına giriştiler. Keskin nişancılar subay avlıyorlardı. Çok geçmeden iki komutandan birini vurdular.

Küçük fedai gruplar dereden geçip kayalık yamaçlara tırmanıyor, İngilizleri, beklemedikleri noktalara hücum ederek panikletiyorlardı.

9. Tümenin, işte böyle bir durumda hemen ileri sürmesi gereken, yedekte bekleyen bir alayı vardı: 25. Alay. Tümen karar vermede yine gecikerek, bu alayı ancak öğleyin harekete geçirmişti. Olup bitenleri bilen alayın hazır beklemesi, 'haydi!' deyince fırlaması gerekirdi ama bu alay da yavaştı. Harekete geçmesi zaman aldı.[43]

Bu alaydan bir tabur, Pınariçi Koyu'na yollandı.

Tabur yaklaşırken donanmanın ateşi altında kaldı. Güçlükle Sığındere'ye sokuldu. Çalışkan bölük, tabur komutanının emrine girdi.

Saat 16.00'da birlikte taarruza geçtiler.

Koydaki savaş gemileri ile İngiliz makineli tüfekleri taburu ateşe boğdu.

Mücadele aşama aşama sürüp gidecekti. *Sonrası sayfa 287'de*

2) İKİZKOY *Öncesi sayfa 255'te*

Güneye yardıma gönderilen bölük (7. Bölük), İkizkoy'a düşman çıktığını öğrenince, kendiliğinden yönünü değiştirip saat 08.15'te İngiliz birliğinin kuzey yanına taarruza geçmiş, düşmanın o kesimdeki bölüğünü komutanıyla birlikte yok etmişti.

Komutan da, bölük de atılgan, pervasız ve delişmendi. Sırtlara yayılarak İngiliz taburunu çıktığı yerde tuttu. Tabur kımıldanamıyordu.

İngilizler İkizkoy'a bir tugay (dört tabur) daha çıkardılar.[44] Gemiler ateşi arttırdı. Makineli tüfek sayısı iyice çoğalmıştı.

Küçük birliğin çekileceğini sanıyorlardı. Tınmadı bile. Yapması gerektiğine inandığı görevi gözünü kırpmadan, canını esirgemeden yapmayı sürdürdü.

İngilizlerin tanımadığı, bilmediği, hayal edemeyeceği bir askerdi bu. Bu subay ve erleri uzun uzun anlatmak gerekmezdi, 'Çanakkale askeri' demek yeterdi.[45]

Bölüğün asker sayısı İkizkoy'un güneyini çevirmeye yetmemişti. Ancak kuzey ve doğu kesimini tutabiliyordu.

Güneydeki boşluktan yararlanan iki bölük İngiliz, Teke Koyu'nun arkasındaki Karacaoğlan Tepesi'ne doğru sarkmaya başladı. Bu olumsuz gelişme Teke Koyu savunmasını çok telaşlandırdı. *Sonrası sayfa 287'de*

3) TEKE KOYU *Öncesi sayfa 256'da*
Teke Koyu'nu savunan bölüğün Karacaoğlan Tepesi'ne sarkan İngiliz birliğini durduracak askeri yoktu. Bütün askerini savaşa sürmüştü.

Karacaoğlan Tepesi'nin elden çıkması savunmanın sağ yanının çökmesine neden olurdu.

Durum Mahmut Sabri Bey'e bildirilerek acele takviye yollaması istendi. Mahmut Sabri Bey takviye isteğini bu kez 'dayanın çocuklar!' diye geçiştiremiyeceğini anladı. Yedeğindeki iki bölükten biri olan 9. Bölüğü İkizköy'den gelen İngiliz birliğini durdurmaya yolladı.

Bölük hazır bekliyordu, ânında harekete geçti, Karacaoğlan Tepesi'nin kuzeyinden geçerek ilerledi. İkizköy'den gelen İngiliz birliğini karşıladı. İngilizler makineli tüfekleri çalıştırarak bir ölüm perdesi kurdular. 9. Bölük, başta bölük komutanı, biçilme pahasına ileri atıldı, bu ölüm perdesini yırttı, gittikçe kalabalıklaşan İngiliz birliğini durdurup geriye attı.

Tehlike önlenmişti ama birçok asker biçilmişti. Mahmut Sabri Bey emrindeki İstihkam Bölüğünü de 9. Bölüğün yanına sürdü.

Yaralılar geri alındı. Harapkale Tepe yakınındaki sargı yeri yaralı dolmuştu. Her hareketi ateş altına alan donanma yüzünden yaralıları geriye, Alçıtepe köyündeki sahra hastanesine gönderemiyorlardı. Ağır yaralılar hava kararınca arabalarla gönderileceklerini umarak avunuyorlardı.

İngiliz komutanlar Karacaoğlan'ı ele geçirmeye, Türk savunmasında bir gedik açmaya kararlıydılar. Bir başarıya şiddetle gerek duyuyorlardı. Çünkü ilerleyemeyen askerde yılgınlık belirtileri başlamıştı.

Savaş gemileri, karaya çıkan topçu subayların yönlendirmesiyle, iki yandan kıyıya yaklaşarak, küçük Karacaoğlan Tepesi'ni hallaç pamuğu gibi atmaya başladılar. Burada yarısı erimiş bir takım vardı. Hiçbiri 'bizi burdan çekin' demedi. Bunlar ölümle kan kardeşi olmuş askerlerdi.

Patlayış bulutları içinde kollar, bacaklar uçuşmaya başlamıştı. Göz göre göre buna katlanmak imkânsızdı. Bölük Komutanı geri çekilmeleri için emir verdi. Savaş dumanı, tepenin eteklerine kadar çökmüştü. Uzunca bir zaman geçti. Tepeden inen yoktu. Merak azaba dönüştü. Sonunda takımdan sağ kalanlar tepenin eteğinde dumanın içinden çıktılar. Kiminin kucağında, kiminin sırtında yaralı arkadaşları vardı. Hepsi ağlıyordu. Tepeyi bırakmak çok güçlerine gitmişti.

Saat 11.00'di.

İngilizler boşaltılan Karacaoğlan Tepesi'ni hızla, zafer boruları çalarak işgal ettiler.

Karacaoğlan Tepesi'nin kuzeyinde, İkizkoy'a saldıran delişmen bölük, 9. Bölük ve İstihkâm Bölüğü yan yana gelerek bir savunma hattı kurdular. Tepenin doğusunda da Teke Koyu'nu savunan bölük (12. Bölük) vardı. Bu bölük de çok kayıp vermişti.

Hepsi ancak 750 kişi ediyordu.

750 kişi en az on katı savaşçıyla, donanma ve bol makineli tüfekle boğuşacaktı.[46] Şu âna kadar orduya, güçlü birlikler yollayıp da düşmanı denize dökmesi için altı saat kazandırmışlardı.

Ama ne gelen vardı, ne yüreklendirici bir mesaj!

İngilizler Karacaoğlan Tepesi'nden sonra Aytepe'ye yönlendiler. Aytepe deniz kıyısında tümsek gibi küçük bir tepecikti. Burayı yine 12. Bölüğün bir başka takımı koruyordu. Aytepe elden çıkarsa Teke Koyu savunması bütünüyle çökecekti.

İki İngiliz taburu tümseği batıdan ve güneyden sarmaya başladı. Günün en düşündürücü savaşı başladı.

Saat 12.00'ydi.

İngilizler 2.000 kişiden fazlaydı, Aytepe'yi koruyan takım belki 80 kişiydi. Doğal olarak 2.000 kişinin kısa bir süre içinde hedefini ele geçirmesi gerekirdi.

Öyle olmadı.

80 asker çarpıştı, boğuştu, sayısı yarıya düştü ama Aytepe'yi İngilizlere bırakmadı. Geriden iki şey istemişlerdi: El bombası ve

su. Mahmut Sabri Bey el bombası sandıklarını erlerle birlikte tepenin yakınına kadar sırtında taşıdı.

Asker el bombalarına sevindi. Yüzünü yıkayıp su içti. Savaşa devam etti. İlerlemek için doğrulan her İngilizi vurup deviriyorlardı. Bombacıların zamanlama ustalıkları İngilizler için felaket olmaktaydı.

Kurşun genç bir askerin yüzünün sağ yanını boydan boya yarmıştı. Asker, yarasını sardırmıyor, geri gitmiyor, canı çok yandığı için hem avaz avaz bağırıyor, hem ateş etmeye devam ediyordu.

Az ilerisindeki takım çavuşu "Boş bağırma.." dedi, "..Şu İngilizlere küfret de içimizi soğut."

Zavallının aklına uygun bir küfür gelmedi, acı ve öfke içinde haykırdı:

"Hayvanlar!"

Yanındaki yaşlıca asker kızdı:

"Sus! Hangi hayvan bunlar kadar acımasız?"

Saat 15.00'e kadar savaş alanına bu 40 asker egemen oldu. Böylesine sert, keskin direniş İngilizleri yıldırmıştı.[47] Komutanlar ateş hattına geldiler, subaylar askeri savaşmaya zorladılar. Savaş yeniden canlandı. Gemiler yeniden toplarını ateşlediler

Mahmut Sabri Bey'in elinde buraya yetiştirebileceği yedek birlik kalmamıştı.

Geriden hayır yoktu.[48]

Sayı ağır basmaya başladı. Binlere karşı bir avuç insan daha fazla direnemezdi. Bunlar masal askeri değildi ki.

17.40'ta Aytepe emirle boşaltıldı.

Teke Koyu Gözcübaba Tepesi'ne kadar İngilizlere bırakıldı. İkizkoy'daki delişmen bölük, 9. Bölük, İstihkâm Bölüğü ve 12. Bölük, 700 kişi kalmışlardı, bu kesimi kuzeyinden ve doğusundan bir demir kuşak gibi sardılar.

En azından 6 tabur İngilizi (7.200 kişi) İkizkoy ile Teke Koyu'na hapsettiler.[49]

Saat 18.00'di. *Sonrası sayfa 288'de*

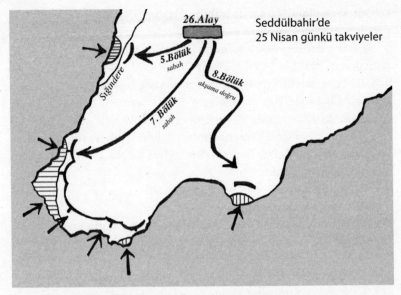

Seddülbahir'de
25 Nisan günkü takviyeler

4) ERTUĞRUL KOYU *Öncesi sayfa 261'de*

29. Tümen Komutanı General Hunter Weston, Ertuğrul Koyu'ndaki Türk savunmasının geçilemeyeceğini anlayınca, sabah 09.30'da Ertuğrul Koyu'na çıkarmayı durdurmuş, birliklerin çoğunu Teke Koyu'na göndermişti.

Kumsalda oraya buraya gizlenmiş 200 kadar İrlandalı, River Cyde'da 1.000 asker kalmıştı. Seddülbahir Kalesi'nin duvar diplerine, yıkıntılara sığınmış İngilizler de vardı. Kımıldayanın başına ne geleceğini iyi bildikleri için kımıldamadan bekliyorlardı.

Mahmut Sabri Bey uygun bir anda İngilizlerin burada da harekete geçeceklerini tahmin ediyor, huzursuzlanıyordu. Çünkü bu kesimdeki savunmacılar (10. Bölük ile 11. Bölüğün iki takımı) da çok kayıp vermişti. Yedeğinde bir manga askerden başka güç kalmamıştı.

Haklı çıktı.

Saat 15.00'e doğru Ertuğrul Koyu'nda da canlanma oldu.

İrlandalılar River Clyde gemisinin ucundaki ağır makineli tüfeklerin, otomatik topların koruyuculuğu altında harekete geçerek, Ertuğrul tabyasına çıkan dik yamaca hücum ettiler.

O kısımdaki iki yarım takım, İrlandalıları ateş ve süngüyle karşıladı. Yahya Çavuş'un gür sesi askerleri devleştiriyordu: "Vur aslanım! Allah için vur! Yurdun için vur! Anan, bacın, yavrun için vur! Bayrağın için vur!"

Hücum edenlerin cesetleri yamaçtan aşağıya tekerleniyor, kumsalda üst üste yığılıyordu.

Tam da arkalarında Aytepe savaşı olmaktaydı. Hava kararırken Aytepe'nin düşmek üzere olduğu haberi geldi. Ertuğrul tabyasının arkadan sarılması demekti bu. Yahya Çavuş küçük birliğinin yarısını yerinde bıraktı:

"Tek düşman bile geçirmeyeceksiniz!"

"Başüstüne Çavuş!"

Öteki yarısının başına geçip Aytepe'ye yardıma koştu. Uzun süngüleri ile düşmanın içine dalacak, Aytepe'ye kanlı bir yol açarak silah kardeşlerine katılacaklardı. Ama Aytepe düşmüştü. Tepeye yerleştirilmiş İngiliz makineli tüfekleri insan biçiyordu. Yahya Çavuş'un adamlarını da biçip toprağa düşürdü.

Düşman şimdi de Gözcübaba Tepesi'ni sarmaya başlamıştı.

Burada da küçük bir birlik vardı. Bu yiğitliğine söz yetmez küçük birlik ertesi gün öğleden sonraya kadar tepeyi savunacak, çevredeki askerlerin esenlikle geri çekilmelerini, yeniden savunma hattı kurmalarını sağlayacaktı.[50]

İngiliz komutanlar son İrlanda hücumunu engelleyen Türklerin bulunduğu kesimin yerle bir edilmesini emrettiler. Savaş gemileri tutkuyla yanaştı. Elliden fazla çelik namlu bu noktaya çevrildi. Ertuğrul tabyasının köşesinde sabahki bombardımandan sonra aceleyle kazılmış, derinleştirilememiş toprak siperler vardı. Asker bu yarım siperlerdeydi. Orası birdenbire cehenneme döndü.

Biri bile kurtulamadı. Siperler mezar oldu.

Yahya Çavuş'un ne birliği kalmıştı, ne yeri. Birkaç yaralı askeri ile birlikte geri çekilerek koyun kuzeyinde ve doğusunda savaşmayı sürdüren bölüğüne katıldı.[51]

Saat 18.00'di. *Sonrası sayfa 288'de*

5) ESKİ HİSARLIK *Öncesi sayfa 262'de*

İngilizler Eski Hisarlık tepesinin harabe kesimini ele geçirmişlerdi. Ağır ağır yayılmaya çalışıyorlardı. Bunu dikkatle yapmaktaydılar. Çünkü karşı sırttaki küçük Türk birliği hemen ateş açıyor, açığa çıkana kurşunu yapıştırıyordu. O yüzden bir türlü istedikleri gibi yayılamıyorlardı.

Takım da rahat değildi. Bölüğü yardıma gelmeli, cephane yetiştirmeli ve birlikte düşmana hücum etmeliydiler. Yazık ki bölüğün yola çıktığını gösterir en küçük bir belirti, sözgelimi bir toz bulutçuğu bile yoktu.

Hiç beklemedikleri bir anda bazı sesler duyuldu, gürültüler oldu.

"Ne oluyor?"

Silahlara davrandılar.

Bağlı oldukları bölük (8. Bölük) toz çıkarıp da savaş gemilerinin dikkatini çekmemek için yoldan değil, sel yataklarından, dere içinden, hendeklerden, emekleye sürüne, saklı gizli gelmiş, yanlarında bitivermişti.

Takımın yüzü güldü. Hemen bölüğüne katıldı.

Bölük hiç dinlenmeden savaş düzeni aldı ve taarruza geçti. Eski harabeyi sardı. İyice sıkıştırdı, dört katı olan düşmana süngü hücumuna geçti, yayıldığı mevzilerden söktü, Eski Hisar harabelerinin gerisine, duvarları dibine attı.

Buradan koparıp denize dökmeyi başaramadılar. Çünkü hazır bekleyen gemiler iki yandan kıyıya yanaşarak Eski Hisarlık'ı yanardağ ağzına çevirdiler.

Bölük kayıp vere vere geri çekilerek takımın açtığı siperlere sığıştı. Ama İngilizleri harabeden dışarı bırakmayacaktı.[52]

Saat 18.00'di.

Pınariçi, İkizköy ve Eski Hisar'a çıkmış olan İngiliz birlikleri küçük Türk birliklerinin sert denetimi altındaydılar. Bu denetimi kırmayı başaramıyorlardı.

İngilizler Teke Koyu'nda Karacaoğlan ve Aytepe'yi ele geçirmiş ama Gözcübaba Tepesi önünde duraklamışlardı. Çok sıkı önlemler alarak savunmaya geçtiler.

Gece Türklerin güçlü takviyeler alarak şiddetle taarruz edeceklerinden korkuyorlardı. *Sonrası sayfa 289'da*

ÇANAKKALE'DE kara savaşlarının başladığı, düşmanın bir yerlere çıkartma yaptığı İstanbul'da yarım yamalak duyulmuş, kulaktan kulağa yayılmıştı.

Kesin bilgi yoktu.

Nerelere çıkıldığı belli değildi.

Direniyor muyduk, ne oluyordu, kimse bilmiyordu. Harbiye Nezareti daha bir açıklama yapmamıştı. Ama kulağı delik ve hayali geniş olanlar renkli, güzel masallar üretmeye başlamışlardı. Bazılarını Dilber'in babası da duymuştu ama Orhan heyecanlanmasın diye evde anlatmadı.

Çocuk hızla iyileşirken heyecanlandırmak doğru olmaz diye düşünmüştü. Bu inceliği aile de destekledi.

Orhan iyi yiyor, Dilber'in koluna girip bahçede biraz yürüyordu. Birkaç kilo almış, yanaklarına kan gelmiş, ellerinin üzerindeki kırışıklık kaybolmuştu.

Dilber, "Ah ağabey.." dedi, "..hastaneye geldiğim gün öyle korkunçtun ki. İskelet bile senden güzeldi. Ne kadar çirkindin anlatamam. Oh canım, şimdi eski haline döndün. Yine yakışıklı oldun. Hatta eskisinden daha yakışıklı oldun. Seni gören kız ânında âşık olur. Olmayan kızın aklına, zevkine şaşarım."

Arkasından da belki nazarı değer korkusuyla telaş içinde ekledi:

"Aman maşallah!"

GELEN RAPORLAR durumu kesin olarak aydınlatmıştı. Asıl çıkarmalar Arıburnu ile Seddülbahir'e yapılıyordu. Saros'taki olay gösteriydi, Kumkale'deki de öyle.

Durumu anladıktan sonra Liman Paşa'nın hemen ordu karargâhına dönmesi, ordusunu artık kesinleşmiş olan duruma göre yönetmesi, çıkarma yerlerinde eriyip giden birliklere hemen yardım yollaması beklenirdi.

Ama dönmedi.

Buraya bağlanıp kalmıştı, kımıldanamıyordu. Geceyi de Bolayır'da geçirecek, belki geceleyin çıkarma yaparlar kuşkusu içinde İngiliz savaş ve taşıt gemilerini izlemeyi sürdürecekti.[52a]

Bu sırada Arıburnu'nda, Seddülbahir'de Türk birlikleri düşmanın yerleşmesini, yayılmasını önlemek için oluk gibi kan döküyorlardı.

3. Kolordu yana yakıla takviye istiyordu.

Liman Paşa nihayet Çanakkale kesimindeki 15. Kolordu Komutanı Weber Paşa'ya şöyle bir emir yollayabildi:

"Eğer bölgenizde ciddi bir çıkarma yoksa ve elinizde verebileceğiniz bir birlik varsa, bir alayın Esat Paşa'ya yardım için Eceabat'a gönderilmesini rica ederim."

Weber Paşa, dileğe benzeyen bu nazik emre yanıt bile vermedi. Emir Türk kurmayların zorlamasıyla bir kez daha yinelenecek, Weber Paşa yine yanıt vermeyecekti.[53]

19. TÜMEN Komutanı M. Kemal iki alayını yola çıkardıktan sonra atını dörtnal sürerek saat 15.30'da Conkbayırı'na ulaştı.

Karargâhını burada kurdu.

Bu saate kadar 1. Anzak Tümeni bütünüyle karaya çıkmıştı. 2. Anzak Tümeni çıkmayı sürdürüyordu. Ama Güneyde 27. Alay, kuzeyde 57. Alay, 15.000 Anzak'ı iki uçtan kıskaca almışlardı. Alaylar birbirlerine kenetlenmişler, sağlam, arasız bir cephe oluşmuştu.[54]

İki uçtan ve ortadan bastırarak Anzakları dar bir kıyı şeridine sıkıştırıyorlardı.

M. Kemal 27. ve 57. Alaylara tümeninin bütün kuvvetiyle savaş alanına geldiğini bildirdi. Cepheye yanaşmış olan 72. Alayın bir taburuyla 57. Alayı takviye etti.

Taze kan 57. Alaya iyi geldi, taarruzu yeniledi.

Filonun 172 topu 57. Alayı delice ateş altına aldı.[55] Anzak komutanları hiç olmazsa Kılıçbayırı-Düztepe hattında tutunabilmek için çırpınıyorlardı.

57. Alay düşmanı, donanmanın desteğine aldırmadan bu mevzilerden süngüyle söktü attı, Kılıçbayırı-Düztepe kesimini geri aldı.

General Hamilton'un Arıburnu için o kadar özenle hazırladığı plan tümden suya düşmüştü.

Kocaçimen çok uzaklarda kalmıştı.

Kabatepe'ye yanaşamıyorlardı.

Anzak Kolordusu Komutanı General Birdwood derin bir hayal kırıklığı, şaşkınlık ve büyük kaygı içindeydi. Kıyıdaki komutanlardan cesaret kırıcı mesajlar yağıyordu. Hepsi yılgındı.[56] Dövüştükleri askerler, hiç de düşündükleri gibi çıkmamıştı. Bunlar yurtlarını ölümüne savunan zehir gibi askerlerdi. Böyle sert bir direniş beklemeyen hayli Anzak askeri geri gelmiş, yaralıları almak için kıyıda bekleyen filikalara sığınmışlardı.[57] Tepelerden kumsala yaralılar akıyordu.[57a]

Kurmaylar olası yaralı sayısını doğru kestirememişlerdi. Sadece 500'er kişilik iki hastane gemisi vardı. İkisi de dolmuştu. Yaralılar kıyılarda bekliyordu. Çoğunun yarası kangrene dönüşecekti.[57b]

Kıyıbaşının genişliği ancak bir buçuk, iki kilometreydi. Derinliği ise Türklerin durmak bilmez hücumları yüzünden gittikçe azalıyordu. Bu daracık yere bir kolordu, 30.000 kişi nasıl sığardı, kendini nasıl korurdu?

Güneş denize batıyordu.

M. Kemal cepheyi ateş hattına kadar gelerek denetlemeye başladı. Ateşten çekinmiyordu. Bu hali subayların ve askerlerin dikkatini çekti.

İki alay da çok kayıp vermişti. Bütün gün yürümüş ve ara vermeden dövüşmüşlerdi. Ama subaylar da askerler de savaş şevki içinde taarruzu sürdürüyor, vatanı karış karış geri alıyorlardı.

Birçok yer adsızdı.

Şimdi her yer bir ad kazanıyor, haritalara bu adlar işleniyor, kel tepelerin, cılız derelerin, sıradan sırtların, kayalık bayırların adı tarihe geçiyor, her karış toprak vatanlaşıyordu.

Karanlık basınca filo ışıldaklarını yakarak savaş alanını aydınlattı. Türklerin elinde olduğu sanılan bütün tepeleri, bayırları, vadileri cehenneme çevirdi.

Asker Liman Paşa'nın gözünü korkutan donanma ateşine çabuk alışmıştı. Arazinin çok engebeli olması ateşin tehlikesini azaltıyordu.

57. Alay 180 yükseltili tepeyi, 27. Alay da Kırmızı Sırt'ın büyük bölümünü geri aldı.[58]

Ama sol kanattan haber gelmiyordu. Buraya yollanan 77. Arap Alayının, 27. Alayın soldaki taburuyla birlikte düşmanı denize doğru sıkıştırıyor olması gerekmcktcydi. Anzakların denize süpürülmesini bu baskı sağlayacaktı.

M. Kemal cepheyi siper siper denetleyip askerinin ateş altındaki durumunu inceleyerek, gün doğarken Kocadere'ye gelecek, çok üzücü, çok şaşırtıcı bir olayla karşılaşacaktı.

Çanakkale'de bir daha yaşanmayacak bir olayla.

AVUSTRALYA TÜMENİNİN karargâhı hemen ilk tepenin eteğinde kurulmuş, karargâh etekteki girintilere, kovuklara sığınmıştı.

Plan uygulanamamış, ağır kayıp verilmişti. İki Türk alayı tümeni ilk tepeler hattına kadar geriye sürmüş, daracık bir alana hapsetmişti.

Sakinlik içinde durumu değerlendirmek imkânından yoksundular. Çevre şaşırtıcı bir kargaşalık içinde kaynaşıyordu. Tartışılmaz bir gerçek belirmişti: Gece ya da sabah bir Türk taarruzu Anzakların sonu olurdu.

Kurmaylar aralarında, 'en mantıklı hareketin başarısızlığı kabul ederek geri çekilmek olduğunu' düşünmeye başlamışlardı.

Bu öneriyi gecikmeden komutana açmaya karar verdiler.[58a]

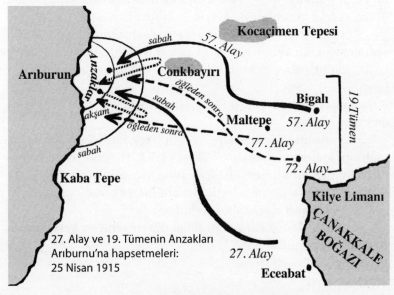

27. Alay ve 19. Tümenin Anzakları
Arıburnu'na hapsetmeleri:
25 Nisan 1915

KUMKALE'NİN doğusunda, sessizlik içinde üç tabur toplanmıştı. Her kımıltıyı ateşe boğan filoya görünmemek için olabildiğince saklanarak gelmişlerdi.

Bu kuvvetin başına 39. Alayın Komutanı Yarbay Nurettin Bey (Özsü) getirildi.[58b]

Kolordu Komutanı Weber Paşa da, 3. Tümen Komutanı Albay Nicolai de, düşmanın karaya çıkmasına izin vermenin doğru olmadığını anlamış gibi görünüyorlardı. Ama bu kez de bu yanlışı temizlemek amacıyla birliği, hazırlık yapmadan, hemen taarruza geçmesi için zorluyor, yanlışa yanlış ekliyorlardı.

Hava iyice kararmıştı. Birlik, bir gece taarruzunun gerektirdiği birçok önlem alınmadan, hazırlıklar yapılmadan taarruz etmek zorunda kaldı.

Saat 19.00'du.

Taarruz başlar başlamaz filonun tüm gemileri ışıldaklarını yakarak kıyıyı ışığa ve ateşe boğdu.

Kıyıdan taarruz eden tabur ateş barajını aşamadı, çok da kayıp verdi. Ama sağdaki tabur bir hamlede Kumkale köyüne girdi. Bu tabur gündüz, filonun ateşi altında düzenini bozmadan gelen demir yürekli taburdu (31. Alayın 3. Taburu).

Köy ışıldakların gezgin ışıkları altında, bir şimşek çakmış gibi aydınlanıyor, bir keskin karanlığa gömülüyordu. Sokaklarda, avlularda, yıkıntılarda çok kanlı bir çatışma, dövüşme, boğuşma başladı.

Fransızlar da, Sömürge Alayının Afrikalı askerleri de, çözülmek üzereydiler.

Filo ateşini köye girmeye çalışan Türk birliklerinin üzerine toplayınca, ateşten kaçınan birlikler köye karışık bir halde doluştular. Bunlardan birinin öncüleri, savaş sarhoşluğu ve oynak ışık içinde, 3. Taburu düşman birliği sanarak ateşe tuttu.

Arkadan ateş yiyen tabur dağıldı.

Ortalık daha da karıştı. Bozulan düzen yeniden kurulamadı. Taarruz durduruldu.

Saat 21.30'du.[59]

GENERAL HAMILTON, Kurmay Başkanı, Amiral de Robeck, Albay Keyes, Queen Elizabeth'in telsiz kamarasında ayak üstü akşam yemeği yediler.

Gün çok yorucu ve heyecanlı geçmiş, Türkler hiç ummadıkları bir direnç göstermişlerdi. Asıl çıkarma yerlerinde durum güven verici değildi.

Yemeğin yarısında 29. Tümen Komutanı General Hunter Weston geldi. Sabahtan beri açtı. O da bir şeyler atıştırdı. İyimserlik vermeyen olaylar anlattı.

Hamilton havayı düzeltmek gereğini duydu:

"Askerimiz niye savaştığını biliyor. Askere savaşın sona ermesi için Boğazları aşıp Rus dostlarımızla el ele tutuşmamızın şart olduğunu, İmparatorluğun kaderinin gösterecekleri cesarete bağlı olduğunu iyi anlattık. Kimse merak etmesin, bu savaşı kesin olarak kazanırız."[59a]

Bu sırada Arıburnu'nda Anzak komuta kurulu geri çekilmeyi görüşüyordu.

3. TÜMEN Komutanı Albay Nicolai Süvari Bölüğünden Üsteğmen Şerif Güralp'i Kumkale çevresinde olup bitenleri izleyerek sık sık rapor vermekle görevlendirmişti.

Şerif Bey Türk birliklerinin köye girdiklerini bildiren raporunu yazıyordu. İçerde olup bitenlerden daha haberi yoktu. Tümen komutanının çağırdığı bildirildi.

Rapor yazmayı bıraktı, atı Akkuyruk'a atlayıp tümen karargâhına koştu.

Komutanlar ve karargâh subayları bahçedeydiler. Kolordu Komutanı Weber Paşa, Tümen Komutanı Albay Nicolai, Topçu Alayı Komutanı Yarbay Binhold, sönmeye yüz tutmuş bir ateşin yanına kurulmuş bir masada oturuyorlardı. Masanın üzeri yarı yenmiş bir kuzu budu ile çeşitli yiyecekler, bira ve konyak şişeleri ile doluydu. Üç Alman subay neşeyle yiyip içmekteydi.

Türk subaylar da masanın biraz uzağında, ayakta, Şerif Bey'in anlatışıyla, bu sahneyi 'yutkunarak seyrediyorlardı'.[59b]

Şerif Bey komutanları selamladı. Tercüman yardımıyla durumu anlattı. Bazı birliklerin köye girmiş olması, mezarlığın hâlâ

Türklerin elinde bulunması Almanları keyiflendirdi. Albay Şerif Bey'e konyak ikram etmek istedi. Almanların ayrıcalıklı sofrası, arkadaşlarının yutkunarak izlemeleri, bu onur kırıcı durum, Şerif Bey'i çok yaralamıştı. İkramı kabaca reddetti. Albay el çabukluğu ile cebine iki yumurta koyarak genç subayı ödüllendirdi, "Haydi git.." dedi, "..Birazdan ben de geleceğim."

Gerçekten gelecek ve Yarbay Nurettin Bey'i gece yarısından sonra yeni bir taarruz daha yapmaya zorlayacaktı.

KAPTAN STOKER'IN AE-2'si 16 saattir su altındaydı. Oksijen azalmış, hava çok kirlenmişti. Denizaltıyı arayan torpidobotların pervane sesleri kesileli iki saat kadar olmuştu. Mürettebatın sinirleri kopacak kadar gergindi.

Kaptan Stoker artık su yüzeyine çıkabileceklerine karar verdi. Periskopla çevreyi denetledikten sonra gerekli emirleri verdi. Gemi yükseldi ve suyun üzerine çıktı.

Kule kapağını açtılar.

Oooh!

Denizaltının içi temiz havayla doldu.

Asya kıyısından 800 metre uzaktaydılar. Yağmur çisiliyordu. Görülürlerse hemen dalmaya hazır, bataryaları doldurmaya başladılar. Mürettebat denizaltının güvertesine çıkarak ciğerlerini temizledi.

Bataryaların tam dolması için dört saate ihtiyaç vardı.

Çok uzaktan donanma toplarının uğultusu yansıyordu. Demek ki Türkler direniyordu. Stoker Geçit'i geçmeyi başardığını Amirale bildirmek istedi. Bunu bilmek orduya da moral verirdi. Bataryalar dolar dolmaz Marmara'ya hareket edecek, belki İstanbul'a kadar gidecekti.

İmkânsız sanılan şey gerçek olmuştu!

Öbür denizaltılar da Boğaz'dan geçebilir, böylece İstanbul-Gelibolu destek yolu körletilirdi.

Telsizci Falconer

Telsizci Falconer, Amiral gemisi ile bağlantı kurmak için çok çalıştı. Başaramadı. Kaptan Stoker'ın yazdığı kısa mesajı bağlantı kuramadan verdi. Belki bir gemi rastlantı eseri sinyalleri alır ve haberi Amirale iletirdi.

Bataryalar dolana kadar burada bekleyeceklerdi. Talihleri vardı. Denizin üzerini yoğun bir sis kapladı.

Görülme tehlikesi kalmadı.

1) PINARİÇİ KOYU *Öncesi sayfa 272'de*

25. Alayın taburu ancak öğleden sonra yetişebilmiş, saat 16.00'da taarruza geçilmişti.

Tabur denizle Sığındere arasından, kuzeyden güneye taarruz ediyordu. Çalışkan Bölük savaşa yine derenin doğu kıyısından katıldı.

Taarruz hızlı başlamıştı.

İngilizler üç kat kalabalıktı. Makineli tüfekleri boldu. Denizde dört savaş gemisi vardı.

Taarruz filonun ve makineli tüfeklerin ateşi altında gelişmedi, giderek yavaşladı. Ama durmadı. Tabur ve bölük sık sık kuzeyden ve doğudan küçük, şaşırtıcı hücumlar yaparak İngiliz birliğini yoracak, bıktıracak, bunaltacaklardı.[60]

Burası biri küçük, biri büyük, iki sürprize gebeydi. *Sonrası sayfa 292'de*

2) İKİZKOY *Öncesi sayfa 273'te*

İkizkoy'daki İngiliz birliğinin güney kolu Karacaoğlan Tepesi yönüne sarkarak Teke Koyu'ndaki İngiliz birliği ile birleşmişti. Büyük kısım ise kuzeyden Delişmen Bölüğün, doğudan 9. Bölüğün baskısı altındaydı.

Delişmen Bölük İngiliz birliğini yerinde tutabilmek için çok çabalamış, çok kayıp vermişti. Bölük Komutanı Yüzbaşı Yusuf Kenan yaralanmıştı. Öbür subaylar da ya şehitti, ya ağır yaralı. Hafif yaralanan askerler yaralarını ceketlerin içine dikili sargı beziyle sarıyor, yerlerini bırakmıyorlardı. Takımlar birkaç mangaya düşmüştü. Düşman azaldıklarını anlayıp da harekete geçmesin diye sürekli hareket ediyorlardı.

26. Alay Komutanı Kadri Bey gece bu gazi bölüğü geriye çekti. Yerine eksik ama sağlam bir bölük yolladı.[61]

Yeni bölük siperleri devraldı, hepsi kan içindeydi. *Sonrası sayfa*

3) TEKE KOYU *Öncesi sayfa 274'te*
İkizkoy, Karacaoğlan Tepesi, Teke Koyu ve Aytepe İngiliz birliklerinin elindeydi. Bunu başarmak için çok ölü ve yaralı vermişlerdi.

Bu kesimi sarmış olan Türk birliklerinin, geriden gelecek büyük birliklerle birleşerek geceleyin taarruza geçeceklerini, tutunamayıp denize döküleceklerini sanıyorlardı.

Bu nedenle filo bütün gece alarmda bekleyecekti.

Derin siperler kazıldı. Tepeler makineli tüfeklerle donatıldı.

Asker bütün geceyi uykusuz geçirecek, çıt çıksa, bir gölge kımıldasa, doludizgin ateş edecekti. Bu kesimdeki İngiliz askerleri uzun süre bu korku gecesinin etkisini üzerlerinden atamayacaklardır.[62]

4) ERTUĞRUL KOYU *Öncesi sayfa 277'de*
Savaş çok yavaşlamış, hatta durmuştu.

İki yan da eller tetikte soluklanıyorlardı.

3. Taburun da çok şehit ve yaralısı vardı. Durmadan savaşan asker yorulmuştu. Ama çok iyi bir iş yaptıklarının farkındaydılar: Bir buçuk tabur asker, bir tümene ve bir donanmaya karşı direnmiş, düşmanı durdurmuş, ilerlemesine izin vermemişti.

Gözcübaba Tepesi, Harapkale Tepesi, Seddülbahir Kalesi ve Seddülbahir Köyü taburun elinde, Ertuğrul Koyu da tümüyle denetimi altındaydı.

Şimdiye kadar Orduya 15 saat kazandırmışlardı. Daha da kazandıracaklardı. İkizkoy'daki, Teke Koyu'ndaki, Eski Hisarlık'taki düşman çıktığı yerde büzülmüş duruyor, ilerleyip yayılamıyordu.

Binbaşı Mahmut Sabri Bey düşmanı denize dökmek, günü kesin bir zaferle kapatmak için Tümenden takviye beklemekteydi.

9. Tümen Komutanı Halil Sami Bey akşam üstü ihtiyattaki 25. Alayın elde kalan iki taburu ile Ağır Makineli Tüfek Bölüğünü, düğümün asıl çözüleceği yere, Seddülbahir'e yollamaya karar verdi.

2.000 yorulmamış, savaşmaya hazır Çanakkale askeri ve 4 pırıl pırıl ağır makineli tüfek![63]

Böyle bir kuvvetle neler yapılmazdı ki!

Bu müjde bütün taburu dolaştı, herkese bir canlılık geldi. Yorgunluk geçti. Tüfekler temizlendi, süngüler bilendi. Taburu taarruz heyecanı sardığı için kimse uyumadı.

Takviyeyi beklemeye başladılar. *Sonrası sayfa*

5) ESKİ HİSARLIK *Öncesi sayfa 279'da*

Burda da kimse uyumuyordu.

İngilizler harabeden çıkarak batıya doğru yayılmak istiyorlardı, Türk birliği ise İngilizleri kımıldatmamak.

Alarmda bekleyen nöbetçi savaş gemisi ışıldağıyla tepeyi aydınlatmıştı. Bu, Türklerin işine yarıyor, İngilizleri kolayca gözlüyor, biri kımıldarsa vuruyorlardı. *Sonrası sayfa 292'de*

ARIBURNU'NDAKİ Avustralya Tümeni Komutanı General Bridges, Anzak Kolordusu Komutanı General Birdwood'u, durumu yakından görmesi için kıyıya çağırdı.

General Birdwood kıyıbaşına çıktı.

Anzak komutanları toplanmıştı. İki Anzak tümeninin komutanı da, bu tümenlere bağlı tugayların çoğu komutanı da, burada tutunmaya imkân kalmadığını, Türkleri yenemeyeceklerini, verilen görevi yapmaya güçlerinin yetmeyeceğini açıkladılar. Türklerin önemli takviyeler alarak bu gece ya da sabah hücum edeceklerinden, denize döküleceklerinden çekiniyorlardı. Daracık kıyıbaşındaki kargaşayı, kumsalda serili yatan sıra sıra yaralıları gösterdiler. Ağlayan, çığlık atan, inleyen yaralıların haline dayanmak gerçekten zordu.

Komutanların isteği açık ve kısaydı: "Toptan mahvolmadan bizi buradan alın!"[64]

Anzak Kolordusu Komutanı
General Birdwood

Komutanların paniği ve kıyıbaşının içler acısı durumu General Birdwood gibi soğukkanlı bir askeri bile etkiledi. Komutanların isteğini, desteklediğini ekleyerek, Başkomutan General Hamilton'a yansıttı.

GENERAL HAMILTON, Queen Elizabeth zırhlısında, günü değerlendiren komutan ve kurmayları yalnız bırakarak, erkenden kamarasına çekilmişti.

Derin bir ruh yorgunluğu içindeydi.

Bütün dünyanın izlediği, farklı, heyecan verici, birçok ilklerin yaşandığı, büyük bir savaştı bu. Başarıları çok eskilerde kalmış bugünkü Türk ordusunun karşısında başarısız olmak ölüm demekti.

Kurmay Başkanı General Braithwaite'ın heyecanlı sesi uykusunu böldü:

"Sir Ian, ölüm kalım meselesini halletmek için gelmelisiniz, muhakkak bir cevap vermelisiniz!"

General Hamilton bunun bir düş değil de gerçek olduğunu anlayınca, top gibi yerinden fırladı. Giyindi. Toplantı salonuna koştu.

Amiral de Robeck, Anzak kuvvetlerini taşıyan ve koruyan filonun komutanı Amiral Thursby, Albay Keyes, Anzak Kolordusu Kurmay Başkanı ile Topçu Komutanı, Hamilton'u bekliyorlardı.

Yüzlerini görünce çok kötü bir haber alacağını anladı.

General Birdwood'un mesajını verdiler. Birdwood'un mesajı özetle şöyleydi:

"*Birliklerden bir kısmı ateş hattını terk edip geri çekildi. Bu zorlu topraklarda dağılan erleri toplamak imkansız görünmektedir. Birliklerin yarın sabah yeniden savaşa sevk edilmesi kararlaştırılmışsa, sonuç fiyasko olacaktır. Birliklerimiz geri alınacaksa, bu iş hemen yapılmalıdır.*"

General Hamilton Anzak Kurmay Başkanı ile Topçu Komutanına düşüncelerine sordu. İkisi de komutanlarının görüşüne katıldılar.

Amiral Thursby'ye döndü:

"Amiral, siz ne düşünüyorsunuz?"

"Birliklerin yığıldıkları plajlardan geriye taşınmaları üç gün sürer."

"Pekâlâ, o zaman Türkler nerede olacak?"

"Birliklerimizin tepelerinde."

"Sonra ne olacak?"

Amiralin yüzü karardı:

"Bu görevin kahrına sonuna kadar katlanmak zorundalar."

General Hamilton da bu düşüncedeydi. Tersi, bir başarısızlık değil, o kadar iddialı hazırlıktan sonra büyük bir skandal olurdu.

Biri bir telsiz mesajı getirip Albay Keyes'e verdi. Mesaja göz atan Albay Keyes'in yüzü parladı. Mesaj AE-2 denizaltısından geliyor, kaptan bir gambot batırdığını ve Boğaz'ı geçtiğini bildiriyordu. Telsizci Falconer'in öylesine çektiği mesajı bir gemi almış ve Amiral gemisine ulaştırmıştı.

Keyes, "Bu güzel haberi Anzaklara bildirelim Generalim.." dedi, "..Bir Avusturalya denizaltısı bu. Moral olur."

General Hamilton, bu haberi de içeren bir emirle Anzak Kolordusuna yerinde kalmasını bildirdi. Emrini "..güvene kavuşuncaya kadar askere siper kazdırın, kazdırın, kazdırın" diye bitirdi.

Başkomutanın emri çok ivedi olarak General Birdwood'a ulaştırılacaktı.[65]

Eğer 9. Tümen Komutanı Halil Sami Bey akşam verdiği kararı değiştirmese, belki Anzakların isteğine benzer bir istek de Seddülbahir'de karaya çıkmış olan 29. Tümen birliklerinden gelecekti.

Geri çekilmeyi isteyecek durumdaydılar.

EVET, 9. Tümen Komutanı Halil Sami Bey verdiği yerinde kararı daha sonra değiştirmiş, 25. Alayın iki taburu ile Ağır Makineli Tüfek Bölüğünü Seddülbahir'e, 3. Tabur Komutanının emrine yollamaktan caymıştı.

İki taburu dörde böldü. Taburların dörtte biri (2 bölük) yedek diye geride tutulacak, dörtte biri Pınariçi Koyu'na, dörtte biri Eski Hisarlık'a, dörtte biri de 3. Tabura katılacak, kısacası tuz biber olup gideceklerdi.

Bu kararın nedeni galiba sürüp gelen 'yanlış yapma' korkusuydu. Bu korku yeni yanlışlara yol açıp durmaktaydı.[66]

Bu takviyeler yalnız Pınariçi Koyu'nda işe yarayacaktır.

PINARİÇİ KOYU *Öncesi sayfa 287'de*

Gece iki bölük ile iki makineli tüfeğin çıkagelmesi herkesi sevindirdi. Bu, küçük sürprizdi. Büyük sürprize daha vakit vardı.

Yeniden taarruz isteği uyandı.

Çabucak hazırlandılar.

Taarruz başladı.

Gergin bekleyiş, sürpriz hücumlar, tümenden uzakta yalnız kalmış olma ürküntüsü, İngilizleri çok yıpratmıştı. Çözülmek üzereydiler. İngiliz mevzilerinde yer yer çöküntüler oldu. Direniş gittikçe zayıfladı. Bazı gruplar düzensiz bir halde çekilip kıyıya inmeye başladılar. Dağılma kolera gibi yayıldı. Komutan "durumumuz ümitsiz" diye mesaj gönderdi ve filodan yardım istedi.

Gemiler devreye girdiler. Işıldaklar yakıldı. Toplar ve makineli tüfekler ateşlendi. Ateşten bir duvar örüldü.

Türk birlikleri gereksiz kayıp vermemek için geriye, korunaklı yerlere çekildiler. Bu sırada filikalar kumsala baştankara ediyorlardı. Askerler sırt çantalarını yerlere atarak filikalara doluştular.

Türkler koca İngiliz birliğinin kaçtığını bilse, herhalde ateşten duvarı bir yerinden aşar, kaçakları kumsalda bastırırlardı. Böyle kalabalık, güçlü, dört savaş gemisinin desteklediği büyük bir birliğin panikleyip kaçacağı kimin aklına gelirdi?

Birlik Türkler açısından en tehlikeli yer olan Pınariçi Koyu'nu bırakıp gitmişti.

Günün büyük sürprizi buydu.

Bu sürpriz en çok, burada her şeyin yolunda gittiğini sanan 29. Tümen Komutanı General Hunter Weston'u ve bu birliğe çok ümit bağlamış olan Başkomutan General Hamilton'u şaşkına çevirecekti.[67]

ESKİ HİSARLIK *Öncesi sayfa 289'da*

Gece yarısına doğru buraya da iki bölük takviye gelmişti. Sessizce yanaştı. Görevi düşmanı denize dökmekti. İngiliz birliğini denetim altında tutan bölükten bilgi aldı.

Yayıldı.

Birlikte taarruza geçtiler.

Düşman uyanıktı, hazırdı. Makineli tüfekleri hiç ölü nokta bırakmayacak biçimde yerleştirmiş, cesurca bekliyorlardı.

İki-üç bölükle, buradaki birliği ve alarmda bekleyen savaş gemilerini yenmek güzel bir ümit ama imkânsız bir hayaldi. Taarruz sonuç vermedi. İki yan da siperlere çekildi.

TÜMEN KOMUTANI Halil Sami Bey'in son kararına göre 3. Taburun payına, sadece iki bölük ile 2 makineli tüfek düşmüştü.

Tümen emrine göre, gelecek 500 kişi ile 'gece hücumu yapılarak karaya çıkan düşman temizlenecekti.'[68]

Binbaşı Mahmut Sabri Bey öfkesini içine gömdü.

3. Taburun büyük başarısından, ne tümen yararlanmayı bilmişti, ne de ordu. Bilseler hızla güçlü birlikler gönderirler, İngilizler gerçekten denize dökülürdü.

Bu sırada kumsalda kuşku verici bir hareket oldu. Bazı gölgeler belirdi. Koyu çevreleyen bölük, River Clide adlı gemi dolayısıyla tedirgindi. Karanlıktan yararlanarak birdenbire ve topluca gemiden karaya çıkmaya yeltenebilirlerdi.

Gölgelere doğru birkaç el ateş edildi. Gölgeler kaçıştı. Karşılık vermediler. Kale duvarının dibinde yuvalanmış nöbetçiler, gölgelerin yaralıları toplamak için gelmiş sıhhiyeciler olduğunu bildirdiler.

"Ateş kes!"

Bir daha ateş edilmedi.

Sıhhiyecilerin yaralıları seerbestçe toplayıp gemiye taşımalarına izin verildi.[69]

İKİZKOY'DAN geri çekilen gazi bölük Alçıtepe köyü yolundaydı.

Hepsi az ya da çok yaralıydı. 12 saat durmadan çatışıp boğuştukları için çok da yorgundular. Ama yürüyemeyen yaralı arkadaşlarını geride bırakmamışlardı. Nöbetleşe taşıyorlardı.

Alay Komutanı Yarbay Kadri Bey köydeki küçük sahra hastanesinin tek doktoruna bölük hakkında bilgi vermiş, aç geleceklerini de bildirmişti.

Böyle gazi bir birliği bir çorbayla ağırlamak olmazdı. Doktor yetkisini kullanarak, bölük için dört çeşit yemek hazırlattı. Mercimek çorbası, çoban kavurma, pilav ve tatlı. İyi beslenmesi gereken hastalara özgü çok özel yemek listesiydi bu.

Bölük geç vakit hastaneye ulaştı.

Doktor şaşakaldı. Kadri Bey bölüğün fazla kayıp verdiğini söylemeyi unutmuştu. Yarım bölüktü gelen.

Gerekenler ameliyat edilip yatırıldı.

Ötekiler de kir, kan ve yara içindeydi. Bakımları yapıldı. Temizlenip karınlarını çift porsiyon doyurdular. Çoğu böyle zengin ve bol yemeği herhalde bir daha görmeyecekti.

Allah'a ve devlete hamdederek asker yatağı toprağa uzandılar ve uyudular.

AE-2 mürettebatı uyanıktı.

İkinci Subay Kaptan Stoker'a bataryaların dolduğunu bildirdi. Kule kapağı kapandı. Gemi Marmara'ya doğru hareket etti.

Denizaltıcılık tarihinin en önemli olaylarından biri gerçekleşiyordu.[70]

Boğaz'ın geçildiğini gece duyan İngiliz denizaltıcılar çok heyecanlanmışlar, Amiral de Robeck daha gelişmiş ikinci bir denizaltının yola çıkması için emir vermişti.

Bu görev için Yüzbaşı Boyle'un E-14'ü seçilecekti.

ALBAY NICOLAI Kumköy yakınındaki Yenişehir'e gelmişti. Yarbay Nurettin Bey'e yeniden taarruz etmesini emretti.:

"Kumkale ele geçirilecek!"

Birliği yeni bir taburla da takviye etti.

Köyün içi karmakarışıktı. İkinci bir taarruz karışıklığı daha da artıracaktı. İlk taarruzdan sonra elbette Fransızlar çok ciddi önlemler de almış olmalıydılar. Ama bu durumu ya Nurettin Bey anlatmayı başaramadı, ya Albay Nicolai anlamadı.[71]

Saat 03.00'te yeniden taarruz başladı.

Yeni tabur da yamandı.[72] Hışım gibi köye girdi. Yine sokaklarda boğuşuldu. Gözü pek askerler yıkıntıdan yıkıntıya geçerek, bazı makineli tüfek yuvalarının arkalarına dolandılar, el bombalarıyla işlerini bitirdiler. Ama kalan tüfekler taburu biçmeye yetti. Sokaklar yeni şehitler ve yaralılarla doldu.

Çatışmaya ara verildi.

Köyün bir yarısında Fransızlar vardı, öte yarısında Türkler. Bir kişi hareket etse tüfekler ateşleniyor, yaralılar geri çekilemiyordu.

Üst komutanlar köyün ille geri alınmasını, düşmanın denize dökülmesini istiyorlar, bunun içinde de birlikleri apar topar, kurbanlık koç sürüleri gibi ölüme sürüyorlardı.

Saat 05.00'te, üçüncü kez, bir daha taarruz edildi. Asker ölümün üzerine yürüdü. Köy mezbahaya döndü. Fransızların bulunduğu yıkıntılar içinde, barikatlar gerisinde yer yer beyaz bayrakların kalktığı görüldü.

Oh!

Gün zaferle kapanıyordu.

Öyle sanıldı.

Bundan sonra olacakları kimse kestiremezdi.[73]

ERTUĞRUL KOYU'NA gece yarısından sonra, saat 02.00'de iki bölük ve iki makineli tüfek geldi. Bir tabur bile değildi takviye. Çok da geç gelmişti.

Bu kadarcık bir kuvvetle sonuç almak imkânsızdı.

Mahmut Sabri Bey taarruzdan cayarak taburunun hevesini kırmayı doğru bulmadı. Aytepe geri alınabilse büyük kazançtı. Talihini denemeye karar verdi.

Yeni birlikler de taarruz düzeni içinde yerlerini aldılar.

Saat 03.30'da taarruz başladı.

İki Türk makineli tüfeğinin takırdaması, askerlere türkü gibi geldi.

Bütün İngilizler uyanıktı. Kaygı içinde bu ânı beklemişlerdi. Hazırlıklıydılar. Türk taarruzunu müthiş bir ateş sağanağı ile karşıladılar. Alarmda bekleyen savaş gemileri de irili ufaklı bütün toplarını ateşlediler. Geride bir topal karınca bile bırakmamak niyetiyle tüm Türk cephesini yakıp yıkmaya giriştiler.

Taarruz gelişemedi.

Aytepe geri alınamadı.

Ama bu kesimde gecelemiş İngilizlerin, Allah'ı anarak ateş denizine dalan, süngüleri katran karası gece içinde bile parıldayan Türkleri, korkmadan düşünmeleri mümkün değildi artık. Türklerin çok üstün silah gücüyle bile zor durdurulabildiklerini anlamışlardı. Bu korku üst komutanlara da yayılacak, bunun etkisi gündüz görülecekti.

Mahmut Sabri Bey alaya durumu bildirdi, takviye ve cephane istedi. Çekilme söz konusu değildi.

Direneceklerdi.

Bir tabur 10 düşman taburunu kıyıda tutuyordu.[74]

GÜN ağarıyordu. M. Kemal, Kurmay Başkanıyla birlikte Kocadere'de bir köy evinde kurulmuş olan telefon merkezine uğradı. Kolorduyla konuşacak, takviye isteyecekti.

Telefon bağlanmadan, 77. Alayın 1. Tabur Komutanı Binbaşı · Hacı Mehmet Emin Bey geldi. Gözleri ağlamış gibi kıpkırmızıydı.

"Efendim.." dedi, "..Utanç içindeyim. Ne yazık ki alayımız çil yavrusu gibi dağılarak savaş alanından kaçmıştır.."

"Ne diyorsunuz?"

"..Alay Komutanını bulamadım. Sizin buraya geldiğinizi duyunca bilgi sunmak için koşup geldim."

M. Kemal bu dürüst askeri Trablus'ta sömürgeci İtalyanlarla savaştıkları günlerden tanıyordu. Yanında kol komutanlığı yapmıştı.

Gece sol yandan neden bilgi gelmediği, Anzakların niçin denize sürülemediği anlaşıldı.[75]

Savaş alanından kaçmak, bağışlanabilir suç değildi. Hacı Mehmet Emin Bey'e, "Alayı Kocadere'nin batısında toplayınız.." dedi, "..yine kaçan olursa vurunuz!"

İzzettin Bey'den bu rezil durumun sorumlularını saptamasını istedi.[76]

Conkbayırı'nda yedekte bekleyen 72. Alaya, ivedi 27. Alayın soluna gelmesini emretti. O alayda çokça Türk vardı.

Olası bir Anzak karşı taarruzuna karşı bütün birlikleri uyardı.

ARAP ASKERLERİN bazı halleri, tavırları, alışkanlıkları, tümende bulunan Türk askerlerini şaşırtagelmişti.

Bazılarının adının Muhammed oluşu daha çok şaşırtıyordu. Türkler Peygamberlerine duydukları büyük saygı gereği, olur olmaz yerde ve biçimde kullanılmaması için çocuklarına bu adı vermez, onun hafifletilmiş biçimi olan Mehmet'i kullanırlardı.

Bu Türklere özgü bir dikkatti.[77]

Önlerine gelen yerde, gösterişli bir halde namaz kılmaları da şaşırtıyordu. Türk, kulluğunu kulluğa yakışır bir alçakgönüllülükle, derin bir sadelik ve saygı içinde, gözden uzak yapmaya çalışırdı.

Bu da Türklere özgü bir incelikti.

Ama en çok da bu adamların çoğunun silah arkadaşlarını ateş altında bırakıp kaçmalarına şaştılar.

Bambaşka bir milletin ve çok farklı bir toprağın çocukları olduklarını yaşaya yaşaya her gün biraz daha iyi ve derinden anlamaktaydılar.

KUMKALE KÖYÜNDE beyaz bayraklar sallanınca çatışmalar bıçakla kesilmiş gibi durdu. Fransızlar teslim oluyorlardı.

Gün doğmaktaydı.

Sabah alacası içinde iki yan da ayağa kalktı.

Çok duyarlı bir durumdu.

Yaklaşan kibar bir Fransız subayı işaretlerle kendi rütbesine denk bir subaya teslim olmak istediğini anlatmaya çalıştı. Alay Komutanıydı galiba. Köye girmiş olan subayların hepsi ya şehit olmuştu ya yaralıydılar. Geride, Menderes köprüsünün ötesinde yüksek rütbeli Türk subayları vardı. Askerler de Fransız subayına işaretlerle bunu anlatmaya çabaladılar.

Zaman geçiyordu.

İki yanın askerleri birbirlerine karışmıştı. Her kafadan bir ses çıkıyordu. Bu aşamada kararlı biri öne çıkıp duruma el koyamadı, teslim işlemini başlatamadı.

Bu tuhaf durum uzayınca, iki yanın askerleri arasında itişmeler başladı. İtişmeler yer yer kavgaya, sonra da çatışmaya dönüştü.

Yeniden ateş savaşına girişildi.

Fırsat kaçmıştı.

Durumu öğrenen Fransız Tümeni Komutanı General d'Amade duraksamadan karaya çıktı. Köy içindeki karma birlik yeniden çözülebilirdi. Bu tehlikeli durumu atlatmak, yenilgiden kurtulmak gerekiyordu. Köy çevresindeki birlikleri geri çekti. Köydeki birliğini feda etmeyi göze alarak filodan köyü ateş altına almasını istedi. Filo yeniden delirdi.

Kumkale köyü barınılamaz hale geldi. İki yan da köyü boşalttı. Sağ kalabilen 300 Türk, mezarlığa geri çekildi.

Gün yara sarmakla geçecek, Fransızlar 26/27 Nisan gecesi sessizce Kumkale'den çekileceklerdi.

Bu basit oyalama hareketi için çok kayıp vermişlerdi ama görevlerini başarmış, 3. Tümeni yerinde tutmuşlardı.[78]

GENERAL HAMILTON, Liman Paşa'yı güzelce aldatmış, birinci gün iki uçtaki dört tümenin hareketsiz kalmasını sağlamıştı.

Bu kalabalık, masraflı, zor oyunların amacı Arıburnu ve Seddülbahir'e takviye gelmesini önlemekti.

General Hamilton bu iki çıkarma yerine takviye gelmediği takdirde, buralara çıkacak güçlü birliklerle birinci gün kolayca ara hedefe varacağını, üçüncü gün de Kilitbahir'i ele geçirerek seferin birinci aşamasını hızlı bir zaferle sonuçlandıracağını hesaplamıştı.

Plan başarıyla uygulanmış, iki yere güçlü birlikler çıkmayı başarmış, bu girişimi Birleşik Donanma'nın 500'den fazla topu desteklemiş, Türkler kanatlardan takviye alamamışlardı.[79]

Ama...

Ama Türkler Arıburnu'nda Anzak Kolordusunu, Seddülbahir'de 29. Tümeni bozarak, ezerek, hedeflerinden uzakta, kıyıda tutmayı başararak pahalı planı alt üst etmişlerdi.

Bu olamaz, inanılamaz, kabul edilemez bir durumdu. Bir kazaydı. İlk güne özgü bir yanlışlıklı. Çabucak unutulması gereken bir fiyaskoydu.

Birleşik Ordu'nun kıçı kırık, yoksul Türkler karşısında yetersiz kalması, boyun eğmesi, yenik düşmesi hayalde bile olası değildi.

Sorun sabah kesinlikle çözülür, hedeflere ulaşılır, en çok üç-beş gün içinde Boğaz donanmaya açılırdı.

Bunu sağlayacak emirleri verdi.

26 NİSAN 1915 Pazartesi sabahı, savaşın ikinci günü, tan yeri ağarmaktaydı. Ürpertici bir sessizliklik vardı. Sanki zaman durmuş, evren donmuştu.

Harapkale Tepe'den ipek sesli, genç bir askerin okuduğu sabah ezanı duyuldu, derin sessizlik içinde Ertuğrul Koyu'na yansıdı, iki yana yayılıp Gözcübaba Tepesi'ne ve Seddülbahir köyüne ulaştı:

"Allah ü ekber

Allah ü ekber"

Tam bu sırada yarımadanın burnunu sarmış olan filo, Başkomutanın emrine uyarak, savaşı başlatmak için üç yandan birden ateş açtı. Ertuğrul Koyu'na yakın olan gemiler özellikle Gözcübaba ve Harapkale tepelerini hedef almışlardı.

Askerin yakınlarına mermiler düşmeye başladı. Gözcü Çavuş 'saklan!' diye bağıracaktı ama ezanı kesmeye kıyamadı. Asker de mermileri umursamamış, belki duymamıştı bile. Yüreğinin akışına uyarak ezana devam etti:

"Allah ü ekber

Allah ü ekber..."

Yanıbaşında patlayan 35'lik bir merminin alevi içinde kaldı, görünmez oldu. Ezana hâlâ devam ediyor olmalı ki gözcü Çavuş büyük patlayışlar arasında bir sözcüğünü daha duyabildi:

"...Lailaheillallah!"

Dünyayı mermilerin kirli gürültüsü ve kara dumanı kapladı. Bombardıman yarım saat sürdü.

Yaralıysa sargı yerine taşımak için askere koştular. Asker çiçek tozu gibi havaya karışmış, geride bir iz bile kalmamıştı.

Herkes bombardıman bitti diye sığınaklardan çıkıp yerini aldı. Kurnaz filo, askerleri yok etmek için bunu bekliyordu. Yeniden bu kez daha da yoğun ateş etmeye koyuldu.

Havada taş, toprakla birlikte insan parçaları da uçuşmaya başladı.

River Clide gemisinin başındaki makineli tüfekler ve otomatik toplarla da Ertuğrul Koyu'nu savunanları ateş altına aldılar. Amaç başlarını kaldıramaz halde tutmaktı. Çünkü River Clide'ı boşaltmak istiyorlardı. Dövüşken Hampshire Taburu 24 saattir gemide kapalı kalmıştı. Bugün bu tabura çok ihtiyaç vardı.

Bu ateş curcunası ve alacakaranlık içinde, gemide kapalı kalmış olanlar kapılardan çıktılar, mavnalardan kurulu köprüyü aşarak karaya koşmaya başladılar. Ancak bir kısmı karaya ulaşmayı başarabildi. Mehmetler canlarını hiçe sayarak açığa çıkıp ateş ederek çıkışı engellediler.

Çıkanlar Seddülbahir Kalesi'nin arkasına sığındılar. Bütün tabur gemiden çıktıktan sonra Seddülbahir köyüne girecek, oradan Harapkale Tepe'ye ilerleyeceklerdi.

Çıkamayanları beklemek zorundaydılar.

Bu sırada bir İngiliz taburu da Ertuğrul Koyu'nun batısında, dünden beri dayanan Gözcübaba Tepe'sini ele geçirmek için hücuma geçmişti.

Böylece iki koldan Harapkale Tepe'ye ilerleyerek Ertuğrul Koyu'nu düşürecek, 3. Taburu bitireceklerdi.

Bu tehlikeyi hesaba katan 26. Alay Komutanı Kadri Bey, Tümen Komutanının iznini alarak Mahmut Sabri Bey'e ikinci savunma hattına geri çekilebileceğini bildirdi.

Gündüz, filonun ateşi altında çekilmek tehlikeliydi. Kaldı ki Mahmut Sabri Bey hâlâ kuvvetlice bir takviye gelirse İngilizleri denize süpüreceklerine güveniyordu.

Ümitle bekleyecekti.[80]

SABAH Arıburnu Koyu'ndaki filo da erkenden Kabatepe-Balıkçı Damları arasındaki kesimi, Conkbayırı derinliğine kadar ateş altına aldı.

Queen Elizabeth de filoya katılmıştı.

Anzak Kolordusuna geniş bir kıyıbaşı kazandırmak ve bir yerlerden çıkagelip Anzakları yaka paça kıyıya kadar süren Türk birliklerini kırabilmek için bombardıman çok geniş, çok yoğun, çok yıkıcı ve korkunç uzun tutulmuştu.

57. Alayın sağ yanındaki iki bölüğün yerleştiği kesim denize yakındı. Asker geceyi basit toprak siperler içinde geçirmişti. Bombardıman sonucu bu iki bölükten pek az asker sağ kurtulabildi. Onlar da ya sağır olmuş, ya belleğini yitirmiş, ya delirmişti.[81]

Bugün en kritik gündü.

Arıburnu'nu ve Seddülbahir'i savunan birliklere takviye gelmeyecekti.

Kuvveti yarıdan aşağı düşmüş olan 19. Tümen savunmada kalacaktı. Düşman taarruz ederse son ere kadar direneceklerdi.

En acı sorun subay ve usta er kaybıydı. Bu kahramanların yerleri nasıl doldurulacaktı?

Bombardıman ilerilere kayınca Anzaklar bazı kesimlerdeki egemen tepeleri ele geçirmek, hedeflere doğru yol açmak ümidiyle saldırıya geçtiler. 57. Alay Conkbayırı yönünü, 27. Alay Maltepe-Eceabat yönünü kapatıyordu.

Saldırılar ateşle püskürtüldü.

Cesur bir Anzak birliği 27. Alayın sol kanadında süngü hücumu mesafesine kadar ilerlemişti. Komutlar ve boru sesleriyle süngü hücumuna kalktılar.

Bu iri yarı, bakımlı, güçlü, pervasız adamlar süngüleri ilerde Türk mevzilerine doğru savaş naraları atarak koşarlarken gerçekten korkutucu görünüyorlardı. Türklerin korkarak siperleri boşaltıp geri çekileceklerini düşlüyor olmalıydılar.

Türkler geri çekilmediler, tam tersine, Anzakları karşılamak için siperlerin önüne fırladılar. Tüfeklerine uzun, ince, parlak süngülerini takmışlardı.

Süngü süngüye geldiler.

Bir süngü savaşı birkaç dakikada başlayıp biter. Bu kez de öyle oldu. Haykırışlar, bağırtılar, çığlıklar, kükremeler birkaç dakika ya sürdü, ya sürmedi. Sağ kalabilen Anzaklar geldikleri hızla geri çekildiler.

İş süngüye dayanınca, donanma toplarının, bol paranın, çok askerin hükmü kalmıyor, kanlı oyun eşit şartlar içinde oynanıyordu.

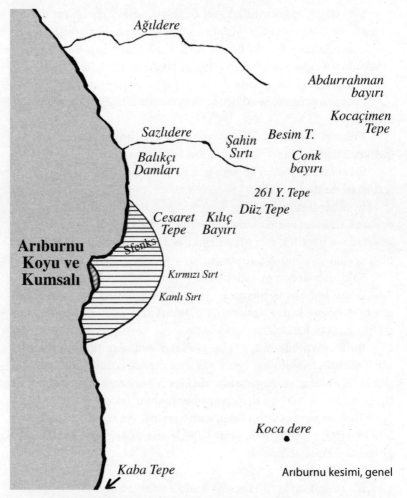

Ağıldere

Abdurrahman
bayırı

Kocaçimen
Tepe

Sazlıdere

Şahin
Sırtı

Besim T.

Balıkçı
Damları

Conk
bayırı

261 Y. Tepe

Düz Tepe

Cesaret
Tepe

Kılıç
Bayırı

**Arıburnu
Koyu ve
Kumsalı**

Sfenks

Kırmızı Sırt

Kanlı Sırt

Koca dere

Kaba Tepe

Arıburnu kesimi, genel

LİMAN PAŞA geceyi Bolayır tepesinde geçirmiş, yarı uyuk-lamış, yarı körfezi gözlemiş, kaygı içinde bir gece çıkarması bekle-miş, iki tümeni de alarmda tutmuştu.

İngilizler çıkarma izlenimi vermek için bazı küçük hareket-ler yapmışlardı ama bu kez Liman Paşa'yı bile aldatamamışlardı. Ordu Komutanı 30 saat sonra Saros'taki durumun bir gösteri ol-duğunu anlamıştı.

Öğleyin 5. ve 7. Tümenlerin alaylarını deniz yoluyla Eccabat'a göndermeye karar verdi. Ama takviyelerin savaş alanına ulaşmaları günler alacaktı.

İş işten geçtikten, düşman toprağa pençesini geçirdikten sonra yetişeceklerdi. Kendi de Eceabat'a geçecekti. Kurmay Başkanı Kâzım Bey'i Bolayır'a çağırdı. Şu emri verdi:

"24 saat içinde hiçbir çıkarma hareketi olmaması halinde, 5. ve 7. Tümenleri tüm birlikleriyle Eceabat'a yollarsın!"

Aklı hâlâ çıkarmaya takılıydı.

Anadolu yakasındaki birlikler 'emin bir elde', Weber Paşa'nın komutası altındaydılar. Güney için de emin bir ele gerek vardı, Türk komutanlara güvenemiyordu. Enver Paşa'ya şu telgrafı yazdı:

"Gelibolu yarımadasının güneyinde komutayı ele almak üzere Albay Kannengiesser'in derhal ordu emrine gönderilmesini rica ederim."[81a]

Albay Kannengiesser Harbiye Nezaretinde Ordu Dairesi Müdürüydü. Çalışkan, düzenli bir askerdi.

Enver Paşa izin isteğini kabul etti. Yerine birini atamak gereğini duymadı. Yardımcısı Behiç Erkin Bey bu görev için yeterliydi. Bir süre sonra, Behiç Bey'in çok daha başarılı olduğu anlaşılacaktı.

İngiliz uçakları Gelibolu'yu bombalıyordu. Liman Paşa bombalama bitince Gelibolu'ya döndü. Eşyasını topladı. Gelibolu'dan Eceabat'a, oradan Maltepe'ye geçecek, akşam 3. Kolordu Karargâhına yerleşecekti.[82]

İzinsiz hareket eden M. Kemal'in ne korkunç bir felaketi önlediğini Esat Paşa ile Fahrettin Bey'den ayrıntısıyla öğrenecek, bunun değerini bilecek, kendisini 'bir gün içinde yenilen bir ordunun komutanı olmaktan kurtardığını' unutmayacaktı.[82a]

15. KOLORDU KOMUTANI Weber Paşa, Türk kurmayların çırpınışları üzerine Liman Paşa'nın yolladığı son, kesin ve sert emirden sonra 3. Tümenin iki taburlu, eğitimi yetersiz 64. Alayını gece yola çıkarmıştı. Yollamak için Kolordunun en zayıf alayını seçmişti. Ordu bastırınca yine hiç acele etmeden bir alay daha yollayacaktı. Bu da Kolordunun Çanakkale iskelesine en uzaktaki alayıydı (33. Alay).

Alman komutanlar bu gecikmelerin, bu kayıtsızlıkların Arıburnu ve Seddülbahir cephelerinde kaç cana mal olduğunu, olacağını umursamıyorlardı. Bu tavırları nefrete ve kuşkulara yol açacaktı.

64. Alay gece durmadan yürüyerek Çanakkale'ye geldi. Bugün karşıya geçmek ve 19. Tümenin emrine girmek için gemi beklemeye koyuldu.

Taşıma işleri için Çanakkale'de bir birim kurulmuştu. Birimin başındaki komutan alayı karşıya geçirip savaşa yetiştirmek istiyordu. Bunun için dört bir yana baş vurdu, konuştu, yalvardı, tehdit etti, küfretti, tepindi, masayı yumrukladı, bıyıklarını yoldu ama bir sonuç alamadı.

Boşta bir gemicik bile yoktu.[82b]

ERTUĞRUL KOYU'NDA zaman geçiyor, hareket gelişmiyordu. River Clyde gemisindekilerle kıyıya çıkıp da kımıldayamayan askerlerde bunalım belirtileri görülmeye başlamıştı.

Komutan vurulmuştu.

Yeni komutan ve kurmaylar, gemide kalanları, kayıp vermeyi göze alarak karaya çıkarmaya karar verdiler, kararlarını da hemen uyguladılar.

Otomatik topların, çift namlulu makineli tüfeklerin koruyucu ateşi altında çıkarma başladı.

Küçük gruplar halinde gemiden çıkıp kalenin duvarı dibine koşmaya başladılar. Oldukça kayıp verdiler ama sonunda bütünüyle karaya çıkmayı başardılar.

Kalenin duvarları altına, kaya arkalarına saklanıp kalmış olanlarla birleştiler, Kalenin arkasından dolanarak köye ilerlediler.

Köyde dünden kalma bir yarım takım vardı.

Takım Komutanı Asteğmen İngilizlerin geldiklerini gördü. 30-40 kişi 1.000'e yakın askerle süngüleşerek başa çıkamazdı. İki şey yaptı: Harapkale Tepe'ye birini yollayarak çok ivedi yardım istedi, gelecek olanlar bu savaşa kolayca ayak uydurabilsinler diye nasıl savaşacaklarını da bildirdi. Sonra da küçük müfrezesini toplayıp ne yapacaklarını anlattı.

Askerler teker teker gizli saklı, kuytu, akla gelmez, beklenmedik noktalara dağıldılar. Bunlar bol atış eğitimi yapmış, bir gün önce İngiliz askerini süngüyle kovalamış, soğukkanlı, kendine güvenen, usta askerlerdi. Ne yapmaları gerektiğini iyi anlamışlardı.

Bulundukları yeri belli etmeden, belli olursa yer değiştirerek, İngiliz askerlerini avlayacaklardı. Baştan aşağı yıkıntı halindeki karmakarışık köy böyle bir savaş için biçilmiş kaftandı.

İngiliz öncüler göründüler.

Saat 10.00'du.

Tekirdağlı Ali Onbaşı önde yürüyen İngilizi seçti. Sanki babasının çiftliğini ziyarete geliyordu köftehor. Öyle rahat bir hali vardı.

Nişan aldı. Nefesini tuttu. Tetiğe dokundu.

Gümmmm!

İngiliz arka üstü uçarak devrildi.

İngiliz resmi harp tarihinin bir efsane gibi anlattığı Seddülbahir Köyü Savaşı başladı.[83]

Öncüler daha köyün girişinde temizlendiler. Tabur Komutanı Binbaşı Beckwith daha kalabalık bir öncü birliği sürdü ileri.

Yeni öncüler sağa sola, boşluklara ateş ederek köye girdiler. Karşı duran bir birlik yoktu. Hatta kimse yoktu. Daha fazla bilgi edinmelerine zaman kalmadı. Sanki her yandan ateş yağdı. Nerelerden ateş ediliyordu? Kaç kişiydiler? Bunları algılayamadan vurulup serildiler.

Tabur durakladı.

Kiminle savaşacaklardı?

Birliğin ilerleyemediğini öğrenen River Clyde'taki üç yürekli kurmay subay, Binbaşı Beckwith'e yardım için karaya çıkıp koştular. Her biri bir küçük müfrezenin başına geçti.[84]

Harapkale Tepe'den yollanan müfreze de bu sırada köyün arkasından yaklaşmıştı. Sessizce yıkıntılara dağılıp gizlendi.[85]

100 kişi etmişlerdi.

Bu küçük birlik, saat 14.00'e kadar dört saat, köyü vermeyecek, 1.000'den fazla İngiliz askerini durduracak, ağır kayba uğratacaktı.[86]

Ama birlik de hayli kayıp verecek, iki Takım Komutanı da şehit olacaktı.

Giderek küçük köy İngiliz askerleriyle doldu. Saklı gizli savaşmaya imkân kalmadı. Açığa çıkarak savaşa savaşa köyü bırakıp Harapkale Tepesi'nin kuzeyine çekildiler.[87]

BU SAATTE Gözcübaba Tepesi de iki yandan kuşatılmıştı. Dolu gibi makineli tüfek mermisi yağıyordu tepeye. Dünden beri tepeyi savunan o yiğitliğini anlatmaya söz yetmez küçük birliğe Mahmut Sabri Bey geri çekilmesi için emir verdi. Küçük birlik iyice erimiş, neredeyse iki mangaya düşmüştü. Emir ancak birkaç kez yinelendikten sonra tepeyi bırakmaya razı oldular.

Çekildiler.

Bunlar ağlamıyordu. Ağlamaktan beter bir haldeydiler.

İngilizler Gözcübaba Tepesi ile Seddülbahir köyüne sağlamca yerleşince, iki yandan Harapkale Tepe'ye doğru ilerlemeye başladılar. Savunmanın merkeziydi orası. Kuşatılma tehlikesi belirdi.

Mahmut Sabri Bey de artık takviyeden ümidi kesmişti.

Orduya 36 saat kazandırmışlardı. Ordu bu süre içinde buraya istese bir tümen, iki tümen, hatta üç tümen yığabilirdi. Bu kuvvetin, bir taburun kıyıda tutabildiği düşmanı denize uçurması için üflemesi yeterdi.

Ama ordu istememişti.

Şimdi bu kahraman, fedakâr bölükleri kurtarmak gerekiyordu. Bunlar bir karış yurt toprağını canlarından aziz bilmiş askerlerdi. Geri çekilmek zorunlu olmuştu. Gündüz, filonun ateşi altında çekilmek çok tehlikeliydi ama kurtuluş için bunu göze almak gerekiyordu.

Birliklere çekilme emri yollandı.

Hafif yaralılar yürürdü. Kımıldamalarında sakınca olmayan yaralıları sırtta, kucakta taşıyacaklardı. Sorun ağır yaralı 70 kişiydi. Bunlar kımıldatılamayacak, taşınamayacak kadar ağır yaralıydı. Geriye yollamayı başaramadıkları bu silah arkadaşlarını, kan ve can kardeşlerini, düşmanın insanlığına terk ederek gidecekler miydi?

Evet.

Çoğunluğun esenliği için başka çare yoktu.

Yanlarına iki teneke içme suyu ile bir çuval ekmek bırakıldı. Ayrılış çok acıklı oldu. O aciz, yakaran, sitemli, incinmiş, terk edileceklerine inanmayan bakışlar bir mermiden bin kat daha can yakıcıydı.

Ağlaşarak vedalaşıldı.[88]

Derelerin, hendeklerin içinden çekileceklerdi. Düşmanın taburu izlemesi bekleniyordu. Geriden gelecek artçı birlikler gerekirse kendilerini feda ederek taburun çekilmesini koruyacaklardı. Dere kıvrımlarına, çukurlara, birkaç gün yetecek kadar yiyecek ve fişek verilen keskin nişancılar yerleştirildi.

Birlikler yürüyüşe hazırdı.

Parça parça yola çıkıldı.

Korkulan olmadı. Düşman çekilen birlikleri izlemedi. Boşaltılan mevzileri doldurmakla yetindi. İzleyecek gücü de yoktu, cesareti de. Büyük direnişin yarattığı ürküntü subayların da erlerin de yüreklerine işlemişti.

Fakat filonun lanetlik topları ânında faaliyete geçti. Alçıtepe köyüne kadarki düz alanı yine ustaca yakıp kavurmaya başladılar. 10. Bölüğün borazanı donanmaya çok içerliyor, borusundan daha gür sesiyle arada bir İngiliz ordusuna sesleniyordu:

"Teke tek gelsene ülen çakal!"

Derelerin suyu mevsim gereği gür ve soğuktu. Yarı bele kadar su içinde yürüyerek, çamura batarak, kayalara takılarak, mermi parçalarından korunmak için ara sıra suya kapanarak, yaralıları ve tüfekleri bırakmadan, öfke, hayal kırıklığı ve keder içinde, Alçıtepe köyüne doğru adım adım çekildiler.[89]

Gerideki perakende, dağınık, yedek bekleyen küçük birliklerle birleştiler.

Sığındere ağzı ile Eski Hisarlık kuzeyi arasında ince, zayıf bir savunma hattı oluştu.[90]

Alay Komutanı Kadri Bey Binbaşı Mahmut Sabri Bey'e sarıldı, öperek büyük başarısını kutladı. Binbaşı derin bir alçakgönüllülükle, "Görevimizi yaptık.." dedi, "..Allah da yardım etti."[90a]

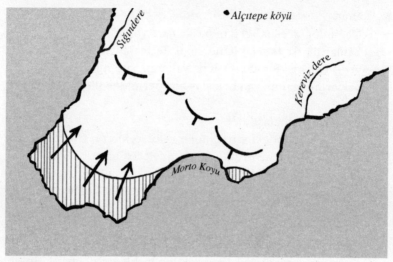

26 Nisan 1915: 3. Taburun geri çekilmesinden sonra oluşan durum

İngilizler denize süpürülmemek için bulundukları yerlere sıkıca yerleşerek sağlam bir cephe oluşturmaya bakıyorlardı. Gece Seddülbahir iskelesine iki Fransız taburu çıktı. Kale dibine sığındılar. Sabah yerleşeceklerdi. Birinin komutanı olan Binbaşı Zimmermann Türkleri küçük görmekteydi:

"Bunlarla savaşmak çok eğlenceli olacak. Savaşmak için sabırsızlanıyorum."[91]

Seddülbahir kesiminde bu gece savaşsız geçecekti.

19. TÜMEN Komutanı Yarbay M. Kemal karargâhını, Arıburnu cephesini görerek yönetebileceği uygun, yüksek bir yerde kurdu. Burası Kemalyeri diye anılacaktı.[92]

Çok tedirgindi.

Düşman her saat daha kalabalıklaşıyor, daha güçleniyordu.

Taarruz için takviye gönderilmesini, iki alayının kayıplarının karşılanmasını ve harita yollanmasını istedi. Yalnız tümenlere harita verilebilmişti. Alaylar ve taburlar haritasız, göz kararı savaşıyorlardı.

Kolordu, harita için sabırlı olmalarını istedi, Anadolu yakasından yollanan iki alayı 19. Tümen emrine verdiğini bildirdi. Alaylar ertesi sabah geleceklerdi.

Savaşmamış iki alay ciddi kuvvetti.

Ertesi gün taarruza karar verdi. Taarruz sabah 07.30'da başlayacaktı.

Anzaklar bugün talihlerini denemiş ama hiçbir kesimde sonuç alamamışlardı. Onlar da gece biraz siper kazacak, biraz dinleneceklerdi.

Bu gece burda da savaş olmayacaktı.

Ama iki yan da çok sinirliydi. Gündüzki çatışmalar, süngüleşmeler nedeniyle siperler arasındaki alanlar, ölü ve yaralılarla doluydu. Yaralılar inliyor, su diye yalvarıyor, kimi de ağlıyordu.

Yakınlardaki yaralıları sürükleyerek siperlere alabilmişlerdi. Ama uzaktakilere ulaşmak, onlara yardım etmek imkânsızdı. Aydınlatma fişekleri yüzünden her hareket görülüyor, biri bir yaralıya yardım için siper dışına çıkmaya yeltense, yüzlerce tüfek birden patlıyordu. İki yan da daha yeni kaybettikleri silah arkadaşlarının acısı yüzünden birbirinden ölesiye nefret etmekteydi. Savaşın ikinci gününde oldukları için duygular çok keskindi.

Anzak siperlerine yakın bir yerde kalmış yaralı bir Anzak subayı sızlanıyor, ağlıyor, bağırarak yardım istiyordu.

Savaştan daha yıpratıcı bir gece geçirmekteydiler. Bu yakarışa dayanmak çok zordu. Yaralının sesi gittikçe kısılıyor ama kesilmiyordu.

Ay ve yıldız ışığında, karşıdaki Türk siperinden bir tüfeğin ucuna takılmış bir beyaz gömleğin sallandığı fark edildi. En yakın Anzak siperindeki subay ve askerler dikkat kesildiler. Bu olayın anlamı neydi? Türkler durup dururken teslim mi oluyorlardı? Tüfeklerini kurup beklediler. Uzun boylu bir Türk askeri siperden çıktı. Silahı yoktu. Silahsız olduğu anlaşılsın diye siperin önünde, çekinmeden bir an öylece durdu. Sonra sesin geldiği yana doğru cesetlere basmamak için yavaş yavaş yürüdü. Eğildi, yaralı Anzak subayını kucağına aldı.

Anzaklar tüfeklerini doğrulttular. Subayı kendi siperine götürmeye kalkışırsa vuracaklardı.

Hayır!

Onların siperine doğru yürümeye başladı. Türkün ne yapmak istediğini anlamışlardı. Heyecandan, saygıdan solukları kesildi. Türk askeri yaralı subayı usulca siperin önüne bıraktı. Anzakların dilleri tutulmuştu. Bir teşekkür bile edemediler. Asker telaş etmeden siperine döndü.

Yaralı subayı yavaşça sipere aldılar.

Günlerce bu olay konuşulacak, İngiliz propagandası sarsılmaya, Anzakların Türklere bakışı değişmeye başlayacaktı.[92a]

YÜZBAŞI E.C. Boyle komutasındaki E-14 borda markalı denizaltı, gece, fark edilene kadar su üstünde giderek, fark edildiği zaman dalarak, Boğaz'ı geçip mayın bölgesine ulaştı.

Derine daldı.

Mayınların altından çok yavaş, dura dura, birkaç saatte, ecel teri dökerek geçtiler. Denizaltı Nara Burnu'na yakın yüzeye çıktı ve ânında görüldü.

Marmara'ya birden çok düşman denizaltısının geçmiş olduğu sanılarak, bir kruvazör, bir muhrip ve torpidobotlardan oluşan bir filo kurulmuş, asker ve cephane taşıyan gemileri korumak ve denizaltı avlamakla görevlendirilmişti.

Bu torpidobotlardan biri Nara Burnu yakınında E-14'ü gördü. Denizaltı torpidobotun hücumundan dalarak kurtuldu. Bataryalarını dolduramamıştı. Büyük zorluklar yaşayacak ama sonunda Marmara'ya geçmeyi başaracaktı.[92b]

Çanakkale su altından ikinci kez geçilmişti. Türkiye'nin bunu önleyebilecek ne denizaltısı vardı, ne deneyi, ne de teknik yetkinliği.

Bu yoksunluk, yetersizlik giderek büyük sorunlara yol açacak, 600 yıllık imparatorluk acıklı ve gülünç durumlara düşecekti.

27 NİSAN Salı sabahı, filolar Arıburnu'nda da Seddülbahir'de de Türk mevzilerini yine yoğun ateş altına aldılar.

Saat 07.30'du.

Beklenen iki alay da gelmemişti. 64. Alay Eceabat'a daha yeni geçebilmişti, yoldaydı. Öteki alaydan bir haber yoktu. Liman Paşa'nın 'esnek, oynak savunma yöntemi' kâğıt üzerinde kalmıştı. Üçüncü gündü ve Arıburnu'na daha bir tek yeni asker ulaşmamıştı. Birlikler savaş düzenine, asker havaya girmişti. M. Kemal taarruzu başlattı. Birlikler harekete geçtiler. 100'den fazla Anzak makineli tüfeği takırdamaya başladı. Takviye edilen filoda bugün 255 namlu vardı.[93] Anzak mevzileri ile Türk birlikleri arasında ateşten bir duvar oluşturdular.

Birlikler arazinin kıvrımlarından yararlanarak ilerleyip Anzak siperlerine yaklaştılar. Ateşten duvarı aşmak için fırsat kollayacaklardı.

Saat 10.00'a doğru iki taburlu 64. Alay cephe gerisine ulaştı.[93a] Geri birimlerin, yardımcı birliklerin arasından geçerek cepheye yanaşacaktı. Cephe gerisi askerleri, yeni olduğunu anladıkları birliğe, "Hoşgeldiniz" diye sesleniyor, sonra da uyarıda bulunuyorlardı:

"Burada bir adım geri gidilmez, ona göre!"

64. Alay yardıma gelen ilk birlikti ve ilk kez savaşa giriyordu. Gençlerden birkaçı korktu. Yakınlara düşen büyük mermilerin basıncı insanı yere çarpıyor, kulak zarını patlatıyordu. İlk yaralılara, ilk şehitlere alışamadılar. Siniri bozulanlar, ağlayanlar oldu. Ama subayları, çavuşları, hepsini tek tek tanıyor, huylarını biliyorlardı. Severek, azarlayarak, korkutarak yatıştırdılar.[93b]

Savaş yayıldı, gelişti, şiddetlendi.

Cephenin ortasındaki birlikler, ateş duvarına daldılar. Ok gibi delip geçerek siperlere girdiler. Anzak cephesinde yer yer sökülmeler, çökmeler, geri çekilmeler oldu.[94]

Arkada hemen harekete geçerek bu başarıları derinleştirecek, genişletecek taze bir birlik olsa, cephe yarılacak, Anzaklar denize sürülebilecekti. Beklenen ikinci alayın görevi bu başarıları beslemekti. Gemi bulup da Boğaz'ı zamanında geçemediği için çok sonra, akşam hava karardıktan sonra gelebildi.[94a]

O saate kadar düşman toparlanmış, sorunlu yerleri yeni birliklerle güçlendirmiş, taarruz da hızını kaybetmişti.

Gece taarruzu için hazırlığa girişildi.

Düşman siperlerini henüz kum torbaları, çelik kalkanlar, tel örgüler ve kara mayınları ile güçlendirememişti. Anzak cephesini çökertebilmek için son fırsatlardı bunlar. Anzaklar yürekli askerlerdi. Bir de siperlerini güçlendirirlerse, sonuç almak için ağır toplara gerek olacaktı.

5. Orduda ağır top yoktu.

Kılıçlarını çeken teğmenler, yüzbaşılar birliklerinin başlarına geçtiler. Ölüme ya da zafere en önde onlar koşacaklardı. Tabur ve alay komutanları da askerlerini uğurlamak için ateş hatlarına geldiler.

Kısa, keskin komutlar, hücum boruları, trampet sesleri ile gece taarruzu başladı. Bu seslere tüfek, el bombası, makineli tüfek ve top sesleri katılacak, Arıburnu vadilerini ve uçurumlarını savaş uğultusu dolduracaktı.

Türk, yurdunu geri almak istiyordu. Anzak, denize dökülmek ile Türk süngüsü arasında sıkışıp kalmıştı. O da çekildiği bu son çizgide tutunmak istiyordu. Canını dişine takıp bu çizgiyi savunacaktı.

Cephe, İngiltere'den yeni gelen Deniz Piyade Tümeninden 4 taburla takviye edildi. Ama komutanlar durumdan emin değildiler. Balıkçı gemileri, filikalar, savaş gemilerinin botları, Arıburnu Koyu'nda bekletiliyor, olası bir boşaltmaya hazır tutuluyorlardı.[94b]

Kıran kırana bir savaş oldu.

Ateş duvarlarını sağ aşabilen Mehmetler, Mehmetçikler, bazı siperleri ve duyarlı noktaları ele geçirdiler. Ama çok azalmışlardı, güçleri cepheyi yarmaya, Anzakları denize sürmeye, süpürmeye yetmedi.

Taarruza son verildi.

Savunmaya geçtiler.[95]

ANZAK askeri Frank Parken'in günlüğünden:

"Birliğimizin 1.000 mevcudundan 715'ini kaybetmişiz. Yaşlı bir binbaşı 'Tanrım, adamlarım nerde?' diye ağlıyor. Bugün bize içkiyi kaşıkla değil matra dolusu verdiler."[95a]

BU SABAH Seddülbahir'de, bombardımandan sonra bir hareket olmamıştı. Düşman Teke Koyu'na yiyecek, içecek, silah, cephane, araç-gereç yığıyordu. Yeni gelen Deniz Piyade Tümeni de tabur tabur karaya çıkmaktaydı.

Kıyılara kadar sızan küçük keşif kolları İngiliz zenginliğini ve gücünü izliyorlardı:

"Canına yandığımın zenginliği!"

"Biz de dünyayı soysak zengin olurduk."

"Keşke soysaymışız."

"Tövbe de, günah!"

Fransız Tümeni de karaya çıkarak Seddülbahir'in doğu yanını, Kaleyi, köyü, Morto Koyu'nu ve Eski Hisarlık'ı İngiliz birliklerinden devralmaya başlamıştı.

Halil Sami Bey sıkıntıdaydı. Başkomutanlıktan orduya, ordudan kolorduya, kolordudan da zorunlu olarak 9. Tümene "Düşman daha güçlenmeden denize dök!" emri yağmaktaydı.

Takviye olarak Saros'taki 7. Tümenden yalnız bir alay gelmişti, Binbaşı Halit Bey'in komutasındaki 20. Alaydı bu.[95b]

O kadar.

Eksik, yorgun bir tümen, bir alaylık bir takviye alarak sürekli çoğalan İngiliz ve Fransız Tümenlerini nasıl denize dökecekti?

Başlangıçta yapılan büyük yanlışlığın şimdi kanla temizlenmesi isteniyordu.

Başka çare de kalmamıştı artık.

Halil Sami Bey bir taarruz planı tasarlarken İngilizler saat 16.00'da harekete geçtiler. Onlar da Türkleri güçlenmeden bastırmak istiyorlardı. Keskin nişancılara bol kurban vererek ilerlediler. İnce, derme çatma savunma hattını biraz geri iterek Sığındere ağzı ile Eski Hisarlık çizgisinde durdular. Kapsamlı taarruz için burada hazırlık yapacaklardı.

Halil Sami Bey komutanları memnun etmek için bir gece taarruzuna karar verdi. Ne var ki zavallı 9. Tümenin böyle bir taarruzu başaracak dermanı yoktu.

Kolayca püskürtüldü.

Asker boşuna uykusuz kalmış, yorulmuş, birlikler daha da karışmıştı. Aksi gibi sabah Birleşik Ordu taarruza geçecekti.[96]

ESAT PAŞA ve kolordu kurmayları, Arıburnu'ndaki ve Seddülbahir'deki taarruzlar durana kadar uyumamışlardı. Buralardaki birlikleri ciddi olarak takviye etmedikçe düşmanı süpürmek mümkün olmayacaktı.

Yetersiz birliklerle taarruz can alıyordu.

Enver Paşa sürekli taarruz edilmesini emrediyor, düşmanın denize dökülmesini istiyor, bunun gecikmiş olmasına sinirleniyordu. Çünkü Liman Paşa, kararsızlığını örtmek, yönteminin başarısızlığını saklamak için Başkomutana düşmanın gücü ve Türk birliklerinin çabaları hakkında eksik bilgi vermekteydi.[96a]

Liman Paşa'nın yöntemi, kâğıt üzerinde, düşmanın daha ilk karaya çıktığı gün denize dökülmesini öngörüyordu. Liman Paşa kendi yöntemini çalıştıramamıştı. Şimdi durumunu kurtarmak için o da birlikleri sürekli taarruza zorluyordu.

Liman Paşa'nın raporları nedeniyle Başkomutanlıkta düşmanın denize dökülememesinin sorumlularının birlikler olduğu izlenimi uyanmıştı.

Kurmay Başkanı Fahrettin Bey, "Paşam.." dedi, "..Enver Paşa'ya askerin canını, kanını esirgemeden döktüğünü, harikalar yarattığını, şu âna kadar ciddi bir takviyenin gelmediğini, buna karşılık Saros'ta bir, Çanakkale yakasında bir tümenin boş durduğunu, savaşan birliklere çok geç olarak, küçük ve eksik birlikler yollandığını, düşmanın böyle denize dökülemeyeceğini bildirelim. Birliklerimize yazık oluyor."

Paşa'yı, Liman Paşa'yı aşarak Başkomutana gerçekleri açıklayan bir rapor yollamaya ikna etmek savaştan zor oldu.

Hazırlanan taslağı birçok kez düzeltti.

Zorlukla razı olup imzaladı.

Rapor sabah saat 05.00'te şifrelendi ve Başkomutanlığa tellendi. Gizli bir iş yapmış olmamak için bir kopyası da Liman Paşa'ya yollandı.[96b]

Başkomutanın yanıtı öğleden önce geldi.

Saros'taki 5. Tümenin hemen güneye alınmasını emrediyor, Çanakkale için iki tümen ayrıldığını bildiriyordu: 15. Tümen ile Mersin'den İstanbul'a alınan 16. Tümen.

İki tümen de hemen yola çıkarılacaktı.[96c]

Bunlar iyi gelişmelerdi. Ama Enver Paşa durmadan taarruz edilmesi için ısrar edip duracak, herkesi zorlayacaktı.

16. TÜMENİN bir alayının (125. Alay) Çanakkale'ye deniz yoluyla yollanması uygun görülmüştü. Öteki iki alay karadan gidecekti. 125. Alay hareket emrini sabah aldı, iki saatte hazırlanıp Haydarpaşa'ya geldi. Kimse eviyle vedalaşamadı. Bu yüzden uğurlamaya gelen de olamadı.

Alayı Haydarpaşa'da üç yolcu gemisi hazır bekliyordu.

Taburlar, toplar, makineli tüfek bölüğü, sağlıkçılar, ekmekçi takımı, ağırlıklar, arabalar, atlar, katırlar hiç bekletilmeden gemilere bindirildiler. Dolan gemi denizaltı tehlikesine karşı bir torpidonun eşliğinde hareket ediyordu. Torpidolar yol boyunca gemilerin çevresinde dört döneceklerdi.

AE-2 gemileri görmüş ama torpidobotlar yüzünden uzak durmuştu.

Akşam Çanakkale Boğazı'na girdiler. Kilye limanı aşırtma ateş altında olduğu için yüksek tepelerin koruduğu Akbaş'ta demirlediler.

Hâlâ bir iskele yapılamamıştı.

3.000 asker, silahlar, toplar, ağırlıklar, atlar ve katırlar, gemi ışıldaklarının, el fenerlerinin aydınlığında, düdük, bağırış, haykırış, kişneme sesleri içinde, motorlar ve mavnalarla karaya taşındı.

Bu çetin iş uzun sürecek, sabah sona erecekti.

Tümenin öteki iki alayı Sirkeci'den Uzunköprü'ye trenle, oradan cepheye yürüye yürüye gelecekti.

Bu yolculuk 8-9 gün sürüyordu.

Saros'tan sonra, kara yolunu savaş gemileri topa tutuyor, uçaklar bombalıyordu. Bu yüzden geceleri yürüyecek, gündüzleri elverişli yerlerde gizleneceklerdi.

27 NİSAN günlü İkdam gazetesinde kısa bir haber yer aldı:

"İngilizler, Bozcaada Müftüsünü Çanakkale tabyalarına şifreli işaretle haber vermekle suçlayarak idam etmişlerdir."[96d]

GENERAL Hunter Weston Alçı Tepe'nin bir hamlede ele geçirilemeyeceğini anlamış, iki aşamalı bir plan hazırlatmıştı. Birinci aşamada Alçıtepe köyü ve gerisindeki Yassı Tepe ele geçirilecek, sonra doğuya, Alçı Tepe'ye dönülecekti.

Askeri tarihlerin 'Birinci Kirte Savaşı' adını verdikleri savaş sabah (28 Nisan Çarşamba) başlayacaktı.[97]

Taarruza 17.500 İngiliz ve Fransız askeri katılacak, donanma 470 topuyla iki yandan Türk mevzilerini ateşe boğacaktı. Queen Elizabeth de bugün batı kıyısındaki filoda yer alıyordu.

Türkler ne durumdaydı?

Türk cephesinin ortası Alçıtepe köyü idi.

Yolun batı yanında, birinci hatta, Bolayır'daki 7. Tümenden gelen 20. Alay vardı..

Yolun doğu yanında ise, yine 7. Tümenden gelen ikinci alay (19. Alay) yer alacaktı ama o daha gemiden yeni inmişti. Yoldaydı. Onun yerini savaş artığı küçük, perakende, derme çatma birlikler almıştı.

26. Alayın 2. ve 3. Taburları, sayıları çok azaldığı için birleştirilerek geçici bir birlik oluşturulmuştu. Binbaşı Mahmut Sabri

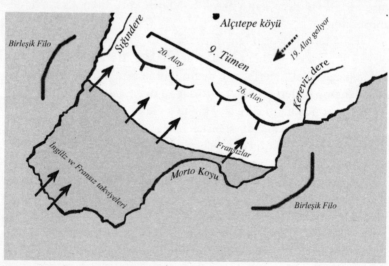

Birinci Kirte Savaşı: 28 Nisan 1915

Bey'in komutası altındaki bu birlik, doğu kanattaki bu yamalı bohça cephenin gerisinde, yedekteydi. Birlik çoğu hafif yaralı 820 kişiydi. Bunlar ilk günün sağ kalmış kahramanlarıydı.

Bütün cephede, dördü doğuda, dördü batıda, yalnız sekiz ağır makineli tüfek bulunuyordu.

Türk cephesinin durumu böyle, gücü bu kadardı.

Savaşın dördüncü günüydü ve takviye olarak gele gele yalnız bir alay gelmişti. Bütün güney kesimini genel olarak dört kat kalabalık düşmana karşı hâlâ 9. Tümen savunmak durumundaydı.[98]

Bu dağınık, siperlerini daha berkitememiş, uykusuz, yaralı kuvvetle, donanma destekli büyük bir taarruzu durdurmak, geri püskürtmek mümkün müydü? Mantığa, genel askeri ölçülere göre çok zordu, dürüstçesi imkânsızdı. Bu nedenle de tümen, kolordu ve ordu komutanları ateş üzerindeydiler. Yoldaki alaya ardarda acele etmesini emredeceklerdi.

Alay uçamazdı ya.

Zorunlu yürüyüş hızıyla, mola vermeden, soluk soluğa yürüyordu. Savaş telaşı içinde geleceği yer ayrıntılı biçimde tanımlanmadığı için yanlış yola sapacak, daha da gecikecekti.

Savaş saat 08.00'de donanmanın topları ve 28 İngiliz topunun ateş püskürmesiyle başladı.[99]

Arasız 60 dakika sürdü.

60 dakika ölüm, yıkım, kıyım kustular.

Asker korunmak için toprağa girdi, karıştı, toprak oldu sanki.

Bombardıman sona erdi. İngiliz birlikleri batı ve orta kesime, Fransızlar doğu kesime taarruza kalktılar.

Askerler, savaşmak için taşın ve toprağın altından, ölüler canlanır, ruhlar ete kemiğe bürünür gibi doğruldular.

Ürpertici bir andı.

Batı kesimdeki 20. Alayın cephesine taarruz eden İngilizler alayın 6 katıydı. Görevleri bu kesimdeki cepheyi yarıp gerideki Yassı Tepe'ye ulaşmaktı. Türklerin donanmanın ateşi altında ezilmiş olduklarını düşünerek ve sayılarına güvenerek iyimserce ilerlediler.

Alay, yaklaşmalarını soğukkanlılıkla bekledi. Komutan böyle davranılmasını emretmişti. Biri bile heyecanlanıp da tetiğe dokunmadı. Çıt çıkmıyordu. İngilizler arada 100-150 metre kalınca, süngü hücumuna kalkarak koşmaya başladılar. Bir dakika sonra Türk siperlerine dalacaklardı.

Bu kesimde bulunan binden fazla tüfek ve iki ağır makineli tüfek birden çalışarak İngilizleri biçtiler.

Pek azı kurtulabildi.

İngilizler bu kesimde taarruza ara verdiler.

Türk cephesinin ortasına yüklendiler. Orta kesim zorlukla da olsa dayanıyordu.

Ama **doğu** kanatta durum farklıydı. Savaş çok yırtıcı başlamıştı. Saat 10.00'da hem Türk, hem Fransız cephesinde dalgalanmalar, sarsılmalar başladı. Senegallilerde panik işaretleri görülüyordu. Bu kesimdeki Türk askerlerinin büyük bölümü de 24 Nisan gecesinden beri doğru dürüst uyumamış, dinlenememiş, sürekli çatışmış, yürümüş, hücum etmiş, siper kazmıştı. Artık bitmişlerdi. Kimse bu insancıklardan daha fazlasını isteyemezdi.

Türkler biraz daha direnebilse Fransızlar çözülecekti.

Önce kıyıda, özellikle Goliath zırhlısının ateşi altında bunalmış küçük bir Türk birliği çözüldü. Böyle bir durumda subayların kaçakları, bozguncuları vurma yetkileri vardı. Ama hiçbir subay silahını çekmedi. Bunlar ne kaçaktı, ne bozguncu. Güçlerinin son damlasını kullanmış ve tükenmişlerdi. Bunalım yayıldı. Doğu kanadı usul usul geriye doğru dağılmaya başladı. En korkulan, en tehlikeli şey olmuş, Alçı Tepe yolu açılmıştı. Alçı Tepe'nin ilerisi Kilitbahir platosuydu.

Düşman ilerlese durduracak kuvvet yoktu.

Durumu düzeltmek imkânsızdı. Savunma bütünüyle çökmeden, Alçıtepe köyünün gerisine çekilmeliydi. O zaman geciken 19. Alay da belki yeni hattın doğu kanadında yerini alabilir, cephe yeniden kurularak Alçıtepe yolu tıkanabilirdi.

Çekilme emri doğudaki 26. Alay, batıdaki 20. Alay komutanlarına gönderildi.

26. Alayın bölgesinde birliklerin çoğu zaten geri çekiliyor, cephe yer yer boşalıyordu. Komutan olsa olsa çözülen birlikleri çekilecekleri yeni çizgide toplamayı başarabilirdi.

20. Alay Komutanının ise emri alır almaz alayını Alçıtepe köyünün gerisindeki yeni çizgiye çekmesi gerekiyordu.

Bu karışık, tehlikeli aşamada devreye Çanakkale ruhu girdi. Ne doğu kanadı çekildi, ne batı. Neler oldu da cephe çökmedi, asker geri çekilmedi?

Doğu kanatta Seddülbahir kahramanı Binbaşı Mahmut Sabri Bey geçici birliği ile geride, yedekteydi.

Birkaç saatçik de olsa dinlenmişlerdi.

26. Alay Komutanı Kadri Bey cephedeki kötü durumu bildirince, birliğini silahbaşı ettirdi, yürüttü. Kendi de öne geçti. Boşaltılan mevzilere doğru ilerlemeye başladılar.

Çözülen birliklerin askerleri, ayaklarını sürüyerek, bitik bir halde, başları önlerinde, öbek öbek geri geliyorlardı. İlk öbek, Mahmut Sabri Bey'i ve arkasındakileri, Yahya Çavuş'u, Bigalı Mehmet Çavuş'u, Tekirdağlı Ali Onbaşı'yı, Karacaoğlan, Aytepe, Teke ve Ertuğrul Koyu, Seddülbahir köyü gazilerini görünce durdu.

Binbaşı, "Hayrola?.." diye sordu, "..Fransızlardan mı korktunuz?" Sırf merak ettiği için soruyor gibiydi. 'Korkmak' sözcüğü hepsinin onuruna dokundu. Gözleri doldu. Biri öne çıktı:

"Düşmandan korkan alçaktır!"

Biri inler gibi ekledi:

"Gücümüz bitti komutanım."

Gevşek, dağınık, hasta bir duruşu vardı. Asker olduğunu unutmuş gibiydi. Binbaşı sert bir sesle uyarınca, uyanıp toplandı, esas duruşa geçti. Ötekiler de toparlandılar. Binbaşının beklediği rüzgâr esmiş, yeniden Çanakkale askeri olmuşlardı. Geriden gelenler de onlara bakarak saygıyla durdular.

Binbaşı "Korkmadığınızı biliyorum.." dedi, "..Niye korkasınız? Sizin gölgeniz bile bu düşmanı yenmeye yeter. Beni iyi dinleyin. Türkün gücü bitmez. Türkün can evinde her zaman zor gün için yedek güç bulunur. Haydi gelin, namus görevimizi yapalım, vatan anamızı koruyalım!"

Yanıt beklemeden yürüdü.

Vatan ana!

Bu sihirli söz askerleri titretti, silkeledi, doğrulttu.

Geri çekilenler birliğe katıldılar. Birlik yürüdükçe büyüyordu. Mahmut Sabri Bey'in ve silah arkadaşlarının cepheye yürüdüğünü gören kim geriye gidebilirdi?

Çözülenlerin tümü geri döndü.

Çözülmemiş birlikler canlandı. Bunalım bitti. Cephenin doğu kanadı yeniden kuruldu. Bu çözülüş ve toparlanış içinde geri çekilme emri akla bile gelmedi.

Batı kanadında başka bir olay yaşanmıştı.

20. Alay Komutanı Binbaşı Halit Bey, tabur mevzilerini dolaşıyor, subay ve askerleri gözlüyordu. Asker düşmanı tanımış, dövüş tarzını anlamıştı. Rahat dövüşüyordu. Subayların hepsi şehitlik rütbesini kuşanmaya hazırdılar.

Direniyor ve düşmanı yıpratıyorlardı.

Çekilme emri Halit Bey'i şaşırttı. Düşmanla iç içe gibiydiler. Çözülüp ayrılmaları alayı ve savunmayı tehlikeye düşürürdü. Üstelik bu kesimde Alçıtepe köyünün de gerisine kadar çekilmeyi gerektirecek bir durum yoktu.

Milletine ve tarihe karşı sorumluluğu üzerine aldı, çekilme emrini birliklerinden gizledi.

Geri çekilmedi.[100]

Dövüşe devam ettiler.

Zaman kana bulana bulana geçti, saat 13.00'ü buldu.

Batı kanadı sağlamca yerinde durmaktaydı, doğu kanadı yeniden kurulmuştu.

Tümen Komutanı Halil Sami Bey, emrinin dinlenmemesini sorun etmedi, kan ağlayarak verdiği çekilme emrini sevinçle geri aldı.

SAVAŞ durgunlaşmıştı.

Gittikçe yaklaşan bir homurtu duyuldu. Yine bir düşman uçağı geliyordu herhalde. Tüfekleri havaya diktiler. Topluca ateş edeceklerdi. Çanakkale yakasında askerlerin hep birden ateş ederek bir uçak düşürdüğünü duymuşlardı.

İnsafsız düşman uçakları Kızılay işaretli hastaneleri bile bombalıyordu.[101]

Pilot Üstteğmen Fazıl Bey

Başlarının üzerinden güüüüür diye iki uçak geçti. Kanatlarının altında ay-yıldızlı arma vardı.

Türk uçağıydı bunlar!

Asker savaşı, nöbeti bıraktı, yarasını unuttu, uçaklara el kol sallamaya, haykırmaya başladı. Uçakların ve ay-yıldızın şöyle bir görünmesi bile askeri mutlu etmişti.

Türklerin de iki uçağı vardı işte!

Pilotlar askere moral vereceğini bildikleri için mevzilerin üzerinde kısa bir gösteri yaptılar. Sonra biri batıya kaydı, alçaldı, İngiliz mevzilerini bombaladı. İkincisi Morto Koyu'na süzüldü, oradaki iskelelere 8 bomba attı.[102]

Asker sevinç içindeydi.

TÜRKLERE bu sevinci çok gören bir İngiliz taburu, bir savaş gemisinin ateş desteği altında, deniz ile Sığındere arasındaki dar kesimde taarruza geçti. Burada 20. Alaydan bir bölük ile bir takım vardı.

Kısa bir ateş savaşından sonra İngilizler, karşılarında küçük bir kuvvet olduğunu anlayınca, iyice yaklaştılar, hücum mesafesine girince süngü hücumuna kalktılar. Çok yanlış bir iş yapmışlardı. Yanlış yaptıklarını bir dakika sonra anladılar.

Bu küçük kuvvet, uzun süngüleriyle taburu karşıladı, kendinden üstün birliği dağıttı, sağ kalanları Sığındere ağzına kadar kovaladı.

Takımın komutanı teğmen, takımıyla birlikte koşuyor, bir yandan da "Sömürgelerde acı çeken, soyulan, korkudan titreyen, uyanmasına izin verilmeyen, el ayak öpen, uşaklık yapan tüm zavallılar şu tavşan gibi kaçan İngilizleri görseydiler" diye düşünüyordu.

Çanakkale Savaşı, hiçbir devletin, hiçbir ordunun, hiçbir silahın, yurt sevgisinden ve milli onurdan daha güçlü olmadığını, olamayacağını öğretmekteydi. Bu büyük gerçek her gün bir kez daha kanıtlanıyordu. Bunu yaşamak herkese yıkılmaz bir özgüven veriyordu. Bundan sonra bir dış kudretten, ancak Çanakkale'yi yaşamayanlar, milli tarihi okuyup kavrayamayanlar ile onursuzlar ve satılıklar korkacaktı.

Bu arada 19. Alay da doğu kesimine yetişip bu kesimin ortasına yerleşti.[102a] İki yandaki komşu birliklerden sesleniyorlardı:

"Gazanız mübarek olsun!"

Sonra da Çanakkale yasasını hatırlatıyorlardı:

"Burda geri kaçılmaz, Çanakkale geçilmez!"

Tümen Komutanı Halil Sami Bey'in morali düzelmişti. Durumu soğukanlılıkla değerlendirdi. Takati tükenen düşman, taarruzu kesmiş, ilerlediği çizgiye yerleşmeye çalışıyordu.

Düşmanı geri atmak için 19. Alayla taarruza karar verdi. Doğu kanattaki döküntü birlikler de çözülmeyi unutturmak için bu harekete katılmaya gönüllü oldular. 20. Alay taarruza dünden hazırdı.

İngiliz ve Fransızların büyük ümitlerle başlattığı taarruzu Türkler tamamlayacaktı.

Saat 15.00'te Türk karşı taarruzu başladı.

Yeni gelen 19. Alay karşısındaki birlikleri ezip ilerledi.

Döküntü birliklerin döküntülükleri kalmamış, silkinip kendilerine gelmişlerdi. Onlar da coşkuyla süngü hücumuna kalktılar.

Türklerle savaşı eğlenceli bulan Fransız Binbaşı Zimmermann bir tepeciğin üzerinden savaşı izliyordu.

Bazı küçük Türk birliklerinin süngü hücumuna kalktıklarını görünce gülmesi tuttu. Taburunun içinde kalıp boğulacaktı bu aptallar! Böyle düşündü. Az sonra taburu dağılacak, satırlı Senegalliler panik içinde ta Morto Koyu'na kadar kaçacaklar, Fransızlarla İngilizler ciddi kayıplar vererek zorlukla çıkış çizgilerine geri döneceklerdi. Bunları görse, herhalde güldüğüne pişman olurdu.

Ama görmedi.

Çünkü bir keskin nişancı, kasketinden subay olduğunu anladığı neşeli Binbaşı Zimmermann'ı vurup hayat defterini dürdü.[103]

Gel-gitli, şaşırtıcı bir savaş günü yaşanmış, Birinci Kirte Savaşı İngiliz ve Fransızların yenilgisi ile sonuçlanmıştı.[104]

GENERAL HAMIL-
TON, yanında Albay Keyes
olduğu halde, 29 Nisan sa-
bahı Seddülbahir'e çıktı.
Uzaktan baktığı Türk
toprağına ilk kez ayak ba-
sıyordu.
Kıyı arı kovanı gibiydi.
Kumsal askerler, arabalar,
katırlar, su fıçıları, sandık-
lar ve yaralılarla doluydu.
Yaralılar dünkü yenil-
ginin anılarıydı.
On binlerce çocuğunu
gönüllü olarak Çanakkale'ye

General Hamilton ve
General Hunter-Weston

yollamış olan İngiliz kamuoyu bir zafer haberi bekliyordu. Sansür
nedeniyle hiçbir gazete büyük kayıp verildiğini, ordunun kıyılarda
kaldığını yazamamıştı. Karaya çıkmış olmak başarı olarak sunu-
luyordu.

Savaş muhabiri Ashmead-Barlett, yazamadığı olayları ve fark
ettiği yanlışlıkları not etmeye başlamıştı. Uygun bir zamanda hep-
sini açıklayacak, büyük dalgalanmalara yol açacaktı.

General Hamilton ve Albay Keyes, 29. Tümen Komutanı Ge-
neral Hunter Weston'la buluştular.

KOMUTANLAR yeni bir taarruz için kibar kibar görüşürler-
ken, savaş gemileri Kabatepe yakınından, hedef bildiren uçakların
yardımıyla, aşırtma atışlar yaparak Eceabat'ı bombardıman etme-
ye başladılar.

Eceabat askeri bir hedef olmadığı halde, şehirde bir tek sağ-
lam ev bırakmadılar. Hastaneyi de yıktılar. Birçok yaralı yanarak
şehit oldu. Hastanede esir 2 yaralı İngiliz askeri bulunuyordu. On-
lar da öldü.

Sonra Çanakkale'yi hedef aldılar. Şehirde yer yer büyük yan-
gınlar çıktı.

Bu vahşi olayları izleyen Yüzbaşı Nazmi Akpınar yardımcısı-
na dedi ki:

"İngiltere, Fransa, Almanya gibi ülkelerin ulaştıkları ileri ve yüksek bir medeniyet var. Bu gelişmişliğin bunlara bir olgunluk, doygunluk vermesi, bilgelik, incelik, hoşgörü, soyluluk kazandırmış olması gerekirdi. Barışçı, adil ve örnek olmaları, yol göstermeleri, insanlığı ve hakkı korumaları, güzelliklere ve iyiliklere öncülük etmeleri beklenirdi. Tam tersini yapıyorlar. İlkel bir insandan daha yırtıcı, acımasız, kaba ve benciller. Durmadan dünyayı sömürüyor, doymuyor, yetinmiyor, sürekli daha fazlasını istiyorlar. İnsanlığı kandırmak için güzelliğe övgü düzüyor ama hiç durmadan çirkinlikler yapıyorlar. Küçük bir çıkar için bir milleti mahvedebilirler. Bana inanmazsan tarihe bak!"

Günlüğüne şu kısa notu düştü:

"Lanet olsun böyle medeniyete!"[105]

AE-2 ile E-14 Marmara adasının kuzeyinde buluşup birbirlerine sokuldular.

Kule kapakları açıldı. Kaptanlar kulelere çıktılar. Selamlaştılar. Megafonla konuştular. Geçilmez sanılan Boğaz'ı geçmiş, Türk havuzu Marmara'nın ortasında buluşmuşlardı.

Ne harika bir olaydı bu!

İkisi de çok neşeliydi. Bilgi alışverişinde bulundular. Kaptan Stoker torpillerinin çoğunu kullanıp bitirmiş, bir tek hedef bile vurmayı başaramamıştı. Yüzbaşı Boyle'un görevi gemilere hücum etmek değil, keşif yapmaktı. Onun torpilleri duruyordu. Stoker istedi ama Boyle vermedi.

Ertesi sabah saat 10.00'da yine bu noktada buluşmak üzere birbirlerinden ayrıldılar.

E-14 İstanbul'a doğru uzaklaştı.

Kader ertesi sabah AE-2 denizaltısı ile küçük Sultanhisar torpidobotunu denizaltıların buluşma noktasında bir kez daha karşılaştıracaktı.

Aralarında yarım kalmış bir hesap vardı.

BİR ANZAK askerinin 29 Nisan günlü mektubundan:

"..Türk nişancıları atış alanımız içinde değişik yerlere dağılmışlardı. Bir tanesi gün boyu çok kişiyi vurdu. Alçak hain! İnsan-

ları yok etmeyi iyi beceriyorlar. Onlara hiç acımıyor, yakaladık mı derhal süngülüyoruz."[105a]

ENVER PAŞA'DAN zılgıtı yiyen Liman Paşa, Saros'ta tuttuğu 5. Tümenin üç alayını da hemen yola çıkardı. Bu alaylar Arıburnu'nda M. Kemal'in emrine gireceklerdi.

5. Tümenin Komutanı Albay von Sodenstern, alayları ile Arıburnu'na gitse, rütbesi kendinden küçük bir komutanın, daha da önemlisi bir Türk'ün emrine girmek zorunda kalacaktı. Çünkü ilk günden beri o kesimdeki savaşı M. Kemal yürütmüştü. Bir Almanın küçük rütbeli bir Türkün emrine girmesi söz konusu olamazdı.

Alaylar yollandı.

Albay von Sodenstern açıkta kaldı.

Liman Paşa orduya yeni bir düzen vermek istiyordu. Seddülbahir'de 3. Kolordu'ya bağlı bir Bölge Komutanlığı kurdu: Güney Bölge Komutanlığı. Bu kesimdeki tümenler bu komutanlığa bağlanacaktı. Birlikler çok karışmıştı ve gittikçe çoğalıyorlardı. Böyle bir düzenlemeye gerçekten gerek vardı.

Herkes memnun oldu.

Ama bir haber her duyanın midesini bulandırdı: Liman Paşa Bölge Komutanlığına, açıkta kaldığı için, bu görev için adı en son akla gelecek olan Albay von Sodenstern'i getirmişti.

Memleketinde bir alay komutanı olabilen bu subayın emrine, şimdi, 3 tümen ve ek birlikler verilecekti. Ne buradaki savaşlar, birlikler, komutanlar hakkında bilgisi vardı, ne de bölgeyi tanıyordu. Hiç savaş görmemişti. Akılsız ve yetersiz olduğu da birkaç gün içinde anlaşılacaktı.

Liman Paşa Bölge Komutanlığının Kurmay Başkanlığına da, kimse yokmuş gibi, yaveri Süvari Binbaşı Mühlmann'ı getirdi. O da bugüne kadar hiçbir birliğin kurmaylığını yapmamıştı. İki Almanın yanına Arap bir yedek subay da çevirmen olarak verildi. Bu çevirmenin belki Almancası yeterliydi ama Türkçesi çok kıttı. Bu eksiklik yazılı emirlerin gecikmesine yol açacaktı.[105b]

En duyarlı yerdeki tümenleri yönetecek komutanlık bu üç kişiden oluşuyordu.

BAŞKOMUTANLIK günlük bildirilerle kamuoyuna bilgi vermeye başlamıştı.

Gazeteler yine kapış kapış gidiyordu.

İstanbullular, birlikte sevinen ve üzülen bir büyük aile oldular. Bu Müslüman-Türk birlikteliğine, olayları öğrendikçe Anadolu da katılacaktı.

Ermeniler ve Rumlar, İstanbul'da kalmış İngiliz ve Fransızlar ile bazı İngiltere ve Fransa hayranları, bu duyguları paylaşmıyorlardı.

Hürriyet ve İtilaf Partisi'nin çekirdek kadrosu da bu duyguları paylaşmıyordu. Yönetimden ve yeni uyanmaya başlayan Türklerin tepkisinden çekindikleri için açıkça konuşmuyor ama yükselen milli duyguyu sulandırmak, ordunun başarısını küçültmek, önemsizleştirmek için gizlice çalışıyor, kulaktan kulağa türlü söylentiler yayıyorlardı. Orduya ait bir başarı bunları rahatsız ediyordu. Bunlar diledikleri düzeni kurmalarına engel olan orduya düşmandılar. Yönetimi yıkmak ve iktidarı ele geçirmek için her şeyi caiz görüyor, dini kullanarak sayılarını günden güne çoğaltıyorlardı. Dindar değil dinciydiler, başka bir deyişle din tüccarıydılar. Bunların yurt dışına kaçmamış, sürgüne yollanmamış, İstanbul'da kalmış, gölgede bekleyen birkaç lideri vardı. Bunlardan biri ilerde Türkiye'nin başına bela kesilecek olan İngiliz uşağı, dönme Damat Ferit Paşa'ydı. Pusuya yatmış vaktini bekliyor, İngilizlerin kazanması için dua ediyordu.[105c]

Birçok hariciyeci, emekli paşa, eski nazır ise, iliklerine sinmiş aşağılık duygusu içinde Türk ordusunun Çanakkale'de İngilizler karşısında asla tutunamayacağını, koca İngiltere'nin yenilmeyeceğini düşünüyor, kaygı içinde susuyordu.

Bunlara karşılık kara savaşının başlaması orduya mal satan iş adamlarını çok sevindirmişti. Ordunun ihtiyacı artacak, bunların da kazançları ikiye, üçe katlanacaktı. Basın bunları Bulgur Kralı, Un Kralı gibi sanlarla anıyor, kirli maceraları kulaktan kulağa yayılıyordu.

Ama en çok sevinen Orhan'dı. Yüzü parlamıştı. Sabah ve akşam gazetelerini yutar gibi okuyor, heyecanlanıyor, neşeleniyordu.

Bu akşam da, babasının getirdiği bir akşam gazetesini büyük bir keyifle okumaktaydı. Balkan Savaşı'nı unutamayan Dilber kederle sordu:

"Savaş ölüm, acı, yokluk, hastalık, yoksulluk demek. Savaşa sevinilir mi ağabey? Neden seviniyorsun?"

Orhan durgunlaştı, gözlerini kaçırarak, fısıldar gibi "Bilmiyorum" dedi.

Neden sevindiğini anlatamazdı ki.

Hayatının büyük sırrıydı o.

GENERAL HAMILTON güncesine gece şu notu düştü:

"Bir komutan için en büyük düşman etrafa korku salandır. Türkler gerçekten cesur ve göründükleri yerde dehşetli korku yaratıyorlar. Süngü takmış, parıltılar içinde bir uzun insan hattı Allah Allah bağırışlarıyla üzerinize koşuyor."

Bu sahneyi hayal etmek bile ürpermesine yetmişti. Kendine moral vermek için şu cümleleri ekledi:

"Ben Türklerden, bazı silah arkadaşımın korktuğu kadar korkmuyorum. Karaya çıktık, ne pahasına olursa olsun bu topraklarda kalacağız!" [105d]

30 NİSAN sabahı Sultanhisar torpidobotu gün doğarken Gelibolu'dan ayrıldı. İstanbul'a gidecekti. Ali Rıza Kaptan elinden kaçırdığı denizaltıyı aramak için yola erken çıkmıştı. Sultanhisar 97 tonluk küçük ama hızlı bir topridobottu. İki küçük topu vardı. Kaptanı da inatçıydı.

Ali Rıza Kaptan

Erdek körfezi ile Marmara adaları arasındaki suları taramak istiyordu. Hava güzel, deniz sakindi. Olaysız yol alıyorlardı. Ansızın gözcü bağırdı:

"Ufukta tekne var!"

Baktılar. Marmara adasının kuzeyinde, sisler içinde soluk bir gölge görünmekteydi. Gölgeye doğru hızlandılar. Sultanhisar yaklaşırken, gölge de yavaş yavaş suya dalarak gözden siliniyordu. Haykırışlar yükseldi:

Sultanhisar torpidobotu

"Denizaltı bu!!!'"

Mürettebat topbaşı yaptı, torpidolar ateşe hazırdı. Ama yetişemeden denizaltı dalıp izini kaybettirdi.

Kaptan o çevreden ayrılmayı doğru bulmadı. Denizaltının durumu anlamak için periskobunu yeniden yükselteceğini ümit ediyordu. Daireler çizerek beklediler.

20 dakika sonra sağ uzakta denizaltının periskobu göründü.

"Periskop üzerine ateş!"

İlk iki atışta sağ yan topunun nişancısı Edremitli Ömer Onbaşı periskobu vurdu.

800 tonluk denizaltı ile 97 tonluk torpidobot arasında iki buçuk saat sürecek kıyasıya bir mücadele başladı. İki kaptan da bütün ustalık, silah ve gemilerinin yeteneklerini kullanacaklardı.

Denizaltı bu mücadele sırasında küçük toplardan biriyle bir daha vuruldu. Yara alan gemi bazı özelliklerini kaybetti. Ama dalıyor, çıkıyor, torpidobotu torpille vurmaya çalışıyor, bu küçücük gemiye yenilmemek için büyük çaba harcıyordu.

Son olarak koca gövdesiyle birdenbire, denizi fokurdatarak, köpükler saçarak suyun üzerine fırladı. Az kaldı torpidobotu alabora ederek, mücadeleyi kazacaktı.

Ali Rıza Kaptan işi bitirmek için denizaltıya çarpmaya karar verdi:

"Çarpmaya hazır olun!"

Denizaltının gövdesine çarpsa ufak torpidobotun kendi parçalanırdı. Dümen kısmına bindirecekti.

Gerekli önlemler alındı.

Torpidobot bir koç gibi ileri atıldı. Olanca hızı ve bütün gücüyle AE-2'nin kuyruğuna çarptı. Denizaltı suya daldı, bir süre sonra kulesi göründü, yükseldi, uzun, kara gövdesi belirdi. Manevra yapma yeteneği kalmamış, yenilmişti.

Beyaz bayrak çektiler.

Kaptan Stoker, gemi düşman eline geçmesin diye vanaları açtırdı. Mürettebata denize atlamaları emrini verdi.

Çanakkale Boğazı'nı ilk kez geçmeyi başaran denizaltı ağır ağır batmaya başladı. Kaptan kuledeki bayrağı selamlayarak son âna kadar güvertede kaldı. Gemi battı. Bayrak suyun üzerindeydi.

Bu vedalaşmayı saygı ile izleyen Sultanhisar mürettebatı da batmakta olan bayrağı selamladılar.

Kaptan Stoker'ı, 2 subay ile 29 askeri denizden topladılar. Hiç kayıp yoktu. Kaptan Ali Rıza Bey Kaptan Stoker'ın elini sıktı:

"Geçmiş olsun. Savaşta böyle şeyler olur."

Kaptanı ve iki subayı kamarasına davet etti.

E-14'ün, mücadeleyi görünce buluşma yerinden uzaklaştığı anlaşılıyordu.[106]

VEDİA'NIN annesi ara sıra Kadınlar Dünyası dergisinin eski sayılarını verir, Nesrin de kadınların yazılarını merakla, cesaret ve azimlerine şaşarak, imrenerek okurdu.

Bugün Vedia ile 1913 yılının sayılarını yollamıştı.

Gece okumaya başladı.

Sayfalara hızlı hızlı bakıp geçerken Ana Sesi adlı kısa bir yazıya, daha doğrusu bir mektuba rastladı. Bir anne yirmi yaşındaki oğluna sesleniyor gibi yaparak erkeklere çatıyordu.

Diyordu ki:

"Oğlum! Seni çok emekle, özenle, zahmetle bu yaşa getirdim. Askerlik çağına girdin, yani kocaman bir erkek oldun. Bana cevap vermeni istiyorum.

Söyle!

Maksadınız, gayeniz ne? Şu iki günlük hayatımızı zehir etmekten ne lezzet alıyorsunuz? Bizim gelişmemize, yükselmemize engel kesilmekte ne kazancınız var? Söyle oğlum! Bu taş kafaları ne zaman yontacaksınız? Bir kadınla nezaketle konuşmanın ne kadar mutlu edici olduğunu, birlikte çalışmanın, iş yapmanın bütün milleti refaha götüreceğini, toplumu ilerleteceğini hangi gün idrak edeceksiniz? Kadınlığın, anneliğin yükselmesinin, sizin yükselmeniz demek olduğunu, ey benim alık çocuğum, ne zaman anlayacaksınız? Her şey yıkıldıktan, geride ilerletilecek, yükseltilecek bir şey kalmadıktan sonra mı?"[106a]

BUGÜN 19. Tümen karargâhını sevince boğan bir şey oldu, 1/25.000 ölçekli haritalar geldi. Mükemmel değillerdi ama hiç yoktan iyidiler.

Hepsi vakit yitirilmeden alaylara ve taburlara dağıtıldı.

Cephe çizgisini değiştiremeyeceklerini anlayan Anzaklar, yerlerini korumak için iyice toprağa gömülmeye başlamışlardı. Arka arkaya sıralanan siperler, yollar, sığınaklar, top mevzileri, makineli tüfek yuvaları ile yaygın, derin, güçlü bir savunma ağı oluşturuyorlardı. Her yer kum torbalarının koruması altına alınmaktaydı. Torba çok, kıyıda kum sınırsızdı. Torbaların arasına yer yer mazgal görevi görecek, ortasında gözetleme deliği bulunan demir kalkanlar yerleştirildi. Ağır makineli tüfek sayısı da çok artırıldı.

Türkler filonun ve ağır makineli tüfeklerin aralıksız ateşi yüzünden bu gelişimi engelleyemiyorlardı.

Kurmay Başkanı İzzettin Bey ileri siperlere kadar giderek durumu incelemiş, Anzak mevzilerinin iyi berkitildiğini görmüştü. Canı sıkkın döndü. Bu durum sonuç almayı çok zorlaştıracaktı. Ordunun takviye yollamakta geç kalması düşmana tırnaklarını toprağa geçirme fırsatı vermişti.

"Lanet olsun!"

Ağır top olsa bu mevziler dümdüz edilir, iş süngüye kalırdı ama top yoktu. Sorun yine subayların ve Mehmetlerin can cömertliği ile çözülmeye çalışılacaktı.

5. Tümenden beklenen üç alaydan ikisi geldi. Biri merkeze yerleştirildi, öteki yedekler arasına alındı. Üçüncü daha sonra gelecekti.

Yarbay M. Kemal'in emrinde 9 alay toplanmıştı.[107]

Ne var ki bu 9 alayın yalnız 3'ü taze ve kayba uğramamış alaydı. Öteki alaylar yarı yarıya, yarıdan da fazla erimiş, kırık dökük birliklerdi. Toplam savaşçı sayısı 16.000'di.

34 top, 22 ağır makineli tüfek vardı.[108]

Toprağa gömülmüş Anzak Kolordusuna, 100'den fazla makineli tüfeğe ve filonun 255 topuna taarruz edeceklerdi.[108a]

HERKESİ taarruz öncesi gerginliği sarmıştı. Bu durumdayken Liman Paşa'nın Enver Paşa'dan istediği Albay Kannengiesser çıkageldi. Liman Paşa zor durumda kaldı. Albay Kannengiesser'i, Enver Paşa'dan isterken, bir Bölge Komutanlığına getirmeyi tasarlamıştı. Güney Komutanlığını Albay von Sodenstern'e vermişti. Kuzeyde ise bu görevi fiilen Yarbay M. Kemal yürütüyordu.

Artık bu görevi ondan alamazdı.

Şu anki yerini, saygınlığını, onurunu M. Kemal'e borçluydu. O olmasa İstanbul yolu açılmış, kendisi de İstanbul hükümetiyle birlikte Anadolu'ya kaçmış olacaktı.

Başı kalabalık, kafası karışıktı. Uygun bir çözüm bulamadı. Sonunda Albay Kannengiesser'i, alayları M. Kemal'in emrine yollanmakta olan 5. Tümenin Komutanlığına atadı.[109]

Açıkçası başından savmıştı.[110]

ALBAY KANNENGIESSER öğle yemeğini nezaket ziyareti yaptığı Kolorduda yedi. Yemekten sonra yaveri ile Kemalyeri'ne geldi.

Bekletilmeden M. Kemal'in yanına alındı. Burası tepe yamacına oyulmuş bir odaydı. Odada bir küçük masa ile iki iskemle vardı. Oturdular.

Albay genç komutana ilgiyle baktı. Liman Paşa'nın bile saygıyla söz ettiği, Kolorduda adı geçince özel bir hayranlıkla anılan Türk demek ki buydu. Zayıf, keskin çizgili bir yüz, insanın içini gören iki göz, tınlayan bir ses, ölçülü bir nezaket, kendine güvenen rahat, kararlı, ödünsüz bir duruş.

Liman Paşa tarafından 5. Tümen Komutanlığına atandığını anlattı ve 'tümeninin emir ve komutasını üstlenmeye geldiğini' söyledi, 'rütbesi büyük olduğu için cephenin komutasının da yeniden düzenlenmesi gerekeceğini' ekledi. Kısacası albay olarak cephenin komutanı olmak istiyordu.

M. Kemal büyükçe bir taarruzdan çok kısa bir süre önce, hiçbir şey bilmeden, sırf rütbe farkı dolayısıyla, bir cephenin komutasını üstlenmeye hazırlanan bu subaya notunu ve hak ettiği yanıtı verdi:

"Bu cepheyi ilk günden beri ben yönetiyorum. Yarın çok önemli bir taarruz yapacağız. Tümenim ile 5. Tümenin alayları birbirine karışmış halde. Ayrıca askeri iktidarınızı da hiç bilmiyorum. Bu iki nedenle size bu kesimin komutanlığını da, 5. Tümeni de devir ve teslim edemem. Yanımda bir seyirci olarak bulunabilirsiniz, o kadar. Birazdan komutanlar gelecek, bu taarruzu konuşacağız. İsterseniz kalabilirsiniz."

Albay Kannengiesser böyle karşılanacağını, bu yanıtı alacağını hiç düşünmemişti. Bu Türk açıkça Liman Paşa'nın emrine karşı geliyordu. Sersemledi.

Saat 14.00'tü.

Alay komutanları ile topçu komutanı geldiler.

M. Kemal, İzzettin Bey ve komutanlar, yeter sayıda iskemle olmadığı için hep birlikte, yere serili kilime bağdaş kurup oturdular. Kannengiesser kararsız kaldı. Sonra da bu toplantıyı izlemekte yarar gördü. O da iskemleden inip onlar gibi bağdaş kurmak istedi ama beceremedi, bu oturuşa alışık olmayan kasları, eklemleri türlü zorluklar çıkarıp Albayı gülünç duruma düşürdüler.

M. Kemal ortaya haritayı serdi, taarruz planı hakkında açıklamalar yaptı, tavsiyelerde bulundu, emirler verdi.

Planın özü Anzak cephesinin merkezine hücum ederek, cepheyi Hain Tepe doğrultusunda yarmaktı. Bu başarılırsa Anzaklar denize dökülürdü.

Sabah taarruz edilecekti.

Kocadağ çok engebeli olduğu için filonun ateşinden oldukça korunabiliyorlardı. Bu nedenle Arıburnu bölgesi gündüz taarruzuna elverişliydi. Filonun ateşi denize açık olan kanatlar için tehlikeliydi.

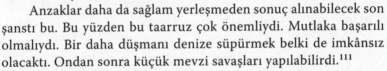

Ayrıntılar konuşuldu. Mermi kısıtlı olduğu için taarruz öncesi top ateşi yazık ki kısa sürecekti. Makineli tüfeklere karşı nasıl hücum edileceği tartışıldı. Tek çarenin ağır top olduğu anlaşılmıştı. Hiç ağır top yoktu.

"Yoksulluğun gözü kör olsun!"

"Ve de yoksul bırakanların!"

Anzaklar daha da sağlam yerleşmeden sonuç alınabilecek son şanstı bu. Bu yüzden bu taarruz çok önemliydi. Mutlaka başarılı olmalıydı. Bir daha düşmanı denize süpürmek belki de imkânsız olacaktı. Ondan sonra küçük mevzi savaşları yapılabilirdi.[111]

Toplantı M. Kemal'in cesaret ve kararlılık aşılayan etkili bir konuşmasıyla bitti.

Kucaklaştılar:

"Gazamız mübarek olsun!"[112]

LİMAN PAŞA Arıburnu'ndaki taarruzu izlemek için 3. Kolordu karargâhına gelmişti.

Ayrıca Güney Bölgesi Komutanlığına getirdiği Albay von Sodenstern'e de, Seddülbahir'deki birliklerle derhal taarruz etmesini emretmişti.[113]

Albayın yönetimini devr alacağı Seddülbahir cephesindeki yerleşme şöyleydi:

Batıda Albay Halil Sami Bey'in 9. Tümeni ve bazı birlikler vardı. Yarbay Kadri Bey, Mahmut Sabri Bey de bu kesime geçmişlerdi.

Doğu kanadının sorumluluğunu Bolayır'dan gelen 7. Tümen Komutanı Albay Remzi Bey (Alçıtepe) üstlenmişti. Burada 7. Tümenden gelen bir alay ile bazı küçük birlikler bulunuyordu.[114] 15. Tümen İstanbul'dan deniz yoluyla gelmekteydi. Daha yoldaydı. Gelince o da doğu kanadında yer alacaktı.

Albay von Sodenstern cephenin eski komutanı Albay Halil Sami Bey'i ziyaret etti, cephe hakkında bilgi edindi ve görevine başladı.

Birliklere ertesi günü, 1 mayıs gecesi taarruz edileceğini bildirdi.

ARIBURNU
1 Mayıs 1915 sabahı. Cumartesi.

Şafak söküyor.

Taarruz edecekler ön siperlerde yerlerini aldılar. Hepsi içinin enginliğine çekilmiş, sessizce bekliyor. Sabah pusu eriyor. Düşman mevzileri yer yer görünmeye başladı.

Anzaklar da Türk mevzilerini yer yer görmeye başladılar.

Uçaklar ve balon yoluyla Türk cephe gerisini izledikleri için gelen takviyeleri izlemiş, büyükçe bir taarruza hazırlık yapıldığını anlamışlardır. Onlar da uyanıklar. Onlar da sessiz. Bekliyorlar.

Denizden...

...ve karadan ateş yağdırıyorlardı.

57. Alay Komutanı Hüseyin Avni Bey yanındaki 2. Tabur Komutanına, "Ata Bey.." dedi, "..birçok babayiğiti şehit verdik. O yüzden gözlerim yaşarmadan bir gelinciğe bakamaz oldum. Sanki her biri bir şehidimizi temsil ediyor."

Çevreyi gösterdi. Kır çiçeklerinin arasında pıtrak gibi gelincikler belirmişti:

"..Şuraya bak, sanki toprak şehit tütüyor."

Saat 05.00'ti.

Türk bataryaları Anzak mevzilerini ateş altına aldı. Eldeki mermi sayısı yüzünden ateş ancak 15 dakika sürebilecekti. Bu durum topçuları kahrediyordu:

"Komutanım, 15 dakikalık ateş düşman mevzilerinin ancak tozunu alır."

"Bir mermi fabrikamız olsaydı bu zavallı hali yaşamazdık. Ama ne edelim ki zaman akmış biz bakmışız."

"Hem de yüzlerce yıl."

Filo bu atışlara ânında yanıt verdi.

Mevziler arasındaki mesafe en fazla 400 metreydi. Filo mevzilerin birbirlerine daha yakın olduğu yerlerde kendi askerlerine zarar vermemek için Türklere ateş edemiyordu. 255 namlu ile uzak Türk mevzilerine, mevzilerin derinliklerine, gerilere, kanatlara, olası top mevzilerine ateş yağdırmaya başladı.

Mevzilerin yakın olduğu yerlerde savunma görevini ağır makineli tüfekler üstlenecekti. Bu silahları her noktayı tarayabilecek biçimde yerleştirmişlerdi.

Küçük çaplı Türk topları birazdan susacak, taarruz başlayacaktı. Subaylar askerlerine son bir göz attılar. Hepsi şehit adayı, şehitlik gönüllüsüydü. Yüzlerinde şehitlik öncesinin sakinliği ve temizliği parlıyordu.

Toplar sustu. Sert, kısa, kararlı taarruz komutları duyuldu. Birlikler siperlerden fırladılar.

HAYDARPAŞA Hastanesinde görevli Dr. Fikret Bey nöbetçiydi. Az olaylı, oldukça sakin bir gece geçirmiş, boş kaldıkça gazetelere göz atmış, Türk ve Osmanlı tarihini düşünmüştü.

Sabah kahvesini içerken güncesine şu satırları yazdı:

"Gazetelerde resmi deyimler dışında Osmanlı sözcüğü daha az kullanılır oldu. Türk deniyor, Türkçe deniyor, Türkiye deniyor. Osmanlı diye bir millet olmadığı anlaşılmaya başlandı. Zaten Osmanlılığı ne Rum kabul etmiş, ne Ermeni, ne Yahudi, ne Bulgar, ne Kürt, ne Arnavut, ne de Arap. Yalnız biz kabul etmişiz. Soyumuzu, tarihimizi unutmuşuz, unutturmuşlar. Aşurede nohut olmuşuz. Bizi küçük gören Osmanlı çelebileri, efendileri, beyleri, paşaları devleti çökerttiler, rezil ettiler, sattılar. Şimdi sıkıştılar, Türklüğü övüyor, Türklüğe sığınıyorlar. Çünkü devleti kurtarmak için yine Türkün kanına ve canına ihtiyaçları var. Bu tehlikeyi atlatınca, bunlar ayağına kapandıkları Türklüğü yine söndürmeye yeltenirler. Bu kronik hastalığı tedavi etmek şart."

KARA ve denizdeki bütün silahlara ek olarak bugün savaşa İngiliz uçakları da katıldı. Çok çalışkandılar. Birlikleri bombalıyor, makineli tüfekle ateş ediyor ve her yana çivi yağdırıyorlardı.

İngilizler hava kuvvetlerini yeni uçaklar ve Ben My Chree adında yeni bir uçak gemisi ile takviye etmişlerdi.[114a]

Savaş alanı cehennemi andırıyordu.

Anzaklar o dar alanda bu kovuklara sığınarak tutunuyorlardı

Çok yoğun ateşe ve sert karşı koymaya rağmen Türkler Anzak cephesini zorlamaya başlamışlardı.

Müstahkem Mevki Telsiz İstasyonu, Anzak Kolordu Komutanlığı ile General Hamilton'un karargâhı arasındaki bir telsiz mesajını yakalamıştı. Cevat Paşa mesajın hemen Kolorduya bildirilmesini emretti. Kolordu da M. Kemal'e bildirdi: Anzak Komutanlığı, 'bazı mevzilerin sarsıldığını, tezelden takviye kuvveti yetiştirilmesini' istemekteydi.[115]

Ne güzel haberdi bu!

Birlikler yedeklerle desteklenerek taarruz güçlendirilip hızlan-

Birkaç Anzak sığınağı

dırıldı. Arıburnu'ndaki düşman denize dökülürse, bütün birlikler Seddülbahir'de toplanır, orası da bir vuruşta düşmandan temizlenebilirdi.

Bu düşünce herkese heyecan veriyordu.

Arıburnu körfezindeki Monica adlı balon gemisinden yükselen sinir bozucu gözetleme balonuna bir Türk uçağı hücum etti. Savaşanların gözü hiçbir şey görmüyordu ama bu cüretli olay yedekte bekleyen askerleri coşturdu. İngiliz uçakları araya girerek uçağın balona tehlikeli olacak kadar yaklaşmasını engellediler. Askerlerin neşesi sönüyordu ki bir başka olay oldu: Kabatepe'ye gelen bir gözetleme ekibi Nara'da bulunan Barbaros gemisine atış için mesafe ve yön bildirmeye başlamıştı.

Büyük mermiler Arıburnu körfezinde patlamaya başlayınca en başta balon gemisi Monica, bütün savaş ve taşıt gemileri atış mesafesi dışına kaçıştılar.[115a]

Her gün canlarını yakan İngiliz gemilerinin kaçışını görmek askeri neşelendirdi. 57. Alayın 1. Bölüğünün gülmez cephanecisi bile keyiflendi:

"Güle güle! Cehennemin dibine kadar yolunuz açık olsun!"

SEDDÜLBAHİR cephesindeki Türkler de bu gece taarruz edeceklerdi.

General Hamilton da ertesi sabah için büyük bir taarruz planlamıştı. İngiliz ve Fransız birlikleri de bu taarruzun hazırlığı içindeydiler.

İskenderiye'den getirtilen dört Hint taburu da karaya çıkarılmıştı: 8.000 kişi.

Albay von Sodenstern, Liman Paşa'nın telkiniyle, düşmanın zayıf olduğunu ileri sürüyordu. Oysa birlik komutanları durumu biliyor, İstanbul'dan gelecek olan 15. Tümeni beklemenin yararlı olacağını düşünüyorlardı. Böylece az çok bir denge sağlanırdı. Bir gün beklemenin bir sakıncası olmazdı. Ama yeni Komutan bu düşüncede değildi:

"Bu gece taarruz edilecek!"

Arap asıllı subayın çevirisi yanlış olduğu için taarruz emrini birkaç kez düzeltmek gerekti. Bu yüzden emir gecikecek, ileri birliklere yetişemeyecek, zorunlu olarak kısa ya da sözlü emirlerle yetinilecek, birlikler arasında, bir gece taarruzunda çok önemli olan uyum sağlanamayacaktı.

Birleşik Ordu'nun savaşçı sayısı Türklerden 2 kat, makineli tüfek sayısı 10 kat, top sayısı 20 kat fazlaydı.[116]

BU SAATTE 16. Tümenin sona kalan bazı yardımcı birlikleri ağırlıklarla birlikte, Sirkeci garında, yolcu ve yük vagonlarından kurulu uzun bir katara yerleşiyorlardı.

Subayların ve bazı İstanbullu askerlerin aileleri ile Sirkeci ve Eminönü esnafı birliği uğurlamaya gelmişlerdi. Peron çok kalabalıktı. Tümenin bandosu da bu katarla gidecekti. Kalabalık bando şefini heyecanlandırdı. Bandoyu perona indirdi. Halkı ve askerleri duygulandıran parçalar çalmaya başladılar.

Yolcular arasında 16. Tümende takım subaylığına atanan Teğmen Faruk da vardı. Emri yeni çıktığı için bu son kafileye kalmıştı.

Annesi ve teyzesiyle evde vedalaşmıştı. Yolcu etmek için Kuleli'den arkadaşı Teğmen Ertuğrul gelmişti, "Ara sıra eve uğra, bizimkiler sevinirler" dedi.

"Merak etme. Sen de mektup yazmayı ihmal etme."

"Etmem."

Gidip dönmemek, dönüp de görmemek vardı. Helalleştiler.

Tren uzun uzun düdüğünü öttürdü. Herkes bindi. Kapılar kapandı. Ağlayanların, dua edenlerin, el ve mendil sallayanların önünden tangırdayarak ağır ağır geçtiler.

ARIBURNU'NDA taarruz sürüyor, Anzaklar ölüm kalım savunması yapıyorlardı.

Türk birlikleri Anzak cephesine iyice yanaşmışlardı. Ama az ilerde uzanan bu siperlere yaklaşamıyorlardı. Çünkü sıra sıra makineli tüfekler hiç durmadan ölüm yağdırarak, püskürerek, kusarak yaklaşanları biçiyor, delik deşik ediyor, parçalıyordu.

Anzakların telaş içinde oldukları belliydi. Dirençlerinin sonuna gelmiş gibiydiler. Belki de sonuç almak için bir son hamle yetecekti. Kayıptan yılarak taarruzdan caymak, bu altın fırsatı kaçırmak olabilirdi.

M. Kemal, İzzettin Bey ve yakındaki Alay Komutanları ile durumu değerlendirdikten sonra gece 24.00'te taarruza devam edilmesine karar verdi.[117]

SAAT 22.00.
Seddülbahir'de de Türk taarruzu başladı.
Yeni komutanın emrine uyularak ileri birliklerde tüfeklere fişek sürülmemişti. Taarruz sessizce süngü hücumuyla yapılacak, düşmana baskın verilecekti.

Yeni Komutan düşmanın kaçamaması için birliklerin, filikaları yakmak için yanlarında gaz gibi tutuşturucu maddeler bulundurmalarını istemişti.[118] Bu istek komutanlara alay gibi geldi. Düşmanın denize dökülebileceği vakit yazık ki kaçmıştı. Düşman ileri güvenlik birlikleri yaklaşan Türkleri görünce silahlarını ateşlediler. Işıldaklar yandı, aydınlatma fişekleri uçuştu.

İngiliz ve Fransızlar sabah yapacakları taarruz için ilk siperlere kuvvet yığmışlardı.

Türk taarruzuna tepki bu nedenle beklenenden de sert oldu. Filo da iki yandan Türk mevzilerinin arkasına geçti. Mevzilerin içini görerek ateş etmeye başladı. Türkler iki ateş arasında kalmış oldular.

Batı kesimde Halil Sami Bey'in birlikleri çok gayret gösterdiler, İngiliz cephesini zorladılar, inat ettiler, çok kayıp vermeyi göze aldılar ama ilerleyemediler. Çıkış çizgilerine geri çekildiler.

Doğu kesimde ise taarruz ilk aşamada etkili oldu. Senegalli askerler çabuk sarsıldılar. Kumkale'de, birkaç gün önce de burada karşılaşmış, Türk'ün süngüsünü tanımışlardı. Çözülüp dağıldılar.

Türk taburları açılan bu gedikten girdiler, gediği genişlettiler. Düşman cephesi yarılmak üzereydi. Fransız Tümeninin Komutanı General d'Amade yedekleri hızla yetiştirerek gediğin daha çok genişlemesini önledi. Bundan sonra birçok ileri geri, kanlı hareketler, boğuşmalar oldu.

Türk cephesinde haberleşme aksıyordu. Gediği besleyecek yedekler zamanında harekete geçirilemedi. Sonunda bu kanattaki birlikler de bir sonuç alamadan çıkış çizgilerine dönmek zorunda kaldılar.

Türk taarruzu başarılı olamamıştı.[119]

Ama bu kanatta, askeri tarihin ayrıntıları arasında saklı kalan olağanüstü bir olay yaşanmıştı.

Bilmemek olmazdı:

Savaşın bütün kızgınlığı ve karmaşıklığı ile sürdüğü bir sırada, Fransız cephesinde küçük bir boşluk oluşmuştu. 21. Alaydan bir takım bu boşluğa daldı. Takımın arkasından akıp gelenler oldu. Birkaç subay ve 300 savaşçı ettiler. Yıldız ışığında, başlarında serdengeçti subaylar, Fransız cephesinin içine ilerlediler. İyi yetişmiş, gözüpek 300 savaşçı, yaman bir kuvvettir. Önlerine çıkanları ezip geçtiler. Başarı birliği daha derinlere, yeni başarılara çekmekteydi. Bu çekime karşı duramadılar. Cephe gerisindeki bazı hizmet birimlerine ve noktalara baskın verdiler. Geçtikleri her yerden yakın karargâhlara panik çığlıkları yağmaya başladı.

Fransız cephesinin gerisindeki bir kesimi harman yerine çevirmişlerdi. Bir masalın hayal kahramanları gibiydiler. Morto Koyu'nun yakınına kadar geldiler.

Gün ışıyordu.

Soluk almak için uygun bir yerde durdular. Hemen hemen hiç kayıp vermemişlerdi. Küçük yaraların, çiziklerin sözü bile olmazdı. Çantalarını geride bıraktıkları için yanlarında peksimet bile yoktu. İki sahra mutfağını basmış ama oralardan ekmek almak akıllarına gelmemişti. Açlıklarını suyla bastırdılar. Geçtikleri yerler Fransız birliklerince doldurulmuştu. Hepsi cephe gerisinde ateşten bir top gibi dolaşan bu çılgın birliğe karşı alarma geçirilmiş olmalıydı.

Ne yapmalıydı?

Genç subaylar biraraya gelip karar verdiler: Dövüşe dövüşe geriye dönmeye çalışacaklardı. Sabah namazını birlikte kılıp dua ettiler ve harekete geçtiler.

Silme Fransız birlikleriyle dolu cepheye bu kez tersten daldılar. Neye güveniyorlardı? Görünmez adam mıydı bunlar? Kanatlı mıydılar? Silahları sihirli miydi? Dev gücü mü vardı her birinde?

Hayır.

Bunlar Çanakkale askeriydi.

Filonun Türk mevzilerini ateş altına aldığı sıraydı. Taarruz için hazırlanan gergin, duyarlı düşman birliklerinin arasından geçeceklerdi.

Yürüdüler.

Duruma göre, ateş savaşı yaptılar, süngü hücumuna kalktılar, dağılıp gizlendiler, birleşip boğuştular, bazıları silah kardeşlerini korumak için kendilerini feda etti, yaralandılar, şehit verdiler ama pes etmediler.

Sayıları yarıya düşmüştü.

Sağ kalanlar inanılmazı başardı: Düşman cephesinin içinden geçerek birliklerine kavuştular.[120]

Adlarını az kaldı şehit defterine yazacak olan Tabur Komutanı hepsini sevinçle tek tek kucakladı. Sonra da izinsiz ileri gittikleri için açtı ağzını yumdu gözünü, bir mucize gerçekleştirmiş kahramanların topunu tepeden tırnağa kalayladı.

Biri bile gık demedi.

SEDDÜLBAHİR'DEN iki saat sonra, saat 24.00'te, Arıburnu'nda da gece yarısı taarruzu başladı.

Yıldızlar daha da çoğalmış gibiydi.

Anzaklar gözlerini kırpmamış, mevzilerini yeni gelen askerlerle daha da güçlendirmişlerdi. Çok hırçın, kanlı bir savaş, bir boğuşma başladı.

M. Kemal en uçtaki bölükle bile ilgileniyor, her hareketi izliyor, gerektikçe uyarıyor, yol gösteriyordu. Sayısı dokuza çıkan alayları bir an bile gevşemeyen bir irade, dikkat ve azimle yönetiyordu.

Albay Kannengiesser de uyumamıştı. Savaşı ve genç komutanı izliyordu. Üstünlüğünü anlamıştı. Emrine girmeye hazır olduğunu bildirdi.[120a]

Anzak mevzileri üç yandan demir bir kuşak içine alınmıştı. Bu kuşak gittikçe daralıyordu. Kimi taburların imamları da askere güç katmak için ateş hattına gelmişlerdi. Savaş havası onları da kucakladı, şehitlerin boşta kalmış tüfeklerini alarak onlar da savaşa katıldılar.[120b]

Bazı birlikler yer yer ateş barajını aşarak Anzak siperlerine ulaşmayı başarmışlardı. Ama barajı geçerken o kadar çok kayıp veriliyordu ki ulaşan gazilerin sayısı Anzakları yenmeye yetmiyordu.

Araziyi iyi değerlendiren Anzakların elverişli noktalara yerleştirdikleri bazı makineli tüfekler Türkleri kırıp geçirmekteydi. Komutanlar bu makineli tüfek yuvalarını körletmek için fedai subay ve erlerden küçük müfrezeler kurdular. Fedai subay istenince bütün subaylar, asker istenince bütün askerler öne çıkıyordu.

"Bu katil tüfekleri yok edin!"

Bu görevi alan müfrezeler kısa bir hazırlık yaptıktan sonra geceye ve ateşe dalıp gidiyorlardı. Kimi dönüyor, kimi şehit defterine yazılıyordu. Bazı tüfekler bu yolla susturuldu, kırım azaltıldı. Ama geride o kadar çok makineli tüfek vardı ki bunlar Türk taarruzunun önünü kesmeye yetiyordu.

Saat 03.00'tü.

M. Kemal taarruzu durdurdu: Birlikler bulundukları çizgide kalacaklardı.

Anzak ve yeni Türk mevzileri arasındaki mesafe Bombasırtı gibi bazı yerlerde 8-10 metreye inmişti. Yapışık gibiydiler. İki yan da bu duyarlı noktalarda 24 saat tetik durmak zorundaydı.[121]

SEDDÜLBAHİR'DE Türk taarruzu yeni sona ermişti. Gün doğmak üzereydi. Birlikler çıkış çizgilerine çekilmiş, yerleşmeye çalışıyorlardı. Çok kayıp vermiş, çok hırpalanmış, çok yorulmuşlardı.

Seddülbahir'i sarmış olan savaş gemilerinin 400'ü aşkın topu, üç yandan Türk cephesini ateş altına aldı. Buna karaya çıkarılmış 100'den fazla top da katıldı.

Siperlerde hiç kum torbası yoktu. Çünkü 5. Ordunun depolarında kum torbası bulunmuyordu. Siper savaşı yapılacağı düşünülmemişti. Daha sığınaklar da kazılamamıştı. Vakit olmamıştı ki. Bir kısım birlik sürekli savaşmaktaydı. Bir kısmı ise yeni gelmişti.

Günlerdir uyumayanlar vardı. Goliath zırhlısı Boğaz'ın içinde, Eski Hisarlık yakınına demirlemişti. Bütün gece zaman zaman Türkleri uyutmamak, vurmak, ezmek, siperleri yıkmak için Boğaz

Türk askerlerinin 'Kocakarı' ya da 'Cadı' adını taktıkları Goliath Zırhlısı

yönündeki Türk mevzilerini ateş altına alıyordu. Asker bu ateş gevezesi zırhlıya 'Kocakarı' adını takmıştı. 'Cadı' diyenler de vardı.

Cephe boyunca subay ve askerler tufanın sona ermesini yarım yamalak siperler içinde, sabır ve tevekkülle bekleyeceklerdi. Siperler yaralılar ve şehitlerle doluyordu. Daha da dolacak, sağ kalanlar şehitlerle koyun koyuna savaşacaklardı.

İngiliz ve Fransızlar harekete geçmek için ateşin kesilmesini bekliyorlardı. Amaç bugün Türkleri savunma düzeni almalarına fırsat vermeden bastırmaktı.

Savaş talihi, Türk'ü, en zayıf, dağınık, yorgun ânında sınamak istiyordu.

7. Tümen Komutanı Albay Remzi Bey ellerini açıp yüksek sesle yalvardı:

"Ya Rabbi, bize bu acımasızları yenmeyi nasip et!"

İki tümen de tufanın taarruz habercisi olduğunu düşünerek geçici bir düzen aldı. Tüfekler temizlendi. Sabah çorbası yetiştirilememişti. Çantalarda, torbalarda peksimet vardı. Halkın armağan yolladığı çerezler sık sık askerlere dağıtılıyor, her ere birkaç avuç düşüyordu. Peksimet ve çerezle açlıklarını giderdiler. Su azdı. Sakalar suya gitmiş, daha dönmemişlerdi.

"Suyu ve cephaneyi idareli harcayın!"

Trabzonlu Teğmen Salih sızlandı:

"Şöyle hovardaca, cömertçe bir savaş hiç kısmet olmayacak mı?"

Tufan durdu.

Ortalık iyice aydınlanmıştı. Düşman birlikleri doğuda ve batıda taarruza geçtiler. Yorgun, mecalsiz, isteksiz, dağınık, zayıf bir direnişle karşılaşacaklarını, bu direnişi fazla zorlanmadan kıracaklarını ümit ediyorlardı.

Mehmetler mıh gibi durunca savaş sertleşti.

Türk mevzileri sarsıldı, sallandı, bazı kesimlerde iyice inceldi ama kırılmadı, dağılmadı, kopmadı. Mehmet Alçıtepe düşman eline düşerse Çanakkale'nin geçileceğini iyi öğrenmişti. Demek şu çalı çırpı ile kaplı, küçük, uyuz tepe bu kadar önemliydi ha!

Peki öyleyse.

Mehmet canını verdi, istila askerine yol vermedi.

Sakalar yetiştiler. Korkusuzca ateş hattına kadar sokulup siperleri gezerek gazilere su dağıttılar. Hepsinden dua aldılar:

"Ooh Allah razı olsun!"

İçleri serinlemişti. Bir de avuçlarını ıslatıp yüzlerini sıvazladılar. İyice canlandılar, daha sertleştiler. Durum elverişli olunca süngü hücumuna da kalktılar.

Gittikçe coşan savunma İngiliz ve Fransız birliklerinin taarruz azmini kırdı. Önce Fransız, sonra İngiliz birlikleri savaşı hafifleterek çıkış çizgilerine geri çekildiler. Taarruz batıda da, doğuda da öğle üzeri durdu.

Mehmet talihin sınavından yüzünün akı ile geçmişti.[122]

Düşman bu başarısızlığın acısını Gelibolu'dan aldı. Monica balon gemisiyle birlikte Saros körfezine gelen Agamemnon zırhlısı, balon gözetlemesinin yardımıyla Gelibolu'ya mermi yağdırdı.

Şehir ağır yara aldı. Hastane olduğu belirtilmesine rağmen bir yatakta iki kişinin yattığı tıkabasa dolu, 500 yataklı Kolordu Hastanesini bile yıktılar. Atışı sürdüren Agamemnon Saros'taki bataryadan 4 mermi yiyince Monica'yla birlikte telaş içinde uzaklaştı.[123]

Birkaç saat sonra 16. Tümenin Uzunköprü'den yürüyerek gelen iki alayı yıkık ve yanık Gelibolu'dan geçti. Şehrin üzerine duman, kül ve toz bulutu çökmüştü. Korkmuş çocuklar yüksek sesle ağlıyorlardı. Gözlerine kin ve kan oturmuş halk, kurtarabildiği birkaç parça eşya ile göçe hazırlanmaktaydı.

48. Alayın astsubaylarından Emin Çöl yanında yürüyen yardımcısına, "Onbaşı.." dedi, "..nasıl bir düşmanla çarpışacağımız anlaşılıyor."

Yanık şehrin dışında konaklayacak, bir gün dinlenip sonra buradan gemilerle Akbaş'a gideceklerdi.

ÖĞLEDEN sonra iki bölgedeki savaşlar da durmuştu.

Türkler de düşman gibi toprağa gömülmek, derin siperler, sığınaklar, zeminlikler, siperleri birbirine ve geriye bağlayan açık, gizli yollar yapmak için kazma-küreğe sarıldılar.

Kum torbası olmadığı için mermi sandıkları, ekmek çuvalları, torbalar, fanilalar taşla toprakla doldurularak siperlerin önüne dizildi. Asker bir evi olmuş gibi sevindi. Makineli tüfekler için taştan yuvalar yapıldı. İstihkâmcılar, ekmekçi takımının istediği yerlere küçük fırınlar inşa ettiler. Taze ekmek, cephede taze can demekti.

Harbiye Nezaretinden ivedi kum torbası istendi.

Levazım Daire Başkanı, 'Topal' sanıyla ünlü İsmail Hakkı Paşa'ydı. Olağanüstü becerikli, iş bitirir bir insandı. Hakkındaki türlü dedikodulara rağmen bu özellikleri nedeniyle yerini koruyordu. 5. Orduya ilk elde birkaç bin kum torbası yolladı.

Kum torbalarının kaç çeşit işe yaradığını görse şaşkınlıktan topallığı düzelirdi.

DÜŞMANIN makineli tüfekleri ağır kayıplara neden oluyor, sonuç almayı önlüyorlardı. Türk birliklerinin elindeyse, bu müthiş silahtan çok az vardı.

Esat Paşa birliklerden aldığı acı raporlara dayanarak ordudan bu silahların sayısının artırılması için girişimde bulunulmasını istedi. Ordu durumu Başkomutanlığa yansıttı.

Başkomutanlığın elinde silah stoku yoktu ki.

Ne varsa ordulara dağıtılmıştı. Devletin varı yoğu buydu. Başkomutanlıktaki denizcilerden biri Midilli (Breslau) savaş gemisinde sökülebilir 12 ağır makineli tüfek bulunduğunu bildirdi.

12 makineli tüfek!

Bu bir servetti.

Hızlı, yoğun, sert pazarlıklardan sonra Midilli'de bulunan 12 makineli tüfeğin Alman denizcileriyle birlikte 5. Ordu emrine gönderilmesi kararlaştırıldı. Tüfekler söküldü. Birkaç gün içinde yeterli cephane ile birlikte yola çıkarılacağı bildirildi. Haber Kolordu karargâhında büyük memnunluk yarattı:

"Almanlar iyi askerdir. Bu birlik çok işimize yarayacak."

GENERAL HAMILTON ve Kurmay Başkanı Teke Koyu iskelesine çıktılar. Sonuçsuz taarruz ikisinin de canını çok sıkmıştı. Rıhtıma bağlı büyük mavnalar yaralılarla doluydu. Durmadan yaralılar geliyor, kıyıya yığılıyordu.

General Hunter Weston karşılıklı taarruzların sonucunu beş cümleyle özetledi:

"Subayların neredeyse hepsini kaybettik. Asker kaybımız ağır. Birlikler ağlanacak haldeler. O kadar bitkinler. Takviye edilmem gerekiyor."

Hamilton "Taze bir tümen, ah taze bir tümen gelse" diye düşündü. Yeni bir tümenin Birleşik Ordu'yu zafere ulaştıracağına güveniyordu. Bu kesin kanısını özene bezene yazacağı bir raporla Lord Kitchener'e bildirecek ve yeni bir tümen isteyecekti.

Hesaba kitaba dayalı, askerlik sanatının inceliklerini dikkate alan bir iyimserlik miydi bu, yoksa sırf Türklerin pes edecekleri ümidine dayalı emperyal bir saflık mıydı?[124]

Bunu zaman gösterecekti.

YARALI sayısı tahminleri aşmış, Eceabat ve Gelibolu hastanelerinin yıkılması da büyük sorun yaratmıştı.

Yaralıların bir bölümü hastane gemileri ile İstanbul'a yollanmaya başladı. İngiliz denizaltılarının hastane gemilerine saldırmayacağını ümit ediyorlardı. Çok geçmeden bunun boşuna bir ümit olduğunu anlayacaklardı.

Gülnihal gemisinde Hemşire Safiye Hanım bütün yaralıların anası, bacısı olmuştu. Bir kadın eli, sesi ve şefkati yaralılara ilaçtan daha iyi geliyordu.

Haydarpaşa ya da Galata'ya yanaşan ilk yaralı gemilerini görevliler ile yüzlerce hanım karşıladı.[124a] Yaralılar gizli getirilmezlerse hep böyle karşılanacaklardı. Yaralı sayısı artınca halkın moralinin bozulmaması için yaralıların gizlice geceleri karaya çıkarılacağı günler de gelecekti.

Hanımlar yaralılara 'geçmiş olsun' diyor, özverileri için teşekkür ediyor, yurtseverliklerini kutlayarak, kolonya, çorap, mendil, çamaşır takımı gibi armağanlar sunuyorlardı. Milletin gazilere duyduğu minneti temsil ediyorlardı. Canı yanmakta olan bir yaralı ağlıyorsa, bu şefkatli karşılayıcılar da birlikte ağlıyorlardı. Konuşurken, armağan verirken, peçelerini açıyorlardı. Bağnazlar, yaralı gazilere hizmet ettikleri için hanımlara açıkça tepki göstermekten kaçınıyorlardı ama için için homurdanmaktan da geri kalmıyorlardı.

"Yüzlerini açıyorlar!"

"Aman ya Rabbi!"

"Yabancı erkeklerle konuşuyor, seslerini duyuruyorlar!"

"Tövbe ya Rabbi!"

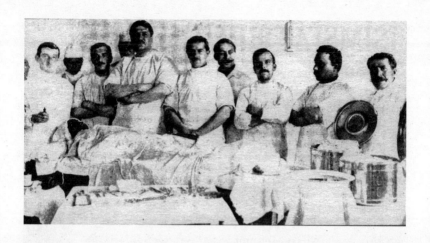

Toplumsal bir davranışı benimsemeye henüz hazır ve açık değillerdi. Yüzlerce yıldır güzel kafes kuşları gibi eve kapanıp kalmış, pek az dışarı çıkmışlardı. Bu yüzden zihinleri de çarşaflı ve peçeliydi.

İstanbul'daki hastanelerin yatakları ilk yaralı kafilesiyle doldu. Selimiye Kışlası'nın bir bölümüyle büyük okulların binaları hızla hastane haline getirildi.[125] Kızılay, halktan karyola, şilte ve yatak takımı yardımı yapmasını istedi. Gönüllü hemşirelerden bazılarını bu yeni hastanelere verdi.

LİMAN PAŞA M. Kemal ile uyum sağlayamayan Albay Kannengiesser'i geri çağırarak Güney Bölgesi Komutanı Albay von Sodenstern'in yanına danışman olarak vermişti. Üç Alman buluştu.

İstanbul'dan beklenen 15. Tümenin geldiği haberi Liman Paşa'da yeni bir taarruz hevesi uyandırdı. Albay von Sodenstern'e gerekli emri verdi.

Kolordu, önceki taarruz sırasında yaşanan gecikme, yanlış çeviri, birlikler hakkındaki eksik bilgi vb. gibi yanlışlıkların yinelenmemesi için bu üçlünün yanına bir Türk kurmay vermeyi gerekli gördü.

Bu görev için Weber Paşa'nın emrinde çalışan Kurmay Yüzbaşı Mehmet Nihat Bey seçildi. Yüzbaşı, Yarbay von Thauvenay'ın zehirli havasından, kırıcı konuşmalarından ve kalın kafalılığından kurtulduğu için çok sevindi. Ama boşuna bir sevinçti bu.

Bir hafta sonra Seddülbahir'de yine karşılaşacaklardı.[125a]

Albay
Kannengiesser

SEDDÜLBAHİR cephesinin sorunu çoktu.

15. Tümen birkaç gemiyle taşındığı için alaylar çeşitli iskelelere çıkmaktaydı. Birlikler cepheden ve birbirlerinden uzakta, öbek öbek konaklayacaklardı. Tümenin topçusu ve bağlı birlikleri daha yoldaydı. Tümen Komutanı tümenini biraraya getirmek için çırpınıyordu.

Cephedeki 9. ve 7. Tümenlerin önceki savaşlardan dolayı kayıpları yüzde kırkı aşmıştı. Tümen komutanları bulundukları çizgiyi savunabilmek için takviye edilmelerini istiyorlardı. Yiyecek ve cephane sorunu vardı. Bu iki sorunun da çok çabuk giderilmesi gerekmekteydi.[126]

15. Tümen toplanıp yerleşmeden, bu sorunlar çözülmeden taarruz edileceği hiçbir Türk komutanın aklından geçmiyordu.

Albay von Sodenstern, bu sorunları önemsemedi. Liman Paşa taarruz edilmesini emretmişti. Öyleyse taarruz edilecekti. Sabah

bir emir yayımlayarak gece (3/4 Mayıs) bir daha taarruz edilece
ğini bildirdi.

Emir ön siperlerdekilerin içini ürpertti:

"Oof!"

Çünkü mevziler arasındaki alan iki yanın ağır yaralı ve ölüle-
riyle doluydu. Bunları çiğneyerek mi taarruz edeceklerdi?

BU ACI SORUNU Kızılhaç bayrağı ile siperlerin önüne çıkan
birkaç girişken Fransız sağlıkçı çözdü. Yaralı ve ölülerini toplamak
için Türklerden izin istediler.

Çabuk anlaştılar.

İki yan da ölülerini dinlerince gömdüler. Ağır yaralılar gerile-
re taşındı. Türk-İngiliz mevzileri arasındaki ölüler ve yaralılar da
aynı yöntemle toplandı.[127]

Oyun yeri yeni bir kanlı oyun için temizlenip hazırlanmış
oldu.

M. KEMAL İzzettin Bey'in verdiği kayıp çizelgesine bakıyor-
du. Gözleri dolmuştu.

25 Nisandan bu yana, 9 günde Arıburnu'nda verilen kayıp
on bin kişiyi geçmişti. 5. Ordu Komutanı Liman von Sanders, çı-
karmaya karşı alınan düzeni tersine çevirerek düşmanın karaya
çıkmasına fırsat vermişti; elindeki birlikleri zamanında yollama-
yarak, yerleşmesine imkân tanımıştı.

Türkler bu iki yanlışı temizlemek için 25 Nisandan beri can-
larını sebil ediyorlardı.

On bin subay, astsubay ve usta er...

Bu bir tümen demekti. Seddülbahir'de de bir bu kadar kayıp
vardı herhalde.[127a] Kısacası iki tümen yok olmuş, düşman, donan-
ması, sayısal üstünlüğü ve Liman Paşa'nın yöntemi ve tutumu sa-
yesinde iki kıyıda da tutunabilmişti.

Liman Paşa'nın, Seddülbahir cephesine yeni bir taarruz emri
verdiğini duymuştu. Cephedeki birliklerin ne halde olduklarını
kolayca kestirebiliyordu. Anlaşılan Liman Paşa yine yanlışını gi-
dermek için binleri feda edecekti.

Almanlara körükörüne güvenen Enver Paşa'yı uyarmak görev olmuştu. Durumu özetleyen saygılı bir mektup yazdı. Mektubu özet olarak şöyle bitirdi:

"Vatanımızın savunmasında kalp ve vicdanları bizim kadar çırpınmayacağına şüphe olmayan, başta Liman von Sanders olmak üzere Almanların düşüncelerinin üstünlüğüne güvenmemenizi kesin olarak rica ederim. Buraya gelerek, genel durumun gereklerine göre savaşı sizin sevk ve idare etmeniz uygun olur kardeşim." [128]

Mektubu zarflayıp kapadı, güvenilir bir adamla hemen İstanbul'a yollaması için İzzettin Bey'e verdi.

BU GECEKİ taarruza katılma emrini alan 15. Tümen Komutanı saat 17.00'de Bölge Komutanlığı karargâhına geldi. Karargâh, bir tepenin eteğinde küçük bir eski cephanelikti. Komutan tümeninin ancak saat 21.00'de cephe gerisine yanaşabileceğini bildirdi.

Almanlar bir sakınca görmediler. Taarruz bundan iki saat sonra, saat 23.00'te başlayacaktı. Komutana harita üzerinde savaş düzenini ve görevi anlattılar:

"Tümeniniz cephenin doğu kesiminde yer alacak, Fransız cephesini yararak ilk aşamada Morto Koyu sırtlarını ele geçirecek, bu kesimde bulunan Fransızları yok edecek, sonra batıya, İngiliz kesimine dönecek, batıya ilerleyerek İngilizleri de son erine kadar temizleyecek." [129]

İki kurmay albay ile bir kurmay binbaşının, üç Almanın kafa kafaya vererek yaptıkları plan buydu. 8.000 kişilik 15. Tümenden, Seddülbahir'e çıkmış ve yerleşmiş bütün düşmanı yok etmesi isteniyordu.

Bu hayalci, hesapsız plan Yüzbaşı Mehmet Nihat'ın kanını dondurdu.

15. Tümen Komutanı Albay, nazik biriydi. Tartışma açmadı. İtiraz etmedi. Düşmanın gücünü sormadı. Belki Almanlara güvendi, belki telaştan söylenenleri iyi anlamadı. "Hay hay, tamam, olur" gibi yanıtlar vererek, tümeninin zamanında gelmesini sağlamak için karargâhtan ayrıldı.

Yüzbaşı Mehmet Nihat, tümeni olası bir felaketten kurtarmak ümidiyle Albay von Sodenstern'i uyarmaya çalıştı, tümenin dinlendirilmesi ve bir gece taarruzunun gerektirdiği ön hazırlıkların yapılması için taarruzun hiç olmazsa bir gün sonraya ertelenmesini önerdi ama susturdular:

"Düşmana daha fazla vakit kazandırmak doğru değil. Bu gece taarruz edilecek!"[130]

Saat 19.00'da Bölge Komutanı kesin taarruz emrini verdi. Taarruz gece 23.00'te başlayacaktı.

Bunca soruna, yoksunluğa karşı taarruzda ısrar edilmesi birliklerde tepki uyandırdı. Henüz son iki günün yaraları sarılamamıştı. Liman Paşa'ya ve Üçlüye küfrü bastılar. Biri sordu:

"Beyler, Enver Paşa'nın acımadığı Türk'e Alman niye acısın?"

Kimse verecek yanıt bulamadı. Herkes Sarıkamış faciasını biliyordu.

Ellerinden geleni yapmak üzere homurdana homurdana son hazırlıklara koyuldular. Ayrıntılı emir geç geldiği için ileri birliklere daha da geç saatte ulaştırılabildi. İlk çizgideki birliklere ancak sözlü, kısa emirler verilebildi.

15. Tümen beklenen saatte cephe gerisine yetişemedi. Daha yoldaydı. Gece karanlığında, bilmediği, inişli çıkışlı, uzun, dar bir yoldan geliyordu. Birlikler sıkışmış, düzen bozulmuş, yürüyüş kolu iyice uzamıştı.

Albay von Sodenstern, 15. Tümenin beklenmemesini, saat 23.00'te taarruzun başlatılmasını emretti. Tümenin birlikleri geldikçe savaşa katılırlardı.

7. Tümen Kurmay Başkanı Kurmay Binbaşı Şükrü Naili (Gökberk) çok sinirlendi:

"Böyle parça parça, taksit taksit taarruz olur mu? Eğer bunlar kurmaysa ben de Galata Kulesiyim!"

Batı kesimde 9. Tümen, doğu kesimde 7. Tümen, kırık dökük birlikleri ile taarruza geçtiler.

Batıda 9. Tümen birlikleri uyanık ve dört kat kalabalık İngiliz savunmasına çattı.

Gündüz filonun ateşinden kaçınan Türkler gece olunca canlanıyorlardı. Geceler Türklerindi. Hiçbir şey yapmasalar bile küçük hücumlarla düşman cephesini didikliyor, uğraştırıyorlardı. Bunu bilen İngilizler geceleri büyük bir tedirginlik içinde hazırlıklı bekliyor, en ufak bir kıpırtıda binlerce fişek yakıyor, ışıldaklar arazinin her metresini tarıyordu.

Bugün de öyle oldu.

Arazi aydınlattılar. Deniz ve kara toplarını, makinelileri ve piyade tüfeklerini ateşlediler.

9. Tümen birliklerinin özverisine rağmen İngiliz savunması yırtılamadı.

Halil Sami Bey taarruzu saat 02.00'de durdurdu. Birlikler çıkış çizgilerine çekildiler. Yine çok kayıp verilmiş, mevziler arasındaki arazi şehitler ve ağır yaralılarla dolmuştu. Taburlar ufalmış, tabur olmaktan çıkmıştı. Çoğu subaysız kalmıştı. 26. Alay Komutanı Yarbay Kadri Bey birliklerin durumunu anlattıktan sonra savaş raporunu şöyle bitirdi:

"..gece taarruzu gibi zor bir görevin bundan böyle yapılması mümkün değildir."[131]

Doğu kesiminde de birlikler saat 23.00'te taarruza geçtiler. Önceki savaşlardan dolayı bu kesimdeki bütün birlikler de sorunluydu. Subay azlığı büyük dertti. İlerdeki takımlar birlik çavuşlarının elindeydi.

Fransız Tümeni Türklerden 3 kat kalabalıktı. Filonun topları ile karaya çıkarılmış 33 top ateş yağdırmaya, makineli tüfekler çatırdamaya başladı.

Savaş heyecanı yorgun, zayıf birlikleri canlandırdı. Bazı noktalarda düşman siperlerine girmeyi başardılar. Ama gedik açılamadı, cephe yarılamadı.

7. Tümen topçu birliğinden iki batarya cepheye yaklaşarak piyadelere yardımcı olmak için yola çıktı. 1. Batarya Komutanı Teğmen Sırrı bataryasının önünde gidiyordu. Arkasında seyisi ile Emir Çavuşu Sait Çavuş vardı. Savaş uğultusu gittikçe yaklaşıyordu. Başlarının üzerinden vızıldayarak şarapnel parçaları, makineli tüfek mermileri geçmeye başladı. Can sıkıcı bir şey oldu. Sait Çavuş'un atı huysuzlandı. Çavuş atına sahip olamıyor, dar yolda ikide bir Teğmenin önüne geçiyordu.

Bu durum Teğmeni sinirlendirdi. Çavuşu payladı. Ama bataryanın yerleşeceği güvenli yere kadar Çavuş atını dizginlemeyi başaramadı.

Durdular.

Atlardan inerken Sait Çavuş'un yaralı olduğu anlaşıldı. Bir makineli tüfek mermisi dizini parçalamış, çizmesi kanla dolmuştu. Sedye ile geri giderken, meraklı sağlıkçılara nasıl vurulduğunu anlattı:

"Ateş hattına girdikti. Korumak için atım huysuzlanmış gibi ikide bir Teğmenimin önüne geçiyordum. Kurşunu ben yedim, Allah'a şükür Teğmenim kurtuldu. Şimdi topları gürletir."[131a]

Askerin komutanına canını siper etmesi dinleyenler için o kadar doğal bir şeydi ki 'aferin Çavuş' demek akıllarına bile gelmedi.

Savaş sürerken 15. Tümenin öncüsü 9 saatlik molasız bir yürüyüşten sonra terden sırılsıklam bir halde cepheye yaklaştı. Günün aydınlanmasına 4 saat kalmıştı. 15. Tümen bu süre içinde, hiç bilmediği araziye dalacak, verilen göreve göre Fransızları yok edecek, batıya dönüp İngilizleri temizleyecekti!

Saat 01.00'e geliyordu.

Alman Komutan kalan süre içinde görevin yerine getirilemeyeceğini hesaplayarak taarruzu durdurabilir ya da tümene daha akla yakın, gerçekleştirilebilir bir görev verebilirdi. Böyle bir şeyi gerekli görmedi.

Geç kalındığı için tümende telaş rüzgârı esiyordu:

"Haydi, çabuk, çabuk, çabuk!"

Karanlık içinde gölgeler yürüyor, duruyor, diziliyor, bağırışlar, komutlar, düdükler birbirine karışıyordu. Komutan, öncüyü taarruza kaldırdı.

İlk adımda büyük bir aksilik yaşandı:

Karanlık ve 15. Tümen birliğinin araziyi bilmemesi yüzünden 7. Tümenin birlikleri ile 15. Tümenin birliği birbirlerini düşman sanarak çatıştılar. Hayli kayıp verildi. Bu karışıklık zorlukla bastırıldı.

Taarruza devam edildi.

Gün doğmadan emrin gereğini yerine getirmek için 15. Tümenin yoldan gelen her birliği acele savaşa sürülecekti.

15. Tümen yorgundu ama savaş geliştikçe askerin coşkusu arttı. İlk alay durum elverir vermez süngü hücumuna kalktı. Fransız cephesini yardılar, cephe gerisini ortadan yırtarak Morto

Koyu'nun kıyısına kadar indiler. Rastladıkları ikmal birimlerini, cephe gerisindeki yardımcı birlikleri basıp dağıttılar.

Bir birlik de Fransızların Sömürge Alayını çökertmiş, Seddülbahir köyünün kuzeyine kadar kovalamıştı.

Bu kesimin düşmandan temizlenmesi için öncelikle Eski Hisarlık'ın ele geçirilmesi gerekiyordu. Burası çok iyi berkitilmiş, birçok makineli tüfekle donatılmıştı. Çok uğraştılar. Fakat makineli tüfekleri yenemediler. Filo da ışıldaklarıyla çevreyi gündüze çevirdi ve açıktaki Türkleri kırmaya başladı.[132]

Güneş doğuyordu.

Ne pahasına olursa olsun taarruza devam mı edilmeliydi, yoksa geç kalındığı için geri mi çekilmeliydi? Tümen Komutanlığıyla bağlantıları kopmuştu. Ne yapmaları gerektiğini kestiremediler. Hiç bilmedikleri bir arazide, kararsız ve dağınık kalmışlardı.

Filo görerek ateşe başladı, bütün araziyi ateşe boğdu. Askerin bir bölümü dere yataklarına, hendeklere sığındı.

Filo hızla saklanamayanları affetmeyecekti.

Bir gün daha beklenilse, tümen cephedeki yerine topluca yerleşebilse, dinlense, gece savaşlarına özgü incelikleri dikkate alan ayrıntılı bir hazırlık yapılsa, savaşa topluca katılabilse, bu felakete uğranılmazdı.

Sağ kalabilenler eriye eriye geri çekildiler.

8.000 kişilik 15. Tümenin toplam kaybı 4.000 kişiydi.[133]

Yepyeni tümenin yarısı plansızlığa, hayale, aceleye ve telaşa kurban gitmişti. Tümeni, eksiklerini tamamlayarak yeniden örgütlemek mümkün görülmedi. Sağ kalanlar başka birliklere dağıtılarak tümenin varlığına son verildi.[133a]

Seddülbahir cephesinin bu geceki kaybı 5.000'den fazlaydı.[134]

15. TÜMENİN yarı yarıya erimiş olması Türk cephesinde büyük üzüntüye yol açtı. Vurucu bir tümen, yanlış kullanılarak elden çıkmıştı. Albay von Sodenstern'in dört günlük komutanlığı güney cephesinde 11.000'den fazla Türk'e mal olmuştu.

Cephedekilerin öfkesi önce kolordu, oradan da ordu karargâhına yansıdı. Üçlü de bunun farkındaydı. Yalnız Yüzbaşı Mehmet Nihat'ın lanetleyen bakışları Türklerin ne düşündüğünü anlatmaya yeterdi!

Liman Paşa bu beceriksiz Albayı görevden almanın şart olduğunu anlamıştı. Albay Kannengiesser de ordu karargâhına koşarak alması tavsiyesinde bulundu.[134a] Liman Paşa Almanlığı küçük düşürmeyecek bir neden arıyordu. Albay von Sodenstern'in attan düşerek dizini sakatlaması iyi bir neden oldu. Albayı sanki savaşta yaralanmış gibi yücelterek İstanbul'a yolladı.[135]

Binbaşı Mühlmann'ı yine yanına aldı.

Güney Bölgesi Komutanlığına, karargâhıyla birlikte, Asya yakasındaki 15. Kolordu Komutanı Weber Paşa'yı getirdi. Albay Kannengiesser bir süre da danışman olarak Weber Paşa'nın karargâhında kalacaktır.

Liman Paşa tepkileri, sonuçları, kayıpları dikkate alarak anlamsız taarruzlara son verilmesini güçlükle de olsa kabul etti. Bu gerekliliği Enver Paşa'ya nasıl anlatacaktı? Kendi yazmaya çekindi. Enver Paşa'nın sınıf arkadaşı olduğunu bildiği Kurmay Başkanı Kâzım Bey'i öne sürdü.

KÂZIM BEY Liman Paşa'nın önerisini hemen benimsedi. Enver Paşa'yı anlıyor ama duruma da çok üzülüyordu. Özetle dedi ki:

"Gece yine her zamanki gibi Seddülbahir'e bir hücum yapıldı. Fakat bu bölgenin düşmandan tamamen temizlenmesi yine mümkün olmadı. Rica ederim dokuz günden beri arka arkaya yapılan hücumlara artık bir son verilsin. Şehit ve yaralı sayımız 15.000'i aşmıştır. Taarruz ediyor ve eriyoruz. Düşman bize taarruz etsin ve o zayıf düşsün. Ordunun bir süre savunmada kalmasını, dinlenmesini ve kendine çekidüzen vermesini emretmenizi diliyorum."

Enver Paşa taarruzlara ara verilmesini kabul etmedi. Yeni tümenler yollayacağını bildirdi. Çanakkale Savaşı'nın bir an önce bitmesi için taarruza devam edilecekti.[136]

4 MAYIS günü çok hareketli geçti.

Alaylar siperleri berkitmeye başladı. Karışmış birlikler ayıklanacaktı.

Sargı yerleri, cephe hastaneleri yaralılarla dolmuştu. Türk doktorların yanısıra Rum, Ermeni ve Yahudi doktorlar da vardı. Günlerdir hiçbir doktor uyumaya fırsat bulamamıştı.

Kayıpların yerini doldurmak için yollanan ilk ikmal kafilesi de bugün Akbaş'a geldi. Bunlar yarım eğitim görmüş yeni askerlerdi. Eğitimleri ya geceleri cephe gerisinde, ya da siperlerde tamamlanarak Çanakkale askeri yapılacaklardı. Gündüz filo tek askere bile ateş edecek kadar sinirli ve savurgandı.

Kum torbaları da gelmiş ve bugün birliklere dağıtılmıştı.

Bir cümbüştür başladı.

Asker bugüne kadar birçok süngü savaşı yapmış, boğuşmuş, üniformalar kanlanmış, kirlenmiş, yırtılmış, parçalanmış, çok boğuşanlarınki paçavraya dönmüştü. Postallarının altı açılmıştı. Devletin askere ikinci bir üniforma, yeni bir postal verecek gücü yoktu. Ancak bazı yırtıklar dikiliyor, dal parçasından düğme uyduruluyor, asker boğuşmanın izlerini, etkilerin taşıyan döküntü üniformalarla, altı erimiş, uçları timsah ağzı gibi açılmış postallarla geziyordu.

Askerler çuval bezinden, amerikandan yapılma kum torbalarının bir kısmını kapışıp bölüştüler, kesip biçerek üniformalarını yamadılar, kabalaklarını (başlıklarını) onardılar. Postallarının altı açılmış, kalmamış olanlar torbaları şerit gibi doğrayıp postallarına doladılar.

Ordu yenilenmiş gibi oldu. Askere sırma kuşanmış, rugan çizme giymiş gibi bir çalım geldi.

27. Alay Komutanı Yarbay Şefik Bey'in gözleri yaşardı. İyileşip birliğe dönmüş olan Yüzbaşı Halis Bey'e, "Şu askerin iç temizliğine, tok gözlülüğüne, yüce gönüllüğüne, devletine gösterdiği anlayışa bak.." dedi, "..Türk'ü de böyle, Kürdü, Zazası, Çerkezi, Arabı, Tatarı, Sünnisi, Alevisi de böyle. Anadolu toprağının sırrı bu. Kimi kan, kimi can kardeşi. Birbirlerine çekmişler."

Bugün Midilli gemisinden sökülen 12 makineli tüfek de, Deniz Yüzbaşı Bolz komutasındaki Alman mürettebatla birlikte geldi. Dördü kuzey cephesine gönderildi, sekizi güneydeki 26. Alay komutanı Yarbay Kadri Bey'in emrine verildi.[137]

Kadri Bey çok sevindi:

"Oh be! Yaşadık!"

BUGÜN gönüllü hemşirelerden Rabia Ferit Hanım'ın izin gü-
nüydü.[138] Eşinin uzak akrabası Hayriye Hanım kızıyla birlikte uğ-
radı. Rabia Hanım'ın gönüllü hemşire olduğunu, bunun için kursa
gittiğini, Galatasaray Lisesi'nde açılan hastanede hemşirelik yap-
tığını, peçesiz çalıştıklarını duymuş, telaşlanmıştı. Doğru olup ol-
madığını öğrenmek için gelmişti.

Gönüllü hemşirelerden bir grup

Rabia Hanım bu gelişimi, küçük çığlıklar, gülüşler ile süsleye-
rek, mutluluk içinde anlattı. Ona göre bu olay kadınlığın önündeki
kara duvarda açılan büyük bir gedik, bu nedenle de olağanüstü bir
zaferdi.

Hayriye Hanım için ev dışındaki her şey, herkes, her iş tehli-
keliydi, sakıncalıydı. Kadının vatanı eviydi, o kadar. Bu şaşkın, ga-
fil kadınlar neler yapıyorlardı böyle? Elleri de sesi de titriyordu:

"Hastalara eliniz değiyor mu? Yabancı erkeklere dokunuyor
musunuz?"

"Aa, evet. Mesela dün iki ayağından da yaralı bir gazi getirdi-
ler. Ameliyattan önce zavallının ayaklarını yıkadım."

Hayriye Hanım mosmor oldu. Sesi gittikçe yükselerek, alın
damarları kabararak, 'boyunca günaha batmış olduğunu, bunla-
rı yaparak ahretini yaktığını, bu hallerin gâvurluğa özenmek ol-

duğunu' anlattı, 'sapkınlıktan hemen caymasını'
istedi. Kızı da gözlerini
kocaman kocaman açmış,
başını sallayarak annesini
onaylıyordu.
Rabia Hanım sinirlenmedi. İki çocuklu, okur
yazar, mutlu, olgun bir İstanbul hanımefendisiydi.
Birkaç komşusu da buna
benzer sözler söyleyip
uyarılarda bulunmuştu.
Yumuşak bir sesle,
"Teşekkür ederim.." dedi,
"..ama ablacığım biz sizin
gibi düşünmüyoruz. Bu
insanlar biz burada şerefimizle, namusumuzla ya
şayabilelim diye savaşıyor,
şehit oluyor, yaralanıyor,
yanıyor, sakat kalıyorlar.

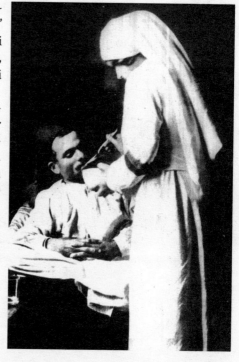

Bizim de bir şeyler yapmamız gerek. Cansız, akılsız, vicdansız,
bilinçsiz bez bebek miyiz biz? Böyle zor günlerde her insana büyük-küçük görevler düşer. Bir kadının böyle bir zamanda evine
gömülmesi ayıp olmaz mı? Benim payıma bu görev düştü. Yaptığım günah değil. Şunu da söyleyeyim. Eğer bu hizmet günahsa,
biz bunun sonucuna razıyız. Devletin, milletin kurtuluşunun, şeref ve başarısının, kişisel kurtuluştan daha önemli, daha gerekli,
daha hayırlı olduğuna inanıyoruz. Müslümanlık, sizin anladığınız
gibi, sırf kişisel kurtuluş, yani bencillik dini değildir. Bir din böyle olamaz zaten. Müslüman sırf kendini, ahretini düşünen, başka
hiçbir şeye, hiç kimseye, devlete, millete, vatana önem vermeyen,
bencil biri olamaz. Bencillik insanın kendine tapınmasıdır ki en
büyük günahtır."
Hayriye Hanım bu güzel sözleri anlayacak biri değildi. İtiraza
yeltenince Rabia Hanım gülümseyerek sözünü kesti:

"Yemeğe kalırsınız değil mi? Tatar böreği yaptırayım mı, ister misiniz?"

BOĞAZ kıyısındaki Türk birliklerine zarar veren Goliath'a karşılık İntepe topçuları da Seddülbahir'in Boğaz kıyısındaki Fransız bölgesini ateş altına alarak Fransızları korkutmaktaydı. İntepe'nin ateşi başlayınca iki kıyıdaki Türklerden sevinç haykırışları yükselirdi:

"Yaşaaa İntepe!"

İntepe topları, düşmanın deniz ve kara toplarının ateşi altında kavrulan askerler için büyük tesselliydi. Tükenmez Türk direncinin simgesi gibiydiler. Bitti sanıldığı anda gürlüyorlardı.

Fransızlar İntepe topçularından çok şikâyetçiydiler. Çünkü en beklenmedik zamanda en zarar verici noktayı buluyorlardı. Bu yüzden Fransız ve İngiliz savaş gemileri İntepe bataryalarını susturmak için sık sık İntepe'yi ağır ateş altına alıyor, Fransızları sinir eden topları susturmaya çalışıyorlardı. Uçaklar İntepe'nin üzerinde daireler çevirerek durumu gözleyip gemileri bilgilendiriyorlardı.

Her ağır bombardımandan sonra askerlerin yürekleri ağzına geliyordu. İntepe toplarının uzun zaman sessiz kalması, askerleri korkutuyordu. Toplara bir şey oldu mu acaba? Topçular iyiler mi? Sağdan soldan, duaya benzer, kırık sesler yükseliyordu:

"İntepe, gözünü seveyim susma!"

"Allah aşkına konuş!"

Askerciklerin bilmedikleri şuydu: Düşmanın bataryaları bulup da susturması imkânsızdı. Çünkü İntepe'de bir gerçek toplar vardı, bir de sahteleri. Düşmanın ateş edeceği anlaşılınca, gerçek toplar güvenli yerlere çekiliyordu. Uçaklar sahte topları görüyor, onlar vurulunca gemilere 'tam isabet' diye işaret veriyorlar, gemi topçuları da başarılarıyla övünüyorlardı. Ateş kesilince gerçek topların yerlerine yerleştirilmesi zaman almaktaydı. İntepe'nin susması bundandı. Mermisi de sayılıydı. Çok hesaplı kullanması gerekiyordu.

Bugün de Boğaz ağzına giren Fransız IV. Henri zırhlısı ağır toplarıyla İntepe'yi bir saat ateş altına almış, İntepe susmuştu. Asker yine kaygılandı. Bu kaygı yüzünden yamayarak yenilediği giysilerin tadını, keyfini çıkaramaz oldu. Hepsinin aklı İntepe'de kalmıştı.

İntepe bu kez çok bekletmedi. Toplarını konuşturmaya başladı. Kıyılardaki birliklerde kıyamet koptu:

"Yaşaaa İntepeeee!"

"Var olun aslanlar!"

"Allah'a çok şükür!"

İntepe'nin işini bitirdiğini sanarak Boğaz'dan ayrılmakta olan IV. Henri'nin yakınlarına mermiler düşmeye başladı. Suda fıskıyeler belirdi. Arka arkaya yediği sekiz obüs mermisi zırhlının canına okudu. Birkaç kişi öldü. Kaptan yaralandı. Mondros'a kadar hızını kesmeden kaçarak onarıma girecek, uzunca bir zaman ortalıkta görünmeyecekti.

İntepe topları zırhlıdan sonra da Seddülbahir kesimini dövmeye başlayarak bir cephaneliği uçurdular. General d'Amade'ın morali daha da bozuldu. Fransız tümeni son üç gün içinde çok kayıp vermişti. General takviye beklerken General Hamilton'dan sinirlerini geren bir emir aldı: Yeni bir taarruz için hazır olunmasını emrediyordu.

Lord Kitchener de, Enver Paşa'nın Liman Paşa'yı zorlaması gibi, durmadan taarruz edip Boğaz'ı açsın diye General Hamilton'u zorlamaktaydı.[139]

BARBAROS zırhlısının aşırtma atışla Arıburnu Koyu'nu ateş altına alması ve panik yaratması donanmayı düşündürmüştü. Bu kadar isabetli atış için buralarda bir yerde gemiye yön ve mesafe bildiren gözetleme yerleri olmalıydı.

Önce kuzeyde, Lalababa Tepesi'ne baskın verdiler.

Sonra Kabatepe'ye baskın verilmesi kararlaştırıldı. Hazırlığı Kolordu Komutanı General Birdwood yaptı. Bunun için 3 subay ve 110 seçme Anzak askerinden bir baskın müfrezesi kurdu.

Lalababa baskını Türkleri uyarmıştı. Kabatepe'de gerçekten Barbaros zırhlısına bilgi ulaştıran bir gözetleme yeri vardı. Kabatepe'yi koruyan birliğe bir baskına karşı çok dikkatli olması bildirildi.

Müfreze bir muhribin çektiği dört filika ile gece ay batınca, 03.30'da hareket etti. Kabatepe'nin kuzeyindeki kumsala çıkacak ve gözetleme yerini arayıp bulmaya, bulursa uçurmaya çalışacaktı. Bunları 2 kruvazör ile 3 muhrip izliyordu. Savaş gemileri uygun bir uzaklıkta durarak, Kabatepe ve kuzeyini şiddetli ateş altına aldılar. Kumsala 500 metre kala filikalar muhripten ayrıldı.

Türk gözcülerin bu hareketi saptaması için yıldız ışığı yetmişti. Bombardımanın bitmesini beklemeden sığınaklardan çıkarak kıyıdaki derin siperlere geçtiler. Tüfeklerini kurdular ve beklediler.

Filikalar sessizce kumsala yaklaşıyordu.

Deniz kıpır kıpırdı.

Nefesler tutuldu.

Filikaların kumsala baştankara etmesine 50 metre kala, fişek patlar gibi bir komut duyuldu:

"Ateeeş!"

Yüzlerce tüfek patladı. Müfreze daha karaya ayak basmadan 2 subayı ile 12 askerini yitirdi. Filikalardan inerek ateş yağmuru altında kaçıştılar. Vurulanlar kumsala düşüp kaldı. Sağlamlar bir tepeciğin arkasına sığındılar ve ateş savaşına giriştiler.

Baskın baskın olmaktan çıkmıştı. Filikaları çeken muhribe işaret vererek yaralıların alınmasını istediler. Muhrip yaklaşarak ışıldağı ile kumsalı aydınlatıp durumu gözden geçindi. Kumsal yaralı doluydu.

Gemiden bir motor indirilip yollandı. Motor kıyıya yanaştı. Türkler motorun niye geldiğini anlamadıkları için ateş ediyorlardı. Kolları Kızılhaç işaretli sağlıkçılar kumsala çıktılar. Ellerinde sedyeler vardı.

Bunu görünce ateşi kestiler.

Sağlıkçılar Türklerin Ertuğrul Koyu'nda da yaralıların toplanmasına izin verdiklerini duymuşlardı. Türklerin anlayışına güvenerek ölüleri ve yaralıları motora taşımaya başladılar. Son yaralıyı da taşıdıktan sonra sağlıkçıların şefi, karanlığa saygıyla selam vererek görmediği Türklere teşekkür etti.

Kalanlar savaş gemilerinin koruyucu ateşi altında, yollanan iki filika ile Kabatepe'den ayrılarak canlarını kurtardılar.

İyi korunduğu anlaşılan Kabatepe'ye bir daha hücum edilmedi.[140]

YARBAY KADRİ BEY'İN sevinci kursağında kalmış, geldiği için o kadar sevindiği makineli tüfek birliği büyük sorun olmuştu.

Bunların kahvaltıları, yemekleri, istekleri çok farklıydı. Türkler sabah kara mercimek çorbası içerken bunlar Almanya'dan yollanmış kahvaltı paketlerini açıp yiyor, ayrıca taze yumurta ve kahve istiyorlardı. Öğle ve akşam yemekleri de Türklere oranla düğün yemeği gibiydi. Müfrezenin komutanı ile yardımcılarına yemek sırasında hizmet eden Türk erleri yüzünden bu farklılığı bütün birlik öğrenmişti.

Kadri Bey kendi adına, devleti adına ve Almanlar adına Mehmetlerden utandı.

8 makineli tüfek hatırına bu onur kırıcı, adaletsiz, aşağılayıcı duruma katlanılamazdı. Tümen Komutanından 'bu Alman müfrezesini geri almasını' istedi.[141]

Ama geç kalmıştı.

Bu değişim yapılamadan savaş başlayacaktı.

6 MAYIS 1915 Perşembe sabahı üç gün sürecek olan **İkinci Kirte Savaşı** başladı.

General Hamilton bu savaş için Seddülbahir'deki İngiliz birliğini üç tugay (yaklaşık bir tümen) ile desteklemiş, Birleşik Ordu'nun gücü 25.000 savaşçıya yükselmişti. Taarruzu 400 deniz, 110 kara topu, 300'den fazla makineli tüfek destekleyecekti. Hedef kuşku yok yine Alçı Tepe'ydi. Bir türlü yaklaşmayı bile başaramadıkları gösterişsiz, alçakgönüllü, sakin tepe.

Buna karşılık 3/4 Mayıs gecesi vurgun yemiş olan Türk cephesi daha kendine gelebilmiş değildi. Ne takviye alabilmiş, ne subay eksikliğini giderebilmişti. Birçok takım, çavuşların komutası altındaydı. Savaşçı sayısı 10.000 kadardı. Cephede 24 makineli tüfek ve 40 top vardı sadece.[142] Tek gelişme makineli tüfek yuvaları ile kritik yerlerin kum torbalarıyla koruma altına alınmış olmasıydı.[142a]

Düşmandaki hareketlilik taarruza geçeceklerini düşündürüyordu. Bu düşünce, o yorgun, uykusuz, silahı noksan, mermisi sayılı, yemeği yetersiz cepheye can verdi.

Birbirleriyle helalleşip yeni bir savaşa hazır oldular.

Saat 11.00'e doğru korkunç bir gürültü koptu. Deniz ve kara topları üç yandan ateş yağdırmaya başladı. Ateş yarım saat sonra gerilere kayınca, düşman birlikleri ilerlemeye koyuldular.

Bu kez Türk topları canlandı. İyi planlanmış bir ateş düzeniyle siperler arası arazide ilerlemeye çalışan düşman birliklerini vurdukça, siperlerden övgüler yükseliyordu:

"Yaşa bre koca topçu!"

"Çok yaşaaa!"

Düşmanın planı doğudan ve batıdan ilerleyip Alçı Tepe'yi kuşatmak ve düşürmekti. Bu amaçla ilerleyen düşman birlikleri

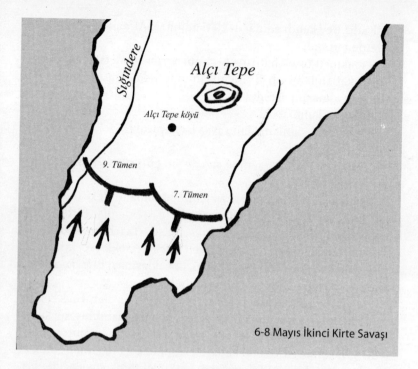

Alçı Tepe

Sığındere

Alçı Tepe köyü

9. Tümen

7. Tümen

6-8 Mayıs İkinci Kirte Savaşı

önce, cephe ilerisindeki Türk güvenlik birlikleriyle karşılaştılar. Çavuşların emrindeki bu küçük birlikler düşman ilerleyişini zorlaştırmakla görevliydiler. Bunlar zorlaştırmakla kalmadılar, ciddi savaşa tutuşup düşmanı durdurdular!

Cephenin orta kesiminde bulunan iki Türk takımı, 180 kişi, 3-4 İngiliz taburuna, yaklaşık 4-5.000 kişiye göz açtırmadı, bir adım ilerlemesine izin vermedi.

Olacak şey miydi bu?

Çanakkale'de olurdu.[143]

Batı kesiminde İngiliz birlikleri bu küçük ileri birlikleri geçip de asıl Türk mevzilerine yanaşamadı bile. Fransızlar biraz daha etkindiler ama onlar da ileri gidemeyince geri çekildiler. Taarruz durdu.

Gece iki yan da dinlenip yara sardı.

Birleşik Ordu 7 ve 8 Mayıs günleri bütün gücüyle ve büyük bir hırsla yeniden taarruz etti. Ama yine bir sonuç alamadı.[143a]

Tarih bu savaşı yazarken Türk cephesinden hiçbir kahramanın adını vermedi.

Çünkü kahraman olmayan yoktu.

İkinci Kirte Savaşı tarihe bu büyük niteliğiyle geçti.[144]

Buna karşılık çok düşündürücü bir olay yaşandı: O gösterişli Alman makineli tüfek müfrezesinden çoğu, savaş sertleşince tüfekleri bırakıp cepheden kaçmış, geride birkaç kişi kalmıştı.[145]

Kadri Bey bu kez de sevindi:

"Oh be! Kurtulduk!"

GENERAL HAMILTON bu savaşla ilgili raporuna şu cümleyle başlamıştı:

"Hedefime varamadım. Taarruz başarısızlıkla sonuçlanmıştır."[145a]

Lord Kitchener sonucu yumuşatarak ilgililere bildirdi. Kayıplar konuşulmuyordu.

Çanakkale'de işler iyi gitmemişti. Önce Donanma yenilmişti. Şimdi de kara ordusu bocalıyordu. Bu son olumsuz sonuç Londra'da durumu az çok bilen politik ve askeri çevreleri çok rahatsız etti. Amiral Fisher öfke ve acıyla bağırdı:

"Kahrolsun bu Çanakkale. Hepimizin mezarı olacak."[146]

Çanakkale macerasını başlatan Churchill bu aşamada susmak akıllılığını gösterdi. Şöyle düşünüyordu: Türklerin İngiltere ve Fransa gibi dünyaya egemen iki zengin devletin ortak ordusuna uzun süre direnebilmesi doğa yasalarına aykırıydı. Bunlar ilk günlere özgü direnç gösterileriydi. Savaş Hazirana kalmadan sona ererdi.

Başbakan Savaş Kurulunu 14 Mayıs günü toplantıya çağırdı.

WEBER PAŞA'NIN bütün karargâhı Anadolu yakasından Seddülbahir'e geçmiş, son kafile ile Kurmay Başkanı Yarbay von Thauvenay da gelmişti. Görür görmez Yüzbaşı Mehmet Nihat'a şöyle dedi:

"Hayret! Seninkiler bu kez de dayanmışlar. Ama ümitlenmemeni tavsiye ederim, gelecek savaşta paydos derler. Fransızlarla, İngilizlerle biz bile zor başa çıkıyoruz."

Türklerin paydos demesini önlemek, hiç olmazsa geciktirmek için cepheyi Alçı Tepe'nin eteğine kadar geri çekmek gerektiğini söyledi.[147]

Bu akla ziyan ve askerlik sanatına aykırı öneri reddedildi. Ama bu gibi kalın kafalılıklara devam edecek, huzur kaçıracaktı. Karargâhta görevli bir Türk subayı arkadaşlarına dedi ki:

"Bir ağaçkakan bir gün bu zavallının tahta kafasını gagalaya gagalaya delerse şaşırmayın."

Kahkahalar yükseldi. Kaç zamandır Türk subayların güldüğü görülüp duyulmamıştı. Bu candan kahkahalar Almanları şaşırttı. Israr ettiler ama nedenini öğrenemediler.

ARIBURNU'NDA iki yan da mevzilerine çekilmişti. Bir yandan toprağa gömüldükçe gömülüyor, bir yandan da her uygun yerde ve fırsatta birbirleriyle çatışmayı, çekişmeyi, boğuşmayı sürdürüyorlardı.

Bombasırtı en duyarlı yerlerden biriydi. Burası iki yanın mevzilerinin düğümlendiği noktaydı. Her ikisi için de çok önemliydi. Bırakılamaz bir yerdi. Elinde tuttuğu yeri karşı yana bırakan, cephesini büyük tehlikelere açmış olurdu.

Burada birbirine çok yakın iki siper vardı. Bu iki siper arasında bütün gün, karşı siperi ele geçirmek amacıyla ya baskına girişilmekte, ya el bombası düellosu yapılmaktaydı.

Bitmez bir boğuşma vardı.

Türkler ya da Anzaklar, bombaları patlamadan yakalayıp geri atmak zorundaydılar. Atamazlarsa bomba patlıyor, siperdekiler parçalanıp havaya uçuyorlardı.

İlk sipere gidenlere kurtuluş yoktu. Yedek siperde bekleyenler bunu bildikleri için şehitliğe hazırlanıyorlar. Ön sipere geçme ânı yaklaşınca onbaşı mangasına sesleniyor:

"Yoldaşlar, hazır olun! Erlik günü, memlekete hizmet bayramı geldi!"

Manga ayağa kalkıyor.[147a]

"Haydi!"

Bağlantı yolundan tek sıra geçerek ön sipere gidecekler. Bunlar da öncekilerden öğrendikleri gibi bağırarak yürüyemeye başlıyorlar:

"Yaşasın vatan!"

Girideki birlikler boşalan siperi dolduruyorlar.[148]

Benzeri olmayan bu kanlı boğuşmalar, özellikle Anzakları etkilemeye, kafalarını kurcalamaya başlamıştı: Türkler vatanlarını koruyan, adam gibi dövüşen, inancı ve vatanı uğruna ölen insanlardı. Bunu iyi anlamışlardı. Peki, kendileri niye burdaydılar? Niye ölüyor ve öldürüyorlardı?

Kim ve ne adına?

Bu sorular düşünenleri rahat bırakmaz olmuştu.

Bu sırada kayıp listeleri de Avustralya gazetelerinde yayımlanmaya başlamıştı. Avustralya'nın birbirinden uzak ve ilgisiz kolonilerindeki ailelerden çığlıklar yükseldi. Birbirlerinin çığlıklarını duydular.

Cephede askerler, vatanda aileler, bu soruları sorarak, bu acılardan geçerek kimliklerini bulacak, çağdaş, bilinçli bir millet olacaklardı.[149]

BİR SAKA neferi Türk mevzilerinin en sağ yanında bulunan Balıkçı Damları yöresinde, savaştan uzak, kuytu bir vadide güzel bir su kaynağı keşfetmişti. Sağ yandaki bölüklerin sakaları kaynağa konuşa konuşa birlikte gidiyor, birlikte dönüyorlardı.

Ta uzakta, herhalde Bombasırtı'nda yine bombaların patladığı bir sabah kaynağa yaklaşınca apışıp kaldılar. Anzaklı sakalar da kaynağı keşfetmiş, bidonlara su dolduruyorlardı.

Ne etmeliydi?

Silahları yoktu. Kuşkuyla baktılar. Düşman sakalarının da silahı yoktu. Dövüşmeli miydi? Su için dövüşmek yakışık alır mıydı?

Biri fısıldadı:

"Su içene yılan bile dokunmazmış."

Ama geriye susuz da dönülmezdi. Bu sırada düşman sakaları da Türkleri gördüler. Onlar da bocaladılar.

Ne yapmalıydı?

Bidonları hızla doldurup uzaklaşarak kaynağı Türklere bıraktılar.

Bundan sonra hangi yan erken gelirse öbürü uzakta, görmezliğe gelerek sırasını bekleyecekti. Yukarılarda, ilerilerde kıyamet koparken, burada gizli su barışı sürüp gidecekti.

Ağustosa kadar.

Ağustosta buralar da alt üst olacak, yer yerinden oynayacaktı.

16. TÜMEN'İN alayları, yardımcı birlikleri ve ağırlıkları Küçük ve Büyük Anafarta köylerinin yakınlarında, orman içinde toplandılar. Tümen 3. Kolordu emrine verilmişti.

Teğmen Faruk arkadaşı Teğmen Ertuğrul'a kısa bir mektup yazabildi:

"Kardeşim,

Tümen Komutanımız Albay Rüştü Bey (Sakarya), *Kurmay Başkanımız Yüzbaşı Nazım Bey.*[150] *Yüzbaşı Nazım Bey galiba hiç uyumuyor. Her dakika uyanık, ayakta, çalışkan ve çok dikkatli. Coşkusu herkese yayılıyor. Şimdilik cephe gerisinde ter atıyoruz. Komutanlığına atandığım takımı çok beğendim. Çukurovalı, yaman delikanlılar. Sabah ve öğleden sonra açık havada eğitimdeyiz. Geceleri dersler, sohbetler. Ara sıra da eğlence. Bizim 48. Alay bu konuda da harika. Alaya bu yüzden 'tiyatro alayı' deniyormuş.*

Arıburnu cephesinde hepsi Yarbay M. Kemal Bey'e bağlı olan 9 alay birikmiş. Şimdi durgunluktan yararlanarak bu cephe yeniden örgütleniyor. Bizim de birkaç gün içinde cephede, ilk çizgide yer alacağımızı söylüyorlar. Hayırlısı.

Okula selam. Gözlerinden öpüyorum.

Bana Boğaziçi kartpostalları yolla."

BOĞAZ kıyısındaki birliklerin Goliath'tan yakınmaları artmıştı. Goliath gece ve gündüz aklına estikçe ölüm yağdırmayı sürdürüyordu.

Batmaz bir ada gibi pervasız, rahat bir duruşu vardı.

Ordu bir çözüm bulunması dileğiyle durumu Başkomutanlığı bildirdi. İlgililer durumu görüştüler.

Çözüm Goliath'ı batırmaktı.

13.150 tonluk, 750 askerle çekip çevrilebilen, dikkatle korunan dev gemi nasıl batırılırdı? Gemi Geçit'teki tabyalarda bulunan uzun menzilli, özel mermili topların atış alanı dışında duruyordu. Akıntıya birkaç mayın bırakmanın da yararı yoktu. Zırhlının çevresinde torpidobotlar serseri mayın tehlikesine karşı nöbet tutuyor, dört dönüyorlardı.

Uzun tartışmalar sonunda Goliath'ın bir muhrip ile hücum edilerek batırılması kararlaştırıldı. Bu çok zor görev için Marmara'da denizaltı kovalayan Muavenet-i Milliye adlı muhrip görevlendirildi.

Muavenet-i Milliye Muhribi Kaptanı Yüzbaşı Ahmet Saffet Bey

Düşmanın haber ve önlem almaması için görev çok gizli tutulacaktı.

Deniz Yüzbaşı Ahmet Saffet Bey'in komutasındaki muhrip, 1910 yapımı, 600 tonluk, hızlı, kıvrak bir gemiydi. Türk donanmasına Donanma Cemiyeti'nin armağanıydı.

Üç torpido kovanı taşıyordu.

Her gemide Amiral Souchon'un emriyle bir Alman danışman bulunmaktaydı.[151]

Muavenet'teki danışman iyi bir silah arkadaşı olan Yüzbaşı Rudolf Firle'ydi. Mürettebat 94 kişiydi.[152]

Kaptan görevi öğrenir öğrenmez bol kömür, yağ ve yeteri kadar torpil alarak Çanakkale yolunu tuttu. Mürettebat yine denizaltı kovalamaya gittiklerini sanıyordu.

10 mayıs günü Çanakkale Boğazı'na girdiler. Gemi Çimenlik tabyasının iskelesine yanaşıp sessizce durdu. Her gün taşıt ve hastane gemileri, torpidobotlar, motorlar geliyor, gidiyordu. Bu nedenle dikkati çekmediler.

Kaptan ve Yüzbaşı Firle'ye görev harita üzerinde, ayrıntılı bir biçimde anlatıldı.

İmkânsıza yakın zorlukta bir görevdi bu.

Ertesi günü Goliath'ı ve bulunduğu yeri görmeleri için Alçı Tepe'ye götürüleceklerdi.

Bu sırada Birleşik Donanma Kurmay Başkanı Albay Keyes'in önayak olmasıyla Amiral de Robeck ve öteki amiraller Queen Elizabeth'te toplanmışlardı.

Konuyu her açıdan değerlendirdiler ve Çanakkale Boğazı'nın en yakın zamanda donanma ile bir daha zorlanmasını kararlaştırdılar.

Bu çok önemli karar onaylanması için Donanma Bakanlığına sunuldu. Denizcilerin bu kararı Bakan Churchill'i çok sevindirdi. Bu öneriyi bütün gücüyle destekleyerek ilk toplantıda Savaş Kuruluna sunacaktı.[152a]

ERTESİ GÜN Enver Paşa ünlü kırmızı otomobiliyle Gelibolu'ya, oradan ordu karargâhının bulunduğu Maltepe'ye geldi. Karşılama töreninden sonra ordu kurmaylığının durum hakkında yaptığı sunuyu dinledi. Sonra Liman Paşa'yla baş başa bir görüşme yaptı.

İkili konuşma kısa sürdü.

Enver Paşa, yeni bir tümen ile birkaç ağır top yollayacağını söyleyerek Arıburnu'ndaki düşmana kesin olarak taarruz edilmesini istemişti. Buradaki düşman sayıca Seddülbahir'deki düşmandan daha azdı ve kıyıya sıkıştırılmıştı. Söylendi:

"Şimdiye kadar düşmanın neden denize dökülemediğine şaşıyorum."

Liman Paşa durumu anlatmadı ya da anlatamadı.

Taarruza karar verdiler.

Enver Paşa yanındakilerle birlikte 3. Kolordu Karargâhına uğradı, Kemalycri'ne gelerek M. Kemal'i ziyaret etti. Buradan Seddülbahir'e geçerek o cepheyi de inceledi. Son olarak Çanakkale'de Cevat Paşa ile görüştü.[153]

Arkasında hayranlık, korku ve kan kokusu bırakarak ayrıldı.

ENVER PAŞA İstanbul'a dönerken, görevliler Kaptan Ahmet Saffet ile Yüzbaşı Firle'yi karşıya geçirerek Alçı Tepe'ye getirmişlerdi.

Hava kararıyordu.

Amaç Goliath'ı ve çevreyi gece görmekti. Alçı Tepe'de birkaç gizli ve güvenli gözetleme yeri vardı. Bunlardan birinden Seddülbahir'i izlediler. Seddülbahir avuç içi gibi görünüyordu.

Işıklar içindeki gemiler yarımadanın ucunu bir yarım ay gibi çevirmişlerdi. Görüntü bir savaşa yakışmayacak kadar güzeldi.

Goliath'ı ve bulunduğu yeri gördüler. Dev geminin de ışıkları yanıyordu. Az ilersinde bir ikinci zırhlı daha vardı (Cornwallis). Küçük koruma gemileri çevrelerinde dolanıyordu.

Son mayın hattının bulunduğu yer ile Goliath'ın arasında 10 km bir mesafe bulunuyordu. Muavenet'in burayı sürekli denetleyen muhrip ve torbidobotlara yakalanmadan geçmesi ve Goliath'a, nöbetçilerini kuşkulandırmadan yaklaşması gerekiyordu.

Sonra da geri kaçacaklardı.

Deryadil Kaptan "Görevi yerine getirdikten sonra kaçamayıp batırılsak da olur" diye düşündü. Denizcilerin parolası değişmezdi: Vatan sağ olsun!

Gece yarısı Kilitbahir'e döndüler. Yayan gidip gelmiş, 50 km. yol yürümüş, haklı olarak yorulmuşlardı.

Çanakkale'ye geçtiler.

Gece taş gibi uyudular.

12 MAYIS Çarşamba günü Mayın Grup Komutanı Yüzbaşı Nazmi Akpınar Muavenet'e geldi. Akşam gemiyi mayın hatlarından o geçirecek ve dönüşlerini bekleyecekti.

Onunla konuşularak gemi göreve hazırlandı.

Gemi son mayın hattını geçtikten sonra iyice kıyıya yakın gidecekti. Geminin dibe değmemesi için kömür ve yağın yarısı gemiden alındı.

90 kilo ağırlığında üç Schwarzkopf torpido, kovanlara yerleştirildi. Torpiller 1.200 metre mesafeye, 50 km. hıza ve iki metre derinliğe ayarlandı.

Bütün bataryalara, ışıldaklara ve birliklere bilgi verilmişti. Işıldaklar bu gece kullanılmayacak, bataryalar bir terslik halinde Muavenet'i korumak için hazır bekleyeceklerdi. Zor durumdaysa baş tarafından beyaz işaret fişeği atacaktı.

Duman çıkarmasın diye ocak bastırıldı.

Muavenet olağan bir göreve gidiyormuş gibi saat 18.40'da iskeleden ayrıldı. Yüzbaşı Nazmi Bey de birlikteydi. Onun kılavuzluğunda, mayın hatlarının içinden geçilerek karşı yakaya yaklaşıldı. Sola dönüldü. Son mayın hattını da gizli geçitten geçtiler. Mayın hatları geride kalmış, İngiliz denetimi altındaki kesime gelinmişti. Muhrip kıyıdaki bir girintiye sokularak demir attı. Kaptanla Nazmi Bey sarılıp helalleştiler.

"Allah muvaffak etsin."

"Amin."

Nazmi Bey gemiyi izleyen motora geçti. Son mayın hattının hizasında Muavenet'in dönüşünü bekleyecek, mayın hatlarını güvenle geçmesini sağlayacak önlemleri alacaktı.

Bütün batarya ve ışıldak gözcüleri gözlerini dört açmış Boğaz'ı gözlüyorlardı. İki düşman muhribi Rumeli, iki muhrip de Anadolu kıyısında nöbetteydi. Beşinci bir muhrip Boğaz ağzına yakın, ortada dolaşıyordu.

Muavenet makinelerini susturmuş, bütün ışıklarını söndürmüştü. Konuşmadan, açıkta sigara içmeden, gece yarısına kadar bekleyeceklerdi. Kaptan ambara topladığı mürettebata görevi açıkladı. Yatsı namazını birlikte kıldılar ve dua ettiler.

Yüzbaşı Firle gülümseyerek Kaptana sordu:

"Nasıl, bu gece Allah bizi koruyacak mı?"

Kaptan bir şey demedi. 'Bizi koru' diye dua etmemişlerdi ki. Görevi başarmak için yardımını dilemişlerdi. Hak etmişlerse belki ederdi. Etmemişlerse kesin avuçlarını yalarlardı.

Gece yarısı oldu. Seddülbahir'i sarmış olan savaş gemilerinin ateşi kesildi. Işıkdaklar söndürüldü. Savaş uykuya çekiliyordu.

Hareket saati yaklaşmaktaydı.

Alçak sis bulutları denize sürünerek Boğaz ağzına doğru akmaya başladı. Yıldızlar sönükleşti. Bu hareketli sis bulutları ve karanlık hava, Muavenet'i saklayacak gibi görünüyordu.

03.00'te demir aldılar.

Muavenet akıntıya kapılmış gibi çok düşük bir hızla, Rumeli kıyısına değercesine hedefe doğru ilerlemeye başladı. Çeyrek saat sonra sol yanda, ağır yolla yaklaşan iki muhrip belirdi. Arada 600 metre vardı. Muavenet'tekiler de, tüm batarya gözcüleri de titrediler.

Kaptan makineleri durdurttu.

Nefesler tutuldu.

Muhripler akıp geçen sis bulutlarının içindeki Muavenet'i fark etmeden, homurdanarak geçtiler.

Makineler yeniden çalıştırıldı. Usulca ilerlediler.

Goliath'a 300 metre kaldı.

Zırhlının gözcüsü sis içinde hayal gibi görünen Muavenet'e pırıldakla parola sordu. Muavenet'in işaretçisine bu durumda ne yapacağı öğretilmişti. Aynı işareti tekrarladı, yani o da Goliath'a parola sordu. Bu anlamsız yanıt İngiliz gözcüyü şaşırttı. Alarm vermedi.

On saniye kazanmışlardı.

On saniye yetti.

Ânında fırlatılan üç torpido 50 km. hızla, suyun 2 metre altından dev zırhlıya doğru yol alırken, Muavenet büyük bir hızla çark etti, uzaklaşmaya başladı. Makineler son güçleriyle çalışıyor, gemi zangır zangır titriyordu.

Gözcü alarm verdi mi, vermedi mi, anlaşılamadı. Çünkü üç torpido birden koca Goliath'ı bulmuştu. Korkunç bir patlama oldu. Gökyüzüne alevler, dumanlar, buharlar, demir ve insan parçaları fışkırdı.

Saat 01.15'ti.

Patlayışın yarattığı deniz ve hava dalgaları Muavenet'e arkadan çarparak olay yerinden daha da hızla uzaklaşmasını sağladı.

Dev zırhlı, 750 kişilik mürettebatından 570'i ve kaptanıyla birlikte birkaç dakikada battı.

Boğaz kıyısındaki birliklerden, bataryalardan, gözcülerden tekbirler ve sevinç çığlıkları yükseldi.

Kara bela yok olmuştu!

Yakın gemiler Goliath'tan denize dökülen 180 kadar denizciyi kurtarmaya çabalıyorlardı. İki muhrip Muavenet'in peşine düştü. Dardanos ve Baykuş bataryaları, muhripleri ânında ateş altına aldılar. Barbaros zırhlısından da önlerine doğru birkaç baba mermi yollandı. İngiliz muhripleri vurulmamak için zikzaklar yapmaya başlamışlardı.

Muavenet mayın hattına ulaştı. Nazmi Bey'in yaktırdığı kırmızı fenere dikkat ederek ilk mayın hattını geçti. Çanakkale adlı küçük bir motor, kırmızı fener göstererek öne düştü, Muavenet'i mayın hatlarındaki gizli yollardan geçirerek Havuzlar koyuna getirdi. Muavenet demir attı. Çanakkale'ye geçmeden önce, bu sakin ve güvenli koyda çay molası vermeyi hak etmişlerdi.

Nazmi Bey arkadan geliyordu. Yetişip gemiye çıktı. Kaptanla sımsıkı kucaklaştılar:

"Büyük iş başardınız Ahmet kardeşim. Gazanız mübarek olsun."

Mürettebat da sıraya girip Kaptanın elini öperek kutladı. Yüzbaşı Firle'yi de kutladılar.

Müstahkem Mevki gözetleme yerindeki gözculer zaferi nöbetçi subaya, o da herkese duyurmuştu.

Muavenet-i Milliye sabah Çanakkale'ye geldi. Olayı bilen, haberi duyan asker, sivil herkes kıyı boyunda toplanmıştı. Gemi büyük sevinç gösterileriyle karşılandı. Çanakkale tabyalarındaki subay ve erler de tabyaların önüne, bonetlerin, topların üzerine çıkmış, selam duruyorlardı. Çevredeki gemiler, torpidobotlar, istimbotlar, çatanalar uzun uzun düdük çalarak Muavenet'i ve kahraman mürettebatını kutladılar.[154]

Goliath olayı savaşı derinden etkileyecekti.

İlk etkisi o gün görüldü: Seddülbahir'i çevreleyen savaş gemilerinin sayısı yarıya indi. General Hamilton kara haberi alınca günlüğüne şunları yazmıştı:

"Düşman madalyayı hak etti. Kahrolsunlar!"

14 MAYIS 1915 günü, Muavenet İstanbul'a dönüş yolundayken, Londra'da, Başbakanlıkta Savaş Kurulu toplandı.

O kadar sıkı korunan Goliath'ın batırıldığı haberi hükümette ve askeri çevrelerde bomba gibi patlamıştı. Bu saklanabilecek bir gerçek değildi. Hiçbir kılıfa sığmazdı.

Amiral Fisher toplantı başlar başlamaz, Queen Elizabeth'in de batırılabileceği korkusuyla, 'geminin hemen geri çağrılmasını, aksi halde istifa edeceğini' söyledi. Lord Kitchener şiddetle karşı çıktı. Olay o kadar büyütülecek bir olay değildi. Batan gemi eski bir gemiydi. Kara ve deniz işbirliği ile yapılan bir savaştı bu ve eldeki en büyük koz da Queen Elizabeth'ti.

Tartışma Başbakanın araya girmesiyle yatıştı. Queen Elizabeth'in geri çağrılması, buna karşılık Çanakkale'deki deniz ve kara kuvvetlerinin güçlendirilmesi, monitörlerin Çanakkale'ye yetiştirilmesi kararlaştırıldı.[154a] Boğaz'ın donanma ile yeniden zorlanması önerisi ise, kısa bir görüşmeden sonra reddedildi. Yeni kayıpların göze alınabileceği bir dönem değildi.

General Hamilton Çanakkale Savaşı'nı bir an önce bitirmeliydi. İngiltere'nin Türkler önünde böyle bir duruma düşmesine katlanılamazdı.[155]

GAZETELER Muavenet'in zaferini ve İstanbul'a geleceğini yazmışlardı.

Halk Boğaz'ın iki yakasında yer yer toplanmış Muavenet'i bekliyordu.

Günlerdir Marmara'da dolaşan ve hâlâ av arayan E-14 İstanbul yolundaki Muavenet'i görmüştü ama denizaltı avcısı bir muhrip olduğunu anlayınca saldırmayı göze alamamış, dalıp kaybolmuştu. Bir-iki gün daha dolanacak, sonra Çanakkale'den geçip Mondros'a dönecekti.

Halk Muavenet'i candan gösterilerle karşıladı. Muhribin mürettebatı da bembeyaz üniformaları ile güverteye dizilerek İstanbul halkını selamladı.

Boğaz'dan alkışlar arasında geçerek demir yeri olan İstinye Koyu'na yöneldi. Koyda bulunan bütün savaş gemileri Muavenet'i sancaklarını toka ederek, düdüklerini çalarak selamladılar.

Yüzbaşı Ahmet Saffet binbaşılığa yükseltilecek, o ve Yüzbaşı Firle altın madalya, mürettebat gümüş madalya ile onurlandırılacaklar, Padişah da ilk cuma selamlığında Kaptan Binbaşı Ahmet Saffet, Yüzbaşı Firle ve bütün mürettebatı kutlayacaktır.[156]

Bu zaferde payı olanları hoş bir sürpriz daha bekliyordu.

ARDARDA gelen üç darbe Amiral de Robeck'i, kurmaylarını, komutan ve kaptanlarını çok sarstı.

Goliath batmıştı. Bu Türklerin Boğaz'a gömdüğü dördüncü zırhlıydı. Beş yüzden fazla usta denizci kaybetmişlerdi. Usta bir denizcinin yetişmesi yıllar alıyordu.

Queen Elizabeth'i gelen ivedi emir üzerine İngiltere'ye yolcu etmişlerdi. Demek ki Londra bu güzel gemiyi koruyabileceklerine güvenmiyor, Türklerin bunu da batıracaklarından korkuyordu.

Savaş Kurulu Boğaz'ı donanmayla yeniden zorlama önerisini de kesin olarak reddetmişti.

Amiral de Robeck

Bu üç olay da onur kırıcıydı.

Son darbe Malta'dan geldi. Malta Komutanlığı 'bir Alman denizaltısının Akdeniz'e girdiğinin belirlendiğini, denizaltının Çanakkale'ye gelmesinin olası olduğunu' bildiriyor, Amirali uyarıyordu.

"Lanet olsun!"

Amiral de Robeck Amiral gemisi olarak Lord Nelson'u seçip ona geçti, Arıburnu ve Seddülbahir'i bombardıman eden gemilerin azaltılmasını ve böyle bir olayın bir daha yaşanmaması için her türlü koruyucu önlemin alınmasını emretti.

200 yıldır yenilmemiş olan donanma bocalamaya başlamış, komutanlara bir korku basmıştı. Ama korkunun ecele faydası yoktu.

İki felaket daha yaşayacaklardı.

BUGÜN Fransız Tümeni Komutanı General d'Amade'ın görevi sona eriyordu. Yerini ünlü General Gouraud alacaktı.

Yeni Komutan ve yeni Kurmay Başkanı onarımdan yeni çıkmış olan Charlemagne zırhlısıyla geldiler.

General Gouraud General Hamilton'u ziyaret ettikten sonra cepheye bir göz attı. Cephe çok girintili çıkıntılı idi. Şaşırdı. Çanakkale'ye özgü savaş şartlarını ve hallerini zamanla anlayacaktı.

Generale karargâhta durum hakkında bir sunum yapıldı. Acı gerçekler yeni komutanı sarstı: Fransız birliği karaya çıkış gününden bugüne kadar varlığının yüzde 65'ini kaybetmişti. Subay kaybı daha yüksekti. Cephe çok tehlikeler atlatmış, Türkler iki kez Morto Koyu'na kadar inebilmişlerdi. Bu iki felaketten de donanmanın ve talihin yardımı ile kurtulmuşlardı.

General sunum sırasında yeni Kurmay Başkanına, "Paris'ten yeni birlik, ağır top ve siper topu isteyelim" dedi. Paris'in isteklerini hızla yerine getireceğine güvendiği anlaşılıyordu.

"Peki Generalim."

General Gouraud

Sunumdan sonra gösterişli bir devir-teslim töreni yapıldı. General d'Amade uğurlandı.

General Gouraud Fransız ordusunun en genç ve parlak bir generali, başarılı komutanlarındandı. Adı bezgin ve kötümser birliğin moralini düzeltmeye yetecek, yorgun İngilizlerde bile Türkleri dize getirecekleri ümidini uyandıracaktı.

BU ARADA, duraklamadan yararlanan Liman Paşa beklenen düzenlemeyi yaptı, birlikleri dört gruba ayırdı:

Saros Grubu (1. Süvari Tugayı ve 6. Tümen)[157]

Anadolu Grubu (3. ve 11. Tümen)

Güney Grubu (Weber Paşa)

Kuzey Grubu (Esat Paşa).

Arıburnu cephesi doğrudan Esat Paşa'nın komutasına verilmiş oldu. Böylece M. Kemal'in, küçük karargâhı ile 9 alayı birden yönetmek gibi çok zor, yıpratıcı görevi sona erdi. Görevine yalnız 19. Tümen Komutanı olarak devam edecekti.[158]

5. Tümen yeniden kuruldu, Başına iyi bir komutan olan Yarbay Hasan Basri Bey (Somel) getirildi.

Anafartalar kesiminde bekletilen 16. Tümen cepheye alındı. Arıburnu cephesinin sol yanı onun sorumluluğuna verildi.

Arıburnu cephesi kuzeyden güneye doğru şöyle oluştu:

19. Tümen (sağ kanat)

5. Tümen (merkez)

16. Tümen (sol kanat).

Bu üç tümen Çanakkale Savaşı'nın sonuna kadar omuz omuza dövüşeceklerdir.

DÜZENLEME ve yerleşim çabaları birkaç gün sürecekti.

Esat Paşa'nın savaş alanına yakın olmak istediği, karargâh için Kemalyeri'ni düşündüğü öğrenildi. M. Kemal ile İzzettin Bey 19. Tümen Karargâhı için biraz daha ilerde uygun bir yer seçtiler.

Sonra da alay komutanları ile buluştular. M. Kemal komutanlara Enver Paşa'nın ziyareti hakkında bilgi verdi. Kısaca dedi ki:

"Hepinize sevgilerini yolladı. Taarruz etmemizi istiyor. Böyle durulmaz elbette. Düşmanı temizlemek şart. Bu bakımdan haklı. Ama ağır toplar ile yeni, dinç bir kuvvet gelmeden sonuç almak çok zor. Büyük kayıp veririz. Bu konudaki düşüncelerimi söyledim, yazılı olarak da verdim. Ayrıca düşmanın bundan sonra bizim kuzeyimize önem vereceğine, çünkü kuzeyde geniş manevra alanları olduğuna da dikkatini çektim."

Komutanların duraksadığını görünce açıkladı:

"Düşman Seddülbahir'de de, Arıburnu'nda da dar alanda kilitlenip kaldı. Daha kuzeyden bir hareket yaparak bizi kuşatmak ve Kilitbahir'e ulaşmak isteyebilir. Düşman bakımından başka bir çözüm yok."[159]

Her fırsatta haritayı inceleyen, sürekli olasılıkları düşünen, durumu durmadan her açıdan değerlendiren M. Kemal bir bilici gibi Ağustos ayında olacakları söylüyordu.

Daha kimse farkında değildi.

Gülerek "Bir şey söyleyeyim.." dedi, "..Cephemize 21 cm.lik güçlü bir havan topu geldi. Küçük bir kusuru var. Sadece 47 mermisi bulunuyor."[160]

Komutanların sevinç gülüşleri açmadan soldu.

BİRAZ SONRA İstanbul'da Şehzadebaşı'ndaki Millet Tiyatrosu'nda, Müdafaa-yı Milliye ve Kadınları Yüceltme Derneklerinin ortaklaşa düzenledikleri 'yalnız hanımlara mahsus edebiyat müsameresi' başlayacaktı. Davetiye ücretleri yüksek tutulmuştu. Günün geliri orduya verilecekti.

Hanımlar kupa, lando, fayton gibi çeşitli arabalarla geliyor, tiyatronun kapısı önünde inip hızla içeri giriyorlardı. Bir hanımın tramvayla Beyazıt'a gelip buraya kadar yürümesi mümkün değildi. Daha ehlileşmemiş olan birçok erkek ya laf atıyor, ya sarkıntılık ediyordu.

Birçok sanatta o kadar incelmiş olan imparatorluğun 450 yıllık başkenti, kadına saygı bakımından bu ilkel haldeydi.

Hanımlar yerlerine yerleşip rahatlayınca peçelerini açıyorlardı. Peçeler gittikçe inceliyordu. Torba çarşaf denilen hantal, bol, zevksiz çarşaf yerini İstanbul hanımlarının zevkini yansıtan pelerinli, zarif çarşaflara bırakmıştı. Düz potinlerin yerini, ince topuklu iskarpinler alıyordu.

Salon lavanta ve parfüm kokuyordu. Yüksek sesle konuşan, gülen yoktu.

Kapılar kapandı.

Müsamere tam saat 13.00'te başladı.

Müzik bölümü kısa sürdü. Sahneye konuşmacılar için kürsü taşındı. Salonda heyecan rüzgârı esti. Bu bölüm için buradaydılar.

Kürsüye önce Halide Edip Hanım geldi. Çok alkışlandı. Uyanan, üreten, hayata bir anlam katan, bir işi olan, toplum ve yurdu için çalışan kadını temsil ediyordu. Çanakkale'den söz etti. Çanakkale deyince zaten herkesin içi titriyordu. Hanımları duygulandırdı, ağlattı, coşturdu.

Halide Hanım'ı, şair Mehmet Emin (Yurdakul) Bey izledi. Şiirleriyle, uyumuş, uyutulmuş Türklüğü uyandırmıştı. Yurtsever Türkler Mehmet Emin Bey'i kutsal bir kişi gibi görüyorlardı. Ayakta karşıladılar, alkışa boğdular. Mehmet Emin Bey birçok şiirini okudu. Yine ayakta alkışlanarak, derin bir saygıyla uğurlandı.

Nezihe Muhittin Hanım yanındaki genç kıza fısıldadı:

"Biz bu şairin şiirleriyle uyandık, kimliğimizi bulduk. Şiir bu kadar etkili olur mu? Olur. Tam zamanında söylenmişse, bir tek dize bile yeter. Belleksiz bir insanın belleğine kavuşması, kimsesiz bir çocuğun ailesini bulması gibi bir şeydi bu. Türk olduğumuzu anladık."

Hamdullah Suphi Bey

Kürsüye son olarak Türk Ocağı Başkanı Hamdullah Suphi (Tanrıöver) Bey geldi. Şık ve kibardı. Güzel, akıcı konuşuyordu. Türk dünyasını, Türklerde kadının yerini, kadına verilen önemi, gösterilen saygıyı anlattı. Kadınların minnetini kazandı.

Son olarak Ordu Sinema Dairesinin Çanakkale'de çektiği filmler gösterildi. Mehmetçikler göründükçe alkışlar yükseliyordu. Devletin yoksulluğunu belli etmemek için üstü başı düzgün askerlerin çekimi yapılmıştı.[161]

Müsamere ikindi vakti sona erdi.

Hanımlar peçelerini örttüler, arabalara binerek hemen evlerine döndüler. Bir pastanede, bir otel salonunda, Boğaziçi'nde bir çay bahçesinde oturup da bu güzel, yararlı günü konuşmak isteseler de bunu yapamazlardı.

Bağnazlık buna izin vermiyordu.

ENVER PAŞA'NIN Arıburnu taarruzu için İstanbul'dan yolladığı 2. Tümenin son birliği de 16 Mayıs günü Akbaş'a indi. Tümen Eceabat'a yakın çiftliklerden birinde toplandı.

İstekli, heyecanlı, güçlü bir tümendi. Tümenin bütün birlikleri Haydarpaşa'dan alkışlar, çicekler, dualar ile uğurlanmış, hanımlar askerlere yine torba torba armağan vermişlerdi. Bu incelikleriyle erkek toplumuna örnek ve öncü olmayı sürdürüyorlardı.

Tümen Komutanı Irak'taki başarısızlık üzerine intihar eden Süleyman Askeri Bey'in kardeşi Hasan Askeri Bey, Kurmay Başkanı da Yüzbaşı Kemal Bey'di.

2. Tümenin taşınması tamamlanınca Liman Paşa taarruz emrini verdi.

Taarruz 18/19 Mayıs gecesi saat 03.30'da, baskın tarzında yapılacaktı. Taarruzu Esat Paşa yönetecek, düşmanı gafil avlamak için hazırlıklar ve hareketler çok gizli tutulacaktı. Taarruza Arıburnu cephesindeki üç tümen ile 2. Tümen katılacak, 2. Tümen düşman cephesinin merkezine hücum edecekti. Bu nedenle bu tümene cephenin merkezinde, 5. Tümenle 16. Tümen arasında bir yer, Kanlısırt kesimi ayrıldı.

Taarruzun amacı düşmanı denize dökmekti.

Arıburnu'nda ilk kez 40.000 savaşçı toplanmıştı. Anzakların sayısı, bir bölümü Seddülbahir'i kaydırıldığı için azalmıştı. Bu savaş sırasında en fazla 17.000 kişi olacaklardı. Ama siperleri çok iyi berkitmiş, kaleye çevirmişlerdi. Makineli tüfekleri çoktu. Savaşın sonunu da bu canavar silahlar belirliyordu.

Anzaklara, görünmeden Türkleri izleyebilmeleri ve vurabilmeleri için siper periskopları ile aynalı tüfekler verilmişti. Bunlar Türklerin hiç bilmediği şeylerdi.

Anzaklar periskopla Türk siperlerini görünmeden gözetliyorlar

KOLORDUDAN görevliler, 2. Tümen Komutanı, Kurmay Başkanı ile alay ve tabur komutanlarına cephede yerleşecekleri yeri ve düşman mevzilerini gösterdiler.

Tümen 18 Mayıs günü, görülmemek için cepheye hava kararınca yanaşacak ve ay batınca Kanlısırt'taki ön siperlere sessizce yerleşecekti.

2. Tümenden Anzak cephesini yarması bekleniyordu.

Bazı komutanlar bunun başarılabilmesi için askerlerin teslim alacakları siperlerde bir gece kalmalarını, siperlere, alışmalarını, düşman mevzilerini, aradaki alanı gündüz gözüyle görmelerini, bunun için taarruzun bir gün sonraya ertelenmesini önerdilerse de, artık saat kurulmuş işliyordu, öneri reddedildi.

Bu büyük taarruzu yönetecek olan Esat Paşa da, yerleşmek üzere karargâh subaylarıyla birlikte Kemalyeri'ne geldi.

Bir sürprizi vardı.

İki karargâhın önde gelen subayları biraradayken, güzel bir konuşma yaptı. M. Kemal'e, 'bu cephedeki başarısının bir kanıtı ve Arıburnu savaşlarının bir anısı olarak' Padişah adına bir altın liyakat muharebe madalyası verdi. Bu en yüksek düzeydeki madalyaydı ve Çanakkale'de ilk kez veriliyordu.[162]

Bu değer bilirlik M. Kemal'i mutlu etmişti. Uykusuzluktan zayıflamış, kanı çekilmiş yüzünü bir pembelik kapladı. Saygıyla teşekkür etti.

M. Kemal ve karargâh subayları, Kemalyeri'ni Esat Paşa ve karargâhına bırakarak yeni karargâha taşındılar.

18 MAYIS Salı.

Bugün yoğun bir gün olacaktı.

E-14 uzun süre Marmara'da kalmasına rağmen, İstanbul'dan Çanakkale'ye asker, yiyecek, mühimmat ve silah akışını durdurmayı başaramamıştı. Buna karşılık Marmara kıyıları ve İstanbul limanı hakkında çok bilgi toplamış, Türklerde denizaltı korkusu yaratarak akışı yavaşlatmıştı.

Görevi sona ermişti.

Bugün sabah ustaca Boğaz'ı geçip su üzerine çıktı. E-14'ü gören gemiler bu kahraman denizaltıyı sevgiyle selamladılar. Öğle yemeğini Albay Keyes ve sıradaki denizaltının komutanı Binbaşı Nasmith ile yedi. Binbaşı Nashmith'e gerekli bilgileri verdi. Binbaşı Nasmith sabırsızlanmıştı. Yemek biter bitmez izin isteyip kalktı.

Gece E-11 markalı denizaltısı ile yola çıkacaktı. E-11 önceki denizaltılardan daha gelişmiş bir gemiydi. İki periskopu ve daha çok torpili vardı.

Türklerin başına çok sorun açacaktı.

Esat Paşa da bugün öğleden sonra, taarruza katılacak bütün tümenlerin Kurmay Başkanlarını yeni karargâhında, Kemalyeri'nde topladı. Kurmay Başkanlarına taarruzla ilgili açıklamalarda bulunuldu. Kurmay Başkanlarının çoğu, birliklerin yeni yerlerine alışabilmeleri için taarruzun bir gün erte-

Binbaşı Nasmith

lenmesini uygun görmekteydiler. Ama Esat Paşa ertelemeyi kabul etmedi. Liman Paşa taarruzun gününü, saatini, taarruz düzenini yazılı olarak bildirmişti.

"Taarruz bu gece yapılacak!"[163]

"Peki efendim."

Bugün Arıburnu'ndaki birlikler de akşama kadar son hazırlıkları yaptılar. Süngüler bilendi. Tüfekler elden geçirildi. Yedek çamaşırı olanlar değiştirdiler. Olmayanlar çamaşırlarını yıkayıp kuruttular, temiz temiz giydiler. Para, gümüş sigara tabakası, yavuklu mendili, tespih, köstekli saat, ağızlık gibi şeyler bölük katibine bırakıldı.

Erlerin önünde koşacak olan takım ve bölük komutanları da kılıçlarını temizleyip parlattılar.

Hava kararınca 2. Tümen yola çıktı. Karanlığa rağmen, dikkati çekmemek için parça parça yürüyorlardı.

Bunca özene, dikkate rağmen Anzaklar uyanmışlardı. Çünkü Türk cephesindeki yer değiştirmeler balon ve uçaklarla saptanmıştı. Uçaklar bir büyük birliğin Akbaş'a indiğini ve yakın bir yerde toplandığını da keşfetmişlerdi. Birliklerin yer değiştirmesi de istenildiği kadar sessiz olmamıştı.

Anzak Kolordusu yarı alarma geçmiş, gelişmeleri bekliyor, sürekli takviye alıyordu.

2. Tümenin alayları cephe gerisinde yemek yedi ve dinlendi. Ay batınca ön siperleri oradaki birliklerden teslim alacak ve birkaç saat sonra taarruz edecekti.

Ay 11.35'te battı.

Siperleri teslim alma ve yerleşme işi sessiz yapılamadı. Ön siperlere, taarruz edecek iki alayın yerleşmesi gerekiyordu. 2. Tümene ayrılan cephenin genişliği, bu kesimdeki arazinin özelliği gereği, 600-700 metre kadardı. Bu genişlik 6.000 kişiye yetmedi, dar geldi. Yığılma, sıkışma oldu. Çekilenler ile gelenler karıştılar, yollar tıkandı. Asker heyecanlandı, savaş havasına girdi. Tekbirler, dualar, naralar, marşlar yükseldi. Bazı askerler aşka gelip düşman mevzilerine ateş ettiler. O sıkışıklık, karışıklık içinde subaylar bu erken coşkuyu çabuk bastıramadılar.

Daha Çanakkale askeri olmamışlardı. Savaş öncesi ağırbaşlılığının, sessizlik içinde savaşa hazırlanmanın tadını bilmiyorlardı. Yaşarlarsa öğreneceklerdi.

Anzaklar Türklerin taarruz edeceklerini anlamışlardı. Silahbaşı ettiler. Beklemeye başladılar.

Taarruzun baskın niteliği kalmamıştı.

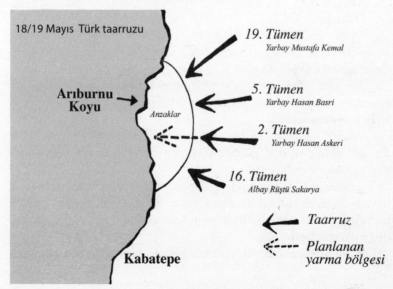

18/19 Mayıs Türk taarruzu

19. Tümen
Yarbay Mustafa Kemal

5. Tümen
Yarbay Hasan Basri

2. Tümen
Yarbay Hasan Askeri

16. Tümen
Albay Rüştü Sakarya

Arıburnu Koyu

Anzaklar

Kabatepe

← *Taarruz*

←---- *Planlanan yarma bölgesi*

BÜTÜN SİPERLERDE takım ve bölük komutanları askerlerini taarruza hazırlıyorlardı. Kimi çoluk çocuk sahibi, kimi gepegenç askerleri ölümün yüreğine yürüteceklerdi.

16. Tümenin 47. Alay takım komutanlarından Teğmen Mehmet Fasih de askerlerinin ortasındaydı. Sağındaki solundaki askerlerine alçak sesle seslendi:

"Arkadaşlar! Süngülerinizi bir daha yoklayın.Yuvalarına oturmuşlar mı? İyi bakın. Düşmana koca bir kaya parçası gibi yükleneceğiz. Geri kalan kusurunu kanıyla öder. Benim de bir adım geri kaldığımı görürseniz, ilk süngüyü bana saplayın!"[163a]

Teğmen Mehmet Fasih

Zaman gözyaşı gibi aktı.

Saat 03.25.

Beş dakika sonra siperlerden fırlayacaklar.

Herkes son duasını etti.

Saat 03.30!

"Haydi!"

Bütün birlikler aynı anda siperlerden fırladılar. Emir gereği, savaş çığlıkları atmadan, ince, uzun süngüleri önde, baskın ümidiyle sessizce ilerlediler.

Hücum mesafesine gelince siperlere dalmak için koşacaklar, Anzak makineli tüfeklerinin yoğun, kesintisiz, dehşet verici ateşiyle karşılaşacaklardı.

Ancak birkaç birlik bazı yakın siperlere girebildi. Ama onlar da ileri gidemeyecek, çapraz ateş altında kalarak bir süre sonra geri çekileceklerdi.

2. Tümenin taarruzu da sessiz olmadı. Boru takımları hücum havası vuruyor, tümen bandosu 'vatan marşı'nı çalıyordu. Hücum birlikleri coşku içinde, birbirlerini izleyerek dalga dalga düşmana doğru akıyorlardı.

2. ve 5. Tümen birliklerinden geriye uzunca zaman bilgi gelmedi.

Bu durum alay komutanlarını yanılttı. Merkezdeki birliklerin düşman mevzilerine girdiklerini, cephenin içine doğru ilerlediklerini sandılar. Tümen Komutanlarına bu tahminlerini bildirdiler. Onlar da bu bilgiyi Kolorduya geçtiler. Esat Paşa sevindi: Anzak cephesi yarılıyordu.

Ama gerçek çok farklıydı.

Geriye bilgi gelmiyordu, çünkü bilgi verecek kimse yoktu, hepsi şehit olmuştu. Genç subaylar ve askerler ateşe koşan gece kelebekleri gibi kavrulmuş, Anzak siperleri önünde düşüp kalmışlardı.

Mevzileri ağır topla dövülemediği için Anzak savunması cephenin her kesiminde çok canlıydı.

Fedai birlikler de bu yüzden başarılı olamadı. Yalnız en güneyde bir fedai grup iki makineli tüfek ele geçirebilmişti.

Gün ışıyordu.

2. Tümen Komutanı Kolorduya şu raporu yolladı:

"Bütün ihtiyatlar harcandı. Kayıp çok ağır. Siperlerimizi savunmaya çalışacağız."

Taarruzun vurucu kuvveti olan 2. Tümen bu duruma düşmüştü.

Esat Paşa daha ilk yönetiminin sonuçsuz kalmasını içine sindirememişti. Mazeret dinlemeyen Liman Paşa'nın kendisini yetersiz, çekingen ve kararsız bulması olasılığından da kaygı duyuyordu. Bu nedenle taarruzu sürdürmekten yanaydı. Kurmayının uyarısıyla Liman Paşa'ya durumu bildirerek onayını istedi. Liman Paşa taarruz edilmesini hemen onayladı.

Gündüz olmuştu.

Bütün birliklere yeniden taarruza geçmeleri emredildi.

Bu emir tartışılmadı. Türk ordusunu Türk ordusu yapan demir disiplin gereği, bütün birlikler hiç mızıldanmadan, sızlanmadan, nazlanmadan, yeniden taarruz düzeni aldı. Sağ kalabilmiş genç subaylar ya da astsubaylar, çavuşlar, üç saattir durmadan mücadele etmiş, nice silah arkadaşının toprağa düştüğünü görmüş, yorgun, uykusuz, çoğu yaralı bereli askeri taarruza kaldırdılar.

Filo tüm toplarıyla Türk cephesinin iki kanadını ateş altına aldı. Makineli tüfekler her yerden yine ölüm yağdırmaya başladı.

Anzaklar hücum etmeyi sürdüren Türkleri şimdi, gündüz gözüyle, görerek vuruyorlardı. Hiçbir mermi boşa gitmiyordu.

Savaş insan avına dönüştü.

Kimi birliklerin varlığı sona eriyor, kiminin gücü tükeniyordu. Taarruz gittikçe ağırlaştı. Bazı yerlerde durdu. Siperler arasındaki alan, ağır yaralı ve şehit binlerce Türkle dolmuştu. Esat Paşa saat 10.00'da 7 saate yakın süren taarruzu, daha doğrusu kıyımı durdurdu.

Birliklerden kayıp listeleri geldi, birleştirildi. Sonuç acımasızdı:

4.000 şehit, 6.000 yaralı!

Kurmay Başkanı Fahrettin Bey gözyaşlarını tutamadı.[164]

ANZAKLAR Türk taarruzu durunca, bazı yerlerde karşı taarruza geçtiler.

Yorgun, sayıca azalmış Türkleri bastırıp geri sürerek genişlemek, rahatlamak istiyorlardı. Her yerde geri püskürtüldüler. Bu tarruzları birçok kez denediler ama sonuç alamadılar.

57. Alayın cephesine gece de saldırmaya başladılar.

Alay, siperlerin yakınında yatan şehitleri toplayıp gömmek, yaralılarının bakımını yaptırmak, siperlerini derleyip düzenlemek istiyordu. Ama Anzaklar soluk aldırmıyordu.

57. Alayın savaşa girdiği ilk gün yaralanmış olan 1. Tabur Komutanı Yüzbaşı Zeki (Soydemir), alaya birkaç gün önce dönmüştü.[165] Alay Komutanı H. Avni Bey Zeki Bey'e, "Şunları durdur!" dedi.

"Emredersiniz!"

1. Taburun ilk askerlerinin çoğu şehit olmuş, ağır yaralılar daha iyileşip geri dönememişlerdi. Ama sağ kalmış genç subaylar yeni askerleri de kısa sürede, gece-gündüz, siperler içinde çalıştıra çalıştıra, konuşa konuşa Çanakkale askeri yapmışlardı.

Zeki Bey taburunun üç bölüğünü karşı taarruz için ayırdı. Bölük ve takım komutanlarını topladı, taarruzla ilgili teknik bilgiler ve emirler verdikten sonra dedi ki:

"Bunlara hadlerini bildireceğiz. Askeri hazırlayın!"

"Başüstüne."

Anzaklar çok inatçıydılar. Gece yarısı yeni bir taarruza daha kalkıştılar. Tabur, cephesine yaklaşan Anzakları bekliyordu. Bıçak gibi bir ses geceyi yırttı:

"Haydiiii!"

Bölükler siperlerden fırladılar ve Anzaklara doğru koşmaya başladılar. Süngüler ay ışığında gümüş izler bırakıyordu. Karşılaşmaları korkunç oldu. İlk sıradaki Anzakları devirdiler ve birliğin içine daldılar. O iyi dövüşen, cesur, iri yarı, sağlam Anzaklar bu hız ve hırs karşısında çaresiz kaldılar. Beklenmedik bir şey oldu. Bazı Anzaklar şaka olsun diye öğrendikleri iki Türkçe sözcüğü bu kez korku içinde bağırarak kaçıştılar:

"Türkler geliyor!"

Anzaklar çözülmüşlerdi zaten, toptan kaçmaya başladılar. 57. Alay bugün de çok şehit vermişti. Bir çavuşun komutasındaki üç manga, bunun hıncıyla Anzakların peşine takıldı. Yakaladıklarını bitiriyorlardı. Kaçanlarla birlikte tepelerden aşağıya, karanlığa, ölümsüzlüğe koştular, bilinmeze karıştılar ve komutanları M. Kemal'in anılarında yer aldılar.

Anıtları bu oldu.[166]

İSTANBUL'DA hayat halk için gittikçe zorlaşmaktaydı.

Fiyatlar katlanarak yükseliyordu. Darlık, kıtlık, karaborsa başlamıştı. Memura, emekliye aylığı, esnafa geliri yetmez olmuş, devlet memura aylığını yine her ay ödeyemez duruma düşmüştü.

Savaş cana ve paraya doymuyordu.[167]

Büyük sorun erkekleri askere alınmış ailelerin durumuydu. Kadınların açtığı bazı işyerleri birçok kadını ve çocuğunu aç kalmaktan kurtarmıştı ama sırada daha on binlerce kadın, yardım bekleyen on binlerce aile vardı.

Kadının evde oturmasını savunagelmiş olan anlayış bu soruna çözüm bulamıyordu. Kadın evde nasıl aç oturacaktı? Erkekler askerde olduğu için kadınların yapabileceği birçok iş vardı ama kökleşen anlayış kadınların bu işleri yapmasına izin vermiyordu. Sadakayla, komşu yardımıyla ne kadar yaşanırdı?

Orhan'la Dilber'in aileleri konuşmadan anlaşmışlardı. Orhan'a belli etmeden sofralarını basitleştirdiler. Bu tutumlu davranışla Orhan'ı iyi beslemeyi sürdürebileceklerdi.

İstanbul'un bir de ikinci yüzü vardı:

Pera Palas, Tokatlıyan, İngiliz Oteli gibi otellerin salonları, Maksim gibi gazinolar, Beyoğlu'ndaki müzikli cafeler, eğlence evleri yeni, görgüsüz ve hödük savaş ve iktidar zenginleri, yiyiciler ve bunların beslemeleriyle dolup taşıyordu. Şu sıra en eğlenceli, hovarda, cümbüşlü başkent İstanbul'du. Doğu Ekspresi her gün Sirkeci garına Avrupa'dan, şarkıcı, dansçı, çalgıcı olduklarını söyleyen güzel kızlar getiriyordu. Çoğu ince soyguncu, aptal erkek avcısı, bir bölümü de casustu.

Bu yeni zenginlerin hanımları da bir başka âlemdi. Gösterişten kaçınma, dikkati çekmeme, ölçülülük gibi yüzyılların eseri birçok inceliği, giyimde kuşamda, konuşmada yaşamada çiğneyip geçmişlerdi. Birbirleriyle ve geçmişleriyle yarışıyorlardı.

Zariflik sanarak, janjanlı, desenli, püsküllü, atlas, kadife, tafta çarşaflar giydiler, şıklık diye Viyana'dan parlak, çarpıcı renkte ayakkabılar getirttiler. Bu tür ayakkabıları hafifmeşrep kadınların giydiklerini bilmiyorlardı.

Dindarların gözlerini boyamak için de evlerinde ara sıra mevlid okutuyorlardı. Bunlar çok gösterişli oluyordu.

Savaş, şehitler, yaralılar, kadınların sorunları, pahalılık, yoksulluk, devletin durumu bu hanımları hiç ilgilendirmiyor, rüküşlüğün, türediliğin, görgüsüzlüğün şaheserini yazıyor, kendilerine, savaşa ve iktidara tapıyorlardı.

Utanmak diye bir duygu bilmiyorlardı.[167a]

E-11 DENİZALTISI Boğaz'ı rahatça geçmiş, Marmara adası yakınında bir gün dinlenmişti. Türk denizaltı avcılarına yakalanmamak için birçok inceliklere başvurarak İstanbul'a yaklaştı.

Bakırköy'ün önünde Peleng-i Derya adında bir torpidobot vardı (deniz panteri). Buradaki barut fabrikasını korumakla görevliydi. 6 tane topu bulunuyordu.

Barut fabrikası yalnız barut üretmiyordu. Trenle bir Alman mühendis, birçok mermi ustası, işçisi ve parçalanarak karışık bir biçimde sandıklara yerleştirilmiş gerekli araç ve makineler gelmişti. Levazımcı Topal İsmail Hakkı Paşa'nın adamlarının Romen ve Bulgar gümrükçülere ve demiryolculara, zorluk çıkarmamaları için yüklü rüşvet dağıttığı duyulmuştu. Paşa rütbesi verilen bu

E-11

mühendisin yönetiminde burada ve az ilerdeki Zeytinburnu'nda bulunan atölyelerde, top mermileri de yapılıyordu. Çoğu patlamayan niteliksiz mermilerdi ama hiç yoktan iyiydiler.[168]

Deniz poyraz yüzünden köpüklüydü. Torpidobotun gözcüleri denizaltının periskobunu fark etmediler. Nashmith torpidobota ilk torpilini yolladı. Gözcüler yaklaşan torpili son anda görebildiler: "Torpiiiiil!"

Gemi demirli olduğu için kaçamadı. Görevliler topların başına koştular, ateşe başladılar. Torpil dokunur dokunmaz küçük geminin altını parçalamıştı. Batmaya başladı. Topçular topların başından ayrılmadılar, su topların kundağına çıkana kadar ateşi sürdürdüler, denizaltının bir periskopunu vurdular. Denizaltı tek gözlü kaldı.

Peleng-i Derya güzel Bakırköy koyunda battı.

Kıyı bataryaları da ateşe başlamıştı. Denizaltı derine dalıp kayboldu. E-11 Marmara'da 25 Mayısa kadar birkaç taşıt gemisi batıracak, 25 Mayıs günü İstanbul limanına dalacaktı.

ARIBURNU'NDA siperler arasındaki alanda binlerce şehit kalmıştı.

Konu büyük komutanlara yansıdığı için kısa, basit bir ateşkeş yapılamamış, ateşkes konusu büyük bir olay olmuştu. Görüşler, yazışmalar günlerdir sürüyordu.

Güneş kızgın, hava sıcaktı.

Cesetler kokmaya başlamış, kara sinek bulutları oluşmuştu. Sinekler durmadan çoğalıyor, yemek yemeğe, uyumaya fırsat vermiyorlardı. Asker kaputunu, ceketini başına çekip öyle yemek yiyebiliyordu. Eğer küçük bir aralık kalmışsa, kara sinek sürüsü buradan içeri dalıyor ve yemeğe ortak oluyordu. Bu iğrenç sorunu bit sorunu izleyecekti. Çünkü su yalnız içmek içindi.

Akşama doğru, görüşmelerin sona erdiği, ertesi gün ateşkesin uygulanacağı bildirildi.

Hazırlık başladı.

Ordu deposunda birkaç yeni er üniforması kalmıştı. Ateşkeste görev alacak askerlere bu yeni üniformalar dağıtıldı. Düşmanın, askerleri o yamalı, lekeli giysiler, ip ya da şerit dolanmış yarım postallar ile görmesi doğru olmazdı.

NESRİN'E arkadaşı Vedia akşam üstü eski bir dergi getirip verdi, "Beyaz Konferanslar başlıklı yazıyı oku." dedi, "..roman hatta masal gibi. Şaşıracaksın. Sana vereceğimi anneme söyledim, haberi var. Uzun zaman sende kalabilir."

Kadın hareketi
öncülerinden yazar
Fatma Aliye Hanım

Nesrin yemekten sonra odasına çekildi, yatağa girdi. Kadın adlı bir derginin 1911 yılının Ocak ayı sayısıydı. Beyaz Konferansları anlatan hanım adını vermemişti. Sadece adının baş harflerini belirtmişti: P.B.

Bir süre yazara bir ad yakıştırmaya çalışarak oyalandı: Pakize, Perihan, Perizat, Piraye, Pervin, Peride, Perran.. Sonunda yazara Perican adını uygun gördü.

Perican Hanım zengin bir ailenin kızı olmalı. Kadın hareketi öncülerinden yazar Fatma Aliye Hanım'a hayran. Bir köşkte, hatta bir konakta oturdukları, ailenin Perican Hanım'a güvendiği ve destek verdiği anlaşılıyor. Perican Hanım'ın bir hayali var. Alt kattaki büyük salonun duvarları, tavanı, kapısı beyaza boyansa.. Perdeler de, panjurlar da beyaz olsa.. Salona birçok beyaz koltuk, iskemle ve beyaz bir kürsü yerleştirilse.. Çağrılacak konuk hanımlar da beyaz giysi ve beyaz başörtüyle gelseler. Kadınlara yakışan bu bembeyaz, tertemiz dünyada akıllı, bilgili bir kadın, kadın sorunlarını anlatsa, tartışsalar. Konuşa konuşa uyansalar. Sonra başka kadınları da uyandırsalar.

Bu hayalini ailesine açıyor. Aile kabul ediyor. Büyük salonu istediği gibi bembeyaz yaptırıyorlar. Perican Hanım birçok kadına çağrı mektubu yolluyor. 'Kadınlığın altı bin yıllık karanlığına bir mum ışığı verebilmek için' birçok yerden iki yüz elli hanım geliyor. Hepsi beyaz giysili ve beyaz başörtülü.

Nesrin heyecanlandı.

Ne kadar olağanüstü, düş gibi bir görünümdü bu.

Perican Hanım yazısında bu toplanışı 'Doğu dünyasının ilk kadın toplantısı' olarak niteliyor. Salon dolunca konuşmacı giriyor. Beyaz elbiseli, başı açık, otuz yaşlarında, solgun bir hanım. Perican Hanım heyecandan titreyen bir sesle konuşmacıyı tanıtıyor:

"Fatma Nesibe Hanımefendi."

Biri alkışlayarak kalabalığa yol gösteriyor. Alkışlamayı yeni yeni öğreniyorlar. Çünkü daha 1910 yılındayız. Konuşmacıyı alkışlıyorlar. Fatma Nesibe Hanım başıyla selam vererek kürsüye geliyor, konuşmaya başlıyor. Süslü, biraz ağdalı ama çok etkili, sert bir konuşması var.

Kadınların sorunlarını sıralıyor. Kapkara bir durum. Salon acı, isyan ve çaresizlik içinde dinliyor.

"Sizlerin oldukça katlanılır bir hayatınız var. Çevrenizden biraz daha aşağıya baksanız, gözleriniz kararır, tüyleriniz ürperir. Kadın, hiçbir hakkı, onuru, hürriyeti olmayan, aşağılanan, dayak yiyen, erkeğin dilediği anda 'boşsun!' deyip kapının önüne atabildiği zavallı bir yaratık, bir esir, hizmetçi, ırgat, çocuk makinesi."

Ağlayanlar oluyor.

Fatma Nesibe Hanım erkek bencilliğine, kadın haklarına direnen anlayışa çatıyor, "Bizi mazlum, küflü, sefil, cahil, aciz, kendilerine muhtaç bırakmak istiyorlar!" diyor.

Uzun süren konuşmasını şöyle bitiriyor:

"Bizim için bir sorun da erkeklerin esiri, oyuncağı, mülkü olmayı kabul eden, bu durumu savunan, bu hali dinin gereği sanan kadıncıklarımızın varlığıdır. Böyle sanmaları isteniyor, bu telkin altında ezilip kalıyor, özgürlükten, eşitlikten korkuyorlar. Kara çarşafa bürünüyorlar. Bu bir giyim değil, erkeklerin bizi canlı canlıyken, ölmüşüz gibi bedenimize doladıkları kara kefendir..

..Ama bir gün gelecek, bu gece sona erecek, güneş doğacak. Tüm kadınlığımız uyanacak, dirilecek. 'Seni boşarım' diyen diller kuruyacak, tekmelemek için kalkan ayaklar kırılacak. Erkekler karşılarında her söze aldanır, her şeye katlanır, saf, cahil, dünyadan habersiz kadınlar bulamayacaklar.

Ey yirminci yüzyıl! Sen kadın yüzyılısın. Seni kutsuyorum. Kadın devrimi bir erkek devrimi gibi kanlı ve vahşi olmayacak. Tersine, böyle beyaz, temiz, sessiz ve verimli olacak. Kurtuluşa yürüyoruz. Buna inanınız hanımlar!"

Hanımlar ağlıyor, alkışlıyor ve inanıyorlar.[169]

Nesrin'in de gözleri doldu. Bu kahraman kadınlara imrendi. Kimbilir belki Vedia'nın annesi de bu 'beyaz kadınlar'dan biriydi. Söylemezdi ki. Bir de kendi annesini düşündü. Savaş çıkınca en çok "Eyvah, Seylan çayı gelmeyecek" diye üzülmüştü.

Perican Hanım yazısında böyle on kez daha toplanıldığını belirtiyordu. Ertesi günü okumayı sürdürmek üzere ışığını söndürdü. Dua etti:

"Benim güzel, canım Allahım, hem Çanakkale hem kadın hakları savaşını kazanalım! Ne olur!"

ATEŞKES kararlaştırılan kurallar içinde sabah başladı.

Yüzler ilaçlı bezlerle örtülerek binlerce şehit toplanıp gömüldü. Gömülmeden önce düğmelerine bağlı meşin künyeler toplanıyordu.

Şehit oldukları Harbiye Nezaretince ailelerine bildirilecekti.

Cesetler arasında henüz ölmemiş üç ağır yaralı askere rastlandı. Beş gündür aç, susuz, güneş altında ölüme karşı koymuşlardı. Sedyeci erler iki yaralıyı ağlayarak geriye taşıdılar. Doktorlar hayatı bırakmayan bu askerleri kurtarmak için seferber oldular.

İki yandan da bazı üst subaylar er giysisi giyerek, uzaktan da olsa birbirlerinin mevzilerine gizlice bir göz atmak fırsatını buldular.

Görevli Anzak askerleri ile Türk askerlerinin işaret diliyle sohbet ettikleri, düğme, çikolata, sigara, kuru üzüm gibi küçük armağanları, anmalıkları değiş tokuş ettikleri, gurbette karşılaşmış iki arkadaş gibi gülüştükleri görüldü.

Ateşkes, akşam kararlaştırılan saatte sona erdi. İki yan da kurallara uyarak siperlerine çekildi.

Sekiz saat bir tek tüfek bile patlamamış, bir kişi bile ölmemişti. Ön siperlerden birinde, aralarında Boyabatlı Mustafa'nın da bulunduğu askerlerin akılları karışmıştı. Açığa çıkılmış, düşmanla yan yana durulmuş, yardımlaşılmış, sohbet edilmişti. Komşu olmuşlardı artık. Şimdi birdenbire düşmanlık başlar mıydı? Bu kadar dostluktan sonra ateş edilebilir miydi? Boyabatlı Mustafa yüreği akarsu gibi temiz bir Anadolu çocuğuydu. "Durun hele.." dedi, "bir bakayım şu gâvurcuklara, onlar ne ediyorlar?"

Siperden başını çıkardı. Bir tüfek patladı. Boyabatlı Ömer oğlu Mustafa sipere düştü. Başından vurulmuştu.

Arkadaşları sınırsız bir öfke içinde silahlara sarılıp karşı yanı ateşe boğdular.

Savaş yeniden başladı.

Şehit Boyabatlı Mustafa'nın cebinden Çanakkale Destanı çıktı. Kilim gibi, türkü gibi, oya gibi, Kerem'le Aslı hikâyesi gibi Anadolu işiydi. Nakaratı siperden sipere, bütün Çanakkale birliklerine yayıldı:

Bugün bizden vatan razı olacak
Asker şehit, ordu gazi olacak...[170]

25 MAYIS Salı günü öğleye doğru Kaptan Nashmith E-11 ile İstanbul Boğazı'nın Marmara'ya açılan ağzına yaklaştı. Cesaret edip su üstüne çıksa, kulenin kapağını açıp o noktadan çıplak gözle bakabilse, Sarayburnu'nu, Boğaz'ı, Kızkulesi'ni ve Asya yakasını görür, bu eşsiz, görkemli güzelliği ölümle kirletmekten kaçınırdı.

Ama onun işi yakıp yıkmaktı.

Periskobu su üstünde olarak ilerledi. Büyük bir gözükaralıkla İstanbul limanına daldı. Galata rıhtımına yanaştırılmış iki gemiye Çanakkale'ye gidecek 1. Tümen birlikleri bindiriliyordu. Bu fırsatı kaçırmadı.

İki torpil yolladı.

Şimdi gemiler, askerler, toplar, mermiler, fişekler, arabalar, atlar havaya uçacaktı. Zarar görmemek için hızla geri çekildi.

Torpillerden biri rıhtıma, ikincisi gemiye bitişik duran mavnaya çarptı. İkisi de patladı. Gemilere bir şey olmadı.

Ama İstanbul çok korktu. İmparatorluğun kalbinde düşman denizaltısı dolaşıyordu!

Galata köprüsünün üzerine acele gözcüler dizildi. Yavuz yardımcı gemilerle çevrilerek koruma altına alındı. Hücuma uğrayan gemilere bindirilmiş olan 1. Tümen alayları apar topar indirildi, Uzunköprü'ye trenle yollanmalarına karar verildi. Subay ve asker giysili yolcuların Boğaz vapurlarında güverteye çıkmaları yasaklandı. Birkaç torpidobot ve muhrip, denizaltıyı bulup batırmakla görevlendirildi.

Çanakkale'ye asker, yiyecek ve cephane yollamada zor dönem başlıyordu.[170a]

OTTO HERSING'İN kaptanı olduğu U-21 markalı Alman denizaltısı, uzun, maceralı yolculuğunun sonunda önceki gün Çanakkale Boğazı'na ulaşmıştı. İki günden beri vuracak av arıyor ve fırsat kolluyordu.

Triumph

İngilizler Malta'dan gelen uyarı üzerine denizaltı tehlikesine karşı birçok önem almış, iki gözetleme kuşağı oluşturmuşlardı. Torpidobotlar, muhripler, büyük bir hızla geziniyor, Gelibolu ile Gökçeada arasında denizaltı arıyor, Türk mevzilerini ateş altına alan zırhlıları koruyorlardı.

Bugün bir av bulmaya kararlı olan Otto Hersing periskobunu su yüzeyine çıkarttı, çevreyi inceledi.

Öğle üzeri Kabatepe açıklarında bir zırhlı olduğunu fark etti. Triumph adındaki zırhlıydı bu. 13 yaşında, 11.800 ton ağırlığında, 146 metre boyunda dev gemilerden biriydi. 700 kişilik mürettebatı vardı.

Öldürmeye ara vermişti. Torpillere karşı koruma ağlarını germiş, 5-6 mil hızla kıyıda bir aşağı bir yukarı gidip geliyordu. Mürettebat yemeğini yemiş güvertede güneşlenmekteydi. Büyük bir destroyer korumak için çevresinde dönüp duruyordu. Gözetleme postaları güçlü dürbünlerle denizde denizaltı arıyorlardı.

Görülmeden atış için çok az zaman vardı. Denizaltı on metre derinlikteydi. Uygun derinlikti bu. Hersing hedefe iyice yaklaştı. Bu saat E-11'in Galata rıhtımındaki asker dolu iki gemiye iki torpil fırlattığı saatti.

Hedefle arasında 400 metre vardı.

Daha yaklaştı.

300 metre.

Daha.

200 metre.

Bu uzaklık uygundu. Elektrikli düğmeye bastı, torpili fırlattı.

Büyük bir patlama, korkunç bir sarsıntı! Denizaltı denizin içinde bir top gibi zıpladı. Mürettebat duvarlara savruldu.

Yer yer ateş düellosu yapmakta olan Türkler ve Anzaklar büyük patlayışı duymuşlardı. Triumph'dan ateş ve duman fışkırdığını gördüler. Olayı izlemek için düelloya ara verdiler.

Triumph 18 Martta toplarını ilk ateşleyen gemiydi.

Gövdesi yırtılmıştı. Yan yattı. Denizciler denize atladılar, döküldüler. Muhripler ve torpidobotlar denizcileri kurtarmak için yaralı gemiye sokuldular.

Türk topçuları denize dökülenlere ateş etmedi. Bu sayede çoğu sağ kurtuldu.[171]

Triumph'un vurulması Anzakları ve İngilizleri çok üzmüştü. Türk siperleri ise sevinç içindeydi. Bir beladan daha kurtuluyorlardı.

Gemi sekiz dakika kadar su üzerinde kalabildi, alabora oldu, suya gömülüp gözden kayboldu.

TRIUMPH'UN batırılması donanmada paniğe yol açtı. Onca önleme rağmen bir denizaltı sokulup gemiyi vurmayı başarmıştı.

"Olamaaaaaz!"

Olmuştu ama!

Amiral de Robeck mümkün olsa bütün donanmayı geri çekecekti. Donanma kara ordusunu desteklemek için buradaydı. Zırhlıların ancak zorunlu görevlere çıkmalarını, göreve çıkanların çok iyi korunmalarını, geri kalan bütün büyük savaş ve taşıt gemilerinin Mondros'a ve Gökçeada'ya çekilmelerini, liman ağızlarının çelik ağlarla kapatılmasını emretti. Bütün torpido ve muhripleri denizaltıyı bulmakla görevlendirdi.

Kendisi de karargâhıyla birlikte Lord Nelson'u bırakarak dikkati çekmeyecek küçük, gösterişsiz bir gemi olan Triad yatına geçti.

Hamilton da yatından ayrılıp Gökçeada'da bir barakaya yerleşti.

Londra'da politik durum zaten dalgalıydı. Amiral Fisher'in istifası üzerine muhalefet hükümet hakkında gensoru isteyeceğini açıklamıştı. Neler oluyordu Çanakkale'de? Gerçekleri öğrenmek istiyorlardı. Başbakan Asquith durumu yumuşatmak için hükümeti yenilemeye karar vererek görüşmelere başlamıştı.

Triumph'un batırıldığı haberi her şeyi çok hızlandırdı.

Görüşmeler kısa kesildi ve yeni hükümet ertesi sabah açıklandı. Başbakan Donanma Bakanlığına Balfour'u getirmiş, Churchill hükümet dışında kalmıştı.[172]

GEMİLERDEN indirilen 1. Tümeni demiryoluyla Uzunköprü'ye yollamak için Sirkeci garında uzun iki katar hazırlanmıştı. Alaylar takım takım vagonlara biniyorlardı.

Peron çok kalabalık, vagonlar tıklım tıklımdı.

Tekirdağ'da kurulan Kızılay hastanesinde gönüllü hemşirelik yapacak dört İstanbullu orta yaşlı hanımın da Uzunköprü'ye bu katarla gitmesi uygun görülmüştü. Orada hastaneden yollanan bir araba bekleyecekti. Siyah, bol çarşaflı ve peçeliydiler. Hanımlara göz kulak olması istenilen görevli subay hanımları erkenden bir kompartmana yerleştirdi, daha doğrusu kapattı. Kompartmanın perdelerini örtmelerini tembih etti.

Hanımların en büyüğü içini çekti:

"Sevgili ülkemizde kadın olmak ile suçlu, bulaşıcı hastalıklı, tehlikeli, zararlı olmak arasında bir fark yok."

Ötekiler yüzlerce yıllık bir kederle gülümsediler.[172a]

U-21 bir gün saklandıktan sonra 27 Mayıs günü bir daha harekete geçti, sabah Seddülbahir'e yaklaştı. Periskobunu çıkardı.

Saat 06.30'du.

Teke Koyu yakınlarındaydı. Büyük gemiler ortalıktan çekilmişlerdi. Birçok küçük gözetleme ve yük gemisi vardı. Birden bu küçük teknelerin üzerinden bir zırhlının iki direğinin yükseldiğini

Majestic Zırhlısı

fark etti. Gri rengi dolayısıyla ilk bakışta görememişti. Dikkatle inceledi. Bu Majestic olmalıydı.

Majestic 20 yaşında, 15.000 ton ağırlığında, 120 metre boyunda, güzel, klasik bir zırhlıydı.

Kıyıya çok yakın duruyordu.

Hersing denizaltısını hedefe yöneltti. Geminin yakınında bulunan, çevresinde dolanan küçük gemiler arasında bir boşluk bulup torpilini fırlatmak için sabırla bekledi.

20 metre kadar bir boşluk oluşmuştu. Hiç duraksamadan düğmeye dokundu. Torpil denizaltıyı sarsarak fırladı.

Büyük bir patlayış oldu! Gemi yana yattı. Geminin batacağı belli olmuştu. Mürettebat denize atladı. Gemi dört buçuk dakika içinde ters dönüp battı. Yardımcı gemiler mürettebatı denizden topladı. Majestic İngilizlerin Çanakkale'de kaybettikleri 6'ncı zırhlıydı. Bulunduğu yer sığ olduğu için Triumph gibi bütünüyle suya gömülmedi, başı ve karnı dışarda kaldı.[173]

Ölmüş bir katil balinayı andırıyordu.

Majestic batıyor

Burası Seddülbahir'deki Türk topçu gözetleme yerlerinden görünüyordu. Haber yıldırım gibi yayıldı. Sevinçten havaya kurşun sıkanlar azarı işittiler. Çünkü Ordu piyade fişeğinin de artık çok tutumlu kullanılmasını emretmişti.[174]

U-21 ortalıktan kayboldu. Bodrum yakınlarındaki bir gizli üste yakıt ve yağ ikmali yaptıktan sonra 4 Haziranda Çanakkale'ye dönecekti.[175]

ŞİMDİ SIRA Kaptan Nasmith'teydi.

İki gün saklanmıştı. 28 Mayıs günü İstanbul-Çanakkale arasında pusuya yattı. Bir torpidobotun koruması altında gelen dört gemilik bir konvoy gördü. Gemiler asker, cephane ve malzeme taşımaktaydı.

Ordu acele ettiği için deniz yoluyla yollanıyorlardı.

E-11 gemilerden birini vurdu. Gemide bulunan 250 er şehit oldu, topçuların yana yana bekledikleri 7.000 top mermisi de suyun dibini boyladı.

Torpidobot saldırıya geçince derine dalıp kaçtı. Sıkı aranacağını hesaplayarak saklandı. 1 Hazirana kadar ancak bir yük gemisi batırabilecekti.

7. TÜMEN iyi dövüşmüş, çok yorulmuş, kayba uğramış, dinlenmeyi hak etmişti. Siperlerini 12. Tümene devredip geri çekildi. 12. Tümen Komutanlığına Müstahkem Mevki Kurmay Başkanı Yarbay Selahattin Adil Bey atanmıştı. Siperleri 7. Tümenden dü-

zen ve sessizlik içinde devraldılar. Cephenin sol (doğu) kanadına yerleştiler.

7. Tümenden 21. Alay dinlenmesi için Boğaz kıyısındaki Havuzlar kesimine yollandı. Burası Kilitbahir'e yarım saat mesafede, deniz kıyısında, akarsulu, havuzlu, bağlık, bahçelik, yemyeşil bir yerdi. Savaştan önce ailelerin dinlenme ve eğlence yeriydi. Savaş başladığından beri ıssızdı.

Konakçılar önceden gelip ordugâhların kurulması için hazırlık yapmışlardı.

Ateş, kan, toz, toprak, sıcak, sinek, bit cehenneminden çıkan alay, düşman gemilerine görünmemek için arkadan dolanarak Havuzlar'a indi. Hepsi yara bere, pislik içindeydi.

Birdenbire yeşillik ve su içinde boğuldular.

Yer çimen gök yapraktı.

Billur gibi bir su şırıldayarak akıyor, kuşlar şakıyor, güneş ışınları büyük havuzda nazlanıyordu. Ocaklar yakılmış, koca kazanlarda yemek pişiyor, hava deniz ve sıcak ekmek kokuyordu.

Alay Komutanı çevreye baktı, "Galiba.." diye düşündü, "..alayca toptan şehit olduk, cennetteyiz."

ÇIKARMANIN yapıldığı 25 Nisan günü Arıburnu'nda düşmanı karşılayan 27. Alayın 8. Bölüğü erimiş, bölükten geriye 4 yaralı subayla bir avuç er kalmış, bölük yok olmuştu.

Yaralı subaylar tam iyileşmeseler bile geri gelmişlerdi: Bölük Komutanı Yüzbaşı Faik, takım komutanları Asteğmen İbrahim Hayrettin, Asteğmen Muharrem, Başçavuş Süleyman. Alaya kayıplara karşılık yeni asker de verilince, 27. Alay Komutanı Şefik Bey, kahraman 8. Bölüğü yeniden kurmaya girişti. Cephe gerisinde bölüğün kurulmasına başlandı. Kuruluşu tamamlanınca eskisi gibi 2. Tabura bağlanacaktı.

8. Bölükten sağ kalan beş-on asker başka bölüklere dağıtılmış, bunlardan bazıları da şehit olmuştu. Sağ kalanların hiçbiri eski bölüğünü, takımını, komutanını, o ilk günü, o kıyameti unutmuyor, unutamıyordu. Bölüğün yeniden kurulduğunu duyanlar çok heyecanlandılar, eski bölüklerine verilmelerini istediler. Hele komutanlarının döndüğünü duyanları tutmak mümkün değildi.

25 Nisan günü Arıburnu'nda direnen 8. Bölüğün Komutanı Yüzbaşı Faik ve Asteğmen İbrahim Hayrettin, Asteğmen Muharrem ve Başçavuş Süleyman'ın da aralarında bulunduğu yaralılar hastanedeyken

Askerin ruhunu iyi bilen Şefik Bey hepsini yeni 8. Bölüğe aldı. Askerler eski komutanlarını görmek için koştular.

Bunlardan biri de Mehmet Ali'ydi. O da nefes nefese gelmişti. Komutanı Asteğmen Muharrem'i ordugâhta, bir çadırın önünde görünce yavaşladı, durdu, selam verdi:

"Komutanım!"

Sesinde şefkat ve saygı titriyordu. Elini unuttu. Eli başında kaldı. Dondu. Savaşta süngüsüyle kaç insan parçalamış olan o koca adamın heyecandan dili tutuldu. Komutanı sağdı. Geri dönmüştü. Karşısındaydı. Yine kılıç gibiydi. Gözlerinden aşağıya ip gibi şükür ve sevinç yaşları akmaya başladı.

Asteğmen iki gün önce gelmişti. Kendini sırtında saatlerce dere tepe dağ bayır taşıyıp sahra hastanesine yetiştiren bu çocuk kalpli koca adamı görünce onun da gözleri minnetle doldu. 'Şehit oldu' yanıtını alacağı korkusuyla Mehmet Ali'yi sormaya cesaret edememişti. İki gündür oyalanıp durmaktaydı. O da komutanlığı momutanlığı bir yana attı, koşup sarıldı.

Kucaklaştılar.

8. Bölüğün kuruluşu bir hafta içinde tamamlanacak, ikmal erlerine savaş eğitimi verilmesine başlanacaktı.

ARIBURNU'NDA Türkler güçleniyor, Anzaklar bunalıyordu. Anzak Kolordusu hemen her gece saldırıyor, baskına kalkıyor, didişiyor ama bir karış ileri gidemiyordu. Kolordu Komutanı General Birdwood bu çıkmazdan kurtulmak ümidiyle bir plan tasarlamıştı. Anzak köprübaşını ziyarete gelen General Hamilton'a sundu.

General Hamilton'un canı sıkkındı. İşler iyi gitmiyordu. Kayıp sayısı en kötümser tahmini aşmıştı. General Birdwood'un planına şöyle bir göz attı. Bakıp geçecekti. Geçemedi. Zihninde bir parlama oldu. Bu planda kilidi kıracak, seferi sona erdirecek bir şeyler vardı. Planı dikkatle inceledi. Birdwood'a şöyle dedi:

"Ağzını sıkı tut."

General Birdwood planının ana düşüncesinin kabul edildiğini anladı ve sustu.[176]

General Hamilton Gökçeada'ya dönerken iki kurmayını kesin bir gizlilik içinde bu planı incelemek ve geliştirmekle görevlendirdi. Kendi de fırsat buldukça bu çalışmaya katılacaktı.

KARŞILIKLI baskınlar, bomba düelloları ile sarsılan Bombasırtı'nda ilk lağım (tünel) patlatılmış, lağım savaşları da başlamıştı.[177]

Gizlice kazılan tünellere yerleştirilen dinamit ateşlenince, yer bir yanardağ gibi patlıyor, üzerinde ne varsa parçalayıp havaya uçuruyordu.

Esat Paşa tünel açma konusunda bilgilerinden yararlanmak için Harbiye Nazırlığı aracılığıyla Zonguldak'tan beş-altı maden ustası istedi.

Öncelikli sorun düşmanın nerede tünel kazdığını anlamak ve karşı önlem almaktı. Pratik zekâlı biri bir çözüm buldu. Yeri dinlemek için orta boy yemek kazanlarını kullanacaklardı. Kazanın ağız kısmını toprağa, kulağı da kazanın dibine dayıyor ve yeraltını dinliyorlardı.

Eğer düşman tünel kazıyorsa, uzakta bile olsa, kazma tıkırtısı kazanın içinde büyüyor, yerin kazıldığı anlaşılıyordu. Bu zor zaman buluşu dinleme aygıtı çok işe yaradı. Düşmanın yeraltı etkinlikleri izlenmeye, gerekli önlemler alınmaya başlandı.[177a]

Askerler de bir baskın sırasında birkaç aynalı tüfek ele geçirmişledi. Bu tüfeklerle karşı yana görünmeden ateş edilebildiği anlaşıldı.

Vay uyanıklar!

27. Alay 2. Taburunda erlik yapan Biga'nın Gündoğdu bucağından Ali (Demirel) aynalı tüfeğe uzun uzun baktı, "Ben bunun gibi yaparım" dedi.

Sivilliğinde marangozmuş. Gerçekten yaptı. Savaş bitene kadar tüfekleri aynalayacak, her mangada en az böyle bir tüfek bulunacaktı.[178]

Anzakların bu konudaki üstünlüğü sona erdi. Türk keskin nişancıları görerek ateş ediyor, bunun için canlarını tehlikeye atıyorlardı. Aynalı tüfeklerle keskin nişancıların işi kolaylaştı. Cepheyi denetlemeye gelen Kolordu Komutanı General Birdwood'u bile vuracaklardı. Ucuz atlattı. Kurşun başını sıyırıp geçmişti.[179]

1 HAZİRAN günü Ordu Kurmay Başkanı Yarbay Kâzım Bey haber vermeden M. Kemal'e yemeğe geldi. Yemeğe oturmadan önce biraz birbirlerine takılıp gülüştüler. Biraz da Almanları konuşup dertlendiler. İkisi de Almanların ırkçılığından çok rahatsızdı.[180] Irkçılık bilmedikleri, tanımadıkları, yaşamadıkları, paylaşamayacakları bir anlayıştı.

Sonra yemeğe geçtiler.

M. Kemal yemeğin sonunda aklını kurcalayan bir soruna değindi. 19. Tümen Anzaklar karşısındaki cephenin en sağındaydı. 19. Tümenin hemen sağında Sazlıdere vardı. Sazlıdere ile Ağıldere arasında 5 km genişliğindeki engebeli, çok karışık kesimin önemli bir özelliği vardı. Bu kesim birçok karışık biçimler alarak gitgide yükseliyor, Conkbayırı'na ve Kocaçimen Tepeye ulaşıyordu.[180a]

M. Kemal Kâzım Bey'i uyardı:

"Bu kesim çok iyi korunup savunulmalı. Çünkü düşman bizi ancak Conkbayırı-Kocaçimen'i ele geçirerek yenebilir. Düşmanın Conbayırı'na ve Kocaçimen'e ulaşabileceği tek yer de işte bu kesim. Buranın savunulmasının da tümenime verileceğini seziyorum. Tümenimin gücü hem cepheyi, hem bu geniş kesimi koruyup savunmaya yetmez. Burayı kesin olarak, ayrı ve güçlü bir birlik savunmalı, hem de iyi savunmalı. Bu kaygımı Liman Paşa'ya anlatmalısın."[181]

"Söz!"

Yemek bitip kahveye geçildi.

Kâzım Bey kahvesini çabucak içti, fincanını çalkaladı, bol kahveli son yudumu keyifle içtikten sonra gülerek dedi ki:

"Şimdi bir haber verip gideceğim. Zaten bu haberi vermek için gelmiştim. Ama vereceğim haberi yarına kadar gizli tutacaksınız. Yoksa Liman Paşa'yla başım derde girer."

Ayağa kalktı. M. Kemal ile İzzettin Bey de kalktılar. M. Kemal'e sarıldı, yanaklarından öptü:

"Hayırlı olsun kardeşim. İnşallah paşalığını da birlikte kutlarız. Albaylığa yükseltildiğin hakkındaki kararname geldi. Yarın resmi olarak bildirilecek."

Bu güzel habere İzzettin Bey komutanından daha çok sevindi.

BU SIRADA Kaptan Nasmith E-11 ile Marmara'da dolanmakta, tek kalan periskobunu dört bir yana çevirerek av aramaktaydı. İstanbul'a doğru ilerledi. Yeşilköy hizasında bir gemi gördü.

Zaten gemi görünsün diye beyaza boyanmıştı. Bordasına kırmızı boya ile büyük kızılay ve kızılhaç işaretleri yapılmış bir hastane gemisiydi. Çanakkale'den İstanbul'a 700 ağır yaralı taşımaktaydı. Yaralılar için sorun olmasın diye ağır yol alıyordu.

Gözcü bir denizaltı periskobunun göründüğünü bildirdi. Kaptan önemsemedi. Uygar, aklı başında bir denizcinin bir hastane gemisine saldıracağı aklının köşesinden bile geçmedi. Hiç telaş etmeden, alarm vermeden yoluna devam etti.

Ama Nasmith hastane gemisine bir torpil yollamaktan kendini alamadı. Vursa gemi 700 yaralıyla suya gömülecekti. Torpil ya gemiyi yalayarak geçti ya da vurdu ama patlamadı.

Hastane gemisinin kaptanı yaralıları düşünerek dehşetli korkmuştu. İstanbul'a varır varmaz bu insanlık dışı olayı ilgili birimlere duyurdu. Hükümet büyük tepki gösterdi. Uluslararası kuralları hatırlatarak Kızılhaç Merkezi'ne şikâyette bulundu.[182]

Bir sonuç alınamayacaktı.

Türk denizcileri Kaptan Nasmith'in cesurluğuna ve usta denizciliğine saygı duyuyorlardı. Ama bir hastane gemisine saldırdığını öğrenince, saygı yerini nefrete bıraktı.

Gerçek bir asker, savaş dışı olmuş yarım insanlara saldırır mıydı?[183]

ESAT PAŞA ile Fahrettin Bey sabahleyin M. Kemal'in yeni karargâhına geldiler. Ordu Komutanı adına 'albaylığa yükseltildiğini' resmi olarak bildirdiler.

İzzettin Bey albaylık yıldızını hazırlamıştı. Esat Paşa kendi eliyle taktı:

"Rütbenin sana ve memleketimize hayırlı olmasını, daha büyük rütbelere ve makamlara yükselmeni, Allah'ın izni ve yardımıyla başarılarına başarılar katmanı dilerim."

"Teşekkür ederim Paşam."

Kahveler geldi.

Esat Paşa, cephede yeni bir düzenleme yaptığını, bu arada 19. Tümenin sağ kanadındaki Sazlıdereve batısındaki kesimi de tümenin bölgesine kattığını söyledi.

M. Kemal'in sezgisi doğru çıkmıştı.

Şimdi tartışmak doğru olmayacaktı. Gereken önlemleri aldıktan sonra bu karara yazılı olarak itiraz etmeye, tehlikeyi anlatmaya karar verdi.[184]

SEDDÜLBAHİR'DEKİ Birleşik Ordu'da da bazı düzenlemeler yapılmıştı.

Dört İngiliz tümeni tek komuta altında birleştirilmiş ve adı 8. Kolordu olmuştu. Komutanlığına General Hunter Weston atanmıştı.

Fransız kesiminde General Gouraud'nun komutasında iki Fransız Tümeni vardı.[185]

4 Haziranda başlayacak olan taarruzun planı çok ayrıntılı olarak hazırlanmıştı. Bir İngiliz bölük komutanı şöyle diyecekti: "Bu derece ayrıntılı emirlerle ilk kez karşılaştım. Her şey en ince noktasına kadar düşünülmüş. Bu planla yenilgi düşünülemez."[186]

Taarruzu 140 kara topu ile savaş gemileri destekleyecekti. Bu savaşa ilk kez 8 İngiliz zırhlı arabası da katılıyordu. Yollar buna göre düzeltilmiş, geçebilmeleri için köprüler yapılmıştı.[186a] Uçaklar da kalabalık filolar halinde savaşa katılacak, Türk mevzilerini ve cephe gerisini gide-gele sürekli bombalayacaklardı.

Türklerin Arıburnu kesiminden Seddülbahir'e kuvvet kaydırmalarını önlemek için gece yarısı Arıburnu'nda da oyalama taarruzlarına başlanacaktı.[187]

General Hamilton Seddülbahir'de sonuç alabileceklerini ümit ediyordu. İyi hazırlanmışlardı.

SEDDÜLBAHİR'DE Üçüncü Kirte Savaşı 4 Haziran Pazartesi sabahı saat 08.00'de deniz ve kara toplarının gittikçe yoğunlaşan bombardımanı ile başladı.

Kralın doğum günüydü. Bu taarruz Krala armağandı.[188]

Türk cephesinde sağ yanda (batıda) 9. Tümen vardı, sol yanda (doğuda) 12. Tümen.

Bombardıman toplam dört saat sürecekti. Bu güne kadar bu kadar uzun, yüklü bombardıman olmamıştı.

Türk sağ kanadındaki askerler siperlerine dönsünler diye filo iki saat sonra bombardımana ara verdi, birlikler saldıracakmış gibi davrandılar. Bunun üzerine Türkler bombardıman bitti sanarak hızla yıkılmış siperlerine döndüler, yıkıntıların arkasına, mermi çukurlarına yerleştiler.

Taarruzu beklediler.

Acı bir İngiliz oyunuydu bu. Toplar, dümdüz edilmiş siperlerde yakaladıkları Türklerin üzerine iki saat daha ölüm yağdırdı. Bu pis oyun büyük kayba yol açtı. Gerideki yedekler ileri sürüldü. Şehitler, yaralılar, eski ve yeni askerler ön siperlerde birbirine karıştı.

İngilizler batıda, Fransızlar doğuda taarruza geçtiler.

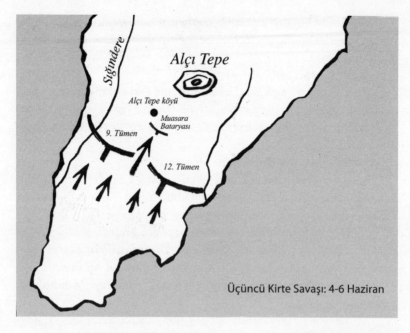

Üçüncü Kirte Savaşı: 4-6 Haziran

Yoğun bombardıman Türkleri çok ezmişti. Buna rağmen canla başla direndiler. Hiç kimse canını sakınmıyordu. Sadece ilk gün verilecek 6.000 kayıp, bu özverinin kanıtı olarak tarihte yer alacaktı.

Deniz ve kara topları cephe gerisini, yedek birlikleri, geri birimleri allak bullak etmekteydi. İstanbulluların, siyah, kaba üniformalarına, mandaların çektiği 1877'den kalma toplarına güldükleri muhasara bataryası ile bazı bataryalara, açığa çıkmaları emri verildi. Bu fedai bataryalar düşman ateşlerini üzerlerine çekerek cephenin ve gerisinin biraz olsun rahatlamasını sağlayacaklardı.

Muhasara bataryası Alçıtepe köyünün batısında, göreve uygun bir yere yerleşti. Komutan hasta olduğu için geride kalmış, komutayı atış subayı Üsteğmen Arif (Tanyeri) üstlenmişti.

Batarya görevini yaparak, bazı İngiliz bataryalarının ateşini üzerine çekti, mermisi bitene kadar bunlara karşılık da verdi. İki topu sakatlandı, bir askeri ağır yaralandı. Üsteğmen Müstahkem Mevki'den top ustası ve mermi istedi.

Bu sırada bir İngiliz birliği cephenin merkezinde dövüşen taburun siperlerini ele geçirerek, cephenin derinliğine doğru ilerlemeye başladı.

Yarılma tehlikesi belirmişti.

Bu taburdan sağ kalanlar adım adım geri çekiliyor, kaya parçalarını, ağaçları, mermi çukurlarını, toprak yığınlarını, şehit arkadaşlarını siper ederek İngiliz ilerleyişini durdurmak için çırpınıyorlardı.

Yine herkesin fedai olduğu bir savaştı bu.

Savaşarak ve eriyerek geri çekilen tabur, bataryanın sağ hizasına yaklaştığı sırada, Güney Grubu Topçu Komutanı Yarbay Binhold'dan bataryaya bir emir geldi:

"Düşman birinci hat siperlerimizi ele geçirdi. Bataryanıza doğru yaklaşıyor. Göreviniz bitmiştir. Topları tahrip ederek erleriniz ve koşum takımlarınızla Alçı Tepe gerisinde toplanınız."

Topları tahrip etmek ve geri çekilmek, Alçı Tepe yolunu açık bırakmak demekti.

Muhasara bataryasında iki teğmen, 150 asker vardı. Üsteğmen Arif hepsini toplayıp durumu anlattı. Sorun basitti:

Ya aziz canlarını koruyacaklardı, ya namuslarını.

Mürettebat çekilmeyip dövüşmeye, yedek kuvvetlere zaman kazandırmaya karar verdi. Yaklaşan İngilizleri önce tüfek ateşiyle karşılayacak, sonra Üsteğmenin işaretiyle süngü hücumuna geçeceklerdi.

Sağ yana gelen erimiş taburla bağlantı kurarak savunma düzeni aldılar.

Yaklaşan İngilizleri ateşle karşıladılar. Düşman da kararlıydı. Türk cephesini yarmak üzereydiler. Seyrekleştiler ama durmadılar. Koşarak geliyorlardı. Heyecan içindeki Üsteğmen Arif gırtlağını paralarcasına bağırdı:

"Hücuuuum!"

Akşam alacası içinde, acayip kara kılıklı, posbıyıklı, çoğu sakallı, yüzleri terden parlayan 150 koca asker, antika süngüleriyle İngilizlerin önüne atlayıverdi.

Evvel zamandan gelmiş, bir efsaneden düşmüş gibiydiler.

Adamları ürküttüler. Top gürler gibi nara atarak olanca güçleri ile yüklendiler. Ürkmüş birliği iyice şaşırttılar, dağıttılar, biçtiler, parçaladılar. Türklerden kat kat kalabalık İngiliz birliği baş edemedi, direnemedi, çaresiz kaldı, kaçmaya başladı. Bazıları kaçanların peşini bırakmadı, yakaladıklarını benzetti.[188a]

Yedek kuvvetler yetişerek boşluğu doldurdular, İngilizleri birinci siperlere kadar geri sürdüler. Yarılma tehlikesi kalmadı.[189]

Muhasara bataryası asıl görevine döndü.

Şehitler gömüldü. Ağırca yaralı olanlar geriye yollandı. Görev devam ediyordu. Hiç yorulmamış gibi Alçıtepe köyündeki yıkık yağhanenin büyük direklerini taşıyarak bataryadan 500 metre kadar geride sahte bir batarya yaptılar. Asıl bataryanın yakınına sığınaklar, siperler hazırladılar, kendilerini güvene aldılar.

Top ustası ile antika mermiler geldi.

Muhasara bataryası İngiliz mevzilerine ve gerilerine rahat vermeyecek, İngiliz topçuları sahte bataryayı ateş altına alacak, iyi gizlenmiş muhasara bataryasını bir türlü susturmayı başaramayacaktı.[190]

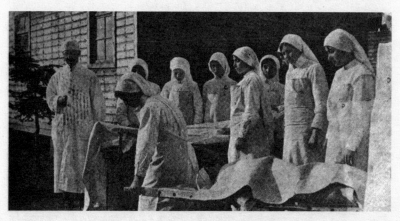

Yaralı taşıyan gönüllü Türk hemşireler

ÜÇÜNCÜ Kirte Savaşı 5 ve 6 Haziran günleri de sürdü.

Birleşik Ordu Türkleri yenmeye, ilk hedef olan Alçı Tepe'ye ulaşmaya kararlıydı. Deniz ve kara topları Türk mevzilerini cehenneme çeviriyordu.

Türkler bu cehennemin içinden çıkıp mevzilerini koruyordu. Sonra karşı taarruzlara başladılar. Düşmanın ele geçirdiği siperlerin büyük bölümünü geri aldılar, 17 ağır makineli tüfek ele geçirdiler.

Birkaç siper İngilizlerde kaldı. 6.500 kayba karşılık birkaç siper.[191]

Kral herhalde bu kanlı armağandan memnun olmayacaktı.

General Hamilton ve donanma destekli Birleşik Ordu, rütbeli rütbesiz Mehmetçiklerin kan ve can cömertliği, yurt sevgisi, özverisi, aklı, inancı önünde bir kez daha başarısız kalmış, bir kez daha yenilmişti.

İngiliz ölüleri ve yaralıları hastane gemilerine taşınıyor

CEPHENİN sağındaki (batısındaki) 9. Tümen eski ve yeni birlikleri ile çok zorlu üç gün geçirmiş, büyük kayba uğramış, bütün birlikler birbirine karışmıştı. Subay kaybı da çoktu.

İlk günden beri savaşıyordu. Dinlenmek, yenilenmek üzere geriye alınarak Kuzey Grubu emrine verildi. Kabatepe'nin güneyine yerleşti.

Liman Paşa, bir türlü uygun bir iş bulamadığı Albay Kannengiesser'i bu kez de Albay Halil Sami Bey'in yanına danışman olarak verdi.[192]

Güney Grubunun kararsız, yavaş yönetiminden memnun değildi. İlk işlem olarak Güney Grubunun yetersiz, ukala, kalın kafalı Kurmay Başkanı Yarbay von Thauvenay'ı da görevden aldı. Birçok olayı yanında savaş sırasında yine panikleyerek savunma hattının geri çekilmesini önermiş, ağır tepki görmüştü.[193]

Bütün güçlerini bulundukları mevkiden alan bu tür içi delik fıçı gibi boş adamların düşüşleri yaman olur. Yarbay von Thauvenay de İstanbul'a geri dönüş emrini alınca mahvoldu, kahroldu, berbat oldu ve gitti.

Bir daha da adını işiten olmadı.

Yerine bir Türk atandı. Yeni Başkan gelene kadar 12. Tümen Komutanı Yarbay Selahattin Adil Bey Kurmay Başkanlığına bakacak, kısa süre içinde von Thauvenay'ın biriktirdiği, yarattığı, gizlediği bütün sorunları çözecek, karışmış birliklerin ayrılıp düzene girmelerini başaracaktı.

Güney Grubu toparlandı.

LONDRA'DA Savaş Kurulu, yeni adıyla Çanakkale Kurulu Başbakanlıkta toplantı halindeydi.

Bu bir karar toplantısıydı.

Ya Gelibolu boşaltılacaktı ya da savaş sürdürülecek, bunun için General Hamilton'un istediği yeni birlikler yollanacaktı.

Savaş muhabiri Ashmett-Barlett Londra'ya gelmiş, birçok yetikili ve ilgili ile konuşmuş, askeri sansür dolayısıyla yazamadığı gerçekleri anlatmıştı.[193a] Başarısızlığın ve kayıpların sanıldığından daha büyük olduğu öğrenilmişti.

Bu aşamada komuta kadrosunu değiştirmek tehlikeli bir çözüm olurdu. Gelibolu'nun boşaltılması, Büyük İngiliz İmpaatorluğu'nun yenilgiyi kabul etmesi demekti. Bunun özellikle sömürgelerdeki Müslümanlar üzerinde yapacağı olumsuz etkiyi düşünmek bile ürkütücüydü. Kararsız Balkan Devletlerini de Almanların yanına itebilirdi.

Doğrusu Hamilton'a ve kadrosuna bir şans daha vermek, Birleşik Ordu'yu güçlendirmekti.

Yeni kurulmakta olan ve Kitchener Ordusu diye anılan ordudan üç tümenin Çanakkale'ye gönderilmesi kararlaştırıldı.

Bir süre sonra bu kuvvete iki tümen daha eklenecek, Harbiye Nezareti General Hamilton'a şu mesajı gönderecekti:

"İsteyeceğiniz her şeyi yollamaya hazırız."[193b]

HAYDARPAŞA hastanesinin babacan başhekimi günün dörtte üçünü ameliyatta geçiriyordu. Operatör az, yaralı çoktu.

Durmadan yaralı geliyordu.

İstanbul'a yollanan yaralı sayısı 50.000'i geçmişti. Sonunda halkın morali bozulmasın diye yaralıların gemilerden gece yarısı çıkarılıp ıssız caddelerden geçirilerek hastanelere gizlice götürüldüğü günler gelmişti.

Sayı gittikçe artıyordu.

Başhekim boş bir saat arıyordu günlerdir. Bugün buldu. Hastaneye armağan edilmiş olan otomobile binerek Rumelihisarı'na, oğlu gibi sevdiği Orhan'a gitti.

Evdekiler hazırlıksız yakalanmışlardı. Bir erkek misafir kabul edebilecek kıyafette değillerdi. Telaştan çığlık çığlığa, itişe kakışa giyindiler, kapıyı açıp Başhekimi içeri alabildiler. Gülerek yukarı çıktı. Orhan'ı sıkı sıkıya muayene etti. İyi buldu.

Orhan birden, "Askere alırlar mı beni?" diye sordu.

Doktor şaşırdı:

"Yoo, o kadar da değil. İki yıldan önce askere gidecek hale gelemezsin. Ne o? Askere mi gitmek istiyordun yoksa?"

Orhan telaşlandı, "Hayır, hayır, tövbe.." dedi, "..Askerlikten hevesimi aldım. Eylülde öğrenime başlamak istiyorum. Askerlik zorunlu diye engel çıkarırlar korkusuyla sormuştum."

"Bu durumunla seni askere almazlar. Hiç merak etme. Ama Eylülde öğrenime başlayabilirsin. Kendine çok dikkat etmen şartıyla. Buluttan nem kapacağını unutma. Nezle olsan sorun."

"Anladım efendim."

Başhekimle konuşmasını anlattı evdekilere. Okula başlamak istediğini ilk kez duyuyorlardı. Kendini böyle iyi, yeterli hissetmesi, doktorun da uygun bulması üçünü de çok sevindirdi.

Korkulu günleri aşmışlardı.

Annesi Kuran okumaya oturdu. Dilber'in annesi bir hovardalık yapıp lokma dökmeye girişti. Dilber nazara karşı başında tuz çevirip ocağa koştu, tuzu ateşe attı.

Orhan arkasından bakakaldı. Yürümüyor, koşmuyor, cama vurmuş bir yağmur damlası gibi akıyordu.

BUGÜN bir güzel olay da Çanakkale'de oldu.

Hamitabad adlı torpido Çimenlik tabyasının iskelesine yanaştı. Kaptan Mayın Grubu Komutanı Yüzbaşı Nazmi Bey'e verilmek üzere İstanbul'dan bir emanet getirmişti. Nazmi Bey'e haber verildi.

Ne olabilirdi ki bu emanet? Bir yanlışlık olduğunu düşünen Nazmi Bey isteksizce geldi, torpidoya çıktı. Kaptanla, kaç zamandır görüşmemiş iki arkadaş olarak kucaklaştılar. Kaptan Nazmi Bey'i kamarasına aldı. Kasadan meşin bir kese çıkarıp verdi.

"Bu ne?"

"Donanma Cemiyetinin armağanı. Goliath'ın batırılmasına emeği geçen herkese böyle bir armağan verdiler. Bu da seninki. Buyur, helal olsun."

"Kaptan, ne var bunun içinde? İçimden bir ses para diyor."

"Akıllı bir ses o."

Kesede 48 Osmanlı altını vardı.[194]

Bir servetti bu.

Sevinçle Kaptanı kucaklayıp öptü. İstemeye istemeye geçtiği yoldan uçarak döndü. İzinle İstanbul'a gittiğinde annesine bir hazine bırakacaktı.

Kırk gün sonra da binbaşılığa yükseltilecekti.

ALBAY M. KEMAL sağındaki Sazlıdere-Ağıldere kesiminin önemi, özelliği, tehlikesi, bağımsız bir birlikçe korunmasının gereği hakkında Kuzey Grubu Komutanlığına birkaç yazı yazdı. Düşmanın bu kesimden geçerek Kocaçimen-Cokbayırı kesimini almak isteyebileceğini belirtti.

İtiraza, tartışmaya alışık olmayan Esat Paşa M. Kemal'e küstü, kırıldı. Fahrettin Bey araya girmek gereğini duydu: "Paşam, M. Kemal Beyi ziyarete gidelim, dinleyelim, söz konusu araziye de bakarız."

Esat Paşa zorlukla razı oldu.

M. Kemal'in Düztepe'deki yeni karargâhına geldiler (10 Haziran). Konuştular. Araziye bakmak için dışarı çıktılar. Bulundukları tepeden, söz konusu kesim ile ötesi, Suvla körfezi, Tuzla gölü, Anafartalar ovası görünüyordu.

Uçuk mavi bir gündü.

En yakında, hemen ayaklarının altında, uçurum, yar, geçit, boyun, yamaç, dere ve sel yatakları, sazlar ve fundalarla dolu geniş Sazlıdere-Ağıldere kesimi vardı. O kesimden sonra Suvla ve Anafartalar ovaları başlıyordu. Suvla körfezi hilal biçiminde uzun, geniş, güneş altında pırıldayan bir kumsal ile çevriliydi. Kumsaldan 5-6 kilometre içerde, Anafartalar ovasınının bitiminde, deniz ile Kocaçimen arasında uzanan tepeler zinciri başlıyordu.

Fahrettin Bey Sazlıdere ve çevresini göstererek, "Bu arazide ancak çeteler yürüyebilir" dedi.

Esat Paşa da sınava çeker gibi sordu:

"Düşman nereden gelecek?"

M. Kemal Arıburnu'ndan Suvla'ya kadar bütün kıyıyı gösterdi:

"Buradan efendim."

"Öyle olsun. Peki, nereden hareket edecek?"

M. Kemal bu kez eliyle Suvla ve Arıburnu'ndan Kocaçimen Tepesi'ne doğru bir eğri çizdi:

"Buradan gelecek, Kocaçimen Tepesi'ne yürüyecek, bizi kuzeyden kuşatacak."

Sonra da tabii Kilitbahir platosuna yürüyecekti. Bu kadar açık bir gerçeği söylemeye gerek görmedi.

Sazlıdere-Ağıldere kesiminin Düztepe'den görünüşü

Esat Paşa bir araziye, bir M. Kemal'e baktı, görmüş geçirmiş bir asker güveni içinde gülümsedi, M. Kemal'in omuzunu okşadı, alaycı bir sesle, "Merak etmeyin Beyefendi.." dedi, "..gelemez!"

M. Kemal ümitsizlik içinde baktı. Esat Paşa tehlikeyi görmüyordu. Sözü uzatmadı:

"İnşallah efendim sizin düşündüğünüz gibi olur."

Esat Paşa tartışmayı kesmek için bu kesimin sorumluluğunu 19. Tümenden aldı. Burayı 14. Alayın sorumluluğuna verdi.[195]

Üst komutanlar tehlikeyi anlamamışlardı. Coğrafya hedefi belirlemişti: Conkbayırı-Kocaçimen Tepesi-Kilitbahir platosu.

Anlamış olsalar Suvla-Anafartalar-Sazlıdere kesiminde yeterli kuvvet bulundurulur, Suvla-Anafartalar Savaşı daha ilk gün sona ererdi.

GENERAL HAMILTON'UN sık sık katıldığı gizli çalışmalar sürüyordu.

Plan kabaca son biçimini almıştı.

Hamilton plana birçok etkili şaşırtmacalar, aldatmacalar ekliyor, bundan çok özel bir keyif alıyordu. Yaratıcı bir yanı vardı.

Liman Paşa'dan daha zeki ve donatımlı bir komutan olduğu açıktı. Buna karşılık planını ödün vermeden uygulatacak kararlılığı yoktu. Planı hazırlayan kurmaylar bundan kaygılanıyorlardı. Ama bu kez General Hamilton çok kararlı görünmekteydi.

Sertleşmişti de. Tümen Komutanları ile konuşarak plandan söz ettiğini öğrendiği General Birdwood'u ağır bir dille haşlamıştı. Türklere bilgi sızacak diye olağanüstü titizleniyordu.

Küçük bir gemi ve birkaç kurmayla dikkati çekmeden Suvla Koyu'nu incelemişti. Sanki coğrafya bu plana göre yaratılmıştı.

Lord Kitchener istediği kadar birlik, cephane ve malzeme verirse başarılı olmamaya imkân yoktu. Planın mükemmelliğine kapılarak, bunca deneyden sonra yine Türkleri ihmal ediyordu.

9. TÜMEN, 19. Tümenle birlikte Çanakkale Savaşı'nı başlatan, düşmanı durduran, yıkımı engelleyen bir gazi tümendi. Dinlenmeyi, bakımı çoktan hak etmişti.

Komutanı Halil Sami Bey de öyle. Ateş çemberinden geçmişti kaç kez. Çok deneyli bir Çanakkale komutanı olmuştu. Ama çok yorulmuştu. Pek az uyumuştu. İlk üç günü düşündükçe hâlâ titriyordu.

Tümenini savaştan uzakta dinlendireceği ve dinleneceği için çok mutluydu. Ama Liman Paşa'nın Albay Kannengiesser'i danışman olarak yollaması huzurunu kaçırmıştı. Kötü bir şeyler olacağını sezinliyordu.

Haklı çıktı.

13 Haziran günü Ordu 'görevini Albay Kannengiesser'e bırakarak İstanbul'a geri dönmesini' emretti.

9. Tümen Komutanı Albay Halil Sami Bey tümeninin komutasını Liman Paşa'nın jokeri Albay Kannengiesser'e bırakarak İstanbul'a döndü.

Bu haksız, onur kırıcı işlemi içine sindiremeyecek, hastalanacaktı.[196]

TEĞMEN Ertuğrul'dan Teğmen Faruk'a mektup:

"(...) *Cephedeki bir birliğe verilmek için yaptığım başvuru geri çevrildi. Okulda kaldım. Seni kıskandığımı bil.* (...)

Cuma günü bir arkadaşla Boğaziçi'ndeki Yeniköy'e gittik. Orada oturan bir akrabasıyla küçük bir işi vardı. Rum, Ermeni ve Yahudi aileler, bazı yabancılar, çoluk çocuk, eşler kol kola, el ele, deniz kıyısında geziyor, neşeyle konuşuyor, temiz hava alıyorlardı. Yolun karşı yanında bir çayhane vardı. Bahçesinde oturarak biraz bunları izledik. Aralarında bir tek Türk-Müslüman aile yoktu. Kendi denizimiz, Boğaziçimiz, kıyımız, havamız, Türk-Müslüman aileye yasak. Çünkü karı-koca birlikte gezemezmiş, doğru değilmiş, olmazmış. Yere batsın bu kafa! Bu anlayışı yenemedikten sonra, on Çanakkale zaferi kazansak ne olur?"

SAVAŞA ara verilmişti ama Arıburnu ve Seddülbahir'de filoların ve kara topçularının atışları, baskınlar, çatışmalar, bombalamalar sürüyordu. Türk askerlerinin 'kara kedi' adını taktığı havan mermileri çok kayba yol açmaktaydı. Savaşsız günlerde bile günlük ortalama kayıp 300 kişiydi.[196a]

Filo ve uçaklar Çanakkale, Gelibolu, Kilitbahir ve Ecabatı bombalamaya devam ediyorlardı.

Yaralılar, taşıt yetersizliği yüzünden hastanelere yollanamadan, toplanma yerlerinde, açık arazide, güneş altında, günlerce bekliyorlardı. Yaralar kangrene dönüşüyordu.

Çanakkale!

Bitlenme olağan olmuştu. Cephe gerisinde yıkanma yerleri hazırlanmıştı ama bir kişiye ancak ayda bir sıra geliyordu. Fakat korkulan olmamış, doğu cephesindeki gibi tifüs salgını başlamamıştı. Doktorlar ve yardımcıları hiçbir salgın hastalığa fırsat vermemişlerdi. Ne var ki ağrı kesicinin azlığı operatörleri tutumlu davranmaya zorluyordu. Bu yüzden bazı küçük ameliyatlar yaralı için işkence oluyordu.

Kısa süreli hava değişimi raporu verilenlerin çoğu köylerine gitmiyor, birliklerine dönüyorlardı.

27. Alay topçularından İsa Çavuş çıkarmanın ikinci günü yaralanmıştı. Yarası iyileşmiş sayılırdı. Çanakkale hastanesi Çavuş'a köyüne gidip de dinlenip güçlensin diye bir ay hava değişimi raporu verdi. Çavuş raporu cebine koydu. Torbasını sırtladı. Köyüne gitmedi, Gelibolu'ya geçip alayına geldi. Batarya Komutanına geldiğini bildirdi.

"Hoş geldin Çavuş, geçmiş olsun."

"Sağ ol."

Komutan yine birinci topu verdi. Çavuş topunun tekerleğini, kundağını sevdi, sonra namlusuna sarılıp öptü:

"Şükür kavuşturana!"[197]

Sanki oğluna kavuşmuştu.

TÜRK savunmasının iki kanadındaki egemen mevziler Birleşik Ordu için sorun olmuş, ciddi kayıplara yol açmıştı.

General Hunter Weston ve General Gouraud, sınırlı taarruzlarla bu mevzilerin ele geçirilmesine karar vermişler, General Hamilton da gelecek büyük savaş için iyi bir hazırlık olacağını düşünerek bu kararı onaylamıştı.

Böylece mevzi savaşları denilen dönem başlıyordu. Bu savaşlar için Seddülbahir seçilmişti. Çünkü Arıburnu'nda sonuç alınamayacağı anlaşılmıştı. Orada Türk savunması

Fransız ordusundaki bazı
sömürge askerleri

çok sertti. Savaş alanını gören bütün tepe ve noktalar Türklerin elindeydi. Seddülbahir bu tür savaşlar için daha elverişli görünüyordu.

Bu dönem üç mevzi savaşını içerecekti: Birinci ve İkinci Kerevizdere savaşları ile Sığındere savaşı.

Dönem 18 Haziranda başlayıp aralıklarla 26 gün sürecek, 13 Temmuzda sona erecekti.

İlk girişimi Fransızlar yaptı: **Birinci Kerevizdere Savaşı.**

Fransızlar bu savaş için 15 gün hazırlık yaptılar.

Türk cephesinin sol yanında, Boğaz'a dökülen küçük birkaç dere vardır. Bunlardan biri de Kerevizdere'ydi. Türk ileri mevzileri bu derenin batı yakasında yer alıyordu.[198]

General Gouraud bu kesimdeki iki Türk direnek noktasını ele geçirmek istiyordu.[198a] Taarruz edilecek kesimin cephesi 600 metreydi. Bu kesimde 19 Mayıs Arıburnu taarruzunda yarı yarıya erimiş, geriye çekilerek biraz dinlendirilmiş olan 2. Tümen bulunuyordu. Fransız taarruzunu 2. Tümenin ilk çizgideki iki alayı karşılayacaktı.

Taarruz 21 Haziranda başlayacaktı.

Fransızlar taarruza geçmeden önce bu küçük kesimi Üçüncü Kirte Savaşı'nda harcanan top mermisinin sekiz kat fazlasını kullanarak dövdüler. Dakikada 150 mermi attılar.[199]

Bütün tahkimat, siperler, kum torbaları, mazgallar, makineli tüfek yuvaları, açık kapalı yollar, zeminlikler, telefon hatları, her şey dağıldı, yıkıldı, yerle bir oldu.

21 Haziran 1915 Pazartesi sabahı, üç Fransız alayına çorbayla birlikte içki de verildi, matraları içkiyle dolduruldu.

Taarruz başladı.

Kırk bin mermi 2. Tümenin Mehmetlerini bitirmeye yetmemişti. Çanakkale mucizesi bir daha yaşandı. Şehit olmamış, kolu bacağı kopmamış Mehmetler, yüzleri, parçalanıp dağılmış arkadaşlarının kanıyla sıvanmış halde, yıkıntıların altından kalktılar.

Dikildiler.

Önce ateş düellosu, derken boğazlaşma başladı. Tümen Komutanı Hasan Askeri Bey savaşı daha yakından yönetmek için karargâhı cepheye yaklaştırdı. Kurmay Başkanı Yüzbaşı Kemal Bey ateş hattına geldi.

Şehit Yüzbaşı Kemal Bey

Süngü hücumları birbirini izliyor, bazı mevzi parçaları elden ele geçiyordu. Bombardıman yüzünden Türk alayları eriyip küçülmüş, bir tabur kadar kalmışlardı.

Böyle durumlarda Mehmetçik çoğalıyor, üç kişi, dört kişi, beş kişi gibi savaşarak sayı eksikliğini kapatıyordu. Bundan böyle sonsuza kadar sürüp gidecek olan bu olağanüstülük, Türk ordusuna Çanakkale Savaşı'nın bir yadigârıydı.

Yüzbaşı Kemal ateş hattında karşı hücumları düzenlemekteydi. Son emri şu oldu:

"Hep birlikte şehit olmaya koşalım ki vatan kurtulsun!"

Vuruldu. İki yerinden yaralanmıştı. Fransızlar cephe gerisini sürekli ateş altında tuttukları için hastaneye yollanamadı. Günün geri kalan saatlerinde karargâhta kaldı. Gittikçe kan kaybediyor, sesi zayıflıyor, gücü yettiğince konuşmalara katılıyordu:

"Sakın geri çekilmeyin... O taburumuz yamandır, dayanır... Korkmayın, asker çok kararlı..."[200]

General Gouraud'nun yakından izlediği taarruz akşam da sürdü. Fransızlar ilk çizgideki bazı siperlere girmişlerdi. Gün anlatılamayacak kadar yorucu, kanlı, hareketli geçmişti ama 2. Tümenin ileri birlikleri, geceleyin karşı taarruza kalktılar ve çoğunu boğuşa boğuşa geri aldılar.

83 yükseltili tepenin bir bölümü Fransızlarda kaldı.

22 Haziran günü savaş gittikçe yavaşladı ve durdu. Fransızların taarruzu sürdürecek güçleri ve azimleri tükenmişti.

2. Tümen de iyice erimişti. Değiştirildi. Yerini Selahattin Adil Bey'in 12. Tümeni aldı.[201]

Fransız Charles F. Roux bu savaşın kazancını şöyle belirtecekti:

"Savaş, cephemizin solunda iki, merkezde bir düşman siperinin ele geçirilmesiyle sona erdi."[202]

BİRİNCİ Kerevizdere Savaşı'nın kazancı bu kadardı. Bu sonuç olağanüstü büyütüldü. Çünkü Fransız kamuoyunun da, Seddülbahir'deki bıkkın askerin de böyle coşkulu, zafer özlemini karşılayan bir havaya ihtiyacı vardı.

General Gouraud'ya, Paris'ten, Londra'dan, Lord Kitchener'den, Başkomutan General Hamilton'dan, Amiral de Robeck'ten sıcak, övücü kutlama telgrafları geldi.

Zafer bildirileri yayımlandı.

Bazılarının rütbesi yükseltildi.

Gösterişli törenlerle madalyalar dağıtıldı.

Taarruzu yöneten ve Türklerden üç siper almayı başaran Albay Girodon en büyük Fransız nişanı olan Legion d'honneur ile ödüllendirildi.[203]

Bu sırada Türkler, taarruzu kırmış olmanın huzuru içinde siperlerini yenilemeye, şehitlerini gömmeye çabalıyorlardı. Akşam sıcak bir yemek bulurlarsa bayram edeceklerdi. Komutanın bir 'sağ ol Mehmet!' demesi, onun için Legion d'honneur'den bin kat daha değerli bir ödüldü.

BU SÖMÜRGECİLERİN şeytanlıklarının sınırı yoktu. Yunan Taburundan ayrı olarak Ege adalarında çeteler de oluşturmuşlardı. Fransız taarruzunun başladığı gün 300 kişiden oluşan bir çete de ilk deneme olarak, karışıklık yaratması, zarar vermesi için Güllük yakınında kıyıya çıkarılmıştı.

Çete çevre hakkında çok şey biliyordu. Bilmediği, kıyıların sıkı gözlendiği ve jandarmanın böyle bir baskın olasılığına hazır olduğuydu.

Durumu gözcüden öğrenen Milas jandarması gerekli düzeni aldı. İki gün sonra sonuç İstanbul'a bildirildi:

"Milas tarafına düşman 300 Rum şakisi çıkarmış ise de tepelenmişlerdir."[204]

Bu ilk çetenin sonunu öğrenen çeteler, savaş bitene kadar bir daha Ege kıyılarına çıkmayı göze alamadılar. Yağma ve kıyım için Türkün düşkün gününü bekleyeceklerdi.

ARIBURNU cephesinde, baskınlar, çatışmalar, lağım savaşları. keskin nişancıların yarışları, top düelloları sürüyordu. İki yan da her an tetikte yaşıyordu.

M. Kemal geceleri çok az uyuyor, bir savaş durumu yoksa, yanında bulunan ya da İstanbul'dan getirttiği kitapları okuyordu. Zaman zaman da kurmaylar ve alay komutanlarıyla biraraya gelip sohbet ediyorlardı.

Ana konu, Türk aydınlarının, özellikle de İmparatorluk içinde görevi gereği birçok yeri bilen, halkı tanıyan, okuyan subayların yüz yıllık konusuydu: Devlet nasıl kurtulur?

Devlet pek çok sorun içinde yüzmekteydi. Zorlukla ayakta duruyordu. Anadolu'yu anavatan yapamamış, imar edememiş, hastaneler ve okullarla donatamamıştı. Büyük askeri depoları, iş yerlerini Anadolu'ya dağıtamamış, İstanbul'da toplamıştı. Halk hemen her konuda ürküntü verecek kadar bilgisizdi. Hurafeler, mucize ve keramet hikâyeleri, cinler, periler, ruhlar, hortlaklar, kuyu anaları, kesik başlar ile birlikte yaşamaktaydı. Kadınların durumu ise çok acıklıydı.

Çözüm?

Herkesin bir reçetesi vardı.

M. Kemal'inki tek sözcüktü: Akıl.

İSTANBUL'DA Nesrin paşababasının kitapları arasında Mürşid-i Müteehhilin adlı bir kitap görmüştü. Merakla karıştırdı. 1872 tarihli kitabın yazarı Hacı Mustafa Rakım adında biriydi. Evlilere öğütler veriyordu. Birkaç öğüt okuyunca, yalnız okumanın tadı olmayacağını anladı.

Okul tatil olmuştu. Vedia'yı çağırdı.

Nesrin'in odasına kapanıp kitabı acele acele okudular. Hacı Mustafa Rakım Efendi neler yazmıyordu ki?

"Kadına yakışan erkeğine her şekilde itaat etmektir. Erkeği kadına 'şu taşı şu dağdan şu dağa bırak' dese, kadın boyun eğmeli."

"Kadın erkeğinden izinsiz dışarı çıkmamalı. Çıkarsa melekler o kadına lanet ederler. Hatta denizdeki balıklar bile lanet okurlar!"

"Erkeği cennete giremeyen kadın da cennete giremez. Zira kadın cennete erkeğiyle girer."

"Kadın erkeğine asık suratla bakarsa, Allah ona gökteki yıldızlar kadar günah yazar."

"Erkeğine fena sözlerle azap veren kadının dilinin boyu, cehennemde altmış arşın uzar."[205]

Önce gülüyorlardı.

Sonra içlerine kapkara bir hüzün bastı.

Bu anlayıştaki erkeklerin bir tek konusu vardı: Kadın. Bir tek amaçları vardı: Kadını eve kapamak. Dışarı çıkarsa çarşafla, peçeyle kapatmak. Bunun için de dine kendilerince yeni kurallar ekliyor, özgürlükleri daraltıyor, yasakları genişletiyorlardı.

Vedia sıkıntıyla, "Annem böyle düşünen, bunları doğru bulan çok kadın olduğunu söylüyor" dedi.

"Allah o kadınlara da zihin uyanıklığı ve aydınlığı versin."

"Amin!"

Nesrin kitabı yerine bırakıp döndü.

GÜNEY BÖLGESİ birlikleri İngilizlerin de sağ kanada taarruz edeceklerini tahmin ediyorlardı. Sağ kanatta, denizle Kirte deresi arasında 11. Tümen vardı. Tümenin savaşçı sayısı 8.000 kişi kadardı.

Tümen hazır bekliyordu.

Bugün (26 Haziran) askerleri sevindiren bir olay oldu. Bir Türk uçağı Türk siperleri üzerinde bir moral turu attı, İngiliz ve Fransız siperlerini bombaladı.[206]

"Yaşşaaa!"

Düşmanla yarışan bir tek uçak bile askeri mutlu ediyordu.

Birlikler dinlenmiş, siperler güçlendirilmişti. Ganimet makineli tüfeklerin bir bölümü, bakımı yapılıp birliklere dağıtılmıştı.

İngilizleri taarruza yeltendiklerine pişman edeceklerdi. Bu kez işlerin ters gideceği hiçbirinin aklına gelmiyordu.

GENERAL Hunter Weston Türklerin bekledikleri taarruz için 28 Haziran gününü seçmişti.

Bir İngiliz birliği Türk sağ kanadını geriye sürecek, imkân olursa deniz kıyısından ilerleyerek bu kanadı kuşatacaktı.

Bu başarılabilirse Alçı Tepe savunması çökerdi.

Hava fotoğraflarının yardımıyla Türk siper ağını ayrıntısıyla saptamışlardı.

Taarruzu 90 kara topu ile denizden dört savaş gemisi destekleyecekti. Bu 90 kara topunun içinde iki batarya siper havanı vardı. Mermileri havada bir eğri çizip tepeden siperlerin içine düşüyordu.

General Hamilton bu taarruz için 12.000 mermi harcanmasına izin verdi.[207]

İngilizlerin kullanacağı mermi sayısı da, Fransızlarınki gibi, bu kadar küçük bir savaş alanı için çok fazlaydı. Ama Türk direncini başka türlü kıramayacaklarını deneyler sonucu öğrenmişlerdi.

Taarruza bir tümen ile iki tugay katılacaktı, yaklaşık 20.000 kişi.

25 Haziran günü Sığındere'nin iki yanını ateş altına aldılar. Bombardıman aralıklarla taarruz sabahına kadar sürecekti.

BUGÜN Asya yakasındaki 3. Tümende büyük eğlenti vardı. Yakın birlikler ortaklaşa çeşitli gösteriler hazırlamışlardı. Kumkale savaşından beri hareketsizdiler. Çevre sıtma bölgesiydi. Askerlerin çoğu sıtmaya yakalanmıştı. Tümenin tadı yoktu. Bu eğlenti canlanmak için iyi bir fırsat olacaktı.

Tümen komutanı ile bütün subaylar için bir gölgelik hazırlanmış, büyük meydanın çevresini askerler doldurmuştu.

Her bölgeden asker vardı tümende. Hepsinin oyunları oynandı, karakucak güreşler yapıldı. Programda çuval yarışı gibi eğlenceli yarışlar da vardı. Son olarak bir klarnet, çiftenara ve davul Köroğlu havasını vurdu.

İki yandan musikiye uyarak yaklaşan altışar kişiden oluşmuş iki düşman grup göründü. Günün savaş usullerine göre yatarak, kalkarak, sıçrayarak, sürünerek, ateş ediyor gibi yaparak ustaca birbirlerine yaklaşıyorlardı. İki grup da İstanbullular diye anılan askerlerden kuruluydu. Bunlar on iki yakın arkadaştı. İstanbulluları muhallebi çocuğu sananları utandırmış, herkesin saygısını kazanmışlardı.

Son aşamada süngü hücumuna geçtiler. Yine musikiye uyarak vuruştular. Sonunda hepsi yere serildi. Geride bir grubun başındaki Köroğlu ile öteki grubun başındaki Arapözengi kalmıştı.

Tüfekleri bırakıp kasaturaları çektiler.

Dönerek, zıplayarak, atılarak, kaçınarak bütün izleyenleri heyecanlandıran, ayağa kaldıran harika bir kavga gösterisi sundular.

Gösteri candan alkışlar, övgü çığlıkları içinde sona erdi.

Birkaç gün sonra 3. Tümen Gelibolu'ya geçip Sığındere cehennemine katılacaktı.[208]

BOMBARDIMAN 28 Haziran Pazartesi sabahına kadar sürmüştü.

Sabah 10.00'da ateş çok yoğunlaştı.

Özellikle Sığındere'nin batısındaki siperleri yıkmaya çalışıyorlardı. Ardarda sıralanmış siperler barınılmaz hale geldi. Şehit ve yaralılarla doldu. Sağ kalanlar geriye alındılar.

İngiliz taarruzu başladı.[209]

Boşaltılmış, altüst olmuş siperleri işgal etmeye başladılar. Sığındere'nin doğu kesimi bu kadar yoğun ateş altında kalmadığı için düzenini koruyordu. İngilizlere ağır kayıp verdirerek taarruzun hızını kesti, sonra da durdurdu.

Ama en sağdaki birlik filonun koruması altında kuzeye doğru ilerlemeye başlamıştı. Filo o kesimdeki Türklere göz açtırmıyordu. Birlik iyice ilerledi. Neredeyse Türk sağ kanadının arkasına sarkacaktı.

Bu olay Türk cephesinde telaşa yol açtı.

Karşı taarruza geçildi. Çok çaba gösterildi, çok can feda edildi, siperler geri alınamadı. Ancak ileri yürüyen birlik durdurulabildi.

Bu birlik deniz kıyısında, güneyden kuzeye doğru bir kama gibi uzanmıştı. Bu haliyle büyük tehlikeydi. Hemen geri sürülmeli, elden çıkan siperler de geri alınmalıydı.

Türkler karşı taarruz için hazırlanırken İngilizler de ele geçirdikleri siperleri derinleştiriyor, kum torbaları, demir mazgallar, makineli tüfeklerle donatıyor, tel örgüler çekiyor, kara mayınları yerleştiriyor, kazandıklarını korumak için önlemler alıyorlardı.Bir yandan da Türk cephesini ve gerisini ateş altında tutuyorlardı. Havan mermileri siperlerin içinde patlıyordu.

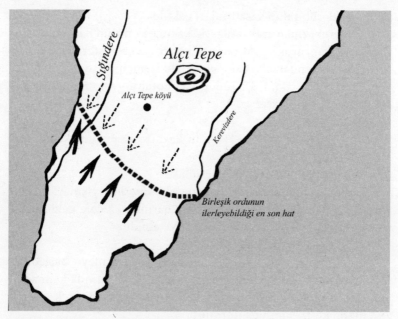

Mevzi Savaşları: 18 Haziran-13 Temmuz 1. Kerevizdere Savaşı, Sığındere Savaşları, 2. Kerevizdere

Atılganlığı ve cesurluğu ile bilinen Faik Paşa sağ kanat komutanlığına getirildi. Görevi taarruz ederek durumu düzeltmek, elden çıkan siperleri geri almaktı.

Emrine bazı ek birlikler verildi. Birkaç ağır top vardı ama bunların mermisi çok sayılı olduğu için beklenen etkiyi yapmayacaktı. Türkün başlıca silahı, mermisi Mehmetçik'ti.

Taarruz 29 Haziran gecesi başladı.

Ancak birkaç siper parçası geri alınabildi. Ateş barajını aşmak imkânsızdı.

Ağır kayıp dolayısıyla Faik Paşa taarruza ara verdi. Liman Paşa kısa bir ara verilmesini bile doğru bulmamıştı. Taarruza devam edilmesini emredince, akşam yeniden taarruza geçildi. Ölümüne çaba sabaha kadar sürdü. Ancak bir-iki parça siper geri alınabildi.

Yine susmayan makineli tüfekler galip gelmişti.

Faik Paşa 30 Haziran sabahı taarruza ara verdi. Siperler, bağlantı yolları, siperler arası alan, binlerce şehit ve ağır yaralıyla dolmuştu. Savaş alanı bir mezbahayı andırıyordu.

Bugün Enver Paşa Gelibolu'ya gelmiş, durumu incelemiş, savaşları izlemişti. Ayrılmadan önce tek sözcüklük bir emir verdi: "Taarruz!"

Bir Alman mizah dergisinde çıkan
Enver Paşa'nın karikatürü: Türk Napolyonu

FRANSIZLAR DA çok kayıp vermişlerdi. General Gouraud karargâha yakın olan hastanedeki yaralıları ziyaret etmek istedi. Hastane yakındı. Karargâhtan çıkıp hastaneye yürümeye başladı.

İntepe'deki ve Erenköy'deki bataryalar mermileri oldukça Fransız kesimini ateş altına alıyor, sürpriz atışlarla Fransızları avlıyorlardı.

Bugün de birkaç mermi atmışlardı. İntepe'deki mübarek toplardan biri son bir mermi daha savurdu. Mermi General Gouraud'nun yürüdüğü yola düştü, patladı. O tek merminin basıncı Türklerin başına kırk bin mermi yağdırmış olan Generali havalandırıp yere çarptı. Kolu ve birkaç yeri kırıldı.

Fransız Başkomutanını panik içinde hastane gemisine kaldır-
dılar. Gemi acele Marsilya'ya hareket etti. Doktorlar sağ kolunu
yoldayken kesmek zorunda kalacaklardı.[210]
Yerine 1. Fransız Tümeni Komutanı General Bailloud geçti.

FAİK PAŞA'NIN taarruza ara vermesi uygun karşılanmamış-
tı. Taarruza devam edilecekti.

Ama taarruz etmek için ciddi bir ön hazırlık yapmak, ağır
toplar için yeterli mermi yığmak, taarruza katılacak yeni birlik ko-
mutanlarının araziyi tanımalarına imkân tanımak, askeri dinlen-
dirmek, en azından su ihtiyacını karşılamak gerekirdi.

Üst komutanlar çok sabırsızdılar.

Faik Paşa komutanların öfkesini göze alarak birlikleri bir gün
dinlendirdi.

Türk cephesinin sağına kama gibi girmiş olan kesime taarruz
edecekti. Taarruzu yönetmesi için 1. Tümen Komutanı Yarbay Ca-
fer Tayyar Bey'i (Eğilmez) görevlendirdi.[211]

Taarruz 2 Temmuz günü, saat 11.00'de başlayacaktı.

Cafer Tayyar Bey daha iyi hazırlanabilmek için taarruzun öğ-
leden sonraya ertelenmesini istedi.

Taarruz 15.00'e ertelendi.

Bir erteleme daha istedi.

Faik Paşa taarruzu son olarak saat 18.00'e erteledi.[212]

BU KARARSIZ, belirsiz, bulanık durum Weber Paşa'nın si-
nirlerini bozdu. İngilizlerin girişecekleri yeni bir taarruzu önleye-
memek korkusuna kapıldı.

Harekât Şubesi Müdürü Yüzbaşı Mehmet Nihat Bey'i çağırdı.
Olası bir İngiliz taarruzuna karşı bir güvenlik önlemi olarak 'Gü-
ney Grubu birliklerinin Alçı Tepe'nin gerisine, son savunma çizgi-
sine kadar çekilmeleri için bir emir hazırlamasını' emretti.

Bu emir bugüne kadar dökülen kanların boşa gitmesi demek-
ti. Böyle bir çekilişin neden olacağı felaketleri düşünen Yüzbaşı
Mehmet Nihat'ın ödü koptu. Bu kadar geri çekilmeyi gerektirecek
bir durum yoktu. Weber Paşa'yı bu tehlikeli emirden caydırmaya
çalıştı, başaramayınca telefonla Ordu Kurmay Başkanı Yarbay Kâ-
zım Bey'i aradı. Durumu anlattı. Kâzım Bey müthiş kızdı:

"Kesinlikle karşı dur. Orada görevli bir Türk subayı olduğunu unutma!"

Yüzbaşı emri hazırlamayı ağırdan aldı. Bu arada Kâzım Bey durumu Liman Paşa'ya arz etmişti. Liman Paşa'dan gelen kesin telefon emri üzerine geri çekilme kararı kaldı.

Bu olay Liman Paşa'nın Weber Paşa'ya duyduğu güveni kökünden sarstı. İlk fırsatta görevden alacaktı.[213]

1. TÜMENİN üç taburunun taarruzu saat 18.00'de başladı.

Yan yana dizilmiş makineli tüfekler taburları kar gibi eritti. Yollanan takviyeler de büyük kayba uğradı. İngiliz siperlerine en çok 30 metre yaklaşabilmişler, orada kalmışlardı.

Emir üzerine taarruz gece de sürdürüldü.

Takım ve bölük komutanı subaylar, birlik komutanlığı yapan astsubaylar, çavuşlar ile askerler, demirden dökülmüşler gibi gözlerini kırpmadan som ateşin içine dalıyorlardı.

Ateş ve kan bayramı sürüyordu.

Emir üzerine sabah da taarruza devam edildi.

Kayıplar daha da arttı.

Faik Paşa Tümen Komutanının çığlığı üzerine Liman Paşa'nın sürekli taarruz emrini yok saydı, taarruzu durdurup savunmaya geçilmesini emretti. Durumu Bölge Komutanlığına bildirdi.

Liman Paşa taarruzun durdurulduğunu öğrenince, Faik Paşa'yı görevden aldı.[214]

FAİK PAŞA'NIN yerine, hiç vakit geçirmeden Asya yakasındaki birliklerin komutanı olan Mehmet Ali Paşa'yı atadı (3 Temmuz).

Mehmet Ali Paşa aynı gün karargâh kadrosuyla Seddülbahir'e geçti. Emrine verilen 3. Tümen de Çanakkale'den Kilitbahir'e geçmekteydi. Ayrıca Kuzey Grubundan 5. Tümen de emrinde olacaktı. İki tümenin toplam gücü 13.000 kişiydi.

Görev sınırlıydı: Deniz ile Sığındere arasında, Türk cephesinin gerisine doğru bir kama gibi uzanan yer geri alınacaktı. İyi bir hazırlıkla bu sağlanabilirdi.

Mehmet Ali Paşa kurmaylarıyla bu hazırlık için çalışmaya başlarken, hemen bu gece saat 03.45'te taarruz etmesi emredildi. Mehmet Ali Paşa şaşırdı:

"Bu gece mi?"

"Evet, bu gece!"

"Ama efendim..."

"Bu gece!"

3. Tümen Gelibolu yakasına daha yeni geçmişti, yoldaydı, yürümekteydi. Ancak gece yarısı cepheye ulaşabilecekti. 5. Tümen subayları da daha araziyi görmemişlerdi. Ordu ve Bölge komutanları 3. Tümen hiç dinlenmeden, 5. Tümen subayları araziyi hiç görmeden taarruz edilmesini istiyorlardı.

Türk ordusunu iki aydır bu anlayış yönetiyordu. Bölge Komutanı Liman Paşa'dan, Liman Paşa Enver Paşa'dan etkileniyor, çekiniyor ve bu telaşın, korkunun ve kör inadın bedelini Türk ordusu canı ve kanıyla ödüyordu.

Ne Weber Paşa'da, ne Mehmet Ali Paşa'da Ordu Komutanına itiraz edecek cesaret vardı. Mehmet Ali Paşa'nın Kurmay Başkanı Binbaşı Eggert iyi ve yürekli bir kurmaydı. Paşaların çekindiğini anlayınca, kendi imzasıyla Liman Paşa'ya bir telgraf çekerek, durumu kısaca açıkladı ve taarruzun 24 saat ertelenmesini istedi.

Paşaların beklemediği birşey oldu: Liman Paşa bu isteği kabul etti. Taarruz 24 saat sonra, 5 Temmuz Pazartesi sabaha karşı 03.45'te, ateş etmeksizin, baskın tarzında yapılacaktı.

PAZAR akşamı baskına katılacak birlikler geride yemeklerini yediler, namazlarını kıldılar. Sessiz sedasız ön siperlerdeki yerlerini aldılar. Usta erler el bombalarıyla donatılmış, tüfeklere süngüler erkenden takılmıştı.

Konuşmak, sigara içmek yasaktı.

Türk ve İngiliz siperleri arasındaki uzaklık 80-100 metreydi. Siperlerden çıkıp koşmak ve İngiliz siperlerine dalmak iki dakika sürerdi. Sonuç bu iki dakika içinde belli olacaktı.

Türklerin bilmediği bir şey vardı. İngilizler Türklerin taarruza hazırlandıklarını uçaklar ve gözlem balonuyla anlamışlar, taarruzu karşılamak için gerekli önlemleri almışlardı. Zaman onlar için de zor akıyordu. Onlar da sigara içmiyor ve konuşmuyorlardı.

Saat 03.00'tü.

Emirler verildi. Taarruzu durdurmak, bozmak, engellemek için Türk mevzilerine yoğun tüfek ve makineli tüfek ateşi açtılar. Bunu top ateşi izledi.

Baskın suya düşmüştü.

Türkler emir gereği yanıt vermeden beklediler. Taarruz saati gelince bütün siperlerden işaret fişekleri gibi komutlar yükseldi:

"Hücummm!"

İlk sıradaki subay ve askerler siperlerden fırladılar. Bunları altı sıra hücum dalgası izleyecekti.

İlk dalga ateş duvarını aşamadı. O iki dakika içinde İngiliz siperlerine varılamadı. Siperlerin önünde toprağa düştüler. Sonrakiler bu ilk şehitlerin üzerine düşüp kalacaklardı.

Bazı birlikler çok kayıp verme pahasına birkaç yakın siperi geri aldılar. Ama aldıkları siperleri koruyabilecek kadar sayıları kalmamıştı. İngilizler siperleri yeniden ele geçirdiler.

Mehmet Ali Paşa taarruzu durdurmak ve savunmaya geçmek gerektiğini görmekteydi. Ateş engelini aşmak imkânsızdı. Birlikler eriyordu. Fakat Liman Paşa Güney Bölge Komutanlığı karargâhına gelmiş, taarruza devam edilmesi için bastırmaktaydı.

Mehmet Ali Paşa'nın karargâhındaki subaylar isyan ettiler. Bu kadar kaybı göze almayı gerektirecek bir durum yoktu. İngiliz birliğinin önü kesilmiş, kuşatılma tehlikesi kalmamıştı. Mehmet Ali Paşa, Liman Paşa'nın gazabından çekinerek, taarruzu kesmedi, bütün yedekleri ateşe sürdü. Binbaşı Eggert kadar yürekli değildi.

Bağlantı yolları, hendekler yan yana, üst üste yatan şehit ve yaralılarla doluydu. Hava kan, çürümüş ceset ve barut kokuyordu. Yedek birlikler savaş dumanı içinde, buralardan zorlukla, istemeseler de şehitlere, yaralılara basarak, can yakarak geçtiler, hücum çıkış yerlerine geldiler.

Saati gelince taarruza kalktılar ve ölümün kızıl kucağına koştular.

Kayıp dayanılmaz bir sayıya ulaştı.

Binbaşı Eggert'in bir Alman olarak Liman Paşa'nın acımazlığından, incelikten yoksun askerlik anlayışından utandığı anlaşılıyor. Mehmet Ali Paşa'dan izin aldı, atını dört nala sürerek karargâha gitti.

Liman Paşa'nın yanına girdi.

Beş dakika sonra dışarı çıktı, Mehmet Ali Paşa'ya telefon ederek Liman Paşa'nın taarruzun durdurulmasına izin verdiğini bildirdi.

Ateş ve kan bayramı sona ermişti.

Sekiz gün süren Sığındere savaşlarında Türklerin kaybı **16.000** kişiydi: 6.000 şehit, 10.000 yaralı.

İngilizlerin kaybı 5.000'di.[215]

Yaralılar sargı yerlerine, sahra hastanelerine sığmadı.[216]

Türk ve İngiliz siperleri arasındaki dar alanda üstüste yığılmış binlerce şehit vardı. Türkler şehitlerini gömmek için 5 saatlik bir ateşkes önerisinde bulundular.

İngilizlerin yaralılarını ve ölülerini toplamalarına, geriye taşımalarına kaç kez izin vermiş, denize dökülen denizcilerini rahatça kurtarmaları için iki kez ateş kesmiş olan Türkler bu çok insanca dileğin çabucak ve kolayca kabul edileceğini sanıyorlardı. Gereken hazırlıkları yaptılar.

General Ian Hamilton bu insanca, sağlık bakımından da zorunlu öneriyi reddetti.

Cesetler kokmaya başlamıştı. Koku uygar İngilizleri çok rahatsız edince, Türklere toplatmadıkları şehitleri gaz döküp yaktılar.[217]

Birleşik ordu sahra hastanelerinden biri

Avustralyalı hemşireler

3. TÜMEN Asya yakasına dönüyordu. Çanakkale'ye geçmişti. Çanakkale'den tabur tabur eski görev yerlerine doğru yürümekteydiler. Hiçbiri neşeli değildi. Gelibolu'da 3.600 subay ve er bırakmışlardı.

Yüzbaşı Şerif Güralp eğlenti günü Köroğlu rolünü oynamış olan İstanbullu delikanlıyı fark etti. Birliğinden arkaya kalmış, bir başına yürüyordu. Önünden geçerken seslendi. Delikanlı durdu.

"Nasılsın?"

"Sağ olun."

"Arkadaşlarını göremedim."

Delikanlının yüzü sarardı, dudakları titredi. Zor duyulur bir sesle, "Hepsi şehit oldu" dedi, gözleri bulutlandı:

"Keşke ben de şehit olsaydım. Onlarsız yaşıyor olmaya utanıyorum."[218]

Yüzbaşı Şerif "Otur" dedi. Oturdular. Sigara verdi. Kendi de bir sigara yaktı. Rütbenin ve yaşın hükmü kalmadı.

Hayatı ve ölümü görmüş iki insan olarak Boğaz'a, Gelibolu kıyısına baktılar. Biraz ilerde aşk ve savaş kenti Troya vardı, geride tanrıların dağı Kazdağı. Geçmişin, hayalin ve gerçeğin, gururun ve acının birbirini mayaladığı bir sigara içimlik süreyi kardeşçe paylaştılar. Sigaralar bitti. Köroğlu saygıyla izin istedi. Birliğine yetişmek için hızlı hızlı yürüdü.

Yüzbaşı Şerif bu on iki kahramanın savaşta neler yapmış olabileceğini düşündü. Asıl destanlar galiba tarihin derinliklerinde büyük hazineler gibi gizli kalıyorlardı.

LİMAN PAŞA Weber Paşa'yı görevden alacaktı. Tam bu sırada Enver Paşa Weber Paşa'nın yerine, Güney Grubu Komutanlığına 2. Ordu Komutanı Vehip Paşa'yı atadı. Weber Paşa'yı da 2. Ordu Komutanlığına atamak istediğini bildirdi.

Weber Paşa'nın görevden alınması Liman Paşa'nın isteğine uygundu. Ama bir ordu komutanlığına getirilmesi Weber Paşa'nın ödüllendirilmesi demekti. Liman Paşa bunu kabul etmedi. Kendiyle eşit duruma gelecekti. Reform Kurulu Başkanı yetkisiyle Weber Paşa'yı, hiç bekletmeden Almanya'ya geri yolladı.[219]

Vehip Paşa ilke olarak Liman Paşa'nın emrinde görünüyordu ama Vehip Paşa ele avuca sığar, her emri dinler biri değildi. Kuzey Bölgesi Komutanı ağırbaşlı Esat Paşa'nın küçük, kabadayı kardeşiydi.

Vehip Paşa 10 Temmuz günü kalabalık karargâh kadrosu ve şatafatla Seddülbahir'e gelerek Güney Bölgesi Komutanlığını üstlendi.

Cephede bulunan tümenler geri çekilecek, onların yerini Vehip Paşa'ya bağlı iki kolordunun dört tümeni alacaktı.[220] Bu tümenler geliyor, yerlerini bunlara bırakacak cephedeki tümenler de taşınmak için toplanıyorlardı.[221]

Bu durum savunma bakımından sakıncaları olan bir süreçti. Bu sorunlu süreçte İngilizler ve Fransızlar taarruza geçeceklerdi.

TAARRUZDAN bir gün önce, savaşın geleceğini çok etkileyecek olan bir gelişme oldu: Suvla'ya çıkarılacak kolorduya komutan olarak atanan General Sir Fredrick Stopford ile Kurmay Başkanı General Reed Mondros'a geldiler.

General Hamilton, planını Harbiye Nezaretine bile tam açıklamış değildi. Gizliliğe o kadar önem veriyordu. Biri boşboğazlık edecek diye ödü kopuyordu. General Stopford'a da şimdiden ayrıntılı bilgi vermek niyetinde değildi. Plan iki özelliğe dayanıyordu: Baskın ve hızlılık.

Baskın ancak gizlilikle sağlanabilirdi.

General Stopford 61 yaşında, hiçbir savaşta büyükçe bir birliğe komuta etmemişti. Daha çok bir büro subayı, savaş dolayısıyla yeniden hizmete alınmış eski bir askerdi. Askeri tarih öğretmeni olarak tanınıyordu. Lord Kitchener bu görev için ancak bu korgenerali bulabilmişti.

General Stopford

Fransa-Almanya cephesinde savaşın kilitlenmiş olması dolayısıyla ümidini Çanakkale'ye bağlamış olan Harbiye Nezareti beş tümen vermekle kalmamış, bu seferki çıkarma için gereken her şeyi de fazlasıyla yollamaya başlamıştı.

Gemi dizileri yola koyulmuşlardı.[221a]

ÇANAKKALE SAVAŞI'NIN halka daha güzel anlatılması, gelecek kuşaklara sanatın büyük gücüyle aktarılması için bir sanatçılar kurulunun Çanakkale'yi ziyaret etmesi düşünülmüştü. Bu yararlı düşünce hızla gerçek oldu, on yedi yazar, şair, besteci ve ressamdan oluşan bir kurul oluşturuldu.

Sanatçılara haki renkli keten giysiler yaptırılmış, gezinin rahat geçmesi için her türlü önlem alınmıştı.

Aralarında Mehmet Emin, Ömer Seyfettin, Hamdullah Suphi gibi ünlülerin bulunduğu kurul da, yine taarruzdan bir gün önce, 11 Temmuz günü, alkışlar, fotoğraf makinelerinin patlayan ışıkları arasında, savaşa yollanan bir asker kafilesi gibi uğurlanarak Sirkeci garından Uzunköprü'ye hareket etti.

Şair Mehmet Akif

Çanakkale hakkında İstanbul'a birçok heyecan verici olay, anı, söylenti yansıyor, milletin içini titretiyor, göğsünü kabartıyordu. Değerli sanatçılardan bu anlatılara ölümsüzlük kazandırmaları beklenmekteydi.[221b]

Bu beklentiyi en güzel, Almanya'da olduğu için kurula katılamayan şair Mehmet Akif karşılayacaktı. Çünkü aklı ve yüreği Çanakkale'deydi. Biri karamsar, ümit kırıcı bir şey söylerse, üzülüp ağlıyor, ya da kızıp azarlıyordu. İstiyordu ki herkes, "Bütün dünya toplanıp gelse, merak etme, Çanakkale düşmez" desin.

Çanakkale'yi orada dövüşen bir er gibi yaşıyordu.[221c]

Bu nedenle de Çanakkale kahramanları için ilk anıtı şiiriyle o dikecekti.

İKİ GÜN sürecek olan **İkinci Kerevizdere Savaşı**, kurul geliş yolundayken, 12 Temmuz Pazartesi günü başladı.[222]

İngilizler, cephelerinin sağ ve sol kanatlarını bir hizaya getirmek için ileri çıkmış olan Türk cephesinin ortasını geri sürmek istiyorlardı. Fransızlar da Kerevizdere'nin batısındaki Türk siperlerinden kurtulmayı ve derenin doğusuna geçmeyi amaçlıyorlardı.

General Hamilton İngiltere'den yeni yollanan bir tümeni Seddülbahir'e vererek buradaki 8. Kolorduyu güçlendirdi. Savaş havasına alışması için de General Sir Stopford'u da gözlemci olarak buraya yolladı.

Ama Seddüllbahir'i üç yandan kuşatan ve ölüm saçan zırhlılar, o ateşten ve çelikten boyunduruk yoktu artık. Batırılma korkusuyla limanlara çekilmişlerdi. Savaşı daha küçük ve az sayıdaki savaş gemileri destekleyecekti.

İngilizler ilk aşamada 7.500, Fransızlar 5.000 kişiyle saldıracaklardı. Verdikleri ağır kayıp dolayısıyla Türklerin moralinin düşük olduğunu, her zamanki sertlikle karşılık veremeyeceklerini ümit ediyorlardı.

Fazla kayıp gerçekten morali bozmuştu. Kiminin komutanı, kiminin köylüsü, manga arkadaşı şehit olmuştu. Ama Türk ordusunda her gün eğitim vardı. Her gün çeliğe su veriliyordu. Dere yatağında, tepe arkasında, sığınakta, hatta siperde eğitim yapılıyor, dersler sürüyor, moraller yenileniyordu.

Taarruz sabah 04.30'da karadan ve denizden top atışlarıyla başladı. Bu taarruza 14 de uçak katıldı.

Ateş 3 saat kesilmedi.

60.000 mermi harcadılar.

Vehip Paşa da şaşırdı. Kara, deniz ve hava kuvvetlerinin katıldığı bir savaş görmemişti şimdiye kadar. Bu gerginlikle bazı birliklere gereksiz yere kırıcı emirler verdi.[222a]

Bu değişik savaşa o da hızla alışıp uyacaktı.

Çanakkale büyük bir okuldu.

İngilizler top ateşiyle yıktıkları birkaç Türk siperini ele geçirdiler.

Yoğun ateş Kerevizdere'nin batısındaki bazı Türk ileri siperlerini de barınılmaz hale getirmişti. Bunlar da boşaltılmak zorunda kalındı. Fransızlar da bu siperleri işgal ettiler.

Savaş 13 Temmuz günü de uzun ve yoğun bir ateşle başladı. Türkler gece uyumadan siperleri yenilemişlerdi. Bu siperler de dümdüz oldu.

Sol kanattaki 4. Tümenin Kanlıdere yakınında bazı siperleri vardı. İngiliz ve Fransızlar bunları ele geçirdiler. Fransızlar Kerevizdere'yi aşıp tepelere tırmanmaya başladılar.

Bu kesimde iki yedek tabur vardı. Komutan, yedeklerden bu ilerleyişi durdurmalarını istedi.

"Başüstüne!"

Acele üç bölük hazırlandı, tüfeklere süngüler geçirildi. Yüzbaşılar ve teğmenler, kılıçlarını ve tabancalarını çektiler, bölüklerinin ve takımlarının önüne geçtiler.

Düşmanla arada beş-altı yüz metre uzunluğunda gelinciklerle dolu bir yamaç vardı.

Üç bölük bu geniş alanı ateş altında, koşarak geçecekti.

Bu anda bir Çanakkale olayı parladı.

Silah kardeşlerinin süngü hücumuna kalkacağını ve bu kadar geniş bir alanı ateş altında geçeceklerini anlayan, duyan öbür beş bölük galeyana geldi. Onları yalnız bırakmamak için emir almadan tüfeklerine süngülerini geçirdiler, siperlerin önüne çıktılar. Hiçbirini durdurmaya imkân yoktu. Tabur komutanları yedekte kalması için bir bölüğü zorlukla geride tutabildi.

Yedi bölük Allah'ı anarak koşmaya başladı. Koşmuyor uçuyorlardı. Vurulan düşüyor, kalan düşmana akıyordu.

Pırıl pırıl yanan süngüleriyle bin beş yüz Çanakkale askeri, dev bir kartalın kanatları gibi açılmış, düşmanın üzerine gelmekteydi. Bunu seyretmek için bile yürek isterdi. Bu geniş cepheli, beklenilmez, olağanüstü hücum düşmanı sersemletti.

Kaçabilenler canlarını kurtardılar.[223]

İkinci Kerevizdere Savaşı böyle bitti.

SUBAY ADAYI İrfan gece bütün görevlerini yaptıktan sonra, toprağa oyulmuş küçük odasına çekildi, mumunu yaktı. Tabancasını kılıfı ve palaskasıyla duvara astı. Ceketini ve potinini çıkardı. Çok yorgundu. Ama bugünü yazmadan uyumak istemedi. Yüzükoyun uzanıp yazdı:

"Bugün ilk kez süngü hücumuna katıldım. Benim kılıcım yok, tabancam var. Tabancamı çektim. Yüzbaşılar 'Hücum!' diye bağırdılar. Ben de haykırdım.

Koşmaya başladık.

Askerler koşarken çevremi alarak beni korudular. Kalabalık düşmanın içine rüzgâr gibi daldık. Geride savaşacak düşman kalmayınca, borular vurdu, geri döndük.

Ben mucize hikâyelerine inanmam. Bana, Allah'tan sihirbazlık bekleyenleri tatmin için uydurulmuş hikâyeler gibi gelir. Mucize evrenin varlığı. Daha başka mucize istemeye gerek var mı? Dönüşte bir söylenti önce takıma, sonra bölüğe yayıldı: Yeni, eski birçok şehit de bizimle birlikte koşmuş, düşmana birlikte atılmışlar.

Yüzbaşıma söyledim. Dedi ki:

'Her hücumda Malazgirt, Estergon, Plevne şehitleri benimle birlikte olurlar. Hele zafere susamış Balkan şehitleri beni hiç yalnız bırakmazlar. Biraz olgunlaş, bu şehitler senin de yüreğini doldurur, içinde seninle birlikte koşarlar.'

Anladım.

İlk hücumda benim de içimde koşacaklarını sanıyorum."
Defterini kapadı, mumunu söndürdü. Tüm şehitler için dua edip öyle uyudu.

BAKIRKÖYLÜ Deli Raziye'nin deli kuvveti bu sorunu çözmeye yeterdi ama bu pislere elini sürmek istememişti. Biri bir yabancı kadının Beyoğlu'nda rahat yürüyebilmek için kırbaç satın aldığını söyleyince, Kapalı Çarşı'ya inip kalın, kısa bir kırbaç aradı.[224] İş durgundu. Saraç bir saat içinde sığır derisinden örme bir kırbaç yapıp teslim etti.

Deli Raziye kırbacı yokladı, beğendi. Çarşafının içine sakladı. Bakırköy'e geri döndü.

Erkeklerin çoğu askerdeydi. Kır saçlı, katır suratlı, basık fesli bir adam belirmişti. Bakırköy uygar bir yerdi. Alışverişi kadınlar yapardı. Çarşıya çıkanlara, yolda yürüyenlere laf atıyor, sataşıyor, sululuk ediyordu.

Bakırköy şaşkına dönmüştü.

Pislik, uyarmaya yeltenen iki yaşlı esnafı dövdü. Bir komiserle iki Allahlık polis vardı köyde. Onlar da bu şirrete bulaşmamak için görmezden geliyor, uzağından geçiyorlardı. Bakırköy'ün polisleri bile böyle densizliklere alışık değildi.

Kadınlar bu pislik ile ona özenen, nereden geldikleri belirsiz çocuk yaşta üç serseri yüzünden çarşıya çıkmaya son vermişlerdi. Kapı önünde bile oturmuyor, ailenin erkeklerine başları belaya bulaşmasın diye durumu anlatmıyorlardı.

Bu sorunu Deli Raziye çözecekti.

Deli Raziye trenden indi, İstasyon Caddesinden aşağıya doğru birkaç adım yürüdü. Pislikleri aramaya gerek kalmamıştı. Adamı ve küçük serserileri gördü. Köşede duruyorlardı. Sevindi. İşi hemen bitirmeye karar verdi. O yana geçti. İlgi çekmek için, Allah affetsin, biraz da kırıtarak ilerledi.

Pislik ile küçük serseriler tombul, kırıtkan bir kadının yaklaştığını görünce sustular. Gözler açıldı. Suratlar parladı. Pislik afili bir hareketle Deli Raziye'nin önüne geçti. Çevresinde şarap kokusundan bir bulut oluşmuştu. "Dur bakalım tombul melek.." dedi,

"..sen, nesin, kimsin? Bana adını bağışlamayan burada sokağa bile çıkamaz. Değil mi aslanım?"

Küçük serseriler "Evet!" diye bağrıştılar.

Galiba çok eğleneceklerdi.

Deli Raziye iyice kızmak için biraz bekledi. Pislik kolunu tutmak istedi. Bu kızmasına fazlasıyla yetti. Bir adım geri çekilip koynundan kırbacı çekti, adamın suratına öyle bir patlattı ki sesi göğe çıktı. Aval aval bakakalan üç kabadayı fidesine de girişti. Topaç gibi dönüyor, her dönüşte en azından ikisinin suratına kırbacı yapıştırıyordu. Çevre gürültüye koşanlarla doldu. Deli Raziye'nin pislikleri dövdüğünü görünce kimse 'durun' demedi, araya girmedi.

Keyifle izlediler.

Raziye'nin kırbacı değdiği yerde derin, unutulmaz, silinmez bir anı bırakıyordu. Pislik son bir çabayla silkinip saldırmayı denediği anda kırbaç gözünün üstüne indi. Gözünde şimşekler çaktı, gök kubbe parçalanıp başına yıkıldı. Bu arada küçükler arkalarında küçük toz bulutları bırakarak uçup yok olmuşlardı. Deli Raziye adamı elini değmeden, arada bir tekmeleyerek, kırbaçla, evire çevire, tadını çıkara çıkara, tozunu ata ata, tövbe ettire ettire dövdü.

Adam büyük bir güçlükle, inleyerek, marangoz cetveli gibi parça parça doğruldu. Başını eğdi, köprüyü aşıp İncirli'ye doğru gitti. Bir daha yüzünü gören olmadı. Bu olay Bakırköy tarihinin bir sayfacığına kaydedildi.

Olayı duyan Kadınlar Dünyası dergisinin Bakırköylü yazarlarından Nilüfer Mazlum Hanım dedi ki:

"Bu bizim köyümüze özgü bir çözüm. Geride daha birçok Bakırköy var. Onlar ne olacak? Bütün kadınlarımızın şükran duyacağı genel bir uygarlık hamlesine muhtacız. Allah'tan, böyle bir hamleyi nasip etmesini niyaz ediyorum."

19. TÜMENİN sağındaki Sazlıdere-Ağıldere kesiminden sorumlu 14. Alay, buranın deniz kıyısına açılan girişini bir taburla tutmuştu. Bu alaya Ağıldere Müfrezesi adı verilmişti.

Bir Anzak birliği, bu kesimin girişinde bulunan bir tepeyi savaşarak işgal etmişti. Tabur tepeyi geri almak için çok çalıştı ama Anzaklar direndi, başarılı olamadı.

M. Kemal bu olaya Kuzey Grubunun dikkatini çekti. En sağındaki 72. Alay Komutanı Binbaşı Münir Bey'i çağırdı, dedi ki: "Düşmanın o tepeyi bu kadar şiddetle savunması boşuna olamaz. Uyanık durun. Bir olay olursa 14. Alayla yardımlaşın. Düşman böyle hareketsiz duramaz. Bu düğümü çözmek için bir şey yapmak zorunda. Ya toplanıp gidecek, ya amacına ulaşmak için harekete geçecek. Harekete geçerse, en duyarlı, en uygun yer, bizim sağımızdır."

"Anladım efendim."

Bu küçük tepe savaşı Liman Paşa'nın dikkatini çekmekle kaldı. Esat Paşa önemsemedi. İkisi de bir şey yapmadılar.[225]

SİRKECİ GARI yine tıklım tıklımdı. Ön eğitimleri bitmiş gönüllü gençler cepheye uğurlanacaktı.

Ağır kayıp ve gençlerin ısrarlı isteği üzerine, 20 yaşından küçük gençlerin de askere alınması uygun görülmüş, liseli ve üniversiteli gençler, birbirleriyle yarışarak askerlik şubelerine hücum etmişlerdi.

Aralarında 16-17 yaşında öğrenciler de vardı. Halk bunları 'kınalı kuzular' diye anacaktı. Çocuk-askerdi bunlar. Bekâr subaylarda bile babalık duygusu uyandırıyorlardı.

Bunları esirgemek isteyecek ama çok zorluk çekeceklerdi. Çünkü en tehlikeli görevlere bu gençler talip olacak, bir fedai istense önce bunlar ortaya atılacaktı. "Hele biraz sabırlı olun, usta asker olun, Çanakkale askeri olun, ondan sonra atılganlık yapın" gibi öğütler bunlara vız gelecekti. Hepsinin hülyası Battal Gazi, Ulubatlı Hasan, Genç Osman olmaktı.

Cephe gerisindeki eğitim merkezlerinde bir süre daha eğitim göreceklerdi. Cepheden esen savaş havası eğitimi hızlandırıp güçlendiriyordu.

Aileler, arkadaşlar, komşular, okul yöneticileri, öğretmenler, esnaflar, dernek temsilcileri, eski gaziler, gazeteciler, her zamanki gibi armağan torbalarıyla uğurlamaya gelen İstanbullu hanımlar Sirkeci garını doldurmuşlardı.

Resimler çekiliyor, armağanlar veriliyor, marşlar söyleniyor, yer yer konuşmalar yapılıyor, andlar içiliyordu. Annelerin, kardeşlerin, sözlülerin gözyaşları sel gibi akmaktaydı. Tren komutlar, alkışlar, hıçkırıklar, bağırışlar, çığlıklar, düdük sesleri arasında hareket etti.

Görevli subayların içleri titredi.

Türkiye geleceğini, yesin diye savaşın önüne atıyordu.[225a]

BİR ŞEYLER olacağı tahmin ediliyordu. Kırık dökük, biri ötekini tutmaz bilgiler gelmeye başlamıştı.

Düşman bu sefer nereye çıkarma yapacaktı? Saros'a mı, Seddülbahir'e mi, Asya yakasına mı, Arıburnu'na mı, yoksa Suvla'ya mı? Bütün komutanlar ve kurmaylar birçok etkenleri dikkate alarak bunu kestirmeye çalışıyorlardı.

Enver Paşa Saros'a çıkarma yapacakları hakkında bilgi alındığını bildirmişti. Esat ve Vehip Paşalar Arıburnu'na çıkarma yapılacağını tahmin ediyorlardı. Alman Genelkurmay Başkanı da Saros'a ya da Asya yakasına çıkarma yapılacağı hakkında bilgiler geldiğini bildirmiş, cephane biriktirilmesini tavsiye etmişti.

Hiçbiri Suvla'yı düşünmüyordu.

Liman Paşa birçok olasılıkları dikkate aldıktan sonra, düşmanın Saros ya da Arıburnu'na çıkarma yapacağı kanısına vardı. Saros takıntısından kurtulamıyordu.

Birlikleri savaşa hazır olmaları için uyardı.[226]

VELİAHT Yusuf İzzettin Efendi'nin cepheyi ziyareti bugünlere rastladı.[227]

Veliaht Yusuf İzzettin Efendi

Ordu karargâhından sonra Kemalyeri'ne geldi. Bölgedeki bütün tümen komutanları ve Kurmay Başkanları toplanmıştı. Törenle karşılandı. Hanedanın son temsilcileri gibi Veliaht da hafif kamburdu. Tören birliğini usulüne uygun olarak selamlamayı bilemedi. İki eliyle temenna etti. Ataları eğitimden geçer, önemli bir görevde yetişip pişer, bu gibi durumlarda ne yapılacağını, nasıl davranılacağını iyi bilirlerdi. Kaç kuşaktır ne eğitim vardı, ne de görev. Sarayda hapistiler. Kadınlar arasında yetişip yaşlanıyorlardı. Hemen hepsi sağlıksızdı.

Bir saat kadar oturdu.

Dikkatli, kibar, sessiz biriydi. Büyüklük ve gösterişten yoksundu. Görkemli Osmanlı hanedanının ışığı her gün biraz daha sönüyordu.

Esat Paşa güzel bir konuşma yaparak Veliahta 'hoşgeldiniz' dedi ve savaş durumu hakkında bilgi sundu. Veliahtın bu konuşmaya orduyu yüceltici bir cevap vermesi bekleniyordu. Bunun için gelmişti. Ama Veliaht heyecanlandı, tutuldu. Birlikte bazı üst yöneticiler de gelmişti. Durumu sezen biri hemen ayağa kalkarak Veliaht adına kısa bir konuşma yaptı.

Subaylar Veliaht'ın konuşamamasını yadırgamadılar. II. Abdülhamit gibi vehim, V. Murat gibi sinir hastası olduğunu duymuşlardı.

Yine törenle uğurlandı.[228]

İzzettin Bey, 16. Tümen Kurmay Başkanı Yüzbaşı Nâzım Bey ile 5. Tümen Kurmay Başkanı, cepheye birlikte döndüler. Yüzbaşı Nâzım yolda sordu:

"Demek Sultan Reşat ölürse bu Efendi devletimizin başı olacak, bizi temsil edecek, sancaklar bu Efendinin önünde eğilecek, öyle mi?"

"Öyle."

Sustular. Sessizliği top gürültüleri ve makineli tüfek cayırtıları doldurdu.

GENERAL HAMILTON yine karışık, sürprizli, aşamalı, birden çok yeri kapsayan bir plan yapmıştı:

İki büyük çıkarma olacaktı. İlki Arıburnu'naydı. Asıl vurucu saldırı buradan yapılacaktı. Buraya gizlice bir buçuk tümen çıkarılacak, üç gün o daracık alanda saklanacak olan birlik, 19. Tümenin sağındaki Sazlıdere-Ağıldere arasından yukarı doğru ilerleyerek Conkbayırı-Kocaçimen platosunu ele geçirecekti.

İkinci çıkarma Suvla (Anafartalar) körfezine yapılacaktı. Buraya ilk aşamada iki tümen çıkacaktı. Bir tümen Küçük Anafarta üzerinden Teketepe'ye, ikinci tümen Büyük Anafartalar üzerinden Kocaçimen'e yürüyecekti.

Saros'taki Türk tümenleri ancak 24 saatte yetişebilirlerdi. Onlar gelmeden İngiliz birlikleri tepeleri ele geçirmiş olacaklardı.

Burada Arıburnu'ndan gelen birlikle birleşeceklerdi.

Böylece Türk birlikleri kuzeyden kuşatılacak ve yarımadanın en egemen kesimi ele geçirilecekti. Bundan sonrası kolaydı: Bu büyük birlik ilerleyip Kilitbahir platosunu, sonra da Boğaz'ın batı kıyısını işgal edecek, İstanbul yolu açılmış olacaktı.

Bu, dünyanın beklediği zafer demekti.

Arıburnu ve Seddülbahir'deki Türk birliklerinin bu ilerleyişe engel olmalarını önlemek için de Arıburnu ve Seddülbahir'de oyalama taarruzları yapılacaktı.

Bu arada Saros'a da akıl karıştırıcı, küçük bir çıkarma girişiminde bulunulacaktı.

Plana daha bazı hileler, aldatmacalar, gösteriler eklenmişti. Bir kısmının hiçbir işlevi, anlamı, etkisi yoktu. İngiliz ordusunun

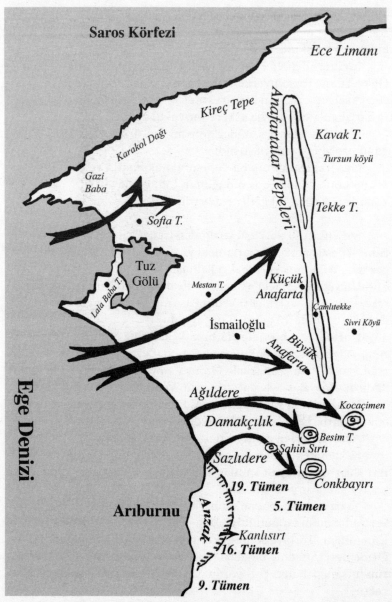

Saros Körfezi

Ece Limanı

Kireç Tepe

Anafartalar Tepeleri

Kavak T.

Tursun köyü

Karakol Dağı

Gazi
Baba

Softa T.

Tekke T.

Tuz
Gölü

Mestan T.

Küçük
Anafarta

Çamlıtekke

Lala Baba T.

İsmailoğlu

Sivri Köyü

Büyük
Anafarta

Ağıldere

Kocaçimen

Damakçılık

Besim T.

Şahin Sırtı

Sazlıdere

Conkbayırı

19. Tümen

5. Tümen

Arıburnu

Anzak

Kanlısırt

16. Tümen

9. Tümen

Ege Denizi

General Hamilton'un 6 Ağustos Anafartalar - Arıburnu genel planı emperyal bir alışkanlığıydı bu. Asya, Afrika ve Güney Amerika'da sömürge yapmak istedikleri ülkelerin geri kalmış halklarını böyle kandıragelmişlerdi.

İngiltere'den ve Mısır'dan gelen birlikler Mondros, Midilli ve Gökçeada'da toplanıyorlardı. Birleşik Ordu'nun gücü 157.000 kişiye yükselecek, ilk gün ateş hattında 80.000 savaşçı bulunacaktı.[229] O dar alanda daha fazla askere yer yoktu zaten.

Kara savaşlarının ikinci döneminin, **6 Ağustos 1915** Cuma günü başlaması kararlaştırıldı.

General Hamilton, bu dönemin, hükümetin ve talihinin kendisine tanıdığı son şans olduğunun bilincindeydi. Bu yüzden her konuda çok titiz, dikkatli ve duyarlıydı.[229a]

DENİZALTI korkusu yüzünden Çanakkale'ye yiyecek gönderilmesi de aksamış, ambarlardaki yiyecek türleri azalmış, elde bulgur ile kurtlanmış kuru bakla kalmıştı.

Un yetmediği için ekmek, un ile peksimet kırıntısı karıştırılarak yapılmaya başlamıştı. Vehip Paşa'nın hesabına göre bugünlerde askere günde 16 gram et düşüyordu.

Durumu acı bir dille Harbiye Nezaretine bildirdi, yiyecek sorununa ivedi çözüm bulunmasını istedi. Levazım Daire Başkanı İsmail Hakkı Paşa 'Çanakkale Ordusu ambarlarının dolu olduğunu' bildirdi. Dosyalar öyle gösteriyordu. Vehip Paşa şu yanıtı verdi: "Ambarlarda var olduğunu iddia ettiğiniz erzak hüsn-i niyetten ibarettir. Hüsn-i niyet karın doyurmuyor."

Askere verilen ekmekten de bir örnek yolladı.[230]

Beklenmekte olan bir büyük savaş eşiğinde bu durum Nezareti karıştırdı. Kapalı kapılar ardında sert tartışmalar oldu. Arka arkaya katarlar yola çıkarıldı.

Taarruz başlamadan ambarlar yeniden dolmaya başladı. Şeker ve İstanbul'un unu Rusya'dan gelirdi. Savaş patlayınca bu kapı kapanmıştı. Türkiye'de ne şeker fabrikası vardı, ne büyük un değirmenleri. Anadolu buğdayının İstanbul'a taşınması da büyük sorundu, çok pahalıya patlıyordu. Un sorunu ve şeker yokluğu sürecekti.

Çay kuru üzümle içilecekti.

OSMANLI-TÜRK Hanımları Esirgeme Derneği'nin düzenlediği tartışmalı aylık konferanslar sürüyordu. 30 Temmuz Cuma günkü konferans için Cağaloğlu'ndaki Kız Üniversitesi'nin büyük sınıfı seçilmişti. Giriş çıkışı derneğin görevlileri gözetiyordu. Büyükçe sınıf saatinde doldu.

Gönüllü hemşireler de gelebilseler izleyiciler buraya sığmazdı. Hepsi görev başındaydı. İstanbul'a sel gibi yaralı akıyordu. Bu yüzden Besim Ömer Paşa yeni bir hemşirelik kursu daha düzenlemek zorunda kalmıştı.

Salondakiler yüzlerini açtılar. Başörtülerini gevşettiler. Çarşaflarının altında bu sıcak yaz gününe uygun giysiler, bluzlar vardı.

Konferansçı Nezihe Muhittin Hanım'dı. Saatinde kürsüye geldi. Yüzü açıktı. Gri, ipek bir çarşaf giymişti. Alkışlarla karşılandı.

Konu milli ekonomiydi.

Kadınlar kendi sorunlarının dışında ülke sorunlarıyla da ilgileniyor, yazıp konuşuyorlardı. "Sayınız çok az" diyen birine Dernek Başkanı Hanım, "Zarar yok.." demişti, "..milyon da 1 ile başlar. Gün gelir salonlara sığmaz, meydanlara taşarız."

Nezihe Muhittin Hanım zarif bir baş hareketiyle salonu selamladı:

"Hanımefendiler!

Yabancılara her konuda ayrıcalık tanıyan kapitülasyonlar kalkmadan önceki durumumuzu hatırlayınız. Ne korkunç, ne utandırıcı günlerdi. Yabancılar üzerinde yargı hakkımız bile yoktu. Avrupalıların, hatta Amerikalıların tutkularının oyuncağı idik. Her konuda dışarıya bağımlıydık. Potinlerimizin bağını, dikiş ipliğimizi, elbise düğmemizi, yüksüğümüzü bile dışardan getirtmek zorundaydık. Bunları şimdi de getirtiyoruz. Neden? Çünkü sanayimiz yok, sanatımız yok. Kendi sanayimizi kuramadık, kurmayı başaramadık ya da kurdurmadılar.

Bir devletin, milletin bağımsızlığının güvencesi milli sanayidir, milli ekonomidir.

Bizim sanayimiz tahta kaşık, tahta takunya, testi, leblebi, biraz da el tezgâhlarında dokunan bez ile havlu. Bu düzeydeki sanayi ile bir devlet bağımsız olabilir mi?

Bu halimizle ilkel bir kabile gibiyiz.

Dördüncü Bölüm / Diriliş Birinci Dönem 451

Bu yüzdendir ki devlet 1878'de iflas etti, mali bakımdan bittiğini ilan etti. İflas halimiz sürüyor. Devlet batakçı bir mirasyedi gibi borçla yaşıyor.

Bir millet hayat hakkına, gelecek hakkına, kudretli olmak hakkına ancak milli ekonomiyle, milli sanayiyle sahip olur. Bunun için de milli bir yönetim ister!

En büyük kuvvet, milli ekonomidir. Bu dersi yaşayarak öğrendik, hâlâ acı olaylar, yokluklar yaşayarak öğrenmeye de devam ediyoruz.

Bu konuda da kadınlara büyük, önemli bir görev düşüyor. Bir daha o kapitülasyon günlerine dönmemek için, o hale düşmemek için, ey anneler, bilgili, bilinçli kuşaklar yetiştiriniz. Kapitülasyonların, dışa bağımlılığın, borcun ne demek olduğunu, nelere mal olduğunu, bizi nasıl ezdiğini, yoksul bıraktığını, inlettiğini, savunmamızı nasıl zayıf düşürdüğünü, çaresiz bıraktığını çocuklarınıza, torunlarınıza tekrar tekrar anlatınız, çok iyi öğretiniz."

Konuşmasını örneklerle zenginleştiren Nezihe Muhittin Hanım'dan sonra birçok hanım söz alarak görüşlerini açıkladı. Sanayiye, ticarete önem verilmesini, iş yerleri açılmasını, yerli malı kullanılmasını, kadınların çalışmasının sağlanmasını, bu konudaki engellerin kaldırılmasını, kadın giyimi sorununa da artık, mutlaka bir çözüm bulunmasını istediler.[231]

Kadınların yurt ve dünya sorunlarıyla ilgilenmeleri bazı çevreleri tedirgin etmekteydi. Kadınlar, 'ellerinin hamuru', 'uzun saçları ve kısa akıllarıyla' ne karışıyorlardı bu boylarından büyük işlere?

Bu çevreden bir yazar, Hasan Fehmi Bey, kadınları bir daha ağızlarını açamayacak hale getirecek iyi bir yazı yazmaya karar verdi. Etkili olması için telaş etmeden, düşüne taşına yazacaktı.

GENERAL HAMILTON karargâhını Gökçeada'ya taşıdı. Böylece Suvla, Arıburnu ve Seddülbahir'deki olayları daha kolay izleyebilecekti.

Haber Merkezi, Arıburnu ve Seddülbahir'e sualtı telefon kablolarıyla bağlandı. Hamilton istediği zaman bu iki kesimdeki komutanlarla konuşabilecekti.

Çıkarma başlayınca Suvla'ya da bir kablo çekilecekti.

Bugün bir aldatmacaya da girişildi.

Kabatepe güneyine çıkarma yapılacağı izlenimi vermek için birkaç mayın gemisi bu kesimde mayın aramaya başlamişti.

İlk ateşte kaçtılar. Aldatmaca suya düştü.

16. TÜMEN 48. Alay astsubaylarından Emin Çöl şarapnel parçalarıyla sırtından yaralanmış, önce Kilye limanına, oradan da küçük bir hastane gemisiyle Mürefte'ye getirilmişti.

Bulgarlar Balkan Savaşı'nın son döneminde güzel Mürefte'yi yakıp yıkmışlardı ama halkının güler yüzünü, cömertliğini, yaşama sevincini yok edememişlerdi. Yaralıları halk ve sağlıkçılar karşıladı. Arabalar bekliyordu. Yaralıları kucaklayıp arabalara bindirdiler. Arabalar küçük, temiz bir binanın önünde durdu. Burası Mürefte okuluydu. Yargıcın, savcının, subayların, o çevredeki hastanelerin doktorlarının eşleri, halkın da desteği ile burada küçük bir hastane kurmuşlardı.

Sağlıkçılar yaralıları yıkadılar, sildiler, tırnaklarını kestiler, yüzlerini, saçlarını tıraş ettiler. Temiz çamaşır, gecelik ve terlik verdiler. Kahvaltı ikram ettiler. Birer mendil armağan ettiler. Yaralılar yerlere serili, sabun ve lavanta çiçeği kokan, bembeyaz yataklara girdiler.

Bu hayal edilmesi bile zor güzelliği gerçekleştirenler adlarını, yastıkların, çarşafların köşelerine kırmızı iplikle işlemişlerdi: Mürefte kadınları.

Pembe bir bulut üzerinde uyur gibi uyudular.

Sabah erkenden Mürefte hanımları yaralıları ziyarete, bir istekleri olup olmadığını öğrenmeye geldiler. Hepsinin yüzü açıktı. Anadolu'da peçe söz konusu değildi. O, şehirlere, büyükçe kasabalara özgü bir âdetti. Peçeyle, çarşafla bağda, bahçede çalışılabilir miydi?

Yaralılar kendilerini rüyada sanıyorlardı.

Bu inceliklere, şefkate, temizliğe vurulan Emin Çöl cepheye dönmek üzere hastaneden çıkarken, anı defterine şöyle yazacaktı:

"Bir daha yaralansam ve bir daha bu hastaneye gelsem."[232]

ORHAN evdekileri şaşırtan bir şey yapmış, tıraş olmuş ve annesinin yardımı olmadan giyinmişti. Orhan'ı sokağa çıkmaya hazır görünce, iki anne ile Dilber çığlığı bastılar.

"Sakin olun, bir şey yok, okula gideceğim, kaydımı yeniletmeye çalışacağım. Merak etmeyin, erken dönerim."

İlk kez sokağa çıkacaktı. Dilber önüne geçti:

"Canım ağabeyciğim, ben de geleyim. Yorulunca koluma girersin, bana tutunursun. Bekle, beş dakikada giyinir, çarşaflanırım."

Orhan'ın içi gitti. Bu ne harika bir devr-i âlem gezisi olurdu. Ama okula gitmeyecek, Dilber'in bilmemesi gereken gizli işler yapacaktı. Sert olmasına çalıştığı bir sesle, "Olmaz!" dedi. Yenilmemek için çabucak evden çıktı.

Yürüyerek deniz kıyısına indi. Nefes nefese kalmış, terden de sırılsıklam olmuştu. Şemsiye almadığına pişman oldu. Doktor haklıydı. İyi değildi. Ama iyileşmesi gerekli değildi. Ayakta durabilmesi yeterdi. Bir faytona bindi.

Hastaneye geldi. Başhekimin yanına girdi. Adamın ağzı açık kaldı:

"Hayrola evlat? Ne arıyorsun sen burda?"

"Efendim, okul, kaydımı yenilemek için hastalandığım ve iyileştiğim hakkında rapor istiyor."

Kendi de şaştı. Su gibi yalan söylüyordu. Başhekim, Dr. Fikret Bey'i çağırdı:

"Bu kahraman oğlum öğrenime devam edecek. Durumu özetleyen, okul yönetiminin zorluk çıkaramayacağı güzel bir rapor yaz, getir."

Orhan yarım saat sonra, imzalı mühürlü, istediğinden daha da iyi raporu alarak vapurla Beşiktaş'a geçti. Askerlik Şubesini buldu. Müdürü binbaşıymış. Binbaşıya çıktı, durumunu özetledi:

"Balkan Savaşı'nda ağır yaralanmıştım. İyileştim. Bunlar belgelerim. Bu da sağlam raporum.."

Masanın üzerine belgeleri ve raporu bıraktı:

"..Beni askere almanızı ve Çanakkale'de, cephede bulunan bir birliğe göndermenizi diliyorum. İyileşirsem Çanakkale'ye giderim diye kendime söz vermiştim."

Binbaşı bu Balkan Savaşı gazisi ve Çanakkale gönüllüsüne dikkatle baktı, yumuşak bir sesle "Oturun" dedi.

Orhan kaygıyla oturdu. Binbaşı isteğini reddederse mahvolurdu. Çünkü artık dayanamıyordu. Dilber'i görünce içinde sular tutuşuyor, kuşlar çıldırıyor, ay parçalanıp dökülüyordu. Bir yanlışlık yapmadan kaçma vakti gelmişti artık.

Binbaşı belgeleri incelemeye başladı.

SUVLA'YA çıkacak tümen ve tugay komutanlarına bir muhripten Suvla kesimi gösteriliyordu.

Türkleri kuşkulandırmamak için kıyıya çok yaklaşılmadı, fazla yavaş gidilmedi. Arazi çıplak gözle izlenecek, dürbünle bakılmayacaktı.

Masmavi denizin, altın gibi pırıldıyan kumsalın, yüksek tepelere doğru usul usul yükselen fundalarla kaplı arazinin, sütbeyaz tuz gölünün, kumsaldan sonraki küçük, şirin tepelerin güzelliğini fark edecek halde değillerdi. Dört gün sonra üzerinde yer alacakları bir savaş alanıydı burası. Bu benzersiz güzelliğe o gözle baktılar.

Sevindiler.

Çıkış çok rahat olacaktı. Hiçbir engel yoktu.

BİNBAŞI başını kaldırdı:

"Her akşam Sirkeci'den Uzunköprü'ye bir-iki katar gidiyor. İstersen yarın akşam gidebilirsin. Öğleden sonra burada olabilir misin?"

Orhan'ın sevinçten göğsü sıkıştı:

"Evet, tabii, elbette."

"Subay adayı olarak yollayacağım seni. Belgelerin bunu hak ettiğini gösteriyor. Üniforma bulmaya çalışacağım. Bulamazsam Uzunköprü'de ya da cephede verirler. Önümüz kış, hazırlıklı gel."

Orhan'ın dizleri titriyordu.

"Başüstüne komutanım!"

Oyalanmadan eve döndü. Annesine, "Rapor alabilmem için iki gün hastanede yatmam gerekiyormuş.." dedi, "..bana yarın için küçük bir çanta hazırlar mısın?"

Her şey birbirini öyle tutuyordu ki kimse kuşkulanmadı. Orhan yorgun olduğu bahanesiyle erkenden yattı. Böylece Dilber'den kaçtı. Sabaha kadar gözünü kırpmadı. İçinde binlerce Dilber resmi vardı. Onları seyretti.

Sabah giyindi. Aşağıya indi. Annesi merdiven başında karşıladı:

"Bahçedeyiz, kahvaltı için seni bekliyoruz. "

Dilber de sofrada olacak, karşısında oturacaktı. Kıza bakınca gözlerini geri alamıyordu.

"Hayır, neden bilmem, aç gelmemi istediler. Ben hemen gideyim."

"Bizi öpmeden mi gideceksin?"

Konuşurken bile nihavend bir şarkı söyler gibiydi. İster istemez döndü. Yalnız gözleri değil, yüreği de kamaştı. Sarılsa kopamayacağını biliyordu. Bu yüzden kızcağızı kendinden uzak tutuyor, sarılmak istese itiyor, kaba davranıyordu. Herhalde hastalığına verdiği için hoşgörmekteydi.

"Ne olacak, üç gün sonra burdayım."

"İnşallah, hayırlısıyla."

Ona sarılamayınca, annesi ve Dilber'in annesiyle de vedalaşamadı. Babalarla da vedalaşamamıştı. Bunları düşünmek cesaretini kırıyordu. Çantayı aldı. Kadınlar okuyup sırtını sıvazladılar. Dışarı çıktı. Kapı kapanmadı. Aralık tutup arkasından bakıyorlardı herhalde. Dilber'in de üst kata fırlayıp pencereden izlerdiğini adı gibi biliyordu. Güçlüymüş gibi geniş adımlarla yürümeye çalıştı.

Köşeyi dönünce bir evin içerlek merdivenine oturup soluklandı. Çanakale'ye kadar dayanmalıydı. Sonrası kolaydı.

Kalktı.

Karnı açtı. Bir çay içip simit yemeli, sakin bir yerde oturup, kafasında bin kez başlayıp da bir türlü bitiremediği veda mektubunu yazıp eve postalamalı ve Askerlik Şubesine gidip belgelerini almalıydı.

Geçen faytona bindi.

DİKKATLE gözlenen küçük ama anlamlı hareketler ve hazırlıklıklardan düşmanın çok yakında taarruza geçeceği belli oluyordu.

Birçok tümen komutanı gibi Albay M. Kemal de alay komutanlarını toplamıştı. Birlikte yemek yiyip konuştular. Savaş öncesi son emirlerini verdi. Herkes her an bir baskına uğranabileceğini düşünerek hazırlıklı ve uyanık olacaktı.

Kucaklaşıp helalleştiler:

"Gazamız mübarek, Allah yardımcımız olsun."

Beşinci Bölüm

Diriliş
ikinci dönem
3 Ağustos 1915-27 Ocak 1916

ORHAN 3 Ağustos Salı günü, izinden dönen subaylarla birlikte Uzunköprü istasyonuna indi.

Ordunun ihtiyacı olan her şey burada toplanıyor, buradan cepheye yollanıyordu. Denizaltı korkusu yüzünden demiryolu büyük önem kazanmıştı. Bu yüzden Uzunköprü çok kalabalık, karışık ve cephe kadar gürültülüydü.

Üniforması bol, potini büyüktü ama Orhan şikâyetçi değildi. Görevliler Orhan'ın işlemini çabucak tamamladılar. 7. Tümene verildi. 7. Tümen Saros'taymış. Yol arkadaşı genç subaylar, "Denizin keyfini çıkarırsın" diye güldüler.

İzinden dönen subayların yükleri çoktu. Herkes bir şey ısmarlamıştı. Bunlar cephe hayatını katlanılır hale getiren küçük şeylerdi: Kahve, lokum, yastık yüzü, çorap, cibinlik, kalem, terlik, bit tarağı, çay, kolonya, bisküi, şeker, düğme, iğne-iplik, sirke, atkı, çikolata, eldiven, çakı, tabak, sucuk, defter vb. Görevliler bunu bildikleri için bir de araba veriyorlardı bu kafilelere.

Akşam hava serinleyince, subaylar ayrı bir grup olarak yolcu edildiler.

Orhan çantasını arabaya koydu.

Savaşa savaşa ateş parçası olmuş subaylarla birlikte yola koyuldu. Bu uzun yürüyüşe nasıl katlanacaktı?

BUGÜN ikinci dönemin büyük çarkları dönmeye başladı. Yüzden fazla gemi ve tekne Gökçeada ile Bozcaada'da toplandı. Bunlar asker, silah, cephane, yiyecek, su, araç-gereç ve katırlarla doluydu.[1]

Sazlıdere-Ağıldere kesiminden yapılacak sürpriz saldırı için Arıburnu'na, Türklere sezdirilmeden üç gün içinde 17.900 savaşçı çıkarılması öngörülmüştü. Bu çok zor bir işti. Daha zoru, sürpriz taarruz için bu kadar savaşçıyı taarruz saatine kadar Türklerin dikkatinden gizlemekti.

İngilizler bu çok zor işi başaracaklardı.

Çıkarma Arıburnu kumsalının Türklerin görüş alanı dışında kalan kesimine yapılacak, olası gürültüleri örtmek için savaş gemileri Türk cephesini ateş altına alacaktı.

İlk olarak bu gece ay doğmadan 10.000 savaşçı, 500 kişi alan büyük çıkarma tekneleriyle, sessizce Arıburnu kumsalına çıkarıldı. Çıkanlar saklanmaları için hazırlanan kovuklara, girintilere, deliklere sığındılar. Bunlar için yiyecek ve su stok edilmiş, tuvaletler ile hasta bakım yerleri hazırlanmıştı.

6 Ağustos akşamına kadar zorunluk olmadıkça hiçbiri yerinden kımıldamayacak, asker bu zorluğa katlanacaktı.

Türkler bu büyük çıkarmayı fark etmediler.[2]

ORHAN'IN, trene binmeden önce Sirkeci postanesinden attığı mektup bu sabah eve ulaştı, 38'lik bir mermi kadar yıkıcı oldu.

Bugüne kadar bir postacının hiç uğramadığı eve posta gelmesi, anneleri telaşa düşürmüştü. Dilber zarfı açana kadar heyecan içinde beklediler.

Zarfın içinden dörde katlanmış bir mektup kâğıdı çıktı.

Orhan üç cümle yazmıştı:

"Biraz sonra Çanakkale'ye hareket edeceğiz. Hepinizi seviyorum. Lütfen beni affedin."

GECELERİ, sağ kalmış subaylar ve çavuşlar askerlere Çanakkale savaşlarının ilk günleri hakkında hikâyeler, menkıbeler anlatarak, bilgiler vererek askerleri yeni savaşa hazırlıyorlardı.

Seddülbahir'de yedekte bekleyen bir tümen vardı: Albay Ali Rıza Sedes'in 8. Tümeni. Bu tümen 10 Ağustos günü Conkbayırı'nda, askerlik tarihinin en önemli savaşlarından birine katılacaktı.

Bu tümenin 23. Alayının 2. Tabur Komutanı, eğitimden sonra bölüklerinin toplanmasını emretti. Savaşa az kala son bir konuşma yapmak istiyordu. Denizden ateş yeme tehlikesinin olmadığı sapa bir yerdeydiler. Dört bölük toplandı. Giysileri yamalı, postalları döküntü, tüfekleri eskiydi ama duruşları, Padişahın tören taburundaki fiyakalı askerlerden daha gösterişliydi.

Komutan ortadaki boşluğa geldi.

"Asker!

Unutma, amaç şehit olmak değil, yaşamak. Yaşamalıyız ki dövüşebilelim, dövüşerek düşmanı yenelim. Bu sömürgecileri geldiklerine pişman edelim. Öyleyse akıllı savaşacağız. Aklımızla savaşacağız. Her kurşunumuz, her bombamız, her süngü vuruşumuz, her tekmemiz, her yumruğumuz hedefini bulacak. Düşman bizi vurmadan biz onu vuracağız. Ama sağlıkçılara, sağlıkçıların taşıdığı yaralılara ateş etmek yok. Düşman bu insanlığa layık mı? Hayır. Utanmadan şehitlerimizi dinimizce toprağa vermemize engel oldular ve yaktılar. Belki de içlerinde ağır yaralı kardeşlerimiz vardı, onlar da yandılar. Ama düşman layık değil diye biz insanlığımızı bozmayacağız. Temiz dövüşeceğiz. Yenilmez, yılmaz, yıkılmaz Çanakkale askeri olacağız. Anlaşıldı mı?"

Bin kişi gürledi:

"Eveeet!"

Binbaşı "Aferin asker" dedi, bütün tabura madalya dağıtmış oldu.

5 AĞUSTOS sabahı Kaptan Nasmith E-11 borda markalı denizaltısıyla Boğaz'ı, mayınları kolayca geçip Akbaş önüne geldi.

Bu kez denizaltısına bir de top taktırmıştı.

Yine çok can yakacaktı.

Akbaş'ta periskopunu çıkarıp çevreyi gözden geçirdi. Halep adlı bir yük gemisi yükünü boşaltmış, geri dönmeye hazırlanıyordu. Nashmith daha ilk adımda bir av yakalamıştı. Bir torpille geminin işini bitirdi. Gemi torpili yer yemez battı.

Aydınreis torpidobotu mahmuzlamak için denizaltıya hücum etti ama geç kalmıştı. E-11 dalıp kaçtı. Marmara'ya yol aldı. Beş torpidobot denizaltıyı arayıp bulmak için Marmara'ya dağıldı.

Üç gün E-11 için başarısız, verimsiz geçecek, 8 Ağustos günü en büyük avı yakalayacaktı.

İKİNCİ DÖNEM 6 Ağustos günü zincirleme darbeler halinde başlayacaktı.

İlk taarruz Seddülbahir'deydi, saat 14.30'da.

Bundan birkaç saat sonra Arıburnu'nda taarruza geçilecekti.

Bunu gece Sazlıdere-Ağıldere arazi şeridinden Conkbayırı-Kocaçimen Tepesi'ne yapılacak yürüyüş ve taarruz izleyecekti. Az sonra iki tümen Suvla'ya, gece yarısı da bir küçük bir Yunan gönüllü birliği Saros kıyısına çıkacaktı.

Olaylar güneyden kuzeye doğru zincirleme patlak verecekti. General Hamilton ve kurmayları, bu düzenle Türk ordusunu şaşırtmayı, kararsız bırakarak bir hamlede hedefe ulaşmayı ümit ediyorlardı.[3]

SEDDÜLBAHİR. 6 Ağustos 1915 Cuma, 1. gün.

Cephede dört, geride iki yedek tümen vardı. Cephedeki dört tümenden üçü yeniydi, hiç savaşmamıştı, dipdiriydi.[3a] Bu dört tümenin İngiliz ve Fransız taarruzlarını kıracağına güveniliyordu.

Güney Bölgesi Komutanı da, kurmay kurulu da ilk kez tekmil Türktü.

Bombardıman edileceği düşünülerek ön siperlerde sadece nöbetçiler bırakılmıştı. Birlikler gerilerdeki sığınaklarda bekletiliyordu.

General Hamilton'un amacı, buradaki Türk birliklerini yerlerinde tutarak, kuzeye yardım etmelerini engellemekti. Ama İngiliz Kolordusu, bu mantıklı amacı değiştirmiş, birliklerine hedef olarak üç buçuk aydır alınamayan Alçı Tepe'yi vermişti. Bu uzak hedefe ulaşabilme isteğiyle hızlı koşacak ve çabuk yorulacaklardı.

Saat 14.30'da önce ağır toplar Türk mevzilerini ateş altına aldı. Bu ateşe aşama aşama 45 topuyla filo, orta çaplı toplar, havanlar, bomba topları, makineli tüfekler ve son olarak uçaklar katıldı.

Yoğun bombardıman birçok siperi yine yıkıp dümdüz etti. Nöbetçi erlerin çoğu şehit oldu ya da yaralandı. Ama kalanlar nöbetlerini bırakmadılar. Çevrelerinde mermiler patlıyor, hava basıncı ile oraya buraya savruluyor, uçuyor, yaralanıp bereleniyor, yanıyor, yine de kendilerini toplayıp nöbet yerlerine geçiyorlardı. Görevleri düşmanın taarruza geçtiğini tam zamanında geriye haber vermekti. Bu bırakılamaz bir görevdi.[4]

Türk topçular önce-
ki günlerde pintilik edip
mermi biriktirmişlerdi. Bu
bombardımana beklenil-
meyen bir şiddetle karşılık
verdiler. Taarruza geçmek
için siperlerde bekleyen ka-
labalık İngiliz birliklerinde
ağır kayıplara yol açtılar.
Saat 15.50'de İngiliz
taarruzu başladı. Fransızlar
küçük taarruzlarla yetinip
daha çok toplarını çalıştıra-
caklardı.

Taarruz İngilizleri ağır kayba uğratarak kırıldı. Bu kez Türk
makineli tüfekleri düşmanı saz gibi biçmişti.

İngilizler bombardımandan sonra birkaç siper ele geçirmiş-
lerdi. Bunlar karşı taarruzla geri alındı. 19. Alay cephesinde bir
binbaşı, iki yüzbaşı ve 72 er esir edildi. Bunların bir kısmı yara-
lıydı. Sağlıkçılar yaralıları sargı yerine taşımaya başladılar. Yaralı
bir İngiliz eri için sedye kalmamıştı. Süngü savaşından üstü başı
kan içinde, parça parça çıkmış askerlerden biri, can acısıyla inle-
yen yaralıya acıdı, sırtına aldı, sarsmamak için dikkatle yürüyerek
sargı yerine götürdü. Bir subay arkalarından uzun uzun baktıktan
sonra dedi ki:

"Eğer insanca davranmıyorsa, bir savaşçının bir hayduttan ne
farkı olur? Savaşçıyı hayduttan ayıran, onu kahraman yapan, işte
şu yorgun askerin gösterdiği insanca tavır. İnsan olmadan kahra-
man olunmaz. İnsan olmayana kahraman denmez."[5]

Güney Bölgesi Komutanlığı, Fransız birlikleri arasında 'Lej-
yon Grek' adını taşıyan, Rum ve Yunanlılardan kurulu bir birliğin
bulunduğunu saptamıştı.[5a] Üç yüz Yunanlı da Birleşik Ordu adına
gece yarısı Saros kıyına çıkacaktı. Kâğıt üzerinde Yunanistan Os-
manlı Devleti ile barış halinde görünüyordu.

Bugünkü taarruzun başarısız ve çok kayıplı olması Hamilton'u
hayal kırıklığına uğrattı ve üzdü. Kolordu Komutanı taarruzun
ertesi gün de sürdürüleceğini bildirerek Hamilton'u rahatlattı.[6]

Türk birliklerinin kuzey bölgesine yardıma yetişmemeleri gerekiyordu.

ARIBURNU/KANLISIRT. 6 Ağustos 1915 Cuma. 1. gün, öğleden sonra.

Bu kesimde savaş gemilerinin ve kara toplarının iki gündür süren bombardımanı, Seddülbahir'den bir buçuk saat sonra, saat 16.00'da şiddetlendi. Türk cephesinin güney (sol) kanadını, özellikle Kanlısırt'ı hedef alan bombardıman 17.30'a kadar sürdü.

Bugüne kadarki en yoğun ve uzun bombardımandı bu.

16. Tümenin sorumluluğu altındaki Kanlısırt, 200 metre genişliği olan bir cephe parçasıydı. Birkaç sıra siperden oluşuyordu. Anzak siperleriyle arada en fazla 100 metre vardı. Ön siperlerin büyük bölümünün üzeri, top ve bomba atışlarından korunmak için kalın kütüklerle örtülmüştü.

Anzaklar arayı kayıp vermeden aşmak ve ilk Türk siperlerine baskın vermek için yan yana birkaç tünel açmış, ağızlarını belli olmayacak biçimde örtmüşlerdi. Tünellerden çıkıp saldırıya geçmek için bombardımanın bitmesini bekliyorlardı.

Tel örgüler yerle bir oldu. Kütükler, dikmeler ve demir mazgallar yıkıldı. Yıkıntı altında kalan subay ve erlerin çoğu şehit oldu, yaralandı, barut gazı yüzünden bayıldı. Burayı savunan 47. Alaydan pek az asker kurtulabildi.[6a]

Bombardıman kesilince Anzaklar tünellerden fırladılar. Sağ kalanlar yıkıntıların altından çıkamadan ve geriden yedekler yetişemeden, siperlerin önünde bittiler. Kütüklerin arasından ateş ederek sağ kalanların büyük bölümünü de şehit ettiler.

Kanlısırt Anzakların eline geçti.[7]

Anzaklar bu girdiyi derinleştirmek için cepheyi zorlamaya başladılar.

16. Tümenin birlikleri ölesiye savaşarak Anzak ilerlemesini durdurdular. Ama Kanlısırt'ı geri alamadılar. Anzaklar da bu önemli yeri canla başla savunuyorlardı.

Esat Paşa bu taarruzu düşmanın kesin sonuçlu taarruzu sandı. Öyle şiddetliydi. Haklı olarak kaygıya kapıldı. Yedeğindeki 5. Tümeni Kanlısırt'a sürdü. Kabatepe güneyindeki 9. Tümene de 'iki alayı ile hemen 16. Tümene yardıma gelmesini' emretti.

Anzaklar Kanlısırt'ta ele geçirdikleri bir Türk siperinde

Liman Paşa da Esat Paşa gibi bunu asıl taarruz sanmıştı. O fazla telaşlanmadı. Bu taarruzun önlenmesi kolaydı. Güney Bölgesinde iki yedek tümen vardı. Önce 4. Tümene kuzey bölgesine hareket etmesini emretti. Gerekince 8. Tümen de getirtilebilirdi.[8]

Oysa bu taarruz, asıl iki büyük taarruzu gizleme taarruzuydu. Çok geçmeden ikisi de patlak verecek, hem Kuzey Bölgesi Komutanlığında, hem Ordu karargâhında şaşkınlığa yol açacaktı: Sazlıdere-Ağıldere kesiminden Conkbayırı-Kocaçimen Tepe doğrultusunda baskın halinde kuşatma hareketi ve Suvla'ya çıkarma.

Bu iki olay Çanakkale savaşının doruk noktasını oluşturuyordu.

Bu iki olayın patlak vermesine birkaç saat kalmıştı.

Anzaklar akşam Türk cephesinin bu kez sağ (batı) kesimine, 19. Tümen mevzilerine hücum ettiler. Bu inatçı taarruz 19. Tümen alaylarının can cömertliği ile püskürtüldü.[9]

Türklerin bu sorunlarla uğraştıkları sırada Anzak kesiminde, deniz kıyısında büyük bir hareketlilik başladı.

ANZAK KESİMİ. 6 Ağustos 1915 Cuma, akşam.

Burada üç gündür saklanan askerler gizlendikleri deliklerden çıkarak uyuşukluklarını gidermiş, yemeklerini yemişlerdi. Birlik, yeni askerlerle takviye edilerek 20.000 kişiye çıkarılmıştı.

Kumsalda yürüyüş planına göre sıralanıyorlardı. Her askere 200 fişek, bir günlük kumanya verilmişti. Kıyıdan kuzeye doğru yürüyeceklerdi. Eski Anzaklar Türk askerini bilmeyenleri uyarmışlardı:

"Dürüst ve sıkı askerler. Keskin nişancıları sineği vuruyor. Süngüleşmede çok üstünler. Ona göre."

'Korkak Abdul' adı unutulmuştu. Temiz savaşan Türklerden saygıyla 'Coni Türk' diye söz ediyorlardı.

Emirler verildi.

General Godley

General Godley'in yöneteceği sürpriz taarruz için 20.000 savaşçı, tabur tabur kuzeye, Sazlıdere-Ağıldere kesimine doğru yürümeye koyuldu.

Birlik iki kol halinde taarrruz edecekti.

Sağ kolda çoğunluk Yeni Zelandalılardı. Sol kol karmaydı. Bu kolda İngiliz, Avustralyalı, Yeni Zelandalı, Yeni Zelanda yerlileri ve Hintliler (Gurkalar ve Sihler) vardı.

Sağ kol öncüsü 2.000, sol kol öncüsü ise 5.000 savaşçıdan oluşuyordu.

Ay doğmadan önce, bu öncü birlikler, karanlıkta hareket ederek Sazlıdere-Ağıldere kesimindeki Türk mevzi ve direneklerine baskın verecek, iki kuşatma koluna Conkbayırı ve Kocaçimen yolunu açacaklardı.

Yeni Zelandalı Binbaşı Overton'un yönetiminde bir ekip bu kesimin derinliklerine sızarak Conkbayırı ve Kocaçimen Tepesi'ne giden karışık yolları, dere yataklarını iyice incelemişlerdi. Bunlar rehberlik yapacaklardı. Bu rehberler arasında bu çevreden gönüllü Rumlar da vardı.

Birinci kolun öncüsü Balıkçı Damları'nı geçince, Sazlıdere'de sağa dönecek, buradaki Türk ileri karakollarını ve direnek noktalarını işgal edecekti. Buralar temizlenince sağ kol Sazlıdere yatağından ilerlemeye başlayacak, Şahinsırtı üzerinden Conkbayırı'nı ele geçirecekti. Komutan General Johnston'du.

Sol kolun öncüsü biraz daha kuzeye yürüyecek, Ağıldere'de sağa dönecekti. O da bu kesimdeki Türk ileri karakollarını ve direnek noktalarını ele geçirecek ve sol kola yolu açacaktı. Sol kol Besim Tepe'ye ve Kocaçimen Tepe'ye yürüyecekti. Komutan General Cox'du.[10]

Yürüyecekleri yol, harita üzerinde, sağ kol için yaklaşık 3 kilometre, sol kol için 5 kilometreydi.

Bütün hareketler gün doğarken sona ermiş, hedeflere ulaşılmış, tüm Sarıbayır sırtları, Conkbayırı-Kocaçimen platosu ele geçirilmiş, Türklerin Arıburnu cephesi kuşatılmış olacaktı.

Bu sırada Conkbayırı ve Kocaçimen'de bir Türk birliği yoktu. İki tepe de boştu.

SAZLIDERE-AĞILDERE KESİMİ. 6 Ağustos 1915 Cuma, 21.00.

14. Alayın iki taburu Sazlıdere-Ağıldere arasındaki geniş cephede, kıyıya karşı savunma düzeni almıştı. Bu kesimde önemli bir tehlike beklemeyen Kuzey Bölgesi Komutanlığı, alayın üçüncü taburunu, destek olması için taarruza uğrayan 19. Tümenin emrine yolladı.[10a]

14. Alayın taburları alarmda bekliyorlardı ama büyük bir birliğin hücumuna uğrayacaklarını tahmin etmiyorlardı. Olsa olsa küçük bir taarruz beklenebilirdi. Onu da kolaylıkla karşılarlardı.

Oysa Arıburnu cephesinin, hatta ordu cephesinin tehlikeye düşmesine yol açacak olay patlamak üzereydi ve patladı.

Sağ kolun öncüsü saat 21.00 sularında Sazlıdere girişindeki direnek noktalarına hücum etti. Bu geniş ve kalabalık hücum, buradaki birlikleri şaşırttı.

19. Tümen Komutanı M. Kemal, Sazlıdere kesiminde de savaşın başladığını silah seslerinden anladı. Onun için buradaki savaşın yönü belliydi. Kaç aydır böyle bir hareket bekliyordu. Emri-

ne verilen 14. Alayın taburunu Kocaçimen-Conkbayırı kesimine yollayacaktı.[10b]

Sağ kolun öncü birliği iyi hazırlanmıştı, çok hızlıydı.

Küçük birlikler bu kalabalık, vurucu birliğin baskınına fazla direnemediler. Birazı esir düştü. Kalanlar dağıldılar. Ama karanlığa karışıp kaybolmadılar, kaçmadılar, bir yerlere sinip saklanmadılar. Küçük gruplar halinde adım adım kuzeye doğru geri çekilmeye başladılar. Buralar gözü kapalı bildikleri yerlerdi. Düşmana bu gece yürüyüşünü zehir edecekleri kesindi.

Sağ kol, kör karanlıkta, taşlı, funda kaplı, kıvrımlı, boğazlı Sazlıdere yatağından yukarı doğru ilerlemeye başladı.

Sol kol geniş bir eğri çizeceği için onun yolu daha uzun, engeli, uçurumu, inişi çıkışı da daha çoktu. Bu çetin yol sol kuşatma kolunu çok çabuk yoracaktı.[11]

GÖKÇEADA-SUVLA. 6 Ağustos 1915 Cuma, 1. gün, 17.00-22.00.

Çıkarma için 6 Ağustos gecesinin seçilmesinin nedeni ayın saat 02.00'de doğacak olmasıydı. Gemiler Suvla körfezine koyu karanlıkta yanaşacak, birlikler ay doğmadan karaya çıkacaklardı.

Karadaki hareket saat 02.00'de, ay doğduktan sonra başlayacaktı. Türklerin dikkatini çekmemek için hareket başlayana kadar ateş etmek yasaklanmıştı.

Buraya İngiltere'den yeni gelen iki tümen, 10. ve 11. Tümenler çıkacaktı: 27.000 kişi.[11a]

Çıkarmayı ve çıkarmadan sonraki hareketleri, savaşları, Anafarta tepelerini, sonra Kocaçimen Tepe'yi ele geçirmeyi 9. Kolordu Komutanı General Stopfort yönetecekti. General Gökçeada'da, General Hamilton'la birlikte kalmak yerine, Jonquil adlı bir yatta kalmayı, savaşı yattan ve yakından yönetmeyi tercih etmişti.

General Stopford ve Kurmay Başkanı, biraz yaşlarının, biraz da Fransız-Alman savaşı hakkında edindikleri bulanık bilgilerin etkisiyle plan üzerinde bazı değişiklikler yapılmasını istemişler, Hamilton da bunları kabul etmişti.

Plan baskın özelliğini korumaktaydı ama bu değişiklikler karaya çıktıktan sonra çok gerekli olan hızlılık özelliğini zayıflatmıştı. İlk gün yapılması planlanan hareketler iki güne yayılmıştı.

Bir İngiliz tarih yazarı bu olayı şöyle değerlendirecekti:

"General Hamilton böylece tüm sefer boyunca işlediği hataların belki de en büyüğünü, en bağışlanmaz olanını işlemişti."[12]

Akşam hava kararır kararmaz çıkarma filosunu oluşturan gemiler ve tekneler Gökçeada'dan ayrılarak Suvla'ya doğru yola çıkmıştı: Kruvazörler, muhripler, monitörler, torpidobotlar, gambotlar, çıkarma tekneleri, Kuzey Denizi balıkçı gemileri, kurtarma sandalları, mavnalar, asker taşıyan büyük yolcu gemileri, yük gemileri, yandan çarklı gemiler, hastane gemileri, yatlar, kablo gemileri, balon gemileri, römorkörler ve karaya çıkacak 11. Tümenden ilk 10.000 asker.

Gökyüzü aysızdı ama yıldızlıydı.

Yıldız yağmuru vardı.

Deniz kumsala naz yapıyordu.

Suvla kıyısında denizi gören bir tepecikte beş kişilik bir gözcü postası vardı. Ama hiçbiri bu güzelliği görecek halde değildi. Yıldız ışığında, yüzden fazla geminin gölgesi belirmişti ufukta.

Yaklaşıyorlardı.

Yedi muhrip Lalababa tepesinin güneyinde, kıyının 400 metre kadar açığında durup gürültüyle demir attı. Makinelerinin homurtusu Suvla körfezi ve Anafartalar ovasındaki barış sessizliğine son verdi.

Bunlar karaya çıkacak ilk birlikleri taşıyan gemilerdi.

Ece limanından Anzak kesimine kadarki upuzun kıyıyı sadece Gelibolu Jandarma Taburu tutuyordu. Kısacası Liman Paşa yöntemi gereğince kıyı savunulmuyordu.

Büyük çıkarma tekneleri kıyıya yanaştılar ve rampalarını kumsala uzattılar. Kumsal binlerce gölgeyle, hayaletle doldu.

Bu çıkarma Türk ordusu için tam bir baskındı.

Lalababa Tepesi'nde 70 kişilik bir birlik vardı. Kıyıdaki en kalabalık birlik buydu. Birlik Komutanı kırmızı işaret fişeği atarak durumu gerideki birliklere bildirdi: Çıkarma başladı![13]

Saat 22.00'ydi.

BİGALI. 6 Ağustos 1915 Cuma, 23.00.

Sazlıdere-Ağıldere kesiminden silah sesleri duyulduğu, silah seslerinin gittikçe kuzeye ilerlediği hakkındaki bilgi ordu karargâhında tedirginlik yaratmıştı. Çok geçmeden Suvla'ya da çıkarmanın başladığı bildirildi.

Mein God!

Suvla'ya çıkarma ha!

Suvla-Anafartalar kesiminde yalnız Süvari Yarbay Willmer'in komutasında 3.000 kişilik Anafartalar Müfrezesi ile birkaç batarya vardı.[14] Kıyılarda küçük postalar bulunuyordu. Taburlar gerideydi.

Çıkan kuvvetin gücü belli değildi. Belki de gösteriydi. Zaten oraya Asya yakasından birlik yetiştirmek zordu. Saros daha yakındı, üstelik orada dinlenmiş, bütünlenmiş üç tümen vardı. Ama... Ama Liman Paşa'nın Saros takıntısı sürüyordu: Saros'a da çıkarma yapılabilirdi. Bu olasılığı gözardı etmek doğru olmazdı. Liman Paşa, o derin takıntısının etkisiyle Saros Bölgesi Komutanı Albay

Anafartalar Müfrezesi
Komutanı Willmer

Ahmet Fevzi Bey'i telefonla uyardı:

"Saros'a yapılabilecek bir çıkarmaya hazırlıklı bulunun!"

"Başüstüne efendim. Hazırız."

Sonra da bir alayını Suvla'ya (Anafartalara) yollamasını emretti. Saros'ta var olan üç tümene karşılık bir alay!

Bu sırada Suvla'ya bir kolordunun öncüleri çıkarılmaktaydı.

Saat 01.45'ti.[15]

SAROS KUZEYİ. 6/7 Ağustos 1915 Cuma/Cumartesi, 23.30.

Saros'a bir çıkarma yapılacaktı ama güneye değil, kuzeye. Küçük bir çıkarma.

Günün son olayıydı bu.

Bunun için Yunan Teğmen Griparis komutasındaki 300 Rum ve Yunandan oluşan bir müfreze hazırlanmış, güzel giydirilmiş, iyi silahlandırılmıştı. Müfrezeyi iki savaş gemisi koruyacaktı.

Savaş gemileri müfrezeyi ay doğmadan çıkılacak yere getirdi. Karaçalı denilen yerdi burası. Müfrezenin görevi Saros körfezinin güneyinde bulunan tümenlerin dikkatini çekmek, oyalamak, uğraştırmaktı. Bunu sağlamak için çıktığı yerde hiç olmazsa bir gün direnmesi, gürültü çıkarması gerekiyordu.

Bunu becerecek gibi görünüyordu.

Müfreze makineli tüfek takılı motorlarla karanlıkta karaya taşındı.

Saros'un kuzey kesiminde, bütün kıyıyı savunmakla görevli bir Süvari Tugayı vardı. Müfrezenin çıktığı kesimde Keşan'daki Jandarma Taburundan bir mangalık kıyı gözetleme postası bulunuyordu. Onbaşı, durumu bildirmek için gerideki ilk birliğe ayağına hızlı bir haberci yolladı.

Müfrezeye birkaç el ateş ettiler. Belki birkaç kişiyi vurdular, belki vuramadılar. Yetişecek birliği beklemek üzere geri çekildiler.

Burada ince bir dere denize karışıyordu. Derenin iki yanı ormandı. Müfreze ormana dalıp içeri doğru yürüdü. Müfrezenin bu cesur hareketini gemilerden gören İngilizler memnun oldular. Herhalde ileri giderek bir yerlere hücum edecek, olay çıkaracaktı.

Haberi alan Süvari Tugayı Komutanı bir süvari bölüğü yolladı. Süvariler iş çıktı diye sevinmişlerdi. Tüfeklerini sırtlarına çapraz taktılar. Kılıçlarını eğerlerine astılar. Dört nala geldiler. Postadan müfrezenin ormana girdiğini öğrendiler.

Gün doğuyordu.

Orman canlıları uyanmışlar, mırıltı, cıvıltı içindeydiler.

Müfrezeyi yakaladılar. Bir takımı atlı hücuma geçti, kalanlar yaya savaşına indi. Hücuma geçen takımın ağaçların arasından görünmesiyle yalın kılıç çetenin üzerine gelmesi bir oldu. Müfrezenin bir kanadını ezip dağıttılar. Teğmen Griparis yeni bir hücuma uğramayı göze alamadı. Geri çekilmeye karar verdi. Birlikte gaz getirmişlerdi. Gaz dökerek ormanı tutuşturdular.[16] Yaz sıcağında ağaçlar çıra gibiydi. Yangın çabuk yayıldı.

Müfreze araya giren yangından yararlanıp kıyıya çekilmeye başladı. Bir yandan da gemilerden yardım istiyorlardı. Süvariler gözlerini korkutmuştu. Durumu izleyen İngiliz gemileri topları ateşleyerek, motorlar makineli tüfekleri çalıştırarak müfrezeyi kurtarıp kaçırdılar. Kundakçı müfreze, 28 ölü vermiş, geride 3 esir bırakmıştı. Birçok kurşun, kılıç ve nal yaralısı vardı. Onları götürmüşlerdi.

Güneydeki Türk birliklerinin körfezin kuzeyine bir müfrezenin çıktığından haberleri bile olmadı. Anlamsız, yararsız, birkaç saat süren bir girişim olmuştu bu. Hamilton'un bu hilesi fiyaskoyla sonuçlanmıştı.

Geride güzelim ormanı kavuran yangın kalmıştı. Gittikçe büyüyor, asker ve halk çaresizlik içinde kıvranarak seyrediyorlardı. Gün ortasında ve yaz sıcağında şiddetli bir yağmur başladı.

"Hey güzel Allahım!"

Yangın söndü, orman ve canlıları kurtuldu.[17]

ARIBURNU/KANLISIRT. 6/7 Ağustos 1915 Cuma/Cumartesi, gece yarısı.

Kanlısırt'ı düşmana kaptırmak 16. Tümeni kahretmişti. Orasını korumak için kaç kişinin şehit olduğunu bilen sakalar bile ağladılar.

Yedekteki 5. Tümen bir alayı ile 16. Tümene destek verdi. Kanlısırt'ı geri almak için hazırlık yapıldı. Taarruzu Tümen Komutanı Albay Rüştü Sakarya yönetecekti. Alay ve tabur komutanları ateş hattına geldiler. Askerlerinin yanında yer aldılar.

Taarruz gece yarısı başladı.

Kanlısırt'ı geri almak için sabaha kadar, canlarını zerre kadar esirgemeden, ardarda taarruz ettiler.

Kanlısırt, bu adı defalarca hak etti.[18]

Anzaklar yerin önemini bildikleri için çok sıkı durdular. Kanlısırt'ı geri vermediler.

ARIBURNU. SAĞ KANAT. 7 Ağustos 1915 Cumartesi, 2. gün, 04.00.

Gün doğarken filo ve kara topçuları, 19. Tümen cephesinin özellikle sağ yanını yıkıcı ateş altına aldılar.

Bu saatte Sazlıdere'den ilerleyen sağ kol Conkbayırı'na taarruz ediyor olacaktı. Program böyleydi. Anzaklar, sağ kuşatma kolunu korumak için 19. Tümenin sağ kanadını ezmek, sağ kuşatma koluna zarar veremez hale getirmek istiyorlardı.

Bu kesimde siperlerin arası 50-60 metreydi.

Anzaklar bombardıman sona erer ermez, Türklerin daha siperlere dönmemiş olacaklarını düşünerek hızla atıldılar. Yanılmışlardı. Türkler bombardımanın şiddeti azalmaya başlar başlamaz siperlere dönerek makineli tüfekleri yerleştirmişlerdi bile.

Birinci dalgayı bütünüyle biçtiler.

Anzaklar durmadı. Ara vermeden bir daha, bir daha, bir daha taarruz ettiler.

Hepsi biçildi.[19]

Sonunda taarruzu durdurdular.

Bu inatçı taarruz Sazlıdere'den ilerleyen birliklerin Conkbayırı'na yaklaşmış olduğunun işaretiydi. Kuşatma tamamlanırsa Arıburnu cephesi, dolayısıyla tüm savunma çökecekti.

19. Tümenin bütün birlikleri savaşa kenetlenmiş durumdaydı. M. Kemal'in elinde yedek olarak yalnız iki bölük kalmıştı. 14. Alayın taburundan sonra, bu iki bölüğü de Conkbayırı'na yolladı.[20]

KEMALYERİ. 7 Ağustos 1915 Cumartesi, 04.30.

Son haberler Esat Paşa ve kurmay kurulunu çok sarsmıştı. Düşman tam da M. Kemal'in söylediği gibi ve söylediği yerlerden gelmişti!

Esat Paşa M. Kemal'in şimdi kendisi için ne düşündüğünü düşünmek bile istemiyordu.[20a]

Conkbayırı Anafartalar Müfrezesi'nin bölgesiydi. Ama baskına uğrayan zavallı müfreze nereye yetişecekti? Conkbayırı'nı kurtarmalıydı. Asıl tehlike oradaydı. Bu sırada Kanlısırt'a yardım için iki alayını alıp koşmasını istediği 9. Tümenin Komutanı Albay Kannengiesser gelmişti.

Ona "Bekle" dedi.

Durumu bir daha değerlendirdiler. Kannengiesser'i iki alayıyla Conkbayırı'na yollamaya karar verdiler. Güneyden de Cemil Conk'un 4. Tümeni gelecekti.

"Fahri, 16. Tümen toparlandı. 19. Tümen de dayanıyor. Cemil Bey'in tümenini de Conkbayırı'na yollayalım. Düşmanın asıl yumruğu oradan vuracağı belli oldu."

"Peki efendim."

Esat Paşa M. Kemal'in uyarısını dikkate almadığına çok üzülmüş, başına ağrı saplanmıştı. Kurmay Başkanı, "Siz biraz yatıp dinlenin efendim.." dedi, "..ben ne gerekiyorsa yaparım."

" Teşekkür ederim."

Esat Paşa odanın bir köşesindeki portatif yatağa soyunmadan uzandı.

Uyumadı, ağrıdan ve üzüntüden sızdı.[21]

Dördüncü Tümen Komutanı Yarbay Cemil Bey

Fahrettin Altay Ohrili Kemal Bey'e fısıltıyla, "M. Kemal bizi uyarmıştı ama biz anlamamıştık.." dedi, "..Esat Paşa anlamadığı için kendini affetmiyor. Onur sorunu yaptı. Ben farklı düşünüyorum. 'Aramızda iyi ki M. Kemal gibi durumu iyi değerlendiren, olacakları gören biri var' diye seviniyorum. İşler daha kötü giderse, bu zekâ cepheyi kurtarabilir. Çok kötü duruma düştük. Hem Suvla'da, hem Conkbayırı'nda baskına uğradık. Düşman arkamıza dolandı, kuşatıyor."

SAZLIDERE-AĞILDERE. 7 Ağustos 1915 Cumartesi, 05.00.

O kadar heves ve heyecanla yola çıkmış olan iki kuşatma kolu da büyük zorluklarla karşılaşmış, asker çok yorgun düşmüştü. Bazı birlikler yolu kaybetmişlerdi. Kaçıp saklananlar olmuştu. İzin almadan mola verenler yüzünden düzen aksamıştı. Adım adım geri çekilen Türkler en beklenilmez anlarda ve yerlerde ateş ederek bütün gece askerin moralini alt üst etmişlerdi. Orman cini gibiydiler. Arazi de pusu için birebirdi. Savaş ortamını ilk kez yaşayan Rum rehberler, korkudan, telaştan yolları şaşırmışlardı.

Çekilen Türkler sol kol öncüsüne rehberlik eden Binbaşı Overton'u da vurmuşlardı.[22]

İki kol da gün ışırken ulaşmaları gereken yerlerde değildi. Bu yolların üç-üç buçuk saatte aşılacağı hesap edilmişti. Bu hesabın güzel bir hayal olduğu anlaşılmıştı.

Sağ kuşatma kolunun esas birliği Yeni Zelanda Tugayı Conkbayırı'na yakın Şahinsırtı'na ulaşabilmişti. Bir taburu yolunu kaybettiği için gecikmişti. Komutan geciken taburu beklemek için yürüyüşü durdurdu.

Askerler sevindiler. Çünkü çok yorulmuşlardı.

Bu sırada Conkbayırı'nda oradaki bataryanın koruyucusu olan iki manga asker vardı sadece.

M. Kemal'in Conkbayırı'na yolladığı birlikler de, 9. Tümenin iki alayı da yoldaydı.

Yeni Zelandalılar biraz yürüseler Conkbayırı'nı ele geçirebilirlerdi. Bulundukları yerden Suvla körfezini, gemileri, uzaktan kurşun askerlere benzeyen arkadaşlarını seyrederek, 06.30'a kadar, geciken taburu beklediler.

Sol kol komutanı da Abdurrahman Bayırı-Kocaçimen Tepesi'ne bir kilometre kala, geri çekilen Türklerin beklenilmez direnişi, kayıplar, kaçaklar, düzenin bozulması ve büyük yorgunluk nedeniyle yürüyüşü durdurdu. Savunma düzeni alarak dinlenmeye geçtiler.

İki kolun komutanı da Conkbayırı ve Kocaçimen Tepesi'ni ele geçirme fırsatını kaçırdıklarının farkında değildi.[22a]

SUVLA. 7 Ağustos 1915 Cumartesi, 2. gün, 05.00.

Kıyıdaki küçük Türk birliklerinin hafif direnişi bile Suvla'ya çıkan ilk birlikleri durdurmuştu. Bir düzene girememişlerdi. İki gündür de uyumamışlardı.

Çıkan tümenin komutanı, ikinci tümen gelmeden ilerlemeyi doğru bulmamıştı. Oysa gün doğana kadar yakın tepeleri ele geçirmeleri gerekiyordu.

Sadece Türklerin boşalttığı Lalababa Tepesi'ni almışlardı.

General Hamilton'un her aşaması dakika dakika belirlenmiş olan büyük planı aksamaya başlamıştı.

7 Ağustos Cumartesi sabahı Suvla Körfezi

İkinci tümen (10. Tümen) bugün ancak saat 10.00'da karaya çıkmaya başlayacaktı.[23]

Türk mevzileri kıyıdan bir buçuk, iki kilometre geride, Kireçtepe-Mestantepe çizgisindeydi. Müfreze Komutanı Süvari Yarbay Willmer Bey cepheden uzakta, Anafarta tepelerinden birinde, Çamlıtekke'deki karargâhındaydı.

Türkler başlarında kendi tabur komutanları, bekliyorlardı.

SAROS. 7 Ağustos 1915 Cumartesi, 05.45.

Saros Bölge Komutanı Albay Ahmet Fevzi Bey gece Liman Paşa'dan 'en yakın alayını Anafartalar kesimine yollaması' için emir aldı.

En yakın alay 7. Tümenin 20. Alayı idi.

20. Alay Birinci Kirte Savaşı'nda çekilme emrini dinlemeyen kahraman Binbaşı Halit Bey'in Alayıydı.

Emri saat 03.00'e doğru alan Halit Bey bir dakika bile beklemedi, alayını ayaklandırdı. Çanakkale savaşlarında birkaç saatin, birkaç kilometrenin büyük önemi olduğunu iyi bilirdi.

Alay hızla toplandı. Yanlarına yalnız cephane, el bombası, yedek silahlar, sağlık malzemesi gibi savaş ağırlıklarını aldılar. Sabah çorbasını içip yürüyüş düzenine girdiler.

Saat 05.45'te yola çıktılar.[24]

CONKBAYIRI. 7 Ağustos 1915 Cumartesi, 1. gün, sabah.

Komutan Johnston Yeni Zelanda Tugayının iki taburunu Conkbayırı'na yürütmeye karar vermişti. Ama bir saat önce kimsenin görünmediği yerde şimdi Türkler belirmişti. Mevzileniyorlardı.

Bunlar M. Kemal'in yolladığı taburla iki bölüktü. Conkbayırı'na yetişmişlerdi.

Tabur komutanı durumu M. Kemal'e bildirdi. Şu emri aldı: "Ne pahasına olursa olsun Conkbayırı'nı savunun."[25]

Yeni Zelandalıların bir öncüsü yürüyüşe geçmeden önce makineli tüfekle Conkbayırı'nı taramaya başladı. Tabur ateş altında Conkbayırı-Kurtgediği (Geçidi) hattını tutmayı başardı. İki bölük de taburun solunda yer aldı.

Kuşatma kolunun yoluna dikilen, ateş açan ilk birlikler bunlar oldu. Bin kişiydiler.[26]

Albay Kannengiesser Conkbayırı'na geldi. Alayları daha yoldaydı. Bin kişinin komutasını üzerine aldı.[27] Yeni Zelandalılar taarruza geçtiler ama arkasını getiremediler. Türkler çok sertti. Keskin nişancılar daha ilk adımda birkaç subayını vurmuştu.

Durdular. Makineli tüfekleri çalıştırdılar.

Alaylarını yerleştirmek için çevreyi keşfetmeye çalışan Albay Kannengiesser göğsünden yaralandı. Kurşun kalbinin yanından göğsünü delip geçmişti. Komutayı Kurmay Başkanı Binbaşı Hulusi Bey'e bırakarak savaş alanından çekildi. Conkbayırı'ndan aşağıya taşınırken alayları Conkbayırı'na tırmanıyorlardı.

25. ve 64. Alaylar kaç ateş sınavından geçmiş, deneyli birliklerdi. Mermi yağmuru altında yayıldılar.

25. Alay Conkbayırı'na yerleşti, duraklamış olan Yeni Zelandalılara taarruz etti. Şahinsırtı'na kadar sürdü. Ama oradan atmayı, Sazlıdere'ye dökmeyi başaramadı. Arkadan gelen iki Hint (Gurka) Taburuyla Yeni Zelanda Tugayı güçlenmişti.

64. Alay da Conkbayırı ile Kocaçimen Tepesi arasındaki Besim Tepe'ye yerleşmişti.

General Johnston bir daha taarruz edecek, sonuç alamayınca, Conkbayırı'na taarruz etmeyi ertesi güne, 8 Ağustosa bırakacaktı.[27a]

Kuzeyde Kocaçimen'e ulaşmak için taarruza kalkan sol kola karşı, geri çekilen birlikler, gün aydınlanınca birbirlerini bulmuş, düzene girmiş, ince bir savunma çizgisi oluşturmuşlardı. 14. Alay Komutanı, "İnce ama.." demişti, "..usturanın ağzı gibi ince."

Bu keskin savunmayı aşamayacağını anlayan General Cox da, Kocaçimen'e taarruzu durdurdu.

Taarruz ertelenince filo Conkbayırı'nı ve Kocaçimen Tepesi'ni şiddetle ateş altına aldı. Bütün gün aralıklı olarak buraları dövecek, göz açtırmayacaktı.[28]

BİGALI. 7 Ağustos 1915 Cumartesi, 07.00.

Ordu karargâhına gelen raporlar durumu aydınlatmıştı. Suvla'ya on bin kişiden fazla İngilizin çıktığı, körfezde birçok geminin bulunduğu, çıkarmanın devam edeceğinin anlaşıldığı bildiriliyordu.

Kurmaylar gelen bilgileri durum haritasına işlediler ve Kâzım Bey haritayı Liman Paşa'nın dikkatine sundu.

Türk cephesinin çok büyük bir tehlike altında olduğu apaçık görülüyordu. Liman Paşa'nın bile tereddüte düşmesi imkânsızdı. Türk cephesi batıdan ve kuzeyden kuşatılmak üzereydi.

Liman Paşa nihayet uyandı.

Suvla'ya çıkan birlikleri kesin durdurmak gerekti. Durduramamak 5. Ordunun sonu olurdu. Dehşete düştü. İngilizler biraz hızlı davransalar, Anafarta tepeleri ellerine geçecek, kıskacın iki ucu Kocaçimen Tepe'de birleşecekti. Sonra? Sonra İngiliz birlikleri Boğaz'a akacaklardı, Maydos'a, Kilitbahir'e, Aktaş'a, Kilye'ye..

İstanbul yolunun açılmasına ramak kalmıştı.

Gerekli kararları aldı. Saros Bölgesi Komutanı Albay Ahmet Fevzi Bey'i Anafartalar Grubu Komutanlığına atadı. 7. ve 12. Tümenleri hemen Anafartalar yönüne yürütmesini, kendisinin de vakit yitirmeden gelmesini emretti.

Ahmet Fevzi Bey'i karargâhta bekleyecekti.

Liman Paşa kısaca 'uçun!' diyordu.

Haklıydı.

İngilizler Anafarta tepelerini Türklerden önce tuttukları anda iş biterdi.

Asya yakasındaki Komutanlığa da bütün yedek taburları Arıburnu'na yollamasını emretti.

Saat 07.00'ydi.[29]

Liman Paşa'nın bu sefer durumu oldukça çabuk kavrayıp hızlı davranması karargâhtaki Türk kurmayları sevindirdi. Birinci dönemin başlangıcındaki anormallikleri sergilememişti.

SAROS. 7 Ağustos 1915 Cumartesi, 07.15.

Ahmet Fevzi Bey Ordu Komutanının emrini ânında tümenlere bildirdi.

7. Tümenin ikinci alayı da hemen yola çıktı.

Selahattin Adil Bey'in 12. Tümeninin bir alayı 08.30'da yola çıkabildi. Ama iki alayı ancak öğleyin hazır olabilecekti. Çıkarma olasılığına karşı çeşitli yerlere dağılmışlardı. Toplanmaları zaman alacaktı.

Yürüyecekleri mesafe 25 ile 50 kilometre arasındaydı.

Ahmet Fevzi Bey Liman Paşa ile buluşmak ve emirlerini almak için tümenleri yürüyüşe geçirdikten sonra saat 12.00'de otomobille hareket edecekti.

Türk ve İngiliz birliklerinin zamanla yarışıydı bu.

Anafarta tepelerine önce ulaşan, yarışı, dolayısıyla savaşı kazanacaktı.

SEDDÜLBAHİR. 7 Ağustos Cumartesi, 2 ve son gün, 09.00.

Bir gün önceki başarısızlıktan sonra bugünkü taarruza General Hamilton çok önem veriyordu.

İyi bir sonuç almak için her türlü hazırlık yapıldı.

Bugünkü taarruzu sırayla iki İngiliz tugayı yapacaktı. Taarruz edilecek yer Türk cephesinin 750 metre uzunluğundaki dar bir kesimiydi.

İngiliz mevzilerinden, hiçbir zaman ulaşamadıkları Alçı Tepe'nin görünüşü

Yoğun bir bombardımandan sonra taarruz 09.40'da başladı. Taarruza kalkan ilk tugay Türk mevzilerine ulaşamadan yarı yarıya eridi.[30] Çünkü Türkler makineli tüfek sayılarını düşmandan ele geçirdikleri tüfeklerle iki katına çıkarmışlardı. Silah ustaları bu tüfekleri, sihirbazlığı anımsatan bir beceriyle eldeki fişeklere uyduruyorlardı.

Türkler her taarruzu bir karşı taarruzla karşılıyor, her fırsatta süngü hücumuna kalkıyorlardı.

İkinci tugay da sert, coşkun bir direnişle karşılaştı. Ancak birkaç küçük sipere girebildi. Bu basit kazancı korumak için buraya birçok birlik yığdılar.

İki günlük kayıpları 3.500 subay ve erdi.

Türkleri yenemeyeceklerini anlamışlardı.

Seddülbahir'de taarruzları durdurdular. Sonuç ve kayıplar General Hamilton'u bir daha üzdü. Demek ki Türklerin kuzeye yardımı durdurulamayacaktı![31]

Öyleyse kuşatma kollarını ve Suvla'ya çıkan birlikleri hızlandırmalıydı.

CONKBAYIRI. 7 Ağustos 1915 Cumartesi, 1. gün, saat 13.30.

Albay Kannengiesser'in vurulması üzerine Conkbayırı-Kocaçimen kesiminin komutası 4. Tümen Komutanı Yarbay Cemil Conk'a verilmişti.

Cemil Bey önden geldi. İki alayı yoldaydı. Üçüncü alayı Seddülbahir'de kalmıştı. Conkbayırı'nın arkasındaki derenin içinde kurulu 9. Tümen karargâh çadırını buldu. Burası da filonun ve kara topçularının ateşi altındaydı. Havada eşek arıları gibi misketler, sarapnel parçaları uçuşuyordu. Kurmay Başkanı Binbaşı Hulusi Bey'den durum hakkında bilgi aldı.

Cemil Bey, "Anladım, zor durumdayız.." dedi, "..ama önce bu çukurdan çıkalım. Cepheyi görmeden savaşı nasıl yöneteceğiz?"

Haritayı incelediler. Kurtgeçidi'nin cephenin sağını ve solunu görmek için çok elverişli olduğu anlaşılıyordu.

"Buraya taşınalım. Çabuk."

Önden gitti.

Vurulmamak icin dikkat ederek yürüdü, tırmandı, düşe kalka ilerledi. Kurtgeçidi'ne ulaştı.

Buradan Suvla, Kireçtepe ve Anafarta tepeleri görünüyordu.

Suvla'da insan kaynıyordu.

SUVLA. 7 Ağustos 1915 Cumartesi, 2. gün, 14.00.

Bugün öğleye doğru ikinci tümen de karaya çıkmaya başlamıştı. İnatçı, dövüşken İrlanda tümeniydi bu. Karaya çıkanların sayısı akşama 22.000'e yükselecekti.

İngiliz birlikleri biraz ilerlemiş, Türkler tarafından boşaltılan Softatepe'yi işgal etmişlerdi. Daha fazla ilerlemekten kaçınmışlardı. Türkler çok nişancıydı. İngilizler ciddi bir harekette bulunmadan 1.600 kayıp vermişlerdi.

2.500 Türk Kireçtepe-Mestantepe çizgisinde yirmi binden çok İngilizi bekliyordu.[32]

Suvla Körfezine çıkarma devam ediyor

HAVA çok sıcaktı.

Yer kızgın demir, gök kızgın bakırdı. Saros'tan yola çıkan birlikler bu yerle bu gök arasında yürüyorlardı. Dinlenme döneminde hamlamışlardı. Tepelerinden buğu tütüyordu. Ama cepheye yetişmek gerekti. Bir birlik azıcık yavaşlasa subaylar gayret veriyordu: "Haydi çocuklar, az kaldı, geliyoruz."

12. Tümenin subay adaylarından Hakkı Sunata da takımıyla birlikte kan ter içinde yürümekteydi. Yolda ters yöne, Saros'a giden bir kalabalığa rastladılar. Kalabalık öküz ve at arabalarını asker geçebilsin diye yol dışına çekti. Arabalarda kadınlar, çocuklar ve göç eşyaları vardı.

Kadınların gözleri yaşlıydı.

Hakkı seslendi:

"Nereden geliyorsunuz?"

Yaşlıca bir erkek, "Büyük Anafarta köyünden.." dedi, "..Düşman yakına geldi. Tarlalarımıza girdi. Köyü boşalttık. Bir-iki yaşlımız kaldı sadece."

Hakkı'nın canı yandı.

Geç kalmışlardı anlaşılan.[32a]

İNGİLİZLERİN taarruza geçtikleri İstanbul'da duyulmuştu. Bu doğru bilgi abartıla abartıla sonunda Türklerin birkaç gün içinde teslim olacaklarına dönüştü.

Demek ki Boğaz açılacak, İngiliz donanması İstanbul'a gelecekti. İstanbul'a gelince elbette karaya çıkarlardı. İstanbul'un Türklerin elinden geri alınışı zafer alaysız olur muydu? Nereden geçerdi zafer alayı? Tabii Beyoğlu'ndan.

Bu tahmin, zafer alayının geçişini görmek için Rumlar ve Ermeniler arasında, Beyoğlu caddesinin iki yanındaki evlerin caddeyi gören odalarını, balkonlarını kiralama yarışını başlatacaktı.[33]

Bunlar Türklerin Anadolu'da bin yıldır, İstanbul'da 450 yıldır birlikte yaşadığı, komşuluk, arkadaşlık, ortaklık, hemşerilik yaptığı, din özgürlüklerini koruduğu yurttaşlarıydı.

AHMET FEVZİ BEY Bigalı yakınındaki Yalova adlı köye saat 14.45'te ulaştı. Liman Paşa ile Kurmay Başkanı Kâzım Bey'i köyde kendisini beklerlerken buldu.

Liman Paşa çok gergindi. Kâzım Bey'in yüzü de ilk kez gülmüyordu. Liman Paşa Almanca konuştu. Çünkü Ahmet Fevzi Bey de Almanya'da eğitim görmüş subaylardandı, Almanca biliyordu. Paşa önce tümenleri sordu.

Ahmet Fevzi Bey otomobille yanlarından geçmiş, birliklerin hızla yürüdüklerini görmüştü. Övünerek, "Akşama kadar cepheye yetişeceklerini sanıyorum" dedi.

Bu hız Liman Paşa'yı şaşırttı ve sevindirdi.[34]

"Çok güzel."

Öyleyse ertesi sabah erkenden Suvla'daki İngilizlere taarruz edilebilirdi. Zaman geçtikçe İngilizler çoğalıyor ve bu kesimde durum kötüleşiyordu. Arkasından da hemen Conkbayırı çevresinde gelişen kuşatma hareketini önlemek gerekti. Orada da tehlikeli bir gelişim vardı.

Haritada göstererek anlattı:

"Gelibolu'nun batı kıyısından bu yana doğru, Suvla körfezini, Anafarta ovasını, Anafarta tepelerini, Sazlıdere-Ağıldere kesimini, Conkbayırı-Kocaçimen bölgesini ve buralarda bulunan bütün birlikleri emrinize veriyorum. Sizi yeni birliklerle de güçlendireceğim. Suvla ile Conkbayır-Kocaçimen'deki tehlikeleri gecikmeden önlemenizi istiyorum."

Ordu Komutanı, Ahmet Fevzi Bey'in omuzlarına çok büyük, çok önemli bir görev yüklemişti. Albay Ahmet Fevzi Bey görevinin büyüklüğünü, önemini anladı mı, anlamadı mı, belli olmadı. Sıradan bir emir almış gibi sakin duruyordu.

Liman Paşa yeni Komutana ilk emrini verdi:

"Tümenler akşama kadar gelebileceklerine göre, gece dinlenirler. Yarın şafakla birlikte Anafarta ovasındaki düşmana taarruz ediniz ve önünü kesiniz."

"Başüstüne efendim."

Ordu Komutanını ve Kurmay Başkanını selamladı ve çıktı. Savaş alanını görmek için Yarbay Willmer'in karargâhının bulunduğu Çamlıtekke'ye gitti.

Buradan savaş alanı, bütün Suvla körfezi ve Anafarta ovası çok iyi görünüyordu. Tümenlerine ertesi sabah taarruz edeceklerini bildirdi.[35]

SELİM SIRRI BEY (Tarcan) subay çıktıktan sonra İsveç'te beden eğitimi öğrenimi görmüş, beden eğitimi konusundaki yazıları, konuşmaları ve gösterileriyle büyük ün kazanmıştı. Önemli bir kültür adamıydı.

İstanbul Erkek Öğretmen Okulu'nda edebiyat öğretmeni olan arkadaşı Ali Ulvi Bey'i (Elöve) ziyarete geldi. Yaz tatili dolayısıyla okul büyük bir sessizlik içindeydi.

Sözü uzatmadan konuya girdi:

"Ali Ulvi, gençler için yazılmış, coşunca, sevinince, yürürken, birlikteyken söylenen, söylenebilen, hayatı sevdiren, mutluluk veren, insanı canlandıran bir şarkımız, bir marşımız var mı, biliyor musun?"

Ali Ulvi Bey, "Ben bilmiyorum ama belki vardır" dedi.

Selim Sırrı Bey

Selim Sırrı Bey yerinden fırladı:

"Yok azizim! Bir 'vatan marşımız' var. O ağırbaşlı, içli bir askeri marştır. Ben kıpır kıpır bir şeyden, insana yaşama keyfi veren, ümit dolu bir şarkıdan söz ediyorum."

Koca adımlarla odada dolaşmaya başladı:

"Bizde böyle bir ihtiyaç duyulmamış ki şarkısı, marşı olsun. Biz neşeli, neşeyi bilen, yaşayan bir toplum değiliz. Bizde açıktan gülmek bile ayıp sayılır. Şarkılarımız inleyen, ağlayan şarkılardır. Marşlarımız da hüzünlüdür. Düşünsene, şöyle canlı bir çocuk şarkımız bile yok. İsveç'teyken bir şarkı duymuş, çok sevmiştim. Notasını getirdim. Her dizesi sekiz hece. Felix Körling diye bir bestecinin. Çok şirin, keyifli, güzel bir şarkı. Ben bir idman (jimnastik) bayramı düzenlemek, bahara yetiştirmek istiyorum. Bu şarkıyı o gösteride kullanmayı düşünüyorum."

Durdu, yalvarır gibi baktı:

"Bu şarkıya Türkçe söz yazar mısın?"[36]

SUVLA. 7 Ağustos 1915 Cumartesi, 2. gün, 17.30.

Öğleden sonra İngiliz birliklerinde bir hareketlenme oldu. İlk günün şaşkınlığı geçmiş, kendilerini toparlamış, bir düzene girmişlerdi.

Saat 17.30'da filo ve karaya çıkarılan üç batarya taarruz edilecek iki tepeyi ateş altına aldı. Tepeyi ve oralardaki birlikleri duman etti.

Taarruza geçtiler.

Hava kararırken kuzeydeki Karakol Dağı'nın bir kısmı ile önemli bir hedef olan Mestantepe'yi ele geçirdiler. Durdular.

Ertesi gün yeniden taarruza geçecekleri anlaşılıyordu. İki dolgun tümeni 2.500 kişi nasıl durduracaktı?

Burada bir tümen olsaydı, İngiliz kuvvetlerini çıkarlarken durdurur, kıyıya hapseder, büyük kısmını da denize dökebilirdi. Tabur komutanları bu geniş alanı bir Müfrezenin korumasına bırakan anlayışa lanet okuyorlardı.

Bazı İngiliz birliklerinin de Suvla'dan Sazlıdere-Ağıldere'ye doğru ilerlediği gözlendi. Bunları durduracak birlik yoktu. Suvla'ya çıkanlar ile Anzaklar birbirleriyle buluşmak üzereydi.[37]

Durum gittikçe kötüleşiyordu.

Gözler ikide bir Anafarta tepelerine çevriliyordu.

Ah Saros tümenleri bir yetişseler, Anafarta tepelerinin ufuk hattında bir görünselerdi.

Ah Barbaros da Boğaz'da olsaydı, Turgutreis'le birlikte aşırtma atışlarla Suvla körfezini ateş altına alıp gemileri çil yavrusu gibi dağıtsalardı.

BARBAROS zırhlısı İstanbul'da Çanakkale'ye dönüş hazırlığı içindeydi. Bakırköy fabrikasında üretilmiş 30.000 top mermisini de götürecekti. Mermi sandıkları geniş güvertesine yerleştiriliyordu. Çanakkale'deki topçular şenlik yapacaklardı.

Çanakkale'ye gidecek bazı kara subayları da gemiye binmişlerdi. Neşe içinde gideriz diye düşünüyorlardı.

Türk denizciler Barbaros'un denizaltı tehlikesine karşı iki muhribin koruması altında gönderilmesini istemişlerdi. Ama muhripler Rus savaş gemilerine karşı Zonguldak'a gidip gelen kömür gemilerini korumakla görevliydiler. Harbiye Nezareti ya da Donanma Komutanlığı bu konuyu önemsemedi.

Barbaros Zırhlısı Komutanı Muzaffer Adil Bey

Barbaros gece iki küçük torpidobotun korumasında yola çıkacaktı.

SAROS TÜMENLERİ bir ay önce dinlenmeleri için Saros'a alınmışlardı. Sıkı yürüyüşü kaldıramadılar. Döküntü vermeye başladılar. Bölge Komutanının övündüğü gibi 'akşama kadar cepheye yetişmeyi' başaramadılar.

Birlikler saat 22.00'de Anafarta tepeleri arkasındaki Tursun ve Sivri köylerinde toplanmaya başladılar. Geride hayli döküntü bırakmışlardı. Bunlar parça parça geliyorlardı. 12. Tümenin iki alayı ve bağlı birlikleri ise hâlâ yoldaydı.

Ahmet Fevzi Bey bu olumsuz durumu Ordu Komutanlığına bildirdi.

Liman Paşa Mestantepe'nin İngilizlerin eline geçtiğini öğrenmişti. Conkbayırı'nda da durum kritikti. Her geçen saat tehlikeyi çoğaltıyordu.

Sabah taarruz edilmesinde ısrar etti.

Ama 12. Tümenin iki alayı zamanında yetişemeyince, taarruz yapılamayacak, Ordu Komutanı bu oldubittiyi ister istemez kabul edecekti:

"Öyleyse akşam, güneşin batmasıyla birlikte taarruza geçmenizi istiyorum."

"Peki efendim."

Böylece Liman Paşa Gruba taarruza hazırlanması için 12 saat süre tanımış oluyordu. Ahmet Fevzi Bey tümenlerine yeni durumu bildirdi, taarruz planına göre yerleşmelerini emretti.[38]

12 saat bir Çanakkale birliği için çok lüks bir süreydi.

CONKBAYIRI. 7 Ağustos 1915 Cumartesi, 1. gün, saat 23.00.

Gündüz başlayan bombardıman hâlâ sürüyordu. Birlikler acele hazırlanan çukurlara, kovuklara, deliklere alınmış, ön siperlerde yine nöbetçiler bırakılmıştı.

Siperler ve nöbetçiler havaya uçuyorlardı.

9. Tümenin Kurtgediği'ndeki gözetleme yerinde, Tümen Komutanı Yarbay Cemil Conk ile gece yarısı Şahinsırtı'na taarruz edecek olan 64. Alayın Komutanı Yarbay Servet Yurdatapan birlikteydiler.

Cemil Bey bombardımanın şiddeti yüzünden 64. Alayın taarruzunu erteledi:

"Çok kayıp veririz. Taarruzu iptal ediyorum. Şunlara baksana. Sanki mermi değil leblebi atıyor herifler. Sömürü zenginliği bu. Kolay kazanç böyle hesapsız savrulur. Bu ateşten sonra bizi yok ettiklerini sanıp taarruz ederler. Hazırlıklı olun."

"Emredersin."

HIZLI yürüyen subaylar kafilesi gece yarısı Gelibolu'ya ulaşmıştı. Yolun başında Orhan'ın sağlığının iyi olmadığını anlayan dikkatli bir subay sipariş yığılı arabada bir yer açmış, buraya kadar otura-yata gelmesini sağlamıştı.

Biri, "Geldik sayılır.." dedi, "..buradan Akbaş'a gemiyle gideceğiz. Sonrası kolay."

'Size kolay' diyemedi. Ateşi yükselmiş, ciğerleri yeniden hı-rıldamaya başlamıştı. Sürekli terliyor, ayağa kalkınca dizleri titri-yordu. Bir an önce birliğini bulsa, görevine başlasa, yazgısına tes-lim olsa...

Kafileyi tek mumla aydınlatılan karanlık bir yere götürdüler. Galiba misafirhaneydi. Gösterilen yere kıvrıldı. Başını koyar koy-maz uyudu. Dilber'le bahçede, küçük havuzun yanında oturuyor-lardı. Arkasında bir tavuskuşu dolaşıyordu. Her yan çiçek içindey-di. Tam "Biliyor musun, ben seni seviyorum" diyecekti. Öyle bir cesaret gelmişti. Silkeleyerek uyandırdılar.

"Uyan, gidiyoruz."

"Peki."

CONKBAYIRI. 8 Ağustos 1915 Pazar, 2. gün, sabah erken.

Sabaha kadar durup durup devam eden bombardımana saba-ha karşı makineli tüfek ve piyade tüfeği ateşleri de katıldı.

Asker tevekkül içinde sığındığı, saklandığı yerlerde bekliyor-du. Ateş kesilir kesilmez siper kalıntılarına koşacak, düşman taar-ruzunu karşılayacaktı.

Sağ kalabilen nöbetçiler düşmanın harekete geçtiğini bildir-diler.

Conkbayırı'nda ikinci gün savaşları başladı.

Saat 05.00'ti.

Yeni Zelandalılar ve Gurkalar Conkbayırı'nı ele geçirmek az-miyle geliyorlardı. Mehmetler de milim geri gitmemeye kararlıydı.

Sol kuşatma kolu da bu saatte Abdurrahman Bayırı, Kocaçi-men Tepe ile Besim Tepe'ye taarruza geçti.

Bugün iki yan için de çok yaman, kıyasıya, acımasız, kanlı bir gün olacaktı.[39]

GECE İstanbul'dan ayrılan Barbaros zırhlısı Bolayır hizasına yaklaşmıştı.

10.000 tonluk, topları arasında 6 tane de 28 cm.lik topu bulu-nan 22 yaşında bir gemiydi. Çanakkale'de büyük toplarıyla yaptığı aşırtma atışlarla çok yararlı olmuştu.

700 mürettebatı vardı.

Boğaz'a yaklaşıyorlardı. Kaptan Muzaffer Bey kaptan köşküne geldi. Serdümen Trabzonlu Harun (Tekinbaş) da dümene geçti.[40] Boğaz'a giriş pek görkemli oluyor, sık sık gidip gelmiş olanları bile heyecanlandırıyordu.

Gün doğmuştu.

Torpidobotlar geminin çevresinde nöbet tutuyorlardı. Deniz hafif çırpıntılıydı. Tam denizaltı havasıydı. Bu çırpıntılı, köpüklü denizde periskobu fark etmek zordu.

Nitekim E-11 pusuya yatmış av beklemekteydi.

E-11'in periskobunu ne geminin, ne torpidobotların gözcüleri gördüler.

Kaptan Nasmith Barbaros'u gördü. Ağzı kulaklarına vardı. Beklediğine değmişti. Denizaltı kara ile Barbaros'un arasındaydı. Kısa emirlerle denizaltısını Barbaros'a çevirdi, hedefine kilitlendi.

Düğmeye bastı.

Torpil fırladı.

Barbaros'un sağ yanında büyük bir yara açıldı. İçeri dolan sular gemiyi yana eğdi. Bölme kapıları kapatılarak belki gemi kurtarılabilirdi. Ama güvertedeki mermi sandıkları eğik yana devrildi. Gemiyi doğrultmak imkânı kalmadı.

Barbaros zırhlısı 7 dakikada alabora olarak battı.

Saat 05.30'du.

700 mürettebattan ve misafir subaylardan ancak 270'i kurtulacak, 30.000 mermi de denizin dibini boylayacaktı.

Kaptan Nasmith öldürmeye doymamıştı, denize düşenleri toplamaya çalışan Sivrihisar torpidobotunu da batırmak için harekete geçti.

Telaşla bir torpil fırlattı.

Sömürge askerlerine temiz savaş ahlakı verilmiyordu herhalde. Havacıları da böyleydi, karacıları da. Her koşulda, asker sivil, kadın erkek, sağlam yaralı, karşı yandansa herkesi öldürmeyi doğal buluyorlardı. Savaşla cinayet arasında fark olduğunu akıllarına bile getirmiyorlardı.

Denize düşenlerin çoğu yüzme bilmiyordu. Can kurtarmak için çırpınan Sivrihisar talih eseri torpili fark ederek, kıvrak bir manevra ile torpilden kurtuldu. İkinci torpidobotun kaptanı bu caniliğe küfrederek olanca hızıyla E-11'i mahmuzlamak için hücum etti:

"Hayvaaan!"

E-11 dalıp kayboldu.[41]

SUVLA. 8 Ağustos 1915 Pazar, 3. gün, öğleye doğru.
10. İrlanda Tümeni de bütünüyle karaya çıkmış, 9. Kolordunun kuvveti 27.000 kişiye yükselmişti.

Ama hâlâ asıl hedefler ele geçirilebilmiş değildi. General Stopford güçlü bir topçu desteği olmadan ileri yürümeyi, hele Anafarta tepelerine yaklaşmayı doğru bulmuyordu. Karşı koyacak Türklerin sayıca çok az olduğunu saptayan uçak fotoğrafları, keşif raporları bu ihtiyatlı Komutanı kandırmamıştı.

Yeni bataryalar istiyordu.

Bazı küçük birlikler Kireçtepe ile Mestantepe arasından ileri doğru sızarak Anafarta tepelerinin eteklerine yaklaşmışlardı. Ama destek gelmediği için durmuşlardı.

General Hamilton çok sinirliydi. Ne olup bittiğini anlaması ve bilgi getirmesi için Kurmay Albay Aspinall-Oglander'i Suvla'ya gönderdi.

Albay öğleye doğru bir motorla Suvla'ya çıktı.

Çıkarma alanı çok sakindi. Birçok asker denizde neşe içinde yüzüyordu. Pek az silah sesi işitilmekteydi. Albay, 'Anafarta tepelerinin alındığını, İngilizlerin Anafarta ovasına bütünüyle egemen olduklarını' sandı.

Yavaş yavaş gerçeği anladı. İyimserliği söndü. Kıyıya yakın birkaç tepe alınmıştı, o kadar.

Aspinall-Oglander, dizini çarptığı için karaya çıkmamış olan General Stopford'u görmek için Jonquil yatına gitti. General Albayı heyecanla, "Ah Aspinall, asker çok büyük işler başardı" diye karşıladı.

"Ama Generalim hedeflere varamamışlar."

General gururla, övünçle baktı:

"Doğru ama kıyıya çıktılar."

Aspinall-Oglander askeri üslubu bıraktı, birliklerini yürütmesi için Generale yalvardı. General hareket için yeteri kadar top, askerler için bol yiyecek ve soğuk su istiyordu. İyi hesaplanmadığı için su sıkıntısı başlamıştı. Sıcakta askerler kavruluyordu.

Uzun yalvarıdan sonra sevimli general, öğleden sonra karaya çıkarak tümen komutanlarıyla konuşmaya karar verdi.[42]

SUVLA/ÇAMLITEKKE. 8 Ağustos 1915 Pazar, 3. gün, öğle üzeri.

7. ve 12. Tümenler, Albay Ahmet Fevzi Bey'in yazılı emrine uyarak sabahleyin saat 10.30'da, taarruz planına göre yerlerini almışlardı.[43]

Ahmet Fevzi Bey planı ve durumu Ordu Kurmay Başkanına bildirdi. Kurmay Başkanı Kâzım Bey az sonra Ahmet Fevzi Bey'i aradı:

"Liman Paşa'ya arz ettim. Planınızı onayladı. 7. Tümenin orada bulunan birlikleri takviye için Kocaçimen Tepesi'ne yaklaşmasını, 12. Tümenin de hemen Mestantepe'de bulunan düşmana taarruz etmesini emretti."

Ahmet Fevzi Bey itiraz etti:

"Asker dünden beri yürümekten ve uykusuzluktan halsiz kalmıştır. Bu hal ile gündüz yapılacak bir taarruzdan başarı beklenemez. Yarın dinlenmiş askerle, şafakta yapacağımız taarruzla muhakkak başarı elde ederiz."

Kâzım Bey şaşırdı, "Ben size Liman Paşa'nın emirlerini bildirdim.." dedi, "..bundan sonrası size aittir."[44]

Grup Komutanı bu itirazı ile hemen yapılması emredilen taarruzu reddettiği gibi, bu akşam yapılması kararlaştırılmış olan taarruzu da ertesi günün sabahına (9 Ağustos) erteliyordu.

Biraz sonra 7. ve 12. Tümen Komutanları geldiler. Ahmet Fevzi Bey durumu, düşüncelerini ve Ordu Kurmay Başkanına söylediklerini anlattı. 7. Tümen Komutanı Halil Bey dedi ki:

"Emre uyarak Kocaçimen kesimine hareket ediyorum. Fakat askerlerin yorgunluğu ve takatsizliği dolayısıyla bu taarruzdan bir başarı beklenemez."[44a]

Kısacası 'taarruz etmem, etmeyelim' demedi. Selahattin Adil Bey de askerlerin yorgun olduğuna katılmakla birlikte, "Ben askerim, verilen emri yaparım" dedi.

Ahmet Fevzi Bey ilerde Başkomutana vereceği raporda şöyle yazacaktı:

"Bu açıklamalara rağmen ben bu taarruzu bugün de yapmayı doğru bulmadım. İngilizlerin o günkü vaziyeti de böyle bir taarruzu zaruri kılmıyordu."[45]

Ahmet Fevzi Bey'in kararsızlığını anlayan Liman Paşa bir yaveri ile yazılı emir yolladı:

"Taarruz akşam hava kararınca yapılsın!"

Ahmet Fevzi Bey, "gece karanlığında bilinmeyen bir arazide, düşmana hücum etmek yenilgiye neden olur" diye düşündü. Ordu Komutanının yolladığı yazılı emre rağmen gece yine taarruz etmeyecekti.[46]

SUBAYLAR KAFİLESİ cephane ve yiyecek taşıyan küçük bir gemi ile Gelibolu'dan Akbaş'a geçti. Burası da Uzunköprü'nün bir benzeriydi.

Kaynıyordu.

Bir subay 7. Tümenin nerede olduğu Ordu santralinden öğrendi. Orhan'a, "Önce Büyük Anafarta köyüne ulaşman gerekiyor" dedi.

Orhan ter içindeydi ve yüzü sapsarıydı.

Bir görevli sırtına vurdu:

"Seni cephane arabalarıyla yollarız, korkma."

Conkbayırı, Kocaçimen Tepe, Abdurrahman Bayırı'ndaki birlikler fişek ve mermi istiyorlarmış. Yirmi arabalık bir kol hazırladılar. Kol komutanı birinci arabada yer aldı. Orhan ikinci arabada, arabacının yanına oturdu. Yola çıktılar.

Arabayı süren er "Hasta mısın?" diye sordu.

"Evet."

"Nedir?"

"Üşüttüm herhalde."

Arabacı güldü:

"Savaşa girince bir şeyin kalmaz. Zehir gibi olursun. Yaralandım. Topal kaldım. Beni bu işe verdiler. Cephe iyiydi. Cephenin karavanası her derde devadır. Karavana dediğin ne olacak, sipere gelene kadar soğumuş, tatsız tuzsuz bir şey. Ama bu yemek insanı mıh gibi yapar. Asker ocağında su bile insana yarar. Neden bilmem ama böyledir. Sılahını kuşan, karavanaya katıl, suyunu iç, kendini Köroğlu sanırsın."

"Yol ne kadar sürer?"

"Bigalı üzerinden gideceğiz. Yarın sabah Büyük Anafarta'ya ulaşırız. Sonrasını sen bulursun."

Sıska atına kırbacının ucuyla dokundu:

"Deh oğlum."

ANZAK KESİMİ. 8 Ağustos 1915 Pazar.
Avustralyalı muhabir C.E.W. Bean'in günlüğü:

"Bu topraklara basalı 15 hafta oldu. Bugün hayatımda gördüğüm en alçakça davranışlardan birine tanık oldum. Sığınağın hemen karşısında 100 Türk ve 2 Alman esirinin barındırıldığı tutukevi çevresine benzin döküp tutuşturuldu. Çok yakın gelen dev alevler karşısında zavallı esirler tutukevinin en uç köşesine üşüştüler. Bu görüntüyü seyredip gülüşenler arasında İngilizler de, Avustralyalılar da vardı. Bu işi yapanın ağzını burnunu dağıtacak onurlu bir kişi yok mu aca-

C.E.W. Bean

ba? Bu iş dün de yapılmıştı çünkü. Oysa bildiğimiz kadarıyla Türkler esir düşen subay ve erlerimize olağanüstü iyi davranıyorlar."[46a]

CONKBAYIRI. 8 Ağustos 1915 Pazar, 2. gün, öğleden sonra.
Boğuşma kesintisiz sürüyordu.

Düşman ve Türk mevzilerinin arası 30 metreye düşmüştü. Bomba savaşları ve süngü hücumları birbirini izlemekteydi. Bombacı erler sipere düşen el bombalarını patlamadan kapıp geri atmak için tetikte bekliyorlardı. Bir saniyelik gecikme bombanın elde patlamasına yetmekteydi.

Yamaçlarda, doruklarda vurulan askerler tepelerden aşağı yuvarlanıyor, eteklerde başak demetleri gibi birikiyorlardı.

Düşman Şahinsırtı'ndan ilerleyerek Conkbayırı'na iyice sokulmuştu. Arıburnu cephesinin sağ kanadı kuşatılmış gibiydi. Bir

adım sonrası cephenin çökmesi demekti. 19.
Tümen karargâhına bile mermiler düşmeye
başlamış, bir yaralı verilmişti.

Buradaki birlikler hiç durmayan ve sü-
rekli biçim değiştiren savaş yüzünden birbir-
lerine karışmışlardı.

Ahmet Fevzi Bey bu kesimle ilgilenme-
diğinden, Esat Paşa, görevi olmamasına rağ-
men, Conkbayırı'nı kurtarmak için kardeşi
Vehip Paşa'dan yardım istedi. Vehip Paşa ye-

Vehip Paşa

dekte bekleyen Albay Ali Rıza Bey'in (Sedes)
8. Tümenini iki alayıyla yola çıkardı: 23. ve 24. Alaylar.
İki alay da iki gün sonra tarihe geçecekti.

Esat Paşa Albay Ali Rıza Bey'den, Conkbayırı'ndaki birlikle-
rin yönetimini eline almasını ve düşmanı geri atmasını istedi:

"Cepheyi tehlikeden kurtarın."

"Emredersiniz."

Ali Rıza Bey yoldayken Liman Paşa Conkbayır cephesinde so-
run yaratacak bir karar vermişti.

Ordu karargâhına Genelkurmay Demiryolu Şubesi Müdürü
Yarbay Poetrich ve Kurmayı Refik Bey gelmişti. Yarbay Poetrich'i
hiç gerek yokken Yarbay Cemil Conk'un yerine 9. Tümen Komu-
tanlığına atadı, kurmayını da Kurmay Başkanlığına.

Ne Yarbay Poetrich araziyi, arazinin önemini, tümeni, yan-
lardaki birlikleri, durumu biliyordu, ne de kurmayı. Liman Paşa
ikisini de Conkbayırı'na yolladı.

İkili Conkbayırı'na akşam gelecek, var olan sorunlara yeni so-
runlar katacak, komuta sorunu iyice karışacaktı.[47]

ÇANAKKALE Hastanesinde yatan Çivrilli Mehmet Çavuş
komutanına mektup yollamak istiyordu. Hastane kâtibine haber
verdi.

Sipere düşen el bombası, geri atamadan, elinde erken patla-
mış, sağ kolu parçalanmıştı. O yüzden hastanedeydi. Savaşın ye-
niden şiddetlendiğini duymuş, heyecanlanmıştı.

Hastane kâtibi eli boşalınca yatağının ayak ucuna oturdu. Mehmet Çavuş söyledi, o yazdı:

"Komutanım,

Sağ kolumu kaybettim. Zararı yok, sol kolum var. Onunla da pekâlâ iş görebilirim. Beni üzen ve birliğime katılarak düşmanla çarpışmama engel olan şey, yaramın henüz kapanmamış olmasıdır.

Hastaneden kurtularak savaşa katılamadığım için beni hoş görünüz, affediniz komutanım."[48]

Her şeyi kanıksadığını sanan hastane kâtibinin gözleri yaşardı.

Çivrilli Mehmet Çavuş

FAHRETTİN BEY "Komutanım!" dedi.

Esat Paşa önündeki işaretlerle karmakarışık olmuş haritaya dalmıştı. Başını kaldırdı:

"Buyur Fahri Bey."

Fahrettin Bey oturdu. Terini sildi. Uzun yıllardan beri bu çevrede görülmemiş kızgın bir yaz yaşanmaktaydı. Cephedekileri düşündükçe içi parçalanıyordu.

"Sevgili Paşam, Conkbayırı'nda durum gittikçe kötüye gidiyor. Ahmet Fevzi Bey'in hiç ilgilendiği yok. Bu bölge kudretli bir üst komutan istiyor. M. Kemal Bey'in bu bölgeye kolordu komutanı yetkisiyle atanması gerektiğini düşünüyorum. Uygun görürseniz bu öneriyi Orduya arz edelim."

Esat Paşa düşündü ve razı oldu:

"Peki. Kâzım Bey'e söyle."

Fahrettin Altay önerisini Ordu Kurmay Başkanı Kâzım Bey'e telefonla iletti. Kâzım Bey duraksadı:

"M. Kemal Bey sağ yanındaki kesimin güvenliğini üzerine almadığı için Liman Paşa kırgın. Kabul edeceğini sanmıyorum."

"Bunlar sonra düşünülecek konular. O konuda M. Kemal Bey'in haklı olduğunu da olaylar kanıtladı. Şimdi yakın tehlikeyi gidermek şart. Biz bunu M. Kemal'den başkasının yapamayacağına inanıyoruz. Mareşalden onay almanızı ısrarla rica ediyoruz."

Kâzım Bey, ümit vermeyen bir sesle, "Peki, söylerim" dedi. Liman Paşa'nın Conkbayırı'na yönetimi daha da karıştıracak bir Alman yolladığını biliyordu.

SUVLA. 8 Ağustos 1915 Pazar, 3. gün, öğleden sonra.
General Stopford Suvla'ya çıktı. Bayıltıcı bir sıcak vardı. Askerlerin ilerleyememesine bir daha hak verdi.

11. Tümen karargâhını ziyaret etti. Tümen kurmaylarından Yüzbaşı Coleridge son durum hakkında bilgi sundu. General düşüncesini "Türkler engellemeden taarruza geçmek gerek" diye özetledi. Anafarta tepeleri ele geçirilecek, sonra da Kocaçimen Tepe'ye yürünecekti.

Yüzbaşı da bütün komutanların taarruza istekli olduklarını belirtti. General çok memnun oldu.

Ertesi gün, 9 Ağustos Pazartesi sabahı harekete geçilmesini emretti. Taarruz saatini belirlemeyi taarruzu yönetecek olan General Hammersley'e bıraktı.[49]

Suvla ve Anafartalar hakkında bir İngiliz haritası

ARIBURNU/SAĞ KANAT. 8 Ağustos 1915 Pazar, 3. gün, öğleden sonra.

M. Kemal yaveri Teğmen Kâzım'ı ve Binbaşı İzzettin Bey'i durumu anlamaları için Conkbayırı çevresine göndermişti.

Teğmen Kâzım'ın şehit olduğu haberi geldi.

Binbaşı İzzettin durumun çok kritik olduğunu bildirdi. Kuşatma tamamlanmak üzereydi.

Albay M. Kemal Esat Paşa'ya çok gizli kaydıyla bir mesaj gönderdi:

"Conkbayırı'ndaki vaziyetin nazik olduğu anlaşılıyor. Bu hususta Ordu Kumandanının ciddi olarak dikkatini çekmeye aracı olmanızı memleketin selameti adına istirham eylerim."[50]

Bir şey yapılması gerekiyordu!

Conkbayırı savunması çökmek üzereydi.

SUVLA. 8 Ağustos 1915 Pazar, 3. gün, 18.30-19.00.

General Hamilton, Albay Keyes ve Albay Aspinall-Oglander, 18.30'da Jonquil yatına geldiler.

General Stopford pek nazikti.

General Hamilton'un, verdiği taarruz emrini daha görmediğini anlayınca, emri gösterdi ve yüzü pembeleşerek bir takdir bekledi. Ama Hamilton bugün her zamanki gibi değildi. Sinirli ve sertti:

"Sabah çok geç. Zaten iki gün kaybettik. Anafarta tepelerinden en önemlisi olan Tekketepe bu akşam ele geçirilmeli."

Stopford sızlandı. Gece taarruzu zordu. Güvenli değildi. Tehlikeliydi. Zaten taarruzu yapacak tümen de gece taarruzunun kolay olmayacağı görüşündeydi.

Hamilton ayağa kalktı:

"Kaybedilecek bir dakika bile yok."

Taarruzu yapacak komutanla görüşmek için Suvla'ya gidecekti. Zavallı General Stopford'un ayağı çok ağrıyordu. Birlikte gelemeyeceği için özür diledi. Hamilton bir-iki nezaket sözcüğü söyleyip ayrıldı.

Saat 19.00'da Suvla'ya çıktı. General Hammersley'i karargâhında buldu. Emrini verdi. Komutan birtakım sakıncalar, çekinceler ileri sürünce Hamilton kızdı:

"Korka korka zafer kazanılmaz. Bütün seferin sonucu şu birkaç saat içinde izleyeceğiniz harekete bağlı. Harekete geçin!"

Bunlara cesaret vermek için üçüncü tümeni de Suvla'ya çıkarmaya verdi. Geceyi Suvla'da ya da yakın bir gemide geçirecekti. Bu mızmız, ürkek generalleri yalnız bırakmaya gelmiyordu.[51]

CONKBAYIRI. 8 Ağustos 1915 Pazar, 2. gün, akşam.
Yarbay Poetrich ve kurmayı çıkageldiler.

Yarbay Cemil Conk 9. Tümenin komutanlığını Yarbay Poetrich'e bıraktı. Kurtgeçit'inden sonra cephenin sağ kanadı başlıyordu. Sağ kanada geçti (Kocaçimen Tepe-Abdurrahman Bayırı). O kesimin komutasını üstlendi.

Yarbay Poetrich sol kanatta göreve başladı ve ânında sorun oldu. Sol kanattaki bütün birliklerin komutasını üzerine almaya kalkıştı. Bu kesimi yönetme yetkisiyle görevlendirildiğini ileri sürüyordu. Albay Ali Rıza Sedes, bu kesimdeki komutanların en yüksek rütbelisiydi. Yarbay Poetrich'in Albay Ali Rıza Bey'i de emri altına almak istemesi sinirleri iyice gerdi.

Conkbayırı çok tehlikeli, kanlı, korkutucu bir süreçten geçmekteydi. Ana-baba günü yaşanıyordu. Siperler kan içindeydi. Yine şehitlerle kucak kucağa savaşılıyordu.

Yetki tartışmasının sırası mıydı?

Esat Paşa Almanı yatıştırması için Binbaşı Ohrili Kemal Bey'i Conkbayırı'na yolladı. Yarbay Poetrich'i yatıştırmak mümkün olmadı. Birçok itirazı ve isteği vardı. Türklerin can acısı içinde inledikleri, kaygıyla titredikleri bir sırada bencilliğini doyurmaya çalışıyordu.

Ohrili Kemal Bey'in içinden adamın yüzünü dağıtmak geliyordu ama görevi gereği bir daha alttan aldı:

"Bakınız, bulunduğumuz yer bu savaşın kilit noktası. Bu tartışmayı biraz daha uzatırsak burası elden çıkacak. Bütün emekler ziyan olacak. Ordu yenilecek. Liman Paşa da bu yenilginin altında kalacak. Albay Ali Rıza Bey bu gece düşmana taarruz etmeye hazırlanıyor. Siz de tümeninizle kendisine yardımcı olunuz, burayı tehlikeden kurtaralım. Sonra oturup yetki sorununu çözeriz. Olmaz mı?"

Yarbay Poetrich içinde 'ben, ilke, yetki, rütbe, onur, olmaz' gibi sözcüklerin geçtiği bir yanıt verdi. Onu sadece kendi sorunu ilgilendiriyordu.[52]

Ohrili Kemal Bey, 9. Tümen karargâhından çıkarken Poetrich'in Kurmayı Refik Bey'e dedi ki:

"Yakına her mermi düştüğünde senin komutan irkiliyor. Belli ki hiç savaşta bulunmamış. Kurmayın görevi komutanını uyarmaktır. Kendisine söyle. Burada bu rütbeyle bulunabilmesi Türkün enayiliğindendir. Ama sen bunu böyle deme, 'cömertliğindendir' de. Ülkesinde bulunsa, ya bir tabur komutanı olacaktı ya da bir istasyonda şef. Haddini bilse iyi olur."

Karargâh çevresine büyük çaplı mermiler düşüyor ve toprak zangır zangır titriyordu.

SUVLA. 8 Ağustos 1915 Pazar, 3.gün, saat 20.00.

Üçüncü İngiliz tümeninin de (53. Tümen) karaya çıkarılmasına başlandı. Çıkarma sabaha kadar sürecekti. Bu tümenin karaya çıkan birlikleri ertesi günkü taarruzda yedek olarak geride duracak, gerektikçe taarruz eden birlikleri destekleyecekti.

Stopford Kolordusu üç tümenli olmuştu.

Akşam General Hamilton'un emri gereğince Hammersley'in, üç taburunu harekete geçirerek Tekketepe'yi işgal etmesi gerekiyordu. Ama bulanık kararlar ve çelişik emirler yüzünden bu üç tabur bir türlü zamanında harekete geçemedi.

Ancak geç saatte harekete geçecek, gün doğarken, Anafarta tepelerinden biri olan Tekketepe'nin yamaçlarını tırmanıyor olacaktı.

SUVLA/ÇAMLITEKKE. 8 Ağustos 1915 Pazar, 3. gün, saat 20.00.

Güneş batmıştı ama Saros körfezinde kızıllığı sürüyordu.

Yarbay Willmer Bey'in karargâhını daha fazla işgal etmemek için Ahmet Fevzi Bey yeni karargâh istemiş, istihkâmcılar, biraz uzakta, yeni bir karargâh hazırlamışlardı. Yamaçta oyuncak odalar yapmış, kuytuluklara çadırlar kurmuşlardı. Bu hızla burası küçük, güzel bir köy olurdu.

Telefon çalmaya başladı.

Karargâh görevlilerinden Üsteğmen Cevat Abbas Gürer nöbetçiydi. Telefonu açtı. Ordu Kurmay Başkanı Kâzım Bey Komutanla konuşmak istiyordu. İki gündür iyi uyumamış olan Komutan dinlenmek için çadırına gitmekteydi. Koşup haber verdi.

Komutan telefona geldi.

Kâzım Bey soğuk bir sesle dedi ki:

"Fevzi Bey, ben Liman Paşa'nın yanındayım. Kendileri, 'Ben bugün Fevzi Bey'e karanlık basınca düşmana taarruz etmesi için yazılı emir göndermiştim. Niçin taarruz etmedi?' diye soruyorlar."

Üsteğmen Cevat Abbas

Ahmet Fevzi Bey, "Efendim.." dedi, "..bugün ben kendilerini taarruzun yarın sabah şafak zamanına ertelenmesini rica ettim. Kabul etmediler. 'Ne olursa olsun benim emrim yerine getirilecektir' buyurdular. Bendeniz ise bu emrin yerine getirilmesinde tehlike gördüğümden yerine getirmedim. Taarruzu yarın şafak zamanına bıraktım, ona göre gereken emri verdim. Bendeniz bu suretle büyük bir sorumluluk yüklenmiş oluyorum. Paşamız sabretsinler, yarınki savaşın sonucundan memnun kalmazlarsa beni sorumlu tutsunlar."

Kâzım Bey, "Telefonda bekleyiniz" dedi.

Anafartalar Grubu Komutanının söylediklerini Liman Paşa'ya çevirecekti.

Albay Ahmet Fevzi Bey telefon kulağında, beklemeye başladı. Şakaklarından yol yol ter akıyordu. Bunlar sıcaktan mıydı, pişmanlık teri miydi, Cevat Abbas anlamadı. Sessizce dışarı çıktı.

Dakikalar sonra telefon Ahmet Fevzi Bey'in yüzüne kapandı.

Ahmet Fevzi Bey çadırına çekildi.[53]

ARIBURNU/SAĞ KANAT. 8 Ağustos 1915 Pazar, 3. gün, saat 20.15.

Telefon çaldı.

Ordu Kurmay Başkanı Kâzım Bey Albay M. Kemal'i arıyordu. Her zaman şakalaşan Kâzım Bey çok ciddiydi. Resmi bir havada kısaca hatır sordu. Yanında Liman Paşa vardı anlaşılan. Durumu hakkındaki bilgi istedi.[54]

M. Kemal şu bilgiyi verdi:

"19. Tümen bütün hatlarında ve sapasağlam duruyor. Fakat sağ yan gerisi çok fena. Conkbayırı ve Şahinsırtı'ndaki düşmanın geriden zarar vermesi devam ediyor. Bugün tümen karargâhı bu yüzden bir kayıp verdi. Bütün gün süresince de bu durumun düzeleceğine dair belirti görülmedi. İngilizlerin biraz ilerlemesi Arıburnu'nu düşürebilir. Daha bir an var, bu ânı da kaybedecek olursak bir genel felaket karşısında kalmaklığımız olasıdır."

Kâzım Bey M. Kemal'in yanıtını Liman Paşa'ya çevirdikten sonra sordu:

"Peki, çare, siz ne düşünüyorsunuz?"

"İlk yapılacak iş, yalnız Arıburnu'nun sağ yanını tehdit eden Conkbayırı'nı ve Kocaçimen'i değil, genel durum içinde Anafartalar'daki çıkarma hareketini de göz önünde bulundurmak ve ona göre önlemler almaktır. Bütün bu kesimlerdeki hareket ve kuvvetler birleştirilmeli, tek bir ele verilmeli, bir komuta altına alınmalı, başına da bu işi başaracak enerjik bir komutan getirmelidir."

Kâzım Bey'in M. Kemal'in görüşlerini de Liman Paşa'ya çevirdi. Sonra bir soru daha sordu:

"Bu komutanlık size verilirse, kabul eder misiniz?"

"Evet."[54a]

Kâzım Bey konuşmaya kısa bir ara daha verdi. Belki yeni albay olmuş 34 yaşındaki genç bir komutana iki kolorduya yakın kuvveti teslim etmenin doğru olup olmadığını tartışıyorlardı. Grup bir-iki tümenle daha desteklenince 'ordu' düzeyinde olacaktı.

Kâzım Bey yeniden konuştu:

"Liman Paşa Hazretleri 'Bu kadar çok kuvvetin birden emrinize verilmesi fazla gelmez mi' diye soruyorlar."

M. Kemal sakin bir sesle yanıtladı:

"Hayır, az gelir."

Kâzım Bey'in sesinde gizli bir keyif titredi:

"Anladım. İyi akşamlar."

"İyi akşamlar."[55]

CEPHANE kolu Bigalı'ya yaklaşıyordu.

Dura dura, atları dinlendire dinlendire yol alıyorlardı. Köpek havlamalarına, top sesleri karışıyordu.

Arabacı cephane sandıkları ile Orhan'ın başının arasına kaputunu yerleştirmişti. Başını yaslayan Orhan sallana sallana giderken uyuyor, rüyasında Dilber'i görüyordu; uyanıyor, Dilber'i hayal ediyordu.

Bir ateşböceği bulutunun içinden geçtiler.

ORDU EMRİ Çamlıtekke ve Kemalyeri'ne aynı anda geldi.

Liman Paşa Albay Ahmet Fevzi Bey'i Anafartalar Bölgesi Komutanlığından azletmişti. Görevini yeni komutana bırakarak İstanbul'a dönmesini emrediyordu. İngilizlerin dağınık, düzensiz, savunusuz oldukları bir sırada 24 saat kaybedilmişti.[55a]

Kemalyeri'ne telefonla yazdırılan emir ise yeni Anafartalar Bölgesi Komutanı hakkındaydı.

Fahrettin Bey öteki kurmay arkadaşlarına seslendi, haberi verdi, sonra topluca Esat Paşa'nın yamaca oyulmuş küçük odasını doldurdular. Hepsinin yüzü gülüyordu. Esat Paşa "Herhalde olağanüstü bir olay var, yoksa böyle izinsiz, paldır küldür içeri dalmazlar" diye düşündü:

"Ne oluyor?"

"Liman Paşa Ahmet Fevzi Bey'i azletmiş, Anafartalar Grubu Komutanlığına bizim M. Kemal Bey'i atamış."

Kurmaylara sanki Conkbayır temizlenmiş, Suvla'dakiler denize dökülmüş gibi rahat bir hal gelmişti. Fahrettin Bey iri sesiyle güldü:

"Bizim önerimiz kolordu komutanlığıydı. Onu çok gördüler. Şimdi bir çeşit ordu komutanı yaptılar."[56]

9. Tümen de M. Kemal'e bağlanmıştı. Ohrili Kemal Bey şakıyan bir sesle, "Öyleyse Poetrich Bey'e de yakında yol görünür" dedi. Kahkahalar yükseldi. Çaylar söylendi. Fahrettin Bey atama emrini Albay M. Kemal'e bildiren yazıyı hazırlamıştı. Esat Paşa'nın önüne bıraktı. Paşa besmeleyle imzaladı:

"Hayırlı olsun, Allah başarı versin."

"Amin!"

Ordu emri M. Kemal'e bildirildi.

M. Kemal 19. Tümenin komutasını devr alacak olan 27. Alay Komutanı Şefik Bey'i (Aker) çağırmıştı. Ona tümen ve cephe ile ilgili talimat verirken, tümenine veda yazısını da yazıyordu.[57]

Üç aydır cepheden ayrılmayan tek tümen komutanıydı. Çok zayıflamıştı. Üç gündür uyamamıştı.

Gece karanlığında, cephe gerisinden dolaşarak Çamlıtekke'deki Grup Karargâhına ulaşması, ordunun emri gereği, Saros tümenlerini, Anafarta Müfrezesini ve Cemil Conk'un emrindeki bazı birlikleri yarın sabah erkenden taarruza kaldırması gerekiyordu.

Atlar hazırlanmıştı. Tümen Başhekimi Yarbay Hüseyin Bey ile bir süvari subayı ve seyisler bekliyorlardı.

Karargâh kadrosu ve dört alay komutanı uğurlamak için küçük meydanda toplanmışlardı. Savaş uğultusu sürüyor, gemilerin ışıldakları tepeleri geziyor, aydınlatma fişekleri havada maytap gibi patlayıp parçalanıyordu.

57. Alay Komutanı Hüseyin Avni Bey kısa, dokunaklı bir konuşma yaptı ve komutanın başarılı olması için dua etti. M. Kemal hepsiyle helalleşti. Son olarak yeni komutan Şefik Bey'e sarıldı:

"Yüce Allah'tan ikimize de başarı vermesini diliyorum."

Atına atladı.

Önce görüntüleri kayboldu, sonra nal sesleri de duyulmaz oldu. Saat 23.30'du.[58]

CONKBAYIRI. 8 Ağustos 1915 Pazar, 2. gün, gece yarısına doğru.

Conkbayırı'nın bir bölümü Türklerin elinde idi, bir bölümü de Yeni Zelandalıların.

Conktepe henüz Türklerdeydi.

8. Tümen Komutanı Ali Rıza Bey burayı düşmandan temizlemek için taarruza geçmiş, 24. Alay, Yeni Zelandalıların Şahintepe'nin batıdaki tepesine yerleştirdikleri ve iyi korudukları makineli tüfekleri alt edememişti.

Aydınlatma fişeklerinin keskin ışıkları altında bile toprak görünmüyordu. Şehitler Şahinsırtı ile Conkbayırı arasındaki toprağı silme kaplamışlardı.

İKİ SAAT at sürdüler.

Ancak 01.30'da Anafartalar Grubu'nun yeni karargâhını bulabildiler. Kurmay Başkanı Hayri Bey Komutana yol göstermesi için Üsteğmen Cevat Abbas'ı görevlendirmişti ama karşılaşamamışlardı.

Grup Kurmay Başkanı ile kurmay kurulu, adını çok duydukları Arıburnu kahramanı komutanı bekliyorlardı.

Geldi.

Başında kaba şayaktan haki renkli bir başlık, arkasında temiz bir er kaputu vardı. Gözleri ve bakımlı elleri dikkati çekiyordu.

Oturur oturmaz düşman ile Saros tümenlerinin durumu, yerleri hakkında bilgi istedi. Açık bilgi alamadı. Tümenlere verilen son emri istedi. Kurmay Başkanı son emri veremedi.

"Fevzi Bey nerede?"

"Çadırında uyuyor."

"Şimdi kendisini uyandırıp verdiği en son emri alacaksın."

Hayri Bey sessiz, sakin, durgun biriydi. Gitti, geldi. Elinde kendi yazdığı, taarruzla ilgili imzasız bir karalama vardı. Komutanı uyandırmaktan çekinmiş olacaktı. Bu karargâh biraz sonra taarruz edecek olan Grubun karargâhı idi ve yeni komutana son taarruz emri bulunup verilemiyordu.

"Hayri Bey, bu not son emir ise, Fevzi Bey imza etsin!"

Kurmay Başkanı gitti, geldi. Fevzi Bey notu imzalamamıştı. Gelip bilgi de vermiyordu.[58a]

Savaşan bir orduda hiç yaşanmamış, düşünülemeyecek bir durumdu bu.

M. Kemal notu bir yana attı.

Kendi yolunu yine kendi açacaktı. Kurmay subayları ve karargâh çalışanlarını topladı. Düşman, birlikler, bataryalar ve taarruz emri hakkında bildiklerini anlatmalarını istedi. En geniş bilgiyi Ordu bağlantı subayı olarak Grup Karargâhında bulunan Yüzbaşı Neşet Bora verdi.[59]

Albay M. Kemal aldığı bilgileri birleştirdi. Biriken bilgi yeterli değildi ama hiç yoktan iyiydi.[60] Biraz sonra bu yarım bilgiye dayanarak İngiliz Suvla Kolordusuna taarruz edecekti.

Yeni bir taarruz düzeni, son taarruz emrine göre yerleşmiş birlikler için, bu saatten sonra büyük sorun olurdu. Eski komutanın Liman Paşa'nın talimatına göre verdiği emri korudu. Gerisini savaş sırasındaki ara emirlerle çözecekti. Bunu belirten yeni emir 7. ve 12. Tümenlere subaylarla, Kocaçimen-Conkbayırı çevresindeki birliklere emir atlıları ile gönderildi. Subaylara dedi ki:

"Haber subayı olarak orada kalacak, bana gerektikçe haber ulaştıracak ya da getireceksiniz."

Sağlık ve muhabere işleri hakkında da ivedi bir çok önlem alması gerekiyordu. Bu konular açıkta durmaktaydı. Taarruz edecek iki tümenle Grup komutanlığının telefon bağlantısı hâlâ kurulmamıştı.

"Nasıl olur?"

"Çünkü telefon malzemesi yok efendim."

"Niçin Ordudan istemediniz?"

"Ordu ile bazı sorunlar vardı."

Bunlar Komutanın azline neden olan sorunlardı anlaşılan. Üzerinde durmadı. Ordu karargâhını aradı, nöbetçi subayla sorunu çözdü.

Hızı, kararlılığı, kesinliği, soğukkanlılığı, geneli kavrayışı ve ayrıntıları atlamayışı, anlaşılır ve yapılabilir emirler vermesi, askerin yemeğini ve sağlığını çok önemsemesi, kurmayları çok etkilemişti.

Gün doğmak üzereydi.

Karargâhta yapılacak işler bitmişti. Savaş idare yeri Çamlıtekke'nin kuzeyindeki tepede hazırlanmıştı. Oraya hareket edildi.

Biraz sonra Yarbay Willmer Bey de geldi. Herhalde Ordu Komutanınca uyarılmıştı. Saygıyla durdu. Willmer'in bir Türk subayından çekindiğini ilk kez görülüyordu

Kurmayların onurları okşandı.

KOCAÇİMEN Kesimi Komutanı Yarbay Cemil Bey iki gündür uyumamış, gündüzler de çok heyecanlı, yorucu geçmişti. Conkbayırı'nın durumu büyük sorundu.

Sabah yapılacak taarruza elindeki küçük birliklerle yardımcı olması gerekiyordu. Biraz kestirmek için dertop ettiği kaputuna başını yaslamış, ânında uyumuştu.

Bir emir atlısının kendisini aradığını, çok önemli bir emir getirdiğini işitiyor ama silkinip de gözlerini açamıyordu. Kurmay Başkanı sarsarak uyandırdı.

Emir atlısı yeni Komutanın emrini getirmişti.

Mum feneri ışığında okumaya çalıştı. Başaramadı. Yorgunluktan gözleri iyi görmüyordu. Kurmay Başkanına, "Siz okuyun, özet olarak anlatın" dedi.

Kurmay Başkanı emri okumuştu, özetledi:

"Yeni Grup Komutanlığına Albay Mustafa Kemal Bey gelmiş. 'Taarruz eski emre göre yapılacak, gelişmeye göre yeni emirler verilecektir' diyor."

Cemil Bey çok sevindi:

"Hay Allah razı olsun. Fevzi Bey'in emrine göre düzen almıştık. Birtakım yeni kararlar alıp eski emri değiştirmek bu saatte her şeyi alt üst ederdi. Böyle ince düşünüşlü, pratik bir komutan bizi düzlüğe çıkarır."[61]

SUVLA. 9 Ağustos 1915 Pazartesi, 4. gün, sabah çok erken.

Tarihe **Birinci Anafartalar Savaşı** diye geçecek olan ünlü savaş şafakta başladı.

Türlü gecikmeler ve rastlantılardan onra Türkler ve İngilizler birbirlerinden habersiz, bu sabah karşılıklı taarruza geçeceklerdi. Dünyanın heyecanla izlediği büyük seferin son aşamasına girilmişti.

İngilizler iki tümenle Anafarta tepelerine doğru taarruz edeceklerdi. Üçüncü tümen geride, yedek bekleyecekti.

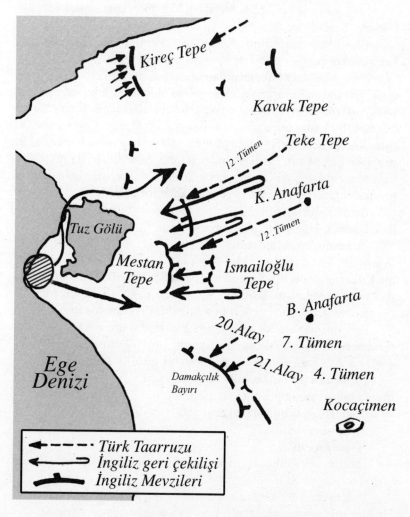

Kireç Tepe

Kavak Tepe

Teke Tepe

12.Tümen

K. Anafarta

12.Tümen

Tuz Gölü

Mestan
Tepe

İsmailoğlu
Tepe

B. Anafarta

20.Alay

7. Tümen

21.Alay   4. Tümen

Ege
Denizi

Damakçılık
Bayırı

Kocaçimen

┅┅┅ Türk Taarruzu
⟵ İngiliz geri çekilişi
▬▬ İngiliz Mevzileri

Birinci Anafartalar Savaşı

Türkler İngilizlerden önce harekete geçmiş, yamaçları hızla tırmanıp Anafarta tepelerini tutmuşlardı. Tepelerden körfez ve ova resim gibi görünmekteydi.

İngilizler de bu sırada tarlaları, bahçeleri ezerek kol kol yaklaşmaya başladılar.

12. Tümenden Takım Komutanı Teğmen Sait işgalcileri ilk kez görüyordu. Gözlerini dört açmış bakmaktaydı.

Dünya bunlara babalarından miras kalmış gibi rahatlık içinde, sanki buralarda bulunmak, karşı geleni öldürmek haklarıymış gibi yürüyorlardı. Dünyanın kabadayısı, belalısı, haraççısı mıydı, neydi bunlar? Bu kadar haydutla nasıl başa çıkacaklardı? Çok kalabalıktılar. Körfez gemileriyle doluydu. Tuz gölünün üzerinde namluları parlayan birçok top vardı. Uçaklar dönüp durmaya başlamıştı. Zavallı tümeni ise buraya zorlukla gelebilmişti. Sayıları öyle azdı ki fundaların, otların arasında gözden kaybolmuşlardı.

Bu ezik durum, adamların pis tavrı çok gücüne gitti, gururuna dokundu. Hırsından ağlamaya başladı.[61a]

Biri omuzlarından tutup silkeledi. Baktı. Bölük Komutanıydı. "Ağlamayı bırak da takımının başına geç.." dedi, "..birazdan hücuma kalkacağız. Bu sömürgecilerin ne kadar korkak olduklarını ben size kaç kez anlattım. Rahatla. Savaşı sayı değil, yürek kazanır."

Komutan sömürgecileri Seddülbahir'den tanıyordu.

Sait burnunu çeke çeke ayağa kalktı. Takımı arkada, uzakta, fundaların arasına yatmış, bekliyordu. Ağladığını görüp duymamışlardı Allahtan. Gözlerini silerken bir gürültü koptu.

Bıçak gibi bir bölük, Tekketepe'nin yamacını tırmanan birinci İngiliz taburunun bir bölümünü esir, bir bölümünü yok etti. Arkasından gelen iki tabur hızla geri kaçtı.

Yüzbaşı seslendi:

"Gördün mü?"

Emirler duyuldu. Harekete geçilecekti. Tepenin üzerindeki birlikler ayağa kalktı.

Her asker yere saplanmış bir mızrak gibi dimdik duruyordu. Hiçbiri yolda yorgunluktan dili sarkan askere benzemiyordu.

Sait'in içi güvenle doldu, "Zor gün milletiyiz" diye düşündü.

Harekete geçildi.

12. Tümenin alayları taarruz düzeni içinde, tepelerden aşağıya akmaya başladılar. Ovada üç gündür azap içinde bekleyen Anafarta Müfrezesinin birlikleri bayram ettiler.

Türk bataryaları İngilizleri, savaş gemileri ve İngiliz bataryaları da Türkleri ateş altına aldılar. Dolanan uçaklar bombalarını bırakmaya başladılar. İki Türk uçağıda ingilizleri bombaladı.[61b]

Kıyı, ova ve tepeler cehenneme döndü.

12. Tümenin alayları ile Anafarta Müfrezesinden küçük birlikleri, canlarını, kanlarını esirgemeden ilerlediler, İngiliz taarruzunu dövüşerek, boğuşarak kırdılar, ilerleyen kolları dağıtıp İngiliz tümenlerini tuz gölüne doğru sürmeye koyuldular.[61c]

Yorgun, bitkin olduğu söylenen asker bu asker miydi? Yüz yıl dinlenmiş gibiydi. Koşuyar, yatıyor, kalkıyor, zıplıyor, atılıyor, uçuyor, harikalar yaratıyordu.

M. Kemal gözetleme yerinden savaşı dikkatle izlemekteydi. Gerektikçe yazılı ya da sözlü emirler yollayarak, topçuları ve birlikleri yönlendiriyor, sıkıştırıyor, uyarıyor, cesaret veriyor, birliğini avucunun içinde tutuyordu.[62]

Anlaşılıyordu ki elinde birkaç alay daha bulunsa, Suvla kıyılarında ve Anafarta ovasında tek İngiliz bile kalmayacaktı.

General Hamilton da savaşı Triad gemisinden dürbünle izlemekteydi. Çok ümitliydi. Ümidi çok çabuk söndü. İngiltere'nin savaşa sürebileceği en modern üç tümen bocalıyordu.

Tekketepe'nin ele geçirilemediğini anladı. O kadar gurur duyduğu askerler panik halinde geriye kaçıyorlardı. Türkler Anafarta tepelerinden merkeze doğru yayılmakta, binlerce süngü kızgın güneş altında çakıp durmaktaydı.

Yanında savaşı izleyen Amiral de Robeck'e döndü:

"Düşman olağanüstü şevkle savaşıyor."[63]

"Evet, yazık ki."

7. TÜMEN de iki alayı ile Büyük Anafarta köyünün güneyinden Damakçılık Bayırı'na taarruz edecekti. Burayı ele geçirirlerse, Suvla'ya çıkanlarla Anzak birliklerinin birleşmesi engellenecekti.

Birlikler erkenden uyanmış, çorbalarını içip sessizce ileri yanaşmışlardı..

Altı İngiliz taburu da bu sırada bu yöne doğru ilerlemek için hazırlık yapmaktaydı.[64]

20. Alay Komutanı Yarbay Halit Bey en öndeki takımlara kadar birliklerini gezdi.[65] Subay adaylarına, çavuşlara, çalışkan erlere kadar herkesin adını bilirdi. Kimine hatır sordu, kiminin sırtını okşadı, kimiyle şakalaştı. Sonra herkesi iç enginliğiyle yalnız bıraktı.

Bütün birliklere savaş öncesine özgü derin sessizlik çöktü. Herkes içine çekildi.

Gün ışıyordu.

04.30'da komutlar, boru ve trampet sesleriyle taarruz başladı.

20. Alay Kayacık deresini aşıp Damakçılık Bayırı'na atıldı. İlerlemeye başlamış olan İngiliz taburları durdular. Takviye için Conkbayırı'na yollanan birlikler de ilerlemeyi kesip bu sürpriz birliğe döndüler.

Damakçılık Bayırı'nın çevresindeki İngiliz makineli tüfekleri takırdamaya, cayırdamaya, ulumaya başladı. Sel gibi mermi yağıyordu. 20. ve 21. Alayın öndeki taburları bu kızılca sele daldılar. Arkadaşlarını toprağa bıraka bıraka ilerlediler. Savaşanları izleyen sağlıkçılar iki yaralıyı bir sedyeye sığdırıp geriye taşıyorlardı.

20. Alay İngiliz mevzilerinin 100-200 metre yakınına kadar sokulabildi. Çok azalmıştı. Durdu.

21. Alay da durmak zorunda kalmıştı. Bir adım sonrası toptan yok olmaktı.

Makineli tüfekleri susturmak için tümenin elindeki tek batarya, kendini feda etmeyi göze alarak açığa çıktı. Ama İngiliz savaş gemileri ile Anzak kesimindeki ağır toplar bu çevreyi delice ateş altına aldılar. Açığa çıkan bataryanın komutanı ile birçok topçu er vuruldu.

Fedai müfrezeleri de makineli tüfeklerle baş çıkamadılar. O kadar çok makineli tüfek vardı.

20. Alayın en ilerdeki taburu ağır kayıp vermişti. Saat 10.00 sıralarında bir İngiliz birliği bu yaralı birliğe hücuma kalktı. Sağ

kalanlar savunu için biraz geriye çekilip yayıldı. Onun geri çekilmesi üzerine yanı açık kalan öteki tabur da, mermi yağmuru altında, biraz dağınıkça geri çekilmek zorunda kaldı.

21. Alay da geri çekilmişti.

Azıcık soluk alsalar, yüzlerini yıkayıp toparlansalar, düzene girseler iyi olacaktı. Sonra yeniden taarruza kalkarlardı. Bunu kaç kez yapmışlardı.

Ama Tümen Komutanı Halil Bey telaş etti. Alay komutanlarını, dağılan askerleri toplayıp düzene koymaları, yedeklerle takviye ederek hemen, hemen, hemen yeniden taarruza kaldırmaları için zorladı.

Alay ve tabur komutanları cephe hattına geldiler.

Asker dağılmış değildi. Çok kayıp vermişti. Şehidi, yaralısı çoktu. Subay kalmamış gibiydi. Ama emir emirdi. Sağ kalabilen subayların ve çavuşların yardımıyla birlikleri taarruz düzenine soktular. Askere şevk vermek için iki alay komutanı da birlikte ilerledi.

"Haydi çocuklarım!"

Dereyi aştılar.

Mermi seli onları da kollarına aldı. Halit Bey şehit oldu, Yusuf Ziya Bey ağır yaralandı.[66]

7. Tümen taarruzu durdurdu.

SUVLA'DA İngiliz taarruzu kırılmış, İngiliz tümenleri, tıpkı Anzaklar gibi, toprağa yapışarak denize dökülmemeyi başarmıştı.

Bölgedeki Anafarta tepeleri, İsmailoğlu Tepesi, Kireçtepe, Küçük ve Büyük Anafarta köyleri, Abdurrahman Bayırı Türklerin elinde kalmıştı. Bu sonuçtan sonra İngilizlerin Anafarta tepeleri üzerinden Kocaçimen Tepe'ye ulaşarak, orada sağ ve sol kuşatma kollarıyla birleşmesi planı ölmüştü.

Türk savunması bu düzeniyle İngilizlerin hücumunu karşılayacak, püskürtecek duruma gelmişti.

Hamilton'un çok emek vererek hazırladığı, büyük ümitlerle uygulamaya koyduğu planın Suvla ayağı Birinci Anafarta Savaşı ile kırılmıştı.

M. Kemal ileriyi düşünerek, kayba yol açacak zorlamalara gerek görmedi. Birliklere bulundukları yerleri sağlamlaştırarak savunmaya geçmelerini emretti.[67]

Şimdi sıra bu büyük planın Conkbayırı-Kocaçimen ayağını kırmaya gelmişti. Bunu bir an önce başarmak gerekiyordu.

Liman Paşa'nın karargâhta beklediğini öğrenince, Conkbayırı'na gitmeden kurmaylarıyla Çamlıtekke'ye uğradı.

Liman Paşa M. Kemal'in zaferini kutladı:

"Büyük iş başardınız. Şu anda General Hamilton'un yerinde olmak istemezdim. Çevremizde bu konuda gösterdiğim telaşı ve sertliği belki anlamamış olanlar vardır. Varsa şu hususu gözden kaçırdıklarını sanıyorum. Hamilton kazansaydı İstanbul yolu açılmış olacaktı. Dünya ayağa kalkacak, olay tarihe büyük bir İngiliz zaferi olarak geçecekti. Savaşın gidişi değişecekti. İstanbul'a Ruslarla birlikte çok haşin olarak gireceklerdi. Kimbilir ne acı, unutulmaz, rezil olaylar yaşanacaktı. Siz, yetersiz bir kuvvetle bu büyük zaferi tersine çevirdiniz. Bu zafer tarihe sizin adınızla geçti."

Birer kahve içtiler.

Liman Paşa M. Kemal'e 'ne yapmayı düşündüğünü' sordu. M. Kemal Conkbayırı'na gitmek istediğini, bazı sakıncaları olmakla birlikte düşmana cepheden taarruz etmeyi düşündüğünü açıkladı. Conkbayırı güven altına alınmadan ordu güven altında olamazdı.

Liman Paşa taarruz için başka türlü bir düzen düşünüyordu. Açıkladı. Ama bu genç, muzaffer komutanı kararlarında serbest bıraktı:

"Kararınızı kesinlikle etkilemek istemem. Sadece düşüncelerimi söylemiştim."[68]

Yürekten başarı dileyerek ayrıldı.

Akşam alacası iniyordu.

Bu saatte ormanlardan ve tepelerden geçerek Conkbayırı yolunu bulmak sorundu. Grubun kurmayları yolları bilmiyorlardı. Bu bölgeye ilk kez gelmişlerdi. Haritaya bakarak, tepelerin arkasından geçen bir patikadan gitmeyi önerdiler. Çok zaman alacak uzun bir yoldu. Birinin aklına 9. Tümenin yolladığı bağlantı subayı geldi. O buraları bilebilirdi.

Subay zayıf, küçük, temiz yüzlü bir süvari asteğmeniydi.

"Kocaçimen'e giden yolu biliyor musun?"

"Evet efendim."

"Hangi sırtları izliyor bu yol?"

"Efendim sizlere sırt adı sayamam. Buranın haritasını görüp incelemiş değilim. Ama bu çevreyi iyi bilirim. Bu çevrede sizi istediğiniz yere götürürüm."

Kurmaylar kararsız kaldılar.

M. Kemal , "Bana bak çocuk.." dedi, "..sen yolu bulmakta kendine güveniyor musun?"

Asteğmen çakı gibi durdu:

"Evet efendim!"

Güvenmekte haklıydı. Yarımadanın güneyinde eskiden beri bulunan 9. Tümenin bir süvari subayı olarak bu çevreyi avcunun içi gibi biliyordu.

"Şaşırırsan karışmam ha!"

"Merak etmeyin!"

"O halde düş önümüze."

Yola çıktılar.

Çok gitmeden bir İngiliz uçağı belirdi, başlarının üzerinde bir iki kez döndü, alçaldı, son bombalarını attı. Bombaları bitince makineli tüfekle saldırıya geçti.

Karargâh kurulu saklanmak için yolun iki yanındaki ormana dağılmışlardı. Yolun üzerinde iki kişi kalmıştı: M. Kemal ve süvari teğmeni.

"Aferin. Sen bir yana savuşmadın ha!"

"Savuşmadım efendim. Size yol göstermek için bekliyorum."

M. Kemal bu sakin, kendinden emin ve terbiyeli teğmene dikkatle baktı:

"Adın ne senin?"

"Zeki."[69]

Zeki Doğan
Hava Kuvvetleri
Komutanı iken

"Geç öne, hızlı gidelim. Conkbayırı'na, 8. Tümen Karargâhına gideceğiz."

"Başüstüne!"

İnatçı uçağın takibi altında dört nala gittiler. Hava iyice karardı. Uçak görünmez oldu. Kocaçimen Tepesi'nin güney yamaçlarından geçerek Conkbayırı'na doğru yol aldılar.[70]

CEPHANE KOLU Büyük Anafarta köyüne gelmişti. Kolu cephaneciler karşıladı.

"Geç kaldınız."

"Bu cılız atlarla yine iyi geldik."

Orhan 7. Tümene atandığını söyleyerek ne yapması gerektiğini sordu. Cephanecilerin başındaki çavuş "Bu gece bizim misafirimiz olun.." dedi, "..bugün iki alay komutanımız şehit oldu. Herkes acılı. Yarın ben sizi karargâha götürürüm."

"Peki."

Büyük Anafarta köyünden Suvla körfezini dolduran gemiler görünüyordu. Hepsi ışık içindeydi. Donanma gecesi gibiydi. Bu arsızlık Orhan'ın gücüne gitti. Çavuşa, "Bu gemilere niye ateş etmiyoruz?" diye sordu.

"Toplarımız 7,5'luk. Bunların mermisi oraya ulaşmaz."

Her topun günde en fazla on mermi atmak hakkı vardı ama sır olduğu için bunu söylemedi.[71]

CONKBAYIRI. 9 Ağustos 1915 Pazartesi, 3. gün, gece.

İnişli çıkışlı, ürkütücü yollardan uçar gibi geçerek geç vakit 8. Tümen karargâhına ulaştılar. Albay Ali Rıza Sedes M. Kemal'i büyük bir sevgiyle karşıladı, Selanik'ten tanışıyorlardı. Anafarta savaşının güzel sonucunu öğrenmişti, sarılıp kutladı.

Zor, kaygı verici bir gün geçirmişti. Bir ara Besim Tepe elden çıkmış, büyük özveriyle geri alınmıştı. Conkbayırı'nın yarısına yakın kısmı düşman elindeydi. Çok çabalamışlar ama Conkbayırı'nı temizleyememişlerdi.[72]

Çay içip peynir ekmek yiyerek konuştular.

"Alman Komutan ne âlemde?"

"Düşman bugün bütün gün bizim kesimi bombardıman etti. Hiç rahat vermedi. Yarbay Poetrich tümenini bırakıp ortadan kayboldu. Sağlam bir yer bulup oraya saklandı herhalde. Arattırdım. Çocuklar bulamadılar. Saklanmayı çok iyi başardığını söyleyebilirim."[73]

Bulunanlar kahkahayla güldüler.[74]

Tümenin ilk yetişen 24. Alayı çok kayıp vermişti. 23. Alay yeni gelmişti. Vehip Paşa iki alay daha yola çıkarmıştı. Bunlardan birinin, 28. Alayın bu gece yetişeceği anlaşılıyordu.

M. Kemal eldeki azıcık kuvvetle yarın sabah Conkbayırı ve çevresindeki düşman birliklerine taarruz etmek niyetinde olduğunu açıkladı.

Tümen Komutanı ile Kurmay Başkanı Binbaşı Galip Bey kaygıyla bakıştılar. Galip Bey saygıyla, "Düşman yaklaşık iki tümen.." dedi, "..taarruz etmek için iki alayın da gelmesini beklemenin doğru olacağını düşünüyorum."[75]

M. Kemal bu görüşü hesap ve mantığa uygun buldu ama taarruz kararını değiştirmedi. Çünkü şiddetli ve hızlı bir baskınla Conkbayırı ve çevresini düşmandan temizleyeceğine, Arıburnu cephesini rahatlatacağına güveniyordu. Yol boyunca olumlu ve olumsuz bütün olasılıkları birçok kez düşüne düşüne gelmişti.

İlk aşama için bu yeterliydi.

Daha büyük ve kesin sonuçlu taarruzlar için hazırlanmak, çok kuvvet ve ağır top toplamak gerekirdi.

Bunun gerçekleşmesi uzun zaman alırdı. Oysa geçen her saat Türklerin zararına, düşmanın yararına işliyordu.

Düşmanla arada Conkbayırı'nın doruğu vardı. Doruğun bir yanında Türkler, öbür yanında düşman bulunuyordu. İkisi arasındaki uzaklık 20-30 adımdı. Bu siperleri gözlerini kırpmadan 24. Alayın sağ kalmış Mehmetleri beklemekteydi.

M. Kemal planını açıkladı: 23. Alay ve yetişeceği anlaşılan 28. Alay büyük bir sessizlik içinde Conkbayırı sırtının arkasında toplanacak, taarruz baskın tarzında süngü hücumu olarak yapılacaktı.

Taarruz gelişene kadar tüfek ve top kullanılmayacaktı.

Hepbirden, kitle halinde bir can gibi ileri atılacaklardı.

Hücum için M. Kemal işaret verecekti.

Bunların hücumunu siperdekilerin ve sağ yandaki birliklerin hücuma katılması izleyecekti.

Taarruz saati 04.30'du.

"Birlikleri hücuma hazırlamanızı rica ediyorum. Askere sıcak yemek vermeyi ihmal etmeyelim."

"Emredersiniz."

O zamana kadar bir-iki saat uzanıp dinlenmek istiyordu. Ali Rıza Bey küçük bir er çadırı hazırlatmıştı. Çadıra çekilip saman yatağa giysisiyle uzandı. Ama olaylar ve sorunlar uyumasına fırsat vermeyecekti. Gece yarısından sonra 28. Tümenin geldiğini öğrenince sevindi. O sevinçle biraz daldı.[76]

CONKBAYIRI. 10 Ağustos 1915 Salı, 4. ve son gün, sabaha karşı.

Tümen Komutanı çadır kapısından seslenerek birliklerin hazır olduğunu bildirdi.

M. Kemal yatağın içinde oturdu. Uzunca zaman sessizce durdu. Sonra kalktı. Elini yüzünü yıkadı. Başlığını giydi. Tabancasını kuşandı, kırbacını alıp çadırın önüne çıktı.

Çok güzel, yumuşak bir geceydi.

Yıldız yağmurları sürüyordu.

İki alay ile bazı küçük birlikler Conkbayırı ile 261 yükseltili tepenin sırtları arkasında sessizce hücum düzenine girmişlerdi. Tümen Komutanı, Kurmay Başkanı, yolu bulup da yetişen kurmaylar, alay komutanları ile birlikte birlikleri selamlayarak denetledi. Alçak sesle subayların hatırını sordu, askerlerle konuştu. Çorbalarını içmişler, birbirleri ve komutanlarıyla helalleşmişlerdi. Bir ayaklarını ve süngülerini ileri uzatmış, bekliyorlardı. Askerle birlikte ileri atılacak olan takım ve bölük komutanı subaylar da, kılıçlarını ve tabancalarını ellerine almışlardı.

Hepsi hücuma hazırdı.

Ceketinin sağ üst cebindeki saatini çıkarıp çakmak ışığında baktı. Dört buçuğa geliyordu. Gün atacaktı. Ortadaki birliğin önünde durdu.

"Askerler!" dedi, "..karşımızdaki düşmanı yeneceğimize hiç şüphe yoktur. Fakat siz acele etmeyin. Önce ben ileri gideyim. Siz benim kırbacımla işaret vereceğim zaman hep birden atılırsınız. Gazanız mübarek olsun!"

Doğu ufku aydınlanıyordu. Uzakta okunan bir ezan dalgalanarak yansımaya başladı.

M. Kemal yüksekçe bir yere yürüdü. Durdu. Askerlerine baktı. Soluk şafak ışığında binlerce çelik süngü ve demir yüz parlıyordu. Subaylar ve askerler de alacakaranlık içinde hayal gibi görünen Komutana bakıyorlardı.

M. Kemal kırbacını havaya kaldırdı, bir süre öyle tuttu, bütün birlikler görmüş olmalıydı, hızla indirdi.

Subaylar yüreklerini yerinden koparırcasına haykırdılar: "Haydiiiiii!"

Askerlik tarihinde bir daha eşine rastlanmayacak olan büyük süngü hücumu başladı. Binlerce subay ve asker, tek bir beden gibi hızla ileri atıldı.

Lav gibi aktı.

Yer gök subayların ve Mehmetçiklerin savaş çığlıkları ile sarsılmaktaydı:

"Allah Allah Allah Allah Allah..."

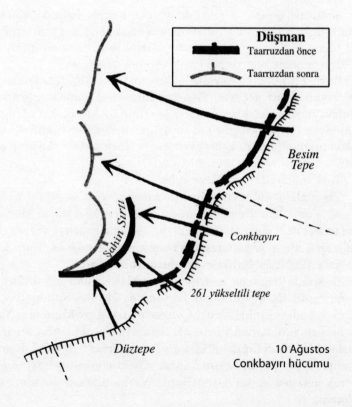

10 Ağustos
Conkbayırı hücumu

Kısa zamanda Conkbayırı'nda tek bir canlı düşman kalmadı. Lav yayıldı, ilerledi. Yarlar, uçurumlar, vadilerle dolu vahşi arazide amansız bir boğuşma sürüp gitti. Kaçan askerleri yakalamak için çılgın Türkler yarların tepesinden aşağı atlıyorlardı. Dirilir gibi toprağından altından çıktıkları gibi şimdi de kuş gibi uçuyorlardı. Uçan Türkler bir Çanakkale efsanesi olarak kitaplara geçecekti.

Conkbayırı'ndan Sazlıdere'ye inerek dere yatağından denize kadar gidenler vardı.

Conkbayırı'nın sağındaki birlikler de bu olağanüstü hücuma katılarak, zayıflıklarına rağmen, düşman mevzilerini dağıttılar, beş yüz metre, bin metre geriye sürdüler.

Ama Şahinsırtı sorundu.

Sırtın iki tepesi ve çevresi, yer yer, birçok makineli tüfekle donatılmıştı. Sırta güneyinden hücum eden 28. Alay taburları öndeki tepeyi (P) ele geçirdiler fakat A tepesinde bulunan makineli tüfekleri yenemediler ve bol kayıp vererek durdular.[77]

Böyle bir hücumu hayal bile etmemiş olan kuşatma kollarından, şaşkınlıkları geçince, General Birdwood'a imdat mesajları yağmaya başlamıştı. Planın ikinci ayağının da kırılmakta olduğunu anlayan General Birdwood savaş gemilerinin ve bütün Anzak toplarının namlularını Conkbayırı'na ve Türk selinin üzerine çevirtti.

Türk topları da karşılık verdiler.

Savaş alanı ölüm kuyusuna dönmüştü.

M. Kemal gözetleme yerinde, savaşı izlerken, bir yandan da Anafartalar'daki durumla ilgileniyor, gerekli emirleri veriyordu. İngilizler ilerlemeye kalkmış, dört kez hücum etmiş, 12. Tümen ve Anafarta Müfrezesi birliklerince durdurulmuşlardı.[77a]

Bu sırada kızgın bir mermi parçası M. Kemal'in göğsünün sağ yanına vurdu. Komutanı sarstı. İki yanında 24. Alay Komutanı, çocukluk arkadaşı Binbaşı Nuri Conker ile 64. Alay Komutanı Yarbay Servet Yurdatapan vardı. M. Kemal'in vurulduğunu sanarak telaşlandılar. Nuri Conker, "Efendim vuruldunuz!" dedi. M. Kemal bir eliyle Nuri Bey'in ağzını kapadı. Öteki elini dudaklarına götürerek herkese 'susun' işareti yaptı. Vurulduğunun duyulmasını istemedi.

Mermi parçası milyonda bir olasılıkla sağ cebindeki küçük demir saate çarpıp onu parçalamış, vücuduna ciddi bir zarar vermemişti.[78] Birkaç santim sapmış olsa.. Nuri Conker bir mucizeye tanık olduğunu düşündü. Derin bir nefes alarak, "Allah seni millete bağışladı" dedi.

GENERAL HAMILTON Conkbayırı felaketini Suvla'dan Gökçeada'ya döndüğü zaman öğrendi.

Binbaşı
Nuri Conker

Kahroldu.

Büyük planın Conkbayırı-Kocaçimen ayağı da kırılmıştı.

'Çok ustaca yönetilen ve çok kahramanca savaşan Türk ordusu' karşısında pes etme zamanı gelmiş miydi?

Oooo, hayır!

Büyük İngiltere yenilmiş olamazdı. Bir çare bulmak gerekirdi. Kurmaylarını toplantıya çağırdı.

Bu saatte M. Kemal ve kurmayları yine Asteğmen Zeki'nin kılavuzluğunda orman içi yollardan Çamlıtekke'ye dönüyorlardı. Atlar bile neşeliydi.

Sonuç Kemalyeri'nde de büyük neşeye yol açmıştı.

Ayrıca çok hoş bir de haber almışlardı: M. Kemal Bey saldırı sona erer ermez Yarbay Poetrich'i aratıp gerilerde bir yerde buldurmuş, getirtmiş, birliğini bırakıp kaçtığı için herkesin içinde aşağılamış ve kurmayı ile birlikte orduya postalamıştı.

Bu haber Binbaşı Ohrili Kemal Bey'i sevinç sarhoşu etti. Herkese çay ısmarladı, İstanbul'dan bayram için getirttiği çikolata kutusunu da cömertce ortaya bıraktı:

"Buyrun, afiyet bal olsun."

Çikolatalar beş saniyede kapışılıp bitti.

Anafartalarda ve Conkbayırı'nda iki yanın sağlıkçıları kollarında beyaz bant, kendi siperlerine yakın yerlere yayıldılar. Birbirlerini görmezden gelerek yaralılarını ve ölülerini toplamaya başladılar.[79]

GECE İngiliz gazeteci Ashmead-Barlett sıcağı sıcağına Conkbayırı savaşını yazdı:

"10 Ağustos sabahı Türkler şafakla beraber Conkbayırı'ndan son derece şiddetli bir saldırışla süngü hücumunda bulundular. Hayatlarını küçümseyip alay ederek yapılan bu hücum karşısında birliklerimiz sırtların eteğine doğru çekilmek zorunda kaldılar.

Fakat bu saldırı, karadaki sahra ve obüs toplarımızın şiddetli ateşi ile cezasız bırakılmadı. Türklerin yanaşık düzende ve birbiri gerisinde tertiplenmiş dört piyade hücum hattının şiddetli saldırısı ancak bu etkili topçu ateşi altında kırılabildi..

Gemi toplarının hücum safları arasında patlayan mermilerinin havaya uçurduğu insanlar, parça parça etrafa saçılıyordu. Bu cehennemi topçu ateşi bile Türk saldırısı durduramadı.

Son olarak on makineli tüfeğimizin yakın mesafeden yaptığı yarım saat süren ateşle bu saldırı durdurulabildi. Bu tüfeklerin namluları kıpkızıl ocaktan çıkmış bir demir haline gelmişti."[80]

Yazısını sabah Gökçeada'daki lanet olası sansür kurulundan geçirip Londra'ya yollayacaktı.

GENERAL Hamilton gece durumu kurmayları ile değerlendirmişti.

Elinde, Gökçeada'da yedekte tuttuğu bir tümen vardı, 54. Tümen. Mısır'dan da Avustralya Süvari Tümeni, atsız olarak geliyordu. Seddülbahir'de bulunan 29. Tümeni de gizlice Suvla'ya alabilirdi.

Böylece Suvla'da altı tümen toplanırdı.

Bunların üçü hiç savaşmamış, taze, dinç, iyi donatılmış, güçlü birliklerdi.

Altı tümen büyük kuvvetti.

İki Türk tümeninin bu kuvveti durdurması mümkün değildi.

Hazırlık olarak 54. Tümenin gece Suvla'ya çıkarılmasına başlanmasını emretti.[81]

BAŞKOMUTANLIK ilke olarak her gün Çanakkale Savaşı ile ilgili kısa bir bildiri yayımlıyordu.

Anafartalar ve Conkbayırı zaferleriyle ilgili olarak da kısa bildiriler yayımlayacaktı. Ama M. Kemal'in adı iki bildiride de yer

almayacaktı. Selahattin Adil'in, Ali Rıza Sedes'in adları da yer al
mayacaktı. Halk Şefik Aker'i, Hüseyin Avni Bey'i, Halil Sami Bey'i,
Esat Paşa'yı da bilmiyordu.

İttihat ve Terakki liderlerinden ve partiye yakın olanlardan
başkasının parlamasına izin ve fırsat vermeme ilkesi yürürlüktey-
di. Gazeteler bu ilkeyi bildikleri için kahraman olarak erlerden,
çavuşlardan, küçük rütbeli subaylardan söz ediyor, onları büyü-
tüyorlardı.

Bir itiraz olsa savunma hazırdı: Komutan ve birlik adları as-
keri sırdır.

Ama halkın Çanakkale kahramanlarının adlarını duyup öğ-
renmesi için birçok yol vardı. Biri yeterdi: Yaralılar. İstanbul'da
ve Çanakkale çevresindeki hastanelerde yüz binden fazla yaralı
vardı.

Çanakkale'nin sözlü tarihi hastanelerden evlere, dükkânla-
ra, sokaklara, kahvelere, hastanelerin bulunduğu şehirlerden Ana-
dolu'ya yayılıyordu.

KADINLARIN özgürlük, eşitlik isteklerine karşı olan yazar
Hasan Fehmi Bey'in, düşüne taşına yazdığı yazı bugün yayımlandı.
Yazısının ileri giden kadınları sonsuza kadar susturacağına güve-
niyordu.

Çünkü basit, açık ve karşı çıkılamaz bir yazıydı.

Hasan Fehmi Bey diyordu ki:

"Ey hanımlar! Kadın-erkek eşitliği hakkındaki yazılarınızı okuyor, çalışmalarınızı izliyorum. Boşuna bir çaba içindesiniz. Kadın erkekle eşit olamaz.

Bunun birçok nedeni var. Ben sadece birinden söz edeceğim: Erkekler asker oluyor, askerlik yapıyor. Siz asker olmuyor, askere gitmiyorsunuz.

Erkeklerin yaptığı, kullandığı her şeyi istiyor musunuz? Öyleyse haydi askere!

Nasıl öğretmenlik yapıyorsanız, buyrun, askerlik de yapınız. Beğendiğiniz Avrupa'da bile kadınlardan kurulu ordular yok. Çünkü erkekler otuz kiloluk tüfek, üç günlük yiyecek gibi ağır yük taşıyarak askerlik yapıyor, yürüyor, savaşıyor, bin türlü güçlüğe katlanıyor. Siz bu seviyeye yükselemez, bu işi başaramazsınız.

Erkeklerin haklarına sahip olmak istiyorsanız askerlik yapmalısınız. Yoksa susunuz!"[82]

Hasan Fehmi Bey bu yazı çıkınca kadınların suspus olacaklarını tahmin etmekteydi. Tersi oldu. Kıyamet koptu.

Evlerde, kadın iş yerlerinde, derneklerde toplanıldı. Kadınlar kuzu sürüsü olmaktan çıkalı çok olmuştu. Bir kadın dergisi ertesi gün kapağına asker giysili bir kadın resmi koydu. Altında şöyle yazıyordu: Vatan isterse kadın da asker olur.

Kadın haklarını Koruma Derneği Başkanı Nuriye Ulviye Hanım bir demeç verdi:

"Hasan Fehmi Bey, hangi devirdeyiz, hangi günde yaşıyoruz? Geçen yüzyılda değiliz. Hatta on yıl önceki zamanda da değiliz. Zaman akıyor, hayat değişiyor. Dünyadan gerçekten habersiz olduğunuz anlaşılıyor. Kadınlarımızın şu anda cephe gerisindeki hastanelerde, doktorlarımızla birlikte çalıştıklarını biliyor musunuz? Bunlar sizin yaşınızdaki fedakâr, hamiyetli hanımlar. Siz ne yapıyorsunuz İstanbul'da? Onlar yurtları, yurttaşları için çalışırken siz Boğaz'ı mı seyrediyorsunuz?"

Kadıköylü Nimet Nazmi Hanım da gazetelere şu mektubu yolladı:

"Bir bey 'kadın otuz kiloluk tüfeği, üç günlük yiyeceği taşıya-maz' demiş. O beye sesleniyorum: Siz bir çocuğu sırtındaki torba-da, bir çocuğu kucağında, bir çocuğu elinde kadın hiç görmediniz galiba. Erkekler kahvede iskambil oynarken, evine dağdan odun taşıyan kadınları da görmediğiniz anlaşılıyor. Ailenin sadece bir öküzü varsa, ikinci öküz yerine sabana koşulan kadınlardan da haberiniz yoktur. Bir kadının günlük iş yükünü taşıyabilecek ka-dar güçlü bir erkek var mı dünyada acaba? Sözünü ettiğiniz o tüfek kadınlara tüy gibi gelir. Kadınlar sırtlarında evlerini, ai-lelerini, yurtlarını, dünyayı taşıyorlar. Susmak inceliğini göste-riniz!"

Bu tepkiler sözde kalmadı.

Kadınlar, bir gün içinde haberleşip örgütlendiler. Ertesi sabah askerlik şubelerinin önü doldu. Binlerce kadın sıraya girip askere alınmak için dilekçe verdi. Çoğu peçesini açmıştı. İçlerinden biri açıklama yaptı:

"Bir bey askerlik yapmamızı istedi. Kabul ettik. İşte burdayız. Peçeyle askerlik olmaz. Onun için peçeleri de attık."

Bu konunun ardını bırakmayacaklardı. Sürekli anımsatacak, baskı yapacak, babalarını, eşlerini zorlayacaklardı. Sonunda, 'as-kerlik yapmaya hazır olduklarını' bildirdikleri telgrafı çöp sepeti-ne atan, kadınların asker olmak için dilekçe vermelerine içerleyen Enver Paşa bile boyun eğecek, kadın taburları kurmak zorunda kalacaktı.[83]

20. yüzyıl değişimler, dönüşümler yüzyılıydı. Donmuş anla-yışlar saçaklardan sarkan buzlar gibi parça parça yere dökülüyor, eriyip gidiyorlardı.

54. TÜMENİN karaya çıkması tamamlanmıştı. Suvla'da şimdi dört tümen vardı.

Planlanan büyük taarruza hazırlık olmak üzere bir birliğin Kavaktepe-Tekketepe çizgisine bir taarruz yapması kararlaştırıldı. Yeni gelen tümenin komutanı hızlıydı, birliğine güveniyordu. Bu göreve talip oldu.

Kabul edildi.

Bir tugayını görevlendirdi.

Bu tepeler ele geçirilirse, bundan sonraki hareketler çok kolaylaşacaktı.

12 Ağustos günü yoğun bir bombardımandan sonra tugayın taburları yayılarak öğleden sonra harekete geçtiler. Bunun üzerine 12. Türk Tümeninin bazı taburları karşı taarruza kalkarak, İngilizleri ateşle, süngüyle, dipçikle geriye sürdüler.

Yeni tugay inatçıydı. Hazırlanıp bir daha taarruza geçti. Tugayın Norfolk taburu diye anılan 5. Taburu cesurca ilerledi. 16'sı subay 250 kişiydiler. Ateş altında azalarak ilerlediler. Savaş dalgalanmaları içinde, farkında olmadan Türk savunma hattının gerisine geçmişlerdi.

Daha ileri gidemediler. Sarılmışlardı. Süngü savaşını kabul ettiler ve kaybettiler.

Hiçbiri tugayına geri dönemedi.

Sert Türk savunması, bir taburunun kaybolması ve keskin nişancılar 54. Tümen Komutanını ürkütmüştü.

Taarruzu telaş içinde durdurdu. Ne biçim dövüşüyordu bu Türkler?[84]

RAMAZAN bayramına az kalmıştı.

Binbaşı Nazmi Akpınar Ramazan bayramında İstanbul'a gitmek için Müstahkem Mevki Komutanı Cevat Paşa'dan izin istedi. Bir yıldır annesini görmemişti. 48 altını da vererek mutlu etmek istiyordu. Paşanın cömert bir günüydü. Bir hafta izin verdi.

"Teşekkür ederim Paşam."

Odadan uçarak çıktı. İstanbul'daki bir arkadaşına telgraf çekerek annesine geleceğini haber vermesini istedi. Kadıncağız birdenbire oğlunu karşısında görürse heyecanlanırdı.

Gece Yarhisar torpidobotu İstanbul'a gidiyordu. Ona bindi. Kaptanla sabaha kadar lafladılar. Torbidobot sabah Galata rıhtımına yanaştı.

Yollar, evler, camiler bayraklarla süslenmişti. Şehir Ramazan bayramıyla birlikte Çanakkale'de kazanılan zaferleri, başarıları da kutluyordu.[85]

Binbaşı Nazmi Bey Galata'dan Eminönü'ne geçti. Taşıyabileceği kadar şeker, bayramlık çerez, meyve aldı. Faytona binip

Zeyrek'teki baba evine yollandı. Araba sokağa girince, biri heyecan içinde haykırdı:

"Geliyoooooor!"

Bütün pencereler, cumbalar, balkonlar kadınlar, kızlarla doldu. Erkekler ve çocuklar kapıların önüne fırladılar. Annesinin, geleceğini bütün sokağa haber verdiğini anladı.

Zar zor geçinen insanların yaşadığı eski sokak Binbaşı Nazmi Bey'i, Çanakkale'deki bütün deniz, kara ve hava zaferlerinin kahramanı, Başkomutan gibi karşıladı. Sokak alkışlar, sevinç çığlıkları, gözyaşları, dualarla yıkıldı.

Yoksunluklar içinde yaşamaya çabalıyorlardı. Bir yığın dertleri, sorunları, sıkıntıları vardı. Ama hepsini unuttular. Nazmi Bey annesinin elini öpebilecek kadar fırsat bulabildi. Küçük ev göz aydına, hoşgeldine, bayramı kutlamaya gelenlerle dolup dolup boşalmaya başladı. Sahan sahan yemek taşıdılar. Hepsi aynı şeyi istiyordu:

"Bize Çanakkale'yi anlat! Artık bizi bir daha horlamaz, küçük göremezler değil mi? Doğru mu? Söyle!"

Ateş hattı gerisinde bayram namazı

İZİNLİ subayların getirdiği siparişler arasında en çok yeri badem şekeri, çikolata ve akide tutuyordu. Bayram namazından ve bayramlaşmadan sonra bunlar ortaya çıkarıldı.

Akşama değişmez bayram ve zafer yemeği vardı: Kuru fasulye, pilav ve üzüm hoşafı.

Yarbay Hüseyin Avni Bey oğlu ve kızıyla

Düşman Seddülbahir, Conkbayırı ve Anafartalar'da yenilmişti. Bundan güzel bayram olabilir miydi?

57. Alay Komutanı Yarbay Hüseyin Avni Bey bayram ziyaretine gelen 27. Alayın yeni komutanı Binbaşı Halis Bey ile tabur komutanlarına, "Beyler.." dedi, "..İstanbul'u, mahallemi, sokağımı, evimi, eşimi, oğlumu, kızımı çok özledim. Sizi burada savaşırken bırakıp izinli gitmeye utanmıştım. Şimdi M. Kemal Bey sayesinde durumumuz iyileşti. Karar verdim. Ben de izne gideceğim!"

"Ne zaman?"

"Haftaya. Birkaç gün kalsam yeter."

Hüseyin Avni Bey öğleden sonra Halis Bey'i ziyarete gitmek istiyordu, gidemedi. Serseri, hain, rezil bir obüs mermisi 57. Alay karargâhına düştü.

57. Alay Komutanı Yarbay Hüseyin Avni Bey şehit oldu.[86]

OLAYI duyan vurulmuşa dönüyordu.

Bayram zehir zıkkım oldu.

M. Kemal Çamlıtekke'deydi. Neşeyle annesine mektup yazıyor, sağlığının çok iyi olduğu hakkında güven vermeye çalışıyordu.

Annesi yazdırdığı mektuplarla yatılı bir öğrenciymiş gibi, sağlığını koruması için çeşit çeşit öğütler, emirler vermekteydi.

Hüseyin Avni Bey'i ne kadar sevdiğini bilenler acı haberi söyleyip söylememekte kararsız kaldılar. Geciktirmek doğru olmayacaktı. Haberi vermeyi Cevat Abbas Bey üzerine aldı. İçeri girdi.

Olayı kekeleyerek açıkladı. M. Kemal yüzüne baktı. Anlamamış ya da inanmamış gibiydi. Sonra ağır ağır gözleri doldu, taştı, gözyaşları yüzüne akmaya başladı.

Taştan, demirden sanılan, o yorulmaz, uyumaz, acıkmaz, kurşun işlemez komutan ağlıyordu.

GECE 57. Alayın makineli tüfekleri, öfke, gazap, nefret, hınç ve lanet kustu. Makineli Tüfek Bölüğü Komutanı hiç yapmadığı bir şey yapmış, 3.No.lu tüfeğin başına kendi geçmişti.

Karşıdaki siperlerin kum torbalarını delik deşik etti, parçaladı, mazgallarını devirdi, görünen, kımıldayan, sürünen her gölgeyi biçti.

Bağıra bağıra, küfür ede ede, ağlaya ağlaya ateş ediyordu.

Namlu kızarana kadar ara vermedi.

GENERAL STOPFORD sürüp gelen başarısızlıklar yüzünden General Hamilton'un çok kızdığının farkındaydı. Başarısızlıklarda kendisinin bir kusuru yoktu. Birlikler yetersizdi, komutanlar acemiydi, yeterli top yoktu, General Hamilton da çok aceleciydi.

Başarısızlığı örtmek ve General Hamilton'un övgüsünü kazanmak için bir sürpriz yapmaya karar verdi.

10. Tümene, Kireçtepe'yi ele geçirmesini emretti. Taarruzu iki muhrip ve üç batarya destekleyecekti. Kıyı boyunca uzanan Kireçtepe ele geçirilirse, Türk sağ kanadının arkasına uzanmış olacaklardı. Bu taarruzun General Hamilton'u ne kadar mutlu edeceğini düşünerek tatlı tatlı güldü. Başına gelecekler aklının köşesinden bile geçmiyordu.

15 Ağustos günü saat 14.15'te kara ve deniz topları Kireçtepe'deki Türk mevzilerini ateş altına aldı. 10. Tümenin üç tugayı bir saat sonra ilerlemeye başladı.

İki gün sürecek olan Kireçtepe boğuşması başladı.

Tepeler birkaç kez el değiştirecek, sonuçta İngilizler çıkış çizgilerine geri döneceklerdi. Boşuna bir boğuşma olmuştu.

Ama Türklerin kaybı büyüktü: Gelibolu Jandarma Taburu Komutanı Yüzbaşı Kadri Bey şehit olmuştu.[87]

Bu acı olay genç subayları çok ağlattı. Başta komutanları olmak üzere Karakol Dağı-Kireçtepe için şehit düşmüş bütün kahramanlar anısına, boş mermi kovanlarından bir anıt diktiler.[88] Kadri Bey'in öğüdünü anımsayarak aralarında bu anıta bir de ad verdiler:

Uyuma ey Türk!

Anafartalar Grubu Komutanı Albay Mustafa Kemal anıtın önünde

GENERAL HAMILTON Lord Kitchener'e General Stopford ve tümen komutanlarından acı acı şikâyet etmişti.

Lord Kitchener'den şu yanıtı aldı:

"Gerekeni hiç duraksamadan yapınız."

General Stopford'un 15 Ağustostaki izinsiz ve bilgi vermeden yaptırdığı sonuçsuz taarruz sorunun çözümünü kolaylaştırdı: General Stopford'u ve Kurmay Başkanını azletti.

Yerine 29. Tümenin başarılı komutanı General Lisle'i atadı.

General Lisle Suvla Kolordusundaki bazı tümen komutanlarından daha kıdemsizdi. Kıdem sorunu askerlerin zayıf noktasıydı. Bir bölümü için kıdem konusu savaştan daha önemliydi. 10. ve 11. Tümen Komutanları istifa ettiler.

Hamilton derin bir soluk aldı.

Bütün mızmızlar, kararsızlar, pinponlar gitmişti. Yetersiz olan bazı tugay komutanlarını da değiştirdi. Suvla Kolordusunun komuta katı yenilendi.[89] Karışan birliklere çekidüzen verilmeye başlandı.

General Hamilton günlüğüne şöyle yazdı:

"Elimize çok iyi bir fırsat geçmişti ama Osmanlı Bankası'nı soyamadık."

Anafartalar Grubu Komutanlığı düşmanın en küçük hareketini bile dikkatle izlemekteydi. Düşmanın yeni bir harekete hazırlandığı tahmin edildi.

Orduya bilgi verildi.

Birlikler uyarıldı.

Liman Paşa Başkomutanlıkla yazışarak Saros kesiminin 1. Orduya bağlanmasını sağladı. Liman Paşa –ve ordu– Saros takıntısından kurtuldu!

Saros'taki 6. Tümen ile orada bırakılmış olan iki alayı Anafartalar'a yürüttü ve M. Kemal'in emrine verdi.

Anafartalar Müfrezesi de takviye edilerek tümen düzeyine çıkarıldı. Conkbayırı'ndaki 9. Tümen de yedek olarak Anafarta tepelerinin arkasına alındı.[90]

Grup Kurmay Başkanlığına Hayri Bey'in yerine İzzettin Çalışlar atanmış, M. Kemal rahatlamıştı.[91]

Düşmanın hareketsiz durmayacağı belliydi. Birlikleri denetlemeye, savaşa hazırlamaya başladı.

GENERAL LISLE geniş bir incelemeden sonra Suvla'daki durum ve birlikler hakkında iyimser bir rapor hazırladı.

Raporda 'yapılması düşünülen taarruzun başarılı olması için her türlü nedenin var olduğunu' bildiriyor ve diyordu ki: "Türk mevzileri ele geçirilemez değildir. Siperlerin önünde tel örgü bile yoktur."

General Hamilton kaç zamandır yaşamadığı bir sevinç içinde Suvla'ya geldi.

Bir ümit rüzgârı esmeye başlamıştı. Toplantı çok güzel geçti. Bütün komutanların morali yüksekti. Ama Hamilton bu kez hayale kapılmadı, gerçekçi oldu. Genel bir taarruz yerine, daha sınırlı, hesaplı ama Türklerin belini kıracak bir taarruz istedi.[92]

General Lisle buna uygun bir taarruz planı hazırladı.

Hedef, ilk aşamada, İsmailoğlu Tepesi-Küçük Anafarta çizgisiydi. Bu çizgi ele geçirildikten sonra ikinci aşama olarak Anafarta tepelerine taarruz edilecekti.

Seddülbahir'deki 29. Tümen ile Mısır'dan gelen atsız Süvari Tümeninin Suvla'ya çıkarılmasına başlandı.

Bir Anzak tugayı da Bomba Tepe'ye taarruz edecekti (60 yükseltili tepe). Bu küçük, alçak tepecik, Suvla ve Ağıldere-Sazlıdere kesimi arasındaki düğüm noktasıydı. Arkasındaki büyük düzlüğe de egemendi. Bu bakımdan önemliydi.

Taarruzun 21 Ağustos 1915 Cumartesi günü yapılması kararlaştırıldı.

Taarruza 48.000 savaşçı katılacaktı.[93]

FARUK'TAN Ertuğrul'a:

"(...) Kanlısırt'ı düşmana kaptırmış olmayı tümende kimse içine sindiremiyor. Diyebilirim ki her gece ya bir birlik ya da fedailerden kurulu bir müfreze, bir parçasını olsun geri alabilmek için Kanlısırt'a hücum ediyor, baskına kalkıyor, sızmaya çalışıyor. Sanırım ki düşman bu korkuyla hiç uyumuyor. Ateş üzerinde yaşıyor.

(...)

Gönüllü asker olmuş iki liseli öğrenciyi benim takıma verdiler. Bu ele avuca sığmaz küçük kahramanları esirgemek için ikisini de yanıma haberci olarak aldım.

Savaşa katılamayacakları için bana dargın ve kızgınlar. (...)"

İTALYA Almanların yanındayken İngilizlerin yanına geçmiş, Avusturya ile birlikte Osmanlı Devleti'ne de savaş ilan etmişti. Çanakkale Savaşı'nda yer alacağından ya da Rodos'a yakın olan Anadolu kıyılarına asker çıkaracağından kuşkulanılıyordu. Bu olasılıklar sıkıntı yarattı.

Enver Paşa'yı bu ara en çok ilgilendiren sorun İtalya değildi. Hanımlar arasında çarşafların etek boyunun ayak bileklerinin görüneceği kadar kısaltılmasının konuşulduğunu, böyle bir modanın başlayacağını duymuştu.

İşte bu olamazdı.

Bir Osmanlı kadını böyle giyinemezdi!

İstanbul Merkez Komutanını çağırdı ve emrini verdi:

"Kadınların çarşaflarının etekleri ayak bileklerini gösterecek kadar kısa olmayacak. Böyle bir bildiri hazırlayıp gazetelere ver, yayımlasınlar. Bu emri dinlemeyenler göz altına alınacak. Haydi!"

Merkez Komutanı gereğini yapmak için makamına koştu.[94]

21 AĞUSTOS 1915 Cumartesi günü Çanakkale savaşlarının en büyüğü başladı: **İkinci Anafartalar Savaşı.**

Türk cephesinde solda 7. Tümen, ortada 12. Tümen, sağ kanatta da 5. Tümen, geride iki yedek tümen vardı. 13'ü ağır, 97 top bulunuyordu. Savaşçı sayısı 30.000 kişiyi aşıyordu.

M. Kemal 12. Tümeni incelemeye gelmişti. Bu tümen ile solundaki birlik arasında bulunan kesimin savunmasını biraz zayıf buldu. Bu kesimin savunmasını üstlenmek üzere 9. Tümeni görevlendirdi. Bu uğraş sırasında düşman bombardımanı başladı.

Saat 14.30'du.

Bir zırhlı, üç kruvazör ve iki muhripin topları ile 85 kara topu, 12. ve 7. Tümen mevzilerini ateş altına aldı.

M. Kemal savaş idare yerine döndü. Bütün tümenlerle telefon bağlantısı kurulmuştu. Haberleşme kolaylaşmıştı.

Bombardıman arasız bir saat sürdü. Siperler harap oldu. Fundalar ve çalılar tutuştu.

15.30'da birlikler harekete geçti.

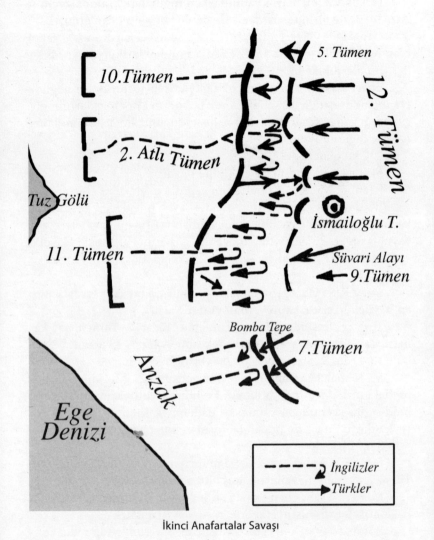

İkinci Anafartalar Savaşı

General Hamilton ve kurmayları, General Lisle ile birlikte savaşı Karakol Dağı'ndan heyecan ve ümitle izleyeceklerdi. İmparatorluğun önde gelen üç-beş büyük generalinden biri olan General Hamilton'un karşısında şimdi de, üç kez planını yıkmış olan 34 yaşındaki yeni albay olmuş genç komutan vardı.

İngilizler 12. ve 7. Tümen cephelerine doğru çekirge sürüleri gibi ilerlemeye başladılar. Üç İngiliz tümeni 12. Tümenin cephesine, İsmailoğlu Tepesi ile iki yanına yüklendi.

12. Tümen, mevzilerini kıskançlıkla savundu. Bir avuç toprak bile vermek niyetinde değildi. Vatan toprağının kutsal olduğu hepsinin ciğerine işlemişti. Her fırsatta karşı taarruza da geçerek İngilizleri eritmeye, kırmaya, ufalamaya başladılar.

Çamlıtekke yüksekliğinden savaş alanı tabak gibi görünüyordu. M. Kemal savaşı her ânıyla izliyor, gerektikçe tümeni uyarıyor, düşman gerisindeki hazırlıkları bildiriyor, önlem alınmasını sağlıyordu. Zaman zaman da komutanları, askerleri kutluyordu.

Hızlı bir birliğin 12. Tümenin soluna, oldukça zayıf tutulmuş olan ara kesime yaklaştığı görüldü. Orayı tutacak olan 9. Tümenin alayları daha yoldaydılar. Bu kesime bir kuvvet yetiştirmek gerekiyordu.

M. Kemal telefonla Süvari Alayı Komutanı Yarbay Esat Bey'i aradı. Alayıyla Silvi köyünde idi. Durumu anlattı ve "Oraya hızla yetişiniz ve düşmanı durdurunuz" dedi.

Alay Komutanı doğal bir sesle yanıtladı:

"Başüstüne."

Bu doğallık M. Kemal'i duraksattı. Komutan görevini iyi anlamamıştı galiba:

"Ne yapacağınızı acaba iyi ifade edebildim mi?"

Yarbay Esat Bey, "Evet efendim.." dedi, "..ölmekliğimizi emrediyorsunuz."

Silvi köyünden yola çıkan Süvari Alayı biraz sonra dört nala Çamlıtekke'yi aştı. Büyük Anafarta köyünü geçmekteydi. Subaylar ve erler kılıçlarını çekmişler, savaş kokusu alan atların yeleleri ve kuyrukları kabarmıştı. Düşman topçusu alayı fark ederek ateş altına aldı.

Savaş idare yerinden alayı izliyorlardı.

Soluklarını tuttular.

Alay bir an bile hızını kesmeden, patlayış bulutlarının ve barut dumanlarının içinden, yanan fundaların alevlerinin arasından geçerek ilerledi. Vurulan atlar, süvariler savruluyor, düşüyor ama alay, düzenini bozmadan, bölük bölük dört nala koşuyordu. 12. Tümen ile 7. Tümen arasındaki kesime yetişti. Burada bulunan küçük birlikler ilerleyen düşmanı ateşle yavaşlatmışlardı. Süvari alayının yarısı piyade savaşına indi, yarısı düşman öncüsünün üzerine atıldı.

Bunlar toz bulutu içinde ölüme ya da zafere koştular.

Kılıçlar havaya kalkmıştı. Güneş değdikçe binlerce şimşek çakıyor, nallardan kıvılcımlar fışkırıyordu. Subaylar ve erler savaş çığlıkları atarak düşman öncüsünün içine daldılar.

Düşman durdu.[95]

12. ve 7. Tümen kesimlerinde bazı siperler elden ele geçiyordu.

İngilizler bir sonuç alamamışlardı.

General Hamilton taarruzun yenilenmesini emretti:

"Acele ediniz!"

"Peki efendim."

Düşman hızla hazırlanarak akşam üstü şiddetli bir topçu ateşinden sonra yeniden taarruza kalktı. Her taarruz dalgası Türk mevzileri önünde kırılıyordu.

Yine sonuç alamayacakları belli olmuştu.

7. Tümen kesiminde 3.000 kişilik Anzak müfrezesi de sabah Bombatepe'ye taarruza geçmiş, gün boğuşmalarla geçmişti. Anzak birliği küçük ama kritik bir yeri ele geçirdi. Geri almak için yapılan girişim başarılı olmadı.

7. Tümen Komutanı bu yerin gece taarruzu ile geri alınmasına karar verdi.[96]

KENDİNİ kadınların giyimi konusunda da yetkili gören Başkomutan kadın eteklerinin uzunluğu ile uğraşırken, Polonyalı bir gazetecinin Grup Karargâhına geleceği, akşam yemeğine ve yatıya kalacağı bildirilmişti. Muhabir akşama doğru, orduya ait bir otomobil ile geldi. Muhabir sarışın, uzun boylu, orta yaşta, zarif bir kadındı.

Ordu yanına bir de mihmandar vermişti.

Savaş yer yer devam ettiği için yemek, savaş idare yerinde hep birlikte yenildi.

Türk kadını sokağa zor çıkarken, Polonyalı bir kadın gazeteci Türkiye'de savaş alanını ziyaret ediyordu. Varlığı, ileri bir toplum ile Türkiye arasındaki büyük ve derin farkı göstermekteydi.[97] Almanca bilenlerle konuştu, tartıştı. Bilgisi ve ağırbaşlılığı ile herkeste saygı uyandırdı. Kadın yattıktan sonra, subaylar, savaş fırsat verdikçe kendi aralarında dertleştiler.

Köyde yalnız baş örtüsü vardı. Çünkü kadın yapması gereken birbir çeşit işi çarşaf ve peçeyle yapamazdı. Örtünme kasabalarda başlıyor, şehirlerde sıkılaşarak devam ediyordu. Buralarda köydeki işlere benzer iş yoktu. Büyük çoğunluk ev kuşuydu.

Bir kurmay dedi ki:

"Bir yandan kadınların birinci ve asıl görevi analıktır, çocuk yetiştirmektir, analık kutsaldır diyoruz, öte yandan da kadınları körkütük cahil bırakıyor, çocuklarının önünde aşağılıyor, hatta dövüyoruz. Birçok açıdan tedaviye muhtaç bir toplumuz."

7. TÜMENDE gece taarruzu için hazırlık yapılmaktaydı. Taarruz görevi Orhan'ın takımının bağlı olduğu tabura verilmişti. Bir üşüyor, bir terliyordu ama alışmıştı bu duruma.

Kaç gündür subayların içinde, askerlerin arasındaydı. Bu insanları ne hayatlarında hiç görmedikleri uçaklar korkutuyordu, ne ölüm üreten silahlar, ne acımasız düşman. Oysa kendi küçücük Dilber'den korkup kaçmıştı buraya. Son dönem Türk yazarlarının korkak, kırılgan, hastalıklı kahramanları gibi ölümü aramaya gelmişti. Bir de Anadolu halk hikâyelerini düşündü. Biri bile yılmıyor, ölecekse aşkı icin savaşırken ölüyordu.

Toplanılıyordu.

Orhan takımını alıp bölüğe katıldı.

Dilber kadar güzel bir geceydi. Yıldızlar akıp duruyorlardı. Sevip okşayan bir yel esmekteydi. Havada bir İstanbul kokusu vardı.

Karışık arazide sessizce ilerleyip bir yerde durdular. Düşmana iyice yaklaşmışlardı. Hücum düzenine girildi. Orhan'a da büyükçe bir tabanca vermişlerdi. Eline aldı.

Saniyeler geçmiyor, yavaşça damlıyordu. Üşümeye başlamıştı. Titriyordu.

Hücum emri verildi.

Fırladılar.

Orhan takımının önünde koşuyordu. Aylardır hayal ettiği andı bu. İçinde resimler, sesler, özlemler, tutkular, dokunuşlar, dualar, utanmalar, acılar, pişmanlıklar, hayaller, şarkılar kaynaşmaktaydı. Bütün hücreleri Dilber'le doluydu.

Galiba ağlıyordu.

Bir sel yatağından makineli tüfeklere doğru aktılar.

Sendeledi. Bacağından vurulmuştu. Yürüyemedi, düşüp kaldı. Ölmemişti. Ölmediğine sevindiğini fark etti.

Sağlıkçılar geriye taşıdılar.

GECE ve ertesi günü de savaş yer yer sürdü.

İngilizler, Anzaklarla birlikte 8.000 ölü vermişlerdi.[98] Pek çok yaralı vardı. Tümenler tükenmiş, taarruz azmi yok olmuştu.

Ordu pes etti.

Pes etmeyen sadece General Hamilton'du. Lord Kitchener'in, istediği 95.000 askeri yollayacağını ve bu yeni kuvvetle İstanbul yolunu açabileceğini ümit ediyordu. Ardarda yenilgilerin Generalin gerçekleri görme yeteneğini körlettiği anlaşılmaktaydı.

Başlangıçta hiç de hesaba katmadığı Türkler Majestelerinin donanmasını, Majestelerinin ordusunu, Majestelerinin generallerini sürekli yenmekteydi. Bu yenilgilerin etkileri usul usul bütün sömürgelerde görülecekti.[99]

Zaferin Türk ordusundaki etkisi çok büyük oldu. Çanakkale savaşlarının orduya kazandırdığı özgüveni iyice büyüttü, yerleştirdi, perçinledi. Çanakkale ruhunu güçlendirdi.

İnançlı bir insan olan Cemil Conk Bey karargâh subaylarına dedi ki:

"M. Kemal Bey'i Allah'ın lütfuna, zaferi de M. Kemal Bey'e borçluyuz."

Yenilmez sanılan, o yüzden çekinilen, boyun eğilen büyük devletlerin, bencil sömürgecilerin yeniliyor olması halkı da uyandırıyordu. Sormaya başlamışlardı:

Yenebildiğimize göre niye yöneticiler bugüne kadar dik durmamış, yürekli ve akıllı davranmamış, milletin ve devletin onurunu ve hakkını korumamış, her dediklerine boyun eğmişlerdi?

Niye, niye, niye?

Yöneticiler neden millete değil de bunlara hizmet ediyor, onların adamı gibi davranıyorlardı?

BİLDİRİDE adı verilmiyordu ama zaferi kazanan komutanın adı İstanbul'da duyulmuştu. Meraklılar biraz araştırınca başka şeyler de öğrendiler. Bu komutan daha önce de düşmanı ilk gün Arıburnu'nda durduran, orduya Birinci Anafartalar ve Conkbayırı zaferlerini de kazandıran komutandı.

Üç kez Çanakkale'yi korumuş, İstanbul'u kurtarmıştı.

Yahya Kemal Bey tarih sezgisi ve şair yüreğiyle bu komutanın büyük işler yapacağına inandı.[100] İleri gazetesi sahibi Celal Nuri Bey'e "Birinci sayfaya M. Kemal Bey'in bir resmini koysanıza.." dedi, "..zaferin sahibini milletten saklamak, böyle bir zafer kazanan insanı yüceltmemek milli bir günahtır."

Celal Nuri Bey oraya buraya telefon etti, M. Kemalin arkadaşlarını arayıp buldu, bir fotoğrafını elde etti. Klişesini yaptırttı. Birinci sayfada güzel bir yer verdi resme. Altını da kendi yazdı. Baskıya geçilecekti.

Birkaç sivil giysili adam Celal Nuri Bey'i ziyarete geldiler. Polis Müdürü Bedri Bey'in adamlarıydı bunlar. Bin yerde kulağı olan Bedri Bey, olayı öğrenince gerekenlerle konuşmuş, sonra da adamlarını yollamıştı. Adamlar Celal Nuri Bey'e Enver Paşa'nın ilkesini anımsattılar:

"Başarı askerindir. Kişiyi sivriltmeye gerek yok."[101]

"Anladım."

Celal Nuri Bey

Yahya Kemal Beyatlı

Celal Nuri Bey direnmedi. Resmi ve yazıyı 1. sayfadan çıkarttı.

ADAMLAR İleri gazetesinden ayrılırken, Ali Ulvi Bey Selim Sırrı Bey'in odasına giriyordu. Uğrayacağını haber vermişti. Birer kahve içtiler. Ali Ulvi Bey cebinden bir kâğıt çıkardı:

"Kardeşim, Çanakkale'de büyük bir zafer kazandığımızı öğrendiğim gece sevinçten uyuyamadım. O heyecanla bir güfte yazdım. Umarım beğenirsin."

"Oku lütfen!"

Ali Ulvi Bey yazdığı güfteyi okudu:

Dağ başını duman almış
Gümüş dere durmaz akar
Güneş ufuktan şimdi doğar
Yürüyelim arkadaşlar

Sesimizi yer, gök, su dinlesin
Sert adımlarla her yer inlesin

Bu gök, deniz nerede var
Nerede bu dağlar, taşlar
Bu ağaçlar, güzel kuşlar
Yürüyelim arkadaşlar

Sesimizi yer, gök, su dinlesin
Sert adımlarla her yer inlesin

Enver Paşa adının duyulmasını istemiyordu ama Türk'ün talihi M. Kemal'e ilerde söyleyerek geleceğe yürüyeceği bir şarkı bile hazırlatmaktaydı.

Selim Sırrı Bey güfteyi eline aldı, şarkıyı söyleyerek odada dinç adımlarla dönmeye başladı. Söyledikçe gençleşiyor gibiydi. Şarkının, söyleyeni gençleştirmek gibi bir tılsımı olduğunu daha hiç kimse bilmiyordu. Şarkı bitince arkadaşına sarıldı:

"Eline, aklına, yüreğine sağlık. Göreceksin bu küçük şarkı büyük iş görecek, çok tutulacak, çok ünlü olacak, dillerden düşmeyecek."

LONDRA sıkıntı içindeydi.

Yenilgi yüzü görmemiş imparatorluğun saygınlığı Türklerin önünde eriyordu.

İngilizlerin Fransızlarla birlikte toplam kaybı 200.000'e yaklaşmıştı. Bütün kazanç, bir İngiliz komutanın söylediği gibi '500 dönümlük çorak bir tarla kadar'dı.

Bu sırada Çanakkale'den Londra'ya Avustralyalı bir gazeteci geldi. Murdoch adındaki bu gazeteci Çanakkale'de kısa bir süre kalmış, Ashmead-Barlett'le arkadaşlık etmiş ve olaylara onun gözlüğü ile bakmıştı: Bütün sorunların ve başarısızlıkların nedeni General Hamilton ve kurmaylarıydı.

Londra'daki ilgililere ve Avustralya Başbakanına uzunca bir rapor vererek görüşünü bildirdi.

General Hamilton'un suyu ısınmaya başladı.[102]

Gazeteci Murdoch

ANAFARTALAR, Arıburnu ve Seddülbahir'de genel savaş durmuştu. Ama sınırlı çatışmalar, baskınlar, lağım atmalar sürüyordu. İki yanın keskin nişancıları da uslu durmuyorlardı.

Cephe hayatı siperde, sığınaklarda, zeminliklerde, cephe gerisinde ve hastanelerde sürüp gidiyor, insanlar birbirleriyle kaynaşıyordu.

Avustralya ve Yeni Zelanda kalabalıklar olmaktan çıkıp çeşitli soylardan oluşan bir Avusturalya milleti, bir Yeni Zelanda milleti oluyorlardı.

Türk cephesinde de yalnız Türkler savaşmıyordu. Büyük çoğunluğu oluşturan Türklerle birlikte dövüşen başka soylardan gelme subay ve askerler de vardı. Bunlar, birbirleri için canlarını tehlikeye atmış, aynı karavananın çevresinde oturup karınlarını doyurmuşlardı. Hep aynı bayrak altında yaşamışlardı. Şimdi de birlikte ortak yurt için dövüşüyorlardı. Bu can kardeşliği, gelecekte Milli Mücadele'yi yapacak, yeni devleti kuracak olan milleti yaratmaktaydı.

Subaylar ve yedek subaylar, geceleri yemekten sonra öbek öbek toplanıp konuşuyorlardı.

Konuşulacak pek çok konu, çözülmesi gereken birçok sorun vardı.

Konuşulan konulardan biri de bir tek şehzadenin, sultanzadenin ya da damadın cephede bulunmamış olmasıydı. Bir teki bile, gösteriş için olsun, cephe şartlarını paylaşmamış, Çanakkale'de birkaç gün kalmamış, Çanakkale karavanası yememişti.[103]

Hanedan için Türkiye, çok uzun yıllardan beri yalnız İstanbul'du.

AKBAŞ sahra hastanesinden yollanan bir kart Anadoluhisarı'nda depreme yol açtı:

"Hastanedeyim. Daha ilk savaşta bacağımdan vuruldum. İyiyim. Yakında İstanbul'a gelebileceğimi sanıyorum. Hepinizi çok özledim, çooooook!"

Birbirlerine girdiler, yüz kez okudular, her okuyuşta sevinç yaşları döktüler.

"Ama bacağından vurulmuş çocuk."

"Zarar yok. Gelsin de tek bacaklı gelsin."

O gece şenlik yaptılar.

Dilber oynayarak kantolar söyledi. Bülbül gibi şakıyor, çalıkuşu gibi zıplıyordu.

YENİ ZELANDALI bir genç savaşa gelirken kemanını da birlikte getirmiş, 'çalarım, insanları bir süre olsun barış içinde tutarım' diye düşünmüştü. Birkaç kez de denemişti. Ama savaşın o ateşli döneminde kimse dinlememiş, kemanın uygar sesi o vahşet içinde gülünç kalmıştı.

Bu işi aylar sonra çıplak bir insan sesi başaracaktı.

Bombatepe ve çevresini ele geçirmek için Anzaklar neredeyse her gün saldırıyor, bu inatçı çekişme birçok kayba neden oluyordu. Bombatepe'yi ele geçirmek Anzaklar için güvenlik sorunuydu.

Mevziler arasındaki alan şehitler ve ölülerle dolup taşıyordu. Sürekli çatışma yüzünden bunlar gömülemiyordu. Şehitleri görmek ve toprağa verememek Türk askerlerini kahretmekteydi.

Bir gece Türk siperlerinden sihirli bir ses yükseldi.

Şarkı söyleyen geri hizmette çalışan Kasımpaşalı Küçük Kara Ahmet adlı bir askerdi. Askere gelmeden önce belki komşuda, belki mahalle kahvesinde gramofonda çalınan şarkı ve gazelleri ezberlemişti. Osmanlıca sözcükleri yanlış söylüyordu ama dinleyeni yüreğinden vuran çok güzel ve savaşı bastıracak kadar gür bir sesi vardı.

Bu sihirli ses İngilizleri, Anzakları, Gurkaları da etkiledi. Silah sesleri, bağırışlar, gürültüler yavaş yavaş kesildi.

Savaş durdu.

Küçük Kara Ahmet'in bildiği şarkı ve gazeller bir saati dolduracak kadardı. Bu da yakınlardaki şehitleri toplayıp geriye taşımaya yetti. Bunu gören düşman da aynı şeyi yaptı.

Bu bir âdet oldu.

Çok kayıplı günlerde Küçük Ahmet sesiyle barışı başlatıyor, herkes şarkılar bitene kadar tek silah bile patlamayacağına inanıyordu. Subaylar ve askerler, sırtlarını siper duvarlarına dayıyarak dinleniyor, nöbetçiler bile oturuyor, sağlıkçılar sessizce ölüleri topluyor, yaralıları geriye taşıyorlardı.

Savaş canavarı ne kadar çabalasa güzelliği, iyiliği yenip yok edemiyordu.[104]

15 EKİM gecesi yatmak için çadırına çekilen General Hamilton'a yaveri, Lord Kitchener'den çok ivedi bir mesaj geldiğini bildirdi.

General Hamilton yeniden giyinip kalktı. İvedi olması ümitlenmesine yol açmıştı. Savaş Kurulu 95.000 kişinin Çanakkale'ye yollanmasını kabul etmiş olabilirdi. En kolay başarı yolu batıda Almanları yenmek değil, Çanakkale'de Boğaz'ı aşıp İstanbul'a girmekti.

Koşar adım karargâha geldi.

Şifreyi yaverine çözdürdü. Şifre çözüldükçe yaverin yüzü morarıyordu.

Çözülen mesajı General Hamilton'un önüne bıraktı. Mesaj çok ince bir dille, 'Savaş Kurulu'nun, Londra'da görüşmek amacıyla General Hamilton'un görevden alınmasına karar verdiğini' bildiriyordu. Yerine General Monro atanmıştı.

Görev sona ermiş, rüya bitmişti.

Amiral de Robeck İngiltere'ye dönmesi için General Hamilton'a Chatham kruvazörünü hazırlattı.

17 Ekim günü Gökçeada'da bulunan subaylara veda etti.

Kruvazöre geçti ve kamarasına kapandı. Lombozdan da dışarı bakmadı. Gökçeada'yı, limanı, denizi, hiçbir yeri görmek istemiyordu. Gemi demir alıp hareket etti. Gemi komutanı kapısını tıklattı:

"Amiral de Robeck sizi güvertede görmek istediğini bildiriyor."

Reddedemedi.

"Peki."

Güverteye çıktı.

Chatham Gökçeada limanında demirli savaş gemileri arasından geçiyordu. Bütün gemilerdeki denizciler güvertelere sıralanmışlardı. General Hamilton'u selamladılar.[105]

Yenilgi acısını hafifleten bir incelikti bu. Artık kamarasına kapanmadı.

Denize açıldılar.

Sağda, boz renkli Gelibolu toprakları, Seddülbahir, Arıburnu, Conkbayırı, Suvla körfezi, Anafarta tepeleri ve ovası uzanıyordu.

Buralarda, yurdunu çılgınca seven ve savunan Koca Türk'e yenilmişti.

İki yenik komutan:
Amiral de Robeck ve General Hamilton

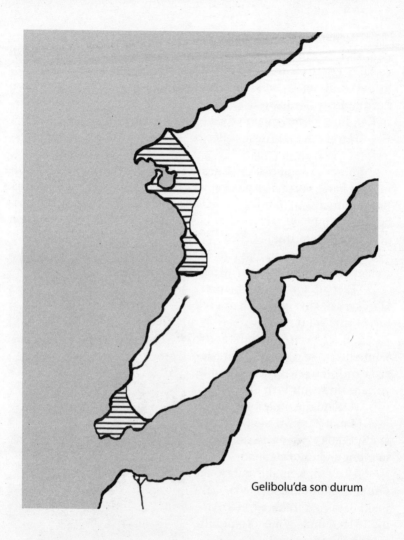

Gelibolu'da son durum

BU SIRADA M. Kemal harita başındaydı. İngilizler ve Fransızlar yeni bir kuvvet getirmemişlerdi. Kış eşiğinde kuvvet getirip yeni bir harekete geçmeleri de olası değildi.

Daha aylarca böyle gider miydi bu durum?

İzzettin Bey'e baktı:

"Bunlar kaçarlar. Kaçacaklar. Başka çareleri yok."

M. Kemal bu kanısını Ordu Komutanı Liman Paşa'ya bildirdi ve taarruz etmek için izin istedi. Emrindeki tümenlerden iki kolordu kurulmuştu. İki kolorduya komuta eden bir ordu komutanı durumundaydı. Liman Paşa 'ekselans' diye hitap etmeye başlamıştı. Kendine, komutanlara ve askerlere güveniyordu.

"Hareketsiz kalırsak ellerini kollarını sallayarak gidecekler."[106]

Bu sırada İngiliz Savaş Kurulu Suvla ve Arıburnu'nun boşatılmasına karar vermiş ve hazırlıklara başlanmıştı.[107] Alman ve Türk Başkomutanlıklarının bu karardan haberleri olmayacak, bir kuşkuya da kapılmayacaklardı. İki başkomutanlık da sürekli olayların gerisinde kalıyordu.

Enver ve Liman Paşalar M. Kemal'e şu ortak yanıtı verdiler:

"Taarruz söz konusu olamaz. Harcayacak kuvvetimiz, hatta tek bir erimiz yoktur."

Kimler veriyordu bu yanıtı? Yöntemleri, kararları ve ısrarlarıyla on binlerce gencin kanının ve canının sorumlusu olanlar.

M. Kemal istifa etti.

Liman Paşa M. Kemal'in istifasını sağlık iznine çevirdi. Borçlu olduğunu unutmamıştı.

Albay M. Kemal, Anafartalar Grup Komutanlığını Fevzi Çakmak Paşa'ya bırakarak, 10 Aralık 1915 Cuma günü otomobille Çamlıtekke'den ayrıldı.[108]

ORHAN'DAN Anadoluhisarı'na kart:

"Parçalanmış bir bacağı sağlam bacak yapmaya çalışıyorlar. Bu iş zaman alıyor. Bu yüzden geciktim. Yürümeyi becerir becermez beni buradan atarlar, ben de size kavuşurum."

İNGİLİZLER Suvla ve Arıburnu'nu az kayıpla boşaltmak ümidiyle çok dikkatli bir plan yapmışlardı. Yüzde kırk kayıp tahmin ediliyordu. Boşaltmayı hiç kayıp vermeden başaracaklardı. Bir Türk subayı "savaşta kötü değiller ama kaçmada dâhiler" diyecekti.

M. Kemal'in ayrılışından sekiz gün sonra, 20 Aralık 1915 gece yarısı Anafartalar ve Arıburnu'nda son kalan artçı birlikler de çekilmeye başladılar. Son atılan lağımlar, gereksiz ve tekdüze top ve tüfek ateşleri, düşman siperlerindeki sessizlik ileri siperlerdeki Türkleri kuşkulandırdı.

Bazıları harekete geçti.

İlk siperler boştu.

İngilizler çekilirken siperler arası yollara uçları mayınlara bağlı ipler germişlerdi. İplere takıldıkça mayınlar patlıyordu. İlerleyen birlikler arasında 27. Alayın 8. Bölüğünün 1. Takımı da vardı. Teğmen Muharrem'in takımıydı bu. Hizmet eri Mehmet Ali de komutanını kollayarak ilerliyordu.

Teğmen Muharrem de, Mehmet Ali de, sağ kalan birkaç asker de buraları çok iyi bilirlerdi. 8 ay önce durmadan eğitim yaptıkları yerlerdi buralar. Tuzaklara yakalanmamak için sarp, sapa yerlerden geçerek kıyıya yaklaştılar.

25 Nisan sabahı düşmanı ilk karşıladıkları tepeye ulaştılar.

Savaş aylar önce tam da bu noktada başlamıştı.

Düşman götüremediği malzemeyi kumsala yığıp ateşe vermişti. Alevler gittikçe büyüyordu. Kıyı, vurdukları yüzlerce katırın ölüsüyle doluydu. Yangınların kızıl ışıkları denize yansıyor, son çekilen askerlerin bindiği tekneler görünüyordu. Hızla karadan uzaklaşmaktaydılar.

Biri, inanamayan bir sesle, "Kaçıyorlar" diye fısıldadı.

Evet, kaçıyorlardı.

Dünyayı babalarının malı sanan, tepe tepe kullanan, biri engel olmaya kalkarsa öldüren, yenilmez sanılan sömürgeciler, kaçıyorlardı.

Mehmet Ali, "Allahım sana şükürler olsun." dedi, "..bana düşmanın hırsız gibi sessizce kaçtığını görmeyi nasip ettin. Artık ölsem de gam yemem."

Komutanına baktı.

Onun da yüzü parlıyordu. Ter mi, gözyaşı mı, anlamadı. Tepelerden aşağıya zafer çığlıkları ata ata askerler akıyordu.

Yakamadıkları malzemeleri ve götüremedikleri cephaneyi yok etmek, Türklere son bir zarar daha vermek için savaş gemileri kumsalı ve tepeleri ateş altına aldı.

DÜŞMAN iki hafta sonra, yine hiç dikkati çekmeden, hiç kayıp vermeden, Seddülbahir'den de 8/9 Ocak 1916 günü sessizce çekildi.[109]

Yine ustaca kaçmayı başarmışlardı.

Tarihte eşi bulunmayan Çanakkale Savaşı sona erdi.

BAŞKOMUTANLIK durum kesinleşince, düşmanın kaçtığını, öğleden sonra bir bildiri ile açıkladı.

Haber bir anda yayıldı. Bazı gazeteler ikinci baskı yaptılar. Evler, dükkânlar bayraklar, çiçeklerle süslendi. Zafer şerefine okullar tatil edildi. Çeşitli derneklerin üyeleri, esnaf, halk, başlarında bandolar, zaferi kutlamak için dört bir yandan Beyazıt'a akarak Harbiye Nezaretinin büyük avlusunda toplandı. Yakın okulların öğretmen ve öğrencileri de takım takım geldiler. Nezaretteki subaylar da avluya inmişlerdi. Subayların başında, Nezaret Müsteşar Yardımcılığına atanmış olan Yarbay Fahrettin Altay vardı.

Sevinç, ümit, gurur dolu konuşmalar yapıldı, ordu yüceltildi, şehitler rahmetle, gaziler şükranla anıldı.

Hastanelerdeki yaralılar ziyaret edilecek, Alman ve Avusturya-Macaristan elçilikleri önünde dostluk gösterileri yapılacak, gece de fener alayları düzenlenecek, bazı binalar aydınlatılacak, meydanlarda ateşler yakılacak, şarkılar söylenecek, Boğaziçi vapurları yine ışık saçacaktı.[110]

İngiltere ve Fransa başarılı kaçışla avunuyordu. Türk zaferi uyanık, uyanmaya açık Müslüman ülkelerin dikkatini çekecekti.

İstanbul'daki İngilizciler, İngiltere'den korkanlar, İngilizlerle iş yapmanın tadını almış olanlar, paralı ya da gönüllü ajanlar çok üzüleceklerdi.

Altı yüz yıllık imparatorluğun İstanbul'da birikmiş olan tortusu içinde birçok hain ve gafil insan vardı.

ORHAN'IN bacağı üç makineli tüfek mermisiyle parçalanmış, kemiği dağılmıştı. Doktorlar, iki savaş gazisi bu delikanlıyı tam iyileşmeden bırakmadılar. Ardarda yaptıkları ameliyatlarla kemikleri, kasları, damarları, sinirleri topladılar, bacağı düzelttiler.

Geride zamanla geçecek bir ağrı ile hafif bir aksama kalmıştı.

Denizaltı tehlikesi bittiğinden yeniden çalışmaya başlayan Gülnihal gemisi ertesi gün Haydarpaşa'ya yanaştı. Orhan bütün yaralıların annesi Safiye Hemşire'nin elini öpüp teşekkür etti. Rıhtıma çıktı. Rıhtım yaralıları bekleyen İstanbullu hanımlar, görevliler, yakınlar ve meraklılarla doluydu. Haber vermediği için Orhan'ı bekleyen yoktu. Kalabalıktan çıkıp uzaklaştı. Bekleyen birkaç fayton vardı geride. Birine binecekti, yaşlıca arabacı merakla sordu:

"Çanakkale'den mi?"

"Evet."

Arabacı usta bir asker gibi selam durdu:

"Arap, Arnavut, Mısırlı, Tunuslu, Acem, Rum, Ermeni, Yahudi, Bulgar, kim varsa, 'Arabım, Arnavutum, Mısırlıyım, Tunusluyum, Rumum, Ermeniyim, Yahudiyim, Bulgarım, şuyum buyum' diyebilirdi ama biz Türküz diyemezdik beyim. Bir milleti olmak bize yasaktı nedense. Şimdi sayenizde göğsümüzü gere gere, bağıra bağıra, inadına Türküz diyebiliyoruz. Sağ olun. Buyur."

Devletin barışta horladığı, başı sıkışınca, derde girince ayağına kapandığı Türklerden biriydi. Konuşarak yol aldılar. Son olarak Balkan Savaşı'na katılmış, çavuşmuş, yaralanıp çolak kalmış.

"Yine askere alsınlar diye başvurdum ama bu kez beğenmediler."

Gevrek gevrek güldü.

"Zarar yok. Cephede iki oğlum var, aslan gibi."

Arabayı, zafer arabası sürer gibi Anadoluhisarı'na uçurdu. Orhan'ın ısrarı işe yaramadı, para almadı. Yine askerce selam verip ayrıldı.

Orhan kapıyı çaldı.

Biri "Kim o?" diye seslendi. Annesiydi. Kalbi heyecanla göğsünü dövmeye başlamıştı.

"Benim."

Kapı deli gibi açıldı.

EV bayram yerine dönmüştü. Komşular öbek öbek geldiler. Anneler her gelenle birlikte bir daha gözyaşı döküyorlardı. Dilber kahve pişirmek, terlik vermek, su getirmek için çırpınıyordu. Yüzü karbeyazdı. Zayıflamıştı.

Akşama doğru yalnız kaldılar.

Orhan yaralanmasını ve hastaneyi anlattı. Anneler de incelik gösterip 'niye bizi bırakıp gittin' demediler. Bunu dese dese Dilber derdi. O da demedi. Gözleri dolarak dinliyordu. Anneler akşama bayram yemeği hazırlamak için mutfağa indiler.

Hastanede karar vermişti: İlk, ilk, ilk fırsatta sevgisini, Çanakkale'ye niye gittiğini söyleyecekti. Buna cesaret edemeyeceğini bildiği için yemin de etmişti:

"Hemen söylemezsem Dilber'in ölüsünü öpeyim."

Şimdi söyleyemezse, bir daha hiç söyleyemezdi. Canını dişine taktı, bir çırpıda her şeyi anlattı. Oooh! Söylemişti işte. Şimdi tepkiye, azarlanmaya, aşağılanmaya, kavgaya, tokat yemeye, ayıplanmaya, sövülmeye, lanetlenmeye hazırdı, razıydı. Bu küçük, afacan, yaramaz, oyunbaz kızın sevgisini kazanmak için mücadele edecekti. Bu delinin sevgisini kazanmak Çanakkale Savaşı'nı kazanmaktan kolay değildi.

Dilber yere bakarak, elleri kucağında, yüzü pembeleşerek dinlemişti. Yavaşça başını çevirdi:

"Ah benim yakışıklı ve aptal ağabeyim.." dedi, "..asıl ağabeyim olmadığını elbette bilmekteydim ve sana çocukluğumdan beri deli gibi âşıktım. Sana bunu kaç kez belli ettimdi ama sen anlamadındı."

Selimiye'de zafer topları gürlemeye başladı.

İstanbul zaferi kutlamaya doyamıyordu.

14 OCAK 1916'da Albay M. Kemal, karargâhı Edirne'ye alınan 16. Kolordu Komutanlığına atandı. Kolordunun tümenleri Gelibolu'dan ayrılarak Edirne'ye yürümekteydiler.

M. Kemal, Bulgar işgalini görmüş bu sınır şehrine moral vermek için birliklerin topluca, düzenli bir şekilde girmelerini kararlaştırdı.

Çanakkale kahramanı M. Kemal'in ve Çanakkale gazisi tümenlerin Edirne'ye geleceklerinin duyulması şehirde büyük heyecan uyandırdı. Edirne Valisi Hacı Adil Bey, cepheyi ziyarete geldiği zaman M. Kemal'in tümenini izin almadan savaşa sürerek bir yıkımı nasıl önlediğini öğrenmişti.

Şehir büyük özenle süslendi.

16. Kolordu, başta Kolordu Komutanı M. Kemal, karargâhı, tümen komutanları, elden geldiğince ve olabildiği kadar çeki düzen verilmiş gazi tümenler, alkış ve çiçek sağanağı altında İstanbul yolundan Edirne'ye girmeye başladılar.

Vali, Belediye Başkanı, yöneticiler, şehir ileri gelenleri Komutanı ve karargâhını şehir girişinde karşıladılar.

Yatalaklar dışında, bütün şehir yollara dökülmüş gibiydi. Öğrenciler her subayın kucağına bir çiçek demeti veriyorlardı.[111]

Mustafa Kemal Edirne'de

Halk bu ordunun, Balkan Savaşı ordusuna hiç benzemediğini görüyordu. Çanakkale ordusuydu bu. Komutan da İstanbul'u, Edirne'yi, Trakya'yı, devleti kurtaran komutandı.

Bu komutanın adını ve hayalini minnetle yüreklerine kazıdılar.

Sonuç
1916-1918

Neler Oldu

Çanakkale zaferinin Türkiye ve dünya tarihi bakımından geleceği etkileyen önemli sonuçları ve etkileri oldu.

Başlıcaları şöyle özetlenebilir:

1. M. Kemal Atatürk tarih sahnesine Çanakkale'de çıktı, milli bir kahraman olarak tanındı. Bu durum Milli Mücadele önderliğini kolaylaştırmıştır.

2. Çanakkale zaferi ordu ve millete özgüven kazandırdı. Kenetlenilir, direnilirse, emperyalizmin yenilebileceği anlaşıldı.

3. Dar bir alanda, savaşın her türlüsünü yaşayan genç komutanlar büyük deney sahibi oldular. Bu komutanlar Milli Mücadele'de, onca yokluk ve yoksunluk içinde, birliklerini büyük başarıyla yönetecek, sonunda zafere uçuracaklardır.

4. Çanakkale ruhu, Kuva-yı Milliye ruhunun mayasıdır, bu ruhu hazırlamıştır. Çanakkale ruhu daha gelişerek, büyüyerek, güçlenerek, yaygınlaşarak, derinleşerek, bilinçlenerek Kuva-yı Milliye ruhunu oluşturacaktır. Zaferi, bağımsızlığı, milli egemenliği, özgürlüğü, aydınlanmayı Kuva-yı Milliye ruhuna ve bilincine borçluyuz. Yeni Türkiye'yi Kuva-yı Milliye ruhu ve bilinci yarattı. Bu ruh olmasa, Sevres Andlaşması'na göre Türkiye, sonsuza kadar denetim altında tutulacak, kolu kanadı kırık, küçük, zavallı, ordusuz bir devletçik olarak kalacaktı. Teslimiyetçi İstanbul yönetimi bu barbar, insafsız, rezil Sevres Andlaşması'nı imzalamış, milliyetçi Ankara yönetimi reddetmiş ve sonunda yırtmıştır. İstanbul yönetimini mazur görmek ve göstermek, Sevres Andlaşması'nı mazur görmek ve göstermek demektir.

Şair Fazıl Hüsnü Dağlarca, bu nedenlerle, Çanakkale için "Yeni Türkiye'nin önsözü" diyor.

5. Birleşik Donanma 18 Martta Çanakkale Boğazı'nı geçip İstanbul'a gelse ve Rusya da İstanbul'a çıkarma yapsaydı, neler olurdu? İnsan bunu düşünmek bile istemiyor. Halk daha Balkan Savaşı'nın yıkıcı etkisi altında. Direninişi sağlayacak ruh savaşarak olgunlaşmamış. Büyük olasılıkla Türkiye biterdi. Bu bakımdan 18 Mart zaferi de Çanakkale zaferinin mayasıdır.

6. Bu özgüven, direniş ruhu bütün orduyu etkiledi.

7. Cephe gerisinde geleceği etkileyecek önemli gelişimler oluyordu. Birincisi, özü yurtseverlik olan milliyetçilik, milli bilinç kökleşmeye, milliliğin büyük önemi kavranmaya başladı. Irkçılıktan, şovenlikten, yayılmacılıktan arınmaya başladı. Milliyetçilik yeni gelişmekte olan bir akımdı. Birçok çevre bu akımı baltalamak için açık-gizli çok çalıştı ama başaramadı. Bazı dinci çevreler ve soyut liberaller, milli şartları hiç dikkate almadan, ya kendi yararları için ya da sömürerek zenginleşmiş ve gelişmiş ülkelere bakarak liberalliği savunuyorlardı. Zaferi milliciler kazandı.

8. Cephe gerisindeki ikinci önemli olgu kadın hareketidir. Bu hareket savaş dolayısıyla durgunlaşmadı, tersine hızlandı, yayıldı, iyice toplumsallaştı. En durgun gibi göründüğü zamanda bile bir yeraltı nehri gibi aktı. Cumhuriyeti hazırlayan akımların en önemlilerinden biridir. O dönem kadınlarının bilinçli davranışları hayranlık uyandırıyor.

9. İngiliz ve Fransız yardımı ulaşmadığı için Rus Çarlığının yıkılışı çabuklaştı. 1917'de Çarlık yönetimi devrildi, yerini sosyalist rejim aldı. Rusya savaştan çekildi. Bu yeni devletin Milli Mücadele döneminde Türkiye'ye ciddi yardımları olacaktır.

10. Müslüman ülkelerin aydınlanmaya elverişli olanlarında (Mısır, Hindistan, Tunus, Cezayir vb.) emperyalizmin yenilebileceği düşüncesini yeşertti. Bu düşünce Milli Mücadele ile çok güçlenecek ve gürleşecektir.

Bu büyük kazançları İttihatçı yönetim iyi kullanabildi mi?
Genel olarak hayır.

Hükümetin açık seçik bir siyaseti yoktu. Olumlu ve olumsuz birçok düşünce, tasarı ve hayal birarada yaşıyordu.

Enver Paşa hayallerinin ve Almanların da etkisiyle, yeni cepheler açarak orduyu dört bir yana dağıttı.

Birlikler İran'a egemen olmaya, yurtdışına, Bulgarlara, Almanlara, Avusturyalılara ve Macarlara yardıma yollandı. Rusya savaştan çekilince, Türk birlikleri Azerbeycan ve Kafkasya'ya doğru yürütüldü. Oysa bu sırada Filistin ve Irak cephelerinde durum gittikçe tehlikeli olmaya başlamıştı.

Türkiye'nin bu kadar çok cephenin ve hayalciliğin yükünü kaldırabilecek bir hazırlığı, varlığı, ekonomisi, yapısı, imkânı, silahı, cephanesi, aracı-gereci ve en önemlisi insanı yoktu. Dört yıl dayanması bile büyük başarıydı.

Ordu Osmanlı müttefiklerinin çıkarları ve Enver Paşa'nın hayalleri için harcandı. Ordu silahının namusunu koruyordu ama devlet de, millet de tükenmekteydi. Savaşın sonuna doğru gençler, yaşla değil, kiloyla askere alınacaktı. 45 kilo çeken askerdi.[1]

İktidar da Başkomutanlık da geleceği göremedi. Bilgileri, deneyleri bir devleti yönetmeye yeterli değildi. Anayurdu korumak için hiçbir önlem almamışlardı.

İktidar ve devlet çöküyordu.

Uyarı da dinlemiyorlardı. Her şeyi en iyi bildiklerini sanıyor ve sürekli yanılıyorlardı..

İktidar çöktükçe, gerici, işbirlikçi, teslimiyetçi, Türk karşıtı, İngiliz uydusu Hürriyet ve İtilaf Partisi ve benzeri çevreler toparlanıyor, güçleniyor, iktidarın ve ordunun çökmesini bekliyorlardı.

Sonunda korkulan gün geldi.

Soluğu kesilen devlet teslim oldu. Agamemnon zırhlısında Mondros Ateşkes Anlaşması imzalandı (30 Ekim 1918).

Bu Anlaşma, 1920 yılında İstanbul hükümetine bildirilecek olan barbar Sevres Andlaşması'na hazırlıktır.

Başkomutan Enver Paşa, Sadrazam Talat Paşa, Bahriye Nazırı Cemal Paşa ve bazı İttihatçılar, 2/3 Kasım gecesi, geride yıkılmak üzere olan bir devlet bırakarak İstanbul'dan kaçtılar.

Ahmet İzzet Paşa Sadrazam oldu.

Anlaşma uyarınca orduyu dağıtmaya koyuldu.

Galipler adım adım Anadolu'ya ve Trakya'ya girmeye başladılar.

6 Kasım 1918 günü İngiliz Generali Fuller Çanakkale'ye geldi. Yeni Müstahkem Mevki Komutanı Albay Selahattin Adil Bey'di. İkisi için de çok dramatik bir karşılaşmaydı bu.

İngiliz General, yaklaşmayı bile başaramadıkları o müthiş hedefleri teslim almaya gelmişti. Selahattin Adil Bey yüz bine yakın şehit verilerek savunulan her şeyi, her yeri teslim etmekle görevliydi.

Bir protokol imzaladılar.

Kilitbahir ve Çanakkale'deki gazi tabyalar, Hasan-Mevsuf, Baykuş, İntepe, Erenköy ile kıyılarda bulunan öteki bütün kahraman bataryalar, 8 Kasım günü İngiliz birliklerince işgal edilecekti. Buralarda İngilizlere hizmet için bir miktar asker bırakılacak, kalanlar kuzeye doğru, iyice uzağa çekileceklerdi.

Müstahkem Mevki Telsiz İstasyonu İngilizlere teslim edilecekti.

Müttefik donanmasının geçebilmesi için mayın hatlarının ivedi temizlenmesi gerekiyordu.

8 Kasım günü İngiliz birlikleri Türk kılavuzların yardımıyla mayın hatlarındaki gizli yollardan geçip Çanakkale'ye gelmeye başladılar. Türk subayları ve askerleri, canlarından çok sevdikleri topları, tabya ve bataryaları, tesisleri, ordugâhları ağlaya ağlaya İngilizlere bırakarak ayrıldılar.

10 Kasım günü İngilizler kaç kez yenildikleri Gelibolu'yu, uzaktan bile göremedikleri Çanakkale'yi işgal ettiler.

İngiliz subayları merak içinde tabyalara doluştular.

Koca armadayı perişan eden şu toprak tabyalar, şu taş cephanelikler, şu modası geçmiş, ağır, hantal, yetersiz toplar mıydı, şu ağlayarak çekilip giden üstü başı döküntü subaylar ve yarım papuçlu askerler miydi?

Öfkeyle birkaç topun namlusuna dinamit doldurarak patlattılar. Namlu ağızları çiçek gibi açıldı. Namluların bu komik halini görünce keyifleri yerine geldi.

Namlusu dinamitle patlatılmış bir Çanakkale topu

Selahattin Adil Bey ve karargâhı, geride birkaç görevli bırakarak Akhisar torpidosuyla Çanakkale'den ayrılıp İstanbul'a gitti.

12 Kasım günü öğleden sonra karma müttefik donanmasının ilk gemileri Çanakkale Boğazı'na girdiler. Mayınlar kaldırılmıştı. Kıyıları merakla inceleyerek, ağır ağır Marmara'ya geçtiler. İlk savaş gemileri Fransız bandralı 7 zırhlı, 5 torpido, İtalyan bandralı 3 zırhlı, 2 torpido, Yunan bandralı 1 zırhlı, 4 torpido ve bir İngiliz gambotuydu.[2]

Rüyada bile görmedikleri bir olayı yaşamaktaydılar.

Türkleri yenmişler, İstanbul'a yol alıyorlardı.

İstanbul'a!

Artık bir daha asla Türklere geri vermeyecekleri dünya başkentine.

Boğaz'dan geçişler gece boyunca sürdü. 56 savaş gemisi Marmara'da, İstanbul Boğazı açığında toplandılar. Bahriye Nezareti Müttefik donanmasının rahatça Boğaz'ı işgal edebilmesi için 13 Kasım 1918 Perşembe günü Boğaz içindeki her türlü gemi hareketini yasaklamıştı.

Perşembe sabahı çevreyi denetim altında tutmak için iki uçak sürekli dolaşmaya başladı. Önden torpidobotlar ilerleyerek Boğaz'ı gözden geçirdiler. Zırhlılar, kruvazörler, dretnotlar, birbirlerinin dümen suyunda Boğaz'a girmeye başladılar.

Rum ve Ermeniler dört yıl önce sandıklara kaldırdıkları İngiliz ve Fransız bayraklarını çıkarıp evlerini, iş yerlerini donatmışlardı. Kilise çanları çalıyor, kıyılara toplanmış olan Rumlar ve Ermeniler el sallıyor, zıplıyor, sevinç çığlıkları atıyorlardı. Hürriyet ve İtilaf Partililer neşelerini belli etmemeye çalışıyorlardı.

Türkler ölü gibiydi.

Her şey bitmiş görünüyordu.

Bu sırada Adana'dan gelen bir yolcu treni Haydarpaşa garına girmekteydi. Yıldırım Orduları Komutanı M. Kemal Paşa yaveri Cevat Abbas ile birlikte perona indi. Ordusu kaldırılmış, İstanbul'a çağrılmıştı. M. Kemal Paşa'nın eski bir arkadaşı, Dr. Rasim Bey karşılamaya gelmişti. Köhne bir askeri motor rıhtımda bekliyordu. Karşıya geçeceklerdi ama Boğaz'dan çelik kaleler, namlular, bayraklar akıyordu. Büyük gemilerin bandoları marşlar çalmaktaydı.

Cevat Abbas ümitsizce M. Kemal Paşa'ya baktı. Paşa Cevat Abbas'ın acı dolu gözlerini görünce dedi ki:

"Geldikleri gibi giderler."[3]

Öylece söylenivermiş bir teselli, bir yatıştırma cümlesi gibiydi. Ama emperyalist armadanın zırhlıları, 5 yıl süren görkemli bir mücadeleden sonra gerçekten, 'geldikleri gibi gittiler.'

Üçleme'nin ikinci kitabı olan **Şu Çılgın Türkler** bu görkemli mücadele ile hiç gitmeyeceklermiş gibi gelen bu gemilerin nasıl gittiklerinin belgesel romanıdır.

Ne oldular?

Padişah **Sultan Reşat** Temmuz 1918'de öldü, yerine 36. Padişah olarak **Vahidettin** geçti.

Enver Paşa Almanya'da kalmadı, Moskova'ya geçti, 1922 Ağustosunda Türkistan'da şehit oldu.

Sait Halim Paşa Roma'da, **Talat Paşa** Berlin'de, **Cemal Paşa** Tiflis'te Ermeni katillerce öldürüldü.

Damat Ferit beş kez Sadrazam olacak, Türkiye'yi İngilizlere satmak için elinden geleni yapacak, sonunda tarihin çöplüğünde yerini alacaktır.

Hürriyet ve İtilaf Partisi teslimiyetçi İstanbul yönetimine ya ortak oldu, ya destek verdi.

Albay **M. Kemal** 1 Nisan 1916'da paşa (tuğ/tümgeneral) oldu. Ordu komutanlıklarında bulundu. Halk ve ordu mensupları Çanakkale Savaşı ve ordu komutanlıkları dolayısıyla tanıdıkları **M. Kemal Paşa**'nın Milli Mücadele önderliğini duraksamadan kabul ettiler.

Diriliş'te adı geçen Türk subaylarının birkaç paşa dışında hepsi Anadolu'ya geçerek Milli Mücadele'ye katılacaktır.

Besim Ömer Paşa Kızılay Genel Başkanlığını sürdürdü, 1935'te milletvekili oldu. Birçok atılımın öncüsüdür.

İ. Hakkı Baltacıoğlu akademik hayatını ve yazarlığı sürdürdü.

Hamdullah Suphi Tanrıöver, Mehmet Akif Ersoy 1. TBMM'de milletvekili olarak bulundular. **M. Emin Yurdakul**, **Yahya Kemal Beyatlı**, **Mithat Şükrü Bleda** da milletvekili oldular.

Fethi Okyar İngilizlerce Malta'ya sürüldü, serbest kalınca Ağustos 1921'de Ankara'ya geldi.

Selim Sırrı Tarcan, Ali Ulvi Elöve öğretmenliği sürdürdüler.

Fuat Gücüyener bir yayınevi kurdu.

Ünlü hikâyeci **Ömer Seyfettin** 1920'de, yazık ki milli zaferi göremeden öldü.

Esat ve **Vehip Paşa**'lar Milli Mücadele'ye katılmadılar. **Esat Paşa** emekli olmuştu, İstanbul'da kaldı. **Vehip Paşa** yurtdışına gitti.

Nezihe Muhittin öğretmenliği ve kadın hareketi için çalışmayı sürdürdü, romanlar yazdı.

Halide Edip Adıvar roman yazarlığını ve sosyal çalışmaları sürdürdü, İstanbul'un işgali üzerine eşi **Adnan Adıvar**'la Ankara'ya geçti.

1918'e doğru peçeler azaldı, var olanların çoğu saydamlaştı, yoka döndü. Sokak kıyafeti olarak manto ve başörtü genelleşmeye başladı. Sultanahmet mitinginde konuşan kadınların hepsi, katılanların çoğu peçesizdir.

Roman kişileri olan Faruk ve Nesrin **Şu Çılgın Türkler**'de yer alıyorlar, **Cumhuriyet**'e de katılacaklar. Yine roman kişileri olan Orhan ve Dilber'i **Cumhuriyet** döneminde de göreceğiz.

Romanda adı geçen öteki kişiler hakkında dipnotlarda bilgi sunulmuştur.

Alman İmparatoru **II. Wilhelm** 9 Kasım 1918'de tahttan çekilir, Almanya'da cumhuriyet ilan edilir. 12 Kasımda da Avusturya-Macaristan İmparatoru **Karl** tahtı bırakmak zorunda kalır. 13 Kasımda Avusturya'da da cumhuriyet ilan edilir.

Başkan **Wilson** Yunanlıların İzmir'e çıkmasını destekler, Doğu Anadolu'nun büyük bölümünü Ermenilere bırakan atmasyon haritayı hazırlar.

C.E.W. Bean Anzak tarihini yazacaktır.

General Birdwood mareşal olur, **Atatürk**'ün cenaze törenine İngiltere temsilcisi olarak katılır.

Amiral de Robeck 26 Ağustos 1919'da İstanbul'daki İngiliz Yüksek Komiserliğine atanır. İstanbul onun zamanında ve onun da tavsiyesi ile işgal edilmiştir. 17 Kasım 1920'de görevini diplomat **Sir Horace Rumbold**'a bırakır.

General Hamilton'un sesi sedası duyulmaz.

Albay Keyes Donanma Komutanı olacaktır.

Lord Kitchener 1916'da bir deniz kazasında ölür.

W. Churchill uzun yıllar hükümette görev almaz. İkinci Dünya Savaşı'nda Başbakan olacaktır.

General Gouraud'yu Milli Mücadale döneminde Suriye Yüksek Komiseri olarak göreceğiz. Cumhuriyet döneminde Ankara'ya gelerek Atatürk'le görüşmüştür.

Liman Paşa yenilgiden sonra ülkesine dönerken, İngilizlerce yedi ay Malta'da alıkonur, sonra serbest bırakılır. Anılarını Malta'da yazmıştır. Almanya'ya döner dönmez bastırır.

Çanakkale'de bulunan Alman subaylarından üçü, Albay Kannengiesser ile Liman Paşa'nın yaverleri Mühlmann ve Prigge anılarını yazmışlardır.

Alman ordusu dağıtıldığı için Türkiye'den ayrılan Alman subaylarının askeri hayatları sona erer.

Sonsöz

İngiliz-Fransız donanmasını yenip geri döndüren Kilitbahir ve Çanakkale'deki tabyalarımızı gezerseniz, buralardaki toplardan ancak bir-ikisinden kalma birkaç parça görürsünüz. Peki o tabyaları dolduran o büyük, gazi 137 top nerede? Buralardaki uzun, kalın namlulu, büyük gövdeli, asansörlü, raylı dev makineler ne oldular?

Acaba buraları işgal eden İngiliz ve Fransızlar, bizim için tarihi değeri çok yüksek olan bu topları götürmüş olabilirler mi?

Hayır, birkaçının namlusunu dinamit doldurup patlattılar. Öteki topların kamalarını çıkarıp denize attılar, böylece topları kullanılmaz hale getirmekle yetindiler. Götürmediler. İşgalciler Milli Mücadele sonunda yenilerek çekip gittikleri zaman bütün toplar yerindeydi.

Toplar sadece kamasız, kullanılamaz durumdaydı. Ama zafer topları olarak bütün heybetleri ile yerlerinde duruyorlardı. Varlıkları ile büyük zaferi anımsatıyor, yaşatıyorlardı. Direncimizi, kararlılığımızı, dirilişimizi, uyanışımızı, kendimize gelişimizi, toprağı nasıl vatan yaptığımızı temsil ediyorlardı.

Peki kim yok etti bunları?

Biz!

Evet biz yok ettik.

1954 yılında Maliye Bakanlığı bu gazi topları, yani tarihimizi, hurda demir fiyatına bir hurdacıya sattı. Hurdacı da bütün topları kesti, biçti, söktü, parçaladı ve götürdü.

Nusrat mayın gemisini de sattık.

Peki, Yavuz?

Peki, Hamidiye?

Peki, Muavenet?

Peki, Bandırma?

Bunları da sattık. Sökülüp parçalandılar.

Peki, Savarona?

Bunu da kiraladık.

Birini bile müze-gemi yapmayı, korumayı düşünmedik. Bu bilinçsizlik, nankörlük, ruhsuzluk, bu yakın geçmişimizi yağmaya verme, önemsizleştirme bu kadarla kaldı mı?

Hayır.

Gittikçe artıyor, genişliyor, büyüyor, hızlanıyor.

Bu durumu sanki bizimle ilgisi olmayan bir televizyon dizisi gibi seyretmekteyiz.

Biz diri, canlı, hayat dolu, duyarlı, dikkatli, bilinçli, bağımsızlığa âşık, gururuna düşkün bir millettik.

Ne oldu bize?

Yoksa son yüzyıl içinde Çanakkale dirilişini, Milli Mücadele'yi, o kutsal çılgınlığı, zaferi, ilkellikten ve bağnazlıktan kurtuluşu, uyanışı, aydınlanmayı, çağdaşlaşmayı, kadın özgürlüğünü, cumhuriyeti, dünyanın Türk mucizesi diye andığı bu büyük macerayı yaşayan biz değil miydik? Yoksa bunlar milletçe birlikte gördüğümüz bir rüya mıydı? Şehitler, gaziler, kahramanlar, o öldürücü acılar, o emsalsiz sevinçler, inanılmaz başarılar hayal miydi?

Hayır!

Hepsi gerçek.

Ama içerden, dışardan söylenen ninnilerle, süslü kutular ve göz alıcı şişeler içinde sunulan uyku ilaçlarıyla bizi yeniden uyutmaya çalışıyorlar.

Tarih son kez uyarıyor:

Uyuma ey Türk!

Dirliğin, birliğin, dilin, benliğin, tarihin, yurdun, adın bir kez daha giderse, bir daha hiçbiri geri dönmez.

Özet Kronoloji

1914

2 Temmuz :	Seferberlik
2 Ağustos :	Gizli Türk-Alman Antlaşması

1915

19 Şubat :	Çanakkale Deniz Savaşı başlıyor, ilk hücum
25 Şubat :	İkinci hücum
8 Mart :	Nusrat mayın gemisinin Karanlık Liman'a 26 mayın dökmesi
18 Mart :	Çanakkale Deniz Savaşı
25 Nisan :	Karaya çıkış, kara savaşlarının başlaması
25-27 Nis. :	Kumkale savaşı
25-27 Nis. :	Arıburnu savaşları
28 Nisan :	Seddülbahir 1. Kirte savaşı
1 Mayıs :	Arıburnu Türk taarruzu
1-3 Mayıs :	Seddülbahir'de Türk, İngiliz ve Fransız taarruzları
6-8 Mayıs :	Seddülbahir 2. Kirte Savaşı
12/13 May.:	Muavenet-i Milliye'nin Goliath'ı batırması
19 Mayıs :	Arıburnu'nda Türk taarruzu
4-6 Haz. :	Seddülbahir 3. Kirte Savaşı
21/22 Haz.:	Seddülbahir 1. Kerevizdere Savaşı
28 Haz.- 5 Tem. :	Seddülbahir Sığındere Savaşları
12/13 Tem.:	Seddülbahir 2. Kerevizdere Savaşı
6 -7 Ağ. :	Seddülbahir savaşları
6-9 Ağ. :	Arıburnu-Conkbayırı savaşları
9 Ağ. :	1. Anafartalar Savaşı ve zaferi
10 Ağ. :	Conkbayırı Zaferi
21-22 Ağ. :	2. Anafartalar Savaşı ve zaferi
20 Aralık :	Düşmanın Arıburnu'dan çekilişi

9 Ocak **1916** :	Düşmanın Seddülbahir'den de çekilişi, Çanakkale savaşlarının sonu.

Teşekkür

Bana cesaret ve yaşama sevinci veren sevgili okurlarıma, verdikleri desteğin minnettarı olduğum değerli yazarlara ve öğretmenlere, bana her zamanki gibi harika bir çalışma ortamı sağlayan eşime, özverisini ve desteğini hiç unutmayacağım yardımcım Aslı Timur-Ünsal'a, hiçbir desteği esirgemeyen kardeşim Ahmet Küflü ile sevgili Bilgi Küflü'ye minnet borçluyum.

Bilgi Yayınevi'nin tüm çalışanlarına, özellikle sevgili Biray Üstüner ve sevgili Argun Tozun'a, Erol Altun ve Ferruh Bayşu'ya, Bilgi Kitabevi'nden Şenol Bilginan'a, oğlum Can'a, yeğenim Deniz Süer'e, öğrencim Didem Öztaşbaşı'na ve güvenilir yol arkadaşım Levent Yamaner'e çok teşekkür ediyorum.

Yardım ve katkılarından dolayı 2. Kolordu Komutanı Korgeneral Hayri Güner'e, Prof.Dr. Mete Tuncoku'na, Yard.Doç.Dr. Ahmet Esenkaya'ya, Nurullah Altınay'a, Çanakkale Müzesi Komutanı Dz.Alb. M. Haluk Çağlar'a ve arkadaşlarına, Dz.Kd.Yzb. Önder Demirci'ye ve arkadaşlarına, Aydın ve Nurdan Ergil'e, Doç. Dr. İsmet Görgülü'ye, Öğr.Bnb.Dr. Necati Yalçın'a, Oğuz Akyüz'e, Askeri Tarih ve Stratejik Etüdler Başkanlığı yöneticilerine, çeviri gerektiğinde imdadıma koşan Arzu Timur'a ve büyüklerinin yazılı anılarını yollayan tarih dostlarına saygı ve teşekkürlerimi sunuyorum.

DİPNOTLAR, AÇIKLAMALAR

Önsöz

1) Son on yılın yayımları içinde kitap, makale, internete özgü yazı olarak gerçekten önemli ve değerli araştırma, inceleme ve derlemeler var. Bu bilim adamlarını, araştırmacıları ve yazarları sevgiyle, saygıyla anıyor ve kutluyorum.

2) Çanakkale ve Milli Mücadele hakkındaki başlıca yalanları ve yanlışları toplamış, doğruları ve gerçekleri açıklamıştım. Çanakkale için bkz. *Vahidettin, M. Kemal ve Milli Mücadele*, s.94-177, Bilgi Y., Ankara.

3) Ebcet hesabı: Arap harflerine özgü bir hesap sistemi. Her harfin bir sayı değeri var.

4) Talha Uğurluel, *Çanakkale Savaşları ve Gezi Rehberi*, Kaynak Y., İstanbul, 10. baskı, 2006.

5) *Destanlaşan Çanakkale*, Mustafa Turan, s.137, Papatya Y., İstanbul, 2005. Kitapta o kadar çok yanlış var ki düzeltmek için öyle bir kitap daha yazmak gerek. Bu hurafeye yer veren *Çanakkale Zaferi ve Adsız Kahramanlar* adlı bir de cd var. Cd'de birkaç doğru olayın yanında birçok hurafe de yer alıyor.

On Sekiz Mart Üniversitesi Eğitim Fakültesi Tarih Öğretmenliği bölümünde yapılan ödevler, üniversitenin Çanakkale Savaşları sitesinde yayımlanıyor. Nusrat mayın gemisi hakkında hazırlanan bir ödevde 'Menkıbelerde Mayınlar' başlığı altında bu hurafe yer alıyor. Doğrudan somut, reel bir olayla ilgili bilimsel bir araştırmada bu hurafenin işi ne? IV. sınıfa gelmiş bir tarih öğretmeni adayı, bunun uyduruk bir hikâye olduğunu anlayamaz mı, hiç olmazsa öğretmeni kendisini uyarmaz mı?

Bu sahte menkıbe bilimsel çalışmanın içinde ne arıyor?

Meraklısı için ödevin adresi: canakkalesavasları.comu.edu.tr/data2/81.pdf

Osmanlı din ile bilimi birbirinden ayıramadığı için dünyayı ve çağı algılayamadı, olayları anlayıp açıklayamadı, ağır ağır çürüdü, sonunda tarihe göç etti. Cumhuriyet'i bu tehlikeden koruyalım, koruyamazsak o da çürüyecek.

5a) Müslüman Türk askeri, bir savaşta Allah'ın kendisini koruyacağına, şehit olursa cennete gideceğine iman eder. Bu büyük bir kuvvettir. Çanakkale ruhunu oluşturan öğelerden biridir. Ama sırf imanla, duayla, niyazla, çalışmadan, askerlik açısından hak etmeden, savaş sanatının gereklerini yerine getirmeden zafer kazanılmayacağını da iyi bilir.

Yüzbinlerin boğuştuğu bir savaş birkaç mucize, birkaç hurafe, birkaç kahraman ve veli ile kazanılamaz; böyle büyük bir savaş ve zafer böyle masal gibi anlatılamaz. Böyle büyük bir zaferin arkasında inançla birlikte, bilgi, kurmaylık, komutanlık, eğitim, disiplin, bilinç, yurtseverlik, kahramanlık, özveri ve bir milletin olduğunu görmemek demek, bir savaşın ne olduğunu hiç bilmemek ve Çanakkale zaferini de hiç anlamamak demektir. Bir savaş sırf iman ile, dua ile kazanılsa Müslümanlar hiç yenilmezlerdi. Osmanlı iki yüz yıldır yeniliyordu.

Güzel bir Türk atasözünü anmanın zamanı: *Atını berk bağla, ondan sonra Tanrı'ya ısmarla.*

Çocuklarımızı çağın gereklerine göre yetiştirmeliyiz. Zavallı Irak bu konuda birçok ders alınacak acı bir örnek.

6) M. Turan, *Destanlaşan Çanakkale*, s.98; T. Uğurluel, *Çanakkale Savaşları ve Gezi Rehberi*, s.148.

7) Bu anlatımın kaynağı: Vehbi Vakkasoğlu, *Bir Destandır Çanakkale*, s.100, Nesil Y., İstanbul, 2002; yakın tarihimizi tersine çevirmeye çalışanlardan biri de Vakkasoğlu'dur.
Vahidettin, M. Kemal ve Milli Mücadele adlı kitabın 788. sayfasında bu yazarla ilgili olan sayfalar belirtiliyor; bu sayfalardan birine göz atan, yazarın tutumunu ve durumunu anlar.

8) *Çanakkale Savaşlarından Menkıbeler*, s.38.

9) Bu rehberlerden bazıları savaş alanını çocuklara hurafeleri anlatarak gezdiriyor, uygun bir yer gelince de, "Burası da M. Kemal'in savaştan kaçtığı yer" diyorlarmış. Çanakkale zaferine, bu zafere emeği geçen kahramanlara ve gerçeğe sahiden saygısı olan herkes bu gibi pis, rezil, aşağılık yalanları durdurmayı bir namus görevi bilmeli.

Başlangıç

1) Osmanlı Devleti için 'Hasta Adam' deyimini ilk olarak 1853'te Rus Çarı I. Nicola kullanmış, bu deyim hızla yayılmıştır. Tarihin cilvesi, Nicola'nın Rus Çarlığı, 'Hasta Adam' diye nitelediği Osmanlı Devleti'nden 5 yıl önce yıkılacaktır.

2) Ali Fuat Türkgeldi, *Görüp İşittiklerim*, s.114.

Rusya'nın saldırgan tutumu yüzünden bir ittifak arama zorunluğu tarihçiler tarafından genel olarak kaçınılmaz, Almanya ile ittifak da şartlar dolayasıyla doğal bulunmaktadır.

Rus tehlikesiyle ilgili bilgi ve belgeler için: K. Karabekir, *Birinci Cihan Savaşına Neden Girdik*; Y. Hikmet Bayur, *Türk İnkılabı Tarihi*, III. c., I. Kısım, s.174-181; ATASE, *Çanakkale Cephesi Harekâtı*, 1. Kitap, s.76 vd.; *Birinci Dünya Savaşı Ansiklopedisi*, 1. c., s.241; Birinci Dünya Harbinde Türk Harbi, 1. c., s.282 (Ek-13, Rusların boğazları zaptetmek için yaptıkları hazırlıklar); Fahri Belen, *Birinci Cihan Harbinde Türk Harbi, 1914 Hareketleri*, s.223 (Ek-8 A).

Almanlara karşı olan Ali İhsan Sabis de Alman ittifakının zorunluğunu kabul etmektedir. A. İhsan Sabis, *Birinci Cihan Harbi*, c.1, s.72 vd.

Karşı çıkılan husus Alman baskısıyla savaşa erken girilmesidir.

İngilizler yıllardan beri Osmanlı Devleti'nin Arap bölgesinde çeşitli çalışmalar ve kışkırtmalar yapmaktaydılar. Osmanlılar İngilizlerle dostluk ararken İngilizler el altından adım adım Osmanlılarla savaşa hazırlanıyorlardı. Bu konudaki bilgi ve belgeler için: Y. Hikmet Bayur, *Türk İnkılabı Tarihi*, III. c., I. Kısım, s.227 vd.

3) Atatürk Sofya'da ataşemiliterken Bulgar Genelkurmay Başkanı General Fiçev'le görüşmüş, bu görüşmeyi 5 Kasım 1913 günü bir raporla Genelkurmay'a bildirmiştir. General Fiçev diyor ki: *"Balkan Savaşı'nda yaptığım planlar değiştirilmeksizin ve başarılı bir şekilde uygulanmıştır. Çünkü ben Osmanlı Genelkurmayının planlarını ve bütün stratejik yığınak hesaplarını tümüyle öğrenmiştim. Bana bu bilgileri Alman subayları vermiştir. Özellikle Golç Paşa'dan çok yararlandık.* (Mareşal von der Golz Osmanlı ordusunda yüksek danışman, öğretmen, komutan olarak çalışmış, Türklerin büyük saygısını kazanmış bir Alman subayıdır! O bile Bulgarlara casusluk yapıyor.) *Berlin'deki askeri ataşemiz Almanlar tarafından günü gününe ve tümüyle aydınlatılıyordu."* (*Atatürk'ün Bütün Eserleri*, 1. c., s.151)

Balkan Savaşı'ndan sonra ordumuz, eğitsinler diye yine bu Almanlara teslim edilecektir.

4) Her alandaki laçkalık, çağdışılık, hantallık, sorumsuzluk orduya da sinmiştir. Ordudaki subayların içinde okul görmemiş alaylı subaylar, okuma yazması olmayan paşalar da vardır. Küçük iyileştirmeler derin sorunları çözmeye yetmemiştir. İyi yetişen küçük rütbeli kurmay subayların ordunun geneline etkisi yetersiz kalır. Ordunun modern savaş usullerinden, savaş sanatındaki gelişmelerden, yeni silahlardan genel olarak haberi yoktur. 1878'den bu yana bir kez bile tatbikat yapılmamıştır. Güncel siyaset orduya da bulaşmış, bu durum erlere kadar sızmış, orduyu çeşitli gruplara bölmüştür.

Ordu Komutanı İsmail Fazıl Paşa savaştan kısa bir süre önce, "Bu ordu ile harp edilemez" diye rapor vermiştir. Trakya Ordu Komutanı Abdullah Paşa demiştir ki: "Bu ordu yalnız Bulgarlarla bile harp edemez."

Mehmet Nüzhet Paşa anlatıyor: *"...Asker karşı tedbirler alacağı yerde, aşırı korkuya düştü ve beklenmeyen bir kaçış başladı. Bütün kuvvetler yerlerini perişan surette terk ederek paniğe kapıldılar. Bu askerler ağırlıklarını, arabalarını, toplarını, cephanelerini, bütün malzemeyi, hatta yiyecek maddelerini de yollarda terk ederek kaçıyorlardı."* (Hepsi için: Ş.S. Aydemir, *Enver Paşa*, 2. c., s.310)

190.000 kişilik Rumeli Ordusundan geriye 30.000 kişi dönebilmiştir (İ. Artuç, *Balkan Savaşı*, s.306). Genel kaybın büyüklüğü bu sonuca bakılarak kestirilebilir.

Oysa savaşa yakın günlerde Başkomutan Nazım Paşa, Cemil Topuzlu Paşa'ya der ki: "Harp ilanından bir hafta geçmeden Osmanlı bayrağı Filibe ve Sofya'da görülecektir." (Operatör Dr. Cemal Topuzlu Paşa, *80 Yıllık Hatıralarım*, s.141)

Ordu ve Başkomutanı böyle.

5) II. Abdülhamit döneminde, 1878'de Rus ordusu İstanbul'un daha yakınına, Yeşilköy'e kadar gelmiş, zaferinin anısına Yeşilköy'de bir anıt da dikmişti. İngiltere o zaman bir gruba dahil değildi ve Rusya'nın Boğazlara egemen olmasına şiddetle karşıydı. İngiltere'nin ağırlığını koyması üzerine Rus ordusu Edirne'yi de boşaltarak geri çekilecektir. (*Mufassal Osmanlı Tarihi*, 6. c., s.3328)

1912 yılında ise İngiltere, Rusya ile aynı kamptadır, Osmanlı topraklarını paylaşmak için anlaşmışlardır. Ruslara pay olarak Boğazlar sözü verilmiştir.

Osmanlı Devleti ezeli, hırslı düşmanı Rusya karşısında yapayalnızdı.

6) Çatalca hattındaki birliklerin kolera yüzünden verdiği kayıp 40.000'den fazla hesaplanmıştır (Ş.S. Aydemir, *Enver Paşa*, 2. c., s.363).

7) Bu durum yaklaşık iki-üç yüzyıllık bir sürecin sonucudur. Batıda ki gelişim, aydınlanma iyi izlenmemiş, önemi kavranmamış, sanayi devrimi atlanmıştı. Batı medreselerini üniversiteye dönüştürürken, biz medreselerimizden müsbet ilimleri uzaklaştırdık.

Batı eğitime değer veriyor, sanatı destekliyor, kadın haklarını tanımaya başlıyor, makineye geçiyor, üretiyor, dünyaya yayılıyor. Buna karşılık Osmanlı içine kapanıyor. Dünyanın değiştiğini, geliştiğini anlamıyor. Yakasını kör taassuba, hurafeye kaptırıyor, bilgine değil, bağnaza, ham sofuya, müneccime önem veriyor.

Batı, insanı, doğayı, evreni inceler, keşif ve icatlar yaparken, bizde Müneccimbaşı sarayın en önemli adamı oldu. Batı akla özgürlüğünü verirken, biz hurafeyi, ortaçağ anlayışını aklın önüne geçirdik. Matbaaya icadından ancak 275 yıl sonra izin verdik. 1729'dan 1830'a kadarki 101 yıl içinde sadece 180 Türkçe kitap basıldı. Batıda ise 1454'ten 1500 yılına kadarki 46 yıl içinde basılan kitap sayısı 40.000'dir. Bu fark Batı ile aramızdaki farkın derinliğini gösterir.

Ortaçağ kafası Takyettin Efendi'nin kurduğu rasathaneyi uğursuzluk getirir iddiası ile yıktırmıştır. Osmanlı, din ile bilimi birbirinden ayırmayı başaramadı. Ne acıdır ki hâlâ da ayıramayanlar var.

Çağa ayak uydurulamadığı, gerekli ve yeterli iyileştirmeler yapılamadığı için Batı ile aradaki fark giderek açılmış, çok açıldığı için bir daha da kapatılamamış, sömürgecilerin türlü tuzaklarına düşülmüş, sonunda koca devlet damla damla eriyip bitmiştir.

Tanzimat toplumsal açıdan önemli, gerekli, zorunlu bir hareketti. Ama köklü bir reform değildi. Ekonomi bakımından da Türkiye'yi Avrupa'ya bağımlı yaptı.

Ordunun yenilenmesi gerektiği anlaşılarak, birkaç ciddi girişimde bulunulmuştur. Mühendishane, tıbbiye açılır vb. Bu nedenle orduda az-çok aydınlık bir ortam oluşur. Birçok yenilik ordudan kaynaklanır ya da ordudan destek görür. Ama devlet sadece orduyu iyileştirerek yenilenemezdi. Ölüm durdurulamadı.

Tarihe önyargısız bakılırsa bu şaşırtıcı çöküşün üç sorumlusu olduğu anlaşılır: 1. Beceriksiz, ufuksuz, bilgisiz, çağdışı, rüşvetçi yöneticiler, 2. Her yeniliğe, her yeni düşünceye karşı çıkan bağnazlar, ham sofular (gerçek dindar bağnaz olmaz), 3. Kurnaz, acımasız, uzağı gören, sürekli yöntem geliştiren sömürgeciler.

Osmanlı Devleti'nin siyasal-toplumsal tarihi, bu üçlü ile devleti ve toplumu kurtarmak için bir şeyler yapmaya çabalayan, çırpınan namuslu yönetici ve yurtsever aydınların, kısacası toplumsal kahramanların çatışması diye özetlenebilir.

8) Birkaç sayı ile Osmanlı Devleti'nin durumu:

Demiryolları: Almanya 64.000 km, Rusya 65.000 km, Osmanlı 5.700 km (yarısı bugünkü sınırlar dışında).

Nüfus: İngiltere 45.000.000, Fransa 40.000.000, Almanya 65.000.000, Osmanlı İmparatorluğu 22.000.000.

Yıllık çelik üretimi: İngiltere 7.000.000 ton, Rusya 4.500.000 ton, Almanya 17.000.000 ton, Osmanlı sıfır.

Kruvazör: İngiltere 121, Rusya 14, Almanya 57, Osmanlı sıfır. (*Birinci Dünya Savaşı Ansiklopedisi*, 1. c., s.68)

"1912 yılında İstanbul'daki 40 özel bankacıdan 12'si Ermeni, 12'si Rum, 8'i Musevi ve 5'i Levanten veya Avrupalı idi. İstanbul'daki 34 borsacıdan 18'i Rum, 6'sı Musevi, 5'i Ermeni idi. Hiç Türk yoktu." (Bernard Lewis, *Ortadoğu*, s.339)

Hiçbir köyde devlet ilkokulu yok. Köylerde eğitim mollaların elinde. Azınlıkların ise modern okulları var.

Osmanlılar, devleti, batana kadar Devlet-i Âliye (büyük devlet) diye anmışlardır. Şu sayılar Osmanlının artık büyük devletlikle hiçbir ilgisi kalmadığını göstermektedir. Bu birkaç sayı, Osmanlı Devleti'ne neden 'hasta adam' denildiğini de gösterir.

8a) Bu anlayışın aşırıları, tanzimata, meşrutiyete, orduya, İttihat ve Terakki'ye, milliliğe, bilime, akla, eğlenmeye, musikiye, kadın haklarına muhalif, kendileri gibi düşünmeyen, konuşmayan, yaşamayan, giyinmeyen herkese düşmandır. Bu anlayışta olanların bazıları, Hürriyet ve İtilaf Partisi'nde toplanmış, bu partinin aşırı kanadını oluşturmuşlardı.

Enver Paşa hepsinden daha dindardı, hatta bağnazdı. Ama onlardan değildi. Öyleyse onun dindarlığının hiçbir anlamı, değeri yoktu. Onlar için önemli olan ne dindi, ne de dindarlıktı, onlardan olmaktı.

Enver Paşa Gülhane Parkı'nın açılışında kadın ve erkeklerin birlikte parkı gezmelerine kızar, Belediye Başkanlığına yolladığı bir yazı ile kadınların parka girmelerinin yasak edilmesini ister (Op.Dr. Cemil Topuzlu Paşa, *80 Yıllık Hatıralarım*, s.135).

9) Osmanlı kadınlarının hak aramaya başlamalarının tarihi yeni değildir. Dönemin şartları gereği yavaş başlamış, ilginç ve zorlu aşamalardan geçerek gittikçe yayılıp güçlenmiştir.

10) Kayıplarımız, göçmenlerin durumu ve sayısı hakkında: İbrahim Artuç, *Balkan Savaşı*, s.292-295.

11) Osmanlı Devleti iki yüzyıldır savaşta yeniliyor, barış masasında da horlanıyordu. Galibiyetleri bile bir yenilgi gibi sonuç veriyordu. Her konuda Avrupa'dan geriydi. Bu durum Osmanlı yönetici ve aydınlarının çoğunda aşağılık duygusu yarattı. Batıyı yenilmez, üstün, daima haklı, bir çeşit 'efendi' görmeye başladılar. Batıya itiraz etmeyi küstahlık, her isteğini emir saydılar. Bu duygu çoğunun iliklerine iş-

ledi. Batıya biat ettiler. Bunlar teslimiyetçilerdir. Mesela Mütareke dönemindeki İstanbul yönetiminin en belirgin niteliği teslimiyetçiliğidir. Osmanlı Devleti'ni bunlar batırmışlardır.

Bunlara karşılık yurtsever yöneticiler ve aydınlar Batının bilim, sanat ve teknoloji alanlarındaki üstünlüğüne saygı duyuyor ama siyasetçe bencil, sömürücü ve aldatıcı olduğunu görerek teslimiyetçiliği reddediyorlardı. Batı ile aradaki farkın kapatılması için devleti düzeltmek, toplumu yükseltmek gerektiğini görüyorlardı. Bu amaçla içine kapalı, durgun Osmanlı toplumunu uyandırmak, çağa açmak, topluma yeni bir ruh kazandırmak için çeşitli girişimlerde bulunmakta, çeşitli düşünceler üretmekteydiler.

Türkiye Cumhuriyeti'ni, emperyalizm karşısında dik durmayı bilen, aşağılık duygusuna yenik düşmeyen bilinçli, millici, gerçekçi yurtseverler kuracaktır.

12) 23 Ocak 1913: Binanın içinde kısa süren bir çatışma yaşandı. Nazırlara bilgi vermek için Sadrazamın başkanlığındaki toplantıya katılmış olan Başkomutan V. Nazım Paşa odadan dışarı çıkıp da eli silahlı İttihatçıları azarlamaya kalkışınca, Yakup Cemal adlı fedai tarafından şakağından vuruldu.

13) İttihatçıların üç liderinden biri olan Talat Bey 'paşa' sanı ile Dahiliye Nazırlığına (İçişleri Bakanlığına), Ahmet İzzet Paşa da Harbiye Nazırlığına (Savaş Bakanlığına) getirildi. Ordunun iyileştirilmesi çalışmalarında Ahmet İzzet Paşa'nın önemli katkısı olacaktır.

14) Önce gizli bir örgüt olarak kurulan, giderek açığa çıkan İttihat ve Terakki topluluğu, 1908'de ayaklanarak meşrutiyeti ilan ettirir, ülkede yeniden özgürlük dönemini açar.

Kısa bir süre sonra İstanbul'da gerici bir isyan (31 Mart) patlak verdi. II. Abdülhamit tahttan indirildi, yerine Sultan Reşat getirildi. 1911 yılının sonunda Hürriyet ve İtilaf adını alan gerici, din istismarcısı, İngilizci, karanlık ve karışık bir parti kuruldu.

O dönem siyasi hayatının iki kutbu bunlardır. İkisinden de çeşitli partiler üremiştir.

15) Osmanlı-Alman ilişkileri hakkında şu kitabı tavsiye ederim: İ. Ortaylı, *Osmanlı İmparatorluğunda Alman Nüfuzu*, İletişim Y., İstanbul, 1998.

A. İzzet Paşa M. Şevket Paşa'yı uyarır, 'orduyu bütünüyle Almanlara teslim etmemesini' öğütler (*M. Şevket Paşa'nın Günlüğü*, s.245).

Alman İmparatoru Osmanlı Büyükelçisine şöyle diyecektir: "Sadrazamınız, göndereceğim Alman generaline geniş yetki verirse, Türk ordusu, mühim bir kuvvet derecesine yükselecektir." (*M. Şevket Paşa'nın Günlüğü*, s.261)

M. Şevket Paşa Alman İmparatorunun tavsiyesini dinleyecek, gelecek Alman generaline olağanüstü yetkiler tanınmasını sağlayacaktır.

16) Siparişin çoğu, Alman öğretmenlerin ve danışmanların etkisiyle Almanya'ya yapılıyordu. Alman firmalar siparişleri karşılamak için avans istiyordu. Para yetersizliğinden istenilen avans zamanında verilemediği için silah ve cephane alımı aksamıştı.

Bu aksamayı, Birinci Dünya Savaşı'nın başında, Sırbistan ve Romanya'nın Türkiye'ye demiryoluyla cephane ve silah gönderilmesini engellemesi izleyecek, bu yüzden Çanakkale Savaşı'nda ciddi cephane sıkıntısı yaşanacaktır.

17) *Birinci Dünya Harbi, 9. c., Türk Hava Harekâtı*, s.5; Jandarmanın ıslahı işi de Fransız General Baumann'a verilmişti.

Yöneticiler Avrupa'nın çok gerisinde kaldıklarının iyice farkındaydılar ama ne bunun nedenlerini araştırıp saptayabiliyor, ne farkı kapatmak için gereken ciddi atılımları yapabiliyordu. Günümüzün Osmanlıcıları da geri kalışın nedenlerini hâlâ doğru saptayamıyor, açıklamıyor, cumhuriyetin bu farkı kapatmak için aldığı önlemlerin, yaptığı atılımların değerini ve gerekliliğini belirtmekten de kaçınıyor ya da kavrayamıyorlar. Bazıları bu atılımları körletmeye çalışıyor.

18) Ordu son gücünü harcayarak bir taarruz yaptı ama Bulgarları yenmeyi başaramadı, Edirne yolunu açamadı. Bu başarısızlık ve ümitsizlik sonucu Londra Barış Andlaşması imzalandı.

19) salip= haç (Hıristiyanlar), hilal= ay (Müslümanlar).

19a) Bunlar üç gruptu. Birinciler yönetimi ele geçirmiş ya da yönetime sızmış devşirmeler, dönmeler, tatlısu Türkleri, gafiller, cahiller. İkinci grup milli olan her şeye muhalif çağdışı ham sofular, ümmetçiler; bunların bir kısmı özellikle Türk karşıtıdır. Üçüncü grup ise çoğunluk olan Türkler uyanırsa işlerinin bozulacağını sezen çağdaş sömürgeciler ve ajanlarıdır. Bu üç çevre türlü yöntemlerle bu uyanışı yavaşlatmayı başarmışlardı.

20) En hafif milli duygudan ırkçılığa, Anadoluculuktan Turancılığa kadar milliyetçiliğin her türlüsü yeşerecektir. Milliyetçilik Birinci Dünya Savaşı ve Milli Mücadele süreçlerinde taşkınlıklardan, hastalıklardan, çağdışı renklerden temizlenerek özü **yurtseverlik** olan milli anlayışa yükselecektir. Atatürk milliyetçiliği budur. Türkiye Cumhuriyeti'nin çimentosudur.

21) Din savaşları dönemi kapanmıştı. Artık başka amaçlar, ülküler ve duygularla savaşılıyordu. Osmanlı, uzun zaman bu değişimi kavrayamamış, yeni savaşların, yeni şartların aradığı asker tipini yaratamamıştır. Balkan Savaşı'ndan sonra büyük bir uyanış olur, yeni bir asker kimliği oluşur. Eski kimliğe iki yeni öğe katılır: Milli duygu/bi-

linç ve yeni tarz savaş bilgisi. Çanakkale Savaşı'nı bu yeni kimlikteki asker kazanacaktır.

21a) Türk milliyetçiliğinin öncülerinden Ziya Gökalp'in en karşı olduğu yaklaşım, ırkçılıktır. Her uygar, kafaca sağlıklı insan ırkçılığa karşıdır. İlginç bir durum var: Türk milliyetçiliğini söndürmek isteyenlerin çoğu, etnik grupların ırkçıları ile mezhep ırkçıları.
İlk çıkışında Türk milliyetçiliği emperyalizme ve iç ırkçılıklara karşı bir meşru müdafaa tepkisiydi. Aradan 100 yıl geçti. Durum şimdi de aynı. Ayının kırk türküsü varmış, kırkı da ahlat üzerineymiş. Emperyalizmin, ayrılıkçılığın, globalciliğin de kırk türküsü var, kırkı da Türklük, millilik, yurtseverlik aleyhine. Uzaktan bakınca, eski bir siyah-beyaz filmin yeni gösterimi gibi görünüyorlar. Zevkleri gelişmiş olsa, hiç olmazsa bu tıpatıp benzerlikten, kopya çekmekten kaçınırlar. TC halkının 47 etnik gruptan oluşan bir mozaik olduğu hakkındaki iddia da bütünüyle gerçeklere aykırıdır, tam bir palavradır. Bu palavranın arkasında Peter Alford Andrews adlı bir Alman var (kitabının adı *Türkiye'de Etnik Gruplar*). Bu konudaki gerçekleri öğrenmek isteyen gençlere Ali Tayyar Önder'in *Türkiye'nin Etnik Yapısı* (Fark Yayınları, Ankara) adlı kitabını tavsiye ederim.

22) Nezihe Muhittin Türk feminist hareketinin öncülerinden ve roman yazarı.

23) 1913 yılında kadınların çabaları, tepkileri, baskıları sonunda Telefon Şirketi'nde 7 Müslüman Türk hanımına iş verildi. Bir yıl sonra da ilk kez yine bir Müslüman Türk hanımı Posta Telgraf Nezareti'nde pul memuru olarak çalışmaya başladı (S. Çakır, *Osmanlı Kadın Hareketi*, s.292 vd.). Bu gelişim sürer.

24) Soruşturmalar sonunda Hürriyet ve İtilaf Partisi'nin, hanedan damatlarından Salih Paşa'nın, bir sultanzade ve karanlık ilişkilerin adamı olan Prens Sabahattin'in de cinayetle ilgileri olduğu anlaşılır.
Dr. Rıza Nur, Ali Kemal, Refi Cevat (Ulunay) vb. gibi kişiler de sonu cinayetlere varan Balkan tipi siyaset havasını yaratıp yaymakla, körüklemekle suçlanırlar. Kimi yurtdışına kaçar, kimi hapse girer, kimi de Anadolu'ya sürgüne yollanır. Sinop'a yollanan sürgünlerin sayısı 300'den fazladır.
İttihat ve Terakki ile Hürriyet ve İtilaf arasındaki ilişki, etkisi bugüne kadar uzanan bir kan davası haline gelecektir.

25) Sultan Osman daha önce Brezilya tarafından sipariş edilmiş, yarı hazır bir gemiydi. Osmanlı hükümetince satın alındı. Reşadiye yeniden yapılacaktı. Ayrıntılı bilgi: Nejat Gülen, *Dünden Bugüne Bahriyemiz*, s.185 vd.

26) 22 Temmuz 1913.

Enver Bey ile Fethi Okyar ve M. Kemal Bey arasında daha önce bir askeri sorun nedeniyle tartışma çıkmış, Başkomutan araya girerek tarafları yatıştırmıştı. Enver Bey ile Fethi ve M. Kemal Beyler arasında ciddi farklar vardı. Enver Bey atak, hesapsız, maceracı tutumu temsil ediyordu; karşısındakiler akılcı, ölçülü, gerçekçi tutumu. Geleceği ikinci tutum kurtarmıştır.

Meriç batısına geçen birlikler merkezi Gümülcine olmak üzere Batı Trakya Özerk Türk Cumhuriyeti'ni kurdular. Otuz bin kişilik bir ordusu vardı. Türk-Bulgar barış andlaşması sonucu 25 Ekim 1913'te varlığı sona erdi (İ. Görgülü, *On Yıllık Harbin Kadrosu*, s.43-44; ayrıntılı bilgi için: Tevfik Bıyıklıoğlu, *Trakya'da Milli Mücadele*, 1. c., s.62-93).

27) Ayrıca ikisi de İttihat ve Terakki yönetiminin bazı görüşlerine karşıydılar. Sofya'ya atanmalarında bu görüş farkları da etkili olmuştur. M. Kemal 12 Ocak 1914'te (25.1.1914) Sofya'dan arkadaşı Madam Corinne'e yazdığı mektupta diyor ki:

"Benim ihtiraslarım var, hem de pek büyük. Fakat bu ihtiraslar, yüksek yerler işgal etmek veya büyük paralar elde etmek gibi maddi emellerin tatminiyle ilgili değil. Ben bu ihtiraslarımın gerçekleşmesini, vatanıma büyük faydaları dokunacak, bana da liyakatla yapılmış bir vazifenin canlı iç rahatlığını verecek büyük bir fikrin başarısında arıyorum. Bütün hayatımın ilkesi bu olmuştur. Ona çok genç yaşımda sahip oldum ve son nefesime kadar da onu korumaktan geri kalmayacağım." (*Atatürk'ün Bütün Eserleri*, 1. c., s.179)

28) S. Çakır, *Osmanlı Kadın Hareketi*, s.248; bütün imparatorlukta sadece bir tane kız lisesi vardı.

29) 14 Aralık 1913. Anlaşmaya göre her Alman subayına Türkiye'de bir üst rütbe verilecekti.

Tümgeneral Liman von Sanders'in rütbesinin Osmanlı ordusundaki karşılığı feriklikti (korgeneral), bir üst rütbe verilince birinci ferik (orgeneral) oldu. Alman İmparatoru durumunu güçlendirmek için Liman von Sanders'i bir üst rütbeye yükseltti, Türkiye'deki rütbesi de bir basamak yükseldi, bu kez müşir (mareşal) oldu.

Alman ordusunda general/mareşal rütbeleri 5 basamak (tuğgeneral, tümgeneral, korgeneral, orgeneral, mareşal), Osmanlı ordusunda ise 4 basamaktır: Mirliva, ferik, birinci ferik, müşir (mareşal). Tümgeneral Liman von Sanders bu nedenle iki aşamada Osmanlı mareşali olmuştur.

Liman Paşa müşir (mareşal) olunca 1. Ordu Komutanlığına getirilir. Bu ordu Osmanlı İmparatorluğu'nun en önemli ordusudur, İstanbul'u, Boğazları ve Doğu Trakya'yı savunmakla görevlidir. Emrinde 3 kolordu vardır.

Anlaşmaya göre her Alman subayı Türkiye'de bir üst rütbe, dolayısıyla daha çok para alacak, yemeği de Türk subaylarından farklı, yani özel olacak, bazı yiyecekleri Almanya'dan gelecekti. Türk subayları silah arkadaşlığına aykırı bu durumu başlangıçta anlayışla karşılamaya çalıştılar. Ama birlik komutanlıklarına ya da kurmay başkanlıklarına atanan, böylece ordunun yönetimine doğrudan katılan Almanların çoğunun kaba, bencil, kibirli tavırları, yetkilerini hazmetmemeleri, yetersizlikleri, Türkleri harcamaları, anlaşmazlıklara, çatışmalara neden olacaktır.

Bir Alman yazarı olan Dr. Harry Stuermer, bu tavrı 'ırkçı Prusya küstahlığı' olarak niteliyor (*Kontantinopl'da Savaşın İki Yılı*, s.35).

3. Kolordunun divan-ı harp üyeliğine bile bir Alman yüzbaşı atanabilmiştir (Hans Guhr, *Türklerle Omuz Omuza*, s.194). Orduya bu kadar girmiş durumdaydılar. Saygı ve sevgi ile anılanların sayısı çok azdır.

Süleyman Nazif diyor ki: *"Biz tarihlerde ve gazetelerde okuduğumuz Alman ordusunun mükemmelliğinden, Golz Paşa dışında, ülkemizde hiçbir iz ve o mükemmelliyeti taşıyan bir tek adam görmedik."* (*Çanakkale Savaşı*, yayına haz. M. Albayrak, s.12)

Türkiye'de görev yapan Alman subayların adları ve görev tarihleri için: *İsmet İnönü, Hatıralar*, 1. c. ek 2, s.309 vd., (Sabahattin Selek'in hazırladığı not).

30)   Asıl büyük sorun derindeydi. Ağır ağır su üzerine çıkacaktı: Almanya, Reform Kurulu'na Türk ordusunun yalnız eğitiminde değil, yönetiminde de söz sahibi olmak yetkisi istiyordu. Bu yetki verilecektir. Liman Paşa'nın durumu güçlenir, danışman, öğretmen nitelikli subaylar birliklere komutan ya da kurmay başkanı olarak atanırlar (Jahuda L.Wallach, *Bir Askeri Yardımın Anatomisi*, s.118). Bu durum sorunlara ve acı olaylara yol açar. Bunlara savaş içinde yakından ve birçok kez tanık olacağız.

31)   Yarbay Enver Bey'e, Trablus ve Balkan Savaşlarındaki hizmetlerinden dolayı üçer yıl kıdem verilir, 18 Aralık 1913'te albaylığa, 19 gün sonra da, 1 Ocak 1914'te paşalığa (mirliva) terfi ettirilir. 1 Ocak günü aynı zamanda Harbiye Nazırı olur, 5 gün sonra 6 Ocakta da Genelkurmay Başkanlığına getirilir. Bu sırada Abdülmecit'in yedi oğlundan biri olan Şehzade Süleyman Efendi'nin kızı 15 yaşındaki Naciye Sultan ile evlenmiş, böylece hanedan damadı da olmuştur.

Orduda Enver Paşa kadar tanınmış bir genç komutan, dolayısıyla rakip yoktu. Kaçana kadar orduyu komutası altında tutmuştur. Liderler arası eşitliğin sağlanması için Cemal Bey de iki rütbe birden yükseltilerek 'paşa' yapılır ve Bahriye (Deniz) Nazırlığına getirilir. Artık üçü de paşa ve nazırdır.

32) Ordu bu temizlik sayesinde bütünlüğünü kazanmış, yeni, sağlıklı bir ordu olmuştur. Tarihten ders almayan partici anlayış bugün de orduya kendi taraftarlarını sokmaya çabalıyor. Orduyu parçalayacak bu girişimler insanı düşündürüyor. Amaç ne? Birileri bu kişilere ordunun bütünlüğünün önemini, bütünlüğü bozmanın tehlikelerini anlatsa!

33) S. Çakır, age., s.224; İnas (Kız) Üniversitesi 12 Eylül 1914'te açılır. Kızlara ayrı dersler veriliyordu. Koridorlarda erkek öğrencilerle karşılaşmasınlar diye binaları ayrıldı. Kız Üniversitesi Cağaloğlu'na alındı. Karma eğitim 1921'de çeşitli sorunlarla dolu olarak başlayacaktır.

34) Bu tarihte sahneye çıkmak erkek için ayıp, kadın için ahlaksızlık sayılıyordu. Kadınlar çetin, olaylı aşamalardan sonra sahneye çıkabildi. Hâlâ da tiyatroyu gereksiz sayan, bale sanatını ahlaksızlık diye niteleyen kafalar var. Sanatsız, içe kapanık, her yeniliğin engellendiği bir toplumun sonunun ne olduğunu Osmanlı tarihi gösteriyor. İnsan bu ibret verici tarihten ders almaz mı?

35) Opr.Dr. Cemil Topuzlu Paşa, 80 Yıllık Hatıralarım, s.107 vd. Cemil Paşa Belediye Başkanı olduğu zamanki İstanbul'un durumunu kısa dokunuşlarla anlatıyor. Toplumun düzeyine, yönetimlerin zavallılığına ayna tutuyor. Anlattığı ilkellikler insanı irkiltiyor. Bu gerilikte bir imparatorluk 20. yüzyılda varlığını sürdürebilir miydi?

36) Sınava girenler arasında Ali Naci Karacan, Peyami Safa, Halit Fahri Ozansoy, Behzat Butak, Celal Sahir Erozan, İ. Galip Arcan vardı (Özdemir Nutku, Darülbedayi'nin Elli Yılı, s.23).

36a) Serpil Çakır, Osmanlı Kadın Hareketi, s.104-105, Nimet Cemil Hanım'ın 16 Mayıs 1914 günlü yazısı. Küçük eklemeler yapıldı. [Kadınlarımız yirminci yüzyılın başında bu çağdışı anlaşıyla mücadele ediyorlardı.]

37) İ. İnönü, Hatıralar, s.313-319 (Ek-3). Anlaşma hakkındaki bilgiler ilke olarak Sabahattin Selek'in hazırladığı Ek-3'ten alınmadır. Bu çalışmada Osmanlı-Alman ittifak anlaşmasının aşamaları kronolojik ve ayrıntılı bir biçimde yer alıyor. K. Karabekir'in Cihan Harbine Nasıl Girdik, A. İhsan Sabis'in Birinci Dünya Harbi c. 1'inde, Maliye Nazırı Cavit Bey'in anılarında (Ş.S. Aydemir, Enver Paşa, 2. c., s.512-519) bu bilgileri doğrulayan ve ge-

nişleten çok ilginç ayrıntılar var; ayrıca Prof.Dr. Fahir Armaoğlu, *Siyasi Tarih*, s.420 vd.

38) Cavit Bey Almanya ile ittifak yapılmasına karşıydı. Bunun bir Rus saldırısına neden olacağından, memleketin mahvolacağından korkuyordu. Talat Paşa Cavit Bey'e gelişimi 'mukadderat' diye açıklar ve savunur. Aklı, gerçekleri, hesabı kitabı dikkate almayan bu kaderci anlayış, devleti geri bıraktığı gibi yıkımına da neden olacaktır. Bütün kitaplarda İttihat ve Terakki Partisi liderlerinin yurtsever oldukları yazılıdır. Maceracı, kan ve can hovardası, hayalci yurtseverlik, yurtseverlik midir?

39) Alman, Avusuturya-Macaristan ve Osmanlı İmparatorluğu ile Rus Çarlığı bu savaşın sonunda yenilecek, dört imparatorluk da tarihe karışacaktır. İngiltere de gücünü yitirir. Bu dönemden en güçlü olarak ABD ile Japonya çıkacaktır.

40) *İ. İnönü, Hatıralar*, 1. c., s.315 (Ek-3); Anlaşmayla ilgili olarak Alman Büyükelçiliği ile Alman Dışişleri Bakanlığı arasındaki yazışmalar için: Ernest Jackh, *Yükselen Hilal*, s.23-51.

41) *İ. İnönü, Hatıralar*, 1. c., s.316 (Ek-3), Alman İmparatorunun Avusturya ataşemiliterine açıklamasına dayanarak. Bu sözü Liman Paşa'ya Enver Paşa kendi başına vermiş olabilir. Konunun bu evresi aydınlık değil.

42) Buna karşılık Atatürk Milli Mücadele'yi Türkiye Büyük Millet Meclisi ile birlikte ve sıkıyönetimsiz yürütecektir. Meclis'e büyük önem vermiş, saygı göstermiştir. 1950'den sonra hiçbir lider Meclis'e Atatürk gibi önem vermiş, saygı göstermiş değildir. Atatürk ile hepsinin arasında bu konuda da çok büyük fark var.

43) Başkomutan anayasa gereği Padişah olduğundan Enver Paşa'dan Başkomutan Vekili diye söz edilir. Bu kitapta kısaca Başkomutan denilecektir.

44) Anlaşma Bakanlar kurulunca 17 Ekim 1914'te onaylandı (Ş.S. Aydemir, *Enver Paşa*, 2. c., s.511).

45) 2. Meşrutiyet'ten sonraki akımlar, o dönemle ilgili eserlerde, başlıca dört ana başlık altında toplanıyor:
Osmanlıcılık/İttihat-ı anasır,
Türkçülük/Turancılık,
İslamcılık/İslam birliği,
Batıcılık/çağdaşlaşma.
Bunların kolları da vardır. Aynı güçte olmamakla birlikte sosyalizm, halkçılık, liberalizm gibi akımları da eklemek gerekir. Çok önemli bir olgu da kadın hareketidir. Bu akımlardan söz edilirken kadın hareketine yer vermemek büyük eksiklik olur.

İttihat ve Terakki, çeşitli hiziplerden oluşan karma bir kitledir. Bu hizipler içinde yukarki dört akımın temsilcileri de vardır. Ziya Gökalp bu akımlardan üçünü birleştirmeye çalışmıştır. *Türkleşmek, İslamlaşmak, Muasırlaşmak* kitabı bu çabanın ürünüdür. Şunu belirtmek gerek: İttihat ve Terakki yandaşlarının çoğunluğunu yurtseverler oluşturur. Baştaki üç liderin nitelikleri o dönemin sorunları karşısında yetersiz kalmış, duygusal ve maceracı yanları yüzünden devlet ölüm yolculuğuna çıkmıştır.

Karşıtı Hürriyet ve İtilaf Partisi de türlü hiziplerden kurulu karma bir kitledir. Bunları biraraya getiren ana güdü İttihatçılığa muhalefet ve kurulu düzeni korumaktır. Bu partinin içinde de sırf İttihatçılığa muhalif olduğu için yer almış yurtseverler var. Ama bu partiye ümmetçi, dinci, ham sofu, İngilizci, işbirlikçi, milli olan her şeye muhalif, bağımsızlık düşüncesinden yoksun, teslimiyetçi olanlar egemendir. Bu partinin gövdesini tutucular oluşturur. Sorun olanlar daha çok yöneticilerdir.

Bu partinin yöneticileri Milli Mücadele döneminde İngilizlerin destekçisi olacak, Yunanlılarla bile işbirliği yapacaktır. Bu anlayışın unutulmaz örnekleri Damat Ferit, M. Sabri, Sait Molla'dır.

46) Alman Başkomutanlığı ünlü stratejist Schlieffen'in hazırladığı planı uyguluyordu: Kırk gün içinde Fransa'yı dize getirmek, sonra dönüp Rusya'ya yüklenip onu da bitirmek. Riski çok yüksek bir plandı bu. Cephelerden birindeki başarısızlık genel başarısızlığa yol açardı.

Alman ordusu etkili bir savaş makinesidir. Reform Kurulu'ndan Albay Frankenberg askeri eğitimin amacını şöyle açıklar: *"Askerin talim ve terbiyesi o kadar ileri olmalıdır ki askerler birer harp hayvanı haline gelsinler. Almanya ordusunda askeri terbiyenin amacı budur."* (K. Karabekir, *Birinci Cihan Harbine Neden Girdik*, s.57)

Ama Alman kurmaylığının üstünlüğü dayanaksız bir efsanedir. Almanya iki kez dünya savaşını başlatmış, ikisinde de yenilmiştir.

Değerlendirme ve doğru karar vermede yetersizlik ve isabetsizlik Alman politikacılığının da belirgin özelliklerindedir.

47) Ali İhsan Sabis, *Birinci Dünya Harbi*, 1. c., s.170; Fahri Belen, *20. Yüzyılda Osmanlı Devleti*, s.197; Fahri Belen, *Birinci Cihan Harbinde Türk Harbi, 1914 Hareketleri*, s.55 vd.

Bronsart Paşa planını yalnız Rusya ve Balkan devletlerini dikkate alarak hazırlamıştı. Mesela Irak'ı boş bırakır. Bu nedenle planda birçok değişiklik yapılacaktır.

Cihat planda bir Alman düşüncesi olarak yer almıştır. Almanların ısrarı üzerine ilan edilecektir. Türk ordusunun savaşmak için cihat ilanına ihtiyacı yoktu. Hiçbir savaşa cihat ilan edilerek girilmemiştir.

Bu Alman fantezisi, halifeliğin işlevinin kalmadığını göstermeye yarayacaktır.

48) Ş.S. Aydemir, *Enver Paşa*, 2. c., s.502.
Almanya'yı Birinci Wilhelm kurmuştu, ikincisi yıkıma götürecekti. Kendini büyük bir asker sanıyordu. Olmadığını yenilince anlayacak, dört yıl sonra Almanya'dan kaçmak zorunda kalacaktır.

49) Bilal N. Şimşir, *Ermeni Meselesi*, s.128.

50) Yavuz 23.580 tonluk yeni, güçlü bir savaş gemisi. Hızı 29 mil. İki bacalı. 186 m. boyunda. Birçok ağır ve orta topu var. İki geminin Boğaz'a girişinin tarihini 11 Ağustos olarak bildirenler de bulunuyor.
Boğazlarla ilgili uluslararası statüye göre ya bu gemilerin 24 saat içinde ayrılmaları ya da silahlarını teslim etmeleri gerekiyordu. Sadrazam Alman Büyükelçisini çağırtarak bu durumu hatırlatır. Cavit Bey anlatıyor: *"Büyükelçi Sadrazamı tehdit etmiş. Eğer böyle yapacak olursak Ruslarla birleşip Türkiye'yi taksim edeceklerini söylemiş."* (Ş.S. Aydemir, *Enver Paşa*, 2. c., s.529)
İttifak anlaşması imzalanalı daha 8 gün olmuş ve Alman Büyükelçisi Sadrazamı Ruslarla anlaşıp Türkiye'yi aralarında bölüşebileceklerini ileri sürerek korkutmaya çalışıyor! Aynı tehdidi kapitülasyonlar kaldırıldığı gün de yapacaktır.
Bir emperyalist ülkenin uydusu olan bir devletin yazgısı da, göreceği muamele de, karşılaşacağı üslup da budur.

51) K. Karabekir, *Birinci Cihan Savaşına Nasıl Girdik*, s.282.
Bir gün önce de Alman Genelkurmay Başkanı General von Moltke'den Enver Paşa'ya, Almanya'nın Türkiye'ye verdiği iki görevi açıklayan bir yazı gelmişti. Yazının anlamı kısaca şuydu:
"1. Osmanlı ordusu mümkün olduğu kadar çok Rus ve İngiliz birliğini meşgul edecek,
2. Bunlara karşı İslam ihtilalini gerçekleştirecek." (E. Orgeneral Ali Fuat Erden, *Paris'ten Tih Sahrasına*, s.25)
İkinci baskı girişiminin tarihi 31 Ağustostur. Üçüncü ve son baskının tarihi de 20 Ekim (K. Karabekir, *Birinci Cihan Harbine Nasıl Girdik*, s.280-330; A.İ. Sabis, *Birinci Dünya Harbi*, 1. c., s.109, 251; 2. c., s.52, s.69-72, s.78).
Gerçekçi, akılcı Türk kurmayların amacı savaşa girmeyi mümkün olduğu kadar geciktirmek, hiç olmazsa iki yıl kazarmaktı.
Almanlar ise Türklerin savaşa girerek kendisine yardım etmesini istiyorlardı. Enver Paşa bu isteği fazlasıyla karşılayacaktır (*İ. İnönü, Hatıralar*, 1. c.s.107). Hatta asıl cephelerden birlikler çekerek sınır dışına yollar. Birinci Dünya Savaşı ile ilgili askeri tarihler bu gibi teh-

likeli fedakârlıklar, sonuçsuz maceralarla dolu. Yıkım böyle gerçekleşir.

52) Bunun üzerine donanmanın eğitimiyle ilgilenen İngiliz Amirali A. Henry Limpus ve ekipi İstanbul'dan ayrıldılar. Amiral Limpus Malta Tersanesi Komutanlığına atanacaktır.
Alman Amiral Guido von Usedom, İstanbul ve Çanakkale Boğazları Genel Komutanlığına getirildi. Karargâhı İstanbul'dadır, ara sıra Çanakkale'ye gelir. İşe yararlılığı hakkında ciddi bir bilgi ve belge yok. Amiral Merten Çanakkale'ye Başkomutanlık Temsilcisi olarak atandı. Selahattin Adil, bu amirali, 'deniz işlerine bakan ve izleyen tecrübeli, sevimli, uysal bir ihtiyar' olarak tanımlıyor (*Hayat Mücadeleleri*, s.221). Karanlık Liman'a mayın dökülmesini öneren Merten Paşa'dır (*a.g.e.*, s.221). Bu hizmeti unutamayız.

52a) Bu konuda kaynak çok. Dört örnek: Y. Hikmet Bayur, *Türk İnkılabı Tarihi*; Tevfik Çavdar, *Osmanlıların Yarı-Sömürge Oluşları*; Stefanos Yerasimos, *Az Gelişmişlik Sürecinde Türkiye*; Peter Hopkirk, *İstanbul'un Doğusunda Bitmeyen Oyun*.
Bir de zorunlu Ermeni göçü olayında Almanların etkisi konusunda bir Ermeni yazarın kitabı: Vahakn N. Dadrian, *German Responsibility in The Armenian Genocide*, Blue Crane Books, Watertown, Massachusetts, ABD, 1997.

53) Münim Mustafa, *Cepheden Cepheye*, s.9-11'de bu havayı çok güzel yansıtıyor.

53a) Serpil Çakır, *Osmanlı Kadın Hareketi*, s.72 vd.

53b) Darülbedayi'nin okul niteliği biter. Türkler sahne çalışmalarını pek çok sıkıntıya rağmen sürdürürler. Türkiye bu gibi toplumsal kahramanlar sayesinde geleceği yaşama hakkını kazanacaktır.
Bir toplumu, her alanda doğruyu, iyiyi, güzeli temsil eden, savunan, koruyan toplum kahramanları ilerletir, kalkındırır, yüceltir. Bunların olmadığı yerlerde olumsuz öncüler çıkar, halkın zaaflarını kullanarak toplumu gerilere çeker. Bunun son iki örneği İran ve Afganistan'dır.

54) İngiliz Büyükelçisi de aynı öneriyi yapacaktı (A. Thomazi, *Çanakkale Deniz Savaşı*, s.15; S. Çetiner, *Çanakkale Savaşı Üzerine Bir İnceleme*, s.35). Bu tarihte Çanakkale Boğazı'nı savunmak için ciddi bir önlem alınmış değildi.
Churchill şöyle diyecektir:
"Türkiye'yi kalbinden vurmak üzere Yunan ordusu deniz gücünün de desteği ile Gelibolu yarımadasını ele geçirebilir. Bu ise bize Çanakkale'yi açar. Marmara'ya girer, Türk ve Alman gemilerini batırır, oradan Karadeniz'deki Rus donanması ile bağlantı kurar ve tüm duruma hâkim oluruz." (*Birinci Dünya Savaşı Ansiklopedisi*, 1. c., s.241-242)

İngilizler Çanakkale'yi zorla geçme konusunu 1906, 1907 ve 1911'de irdelemişlerdir. Ellerinde birçok harita ve kroki vardı. Konsolosluklardan raporlar geliyordu. Yani İngilizlerin Çanakkale hakkında yeterli bilgileri olmadığı iddiası doğru değildir. Bu, yenilgiyi hafifletmek için bulunmuş bir gerekçedir (*Çanakkale Muharebeleri 75. Yıl Armağanı*, Mete Tuncoku, *İngiliz Gizli Belgelerinde 18 Mart Zaferi ve Çanakkale Muharebeleri*, s.29 vd.).

Bilmedikleri, yeni Türk ordusunun moral gücüydü. Milli rüzgâr ilk kez bütün Türklerin ve onların toprak kardeşlerinin yüreklerini dalgalandırıyordu.

İngilizler kendilerine o kadar güveniyorlardı ki daha fazla bilgi edinmeye gerek görmediler. Bunun cezasını ağır şekilde ödediler.

55) Kararın ilan tarihi: 10 Eylül 1914. Halk şenlikleri ve Almanların tepkileri için: K. Karabekir, *Birinci Cihan Harbine Nasıl Girdik*, s.311 vd.

Maliye Bakanı Cavit Bey müttefikimiz Almanya'nın Büyükelçisi Baron von Wangenheim'in kapitülasyonların kaldırılması kararına tepkisini şöyle anlatıyor: "*Wangenheim geldi. Tabiat dışı, delirmiş bir hal ve vaziyet içindeydi. Kendimi kudurmuş bir köpek karşısında zannettim. Söz söylemiyor, konuşmuyor, sanki havlıyordu... Wangenheim bu kararı, kendisine danışmadan aldığımızdan, müttefik olduğumuz için böyle bir şey yapmaya hakkımız olmadığından bağırıp çağırıyordu... İttifakın bile bozulacağından dem vuruyordu vb...*" (Ş.S. Aydemir, *Enver Paşa*, 2. c., s.547)

56) 26 Eylül 1914; Alan Moorehead, *Çanakkale Geçilmez*, s.36 vd.; İ. Artuç, *Çanakkale 1915*, s.29, 48.

Almanya'dan gelen cephane yüklü Rodosto adlı gemi, bir talih eseri olarak bu karardan bir gün önce Boğazı geçip Marmara'ya girmiştir (Fevzi Kurtoğlu, *Çanakkale ve 18 Mart 1915*, s.12). Bu olay cephane sorununu biraz hafifletecektir.

57) O tarihteki Genelkurmay Harekât Şubesi Müdürü Ali İhsan Sabis eksikleri en iyi bilecek konumdaydı. Eksikleri şöyle açıklıyor: "Lokomotif, vagon, yol, makineli tüfek, tüfek, cephane, kamyon, otomobil, araba, sağlık malzemesi, tahkimat gereçleri, deniz araçları, giyim kuşam. Hatta erzak ve cephane depoları yoktu." (Ali İhsan Sabis, *Birinci Dünya Harbi*, 2. c., s.24, 37) İşe yarar sadece 6 tane uçak vardı (*Havacılık Tarihinde Türkler*, s.171).

Demiryolu kapalı olduğu için Almanya'dan ya da Avusturya'dan yardım alma şansımız yoktu. Eksiklerin savaşa etkilerini yakından göreceğiz.

57a) Anı defteri ile ilgili satırların bir bölümü Mucip Kemalyeri'nin anılarından alınmadır. Bir bölümü ise geneldeki anlayış korunup biraz serbestçe yazılmıştır.

58) Almanya'ya yollanan raporun metni: C. Akbay, *Birinci Dünya Savaşında Türk Harbi*, 1. c., s.208; A. İhsan Sabis, *Birinci Dünya Harbi*, 2. c., s.78.

59) K. Karabekir, *Birinci Cihan Harbine Nasıl Girdik*, s.331 vd.; A. İhsan Sabis, *Birinci Dünya Harbi*, 2. c., s.70 vd.; İ. İnönü, *Hatıralar*, 1. c., s.335 vd. ; Y. Hikmet Bayur, *Türk İnkılabı Tarihi*, III. c., I. Kısım, s.229 vd.

60) Y. Hikmet Bayur, *Türk İnkılabı Tarihi*, III. c., I. Kısım, s.232 (Cemal Paşa'nın anılarına dayanarak).

61) Bu ve öteki bütün yazılı emirler için: A. İhsan Sabis, *Birinci Dünya Harbi*, 2. c., s.85 vd.

Ali İhsan Paşa bu bilgiler için kaynak olarak "Almanların neşrettikleri vesikalar" demekte fakat bu vesikaları içeren kaynağın künyesini vermemektedir. Bu kaynak hakkında ciddi bir bilgiye başka araştırmalarda da rastlamadım.

Yalnız Ahmet İhsan Tokgöz'ün *Matbuat Hatıralarım* adlı eserinde bir bilgi var (s.249). Yazar Enver Paşa'nın saldırı emrinin kopyasının Almanca *Politsche Wissenschaft* dergisinin 1929 tarihli 7. sayısının ekler bölümünde yayımlandığını belirtmektedir. Ali İhsan Paşa'nın yararlandığı kaynak bu mudur, kestiremedim.

Enver Paşa'nın yazılı emirleri Türk belgeliklerinde yoktur.

Buna karşılık Alman Elçiliği ile Berlin arasında bu konuya ilişkin yazışmaların saklanıp korunduğu anlaşılıyor.

Bu konuda güven verici bir yabancı kitap, Geofrey Miller'in *Straits* adlı kitabı. 21. bölüm, The Private War, s.320-339'da doyurucu bilgi var (bu bölümü benim için çeviren Arzu Timur'a minnettarım). Kitabın künyesini kaynakça bölümünde verdim.

Enver Paşa bu kararı öteki iki paşaya ne zaman söyledi, bilinmiyor. Cemal Paşa anılarında bu konuyu sessiz geçiyor. Talat Paşa karardan haberi olmadığı iddiasını sürdürüyor. Cemal Paşa'nın bu kararı bildiğini ve paylaştığını verdiği yazılı emir ve yaptığı konuşmalar kanıtlamaktadır. Birçok güvenilir araştırmacı Talat Paşa'nın da bildiği görüşündedir.

Enver Paşa bile olaydan haberi olmadığını söylemiş (Cavit Bey'in anılarına dayanarak, C. Akbay, *Birinci Dünya Harbinde Türk Harbi*, s.232).

Üçü de doğruyu saklıyor.

Gerçekler savaştan sonra anlaşılacaktır. Sadrazam Sait Halim Paşa gerçeği belki Malta'da sürgündeyken öğrenmiş olabilir.

62) A. İhsan Sabis, *a.g.e.*, s.86.

63) C. Akbay, *Birinci Dünya Harbinde Türk Harbi*, s.225; Cemal Paşa'nın yazılı emri ATASE Deniz Arşivinde bulunmaktadır.
Söz konusu emir özetle şöyle:
"Donanmanın Karadeniz'de yapacağı tatbikatta Amiral Souchon Paşa tarafından verilecek her nevi emirlere, harfi harfine itaat edilmesini ve bu hususta katiyyen tereddüt gösterilmeyerek emirler gereğinin her türlü haller ve şartlar dairesinde yapılmasını isterim."

64) O tarihte adı Halide Salih'tir. Karışıklığa neden olmamak için bir süre sonraki ve bilinen adını kullandım.

65) A.İ. Sabis, *a.g.e.*, s.85.

66) Gemilerin adları: Yavuz (muharebe kruvazörü), Midilli, Hamidiye (hafif kruvazörler), Berk-i Satvet, Peyk-i Şevket (küçük kruvazörler), Muavenet-i Milliye, Gayret-i Vataniye, Samsun, Taşoz (muhripler), Nilüfer, Samsun (mayın gemileri), ayrıca İrmingat (kömür gemisi). (Haydar Alpagut, *Büyük Harbin Türk Deniz Cephesi*, Genelkurmay Y., İstanbul, 1937)

67) Bu sırada Rus filosu da Karadeniz açıklarında idi. Birbirlerine rastlamadılar. Haydar Alpagut, Rus filosunun düzeninden ve esirlerin açıklamalarından onların da bir karşı baskın hazırlığında oldukları sonucunu çıkarıyor, *a.g.e.*, s.60; A. İhsan Sabis de buna yakın bir görüştedir, *a.g.e.*, s.106.

Birinci Bölüm

1) ATASE, *Birinci Dünya Harbinde Türk Harbi*, 1. c., s.218.

2) *Çanakkale Muharebeleri 75. Yıl Armağanı*, s.4.

3) Tabya: Birden çok bataryanın yerleştirildiği top mevzileri. Cephanelikler, kışlalar, korunmak için sığınaklar, siperler bulunuyor.

Bir bonet

Üstü killi toprakla örtülü, kalın taş duvarlı ve damlı cephaneliklere bonet deniliyor. Mermiler, hartuçlar bonetlerin zeminlerindeki dehlizlerde saklanıyor. Büyük topların ağır mermileri tavana asılı kaldıraçlarla havada kaydırılarak kapı önüne getiriliyor. Kapı önünde dar raylı vagoncuklara yükleniyor. Mermi vagonla topun yük asansörüne getiriliyor. Kaldırılıp namluya sürülüyor. 7 Mart savaşında Mecidiye tabyasındaki askerler atışı hızlandırmak için bu mermileri sırtlarında taşırlar. Bo-

Bir bonetin içi:
Cephanelik ve sığınak

netler sığınak görevi de görüyorlar. Top iki bonet arasındaki açıklıkta yer alıyor. Çanakkale'deki bütün toplar açıktaydı. Topun kalkanından başka koruyucusu, birçok topun kalkanı da yoktu. Beton top yuvaları söz konusu değildi.

Bugünkü Ertuğrul tabyasında bulunan betonumsu, korunaklı makineli tüfek yuvasının gerçekle ilgisi yok. Gerçeğe aykırı bir eklentidir. 25 Mayıs 1915 günü Ertuğrul Koyu'nda tek makineli tüfek yoktu ki yuvası olsun.

3a) Sembolik mezarları Seddülbahir köyünden limana inen yol üzerindedir. Seddülbahir köyü ile Kale arasında bu ilk şehitler için yapılmış bir de anıt var.

4) Selahattin Adil, *Hayat Mücadeleleri*, s.208 vd.

Mayın hatları dörde çıkartılmıştı. Beşinci ve altıncı hatlar da kurulmak üzereydi. Bu mayınların çoğu Türk denizcilerinin canları pahasına özellikle Karadeniz'de topladıkları Rus mayınlarıdır. Toplanan mayınları Alman mühendis ve ustaları gözden geçiriyor, gerekiyorsa onarıyorlardı (Şevki Yazman, s.43). İki gizli yere de gemilerden sökülen torpil kovanları yerleştirilmişti.

Boğaz'dan geçemeyecekleri düşünüldüğünden denizaltılar için herhangi bir önlem alınmadı. Denilebilir ki böyle bir savaş için Almanlar ve Türkler gibi İngiliz ve Fransızlar da acemiydiler. İlk kez böyle bir savaş olacaktı.

Müstahkem Mevki Komutanı Cevat Çobanlı 29 Kasım 1914'te paşa olacaktır (bu bilgiyi E. Mütercimler'in *Gelibolu* kitabına borçluyum, s.XVII). Doğal rütbe değişiklikleriyle izlemeyi zorlaştırmamak için şimdiden paşa olarak gösterdim.

Selahattin Adil Bey de şimdi binbaşıdır, kısa bir süre sonra yarbay olacaktır.

5) Alman uzmanlar denizden gelecek bir hücumun girişteki tabyaların güçlendirilerek önlenebileceği, düşmanın Boğaz'a girmesinin bu yolla engellenebileceği düşüncesindeydiler. Bu planın işlemesi için bu tabyalara uzun menzilli, yeni, büyük toplar yerleştirmek, topları beton korunaklar içine almak vb. gerekti. Konuşuldu ama hiçbiri gerçekleştirilemedi.

Savunma düzeni Müstahkem Mevki Komutanlığının görüşüne uyularak düzenlendi.

Savunma üç bölümden oluşuyordu:

1. Giriş tabyaları.

2. Çanakkale-Kilitbahir arası Boğaz'ın en dar yeridir. Buraya İngilizler Geçit diyorlar. Türk savunma düzenine göre asıl savunma bölgesi burasıydı. Büyük tabyalar Çanakkale-Kilitbahir (Geçit) çevresinde toplanmıştır.

3. Giriş ile Geçit arasındaki kesim ise, savunmanın orta bölgesiydi. Orta bölgenin iki yakasına çeşitli gizli, gezici, sabit, sahte bataryalar yerleştirildi.

Bu günlerde topçuluk ve mayın konusunda işinin ehli ve silah arkadaşlığına saygılı Almanlar da geldi. İstanbul ve Çanakkale istihkâmlarında görevli bu Almanların sayısı en fazla 150 kişidir. Ne kadarı Çanakkale'dedir, bilinmiyor. Yarbay Wassidlau, topçu subay ve astsubayların eğitimi için başöğretmen olarak görevlendirildi, Anadolu Hamidiyesi tabyasının komutanlığına getirildi.

Teknik konularda eğitime muhtaç bir durumdaydık.

Niye bu kadar yoksulduk, niye teknik alanda yetersizdik, bunu tartışmalı, buna üzülmeli, bundan utanmalı, bu geriliği bir daha yaşamamak için tetikte durmalıyız.

6) Batarya=birkaç toptan oluşan topçu birimi.

7) Limni adası Osmanlı toprağıydı, Balkan Savaşı sırasında Yunanlılar işgal etmişlerdi. Adanın hukuki durumu daha belli değildi. İngiliz ve Fransızlar Osmanlının susması, Yunanistan'ın göz yumması sonucu Limni'ye yerleştiler, Gökçeada ile Bozcaada'ya da el koydular.

8) Liman von Sanders, *Türkiye'de Beş Sene*, s.69 vd.; kitabında bu güvensizliğini itiraf ediyor; ayrıca *a.g.e.*, s.397.

9) Bunlara aşamalı olarak Kanada, Avustralya, Yeni Zelanda, ABD ve Romanya da katılacaktır.

10) Fahri Belen, *20. Yüzyılda Osmanlı Devleti*, s.200.

11) Fahri Belen, *a.g.e.*, s.200.
Ümmetçilik bir imparatorluk siyasetidir, imparatorlukla birlikte ümmetçilik de sona erer. Ermesi gerekir. En ünlü ümmetçi M. Akif Ersoy'dur. Ama Milli Mücadele başlayıp Andolu'ya geçince, millet olgusunu kabul edecek, milli düşüncenin, duygunun, bilincin ne kadar önemli olduğunu kavrayacaktır. İstiklal marşındaki 'milletim, millet, ırkım' gibi sözcükler bu gelişimin kanıtlarıdır.

12) Bizde askeri tarihçiliğin kurucusu olan Yarbay Bursalı M. Nihat Bey diyor ki: "İleri görüşlü bir kumanda makamı bulunmadığı için Çanakkale Boğazı çevresinde toplanan kara birliklerinin belirli bir **savunma stratejisi** yoktu." (*Çanakkale Savaşı*, Editör: M. Albayrak, s.20)

13) Cihad-ı ekber= büyük cihat, dinsel savaş, din uğruna savaş; cihad-ı mukaddes= kutsal cihat.

14) Ziya Şakir, *Cihan Harbini Nasıl İdare Ettik*, s.97.

15) Ş.S. Aydemir, *Tek Adam*, 1. c., s.215.

16) Atatürk o günleri anlatırken özetle diyor ki: "Arkadaşlarım savaş cephelerinde, ateş hatlarında bulunurken, ben Sofya'da ataşemiliterlik yapamazdım. Ben gerekirse bir nefer gibi herhangi bir savaş cephesine koşmaya karar vermiştim. Sofya'daki eşyalarımı Elçiliğe taşıdım. Bavulumu hazırladım. Bu sırada İsmail Hakkı imzalı bir telgraf aldım. Telgraf şu idi: '19. Tümen Komutanlığına atandınız. Hemen İstanbul'a hareket ediniz.' İstanbul'a geldiğim zaman Enver Paşa Erzurum'dan dönmüştü. (F. Rıfkı Atay, *Atatürk'ün Hatıraları*, s.3, İşb. Y., Ankara, 1965)

17) Dünyanın büyük bir bölümünü fethetme ve yönetme.

18) K. Karabekir, *Cihan Harbine Nasıl Girdik*, s.233 vd..

19) K. Karabekir, *Cihan Harbine Nasıl Girdik*, s.240 vd.

20) Batum, Kars, Sarıkamış ve Ardahan önceki Osmanlı-Rus savaşından beri Rusların işgali altındaydı.

21) Kâmuran Gürün, *Ermeni Dosyası*, s.258.

22) Albay von Kress bir aydır Suriye'de idi, Süveyş seferinin hazırlıkları ile uğraşıyordu. Sina yarımadası 400 yıldır Osmanlı'nın mülküydü ama bir kum ve taş çölü olan Tih sahrasında, seferi kolaylaştıracak hiçbir altyapı bulunmuyordu.

23) A. İhsan Sabis, *Birinci Dünya Harbi*, 2, s.162.

24) Fevzi Kurtoğlu, *Çanakkale ve 18 Mart 1915*, s.44.

25) Selahattin Adil, *Hayat Mücadeleleri*, s.212.
26) Salih Bozok, *Hep Atatürk'ün Yanında*, s.174 vd.
27) C.F.A. Oglander, *Gelibolu Askeri Harekâtı (İngiliz Resmi Tarihi)*, 1. c., s.67; Churchill'in konuşması biraz süslenmiştir.
28) A. İhsan Sabis, Birinci Dünya Harbi, c. 2, s.224 vd.; Sabis şöyle yazıyor: "Öyle zannediyorum ki Sarıkamış seferi hakkındaki felaket doğuran kararı bu rapor çabuklaştırmıştır." (s.225)
29) Cemal Paşa, *Hatıralar*, s.155; Selek; Cemal Paşa'nın İstanbul'dan ayrılış tarihi: 4.11.1914; bir süre sonra Halide Edip Hanım çağrı üzerine, Falih Rıfkı Atay yedek subay olarak Şam'da, Cemal Paşa'nın yakınında yer alacaklar.
30) Arap milliyetçiliğinin doğuşu ve bağımsızlık hareketleri konusunda Ali Bilgenoğlu'nun *Osmanlı Devleti'nde Arap Milliyetçi Cemiyetleri* adlı eserini tavsiye ederim.
31) A. İhsan Sabis, *Birinci Dünya Savaşı*, c. 2., s.238.
31a) Albayın tam adı: Baron Kress von Kressenstein.
32) Albay von Kress'in Türklerle Birlikte Süveyş Kanalına adlı anılarından aktaran Ali Fuat Erden, *Suriye Hatıraları*, s.15.
33) Mayınlar, ucunda ağırlık bulunan bir zincir ya da telle denize bırakılır, denizin dibine inen ağırlık bir çeşit demir görevi görerek, mayının akıntıyla akıp gitmesini önler, sabit tutar. Denizaltının mayınların zincirlerine takılmaması için bir çare bulmak gerekmekteydi.
34) 592 erden 568'i kurtulmuş, 24'ü şehit olmuş, 63 subaydan 10'u şehit olmuş, 53'ü kurtulmuştur. 9 subay ve 250 er alıkonarak Baykuş bataryasında 3 tane 15'lik Mesudiye topu için görevlendirilmiş, geri kalanlar İstanbul'a gönderilmiştir.

Gemide kapalı kalanlar olmuştu. Bordaya vurarak yaşadıklarını haber verdiler. Kurtarmak için çift katlı bordayı delmek gerekiyordu. Koca Müstahkem Mevkide bir oksijen aygıtı yoktu. İstanbul'dan getirtildi. 36 saat sonra içerde kalanlardan 7'si kurtarılabildi. 2'si şehit olmuştu.

Bu başarı İngiliz denizcileri için büyük moral oldu. Yeni, daha ileri, daha tehlikeli girişimler için cesaret verdi. Yüzbaşı Norman D. Holbrook Viktoria Cross nişanına layık görüldü.

Bazı kitaplarımızda olayın tarihi 26 Aralık diye veriliyor. Doğru tarih 13 Aralık 1914 Pazar günüdür.
35) Erzurum ve Hasankale'deki askeri hastanelerde çalışan tüm sağlık görevlileri de tifüse yakalanmışlardır. Bir bölümü kurtulmuş, 169 doktor, 25 eczacı, bir dişçi ve görevli 7 son sınıf tıp öğrencisi tifüsten ölmüştür.

Cumhuriyetin devraldığı maddi miras çok zavallıcadır. Okuma yazma oranı erkeklerde % 7, kadınlarda % 04 idi. Bu iki sayı genel durumu anlatmaya yeter.

35a) 9. Kolorduyu fiilen Enver Paşa yönetiyordu. 9. Kolordu Komutanı İhsan Latif Paşa (Sökmen) diyor ki: "Kafkas cephemizin bu taarruzunda Başkumandan vekilinin gösterdiği iktidarsızlığın derecesine hâlâ hayret etmekteyim. Bir türlü anlayamıyorum, bir Başkumandan vekili askerlik fennine bu derece yabancı olabilir miydi? 9. Kolordu Sarıkamış'ta Enver tarafından pek ilkel bir zekâ ile idare edildi." (Röportajı yapan Nizamettin Nazif, Foto Magazin, 1.10.1938, sayı 6; bu bilgiyi Dr. Metin Soytürk'ün bir internet açıklamasına borçluyum.)

36) Sarıkamış Savaşı (22 Aralık 1914-5 Ocak 1915) kaynakçada yer alan Sarıkamış'la ilgili kitaplar ile Ali İhsan Sabis'in ve Fahri Belen'in kitaplarından yararlanarak özetlenmiştir.

Prof.Dr. Bingür-Reyhan Yıldız'ın *Sarıkamış* kitabı bu kitabın yazımı biterken yayımlandı. Okudum ve yazdıklarımı bu çalışmayı da dikkate alarak bir daha denetledim.

Sarıkamış felaketinde kayıp sayımız hakkında çeşitli kaynaklarda değişik sayılar verilmektedir. Sayı 50.000 ile 90.000 arasında değişmektedir. Fahri Belen ordunun savaş öncesi varlığının 120.000 olduğunu dikkate alarak "Kaybın 60.000'den daha fazla olduğunu kabul etmek lazımdır" diyor. (*Birinci Cihan Harbinde Türk Harbi, 1914 Yılı Hareketleri*, s.192)

Ruslara hayli esir verilecektir. 9. Kolordu Komutanı ve karargâhı da esir düşer.

Hafız Hakkı Paşa da kısa bir süre sonra tifüse yakalanacak ve Şubat 1915'te Erzurum'da ölecektir. Bütün sorumluluğu Hafız Hakkı Paşa'ya yükleyip Enver Paşa'yı aklamak mümkün değildir. Bu, Başkomutanı yok saymak, gerçekleri örtbas etmek, tarihi saptırmak olur.

Rus ordusunun karşı taarruza geçmesi durumunda bitik Doğu ordusunun artık direnebilmesi mümkün değildi. Nitekim Rus ordusu, Ermeni çetelerini de peşine takarak Doğu ordusu kalıntısını ezip geçerek Van'ı, Muş'u, Erzurum'u, Trabzon'u, Erzincan'ı işgal edecektir (1916, 1917).

37) Ş.S. Aydemir, *Enver Paşa*, 3. c., s.136 vd.

38) C.F. Aspinall-Oglander, *Gelibolu Askeri Harekâtı*, s.82 vd.

38a) Serpil Çakırtaş, *Osmanlı Kadın Hareketi*, s.80.

39) Birkaç topu olan küçük savaş gemisi.

40) Fransız denizaltıları Çanakkale'de bir başarı kazanamayacak, biri de Türklere kaptırılacak (Turquoise/Müstecip Onbaşı).

Kurtulan 13 kişi esir kamplarında misafir edilmiş, Mondros Mütareke Anlaşması sonucu ülkelerine geri verilmişlerdir. Bunlardan biri olan Françis Gutton 1976'da bir kitap yayımlayarak bu olayı anlatmıştır (*Prisonnier de Guerre Chez Turc/* Türklerin Elinde Savaş Esiri).

Bu kitabın 6. sayfasında o günü şöyle anlatıyor:

"Geminin 27 personelinden ancak 13 kişi yüzerek kurtulabildi. Kıyıdan yaklaşık 1.500 metre uzaktaydılar. İki Türk gemisi onları topladı. Bir deniz subayının komutasındaki mavnaya nakledildiler. Fransızlar sırılsıklam ve soğuktan titreyerek geminin döşemesine serilmişlerdi. Bu mevsimde Çanakkale Boğazı'nın sert rüzgârı, şiddetli soğuğu onları iliklerine kadar titretiyordu. Türk subayı hemen ceketini çıkararak Fransızlardan birine giydirdi. Bunun üzerine erler de ceketlerini çıkarıp diğerlerine örttüler. Böylece Fransızlar okul kitaplarında okudukları 1870 savaşında bir Fransız askeri ile Alman askeri arasında geçtiği söylenen insancıl bir hikâyenin gerçeği ile karşılaştılar."

(Bu kitapla ilgili bilgi ve çevrilen kısım, A. Thomazi'nin *Çanakkale Deniz Savaşı* adlı kitabın çevirmeni Hüseyin Işık'ın çeviriye eklediği dipnottan [s.13] alınmıştır.)

Müstecip Onbaşı

41) Bu olaydan üç gün sonra 20x50 metre boyutunda 4 parça demir ağ Boğaz'ın uygun yerine yerleştirildi. 4 parça daha gelecek, onlar da eklenecektir. Bir işe yarayacak mıydı bu uydurma ağlar? Hayır. İngiliz denizaltıları burunları ile vurup bu zayıf ağları parçalar ve geçerler.

42) Enver Paşa, sevmediği, korktuğu, çekemediği ama değerini bildiği insanları, kendinden uzak tutmuş, parlamalarına izin vermemiş fakat harcamamış, devleti hizmetlerinden yoksun bırakmamıştır. Bu olumlu özelliğini belirtmek gerekir.

43) Kadın hareketiyle ilgili yazılar için genel olarak Serpil Çakır'ın *Osmanlı Kadın Hareketi* ile Aynur Demirdirek'in *Osmanlı Kadınlarının Hayat Hakkı Arayışının Bir Hikâyesi* adlı eserlerinden yararlandım. Bu ve bundan sonra yer alacak olan yazılar bire bir aktarma değil. Kimini birleştirerek oluşturdum, kimi biraz süslenmiştir. Ama hepsinin özü gerçektir. Kadınlarımız ciddi bir mücadele vermiş, Cumhuriyet dönemindeki kadın devrimlerine sağlam bir zemin hazırlamışlardır.

44) 1918 Ekiminde Almanların da Osmanlıların da yenildikleri belli olur. Liman Paşa yenik bir komutan olarak Yıldırım Ordular Grubu'nun Komutasını M. Kemal Paşa'ya devredecek ve galiplere teslim olmak üzere İstanbul'a dönecektir. O yenik bir ordunun ve devletin eski bir

askeri olarak evinde oturur, M. Kemal emperyalizmi ve iç uzantıla-rını yener, Türkiye Cumhuriyeti'ni kurar.

Almanı anan bile yok, öteki bir kurtarıcı, ebedi bir lider, bir devlet kurucu. Aralarında tarih kadar büyük fark var.

45) İlk kademe 15.000 kişi kadardı. Bu kuvvetin komutanı Yarbay Ali Fuat Cebesoy'du. Bu kademe Kanal'a üç kol halinde yaklaşır. İkinci kademe, 10. Tümendi. On bin kişiydi. Komutanı bir Almandı.

46) G.H. Cassar, *Çanakkale ve Fransızlar*, s.93.

47) (F.R. Atay, *Çankaya*, s.123; ayrıca Dr. Ernest Jackh, *Yükselen Hilal*, s.185 vd.)

47a) Atatürk'ün konuşmalarını, Atatürk'ün yazdıkları, söyledikleri ve yaptıklarından yararlanarak, esinlenerek yazıyorum.

48) 57. Alay, s.23 (ATASE arşivine dayanarak).

48a) Kanal savaşına Yedeksubay Münim Mustafa da katılmış. İzlenimleri için: *Cepheden Cepheye*, s.24 vd.

49) F.R. Atay, *Zeytindağı*, s.105; A.İ. Sabis, *Birinci Dünya Harbi*, s.347; A.F. Erden, *Paris'ten Tih Sahrasına*, s.158.

50) Kanal'a ikinci kez taarruz etmeye karar verildi. Bu kez oldukça iyi hazırlanıldı. 264 km. demiryolu hattı, 38 km. su borusu döşendi. 100 km. telgraf hattı çekildi. Bu seferki taarruza bir Alman birliği de ka-tıldı. Sefer kuvveti 20.000 kişi, 5.000 deveydi (12 Temmuz 1916-14 Ağustos 1916). Sonuç yine başarısızlık olacaktır (İ. Görgülü, *On Yıl-lık Harbin Kadrosu*, s.132 vd.).

Osmanlı, Anadolu'ya bir km. demiryolu döşemiş değildir. Var olan-lar yabancıların döşediği ve işlettiği demiryollarıydı.

51) Gidenler 58. ve 59. Alaylardı. Başkomutanlık 19. Tümeni Eceabat'a göndermek istiyordu. Amaç tümenin eksiksiz gitmesini sağlamaktı. Alınan iki alayın yerine 26. Halep Tümeninin iki alayı (72. ve 77. Alaylar) verilmişti.

52) Tırnak içindeki söylem M. Kemal'indir, Fahrettin Altay, *10 Yıl Savaş ve Sonrası*, s.82,83.

53) ATASE, *Çanakkale 1*, s.80 vd.

54) Gazanfer Şanlıtop, *Çanakkale Geçilmedi*, s.122 vd.

Yüzbaşı Hilmi Şanlıtop ve yardımcısı Teğmen Fahri

İkinci Bölüm

1) Orhaniye tabyası (iki uzun menzilli top) bir Alman komutan ile Alman mürettebata devredilmişti.

2) Robert Rhodes James, *Gelibolu Harekâtı*, s.60.

3) 49 subay, 3.638 erbaş ve er, 373 hayvan, 2.288 tüfek, 4 ağır makineli-tüfek (*57. Alay*, s.23).

4) Şevki Yazman, *Türk Çanakkale*, s.28 (ATASE 1'de Birleşik Donanma'nın kaybı hakkındaki sayılar farklı).

5) Mayın hatlarını korumakla görevli toplardan kurulu bataryalara 'set bataryası' deniyor. Orta bölgedeki topların sayısı 200 kadar. Ama yerleşim yerleri/açıları bakımından hepsi birden bütün Boğaz içini ateş altına alamıyor. Etkili oldukları farklı kesimler var.

6) F. Günesen, *Size Ölmeyi Emrediyorum*, s.60; Dardanos Bataryası Komutanı Üsteğmen Hasan Hulusi Kilitbahirli'dir. Bataryasında üçü Asar-ı Tevfik gemisinden, ikisi Muin-i Zafer gemisinden sökülmüş beş gemi topu vardı. Bu bataryanın biraz sağında, biraz solunda iki batarya daha bulunuyor. Üçü birden bir üst komutana bağlı: Yüzbaşı Mithat Bey.

6a) 9. Tümenin karargâhı Çanakkale'de, üçüncü alayı Çanakkale'nin güneyinde idi. Eskiden beri Gelibolu yarımadasında bulunan iki alayı M. Kemal'in emrine verilmiştir. Bu tümenin ve alayların no.larının belirtilmesini ayrıntı saymayınız. Bu yiğit tümen ve alaylarıyla ilerde çok karşılaşacağız. Şimdiden tanımak yararlı olur.

7) F. Belen, *Çanakkale Seferi, Mehmetçik ve Anzaklar* kitabının son bölümü, s.188 vd.; F. Belen Kolordunun hazırladığı planı övüyor, Liman Paşa'nın planını eleştiriyor. Diyor ki: "Stratejik hatalar taktik tedbirlerle düzeltilemez. Buna rağmen kıyıdaki küçük Türk birliklerinin kahramanlıkları ve M. Kemal'in durumu kavrayış yeteneği, sorumluluğu üstlenme kudreti, düşmana ilk safhada sahip bulunduğu bu büyük fırsattan faydalanma imkânını vermemekle, savaşın kaderi üzerinde etkili olmuşlardı." (*a.g.e.*, s.190)

8) İstanbul donanma ile işgal edilemezdi. Lord Kitchener kara kuvvetlerine iş düşebileceğini düşünmeye başlamıştı. General Paris komutasındaki Deniz Piyade Tümenini gerektiğinde Limni'ye göndermeye razı oldu. Mısır'da bulunan Avustralya Tümeni ile Yeni Zelanda Tugayına da (Anzac Kolordusu) harekete hazır olmalarını bildirdi.
Anzak Kolordusu Komutanı General Birdwood Boğaz'ın yalnız donanma ile aşılamayacağı, Carden'in çok iyimser olduğu görüşündeydi.Bu görüşünü bir rapor halinde Londra'ya bildirdi ama hiç etkisi olmadı.

Anzac= Australian and New Zealand Army Corps; 'Anzak' diye okunuyor.

8a) Şimdi Arıburnu, Seddülbahir ağaç denizi, büyük bir ormanlık. Çanakkale Savaşı sırasında öyle değildi. Genel olarak çıplaktı. Bu ormanlar, ağaçlar, Cumhuriyet'in eseridir.

8b) Askeri örgütlenme şöyle: Bir manga 9 kişi, bir takım 9 manga (81 kişi), 3 takım bir bölük (250 kişi), bir tabur 4 bölük (1.000 kişi), bir alay 3 veya 4 bölük (3.000-4.000 kişi), bir tümen 3 alay ve bağlı birlikler (10.000-13.000 kişi). Bağlı birlik diye, tümenlerde, kolordularda komutanlığa bağlı muhabere, istihkâm, süvari bölüğü, top taburu, sağlıkçılar, sahra hastanesi, ekmekçiler, ulaştırmacılar gibi birimlere deniyor. Tümen kendi kendine yeterli en büyük birim.

8c) Ağır makineli tüfekler yeni silahlardı. Türk ordusuna da yeni girmişti. Sayısı azdı. Bu yeni silahların etkisi ve önemi kavranmıştı ama taarruz ve savunma taktikleri gelişmemiş, belirlenmemişti. Bu konudaki acemilik düşman için de geçerliydi. Bu yüzden iki yan da bu çok etkili silahların üzerine, sık saflar halinde yürüyor ve biçiliyorlardı.

8d) Yüzbaşı Halis Ataksor hakkında bilgi: S. Serdar Halis Ataksor, *Çanakkale Muharebelerinde Mütevazı Bir Asker: Binbaşı Halis Ataksor, Çanakkale Savaşı*, s.41.

8e) Bu kütleye Kocadağ/Kocaçimen Dağı deniyor. Kocaçimen Tepe bu kütlenin en gerideki en yüksek tepesi. Conkbayırı, Düztepe, Kılıçbayırı, Cesaret Tepe, Kanlısırt, Kırmızısırt, Kemal Yeri vb. yerler bu kütlenin parçaları.

İngilizler bu kütlenin Hain Tepe'den Kocaçimen Tepe'ye kadar olan batı kesimine Sarıbayır diyorlar: Bu kesimde büyük, derin, dik, çıplak ve sarı yarlar, yamaçlar var.

8f) Belgelere geçmiş bir durumu yansıtmaya çalışıyorum. Eğer 77. Alay, 27. ya da 57. Alay gibi olsaydı Arıburnu savaşının ilk iki günde bitmesi mümkündü. Yedi buçuk ay uzadı. Onbinlerce Türk öldü. Bir o kadarı sakat kaldı. Şefik Aker 27. Alay ile ilgili anı-raporunda özellikle 77. Alay hakkında yeterli bilgi veriyor.

9) A.F. Türkgeldi, *Görüp İşittiklerim*, s.117; *Sultan Abdülhamit'in Hatıra Defteri*, s.157. (Bu sahne hakkında iki kaynak arasında farklar var. İkisini birleştirdim.)

10) N.H. Uluğ, *Çanakkale Destanının Ellinci Yılı*, s.115 vd. (Korgeneral Arif Tanyeri'nin anıları).

11) 3 Martta Venizelos Gelibolu'ya üç Yunan tümeni çıkarılmasını önerdi. Rusya, Boğazları ve İstanbul'u kimseyle paylaşmak niyetinde değildi. Bu öneriye şiddetle karşı durdu. Bunun üzerine Venizelos'un önerisi isteksizce reddedildi (C.F. Aspinall-Oglander, 1. c., s.112).

12) C.F. Aspinall-Oglander, 1. c., s.111.
13) Bazı kitaplarda bu düzeni 9. Tümen Komutanı Halil Sami Bey'in aldırdığı yazıyor. Oysa buralar ve buradaki birlikler Eceabat Bölge Komutanı Yarbay M. Kemal'in emrindedir. Halil Sami Bey karargâhı ve 25. Alayı ile Çanakkale'dedir. İlerde yeniden Gelibolu'ya gelene kadar Gelibolu'daki alaylar ve olaylar ile bir ilgisi olmayacaktır.
14) Kilitbahir tabyaları: Değirmendere, Namazgâh, Rumeli Hamidiye, Rumeli Mecidiye, Yıldız; Çanakkale tabyaları: Nara, Anadolu Mecidiye, Çimenlik, Anadolu Hamidiye.
(Değirmendere ve Yıldız tabyalarının izi yok. Rumeli Hamidiye ve Mecidiye tabyaları bakımsızlıktan utanç verici bir halde. Namazgâh bazı yanlışlıklar yapılarak yenilendi. Çanakkale tarafındaki bütün tabyalar, askerlerin denetiminde oldukları için, bakımlı, koruma altında.)
15) M. Kemal, *Arıburnu Muharebeleri Raporu*, s.6, 7.
16) Y. Hikmet Bayur, *Türk İnkilabı Tarihi*, 3.cilt 2. kısım Ss.112 vd.
17) M. Kemal, *Arıburnu Muharebeleri Raporu*, s.6 vd. (Uluğ İğdemir bu olaydan birkaç ay sonra raporlu olarak Biga'da bulunan Mehmet Çavuş'la konuştuğunu dipnotta belirtiyor, konuşmayı aktarıyor, s.7); ATASE, *Çanakkale 1*, s.146 vd.; C.F. Aspinall-Oglander, *Gelibolu Askeri Harekâtı*,1. c., s.112; Erol Mütercimler, *Gelibolu*, s.123-128 (Mütercimler bu çatışmayı ayrıntılı ve güzel anlatıyor).
Bu kaynaklarda verilen Türk ve İngiliz kayıp sayıları arasında ciddi farklar var. M. Kemal'in raporu olay günü yazılmıştır, Oglander'inki olaydan yıllar sonra.
Mehmet Çavuş Çanakkale Savaşı'nın kamuoyuna adı açıklanan ilk kahramanıdır. Gümüş harp madalyası ile ödüllendirilir. Türk askeri bu olaydan sonra Mehmet, Mehmetçik diye anılacaktır (Şerafettin Turan, *Mustafa Kemal Atatürk*, s.133). Tabak soyadını alan Mehmet Çavuş 1964 yılında ölmüştür. Mezarı Biga'ya bağlı Bahçeköy'dedir. Mehmetçiğin simgesi olan Bigalı Mehmet Çavuş'un bu direnci gösterdiği yerde bir yazıt olmalı mı? Yok; C. Erikan, *Komutan Atatürk*, s.103; K. Karabekir, *Cihan Harbine Neden Girdik*, s.145.
17a) M. Kemal, *Arıburnu raporu*, s.8, 9.
18) Gazanfer Şanlıtop, *Çanakkale Geçilmedi* (Mecidiye Komutanı Yzb. Hilmi Şanlıtop'un anıları), s.136; askerlerin 18 Marttan önce de ağır mermileri toplara sırtlarında taşıdığı anlaşılıyor. 7 Martta taşıyanlar arasında elbette 18 Martta daha ağır mermileri kaldıracak olan Mehmet oğlu Seyit de vardı.
19) Cevat Paşa bu kesime mayın dökülmesi gerektiğini daha önce Başkomutanlığa yazdığı 20.9.1914 günlü bir raporda belirtmiştir (*Sipe-*

rin Ardı Vatan, s.20); bu gereği yeniden hatırlatan Amiral Merten olmuş, onun önerisi üzerine dökülmüştür (Selahattin Adil, *Hayat Mücadeleleri*, s.221).

20) Bu bilgiyi Çanakkale-Kumkale arasını gezerken bana eşlik eden ve bilgi veren Yard.Doç. Ahmet Esenkaya'ya borçluyum.

20a) Rahmetli Naşit Hakkı Uluğ *Çanakkale Destanı'nın 50. Yılı* adlı eserinde Nusrat olayını birçok sahne ve diyaloglarla serbestçe süsleyip öyküleştirmiştir (s.16 vd.). Bu anlatıma göre olay Almanlardan gizleniyor vb. Bu ve bazı ayrıntılar gerçeğe bütünüyle aykırıdır. Bazı kitaplara bu öykü gerçekmiş gibi aktarıldığı için bu notu düşmek gereğini duydum.

21) 1912 yılında mayın gemisi olarak Kiel'de yapıldı. 40 metre boyunda, 7,4 metre eninde. Hızı 15 deniz mili. 360 ton. 3 küçük topu, iki de makinelitüfeği var. Birebir benzeri Çanakkale Deniz Müzesi'nde, orijinal gövdesine sahip bir benzeri de Tarsus'ta. Saygıyla korunacak yerde, 1957 yılında hizmet dışı bırakılarak satıldı. Elden ele geçti. Tarih deyince mangalda kül bırakmayız ama tarihimize saygılı olduğumuzu iddia etmek çok güç. 1954 yılında Maliye Bakanlığı Çanakkale'yle ilgili çok ağır, affedilmez bir yanlışlık daha yaptı ki onu kitabın sonunda aktaracağım.

22) Komutan Yüzbaşı Tophaneli Hakkı; Birinci Subay Yüzbaşı Giritli Hüseyin; Topçu Subayı Teğmen Kadri; 1. Çarkçı, Yüzbaşı Ali; 2. Çarkcı Yüzbaşı Ahmet; 3. Çarkcı Yüzbaşı Hasan; Elektrik Subayı Teğmen Boyabatlı Hasan Abdullah.

Bazı kitaplarda mayınların dökülme tarihi 18 Mart sabahı olarak belirtiliyor. Bu, olayı iyice dramatik yapıyor ama doğru degil. Kesin tarih 8 Mart sabahıdır (Yüzbaşı Nazmi Akpınar'ın güncesi, *Müstahkem Mevki ceridesi, Nusrat'ın seyir defteri*).

Bu işlem sırasında gemide bulunanlar konusu da tartışmalıdır.

Liman Paşa anılarında diyor ki: "Türkiye'deki mayın uzmanı Üsteğmen (Yüzbaşı) Gehl tarafından geceleri çalışmak suretiyle Erenköy Koyu'na döşenmiş olan mayınların da 18 Mart başarısında büyük rolü olmuştur." (s.78)

Liman Paşa'nın Yaveri Süvari Yzb. (Binbaşı) Mühlman *Çanakkale Savaşı* adlı kitabında ise şöyle diyor: "18 Martın şafağında (bu tarih yanlış, TÖ) Türk mayın gemisi Nusrat, Alman Deniz Komutanlığının (böyle bir makam yok, TÖ) mürettabatıyla dışarıya çıktı ve Bahriye Mühendisi Reeder'in yönetimi altında düşmana görünmeden oraya 26 mayın yerleştirdi." (s.69)

İki Alman iddiası: Hangisi gerçek? Yüzbaşı Gehl mi, Mühendis Reeder mi?

Bu adlar 8 Mart günlü Nazmi Bey'in güncesinde, Müstahkem Mevki Harp Ceridesinde (günlük tutanak) ve geminin seyir defterinde yer almıyor.

Erol Mütercimler Reeder'in raporunu yayımlamış (*Gelibolu*, s.153, kaynak göstermemiş). Binbaşı Reeder rapora göre bu göreve katılmış görünüyor. Resmi belgelerde, güncede niye bir kayıt yok? Bu konu aydınlanmış değil.

Nazmi Bey güncesinin 14 Mart, 22 Mart, 25 Mart, 27 Mart, 28 Mart, 31 Mart vb. tarihli notlarında Almanlardan söz ediyor. Yani Nazmi Bey işe bir Alman katılmışsa güncesinde belirtiyor ama 8 Mart günü için böyle bir notu yok.

Nusrat'ın mayın dökmesini, güvenilir belgeleri esas alarak Almansız, ayrıntılar eklemeden, süslemeden, bilinen kesin gerçeklere bağlı kalarak anlattım.

Mayın konusunda Almanlardan genel olarak yardım gördüğümüz bir gerçektir. Ama Çanakkale zaferi konusunda gerçeğe aykırı, abartılı, hiçbir dayanağı olmayan öyle çok Alman iddiası var ki her iddialarını denetlemek gerekiyor. Liman Paşa'nın anılarında da birçok yanlış ve saptırma bulunuyor. Almanlar genel olarak başarıyı paylaşıyor, kendi hesaplarına yazıyor, başarısızlığı Türklere mal ediyorlar. Böyle bencil, pişkin, ırkçı yaklaşım içindeler.

Bunlara belgelere dayalı en iyi yanıtı Dr. İsmet Görgülü vermiştir: AAM dergisi, cilt X, sayı 28 (Mart 1994), s.105 vd. Bu sayıyı bulup okumanızı tavsiye ederim.

23) Bu denizci terimleri için E. Mütercimler'in Gelibolu kitabından yararlandım.

24) Paleo Castro adı Nazmi Akpınar'ın güncesinde yer alıyor. Karanlık Liman'da antik bir yerin adı olsa gerek. Bugünkü adını öğrenemedim. Burası mayınların dökülmeye başlandığı nokta.

Güncede bu yerin bugünkü adı dipnot olarak verilmeliydi. Güncenin bu tür açıklamalar, ek belgeler, bilgilerle zenginleştirilerek yayımlanması doğru olurdu. Mesela 8 Martla ilgili olarak geminin seyir defterinin, Müstahkem Mevki ceridesinin o güne ilişkin kayıtları verilebilirdi. Birçok kitapta 26 mayın için 'son mayınlar' deniyor. İlgisi bile yok. Mayın Grup Komutanlığına daha birçok mayın geliyor. Bu konu işlenip sonucun açıklanması, 'son mayınlar' masalını da bitirirdi. 8 Mart günkü kadro hakkındaki tartışmalara da değinilmesi yararlı olurdu. Yeni yayımının böyle olacağını ümit ederim. Ham belge böylece bilimsel belgeye dönüşür.

Bu mayın hattının boyu yaklaşık 3.500 metre.

25) Hurafeye boğulan 26 mayın dökme olayının aslı işte bu.

Yüzbaşı İstanbul/Tophaneli Hakkı Kaptan Kasımpaşa Askeri Hastanesi'nde 14 Eylül 1915'te kalp rahatsızlığı dolayısıyla ölmüştür. İstanbul/Yeniköylü Nazmi Akpınar 1924 yılında emekliye ayrılır. Ölümü: 5 Mayıs 1940. Mezarı Aşiyan'da imiş. Denizciler, Çanakkale sevdalıları ölüm yıldönümünde ziyaret etseler, ne kadar güzel olur. Milli değerlere vefayı koruyamazsak millet olmaktan çıkıp kuru kalabalık olacağız. Böyle olmamızı isteyenleri sevindireceğiz.

25a) Bu ordunun resmi adı: Akdeniz Seferi Kuvveti.

26) 1915 yılında İstanbul nüfusu yaklaşık 1.125.000; 615.000 Türk, 515 bin azınlık: 65.000 yahudi, 70.000 Levanten ve Avrupalı, 180.000 Ermeni, 200.000 Rum.
(İ. Artuç, *1915 Çanakkale Savaşı*, s.63/dipnot, *Askeri Tarih Bülteni* Şubat 1990'a dayanarak.)
Hamilton, 'Lord Kitchener'in şiddetli Türk düşmanı olduğunu' yazıyor, *Gelibolu Günlüğü*, s.14; İmparatorluk Genelkurmayındaki 'kurmayların Türkiye'yi son derece küçük ve değersiz gördüklerini' de ekliyor (s.18). İngiltere ve Fransa'yı Gelibolu macerasına bu yanlış hayaller, önyargılar ve bilgiler sürüklemiştir.

27) Anılarını yazan yedek subay Sokrat İncesu bunlardan biridir, *Çanakkale Hatıraları*, 1. c., s.299 vd.

28) Bazı Rumlar gibi yurttaşlık duygusu sahibi Ermeniler de vardı. Özellikle Ermeni doktorlar cephede görevlerini dürüstçe yerine getirmişlerdir. Milli Mücadele sırasında Türklere yardım eden yurttaşımız Ermeniler de olacaktır: Pandikyan Efendi vb. gibi (*Şu Çılgın Türkler*, s.107 vd.).

29) Ermeni sorunu konusunda şu iki değerli eseri tavsiye ederim: Kâmuran Gürün, *Ermeni Dosyası* (Remzi Yayınevi); Bilal N. Şimşir, *Ermeni Meselesi* (Bilgi Yayınevi).

29a) Charles F. Roux, *Çanakkale'de Ne Oldu*, s.122.

30) Havacılık çok yeniydi. Türk havacılığı kurulmuştu ama zorlukla ilerliyordu. Almanya'nın uçak, öğretmen ve pilot yardımı ilerlemeyi hızlandıracaktır. Çoğu şehit olan ilk havacılarımızı saygıyla anıyorum.

30a) Bu derneklerin başında 1913'te kurulmuş olan Müdafaa-yı Milliye derneği geliyordu. Bu ve Donanma Cemiyeti gibi iki önemli, milli örgüt Mütareke döneminde teslimiyetçi, gayr-i milli, İngiliz sömürgesi olmaya razı İstanbul yönetimi tarafından kapatılmışlardır.

30b) Serpil Çakır, *Osmanlı Kadın Hareketi*, s.72 vd.

31) Kur.Bnb. Kadri Ener, *Çanakkale'den Hatıralar*, s.28.

31a) Bu ve benzeri tepkiler, itirazlar, isyanlar, kadına saygılı erkeklerin yüksek sesle konuşmaya başlaması, tartışmalar, İttihat ve Terakki iktidarını da bağnazlara rağmen harekete geçirdi. 25 Ekim 1917 günlü Aile Hukuku Kararnamesi kabul edildi. Bu kararname yeterli olmasa bile o güne kadarki düzene göre birçok ileri ve yararlı hükümler içeriyor, kanun birliğini sağlıyordu. Bu kararname Mütareke döneminde Damat Ferit hükümeti tarafından kaldırılacaktır (Taha Akyol, *Medine'den Lozan'a*, s.70).

32) Binbaşı Nazmi Bey, *Çanakkale Deniz Savaşları Günlüğü*, s.46.

33) Lord Kitchener Hamilton'a 12 maddelik bir emir vermişti (13.3.1915). Bu emrin 4 maddesi donanmanın Boğaz'ı geçmesinden sonra, İstanbul ve çevresinin işgali ile ilgilidir (ATASE, *Çanakkale 1*, s.190 vd.). İngiliz Savaş Bakanlığı, tıpkı Donanma Bakanlığı gibi, Boğaz'ın geçilebileceğini düşünmekteydi. Türkiye'de birçok insan da Boğaz'ın aşılacağı kanısındaydı. Eski Harbiye Nazırı Ahmet İzzet Paşa bile ailesine Ankara'da ev ayırtmıştır (A. İzzet Paşanın anıları, *Feryadım*, s.239).

34) *Çanakkale Muharebeleri 75. Yıl Armağanı*, Mete Tuncoku, *İngiliz Gizli Belgelerinde 18 Mart Zaferi ve Çanakkale Muharebeleri*, s.31. Bülent Yılmazer, *Çanakkale Hava Savaşları*, s.53'te, İngiliz gözlemcilerin gözlem konusunda yeterli eğitim görmediklerini belirtiyor. Bazı ciddi kitaplarımızda bile mayınları görmeyen pilotun (niye gözlemci değil de pilot?) divan-ı harp kararıyla idam edildiği yazılı. Kimine göre idam edilen pilot İngiliz, kimine göre Fransız. Bir iki kitapta da durum daha da trajikleştiriliyor. İdam kararını veren divan-ı harpte pilotun babası amiral de varmış, o da idam kararına katılmışmış. Bu bilgiler hiçbir yabancı kaynakta yer almıyor. Bizimkilerin yarattıkları, birbirlerine güvenerek, denetlemeden aktardıkları ve gittikçe abarttıkları bir masal.

34a) 18 Marta kadar Birleşik Donanma'ya bağlı gemiler Bolayır ve Boğaz'ı, 14'ü gündüz, 21'i gece olmak üzere toplam 35 kez bombardıman etmişlerdir. Türk topçularının direnci, sabrı, dayanıklılığı ve savaş ustalığı hayranlıkla anılmalı ve çocuklarımıza iyi anlatılmalı. Düşmanın her şeyi var, biz yokluk içindeyiz. Yoklukla övünülmez. Bizi yoksul bırakan anlayış utansın! Ama şu önemli: Asker yokluğa sığınıp da teslim olmuyor, savaşıyor ve yeniyor! İşte Çanakkale ruhu.

35) Selahattin Adil Paşa, anılarında, Cevat Paşa'nın 'Esat Paşa'yı ziyaret ve Bolayır istihkâmlarını teftiş etmek üzere Gelibolu'ya gittiğini' anlatıyor. Bazı ayrıntılar gibi bu konu da aklında yanlış kalmış. Cevat Paşa'nın Çanakkale'den Eceabat'a geçmesi hakkında hem Cevat Paşa'nın anısı, hem M. Kemal'in açıklaması var (*Yakın Tarihimiz*, 1. c., s.77; *Arıburnu Muharebeleri Raporu*, s.8).

Cevat Paşa 18 Mart sabahı Eceabat'a geçer. M. Kemal ile birlikte Seddülbahir savunma düzenini görmek için Alçıtepe köyüne giderlerken ateş altında kalırlar.

36) Selahattin Adil, *Hayat Mücadeleleri*, s.222.

37) Okunuşları: Queen Elizabeth (kuin elizabet), Agamemnon (agamemnon), Lord Nelson (lord nelsın), Inflexible (infleksibıl), Gauloise (goluva), Charlemagne (şarlman), Bouvet (buve), Suffren (süfren), Prince George (prens corc), Triumph (triyamf), Majestic (majestik), Ocean (oşın), Vengeance (vancens), Irresistible (irrisistibıl), Albion (albiyon), Swiftsure (sviftşur), Cornwallis (kornvols), Canopus (kanopus).

38) Türklerin tabya ve bataryalarda çeşitli çapta 230 topu vardı. Ama bu savaşta çap, açı, menzil gibi nedenlerle yalnız 100 kadarı kullanılabilir. Buna karşılık Birleşik Donanma'nın ilk üç gruptaki 18 zırhlının 279 topu bu savaşa katılacaktır (Korg. Selahattin Çetiner, *Çanakkale Savaşı Üzerine Bir İnceleme*, s.44).

Birleşik Donanma Boğaz'a ayrıca zırhlılardan başka, birçok savaş gemisi ve torpidobot ile girmişti ki bunların da yüz kadar topu vardı, bu toplar orta bölge bataryalarını ateş altına alacaktı. Kısacası Türkler yaklaşık 380 topla mücadele edeceklerdir.

39) 18 Mart deniz savaşını kısa bir bölümde anlamak imkânsız. Birçok önemli, ilginç askeri ayrıntı var. Olup biteni eksiksiz anlatabilmek için hayli denizcilik terimini kullanmak da gerekiyor. Ben ana çizgileri koruyarak savaşı özetledim. Hiçbir şeyi abartmadım.

40) Taret: Döner top kuleleri, hareketli top yuvaları.

41) Sayhan Bilbaşar, *Çanakkale 1915*, s.87; Bilbaşar bu izlenimin yazarının *Time* gazetesinden Smith olduğunu bildiriyor; hasara uğrayan başka İngiliz zırhlısı da var: Agamemnon. Muhabir kısa kesmiş.

Fransız gemilerinin uğradığı ağır hasar için: Fransız askeri yazar A. Thomazi, s.37: Gaulois ve Souffren de tehlikeli yaralar almışlardır.

42) Bu saate kadar tabyalara Birleşik Donanma 2.100 ağır, 5.500 orta çaplı mermi atmıştır (F. Belen, *Birinci Cihan Harbinde Türk Harbi, 1915 Yılı Hareketleri*, s.147).

43) A. Thomazi, s.37.

44) Edremitli Mehmet oğlu Seyit konusu ilginç bir konu. Güya bütün tabyanın subayları, erleri şehit olmuş ve ağır yaralanmış, Seyit ile bir arkadaşı sağ kalmışlar. Bir bakıyorlar ki bir zırhlı –yüzlerce mayına rağmen– Boğaz'ı geçmiş, İstanbul'a doğru gidiyor. Gidebilse yenilmiş olacakmışız. Allahtan Seyit bu gemiyi vurmaya karar veriyor. 275 kiloluk mermiyi arkadaşının yardımı ile sırtlıyor, merdivenle topa çıkıyor, 275 kiloluk mermiyi topa yerleştiriyor, topçu subayla-

rın birkaç yılda öğrendikleri hesapları yapmadan, nasıl yapacak ki, okur yazar bile değil, dev topu çalıştırıp nişanlıyor, gemiye ateş ediyor, bu işlemi ardarda üç kez yapıyor, üçüncüde sapanla kuş vurur gibi gemiyi vuruyor, bu nedenle gemi Boğaz'ı geçemiyor, sonuç olarak 18 Mart zaferini kazanıyoruz.

Abartıla abartıla, akıl dışı ayrıntılar eklene eklene, böyle komikleştirilmiş, hurafeleştirilmiş bir olay. Rahmetli Seyit'in anısına da, gerçeğe de, topçuluk bilimine de saygısızlık.

Bataryadakilerin toptan şehit olduğu ve ağır yaralandığı doğru değil. Her yazan, olayı biraz değiştiriyor, Seyit'e türlü türlü kitabi nutuklar attırılıyor. Seyit'in kuş gibi vurduğu geminin adı da aynı kalmıyor, değişiyor. Kısacası hurafeci kafası bu güzel olayı da bir masala çeviriyor.

Bu konuda en doğru tanık Seyit'in komutanı Hilmi Şanlıtop olabilir. Torunu, konferanslarına dayanarak ve aile bilgilerini ekleyerek anılarını yayımlamış. Anıları böyle genişletmese ve roman gibi yazmasaydı daha doğru olurdu.

Hilmi Şanlıtop'un anılarının not halinde başka bir derlemesi daha olduğu Fikret Günesen'in kaynakçasından anlaşılıyor (*Size Ölmeyi Emrediyorum*, s.14, derleyenin adı da var: Rafet Çağın). Bu da yayımlansa yararlı olur.

Ben Seyit olayı hakkında Hilmi Şanlıtop'un anılarında verdiği küçük bilgileri esas aldım. Konuyu, olayların akışını, mekânı ve kişileri dikkate alarak hikâyeleştirdim. Tabii bu da, esası doğru olmakla birlikte, ayrıntıları bakımından gerçeğin gölgesidir.

Mehmet oğlu Seyit Edremit/Havran'ın Çamlık (Manastır) köyündendir. Bu olayı duyan Ordu Foto Merkezi 275 kiloluk mermiyi kaldırırken fotoğrafını çekmek ister ama psikolojik şartlar değişmiştir, Seyit mermiyi kaldıramaz, ya merminin içi boşaltılır, ya benzeri yapılır, böylece çekilen fotoğraf basına verilir. Müstahkem Mevki Komutanlığınca onbaşı yapılır.

Onbaşı Seyit Çabuk soyadını almış, 1939 yılında ölmüştür (Kaynak: İsmail Bilgin, *Çanakkale Destanı*, s.97).

Bazı kitaplarda Atatürk'ün 1936 yılında Edremit'e/Balıkesir'e geldiği, Seyit'i buldurup konuştuğu yazılıyor (Bir örnek: M. Turan, *Destanlaşan Çanakkale*, s.102). Atatürk, yalnız 1936 yılında değil, 1935 ve 1937 yıllarında da Edremit'e/Balıkesir'e gelmemiş, Seyit'le görüşmemiştir (U. Kocatürk, *Kaynakçalı Atatürk Günlüğü*).

Biri bir masal uyduruyor, her masalı denetlemeden kabul etmeye hazır masalcı kalemler de kapışıp yayıyorlar. Emeksiz yemek de böyle tatsız tuzsuz, uyduruk oluyor.

45) A. Thomazi, s.39.

46) Bu sahnenin görgü tanığı Baykuş Bataryası gözetleme yerinde görevli Deniz Topçu Subayı Şakir Tunççapa'dır. Diyor ki: "Bouvet'nin battığı anda mürettebatı kurtarmaya gelen torpidobotlar üzerine atış açılmadı. O anda bir içgüdü ile bütün istihkâmlar ateşi kesti." (*Çanakkale Hatıraları*, 3. c., s.103) Türkler düşmana şövalyece nasıl savaşılacağının birçok örneğini vereceklerdir. Bunları göreceğiz.

47) I. Hamilton, *Gelibolu Günlüğü*, s.29 vd.

48) Dardanos Bataryası'nın adı Hasan-Mevsuf Bataryası olarak değiştirilir. Komutan Hasan Hulusi, Teğmen Mehmet Mevsuf, subay adayı Halim, bir onbaşı, iki er Hasan-Mevsuf Bataryasının yanındaki şehitlikte, vatan toprağında yatıyorlar.

Bir zaman sonra iki çocuğuna harcanmak üzere 50 altın, gümüş liyakat madalyası ve beratı, Cevat Paşa'nın bir mektubu ile birlikte Üsteğmen Hasan'ın babası İsmail Bey'e teslim edilir (M. Cemile Tarkan –Üsteğmen Hasan Hulusi'nin yeğeni–, *Çanakkaleli'den Anılar*, s.15-29). Üsteğmen Hasan kızına Didar adını vermiştir (E. Mütercimler, *Gelibolu*, s.173).

48a) 138 denizci kayıptır (ATASE, *Çanakkale 1*, s.287, İngiliz bildirisine dayanarak).

49) Birleşik Donanma'nın kayıpları: 3 zırhlı, bir destroyer, 3 mayın gemisi, birkaç torpidobot battı, 5 zırhlı savaş dışı kaldı; insanca kayıp, 800 kişiden fazla. Türkler: Kayıp, 79 şehit ve yaralı Türk, 18 ölü ve yaralı Alman (Anadolu Hamidiye tabyası). Kullanılamayacak kadar hasar gören top sayısı, yaklaşık 9; Türklerin harcadığı mermi: 2.250 (kaynak: ATASE, *Çanakkale 1*, s.209 vd.). Birleşik Donanma'nın harcadığı mermi sayısı bilinmiyor. Sayısı, 18 Mart günü yalnız Dardanos bataryasına 4.000 mermi düştüğü dikkate alınarak kestirilebilir (ATASE, *Çanakkale 1*, s.212).

Bazı yabancı kitaplarda 'Türklerin yeterli mermisi kalmamıştı, bir ikinci saldırıya dayanamaz yenilirlerdi, ikinci saldırının yapılmaması yanlış olmuştur' gibi düşünceler yer alıyor. Bu görüşe yer veren bazı Türk yazarları da var. Bu düşünce gerçeklere dayanmıyor. Türkler tutumlu davranmışlar, kritik cephanenin üçte birini harcamışlardı. Üçte ikisi duruyordu. Standart cephanede sorun yoktu. Birleşik Donanma ancak bir mayın hattını tümüyle, ikinci hattın yarısını temizleyebilmişti. Geride sekiz mayın hattı daha vardı. Kısacası Türkler iki saldırıyı daha rahatlıkla karşılayabilecek durumdaydılar (Fahri Belen, *Birinci Cihan Harbinde Türk Harbi, 1915 Yılı Hareketleri*, s.149; Kadri Ener, *Çanakkale Savaşları Tarihi*, s.19, Erenköy Bölgesi

Ağır Topçu Bölge Komutanı Alman Albay Werle'nin verdiği ayrıntılı bilgiye dayarak). Acaba Birleşik Donanma iki saldırıya daha dayanabilir miydi? Asıl sorulacak soru bu.

50) Saros-Bolayır'da 7. Tümen, Gelibolu'da 9. Tümenin iki alayı ve 19. Tümen, Çanakkale yakasında 9. Tümenin bir alayı, 64. Alay ve 11. Tümen var. Ayrıca bazı bağımsız jandarma birlikleri bulunuyor. Bu birliklerin yiğitlikleri unutulamaz.

51) Kasım 1918'de, İstanbul galiplerce işgal edilirken sandıklardan çıkarıp evlerini ve dükkânlarını süsleyecekler.

52) *Devler Ülkesinde Devler Savaşı*, Henry Morgenthau, ABD Büyükelçisinin Anıları, s.145 vd.

53) Ernest Jack, *Yükselen Hilal*, XVI. Bölüm, s.185 vd.

Üçüncü Bölüm

1) Ernest Jackh, *Yükselen Hilal*, XVI. bölüm, s.185 vd.
Çanakkale zaferine sahip çıkma tavrına, Alman kaynaklı en ciddi kitaplarda bile değişik dozda rastlanıyor. Liman Paşa'nın anılarında da bu doğrultuda birçok ayrıntı var. Birçok yabancı araştırma kitabı, Alman kaynaklarıyla yetinildigi, Türk kaynakları incelenmediği için, genellikle Alman iddialarına yer verir. Türkiye 90 yıldır, uluslararası bilim dünyasına, Çanakkale Savaşı'yla ilgili, uluslararası nitelikte bir bilim eseri sunamamıştır. Bu acı eksiklik, Kurtuluş Savaşı dönemi için de geçerlidir. Bizim için çok büyük anlamı olan olayları dünya, ya hiç bilmiyor, ya yanlış, eksik biliyor.
Bu büyük görevi yerine getirmek üniversitelerimize düşüyor.

1a) *Çanakkale Hatıraları*, 3. c., s.280 (Mucip Kemalyeri, *Çanakkale Ruhu Nasıl Doğdu?*)

2) Ian Hamilton, *Gelibolu Günlüğü*, s.37 vd.

3) Behiç Erkin Milli Mücadele döneminde demiryollarından sorumluydu. Çaresizlikler içinde demiryollarını çalıştırmayı başarmış, demiryollarının millileştirilmesine öncülük etmiştir. Türk demiryolculuğunun babası diye bilinir. Daha sonraları bakanlık yaptı, büyükelçiliklerde bulundu. 1940'lı yıllarda Türkiye'nin dış saygınlığını görmek ve bir Türk büyükelçinin insancıllığına ve etkisine tanık olmak için şu kitabı okumanızı tavsiye ederim: Emir Kıvırcık, *Büyükelçi*, Goa Y., İstanbul, 2007.

4) Biz ne yapıyorduk? Hiç. Doğu toplumlarında yüzyıllardan beri araştırma, geliştirme, keşif, icat anlayışı ve hevesi yoktu, parlamış ve sönmüştü. Doğu toplumu meraksız bir toplumdu. Ne evreni merak ediyordu, ne doğayı, ne de insanı. Batılı makineyi icat ederken, petrolü keşfederken, Doğulu uyumuştu. Hâlâ da uyuyor. Batının buluşları sayesinde yaşayabiliyordu. Şimdi de öyle. Bu gerçeği yazgı diye kabullenmiş, hiç onuru kırılmıyor.
Mahmut Şevket Paşa askeri havacılığı kurmuştu ama uçak mühendisi, teknisyeni yetiştirmek aklına bile gelmemişti. Küçük, günü birlik sorunlar Türklere özgü pratik buluşlarla çözülüyor, büyük, önemli sorunlar Allah'a havale ediliyordu:
"Allah büyüktür!"
Ama dünya küçüktü. Gittikçe de küçülüyordu. Dünyaya çağın gereklerini kavrayanlar egemen oluyordu. Bunun için savaşıyorlardı. Ötekilere bunların uydusu, sömürgesi, fedaisi, işçisi, bahçesi olmak kalıyordu.

5) Ali Fuat Erden, *Suriye Hatıraları*, s.89.

5a)   Avustralian and New Zealand Army Corp adının kısaltılmışı: A.n.z.a.c, Anzac. Türkçede Anzak.

6)   Liman von Sanders, *Türkiye'de Beş Sene*, s.80; Almanlar 1918'de giderlerken bütün belgeleri birlikte götürmüşlerdir. Bu yüzden Almanlarla ilgili birçok şey aydınlık değildir.
Liman Paşa'nın 5. Ordu Komutanlığı hakkında Berlin'le yazışıp yazışmadığı, bir emir alıp almadığı bu nedenle bilinmiyor.
Ordular: 1. Ordu İstanbul'da, 2. Ordu Trakya'da, 3. Ordu Doğuda, 4. Ordu Suriye ve Filistin'de, 5. Ordu Çanakkale-Gelibolu'da.

7)   İlçeden büyük, ilden küçük idari kuruluşun yöneticisi.

8)   ATASE, *Çanakkale 1*, s.218 vd.

9)   Hamilton Türk yönetiminin, Rusların İstanbul kıyılarına çıkacağı kuşkusu içinde İstanbul Boğazı'nın savunması için ayrılan birlikleri yerlerinde tutmasını istiyordu. Bunda başarılı olmuş, 3 tümen sürekli olarak bu kuşku yüzünden İstanbul'da kalmıştır (C.F. Aspinall-Oglander, s.161).

10)   Rus donanması Karadeniz kıyısındaki limanları ve kentleri sık sık bombalayacak ama Amiral Souchon Yavuz'u ve Türk gemilerini Karadeniz'e çıkarmaktan kaçınacak, liman ve kentleri savunmasız bırakacaktır. Amiral Souchon'un karanlık kişiliği, entrikaları hâlâ ayrıntılı olarak incelenmiş değildir.

11)   Kabatepe ve Alçıtepe ziyaretleri, Liman Paşa'nın yeni savunma düzenini ilk açıklaması hakkında: M. Kemal, *Arıburnu Raporu*, s.15; Liman Paşa'nın gerekçeleri hakkında: *Türkiye'de Beş Sene*, s.81; Kur. Bnb. Kadri Perk, *Çanakkale Savaşları Tarihi*, s.55.

12)   Makineli tüfeği anımsatan en küçük çaplı otomatik top.

13)   Karaya çıkmaya çalışan düşmana karşı en etkili silah ağır makineli tüfek. Liman Paşa bunları da, topları da kıyıdan uzaklaştırıyor. Donanma ateşinin ve ağır makineli tüfeklerin himayesinde karaya çıkacak düşmana, küçücük birlikler piyade tüfekleri ile karşı duracaklar!

14)   Bütün açık renk atlar boyatılır (F. Altay, s.87).

15)   Türk askeri tarihçilerinin, araştırmacıların hepsi Liman Paşa'nın var olan savunma yöntem ve anlayışını, Gelibolu şartlarını hiç dikkate almadan değiştirmesini ağır dille eleştiriyorlar. Yeni yöntem pek çok Türk gencinin canına mal olacak, savaşı 9 ay uzatacaktır.
Bazı araştırmacılar Liman Paşa'nın bu yöntemle savaşı bile bile uzattığını, İngiliz ve Fransız kuvvetlerini uzun süre Gelibolu'da tutup oyalayarak, Batı Cephesine gönderilmelerini önlediğini ileri sürmekte, Türk kanıyla Alman çıkarını savunduğunu iddia etmekteler. Şunu belirteyim, bu kuşku sonradan uyanmış değildir, savaş içinde

duyulmuş ve yayılmıştı. Yeni olan, konunun genişçe incelenip yazılmaya başlanmasıdır.

Bu konudaki son ayrıntılı ve esaslı çalışma Dr. İsmet Görgülü'nündür: *Çanakkale'de Almanların Niyeti*, Çanakkale Araştırmaları Türk Yıllığı, sayı 1, s.161-178. Oynak savunma yönteminin nasıl işlediğini de göreceğiz. Bilinen, açık, kanıtlı gerçekleri aktarmayı sürdüreceğim.

16) Liman Paşa'nın Saros ve Beşige düşüncesinin, uzun bir inceleme sonucu elde edilmiş bir kanı değil, bir saplantı, sabit fikir olduğu zamanla anlaşılacak. Düşmanın Saros'a çıkıp da yarımadadaki Türk birliklerini boğması mümkün değildi. Trakya ve İstanbul'da iki Türk ordusu vardı (300.000 kişi; F. Belen, *Çanakkale Seferi*; bu kısa ve özlü çalışma B.V. Karatay'ın *Mehmetçik ve Anzaklar* kitabının son bölümünde yer almaktadır, s.176 vd.).

Liman Paşa'daki bu saplantı Suriye Savaşı sırasında da belirecek, Yıldırım Ordular Grubu cephesinin bir gün içinde yarılıp çökmesine yol açacaktır. Bir başka psikolojik zaafına da (irade donması) büyük çıkarma başladığı gün tanık olacağız.

17) Halil Sami Bey'in bu ifadesi 28.9.1340 (1924) günlü, Müdafaa-yı Milliye Komisyonu Başkanlığına verdiği dilekçesinde belirttiği duşünceye ve kullandığı sözcüklere uygundur (Bu önemli belgeyi Dr. İsmet Görgülü'ye borçluyum).

18) M. Kemal, *Arıburnu Raporu*, s.12-15.
Arıburnu kesimini çok önemli, riskli bir yer olarak gören M. Kemal, çıkarmadan önce, tümeninin Arıburnu kesimine kaydırılmasını istemiş, Liman Paşa kabul etmemiştir. M. Kemal tümeninin hiç olmazsa Kocaçimen Tepe'ye yaklaştırılmasını önermiş, Liman Paşa bu öneriyi de reddetmiştir (Fahrettin Altay, Belleten, XX/80, s.605). Bütün bunlar Liman Paşa'nın Gelibolu coğrafyasını ve düşmanın amacını hiç anlayamadığını gösteriyor.

19) F. Altay, *On Yıl Savaş ve Sonrası*, s.84'ten yararlanarak.

(19a) Gerektiğinde Saros ve Çanakkale kesimindeki birliklerin Gelibolu'nun güneyine ya da Gelibolu güneyindeki birliklerin Saros ya da Çanakkale kesimine taşınabilmesi için birçok önlem alınması gerekti. Bu konuda ciddi bir hazırlık yapılmamıştır. Birlikler bir yakadan ötekine çok zor ve geç geçebilirler.

20) ATASE, *Çanakkale 1*, s.220; *Çanakkale 2*, ekler bölümü (Enver Paşa'nın yanıtının tamamı ve özgünü).

21) Gelibolu dar bir alan. Çıkarma yapan kuvvetlerin hedefleri çok yakın: Seddülbahir'de 7-8 km., Arıburnu'nda daha az. Bunun içindir ki düşmanı hemen kıyıda karşılamak, durdurmak, imha etmek gere-

kiyor. Bu başarılamazsa, gerideki kuvvetler yetişene kadar düşman hedefe ulaşabilir. Ulaşmamalarını Türk birlikleri kendilerini feda ederek sağlamışlardır. Liman Paşa yönteminin trajik yanı bu.

22) ATASE, *Çanakkale 1*, s.223-225.

23) F. Altay, *On Yıl Savaş ve Sonrası*, s.84: "Ordu Komutanı Liman von Sanders'in strateji kudretinin azlığı ve (..) Kolordu Komutanının da buna ses çıkarmaması yüzünden ilk savunma tedbirlerinin alınmasında hatalar meydana gelmiştir."

24) Bir çeşit diş fırçası.

25) Hokkabaz işi küçük çivi topaçları yaptırmışlardı. Bunları askerlerin geçebileceği yerlere serpiyorlardı. Topaç nasıl düşerse düşsün bir çivinin ucu hep üstte kalıyordu. Öyle sivriydi ki postalı da delip kemiğe kadar ayağa batıyor, askeri sakatlayıp savaş dışı ediyordu. Çarıklı olanlar için daha da tehlikeliydi. Bu çivilerin örnekleri Kabatepe'deki ve Alçıtepe köyündeki müzelerde görülebilir.

26) Kilitbahir platosu (yükseltisi) sekiz tepeden oluşur: Mata Dağı, Beylik Tepe, Oğuz Tepe, Kayal Tepe, Eğerli Tepe, Kakma Dağı, Yamıklık Tepe, Fırka Tepe (*Siperin Ardı Vatan*, s.23).

27) Hamilton'un mantığı ile Liman Paşa'nın mantığını karşılaştırınca, Liman Paşa basit, kalın ve yetersiz kalıyor.

Hamilton'un planı ve gerekçeleri için Hamilton'un Günlüğü'nü, C.F. Aspinall-Oglander'in *Gelibolu Askeri Harekâtı*'nı, Liman Paşa'nın planı ve gerekçeleri için de Liman Paşa'nın anılarını esas aldım.

Bunları karşılaştırarak okuyan ve ilk günkü olayları inceleyen biri, bir felaketten, Türk komutan ve subayının aklı ve yiğitliği, Mehmetçiğin kanı ve canı sayesinde kurtulduğumuzu kolayca anlar.

Çıkarmanın ilk günü ve o günün kahramanları bu bakımdan olağanüstü önemlidir.

Alman kurmaylar, "Arıburnu kıyılarını muayene ettirdik, deniz sığ, kıyıda arazi dik, burası çıkarmaya elverişli değildir" demişler. Almanlar gittikten sonra Şefik Bey arkadaşlarına Arıburnu kesiminin Kocadağ'ı ve Kabatepe'yi elde edebilmek için çok önemli olduğunu tekrar tekrar anlatarak Almanların etkisi altında kalmalarını önler (Şefik Aker, *27. Alay*, s.46).

27a) General Osman Nuri Gürler'den dinlemiştim.

28) Kur.Bnb. Kadri Ener, *Çanakkale'den Hatıralar*, s.27 vd.

29) C.F. Aspinall-Oglander, *Gelibolu Askeri Harekâtı*, 1. c., s.181, dipnot.

30) Alan Moorehead, s.136, 137.

30a) Kurmay Binbaşı Bursalı Mehmet Nihat Bey Çanakkale Savaşı ile ilgili konferansında (1921) diyor ki: "Düşman da biz de savaşı savaşarak öğreniyorduk." (*Seddülbahir Muharebeleri*, s.264, Türk Kurmay Subaylarının Gözüyle Çanakkale Savaşı) M. Nihat Bey'in Çanakkale Savaşı hakkında genel bir incelemesi: *Çanakkale Seferi Hakkında Birkaç Söz, Çanakkale Savaşı*, yayına hazırlayan: M. Albayrak, s.14-40.

31) İlk olarak 1911 yılında gönüllü hastabakıcılık kursu açılmış, hemşirelik eğitimine başlanılmıştır. Bu hayırlı işe önayak olan kimse Prof. Dr. Besim Ömer Akalın Paşa'dır. Altı ay süren eğitimden sonra Müslüman Türk hanımlar Trablus ve Balkan Savaşı sırasında Kızılay hastanelerinde görev almışlardır.
Safiye Hüseyin Elbi ilk gönüllü hemşirelerdendir.

31a) İlk kez Prof.Dr. Mete Tuncoku bir-iki Anzak ve İngiliz savaşçının mektubuna ve açıklamasına bakarak keskin nişancı Türk kadınları konusuna değindi. Bilimsel kuşku mesafesinde durarak konuyu öylece bıraktı (*Buzdağının Altı*, s.110-112). Konu ilginçti. Birilerinin hoşuna gitti. Ama bu konu kanıtlanmamış, dayanağı olmayan bir konudur. Savaş fantezisi denilen türden söylentilerdir. Erkek kılığında savaşan kadın öyküleri de Çanakkale'de de Milli Mücadele'de olduğu gibi kadın savaşçıların bulunması isteğinin ürünüdür. Kadınlar Çanakkale Savaşı sırasında, cephe gerisinde cephede savaşmak kadar önemli sosyal hizmetler görmüşlerdir. Bunlarla iftihar edelim.

31b) Kocaçimen tepesinin yüksekliği 305 metredir. Buradan ya da Conkbayırı'ndan dört bir yana bakan, burayı elinde tutan kuvvetin Gelibolu Yarımadası'na egemen olacağını kolayca anlar.

31c) Ashmead-Barlett General Hamilton'a ilerde şu öneride bulunacaktır: "Türk askerlerine adam başına 10 şiling bahşiş verileceği söylenir ve kendilerine dokunulmayıp affedilecekleri ilan edilirse, her asker silahı ile gelip teslim olur ve ateş hattında dövüşecek kimse kalmaz." (Ian Hamilton, *Gelibolu Günlüğü*, s.190)
Bu kafadaki İngiliz gazeteci cephede bütün Londra gazetelerini temsil ediyordu.

32) *Hayat Tarih Mecmuası*, Mart 1967, s.19 vd.; o günkü kayıp: 15 ölü, 18 ağır yaralı. Şehrin Rum Metropoliti de ölür; Yüzbaşı Nazmi Akpınar ölü sayısının 50 olduğunu yazıyor (s.59).

33) ATASE, *Çanakkale 2*, s.218 vd.'nda bu değişim eleştiriliyor. O tarihte 5. Ordu Karargâhında görevli Remzi Yiğitgüden, bu değişimin nedeninin Halil Sami Bey'in Kadri Bey'e daha fazla güvenmesi olduğunu ileri sürüyor (s.221). Kabatepe'deki 3. Taburu neden değiştirdiği ise bilinmiyor.
Bu değişim 26. Alayı da, Kabatepe'deki 2. Taburu da çok yormuştur.

33a) Takımlar kıyının kritik yerlerine gözcü mangalar yerleştirmişlerdi. Bunlar geriye kaçmamış, çekilmemiştir. İlk ateşi bunlar açacak ve tümden şehit olana kadar direneceklerdir. Kabatepe'nin kuzeyinde 2. Taburun 7. Bölüğü vardı. Bu yiğit bölük de çıkarma günü, Anzakların Kabatepe'ye yaklaşmalarına fırsat vermeyecektir.

34) Rupert Brooke çıkarmadan bir gün önce, 24 Nisan 1915'te ölür, Skyros adasına gömülür (Alan Moorehead, *Çanakkale Geçilmez*, s. 162).

35) Mahmut Sabri Bey'in Raporu, *Anafartalar Hatıraları*, 3. c., s.66.

36) K. Gürün, *Ermeni Dosyası*, s.277; Ermenilerin her yıl kıyım tarihi diye gösteriler yaptıkları 24 Nisan, elebaşıların tutuklandığı bu gündür.
Olaylar gelişecek ve hükümet, Doğu Anadolu'daki Ermenilerin Kuzey Suriye'ye göç ettirilmelerine karar verecektir.

37) Teke koyunun asıl adı Tekke koyu imiş; artık Teke koyu diye kullanılıyor.

38) Yarbay Henry Tizard'ın raporu: "Öğle üzeri Alçıtepe köyü yakınında olacak, o gece Alçıtepe'yi alacaktık." (Nigel Steel-Peter Hart, *Yenilginin Destanı*, s.67)

39) A. İhsan Sabis, *Birinci Dünya Harbi*, 2. c., s.398; bu olay, başarısızlık üzerine ilk intihar olayıdır, ikincisi Büyük Taarruz'da 27 Ağustos 1922 günü, zamanında Çiğiltepe'yi geri alamayan 57. Tümen Komutanı Albay Reşat Çiğiltepe'nin intiharıdır.

40) Bu ifade C.F. Aspinall-Oglander'in yazdığı İngiliz resmi tarihindeki ifadedir, 1. c., s.175; Aspinall-Oglander bu açıklamayı sonra şöyle tamamlıyor: "1915'te Türk cesur bir düşman olduğu kadar yeterli idi de." (s.176)

41) Liman Paşa anılarının başında bu güvensizliği belli eder. Hemen her şeyi eleştirir, yapılan her şeyi küçümser. Subayların ve Mehmetlerin önemini ve değerini zamanla anlayacaktır. Ama çok kurban verdikten sonra.

42) Bir yanda dünya egemenlerinin hesapsız zengin ordusu ve donanması, öte yanda yoksul Türk ordusu. İkisinin arasındaki farkı anlatmak bile zor.
Sonunda Türk ordusu galip gelecek. Başka mucize aramaya gerek var mı? Bu sonuç mucizenin ta kendisidir!
Ne güçlü bir diriliş!
Öyle güçlü ki bu mucizeyi Milli Mücadele ve Cumhuriyet dönemi ile iki kez daha göstereceğiz. Daha da kesin, etkili ve kalıcı olarak.
Cumhuriyet ordusu ise, bütün Türk tarihinin en güçlü ordusudur.

Dördüncü Bölüm

1) Lord Kitchener diyor ki: "Bir İngiliz denizaltısının Çanakkale Boğazı'nı geçerek Gelibolu önünde göründüğünü farz edelim. Seddülbahir'deki bütün Türk kuvvetleri tabanı kaldırıp Bolayır yoluyla İstanbul'a kaçarlar." (Aktaran: İ. Artuç, *1915 Çanakkale Savaşı*, s.101)

1a) AE-2'nin Boğazı geçişi için ilke olarak Fred ve Elizabeth Brenchley'in yazdığı *Stoker'ın Denizaltısı* adlı kitabı esas aldım. Özetleyerek aktarıyorum. Yanlışları sonda belirteceğim. Sultanhisar hakkında: "Sultanhisar'ın Kaptanı Rıza Bey'in Anıları, Çanakkaleyi Yaşamak", *Yeni Mecmua*, Çanakkale özel sayısı, s.103 vd.

1b) Bu hafif sapmanın nedeni ve oluşumu, en ayrıntılı biçimde Nigel Steel-Peter Hart'ın *Gelibolu-Yenilginin Destanı* adlı eserde anlatılmaktadır, s.51 vd.

Abdurrahman Özgen'in anlattığı gibi 'Türkler çıkış yerini işaret eden şamandıranın yerini değiştirmiş, Anzaklar bu yüzden Arıburnu'na çıkmış' değildir. Bu masaldır. Zaten Abdurrahman Özgen'in kitabının büyük bölümü masaldır, gerçekle ilgisi yoktur (A. Özgen, *Milli Mücadele'de Türk Akıncıları*, Tekin Y., İstanbul, 1973).

Kurtuluş Savaşı'nı biraz bilenler kitabın masal olduğunu çok çabuk anlarlar. Bu şamandıra masalına Fikret Günesen ile Sayhan Bilbaşar'ın kitaplarında yer vermiş olmaları bir talihsizlik, bir iş kazasıdır.

Arıburnu Koyu iki burun arasındadır. Kuzeydeki daha belirgin olan burnun adı Arıburnu ya da Büyük Arıburnu'dur. Güneydeki daha az belirgin, küçük burnun adı ise Küçük Arıburnu'dur. Bu iki burun arasındaki Arıburnu Koyu'na bir dostluk jesti olarak Anzak Koyu adı verilmiş. İyi niyetle de olsa bu ad değişikliğini Çanakkale tarihine karşı yapılmış ciddi bir saygısızlık olarak görüyorum. Arıburnu yalnız bir yerin değil, bir destanın adıdır. Jest için feda edilivereçek bir ad değildir.

Kıyı burada da kumsal. Kumsalın bittiği yerde, asıl çıkılacak araziye göre daha dik meyilli tepeler yükseliyor. Ama biraz sağa sola açılınca bu diklik bitiyor. Anzakların düzenlerinin bozulmasının asıl nedeni, farklı bir kıyıya çıkmış olmaları değil, baskına uğratacaklarını sandıkları Türklerin uyanık olmaları ve çok şiddetle direnmeleridir. Büyük zayiat verirler, subaylarının çoğu vurulur, birlikler birbirlerine karışır, bir kısmı korkuyla kıyıda kalır, ileri gidemez vb. Kısacası 1,5 km. kadar kuzeye çıkmaları başarısızlıklarının küçük bir nedeni bile değildir. Yenilginin mazereti olarak ileri sürülmesi komiklik olur.

Kabatepe ile Arıburnu arasındaki yoldan geçen biri arada ciddi bir fark olmadığını kolayca görür.

2) Günde iki kez yemek veriliyor: Sabah ve akşam. Sabah seyrek olarak kahvaltılık (çay, zeytin, ekmek), çoğunlukla çorba ; akşam yemek. Yemekle ilgili sorunların başlıca nedeni ulaşım yetersizliği. Askerin besini zaman zaman verilen kuru yemişle destekleniyor. Kuru yemişler çoğunlukla illerden armağan olarak geliyor.

2a) Alay Komutanı Şefik Beyin, Kabatape-Arıburnu'ndaki taburuna eskisi gibi yakın bulunmak için yaptığı başvuru, Ordu Komutanının emirlerine aykırı olduğu için kabul edilmemiştir (Kadri Perk, s.49).

Ordu Komutanının yanlış düzeni yüzünden bugün yüzlerce Türk ölecek, bu sayı giderek on binlerce olacaktır. Yahya Kemal Beyatlı Liman Paşa için "Ellerini Türk kanıyla yıkadı" diye yazacaktır (28.5.1921, *Eğil Dağlar*, s.161).

3) Halil Sami Bey ve Kurmay Başkanı karar vermede bocalıyorlar. Bu durumu, Liman Paşa'nın çalışmayan yöntemini, kaba tutumunu ve ilk günün olağanüstü şartlarını dikkate alarak değerlendirmek insaflılık olur. E.Kur.Alb. İbrahim Artuç "25 Nisan sabahının ilk saatlerinde Allah hiçbir komutanı 9. Tümen Komutanının durumunda bırakmasın" diye yazıyor (*1915 Çanakkale Savaşı*, s.139). Ama yanlışları belirtmek de gerçeğe saygının gereğidir.

3a) Otto Hersing, *Çanakkale Denizaltı Savaşı*, çev. Bülent Erdemoğlu, s.ıx vd.; çevirmenin konuya egemen olmasının önemini kanıtlayan çok güzel, güvenilir ve örnek bir çeviri. Kitabın başında Zafer Toprak'ın denizaltıcılık tarihi hakkında yararlı bir açıklaması var.

3b) Bean Avustralyalılar açısından Çanakkale Savaşı'nı yazacaktır. Elde en çok Anzaklar hakkında fotoğraf bulunmasının nedeni Avustralya yönetiminin bu üç fotoğrafçıyı görevlendirmiş olmasıdır. Anzak çıkarması hakkında resmi site: www.anzacsite.gov.au

3c) Baha Vefa Karatay, *Mehmetçik ve Anzaklar*, s.34 vd.; Alan Moorehead, s.147 vd.; A. Mete Tuncoku, *Anzakların Kaleminden Mehmetçik*, s.15 vd.

3d) İngiliz resmi harp tarihi (C.F. Aspinall-Oglander) diyor ki: "Türkler için ne mutlu idi ki 19. Tümen Komutanı, istikbalin reisicumhuru olacak olan M. Kemal'den başkası değildi ve mukadderata hâkim olan bu adam derhal, bariz bir komutan kudret ve kaabiliyeti gösterecekti. Düşmanın Conkbayırı'na doğru ilerlediğini işitir işitmez, bunun sahte bir hareket olmayıp kuvvetle yapılan ciddi bir taarruz olduğunu anladı. Bu hücumun Türk savunmasının kalpgâhına karşı bir tehdit teşkil ettiğini derhal takdir ederek vaziyeti bizzat değerlendirmeye ve muharebeye bir tabur değil, bütün bir alayı birden atmaya karar verdi." (s.229) Düşman bile bizim bazı yazarlarımızdan daha dürüst ve haksever. Bu gerçeği saklayan, saptıran, çarpıtan yazarların kimler olduğunu merak edenler için: *Vahidettin, M. Kemal ve Milli Mücadele*, s.94-176.

4) M. Kemal, *Arıburnu Raporu*, s.20.

5) Böyle büyük dönemeçlerde olağan günlerin kuralları değil, tarihe yön verenlerin irade ve kararları işliyor.

6) Bu ânı yaşamış bir subaydan aktaran Şevki Yazman, *Türk Çanakkale*, s.79; 26 Nisan-14 Mayıs arası dönem için, İzzettin Çalışlar, *Arıburnu Muharebeleri, Türk Kurmay Subaylarının Gözüyle Çanakkale Savaşı*, s.97-112.

7) *Atlas*, Nisan 2005, sayı 145, Gürsel Göncü, İlk Dört Saat, fotoğraflar: Cüneyt Oğuztüzün; 25 Nisan 1915 günü M. Kemal'in ve 57. Alayın güzergâhı hakkında önemli bir araştırma (Katkıda bulunanlar: Selim Meriç, Şahin Aldoğan, Jul Snerders). 25 Nisanda bu güzergâhı yürümek isteyen gençlerin bu yazıyı okumalarını tavsiye ederim. Ben güzergâh konusunda bu yazıdan yararlanacağım. Bazı yazarlar önemini hafifletmek için M. Kemal'den hep ihtiyat tümeni komutanı kalmış gibi söz ediyorlar. 25 Nisan 1915 günü saat 07.45'te M. Kemal'in ihtiyat tümen komutanlığı sona ermiştir.

8) 9. Tümenin raporu Arıburnu ve Seddülbahir'e çıkarma yapıldığını bildirmektedir. Öbür raporlar çıkarma yapıldığından değil, bombardımandan ve çıkarma olasılığından söz etmekteler. Liman Paşa çıkarma olduğunu açıkça bildiren 9. Tümen raporunu önemsemez, Saros ve Beşige'yle ilgili raporları dikkate alır. Bir psikologun bu gibi durumları inceleyerek Liman Paşa'nın psikolojik bir çözümlemesini yapması gerektiğini düşünüyorum.

9) Bolayır-Saros kesiminde iki tümen var. Durumu en iyi biçimde izleyip orduya bildirirler. Ama Ordu Komutanı Liman Paşa ordusunu bırakıp keşif yapmaya kendi gidiyor. Ordusunu başsız bırakıp iki gününü, bir gecesini Bolayır sırtında geçirecek. İnanılmaz bir durum ama böyle!

10) Liman Paşa'nın anılarında ilk iki gün için verdiği bilgiler birçok konuda gerçeklere uygun değildir. Tarihe dürüstçe bilgi vermiyor, saptırıyor. Liman Paşa'nın doğru yazdığını sanan yabancı yazarlar da olayları Liman Paşa'nın verdiği bilgilere göre değerlendiriyorlar (Liman von Sanders, *Türkiye'de Beş Sene*, s.86 vd.; saptırmaları hakkında: ATASE, *Çanakkale 2*, s.12 vd.). Liman Paşa anılarında 25 Nisan sabahını şöyle anlatıyor: "Sabah bu haberleri getirmekte olan subayların çoğunun benzinin solmuş

olmasından anlaşılıyordu ki düşmanın karaya asker çıkarması kesin olarak beklenilmekle beraber, çıkarmanın aniden bu kadar çok yerde baş göstermesi bazı kimseleri biraz şaşırtmış ve endişeye düşürmüştü. Bende ilk oluşan his, aldığımız tedbirlerde değişiklik yapmayı gerektirmediği idi. Bu büyük bir teselli ve memnuniyetti. Düşmanın çıkarma kuvvetleri bizim çıkarmaya ihtimal vererek ona göre özel olarak savunduğumuz yerlere çıkmıştı." (s.87)

Vatanlarında büyük bir yangın başlamış olan subayların endişeye düşmüş olması doğaldır. Olmaması düşündürücü olurdu. Ama asıl şaşıranın kendisi olduğunu göreceğiz. Şaşırmakla kalmıyor, iradesini donduran bir korkuya da kapılıyor.

Düşman Liman Paşa'nın düşündüğünü iddia ettiği hiçbir yere çıkmamış, asıl çıktığı yerler için önceden alınmış tüm önlemleri de Liman Paşa alt üst etmiştir.

Bu gerçekleri bilmeyen biri, anıları okuyunca, Liman Paşa'yı ileri görüşlü bir komutan sanır. Batılı yazarlar, bu anıları okuyor ve öyle sanıyorlar.

11) Esat Paşa, *Çanakkale Savaşı Hatıraları*, s.46.

11a) Beşiğe antik Troya kentinin limanıydı.

12) Burada bir taburu eksik, iki taburlu bir alay vardı, 64. Alay. Eskiden kalan bu alay da 3. Tümen emrine verilmişti.

13) ATASE, *Çanakkale 2*, s.46, 56, 57; Şevki Yazman, *Türk Çanakkale*, s.100; Yüzbaşı Celalettin: "Düşmanı önce karaya çıkarma, sonra hücum etme fikri en küçük birliğe kadar telkin edilmişti." (*Kumkale Muharebeleri*, s.157, *Türk Kurmay Subaylarının Gözüyle Çanakkale Savaşı*)

Sevgili gençler, bu olaylara inanmakta güçlük çektiğinizi tahmin ediyorum. Ama bunların hepsi gerçek. Alman eğitimciler gerçekten yararlı oldular. Ama onlara orduda söz hakkı tanımak, komuta makamlarına getirmek, bunun gibi daha nice acı, akıldışı olaylara yol açmıştır. Kabahat kimde? Almanlarda mı, yoksa onlara bir devletin namusu olan orduyu gözü kapalı teslim edenlerde mi?

Türkler Çanakkale'de biri dış, biri iç, iki emperyalist cepheyi de, orduyu yabancılara teslim eden bilinçsiz, ufuksuz, sorumsuz, onursuz anlayışı da yenmiştir. Çanakkale bu yüzden çok büyüktür. Bu özellikleri nedeniyle birkaç hurafe ile anlatılacak bir savaş değildir.

14) Binbaşı Mehmet Nihat, *Seddülbahir Muharebeleri, Türk Kurmay Subaylarının Gözüyle Çanakkale Savaşı*, s.204.

15) 250 kayıp verirler (Thomazi, s.67).

16) ATASE, *Çanakkale 2*, s.49, 57-58; İ. Artuç, s.124 vd.; mezarlık korunmuş olarak duruyor.

16a) Kumkale konusunun tümü için: ATASE, *Çanakkale 2*, s.39-90; F. Belen, *Birinci Cihan Harbinde Türk Harbi, 1915 Yılı Hareketleri*, s.168 vd.; Yüzbaşı Celalettin, *Kumkale Muharebeleri, Türk Kurmay Subaylarının Gözüyle Çanakkale Savaşı*, s.113-129; Şükrü Fuat Gücüyener, *Çanakkale'de Kumkale Muharebesi, Çanakkale Hatıraları*, c.3, s.153-164; Şerif Güralp, *Çanakkale Cephesinden Filistin'e*, s.12-34; C.F. Aspinall-Oglander, *Gelibolu Askeri Harekâtı*, 1. c., s.315 vd.; Thomazi, s.65 vd.

17) Yzb. Faik'in bölüğünün tam adı: 8. Bölük.

Komutanı Yüzbaşı Faik; 1. Takım Komutanı Yedek Asteğmen İbrahim Hayrettin (Balıkçı Damları ve civarı); 2. Takım Komutanı Asteğmen Muharrem (Hain Tepe); 3. Takım Komutanı Başçavuş Süleyman (Hain Tepe'nin yakını). İ. Hayrettin dışındakiler yaralanmış ve geriye taşınmışlardır.

Conkbayırı'nda M. Kemal ile karşılaşan askerler İ. Hayrettin'in takımından sağ kalabilen askerlerdir. İ. Hayrettin de sonra yaralanır.

Hepsi iyileşip geri dönecek, yok olan bölük yeniden kurulacak, bu gazi komutanlar birliklerinin başına geçeceklerdir.

Bunlar bir anıtı ya da bir yazıtı hak etmiyorlar mı?

Arıburnu Koyu'na Anzak Koyu adı verildi, Anzakların torunları orada rahat rahat anma töreni yapsınlar diye buldozerler şehitlerin ve gazilerin vatan yaptığı o coğrafyayı alt üst etti, özgünlüğünü bozdu.

Bizim için kutsal olan o yerde, 27. Alay ya da 8. Bölük şehit ve gazilerini anan, burada bir destan yaşandığını anlatan bir anıt yok. Arıburnu'nda savaşı özetleyen bir yazıt var. Ama savaşı İngilizler açısından özetliyor. Çünkü İngiliz yazıtı.

Adamlar övünmek için fırsat kaçırmıyor, her kahramanını yüceltiyor, tarihini aşındırmıyor, güncel politikaya uydurmaya kalkışmıyor, ters-yüz etmiyor. Bizde ise tarihimiz, kahramanlarımız unutturulmaya çalışılıyor. Hatırlatanlar, doğruları açıklayanlar suç işlemiş gibi karalanıyor.

Tarih bilgisinden ve bilincinden yoksunluk bir milleti, tam da çağdaş sömürgecilerin istediği gibi onursuz, bilinçsiz bir kuru kalabalık, sürü, kara yığın yapar. Çanakkale ve Milli Mücadele, bizi böyle yapmak isteyenlere tarihin uyarısıdır! Bu dönemlerde de kalemlerini haydut baltası gibi kullananlar vardı. Hepsi tarihin çöplüğüne gitti. Onların izinde olanların sonu da bu elbette.

17a) Yukarda açıklandığı gibi Asteğmen Muharrem de iyileşip yeniden kurulacak olan takımının başına dönecek ve savaşa devam edecek.

17b) A. Mete Tuncoku, *Anzakların Kaleminden Mehmetçik*, s.39, 40.

17c) Batarya üç saat sonra alaya ve savaşa katılacaktır (Şefik Aker, s.45, 62-63). Şefik Bey genç subayı azarlamakla yetinir.

18) ATASE, *Çanakkale 2*, s.106; İzzettin Çalışlar, aynı olayın 57. Alayın taarruzundan önce de yaşandığını belirtiyor: Arıburnu Muharebeleri, s.104, dipnot, *Türk Kurmay Subaylarının Gözüyle Çanakkale Savaşı.*

19) Şefik Aker, s.50; oran asker sayısında beşte birdir, silahta yüzde bir bile değil.

20) Her İngiliz taburunda bir ağır makineli tüfek bölüğü, her bölükte 8-12 ağır makineli tüfek bulunuyor. Bizde ancak alaylarda 4 tüfekli bir ağır makineli tüfek bölüğü var. Ama 3. Taburun bağlı olduğu 26. Alayın makineli tüfek bölüğü yok, daha kurulmamış.

İngiliz kaynakları, Türklerin ateş disiplinine bakarak, kıyıda ağır makineli tüfekler olduğunu iddia edeceklerdir (Mesela C.F. Aspinall-Oglander, 1. c., s.277). Bir tek makineli tüfek bile yoktu. Keşke olsaydı.

Bu yanlış Nigel Steel-Peter Hart'ta da devam ediyor, *Yenilginin Destanı*, s.74.

21) C.F. Aspinall-Oglander, 1. c., s.268.

22) İki piyade taburu, bir bölük, bir denizci müfrezesi, ATASE, *Çanakkale 2*, s.244.

22a) 26. Alayın 2. Taburundan 6. Bölük.

23) ATASE, *Çanakkale 2*, s.244-247; General Hamilton buraya çıkan birliğin yeni birliklerle takviye edilmesini önerir. Ama çıkarmayı yöneten 29. Tümen Komutanı General Hunter Weston buna gerek görmez.

Çanakkale'yi mucizelerle süslemek isteyenler! İşte size mucize! 9 Mehmet bir taburu durduruyor.

23a) Sevgili gençler! Türk askeri özellikle ilk günü bire beş, bire on, bire yirmi, bire yirmi beş kalabalık düşmanla dövüşmüştür. Silahta bu oran çok daha yüksektir. Oranları zaman zaman belirtiyorum. Hiçbiri abartı değildir. İyi eğitilmiş, onurlu, bilinçli, bilgili, inançlı, kararlı bir ordu için askerde ve silahta sayı farkı ciddi bir anlam taşımıyor. Çanakkale Savaşı, İnönü Savaşları, Sakarya Savaşı, Büyük Taarruz bunu kanıtlamıştır. Daha eski tarihlerde de bunu kanıtlayan örnekler var: Malazgirt Savaşı, Sırp Sındığı vb.

24) ATASE, *Çanakkale 2*, s.240-244; İbrahim Artuç, *1915 Çanakkale Savaşı*, s.146.

25) Teke Koyu'nu savunan bölüğün tam adı, 12. Bölüktür.

26) ATASE, *Çanakkale 2*, s.233-234.

27) Ertuğrul Koyu ve çevresine bugün donanmanın attığı mermi sayısı 4.650'dir (C.F. Aspinall-Oglander, 1. c., s.305, dipnot 3); bu sayı 18 Mart günü bütün Türk tabya ve bataryalarının kullandığı mermi sayısının iki katıdır (ATASE, *Çanakkale 2*, s.238).
Birinci Dünya Savaşı'nda Türklere karşı bütün İngiliz başarıları askerde, silahta ve araç-gereçte sayısal üstünlüğe dayanır, askerlik sanatına ve ordunun kahramanlığına değil. Çanakkale'de ve Milli Mücadele'de sayısal üstünlükleri işe yaramamıştır.

28) Ertuğrul Koyu'nu savunan bölüğün tam adı 10. Bölüktür. Bu bölüğü takviye edecek olan bölüğün tam adı da 11. Bölüktür. Teke Koyu'nda 12. Bölük var; buna bir süre sonra 9. Bölük katılacak. Mahmut Sabri Bey'in Seddülbahir destanını yaratan taburunun dört bölüğü bunlardır.

29) Bu tümsek hâlâ duruyor. ATASE, *Çanakkale 2*, bu tümseğin yüksekliğinin 1915'te 1,5 metre olduğu belirtiyor (s.214). Yüksekliği şimdi 50-75 cm. kadar. Bu tümseğin arkasında saklanıldığı ifadesi güven verici değil. Çünkü burası Ertuğrul tabyasından (Yahya Çavuş siperlerinin bulunduğu yerden) tabak gibi görünüyor. Saklanılan yer tabyanın altındaki ölü noktalar olmalı.

30) Alan Moorehead, s.184; ilk çıkışta İngiliz kaybı % 70 (ATASE, *Çanakkale 2*, s.237).

30a) Ertuğrul tabyasının yanında Yahya Çavuş Siperleri diye belirtilen yer. O günü anımsatsın diye gayet şık bir makineli tüfek yuvası yapılmış. Bir de dekoratif kalaslarla süslenmiş bir siper var. Bunların gerçekle bir ilgisi yok. Bu uyduruk, yanlış bir dekor! O kıyamet gününü zerre kadar temsil etmiyor.

31) C.F. Aspinall-Oglander, 1. c., s.288; Hamilton, *Gelibolu Günlüğü*, s.99; ATASE, *Çanakkale 2*, s.239.

32) ATASE, *Çanakkale 2*, s.234-240; C.F. Aspinall-Oglander, 1. c., s.289; F. Belen, *1915 Yılı Hareketleri*, s.162.
Bu büyük başarıyı sağlayan Ertuğrul Koyu'nu savunan 430 kahramandır. Kahramanlıkta, sebatta, kararlılıkta, özveri ve ustalıkta birbirleriyle yarışarak bu görkemli sonucu elde etmişlerdir.
Arıburnu Koyu'nda 27. Alayın kahraman 8. Bölüğünü ya da 2. Taburunu anımsatacak bir anıt, yazıt olmadığı gibi, Ertuğrul Koyu'nda da 26. Alayın 3. Taburunu, onun kahraman bölüklerini ya da bu 430 kahramanı anımsatan bir anıt, bir yazıt yok. Bu 430 kahraman arasında yer alan Yahya Çavuş ve adları saptanabilen birkaç erin adına bir anıt dikip de öteki kahraman komutan, subay, astsubay ve erleri unutulmaya bırakmak hak mıdır? Açıkçası, haksızlık değil midir? Bu kesimin sorumlusu, bu başarının sahibi 10. Bölük Komutanı şehit Yüzbaşı Hasan'ı unutmak olur mu? Balkan Savaşı'ndan kalan

o çavuşları bu subaylar yeniden eğitip yetiştirdiler, eritip yeniden döktüler!

İngilizler ayrım yapmadan, bütün askerleri için Ertuğrul Koyu'nda Gözcübaba Tepesi'ne Hellas anıtını dikmişlerdir.

En kısa zamanda hem Arıburnu'nda, hem Ertuğrul Koyu'nda, burada dövüşen, şehit ve gazi olan atalarımızın hepsini yücelten iki sanat eseri anıt yapılarak bu haksızlık düzeltilmeli diye düşünüyorum.

Bu anıtlar yapılmazsa anlayın ki yetkililerin Çanakkale kahramanlarına da, gerçeklere de saygıları yok.

33) Şimdi bu yükseltide, her yerden görülen görkemli Mehmetçik Anıtı var (açılışı 21 Ağustos 1960). Tepenin güney etekleri araba park yeri yapılıp betonlandığı için arazinin doğallığı burada da bozulmuştur.

34) İngiliz harp tarihine göre İngilizlerin kaybı 63 ölü ve yaralı (1. c., s.290). Türk kaybı bilinmiyor.

35) ATASE, *Çanakkale 2*, s.247-250; Eski Hisarlık olayını ayrıntılı anlatıyor. İngiliz Harp Tarihi ise özetliyor, Türk direnişini atlayarak sonuca geliyor. Kestirme yaklaşıma elverişli her yerde böyle yapıyor. İngiliz tarihinin bu özelliğini bilmeyenler, birçok yerde Türk direnişi, başarısı olmadığını sanırlar. *ATASE Çanakkale 2*'yi dikkate aldım.

Asteğmen Abdürrahim ve takımının çoğu şehit olacaktır.

35a) Daha sonra yanındaki birkaç askeriyle birlikte 57. Alaya katılacak, o da 57. Alayda savaşırken yaralanacaktır.

35b) 1. Tabur Komutanı Halis Ataksor'un güncesi yayımlandı. Torunu Serdar Ataksor (Ataksoy) dedesinin anısını yaşatıyor (www.Ataksor.org.); 3. Tabur Komutanı İbrahim Bey, *Çanakkale Savaşı Üzerine Bir İnceleme* adlı eserin yazarı E. General Selahattin Çetiner'in babasıdır.

35c) Köye 33 kişiden sadece 3 kişi geri dönebilecektir (*Gelibolu 1915-Savaşla Başlayan Dostluk*, s.83-84)

36) Genel olarak: M. Kemal, *Arıburnu Raporu*, s.22 ; güzergâh ve Teğmen Tulloch için, *Atlas* dergisi, Nisan 2005.

Teğmen Tulloch Avustralyalı gazeteci ve tarihçi Bean'e, 'bu Türk subayına tüfeğiyle ateş ettiğini ama vuramadığını' açıklamıştır.

Bu konuda ek kaynak olarak: www.user.glo.be, "Heading for Chunuk Bair" [kaynakta fotoğraf olarak Tulloch'un bulunduğu yerden M. Kemal'in bulunduğu yerin görünüşü var] + L.A. Carlyon, *Gallipoli*, Bantam Books, Londra, 2003, s.194-195. Bu iki kitapla ilgili bilgiyi sevgili Öğr.Bnb.Dr. Necati Yalçın'a borçluyum.

M. Kemal bu anı "Kazandığımız an, bu andır" diye niteleyecektir. Birleşik Ordu açısından ise 'bu an, savaşı kaybettikleri andır'.

36a) Kadri Perk, *Çanakkale Savaşları Tarihi*, s.54.

37) M. Kemal bu komutanlara savaş tarihinde benzeri olmayan şu sözleri söyler:

"Size ben taarruz etmeyi emretmiyorum, ölmeyi emrediyorum. Biz ölene kadar geçecek zaman içinde yerimizi başka kuvvetler ve başka komutanlar alabilir."

37a) Teyemmüm, suyun bulunmadığı yerde ve zamanda, iki eli temiz bir şeye vurup yüzü, dirseğe kadar iki eli ve kolu sıvazlamak.

37b) Atatürk bu taarruzu çok kısaca şöyle anlatıyor: "Herkes öldürmek ve ölmek için düşmana atıldı"'

Bazı kitaplarda Atatürk'ün bir sözünün yanlış anlaşılmasından dolayı, 57. Alayın daha ilk gün bütünüyle şehit olduğu yazılıyor. Bu kesinlikle doğru değil. Gerçek şu: Savaş sonuna kadar 57. Alayın ilk kadrosu neredeyse tümüyle şehit olur, yaralanır, alay yeni askerlerle takviye edilir.

Alayın sancağının Avustralya'da müzede bulunduğu da kesinlikle yanlıştır.

38) İngiliz Resmi Harp Tarihi diyor ki:

"19. Tümen Komutanı Yarbay M. Kemal'in 25 Nisan 1915'te Arıburnu bölgesindeki durumu derhal kavramış olması ve inisi-

yatifini kullanarak 57. Alayla yapmış olduğu taarruz, Çanakkale Savaşı'nın sonunu belirlemiştir.

Bir tümen komutanının kendi inisiyatifiyle giriştiği hareketler sonucu, bir savaşın, hatta bir milletin kaderini değiştirecek büyüklükte bir zafer kazandığı, tarihte pek az görülür." (Aktaran, İ. Artuç, s.175)

Bunu düşman söylüyor.

[Bizim bazı yazarlarımız ise hiç utanmadan bu gerçeği saklıyor, saptırıyor, çarpıtıyorlar. Ayrıntı için: *Vahidettin, M. Kemal ve Milli Mücadele*, s.94-177]

19. Tümen Komutanı M. Kemal, Ordu Komutanı gibi donup kalsaydı, sorumluluktan kaçınsaydı, kımıldamak için emir bekleseydi, Çanakkale Savaşı o gün sona ererdi: Kocaçimen-Kabatepe hattı düşman eline düşecek, Maltepe-Kilitbahir yolu açılmış olacaktı. Üç gün içinde Kilitbahir'i basarak Boğaz'ı donanmaya açacaklardı. Sonrasını düşünmek bile insanı ürpertiyor.

Bu gerçeğe rağmen Çanakkale zaferi kutlanırken Atatürk'ün adını anmaktan kaçınanları, M. Kemal'siz Çanakkale Savaşı romanı yazmaya, çizgi film yapmaya yeltenenleri nasıl nitelemeli? Bunlara uygun sıfatları sizler bulun!

Ruhça ve zihince sağlıklı bir insan milletinin tarihini değiştirmeye kalkışır mı?

38a) Mucip'in savunduğu yerin adı Mersin Sırtı (ATASE, *Çanakkale 2*, s.115-116).

39) Yarbay Şefik Aker, *Arıburnu Savaşları ve 27. Alay* adlı kitabında Asteğmen Mucip ile subay adayı Medeni'yi çok övüyor (s.55).

Bugün Mucip'in 164 kişilik bölüğü 129 şehit ve yaralı verir, 35 kişi kalır (Mucip Kemalyeri, *Çanakkale Ruhu Nasıl Doğdu, Çanakkale Hatıraları*, 3. c., s.309).

Bir kahraman daha var, 3. Taburun Hesap Memuru Muharrem Vehbi Efendi. O da yaralanan Tabur Komutanının yerine geçmiş, komutayı üstlenmiştir (s.55,56).

39a) Dövüşerek erimekte olan 27. Alayın Komutanı Şefik Aker diyor ki: "Tehlikenin içinde olduğumuz için M. Kemal'in o kurtarıcı karar ve hızlı hareketinin önemini bütün değeriyle ancak biz takdir edebiliriz. (..) Başlarında 19. Tümenin cesur komutanı olduğu halde, topçusu ve makineli tüfekleriyle beraber 57. Alay tam o istikametten gelmeye başlamış ve artık hem Boğaz'ın savunması, hem alayımız selamete ermişti." (*Arıburnu Savaşları ve 27. Alay*, s.59)

40) Mucip Kemalyeri, *Çanakkale Ruhu Nasıl Doğdu, Çanakkale Hatıraları*, c. 3, s.275 vd.

40a) ATASE, *Çanakkale 2*, s.59 vd.; Fahri Belen diyor ki: "(Bu birlikler) üç misli bir kuvveti tutmak suretiyle büyük bir sebat (direniş) örneği verdiler." (*1915 Hareketleri*, s.169)

41) Evet, güneyde birlikler kavrulurken, sadece iki tabur! Telaşa ne gerek vardı! Akan, sudan ucuz Türk kanıydı!
5. Tümenin alayı 29 Nisana kadar Şarköy'de hareket için emir bekleyecektir.

41a) **Kumtepe**, Kabatepe ile Teke Koyu arasındaki kıyıda bir tepe. **Kumkale** ile karıştırılmaması. Kumkale karşı yakada, Çanakkale Boğazı'nın girişinde.
Kumtepe'de şimdi bir motel var.

42) Esat Paşa'nın anılarında bu karşılaşmayla ilgili bilgiler karışık. Gerçeğe aykırı yanı da var. Paşa anılarını yazdırırken tepe adlarını, tıpkı genç subay gibi, birbirine karıştırmış, yanlış sonuca varmış, boşlukları yorgun belleği yüzünden olayın akışına hiç uymayan bilgilerle doldurmaya çalışmış.
Esat Paşa'nın anıları ilk kez 1975'te İhsan Ilgar tarafından kitap olarak yayımlanmıştır (Baha Matbaası, İstanbul). İhsan Ilgar'ın eklediği tutarsız, gereksiz bilgilerle anılar birbirine karışmış, kitap ciddi bir kaynak olma niteliğini kaybetmişti. Sevgili Nurer Uğurlu'nun, anıları bu fazlalıklardan temizleyerek, temel kaynakların yardımıyla doğru açıklamalar ekleyerek yeniden düzenlemesini diliyorum. Bu haliyle Esat Paşa'nın anılarını okuyup da Çanakkale Savaşı'nı, hatta Arıburnu Savaşlarını bile anlamak mümkün değil.

42a) ATASE, *Çanakkale 2*, s.113; Kadri Perk, *Çanakkale Savaşları Tarihi*, s.56.

42b) M. Kemal, *Arıburnu Raporu*, s.27.

42c) 77. Alay iki taburlu (1. ve 2. Taburlar), 3. Taburu batıda, Ece limanında.

43) ATASE *Çanakkale 2*'de bu alay komutanının bugünkü yavaşlığı dolayısıyla geriye alındığı ve mahkemeye verildiği yazılıyor (s.270). Bu bilginin doğruluğundan kuşkuluyum. Çünkü 25. Alayın Komutanı Yzb. İrfan, 24 Mayısta hâlâ alayının başında (İ. Görgülü, *10 Yılın Kadrosu*, s.69).
Fahri Belen: "9. Tümen Komutanlığı bu alayı topluca değil, parça parça yollayarak olumlu sonuçlar alınmasını engellemiştir." (*1915 Hareketleri*, s.164)
9. Tümenin emrinde 44 top vardı. Ciddi bir güçtü bu. Tümen Topçu Komutanı Yarbay Mehmet Ali Bey'in yetersizliği yüzünden bu

güçten hakkıyla yararlanılamamıştır (ATASE, *Çanakkale 2*, s.226 vd.). Yararlanılabilse düşman kaybı daha fazla olurdu.

44) ATASE, *Çanakkale 2*, s.251 (Bir alay + bir tabur= bir tugay).

45) Pınariçi Koyu'na, İkizkoy'a ve Eski Hisarlık'a toplam 6 tabur çıkmış durumda. Üçü de donanmanın koruması altında. Üç yer de Türk savunması açısından çok can alıcı noktalar. ATASE, *Çanakkale 2* bu durumu 'ölüm üçgeni' diye değerlendiriyor. Küçük Türk birlikleri bu güçlü birlikleri çıktıkları yere hapsediyor, düşmanın ilk günle ilgili planının büyük bir bölümünü bozuyor, savaşın gidişini değiştiriyorlar.
Bunlar adsız kahramanlar!
Bunları anımsatan hiçbir yazıt, anıt, taş parçası, işaret yok! Bu birliklerin komutanlarının adları bile yazık ki bilinmiyor. Bilinse de ansak, aileleriyle birlikte gurur duysak.
Bu sert savunmanın, bu günleri yaşayan İngiliz komutanların üzerinde yarattığı çekingenlik savaş sonuna kadar sürecek, küçümsemeleri sona erecek, daha gerçekçi düşünmeye başlayacaklardır.
İngiliz Resmi Harp Tarihi, yenilgiyi, daha çok kendi kusurlarının sonucu olarak göstermeye çalışıyor. Ama Birleşik Ordu'nun hareketleri ve durumu bakımından bir ana başvuru kitabıdır.
Türk Resmi Harp Tarihi daha ayrıntılı. Bu önemli eserin de büyük bir eksikliği var: Olayları genellikle anonim olarak anlatması, ad vermemesi.
Kahramansız kahramanlık olur mu?

46) ATASE, *Çanakkale 2*, s.258de 'en az altı düşman taburu' deniyor, 7.200 kişi.

47) İngiliz resmi harp tarihi, 'yılgınlık' dememek için 'askere sanki bir atalet (durgunluk) çökmüştü' diyor (C.F. Aspinall-Oglander, 1. c., s.299).

48) 9. Tümen yedek alayını yeni harekete geçirmiş, önden giden bir taburu Pınariçi Koyu'na göndermişti. Kalan iki tabur ancak saat 20.00 Alçıtepe köyüne gelecek. Bu alay böyle yavaş.

49) ATASE, *Çanakkale 2*, s.257, son paragraf.

50) ATASE, *Çanakkale 2*, s.268; burada İngilizlerin büyük Hellas anıtı var. Bizim yiğit birliğimizi anımsatacak minik bir yazıt bile yok. Gelibolu'yu düzenlemekten sorumlu olanlar galiba nerede, ne olduğunu bilmiyorlar.

51) Yahya Çavuş konusunu, 3. Tabur Komutanı Mahmut Sabri Bey'in Raporu (Anafartalar Hatıraları, c. 3., s.73-74) ile ATASE, *Çanakkale 2*'ye (s.261-262) dayanarak yazdım. Yahya Çavuş konusunda bu iki kaynaktan başka kaynak yok. Herkes bu iki kaynaktan yarar-

lanıyor. Kimi dürüstçe aktarıyor, kimi şişiriyor, büyütüyor, gerçeğe aykırı ayrıntılarla abartıyor.

Çanakkale'de birçok Yahya Çavuş vardır. Mahmut Sabri Bey kadirbilirlik gösterip raporunda Yahya Çavuş'u övmese o da ötekiler gibi bir adsız kahraman olarak kalacaktı.

Çanakkale masalcıları, Havranlı Seyit Onbaşı gibi Yahya Çavuş konusunu da şişirdiler, abarttılar, akla ve gerçeklere aykırı bir masala, sonunda hurafeye dönüştürdüler. Bazı ciddi, hatta iddialı kitaplarda bile bu konunun şişirilmiş haliyle yer almış olması insanı şaşırtıyor. Belli ki gerçekleri ve savaş alanını ve durumunu unutup hikâyenin çekiciliğine kapılmışlar.

Şişirme hikâyelere göre iki bölüğe yakın kuvvetin savunduğu, 500 metre genişliğindeki Ertuğrul Koyu cephesini, sadece 45 kişilik yarım takımıyla Yahya Çavuş korumuş ve bütün İngiliz çıkarmasını engellemişmiş.

Peki, bu cepheden sorumlu 10. Bölük Komutanı şehit Yüzbaşı Hasan nerede? 10. Bölüğün kahramanları nerede? 11. Bölüğün iki kahraman takımı nerede? Yahya Çavuş ve 45 adamı çıkarmayı engellerlerken, bunlar geride pişti mi oynuyorlardı?

Gerçeği dikkate almadıkları, ciddi bir kitap da okumadıkları için masalcıların anlattıkları birbirini de tutmuyor. Hepsi olayı farklı anlatıyor, yani uyduruyor. Bazı öyle uyduruk ayrıntılar var ki insan o destanı yaratan şehit ve gazilerin anısından utanıyor. Bu hem gerçeğe, hem o şehit ve gazilere, hem Yahya Çavuş'a saygısızlık.

Hele daha ilk satırında kime ait olduğunu hemen anlayacağınız bir hurafe kitabına göre Yahya Çavuş meğerse evliya imiş, cepheden geri çekilirken bakınız neler olmuş:

"Şehit düşen erler de yattıkları yerden hiç vaziyetlerini bozmadan, bir karış havada uçarcasına çavuşlarının peşine birerli kolda takılmasınlar mı? Bu vaziyette tepe bayır aşarlar, Harap Tabyadaki birliklerine gelirler. Siperlerde bulunan askerlerde bu hali görenler üzerinde büyük bir heyecan, korku ve şaşkınlık yaratır. Alay siperlerinde büyük bir çalkalanma olur ve arkasından hep bir ağızdan İtri'nin tekbirini okumaya başlarlar." (Mehmet Gençcan, *Çanakkale Savaşından Menkıbeler*, s.20 vd.)

Nasıl buldunuz?

Bu tarz uydurmalar, yakıştırmalar, aslı faslı olmayan hikâyeler, din ile bir oyuncakla oynar gibi oynamaktır ki dine büyük saygısızlıktır. Bu ipe sapa gelmez uydurmaları bilseler, gerçek dindarların büyük tepki göstereceklerine inanıyorum.

Yahya Çavuş Ezine'nin Koçali köyündendir. Cemalettin Yıldız Yahya Çavuş'un ölüm kaydında 23 Mayıs 1331/5 Haziran 1915 Maydos (Eceabat) yazılı olduğunu açıklıyor (*Seddülbahir Kahramanları*, s.77). Yaralanıp hastanede öldüğü anlaşılıyor. Yahya Çavuş anıtındaki Yahya Çavuş'un mezarı semboliktir. Allah tümüne rahmet eylesin!

52) ATASE, *Çanakkale 2*, s.250; F. Belen, *1915 Yılı Hareketleri*, s.162. Anadolu yakasında Erenköy ya da İntepe topçu grupları Eski Hisarlık'taki İngilizleri ateş altına alabilirlerdi. Ama bu grupların komutanı Alman Yarbay Wehrle, Birleşik Donanma yeniden Boğaz'ı zorlar kuşkusu ile kara hareketlerine karışmamış, donanmanın hücumunu beklemiş, Eski Hisarlık'a yardım etmemiştir (Kadri Perk, s.38).

52a) Liman von Sanders, *Türkiye'de Beş Sene*, s.91; inanılmaz gariplik sürüyor.

53) ATASE, *Çanakkale 2*, s.24. Liman Paşa Saros'taki birlikleri elinin altında tutuyor, Weber Paşa kolordusundan bir birlik vermiyor. Güneyde kan gövdeyi götürüyor ama bu iki komutan iki uçtaki serbest birlikleri asıl savaş yerine yollamıyor.

Bunun üzerine 3. Kolordu Kurmay Başkanı Fahrettin Altay, Müstahkem Mevki Kurmay Başkanı Selahattin Adil ve 15. Kolordu karargâhında 1. Şube Müdürü Yüzbaşı Bursalı Mehmet Nihat, gizlice işbirliği yaparlar. Ordu Komutanının, durumu birlik yollamaya elverişli olan 15. Kolordu'ya ardarda emirler vermesini sağlarlar. Bu düzen sonucu, Ordu Komutanı son olarak Weber Paşa'ya Gelibolu güneyine birlik göndermesini 25/26 Nisan gecesi kesin bir dille emredecektir (ATASE, *Çanakkale 2*, s.24-29, 64-69; Mehmet Nihat, *Seddülbahir Muharebeleri, Türk Kurmay Subaylarının Gözüyle Çanakkale Savaşı*, s.167, 214).

Ordunun esenliğini sağlamak için Türk kurmaylar entrika çevirmek zorunda kalıyor, yalan söylüyorlar. Ne acı bir durum! Çanakkale'yi yalnız bir kahramanlık destanı olarak görmek ve sanmak yanlış ve eksik olur. Kahramanlık sahnelerinin arkasında bu ve benzeri birçok ibret verici, uyarıcı, uyandırıcı olay var. Bunları da bilmek gerek. M. Kemal ve arkadaşları, bu acı sınavlardan geçtikleri için Milli Mücadele'de batının hiçbir oyununa gelmemişlerdir.

54) 27. ve 57. Alayların Çanakkale Savaşı'nda çok özel yerleri var. İkisi de yiğitlikleri ve başarıları nedeniyle sancaklarına takılan altın ve gümüş madalyalarla ödüllendirilir. Savaşın birinci gününden sonuncu gününe kadar yanyana dövüşür, varlıklarının çoğunu yiti-

rirler. Düşmanın Arıburnu planını bu alaylar mahvetmiştir. Bu iki alayı birbirinden farklı değerlendirmek haksızlık olur.

Ama 57. Alayın şehitliği var, 27. Alayın şehitliği yok.

27. Alaya olan saygı ve minnet borcumuzu da ödememiz gerekmez mi?

Gelibolu'da genel bir gelişigüzellik bulunuyor. Bunun nedeni Gelibolu'yu bir bütün olarak görüp de ona göre düzenleyecek bilgili ve saygılı bir üst yönetimin kurulamamış olmasıdır. Milli Park yönetimi de yanlış bilgileri, haksızlığı, dağınıklığı ve zevksizliği önleyebilmiş ve düzeltebilmiş değil. Kendi de yanlışlar yapıyor.

Opet'e Gelibolu'ya yaptığı bilinçli katkılar dolayısıyla yürekten teşekkürler!

55) ATASE, *Çanakkale 2*, s.121.

172 top, kara topçusu ölçüleriyle 44 batarya ediyor. Buna karşılık Arıburnu'nda Türklerin 4 bataryası, 2 Mantelli topu, iki de Nordanfield'i var. İngiliz Harp Tarihi, Türk toplarının Anzakları 'dehşete düşürdüğünü' belirtiyor. Bu, topçuların ustalığının zaferidir.

56) Ian Hamilton, s.104; Alan Moorehead, s.195; Thomazi, s.61: "Kıyıbaşına yığılan Anzak yaralılarının sayısı akşam olmadan 2.000'i bulmuştu"; C.F. Aspinall-Oglander: "Kumsal yaralılarla o kadar çok dolmuştu ki cephane, levazım ve erzak için yer bulmak zorlaşmıştı." (1. c., s.331)

57) M. Kemal, *Arıburnu Raporu*, s.28; 27. Alay, 3. Tabur Komutanı Yzb. Halis Ataksor'un 'düşman askerlerinin kıyıya kaçtığı, sandallara bindiği vb. hakkında üç raporu, s.117, 121, 125; 25 Nisanı ayrıntılı olarak anlatan raporu, s.268 vd.; Sermet Atacanlı, *Atatürk ve Çanakkale'nin Komutanları*, s.405-415 (57. Alay Komutanı Binbaşı H. Avni Bey'in 25 Nisan-7 Mayıs günleri olaylarını anlatan savaş raporu). Cumhurbaşkanlığı Belgeliğinde bulunan bu önemli rapor ilk kez bu eserde yer alıyor. 57. Alayın 25/26 Nisan gece taarruzu hakkında en ayrıntılı belge bu.

57a) Simpson Kickpatrick Anzakların saka erlerinden biriydi. Ateş hattına kadar su götürüyordu. Yaralılar artınca boş dönmedi, ağır yaralı olanları eşeğine yükleyip kıyıya taşımaya başladı. Bu ağır ve tehlikeli işi yakınmadan, sessiz sedasız yapıyordu. Giderek dikkati çekecek, birliğin sevgilisi olacaktır. Anzaklar yurtlarına dönünce bu sade kahramanın heykelini diktiler. Cambera'daki Savaş Anıtı müzesinde sakalar için dikilmiş bir genel anıt var (B. Vefa Karatay, *Mehmetçik ve Anzaklar*, s.168).

57b) N.S teel-P. Hart, *Yenilginin Destanı*, s.64.

58) ATASE, *Çanakkale 2*, s.122 vd.; Cemal Akbay, *19. Tümenin 25/26 Nisan Gece Taarruzu*, Çanakkale Muharebeleri 75. Yıl Armağanı, s.91 vd.

58a) N. Steel-P. Hart, *Yenilginin Destanı*, s.65.

58b) Milli Mücadele'de 17. Tümen Komutanı.

59) ATASE, *Çanakkale 2*, s.68-69.

59a) Ian Hamilton, s.100 vd.

59b) Şerif Güralp, *Çanakkale Cephesinden Filistin'e*, s.17; Şeref Bey Sakarya Savaşı'nda 1. Süvari Tümeni, 10. Alay Komutanı.

60) ATASE, *Çanakkale 2*, s.264-267; C.F. Aspinall-Oglander, 1. c., s.247- 263

61) ATASE, *Çanakkale 2*, s.264; yeni bölük Sığındere ağzında bulunan 6. Bölüktür. Bir yarım takımını Pınariçi'ne yollamıştı. O nedenle yarım takım eksik.

62) ATASE, *Çanakkale 2*, s.278, 3. paragraf.

63) ATASE, *Çanakkale 2*, s.269 vd.

64) C.F. Aspinall-Oglander, 1. c., s.326 vd., 331; Nigel Steel-Peter Hart, s.65 vd.; Alan Moorehead, s.197 vd.

65) Ian Hamilton, s.103 vd.; C.F. Aspinall-Oglander, 1. c., s.329 vd.; *Stoker'ın Denizaltısı*, s.108 vd.

66) ATASE, *Çanakkale 2*, s.270 vd. (Yeni emir ağır bir dille eleştirilmektedir.)
İlk gün, yalnız 9. Tümen Komutanlığı değil, 3. Kolordu ve Ordu Komutanlıkları da duruma egemen olabilmiş, harekete geçebilmiş değillerdir. İlk iki günün yapıcıları Arıburnu'nda 19. Tümen Komutanı M. Kemal, 27. Alay Komutanı Yb. Şefik Aker, Seddülbahir'de 26. Alay Komutanı Kadri Bey ile 3. Tabur Komutanı Binbaşı Mahmut Sabri Bey'dir.

67) C.F. Aspinall-Oglander, Gelibolu Askeri Harekâtı'nda, Pınariçi Koyu savaşını şöyle özetliyor: "İnce düşünüldü, uygun şekilde başladı, tereddütle sevk ve idare edildi, aşağılanarak da (zelilane) sona erdi. Bu sahildeki çıkış hareketinin tarihçesi işte budur." (1. c., s.263)
İngilizlerin kaybı: 697 kişi (C.F. Aspinall-Oglander, 1. c., s.255/3. dipnot).
General Hamilton bu konuyla ilgili raporunda bu kaçışın nedenini gerçeklere aykırı olarak şöyle anlatıyor: "Türklerin burada ölçülmesi olanaksız derecede yüksek olan sayı üstünlükleri ve daima yeni takviye kuvvetleri almaları..." (ATASE, *Çanakkale 2*, s.274)
İngiliz birliği bir tugaydı, Türk kuvvetlerinin toplamı ise son aşamada ancak bir tabur + 3 bölük + bir manga olmuştu. Demek ki Türk

birliklerinin savaşçılığı, İngilizlere çok kalabalık oldukları izlenimini vermiş. Paniklemişler. Başkomutan bile panikten etkilenmiş. Thomazi diyor ki: "Askerlerinin yarısını kaybeden komutan tahliye kararını kendisi vermişti." s.62; N. Steel-P. Hart, *Yenilginin Destanı*'nda kaybı 700 olarak belirtiyor (s.87).

68) ATASE, *Çanakkale 2*, s.270-271.

69) ATASE, *Çanakkale 2*, s.275; İngilizler bu inceliği, insanca yaklaşımı bir kez bile göstermediler. Ama kendilerini 'uygar' diye niteliyorlar, bizi 'az gelişmiş' diye. Uygarlığın ölçüsü makine değil de insanlıksa, savaş alanında biz onlardan çok daha uygardık. Çanakkale bunun kanıtıdır.
Bu Türk şövalyeliğini İngiliz resmi tarihi yarım ağız açıklıyor: "..Sahilde kalan yaralıların kaldırılması için faaliyete geçildi. Bu işe düşmanın pek müdahalesi görülmedi." (C.F. Aspinall-Oglander, 1. c., s.306)

70) ATASE, *Çanakkale 3*, s.506-512'de denizaltı etkinlikleri ile ilgili bilgi var. Denizaltıların batırdığı küçük büyük bütün gemilerin adları kayıtlı. Ama AE-2'nin bir gambot batırdığı hakkında kayıt yok. Nejat Gülen de, *Dünden Bugüne Bahriyemiz* kitabında Stoker'ın bir gambot vurduğu hakkındaki bilginin 'gerçeğe uymadığını' belirtiyor, s.306; *Stoker'ın Denizaltısı* adlı kitapta, Stoker'ın anılarına dayanarak, ayrıca bir de destroyer vurduğu yazılı (s.88). Bu da doğru değil. Stoker'ın tutsaklık günleri hakkında verdiği bilgiler de güven uyandırmıyor. Kaptanın anılarını yazarken şair yanının ağır bastığı ve hayalini çalıştırdığı anlaşılıyor. Stoker Marmara'da kaldığı birkaç gün içinde bazı gemilere hücum etmiş, hiçbirini vuramamıştır.
Kitabı çeviren ya da bir danışman, doğruları dipnot olarak verseydi Türk okuyucuyu yanılmaktan korumuş olurlardı. Tek yanlı bu tür yayınlar gerçeğe haksızlık oluyor.

71) ATASE, *Çanakkale 2*, s.70 vd.

72) 31. Alayın 1. Taburu.

73) ATASE, *Çanakkale 2*, s.72; Thomazi, s.66; Thomazi üç değil, dört gece taarruzu yapıldığını yazıyor; Charles F. Roux 'yedi taarruz' diyor (s.53); 39. Alay Komutanı raporunda 'on defa' diyor (Celalaettin, *Kumkale Muharebesi*, s.179, *Türk Kurmay Subaylarının Gözüyle Çanakkale Savaşı*); Şenf Güralp '13 süngü hücumu' diyor (s.22). Galiba hiç durmadan boğuşulmuş.

74) ATASE, *Çanakkale 2*, s.276-279; İ. Görgülü, *On Yıllık Harbin Kadrosu*, s.60.

75) 77. Alay dağılarak hem olumlu gelişimi engelledi, hem 27. Alayın sol yanını boş bırakarak, o kadar kan pahasına alınan Kanlısırt'ın terk edilmesine yol açtı.
Üstün düşmanla savaşan 19. Tümen bir alayının dağılması üzerine zor durumda kaldı. Yardıma gelecek bir birlik de yoktu.
77. Alayın iki taburundaki Araplar, daha taburlar savaş hattına yaklaşırken, ormanlık ve fundalık arazide, ayrılıp saklanarak, usul usul geride kalarak birliklerinden kopmaya başlarlar. Bir bölümü filonun ateşi altında kalarak erir. Kaçanlar arkadan ateş ederek 27. Alayın birliklerine zarar verir. Kaçmayanların büyük kısmı da geri çekilirken dağılırlar. Fahrettin Altay bazılarının, cephede kan gövdeyi götürürken, gerilerdeki çadırlara saklanıp nargile içtiklerini yazıyor.
Şefik Aker diyor ki: "Eğer bu Arap erleri yerinde bunlarla değiştirilen Türk erleri olsaydı, tekrar edilecek saldırışlarla, esasen gündüzden sarsılmış olan Avustralyalıların o gece vapurlarına çekilmek mecburiyetinde kalmış olacaklarına hükmolunabilir." (s.73-74)
ATASE, *Çanakkale 2*, bütün Arapların kaçmadığını, bazılarının Türklerle birlikte kaldığını açıklıyor.
M. Kemal, *Arıburnu Muharebeleri Raporu*, s.29-51 (1. ve 2. Tabur Komutanlarının olay hakkındaki raporları da var); ATASE, *Çanakkale 2*, s.123 vd.; Fahrettin Altay, s.90; Şefik Aker, s.68 vd.; İ. Görgülü, *Atatürk'ün Emirleri*, s.11; Şefik Aker, *Arıburnu Muharebeleri Raporu*, s.85 (*Çanakale Savaşı*, Yay. Haz. M. Albayrak).

76) Bazıları dövülür, üç elebaşı kurşuna dizilir (M. Kemal, *Arıburnu Raporu*, s.94/dipnot; Esat Paşa, s.52; İzzettin Çalışlar, *Atatürk'le İki Buçuk Yıl*, s.35).

77) Arabesk üslup bu inceliklerimize zarar veriyor; şimdi bazı aileler yüzyılların süzgecinden geçerek oluşan o dikkat ve inceliği önemsemeyerek, çocuklarına Araplar gibi 'Muhammet' adını veriyor. Birileri oğlu Muhammet'e, adını da söyleyerek küfredince acaba o baba rahatsız olmuyor mu? Arap yaşayış tarzı yalnız giyim kuşamda değil, anlayışta da usul usul yayılıyor. Ümmetçi Osmanlı, Arapları 'kavm-i necip' diye pohpohlamıştır ama Araplaşmamıştır. Bilinçsiz Osmanlılık, dincilik ve ümmetçilik akımı milli dokuyu, üslubu, kültürü tahrip ediyor, milleti yeniden yamalı bohça haline getiriyor, geri götürüyor, içten içe parçalıyor. Siyasetçiler bu gidişin nelere mal olacağını görmüyor, anlamıyor, kavrayamıyorlar.

78) ATASE, *Çanakkale 2*, s.71-79; Fransız kaybı: 778, Türk kaybı: 1.735, kayıp oranı % 50'den fazla. 505'i esir veriliyor, 39. Alay Komutanı raporunda bunlardan 'gayr-i müslim askerler' diye söz ediyor (Ce-

lalettin, *Kumkale Muharebesi*, s.178, *Türk Kurmay Subaylarının Gözüyle Çanakkale Savaşı*).

Şerif Güralp, Yzb.Dr. Şerafettin Bey'in iki gün ara vermeksizin yaklaşık 500 yaralıyı ameliyat ettiğini açıklıyor (s.27). Bu da bir cephe gerisi kahramanı!

Her araştırma kitabında buradaki yöntem ve komuta yanlışları üzerinde duruluyor. Bu haklı eleştiriler ve alınan olumsuz sonuç yüzünden burada iki gün içinde şehit verilen 467 subay ve er, 763 yaralı dikkatten kaçıyor. Buradaki birlikler emredilen her görevi gözlerini kırpmadan, 36 saat filonun vahşi ateşi altında kalarak yapmışlardı.

Yazık ki bu kahramanlar için ne bir anıt var, ne de bir yazıt. Anılmak için ille Gelibolu yakasında şehit ve gazi olmak mı gerekiyor? Buradaki kahramanlar neden hiç anılmazlar? Çanakkaleli gençler, nerdesiniz? Orhaniye ve çevresi yasak bölge değil, gezip görebilir, kahramanları anabilirsiniz.

Bu kesimde Orhaniye tabyasının kalıntıları ile küçük, bakımsız bir şehitlik ve söz konusu mezarlık var. Köyden iz kalmamış.

Şehitliğin nihayet düzenleneceğini öğrendim, çok sevindim. Serdar Halis Ataksor'a, Uğur Dündar'a ve şehitliği düzenleyeceğini vaadeden Çanakkale Valiliğine teşekkür ediyorum.

79) 172 top Arıburnu + 345 top Seddülbahir = 517 top.

80) ATASE, *Çanakkale 2*, s.280 vd.

81) M. Kemal, *Arıburnu Muharebeleri Raporu*, s.110; ATASE, *Çanakkale 2*, s.128,140.

81a) Şevki Yazman, *Türk Çanakkale*, s.113; Ş. Çamoğlu, *Çanakkale Boğazı ve Savaşları*, s.114 vd.

Liman Paşa anılarında diyor ki: "Anadolu yakasındaki birlikler Albay (Paşa) Weber'in güvenli ellerinde bulunduğundan o taraftan bir korkum yoktu." (s.88)

Şimdi güney kesim için 'güvenli el' arıyor. Seddülbahir'e 5. Tümen Komutanı Albay Sodenstern'i atayacak. Kannengiesser gelince, bakalım ne olacak?

82) Liman von Sanders, s.91.

82a) Liman Paşa, bazı emirlerini açıkca uygulamayan, adamlarını geri yollayan M. Kemal'e, birçok kez kızsa da, kızgınlığını bastıracak, sonuna kadar minnetini koruyacak, çok anlayışlı ve özenli davranacaktır.

82b) ATASE, *Çanakkale 2*, s.131, 132.

83) C.F. Aspinall-Oglander diyor ki: "Türkler topraklarını santim santim savunuyorlardı." (1. c., s.338 vd.)

Teğmen Guy Nightingel savaşı şöyle anlatıyor: "Köy korkunç bir tuzaktı. Her ev ve her köşe başı keskin nişancılarla doluydu ve sokakta görünmek kafana bir kurşun yemen için yeterdi. O köyde birçok subay ve asker kaybettik. Düşman hiç görünmüyordu. Görünen tek şey sadece bizimkilerin orada burada yere devrilmeleriydi." (*Yenilginin Destanı*, s.88)

84) Biri Albay Daughty Wylie'ydi. Uzun zaman Türkiye'de kalmış bir Türk dostuydu. Bu nedenle savaş sırasında silah taşımamak inceliğini göstermekte ama görevini de yerini getirmekteydi. Türk askerinin namus görevi de işgalcilere karşı yurdunu savunmaktı. Bu üç subaydan ikisini vurdular. Biri de Wylie'ydi. Albay D. Wylie'nin bireysel mezarı Harapkale Tepe'dedir.

Tepede ve köyde şehit olmuş hiçbir Türkün mezarı yok. Savaşta kaybettikleri kahramanlarına kim daha saygılı, İngilizler mi, biz mi?

85) Harapkale Tepe, köyün hemen yanında. Seddülbahir savaşının yönetildiği bu tepede şimdi köyün su deposu var.

86) C.F. Aspinall-Oglander, sayı vermiyor, 'asker bitkin, kaybı ağırdı' diyor (s.340); köy içi çatışmadan sonra Binbaşı Beckwith'in taburu bitkinlikten savaşamaz, köyün doğusunda mevziye girer (s.340).

Seddülbahir köyünde bu yiğit birliği, bu yaman direnişi anan, anımsatan herhangi bir yazıt bulunmuyor. Köyde bir Çanakkale Savaşı köyü olduğunu gösteren, anımsatan bir belirtiye, işarete de rastlamadım. Ertuğrul Koyu kumsalına ve çevresine yazlık evler yapılmasına izin veren tarihe saygısız, fırsatçı anlayışı da kınıyorum! Birileri bu yanlışlığı düzeltmeli.

87) ATASE, *Çanakkale 2*, s.281.

88) Mahmut Sabri Bey'in Raporu, *Çanakkale Hatıraları*, 3. c., s.79; bu gazilerin sonu hakkında hiçbir kaynakta bilgi yok.

89) 9. Tümen Komutanı 3. Kolordu Komutanlığına, öğleye doğru 3. Tabur baskı altındayken, kaygıya kapılarak Seddülbahir'deki birliklerin Alçıtepe'ye kadar geri çekilmelerini önerdi. Böylece savunma hattı Alçıtepe köyünün de gerisine alınıyordu. Kolordu bu öneriyi kesinlikle reddetti (ATASE, *Çanakkale 2*, s.293).

90) 3. Taburun kaybı: 6 subay, 630 er, % 57 kayıp (ATASE, *Çanakkale 2*, s.288).

İngilizler kayıp sayısını açıklamıyor. *ATASE Çanakkale2*, İngiliz resmi tarihindeki bazı bilgilerden yararlanarak İngiliz kaybının 2.600-3.000 olduğunu tahmin ediyor. Bu sayının içinde Türk keskin nişancılarının avladığı üç tugay komutanı general, iki tugay komutan vekili albay, 9 tabur komutanı, çok sayıda subay var (s.288, 292; C.F. Aspinal Oglander, s.347).

C.F. Aspinall-Oglander 29. Tümenin durumu için şöyle diyor: "29. Tümen, üç gün önceki tümenin adeta bir gölgesi gibi kalmıştı." (s.347)

25 Nisanda 25. Alayın kaybı: 917 er, 26. Alayın kaybı: 10 subay, 970 er. Toplam: 10 subay, 1.887 er (3. Taburun kaybı bu sayının içinde).

Eski Hisarlık'ın kuzey sırtındaki birlik yerinde kalmıştı. Buradaki İngilizlere hâlâ göz açtırmıyordu.

90a) Mahmut Sabri Bey'in Raporu, *Çanakkale Hatıraları*, 3. c., s.81.

A. Herbert diyor ki: "Şayet 25 Nisanda Liman von Sanders'in Alçıtepe güneyindeki savunma düzeni sadece kıl kadar farklı (yani biraz daha güçlü) olsaydı, sonuç, bir İngiliz ordusunun uğradığı gelmiş geçmiş en feci mağlubiyetlerden biri olurdu." (Aktaran Selahattin Çetiner, *Çanakkale Savaşı Üzerine Bir İnceleme*, s.206)

91) Charles F. Roux, *Çanakkale'de Ne Oldu*, s.56.

92) Buraya Kemalyeri adını Kolordu Kurmay Başkanı Fahrettin Altay verir (F. Altay, s.93).

Liman Paşa bu ara Reimond adında bir Alman binbaşıyı 19. Tümene Kurmay Başkanı olarak yolladı. M. Kemal bu oldu bittiyi kabul etmedi, Kurmay Başkanı İzzettin Bey'di. Kurmay Başkanlığı görevini Ordu Komutanının emrine rağmen Reimond'a vermedi. Küçük işlerde kullandı. Sonunda Reimond Ordu Karargâhına geri gitti (M. Kemal, *Arıburnu Muharebeleri Raporu*, s.64).

92a) Bu olay bazı kitaplarda ilerde Avustralya Genel Valisi olan Lord Richard Casey'in bir anısı olarak anlatılmaktadır. Lord Casey böyle bir anı anlatmamıştır. Öyle olsa bu olay, Lord Casey'in Genel Vali olduğu dönemde ilk Avustralya Büyükelçimiz olan Baha Vefa Karatay'ın kitabında yer alırdı. Yaşanmış, benzeri çok olan bir olay bu. Dilden dile geçerken abartılıp Lord Casey'e bağlanmış. Gelibolu'da bu olayın heykeli de var, Albayrak sırtının güneyinde, adı Mehmetçik'e Saygı anıtı. Altındaki açıklama olayı Lord Casey'e bağlıyor. Bu yanlış açıklamanın değiştirilmesi gerekir.

92b) Nejat Gülen, *Dünden Bugüne Bahriyemiz*, s.311 vd.; *Stoker'ın Denizaltısı*, s.121 vd.

93) İ. Artuç, *1915 Çanakkale Savaşı*, s.199; 19. Tümen emrinde 36 top vardı.

93a) 64. Alay Komutanı Binbaşı Servet Yurdatapan.

93b) Bu alay bir tabur eksik olmasına rağmen kahramanca dövüştü. Yiğit alaylar arasına girdi. Kırşehir'in Çiçekdağ/Sefalı köyünden ünlü Mehmet Çavuş da 64. Alaydandır. Subayının şehit olması üzerine birliğin başına geçmiş, direnmiş, birliğini süngü hücumuna kaldırarak tepeyi ve siperleri geri almıştır. Tepeye bu direniş ve hücum nedeniyle Cesaret Tepe, aldığı siperlere Mehmet Çavuş Siperleri adı verilmiştir. Bu kahramanlığı dolayısıyla rütbesi teğmenliğe yükseltilmiştir. Mehmet Çavuş Anıtı Cesaret Tepe'sindedir. Ailesi sonradan Canpolat soyadını almıştır. Yaşlı oğlu Yaşar Canpolat'ın bazı gazetelerde ve internet sitelerinde yer alan bir açıklaması var: Babası Çanakkale Savaşı'nda bir İngiliz gemisini el bombasıyla batırdı diye Türk ordusundaki bir Ermeni Yüzbaşı tarafından hapsedilmişmiş vs... Bu açıklama bütünüyle gerçeğe aykırı. Adam yaşlanmış, uyduruyor. Acı olan, bu hezeyanı doğru haber diye değerlendiren, yayan ve basanlarda. Bunların Çanakkale Savaşı ve rahmetli Mehmet Çavuş hakkında hiç bilgilerinin olmadığı anlaşılıyor. Gelin de demeyin: Bu kadar bilgisizlik ancak özel bir eğitimle kazanılır.

Çanakkale'nin kahraman askerlerinin adlarını taşıyan başka siperler de var: Hamdi Onbaşı siperi, Ali Çavuş siperi, Halil Onbaşı siperi, Ali Onbaşı siperi (ATASE, *Çanakkale 3*, 37. kroki).

94) M. Kemal, *Arıburnu Muharebeleri Raporu*, s.55 ve devamında, türlü başarılar ve olumsuz durumlarla dolu bu zor günü anlatan birçok ilginç birlik raporu var.

94a) Geç gelen alay 33. Alaydır. Kahraman komutanı Yarbay Ahmet Şevki Bey gece taarruzu sırasında şehit oldu. Anzaklar kıyıda tutunmalarını, bu alayın gecikmesine borçludur (ATASE, *Çanakkale 2*, s.139).

94b) ATASE, *Çanakkale 2*, s.146.

95) 27/28 Nisan gece taarruzu, ATASE, *Çanakkale 2*, s.140-145.
Anzak kaybı: 179 subay, 4.752 er (N. Steel-P. Hart, *Yenilginin Destanı*, s.102).
M. Kemal'e Padişah adına gümüş savaş madalyası verildi. O da 27., 57. ve 64. Alay Komutanları ile İzzettin Bey'i ve yaveri Kâzım'ı nişanla ödüllendirdi (İzzettin Çalışlar, *Atatürk'le İkibuçuk Yıl*, s.35; M. Kemal, *Arıburnu Muharebeleri Paporu*, s.69, Esat Paşa'nın madalya ile ilgili yazısı var).
33. Alay Komutanı Yarbay Ahmet Şevki Bey gece şehit olmasaydı, sanırım M. Kemal onu da nişanla ödüllendirirdi. 72. ve 77. Alay Komutanlarını ödülendirmemiştir. Anlaşılıyor ki ödülü hak edene veriyor!

95a) Necati İnceoğlu, *Siper Mektupları*, s.56.

95b) 7. Tümen Seddülbahir cephesine verilmişti. İki alayı (19. ve 20. Alaylar) gelmişti. 21. Alay yolda.
5. Tümen Arıburnu cephesine verilecek.

96) ATASE, *Çanakkale 2*, s.140-145; bu gece Arıburnu kesiminde oluşan cephe çizgileri, küçük dalgalanmalar dışında, Çanakkale

Savaşı'nın sonuna kadar değişmeyecektir. Oluşan çizgi kuzeyden güneye doğru şöyle: Cesarettepe doğusu-Bombasırtı-Kırmızısırt-Kanlısırt (ATASE, *Çanakkale 2*, s.142).

Anzaklar savaş sonuna kadar, yüksek mevkileri elinde tutan Türk silahlarının gölgesi altında kalacaklardır. Bu zor duruma iyi direnirler. Başlangıçtaki kural dışı davranışları gittikçe azalır.

96a) ATASE, *Çanakkale 2*, s.148-149.

96b) ATASE, *Çanakkale 2*, s.148.

96c) Saros'dan gelecek olan 5. Tümenin üç alayı 19. Tümen emrine verilir.

İstanbul'dan yollanacak tümenler 15. ve 16. Tümenlerdir. 15. Tümen Seddülbahir kesimine, 16. Tümen Arıburnu kesimine verilecek.

16. Tümenin 125. Alayı deniz yoluyla 28 Nisan sabahı geldi, 19. Tümen emrine girdi (ATASE, *Çanakkale 2*, s.145); öteki iki alayı, karargâhı ve bağlı birlikleri kara yoluyla geliyor: İstanbul-Uzunköprü demiryolu, Uzunköprü sonrası karayolu.

96d) Murat Çulcu, *İkdam Gazetesinde Çanakkale Cephesi*, 1. c., s.269.

97) Kirte, Alçıtepe köyünün eski adıdır. Savaşın birinci aşamasının ilk hedefi Kirte/Alçıtepe köyüydü, ikinci aşamanın hedefi Kilitbahir platosu.

98) 20. Alay 2 taburluydu. 15. Alaydan bir tabur gelmişti. Bu alaya verildi. 20. Alay böylece üç taburlu standart bir alay oldu. Tüm takviye için bu nedenle 'bir alay' dedim. Türkler toplam 8.000 kişi kadardı.

99) ATASE, *Çanakkale 2*, s.299 vd.; *Siperin Ardı Vatan*, s.68-71; C.F. Aspinall-Oglander, 1. c., s.352 vd.; F. Belen, *Birinci Cihan Harbinde Türk Harbi, 1915 Yılı Hareketleri*, s.173 vd.

100) Bu kahraman komutanı unutmayınız.Onunla yine karşılaşacağız. Ailesi var mı, soyadları ne, öğrenemedim. Ben bu binbaşıya 'Anafarta' soyadını yakıştırıyorum. Neden mi? İlerde anlatacağım.

101) Cemalettin Taşkıran, "Çanakkale Savaşlarında İtilaf Devletlerinin Hasta ve Yaralılarımıza Saldırıları", *Çanakkale Araştırmaları Türk Yıllığı*, sayı 1, s.103 vd.; Ahmet Esenkaya, "Çanakkale Muharebelerinde İtilaf Devletlerinin Savaş Hukukuna Aykırı Davranışları", *Çanakkale Araştırmaları Türk Yıllığı*, sayı 4, s.51 vd.

102) ATASE, *Çanakkale 2*, s.321; bir uçak en fazla 8 bomba taşıyabiliyordu; General Hamilton uçağın River Clyde gemisini bombaladığını yazıyor (s.121).

102a) 19. Alay Komutanı Yarbay Sabri Bey.

103) Charles F. Roux, s.56 (Albayın vurulduğu hakkında); Yabancılar Lejyonunda dövüşen maceracı bir İsviçrelinin anı defterinden:

"Fransız subaylarımız sabah akşam, Gelibolu yarımadasına ayak basmamızla birlikte Türklerin kaçacaklarını söyleyip durmuşlardı." (Aktaran Şevki Yazman, s.132)

104) ATASE, *Çanakkale 2*, s.308-318; C.F. Aspinall-Oglander, 1. c., s.352-360.

Türk kayıpları: 2.378; İngiliz + Fransız kayıpları: 3.000'den fazla; bunun 1.000 kadarı Fransız. Türk kayıplarının büyük bölümünün nedeni donanmanın ateşi.

105) Liman von Sanders, s.97; Nazmi Akpınar, s.63; ATASE, *Çanakkale 2*, s.151.

105a) Aktaran M. Tuncoku, *Anzakların Kaleminden Mehmetçik*, s.39.

105b) ATASE, *Çanakkale 2*, s.327-328; Liman von Sanders, s.92, 95.

105c) Bunlar 1918'de Mütareke ile birlikte su yüzüne çıkar, daha geniş örgütlenir ve özledikleri iktidara ortak olurlar. Dört yıl içinde daha da çoğalmışlardır. İngiliz işgalini bir nimet olarak görecek, İngiliz sömürgesi, bağlısı olmak amacıyla Milli Mücadele'yi baltalamak için ellerinden geleni yapacaklardır. Yöneticileri zafer üzerine gemiyi terk eden fare sürüleri gibi Türkiye'den kaçarlar. Bir insan yurt sevgisinden, bağımsızlık düşüncesinden, onurdan, namustan, kişilikten bu kadar yoksun, bu kadar hain olabilir mi? Bu örnekler olunabileceğini gösteriyor.

Damat Ferit'in babası Hıristiyan Arnavut (melisor) dönmesidir (F. Belen, *Türk Kurtuluş Savaşı*, s.78).

105d) Ian Hamilton, *Gelibolu Günlüğü*, s.125.

106) *Stoker'ın Denizaltısı*, s.126 vd.; E. Mütercimler, *Gelibolu*, s.411-414; Sultanhisar'ın Kaptanı Ali Rıza Beyin Anıları, "Çanakkaleyi Yaşamak", *Yeni Mecmua*, Çanakkale özel sayısı, s.106-112.

Esir subay ve erler savaş sonuna kadar Afyon esir kampında tutuldular. Savaştan sonra ülkelerine döndüler.

Batırılan E-15 denizaltısından kurtarılarak esir edilen İngiliz mürettebat

E-14 18 Mayısa kadar Marmara'da kaldı. (N. Gülen, *Dünden Bugüne Bahriyemiz*, s.318). Saros körfezine girerek Marmara'ya yaklaşan gemiler, denizaltılar ile telsizle iletişim kurabiliyorlardı. Aldığı yeni emre uyarak Kaptan Boyle da bazı gemilere saldırdı, Nurulbahir gambotunu batırdı, Gülcemal vapurunu yaraladı. Yine Boğaz'ı geçerek Mondros'a döndü. Verdiği değerli bilgiler sonraki denizaltı kaptanlarının çok işine yarayacaktır.

Boğaz'da ve Marmara'da toplam 8 Avustralya, İngiliz ve Fransız denizaltısı batmıştır. Bunların ve batırdıkları gemilerin kalıntıları araştırılmaktadır. Bilgi için: Savaş Karakaş, *Çanakkale Geçildi mi, Çanakkale Savaşı*, Yayına Hazırlayan: M. Albayrak, s.133 vd.

106a) S. Çakır, *Osmanlı Kadın Hareketi*, s.124, derginin 7 Eylül 1913 günlü sayısından. Dil sadeleştirilmiştir. Annenin imzası şöyle: Bint-i Halim Seyhan (Halim Seyhan'ın kızı).

107) 27., 57., 72., 33., 64., 125, 14, 15. Alaylar (8 alay); 5. Tümenin üçüncü alayı olan 13. Alay henüz yolda (9 alay = 3 tümen = bir kolordu eder). Mevcudu çok azalmış olan 77. Alay genel olarak Kabatepe'de. Böylece Yarbay M. Kemal fiilen bir Kolordu Komutanı ile eşdeğer olan Bölge Komutanı düzeyine yükselmiş durumda. Ama Esat Paşa'ya saygı ile bağlı.

108) ATASE, *Çanakkale 2*, s.155.

108a) ATASE, *Çanakkale 2*, '1 Mayıs taarruzunun biraz da Enver Paşa'nın sürekli taarruz isteyen 1 Mayıs günlü emrinin eseri olduğunu' belirtiyor (s.176).

109) İ. Çalışlar, *Atatürkle İkibuçuk Yıl*, s.35 (30 Nisan); Şevki Yazman, *Türk Çanakkale*, s.113 vd.; Ş. Çamoğlu, *Çanakkale Boğazı ve Savaşları*, s.115 vd.

110) Bugün İstanbul'da Ayasofya Camisindeki Cuma namazına Sultan Reşat da katılmıştı. Kendisine Çanakkale başarısı dolayısıyla El Gazi ünvanı verildi. Bu ünvan eskiden sefere katılan padişahlara verilirdi. Padişahların sefere katılmaları bitti ama âdet sürüyor. Sarayında oturan padişahlara da cephedeki bir başarı nedeniyle gazi ünvanı veriliyor.

Bir süre sonra gazetelere Padişahın yazdığı söylenen bir Çanakkale şiiri dağıtıldı. Eski Başmabeyinci Lütfi Simavi Bey, Sultan Reşat'ın şiir sanatıyla hiç ilgisinin olmadığını açıklıyor, bu şiirin Yahya Kemal'e yazdırılmış olabileceğini tahmin ediyor (*Osmanlı Sarayının Son Günleri*, s.206).

111) Büyük, genel taarruzlar yerine, yakın hedefli, sınırlı, yerel hücumlar yapma.

112) Şevki Yazman, *Türk Çanakkale*, s.113 vd.; Ş. Çamoğlu, *Çanakkale Boğazı ve Savaşları*, s.115 vd.; ATASE, *Çanakkale 2*, s.152-157; M. Kemal, *Arıburnu Muharebeleri Raporu*, s.70, s.87 vd.; F. Belen, *Birinci Cihan Harbinde Türk Harbi, 1915 Yılı Hareketleri*, s.178.

113) Liman von Sanders, s.95; Liman Paşa bu taarruzların orduca tertip edildiğini (düzenlendiğini) açıklıyor, sorumluluğunu üstleniyor. Bu sonuçsuz, hesapsız, acele taarruzların kaç Türkün canına mal olduğunu göreceğiz.

114) İki alayı (19. ve 20. Alaylar) 9. Tümenin emrinde kaldı. Takviyeler son dakikada ve parça parça geldikleri, bir açığı kapamaya yollandıkları için bu karmaşıklık sürüp gidiyor. Daha da sürecek. Bu durum ilk günlerin şartlarının ve ordunun takviye yollamada gecikmesinin ve takviyeyi planlı yapmamasının ürünü.

114a) Ben My Chree adlı bu uçak gemisini, Meis adası karşısındaki bataryanın komutanı Yüzbaşı Mustafa Ertuğrul, bataryası ile 27 Aralık 1916'da batıracaktır. Yüzbaşı Mustafa Ertuğrul'un olağanüstü maceralarını öğrenmek isteyen gençlere şu güzel belgeseli tavsiye ederim: Mustafa Aydemir, *Ben Bir Türk Zabitiyim*, Denizler Kitabevi, İstanbul, 2004.

115) ATASE, *Çanakkale 2*, s.159.

115a) ATASE, *Çanakkale 2*, s.341.

116) ATASE, *Çanakkale 2*, s.346; toplam Türk gücü: 16.000 kişi, 12 makineli tüfek, 32 top (15. Tümen yolda); genel olarak: F. Belen, *Birinci Cihan Harbinde Türk Harbi, 1915 Yılı Hareketleri*, s.180 vd.

117) ATASE, *Çanakkale 2*, s.157-160.

118) ATASE, *Çanakkale 2*, s.437-440.

119) Kaybın ağırlığını ve durumu göstermesi bakımından 21. Alay Komutanının raporundan alıntılar: "Alayın 1. Taburunda bir subay, öteki taburunda iki subay kalmıştır. Yedi bölük komutanı şehit düşmüştür. Cephane taşıyıcıların hepsi vurulmuştur. İki gecedir doğru dürüst yiyecek ve su ikmali yapılmamıştır." (ATASE, *Çanakkale 2*, s.356); 1 ve 2 Mayıs kayıpları, toplam 6.000 şehit ve yaralı. Mühlmann birliklerin, geceleyin birbirini tanımaları için askerlerin beyaz kol işaretleri ile donatıldıklarını söylüyor (s.104), Albay Kannengiesser ise anılarında bu bilgiyi yalanlıyor: "Kollara beyaz işaret taktırmak istedik ama ne beyaz bez, ne beyaz şerit bulabildik." (Aktaran: Ş. Yazman, s.130) Hangisine inanmalı?

120) ATASE, *Çanakkale 2*, s. 52, 356, 360; ATASE, bu birliğin 'büyük kısmının esir olduğunu' tahmin ediyor. Tahmin diyorum, çünkü bir belge yok.
Fransız karargâhında görevli Teğmen Charles F. Roux *Çanakkale'de Ne Oldu* adlı güncesinde, 1 Mayıs ile 6 Mayıs arasında alınan Türk

esirlerinin sayısını '50 kadar' diye belirtiyor (s.68). Bu konudaki tek yazılı bilgi bu. Bu bilgiden anlaşılıyor ki birliğin büyük kısmı esir olmamış. Belki 10-15 savaşçı esir olmuştur. Çünkü 50 sayısının içinde, 6 Mayısa kadarki savaşlarda verilen esirler de var.

Aslında içlerinden birkaçının Fransız cephesini tersinden yarıp alayına kavuşabilmesi bile bir mucizedir. Birliğin yarısının alayına kavuştuğuna inanabiliriz.

Çanakkale'de ne kadar çok film, dizi konusu var. Ama savaş filmi, dizisi çevirmek için o döneme ilişkin üniformaları, silahları, ortamı, şartları, davranışları, üslubu, savaş ve kişi özelliklerini, ciddi kaynakları tarayarak öğrenip bilmek, sanat kaygısı taşımak gerek. Uyduruk diziler o büyük olayları küçültüyor, yüceliğini zedeliyor, müsamereye dönüştürüyor. Çok ayıp oluyor.

120a) Albay Kannengiesser ertesi gün, 'düşmanın bir karşı taarruzuna direnebilmek için Türk cephesinin Kemalyeri-Conkbayırı çizgisine kadar geri çekilmesini' önerir. M. Kemal bu gereksiz, akıl dışı öneriyi kesin olarak reddeder ve Albayı bir daha bu öneride bulunmaması için uyarır! (M. Kemal, *Arıburnu Muharebeleri Raporu*, s.87, 88)

Liman Paşa bu geveze Albayı geri çağıracak, Albay von Sodenstern'in yanına danışman olarak verecektir.

120b) Bu tabur imamlarından biri de Sivrihisarlı İbrahim Mehmet Efendi'dir. Savaşırken yaralanmıştır.

121) ATASE, *Çanakkale 2*, s.160-161; M. Kemal, *Arıburnu Muharebeleri Raporu*, s.51-86; İ. Çalışlar, *Atatürk'le İkibuçuk Yıl*, s.35.

Türk kaybı yaklaşık 6.000 (2.000 şehit, 4.000 yaralı) olarak tahmin ediliyor. Anzak kaybı bilinmiyor.

M. Kemal savaş sonunda yayımladığı emirde şöyle demektedir: "Bize verilen namus görevini eksiksiz yapmak için bir adım geri gitmek yoktur. Uyku, istirahat (dinlenme) aramanın, bu dinlenmeden yalnız bizim değil, bütün milletimizin sonsuza kadar yoksun kalmasına neden olacağını hepinize hatırlatırım." ATASE, *Çanakkale 2*, s.161.

1 Mayıs sabahı filo Arıburnu kesimini, her zamankinden çok daha yoğun ve uzun bombardıman etti. Anzakların yeni bir Türk taarruzundan çok çekindikleri anlaşılıyordu.

122) ATASE, *Çanakkale 2*, s.350, 357-360.

Seddülbahir cephesinde iki günlük Türk kaybı da yaklaşık 2.000 şehit, 4.000 yaralı olarak tahmin ediliyor (s.360). Düşman kaybı 2.700-3.000 (İ. Görgülü, *10 Yıllık Harbin Kadrosu*, s.67; *Siperin Ardı Vatan*, s.75).

26. Alayın 3. Tabur Komutanı kahramaıı Binbaşı Mahmut Sabri Bey'in de bu savaşta yaralandığını, hastaneye kaldırıldığını düşünüyorum. 25-26 Nisan günleri hakkındaki ünlü raporunu hastanede iken yazmış, Harbiye Nezareti Müsteşarlığına vermiştir. Yaralanma tarihini, Ordu Komutanı F. Altay'ın rapora koyduğu notu dikkate alarak tahmin etmekteyim. F. Altay notunda diyor ki: "Bu muharebeden (25 Nisan muharebesi) takriben bir ay kadar sonra kendi yaralı ve tedavide iken..." (*Çanakkale Hatıraları*, 3. c., s.64)

123) ATASE, *Çanakkale 2*, s.360; C. Taşkıran, *Çanakkale Araştırmaları Türk Yıllığı I*, s.106 vd.; N. ve C. Yıldız, *Arıburnu Kahramanları, Emin Çöl'ün Anıları*, s.162; Agamemnon, savaş sonunda Mondros Mütareke Anlaşması'nın imzalanacağı uğursuz gemidir.

124) Ian Hamilton, *Gelibolu Günlüğü*, s.130-131.

124a) *Çanakkale Hatıraları*, c.3, s.360 (Münim Mustafa, *Cepheden Cepheye*).

125) İstanbul'a 5 Mayısa kadar 12.000 yaralı gelir (Mareşal Fevzi Çakmak ve Günlükleri, 1. c., s.319); Haydarpaşa hastanesi, ağır yaralıların bakıldığı askeri hastaneye dönüştürülür, tıbbiye bir yıl için kapatılır (öğrenciler hastanelerde görevlendirilir, 1916'da yeniden açılır); Galatasaray, Darüşşafaka, bazı fakülte binaları vb. hastane yapılır. Bu yolla 16 hastane kurulur (H. Özdemir, s.11, 12, 21).

125a) ATASE, *Çanakkale 2*, s.369; Yüzbaşı M. Nihat göreve 3 Mayıs günü 13.30'da başlar. Komuta kurulu hakkındaki gözlemleri şöyle: "Komuta kurulu düşman ve dost vaziyetini, ileri hatların mevkilerini, düşmanın kuvvetini ve hatta kendi elindeki birliklerin kuvvet ve sairesinden vaz geçtik, hakiki bir surette birlik numarasını bilmiyor, birliklerin mevki ve mahallinden de habersiz bulunuyordu." Mühlmann da anılarında durumu şöyle anlatıyor: "Emir-komuta zincirinde feci bir karışıklık hâkim. Birlikler büsbütün irtibatlarını yitirmiştir. Oraya ulaşan birlikler derhal muharebeye sokulmak zorundaydılar. Birlikler yorucu gece yürüyüşlerinden sonra dinlenmeksizin derhal ateşe girdiler..." s.103-104 (Bu durumu bir gözlemci gibi anlatıyor. Oysa kendisi bu durumdan sorumlu Komutanlığın Kurmay Başkanı!)
Liman Paşa'nın 20.000'e yakın askeri emanet ettiği komuta kurulunun niteliği ve düzeyi böyle! Bölge Komutanlığı kurulmasına, Albay von Sodenstern'in komutan atanmasına Esat Paşa'nın haklı olarak içerlediği anlaşılıyor, Bölge Komutanlığına uzak durması dikkati çekiyor.

126) 9. Tümenin raporundan: "...Subayların hemen hepsi şehit ve yaralı düşmüştür. Erlerin yarısı zayiata uğramıştır." (ATASE, *Çanakkale 2*, s.364)

127) ATASE, *Çanakkale 2*, s.365; Ian Hamilton, *Gelibolu Günlüğü*, s.131-132.

127a) ATASE, *Çanakkale 2*, s.390.

128) *Atatürk'ün Bütün Eserleri*, 1. c., s.218; Enver Paşa bu mektuba yazılı bir yanıt vermemiştir.

129) Bu Alman üçlüsünün 15. Tümene verdiği bu akıl dışı görevin kaynağını şimdi belirtmek istiyorum, belki kuşkuya düşenler hemen kaynağı görmek isteyebilirler: ATASE, *Çanakkale 22*, s.381-382 (15. Tümen Komutanının savaş raporu).

130) ATASE, *Çanakkale 2*, s.370.

131) ATASE, *Çanakkale 2*, s.370- 376.

131a) Celal Erikan, *Çanakkale'de Türk Zaferi*, s.39; Kadri Perk, *Çanakkale Savaşları Tarihi*, s.156.

132) Bu savaşlar sırasında Fransızlar tümen karargâhındaki hizmet erlerini, ahçıları bile savaşa sürmek zorunda kalmışlardır. Ch. de Roux, s.70.

133) ATASE, *Çanakkale 2*, s.366-392; *Siperin Ardı Vatan*, s.75-77; General C.F. Aspinalll-Oglander, 1. c., s.389; Carl Mühlmann, s.106.

134) İlerde yeniden kurulacak ve Milli Mücadele'de de görev alacaktır.

134a) Kannengeisser'in anılarından aktaran Ş. Yazman, *Türk Çanakkale*, s.132.

135) Liman von Sanders, s.98; Liman Paşa anılarında 1-4 Mayıs arasındaki gece taarruzlarının 'başarıyla neticelendiğini' yazıyor (s.95)! Liman Paşa tarihi yanıltmaya devam ediyor.
ATASE, *Çanakkale 2*, s.394; Liman von Sanders, s.403 (Albay von Sodenstern'in geri gönderilmesi hakkında Osmanlı Harp Tarihi Encümeninin gerçeği açıklaması).

136) ATASE, *Çanakkale 2*, s.176-180.

137) ATASE, *Çanakkale 2*, s.362; Ş. Yazman, *Türk Çanakkale*, s.107; Liman von Sanders, s.94.

138) O dönemde soyadı yok. Kadınlar, adlarını, babalarının, evlenince de eşlerinin adlarıyla birlikte kullanıyorlar.

139) 18 Mart günü yaralanan Gaulois ve Souffren zırhlıları da hâlâ onarımdaydı. Charlemagne yeni onarımdan çıkabilmişti (Ch.F. Roux, s.81, 85); Ş.F. Gücüyener, *Çanakkale'de İntepe Topçuları, Anafartalar Hatıraları*, 3. c., s.165 vd.; A. Tomazi, *Çanakkale Deniz Savaşı*, s.75; C.F. Aspinall-Oglander, 1. c., s.390; ATASE, *Çanakkale 2*, s.392.
İntepe bataryaları Komutanı Binbaşı Hasbi Bey'dir (Kadri Perk, *Çanakkale Savaşları Tarihi*, s.155). Yarbay Werle İntepe ve Erenköy bataryalarının bağlı olduğu grup komutanıdır.

İntepe bir yazıt istiyor. Bir vefalı birim, kurum öncülük etse ne güzel olur.

140) ATASE, *Çanakkale 2*, s.164-165; General C.F. Aspinall-Oglander, 1. c., s.381-383.

İngiliz Resmi Tarihi diyor ki: "Türkler sahilde sedyecilerin yaralı taşıdıklarını görür görmez, büyük bir alicenaplık (yücegönüllülük) göstererek ateşi kestiler ve yaralıların hepsi filikaya konuncaya kadar bir tek silah atılmadı." (s.383)

141) Kadri Perk, s.70; Alman kumanyalarının farklı olduğu hakkında: Hakkı Sunata, *Gelibolu'dan Kafkaslara*, s.169; Ali Fuat Erden, *Suriye Hatıraları*, s.100.

142) İngiliz Resmi Harp Tarihi Türk mevzilerinin durumunu gerçekçi olarak şöyle anlatıyor: "Türk siperleri henüz birbirlerine bağlanmamışlardı bile. Hiçbir noktasında tel örgüleri ile muhafaza altına alınmamışlardı... İngiliz birlikleri, henüz ancak doğal örtüler arkasında bulunan ileri kıtalar ile çarpışmışlardı." (C.F. Aspinall-Oglander, 1. c., s.424)

142a) ATASE, *Çanakkale 2*, s.408; durumu göstermek için iki bilgi: 19. Alay % 82, 21. Alay % 60 kayıp vermişti (ATASE, *Çanakkale 2*, s.410).

143) ATASE, *Çanakkale 2*, s.413.

143a) Bir Alman denizaltısı 7 Mayıs günü Lusitania adlı büyük yolcu gemisini batırdı. Bin kadar yolcu öldü. İçlerinde yüzden fazla ABD'li vardı. Bu olay ABD'de Alman düşmanlığını doruğa çıkarır. ABD bir süre sonra İngiliz ve Fransızların yanında Almanlara karşı savaşa girecektir.

144) İkinci Kirte hakkında: ATASE, *Çanakkale 2*, s.401-424; C.F. Aspinall-Oglander, 1. c., s.404-421; F. Belen, *Birinci Cihan Harbinde Türk Harbi, 1915 Yılı Hareketleri*, s.184 vd.

Türk kayıpları: 2.000, Birleşik Ordu 6.500 (ATASE, *Çanakkale 2*, s.424; C.F. Aspinall-Oglander, 1. c., s.421).

İngiliz ve Fransızlar üç gün içinde Türklere karşı 18.000 top mermisi kullandılar (C.F. Aspinall-Oglander, c. 1., s.429).

145) ATASE, *Çanakkale 2*, s.418; Ş. Yazman, *Türk Çanakkale*, s.107; ATASE 'dağıldılar', Ş. Yazman 'kaçtılar' diyor. Bu çelişki sürüp gidiyor; Ch.F. Roux bu birlikten 6 Almanın Seddülbahir kesiminde İngilizlere esir düştüğünü yazıyor (s.110). 12 makineli tüfekten son olarak Conkbayırı'nda söz ediliyor (ATASE, *Çanakkale 3*, s.351, 354). Bunlardan burada hiç yararlanılamadığı hakkında: Ş. Yazman, *Türk Çanakkale*, s.167; Cevat Abbas Gürer, M. Kemal'in bunları kötü örnek oldukları için ordu emrine yolladığını yazıyor (Cepheden Meclise, s.29).

145a) C.F. Aspinall-Oglander, 1. c., s.423.

146) ATASE, *Çanakkale 2*, s.424; Frank Knight, s.34.

147) M. Nihat'tan aktaran: Şevki Yazman, *Türk Çanakkale*, s.107; Kadri Perk, *Çanakkale Savaşları Tarihi*, s.67 (Weber Paşa'nın önerisi olarak).

147a) Tehlil: Lailaheillallah demek (=Allah'tan başta ilah yoktur).

148) Murat Çulcu, *İkdam Gazetesinde Çanakkale Cephesi*, 1. c., s.472-473'teki Çanakkale'den yollanmış Bombasırtı ile ilgili yazıdan yararlanarak.

M. Kemal Ruşen Eşref'e Bombasırtı'nı şöyle anlatmıştır: "Ön siperdekiler hiçbiri kurtulmamacasına bütünüyle düşüyor. İkinciler onların yerine gidiyor. Fakat ne kadar imrenilecek bir soğukkanlılık ve tevekkülle. Öleni görüyor, üç dakika sonra öleceğini biliyor, hiç, ufak bir fütur bile göstermiyor, sarsılmak yok. Okumak bilenler ellerinde Kuran-ı Kerim, cennete girmeye hazırlanıyorlar. Bilmeyenler kelime-yi şehadet çekerek yürüyorlar." (*Anafartalar Hatıraları*, 3. c., s.37, R. Eşref Ünaydın, *Anafartalar Kumandanı M. Kemal ile Mülakat*)

8/9 Mayıs gecesi Anzaklar Bombasırtı'nı ele geçirmek için beş kez hücum ederler, 600 ölü, 2.000 yaralı vererek geri çekilirler (ATASE, *Çanakkale 2*, s.171; İ. Çalışlar, *Atatürk'le İkibuçuk Yıl*, s.36).

13/14 Mayıs gecesi daha şiddetle hücum edecekler.

14 mayıs günü çıkan bir çatışmada bir Türk keskin nişancısı Avustralya Tümeni Komutanı General Bridges'i vurup ağır yaralar (A. Moorehead, s.229). General birkaç gün sonra ölür.

General sedye ile taşınırken Türkler ateşi keserler (M. Tuncoku, *Anzakların Kaleminden Mehmetçik*, s.77, *The Egyptian Gazette*'den aktararak).

149) Avustralyalıların ve Yeni Zelandalıların milletleşmesinde Çanakkale Savaşı'nın büyük rolü olmuştur. Biz de o dönemde bir millet olduğumuzu yeni yeni öğreniyor, anımsıyorduk. Onlarla birlikte biz de Çanakkale ateşinden geçerek yeniden uyanıp milletleşmeye başladık. Dirildik. Bu milletleşme emperyalizme karşı bir uyanış ve tepki olduğu için ırka dayalı değildi. Yurt içi bir kenetlenme, dayanışma, bilinçlenme olarak belirdi. Soya dayanmayan, özü yurtseverlik olan bu birleştirici, kucaklayıcı, insanca anlayış Cumhuriyet döneminde netleşti. Atatürk milliyetçiliği diye anıyoruz. Bu anlayışa karşı çıkanlar var. Yurtseverliğe kimler, neden karşı çıkar? Takdir sizlerin.

150) Albay Rüştü Bey Sakarya Savaşı'nda 61. Tümen Komutanı. Yüzbaşı Mehmet Nazım, Milli Mücadele'nin ünlü 4. Tümen Komutanı.

Kütahya-Eskişehir savaşında şehit olacak, Şehit Albay Nazım Bey diye anılacaktır.

151) Saim Besbelli, *Çanakkale'de Türk Bahriyesi*, s.5, 25.

152) Yüzbaşı Firle'nin danışman olarak gemide bulunduğunu Türk kaynakları da açıklıyor. Ama bütün mürettebat Türk olarak kabul ediliyor. E. Mütercimler, Bülent Eryavuz'un arşivine dayanarak gemide 11 Almanın daha bulunduğunu, Türk müretebatın 81 kişi olduğu yazıyor (*Gelibolu 1915*, s.433). Geminin seyir defteri bulunsa gerçek anlaşılır.

152a) Alan Moorehead, *Çanakkale Geçilmez*, s.214-215.

153) ATASE, *Çanakkale 2*, s.180; İ. Çalışlar, *Atatürk'le İkibuçuk Yıl*, s.37; bazı kaynaklarda Enver Paşa ile M. Kemal'in tartıştıkları yazılıyor. En güvenilir kaynak olan İ. Çalışlar'ın günlüğünde böyle bir bilgi bulunmuyor. Çalışlar her önemli olayı günlüğüne geçirmektedir.

154) Goliath'ın batırılması konusunda da Türk ve Alman kaynakları arasında farklılıklar var. Bu bölümü çeşitli kaynaklardaki birbiriyle tutarlı bilgileri dikkate alarak, tartışmalı hususlara değinmeden yazdım. İ. Görgülü, *Çanakkale Zaferi Üzerine Alman İddiaları*, s.23-26; ATASE, *Çanakkale 3*, s.25; Nazmi Akpınar, *Çanakkale Deniz Savaşları Günlüğü*, s. 68 vd.; E. Mütercimler, *Gelibolu 1915*, s.430-434; S. Besbelli, s.15; A. Tomazi, s.78; S. Bilbaşar, s.228; N. Hakkı, *Çanakkale Destanının 50. Yılı*, s.131; Ş. Tunççapa, *Çanakkale Muharebeleri Hatıraları*, s.111 (*Çanakkale Hatıraları*, 3. c.); Mühlmann, s.120; Liman von Sanders, s.102; İngilizler Muavenet'in arka arka gelerek gözcüleri şaşırttığı, İngiliz gemisi sanıldığı, ilk olarak kıçından saldırdığı düşüncesindeler: C.F. Aspinall-Oglander, 1. c., s.437/dipnot; *İkdam* gazetesi 15.5.1915 günlü sayısında şöyle yazıyor: "Torpidomuz Yüzbaşı Ahmet ve Alman Yüzbaşısı Firle Efendilerin kumandasında bulunuyordu." (M. Çulcu, *İkdam Gazetesinde Çanakkale Cephesi*, 1. c., s.335)

154a) Monitör: Altı düz, bir ya da iki ağır topu olan küçükçe deniz aracı. Denizaltılara karşı korunaklı.

155) Churchill Çanakkale'ye yollanacak yeni gemilere Amiral Fisher'in onayını almadan iki denizaltı ekler. Bunu öğrenen Amiral 15 Mayıs günü istifa edecektir (Alan Moorehead, s.218 vd.). Fisher'in Churchill'e yazdığı son not şöyle: "Siz Çanakkale'yi zorlamadan yanasınız. Buradan elinize hiçbir şey geçmeyecek. Hiçbir şey." (s.220) Askeri konularda askeri dinlemeyen politikacı tipi her ülkede var.

155a) ATASE, *Çanakkale 2*, s.172; Mete Tuncoku, *Anzakların Kaleminden Mehmetçik*, s.77 (Generalin vuruluşunu ve ölümünü bildiren *The Egyptian Gazette*'in haberi); General Bridges birkaç gün sonra ölecektir.

156) Gemi Almanların ileri sürdüğü gibi Yüzbaşı Firle'nin komutası altında olsaydı Yüzbaşı Ahmet Saffet değil, Yüzbaşı Firle binbaşılığa yükseltilirdi (İ. Görgülü, *Çanakkale Zaferi Üzerine Alman İddiaları*, s.26). Yükseltme işlemini yapan Alman Amiral Souchon'dur. Souchon'un Almanı ihmal edip Türkü yükseltmesi olası mıdır? Ahmet Saffet Ohkay ilerde Albay olacak, deniz kuvvetlerinde önemli görevlerde bulunacak, 3., 4. ve 5. Dönemlerde Elazığ milletvekilliği yapacaktır.

157) Bu kesimde 1. Süvari Tugayı, 6. Tümen, Gelibolu Jandarma Taburu var.

158) 19. Tümenin 77. Alayı yok sayılacak durumdaydı. O alaydan kalan askerler Kabatepe savunmasında görevlendirilmişlerdi. 77. Alay 19. Tümen kadrosundan çıkarıldı. 9. Tümene ait olan 27. Alay ile 3. Tümene ait olan 64. Alaylar 19. Tümenin emrinde bırakıldı. 19. Tümenin alayları şöyle belirlendi: 27., 57., 64. ve 72. Alaylar. Daha sonra 64. Alay da 18. Alayla değiştirilecektir. 19. Tümen hep 4 alaylı bir tümen olarak kalacaktır (18. Alay Saros kesiminde bulunan 6. Tümendendir, ATASE, *Çanakkale 3*, s.76-77).

25 Nisanda Güney Bölgesindeki ve Arıburnu'ndaki kuvvetler 3. Kolordu Komutanı Esat Paşa'ya bağlıydı. Esat Paşa'nın genel olarak bu iki bölgedeki savaşların yönetimine uzak durduğunu, ciddi bir girişimde bulunmadığını görüyoruz. Sorumluluğu Arıburnu'nda M. Kemal, Seddülbahir'de Halil Sami Bey taşımıştır.

159) M. Kemal, *Arıburnu Muharebeleri Raporu*, s.111-116; C. Erikan, *Komutan Atatürk*, s.126-127; Suvla çıkırması ve Anafartalar Savaşları M. Kemal'in ne kadar uzak görüşlü olduğunu gösterir. Ama bu uyarısını üst komutanlar dikkate almazlar.

160) M. Kemal, *Arıburnu Muharebeleri Raporu*, s.118 (Esat Paşa'nın yazısı).

161) Müsamerenin programı için: M. Çulcu, *İkdam Gazetesinde Çanakkale Cephesi*, s.340.

162) M. Kemal, *Arıburnu Muharebeleri Raporu*, s.130 (Aynı gün Esat Paşa İ. Çalışlar Bey'e de gümüş muharebe imtiyaz madalyası vermiştir).

Enver Paşa ile M. Kemal'in arası hiç sıcak olmamıştır. Ama bu konudaki iddia ve söylentilerin büyük bölümü abartılı, bazıları gerçek dışıdır. Bu söylentiler yabancı yazarları da etkiliyor. Alan Moorehead'ı da etkilemiş, kitabını bu ilişki hakkında gerçeğe aykırı sahnelerle süslemiştir. Mesela s.328-329. Tarih geçerli belge ve tanıklara dayanılarak yazılır. Dayanılmazsa yazılan tarih değil masal olur. Moorehead'de de masal paragrafları var.

163)   İ. Çalışlar, *Atatürk'le İkibuçuk Yıl*, s.38.

163a) *Çanakkale 1915 Kanlısırt Günlüğü*, s.41.

164)   ATASE, *Çanakkale 2*, s.184-211; F. Altay, s.97-98; Alan Moore-
head, *Çanakkale Geçilmez*, çevirmen Günay Salman'ın babasının
anılarına dayanarak eklediği not, s.226; İ. Artuç, *Çanakkale 1915*,
s.223 vd.; G. Göncü-Ş. Aldoğan, *Siperin Ardı Vatan*, s.86-89; Kadri
Perk, s.71 vd.; Ş. Yazman, *Türk Çanakkale*, s.115 vd.; F. Belen, *Bi-
rinci Cihan Harbinde Türk Harbi, 1915 Yılı Hareketleri*, s.187-190;
Binbaşı Burhanettin, *14 Mayıs-19 Mayıs Olayları, Türk Kurmay
Subaylarının Gözüyle Çanakkale Savaşı*, s.113-135; Liman von
Sanders, s.101; N. Steel-P. Hart, *Yenilginin Destanı*, s.124; Frank
Knight, s.37; Alan Moorehead, s.230 vd.; her birliğin kayıpları hak-
kında ayrıntılı bilgi: ATASE, *Çanakkale 2*, s.211.
Düşmanın kaybı yaklaşık 600 kişiydi (160 ölü, 468 yaralı). Bugün
bir rastgele kurşun güleryüzlü saka eri J. Simson'un hayatına son
verdi.
Bu taarruz hakkındaki eleştiriler şöyle özetlenebilir: Ağır topçu
yokken bu taarruza kalkışılması yanlıştı. Taarruz planı incelikten,
hesaptan yoksundu. Ciddi, ayrıntılı bir hazırlık yapılmamış, birlik-
lerin yeni yerleşime uymalarına fırsat verilmemişti. Taarruz genel
olarak cephe boyunca kaba bir yükleniş oldu, felaketle sonuçlan-
dı.
Liman Paşa anılarında bu savaş için şöyle diyor:
"...Bu taarruzun benim tarafımdan yapılmış bir hata olduğunu ka-
bul ederim. Bu hata, düşmanın kuvvetini iyi takdir edememekten
ileri gelmişti." (s.102)
Bu tek hatası mı? Bunu itiraf edince öbür hatalarından aklanmış mı
oluyor?

165)   A. Zeki Soydemir Milli Mücadele'de Tümen Komutanı, ilerde mil-
letvekili.

166)   M. Kemal, *Arıburnu Muharebeleri Raporu*, s.146.

167)   Etin kilosu 12-14 kuruş, soğanın okkası 8 kuruş, zeytinyağı 15 ku-
ruş. Savaş öncesi fiyatların birkaç katı.

167a) Bu savaş zenginleri ile sade halkın hayatı hakkında yazı çok. Önem-
li biri: H. Ziya Uşaklıgil, *Saray ve Ötesi*, 3. c., s.160-162.

168)   Liman von Sanders, s.100-101; E. Mütercimler, *Gelibolu 1915*,
s.151-152.

169)   Serpil Çakır, *Osmanlı Kadın Hareketi*, s.64-72; Fatma Nesibe
Hanım'ın konuşması esas alındı, o döneme ilişkin bazı kadın yazı-
larından küçük alıntılarla birleştirildi. Fatma Nesibe Hanım'ın bir
başka konuşması için: *Tarih ve Toplum* dergisi, Mart 1994.

170) Destanın tamamı: Halil Ersin Avcı, *Çanakkale Ruhu*, s.155 vd.; Boyabatlı Mustafa'nın ailesi hakkında bilgi: Hüseyin Akın, *Milli Gazete*, 28.11.2007; destanın başı ve sonu:

Üç yüz otuz, sözüm hakkın kelamı*
Padişahın geldi büyük selamı
Enver Beyin düşman kırmak meramı

...

Boyabatlı Ömer oğlu Mustafa
Yazdı bu destanı girerken safa
Muradı gitmektir arşı tavafa.
*) 1330 = 1914

170a) İkmal işlerinin aksaması cephede birçok sorunlara yol açtı. Mesela 20 Haziranda Seddülbahir'de tüfek başına 180 fişek, sahra topu başına 200 mermi kalmıştı. Silah noksanı başlamıştı. 2. Tümenin 5. Alayında 2.000 askere karşı 700 tüfek vardı. Asker şehit ya da yaralıların silahlarını alarak savaşa katılabiliyordu (Kadri Perk, *Çanakkale Savaşları Tarihi*, s.80).
Ordu zaten bolluk içinde değildi. İyice darlığa düştü.

171) Otto Hersing, *Çanakkale Denizaltı Savaşı*, s.42-44; N. Gülen, *Dünden Bugüne Bahriyemiz*, s.308; M. Çulcu, *İkdam Gazetesinde Çanakkale Cephesi*, 1. c., s.364; Thomazi, s.82; sadece 71 denizci ölmüştür.
F. Altay diyor ki: "Esat Paşa denize dökülenlerin toplanabilmesini kolaylaştırmak amacıyla topçularımıza ateş kestirecek kadar büyük bir insanlık örneği gösterdi." (*On Yıl Savaş ve Sonrası*, s.106)

172) Savaş Kurulu üyeliği sürecektir (George H. Cassar, *Çanakkale ve Fransızlar*, s.197). İkinci Dünya Savaşı'na kadar Bakan olamadığı hakkındaki bilgi yanlıştır. 1917'de Cephane Bakanı olarak hükümete girecek, Harbiye, Sömürgeler ve Maliye Bakanlıklarında bulunacaktır. Sakarya Savaşı sırasında Sömürgeler Bakanıydı (Bilal N. Şimşir, *Sakarya'dan İzmir'e*, s.243). Siyasi hayatı hiç kesilmemiştir. Churchill'in, Enver Paşa'nın oğlu Ali Enver'e "Senin baban benim siyasi hayatımı tam yirmi yıl geriye attı" dediği dayanaksız bir yakıştırmadır (Ş.S. Aydemir, *Enver Paşa*, 3. c., s.220).

172a) Hanımlar cephe gerisindeki sahra hastanelerinde de gönüllü hemşirelik ve hastabakıcılık yapmışlardır. İstanbul'a gelen yaralı sayısının çok artması üzerine hastane ve yatak sayısı yetersiz kalmıştı. Bazı hanımlar evlerinin tümünü ya da bir bölümünü hastaneye çevirdiler. Çeşitli semtlerde böyle 14 hastane açıldı (Serpil Çakır, *Osmanlı Kadın Hareketi*, s.73, dipnot 73).

173) Otto Hersing, *Çanakkale'de Denizaltı Savaşı*, s.47-49.

174) Halis Ataksor, *Çanakkale Raporu*, s.201.

175) Otto Hersing'in anılarını çeviren Bülent Erdemoğlu buranın Orak Adası'nın karşısındaki bir koy olduğunu belirtiyor. U-21 5 Haziranda İstanbul'a geldi. Sevgiyle karşılandı. Haliç'e girdi. Uzunca bir bakımdan sonra 5 Temmuzda Boğaz'dan çıktıp Carthage adlı bir Fransız yük gemisni batırdı, geri döndü. Kasım 1915'te yeniden Ege'ye çıkarak Türkiye'den ayrıldı (Otto Hersing, *Çanakkale Denizaltı Savaşı*, s.52-64).
Bu kahraman kaptanı saygıyla anıyoruz.

176) ATASE, *Çanakkale 3*, s.111.

177) Toprak altında kazılan tünel karşı yanın siperlerinin altına kadar uzatılıyor, tünelin sonuna yığılan patlayıcı madde patlatılarak siperler yıkılıyor. Bu durumdan yararlanılarak baskın yapılıyor, saldırıya geçiliyor vb. Tünelin çapı bir insanın sürünerek geçebileceği kadar. İnsan boyu yüksekliğinde değil. Bu nedenle lağım deniliyor.

177a) Esat Paşa, *Çanakkale Savaşı Hatıraları*, s.118; Cahit Önder, *Atatürk'ün Silah Arkadaşları, Yaşayan Çanakkaleli Muharipler*, s.21-22.

178) Mülazım Mehmet Sinan, *Harp Hatıralarım*, s.41.

179) İ. Çalışlar, *Atatürk'le İkibuçuk Yıl*, s.39; C.F. Aspinall-Oglander, 2. c., s.25, dipnot 3.

180) Alman ırkçılığını Hitler değil, Hitler'i Alman ırkçılığı yaratmıştır. Alman ırkçılığı şimdi de açık-kapalı sürüyor.

180a) İngilizler Kocadağ'ın batı kısmındaki bu kesime bakan yüzüne Sarıbayır diyorlar. C.F. Aspinal-Oglander burayı şöyle anlatmaya çalışıyor: "Dereler ve sırtlar o kadar kıvrımlı, sık dikenli çalılıklarla dolu, dik ve pürüzlü idi ki barış zamanında bile gündüz buralarda mükemmel bir haritaya sahip olmaksızın insanların dolaşması çok güçtür. Sarıbayır sırtlarının batı yamaçları birbirinden derin uçurumlarla ayrılmış birçok korkunç eğri büğrü sırtlarla desteklenmişti." (2. c., s.200 vd.)
Bu geniş ve karışık kesimde şu beş kuru dere ya da dere yatağı var: En doğuda Sazlıdere, Çaylakdere, Ağıldere, Kayacıkdere ve en batıda Azmakdere. Bu geniş, karışık kesimi **Sazlıdere-Ağıldere** kesimi diye anacağız. Olaylar çoğunlukla bu iki dere yatağı arasında geçecek.

181) M. Kemal, *Anafartalar Muhaberatına Ait Tarihçe*, s.5; M. Kemal Kuzey Grubuna yazdığı yazılarda olacakları şaşırtıcı bir öngörü ile ayrıntılı bir biçimde anlatmaktadır (*Anafartalar Muhaberatına Ait Tarihçe*, özellikle s.8'deki 27.3.1331 günlü yazı ve öteki yazılar).

182) N. Gülen, *Dünden Bugüne Bahriyemiz*, s.317; A. Esenkaya, "Çanakkale Muharebelerinde İtilaf Devletlerinin Savaş Hukukuna Aykırı Davranışları", *Çanakkale Araştırmaları Türk Yıllığı*, sayı 4, say-

fa 55, 78-79; geminin hastane gemisi olduğunu, bu olaydan dolayı Kızılhaç Merkezi'ne yapılan şikâyet kanıtlıyor (A. Esenkaya, *a.g.y.*, s.79).

183) İngilizlerin insanlık ölçüleri farklıydı. Kendilerinden olmayanlara farklı davranılabilirdi. Uçakları da sürekli Türk sargı yerlerini, hastanelerini bombalıyorlardı. Nasmith iki gemi daha batırdıktan sonra 8 Haziranda Mondros'a döndü. Victoria Cross nişanı ile ödüllendirildi.

Yerine ikinci kez Kaptan Boyle'un komutasındaki E-14 Marmara'ya girdi. Onu E-12, Haziran sonunda E-7 izleyecek. E-7 de İstanbul limanına girdi, Galata rıhtımında yük yüklenen mavnalara, cephane yüklendiğini sanarak hücum etti. Torpil rıhtıma çarparak patladı. Yine panik yarattı. 17 Temmuzda kıyıya yaklaşarak İstanbul-İzmit demiryolunu topa tuttu. 24 Temmuzda E-14 üçüncü kez Marmara'ya girdi, 12 Ağustosta çıktı, 5 Ağustosta E-11 girdi. Bu denizaltının yine büyük zararlar verdiğini göreceğiz (N. Gülen, *Dünden Bugüne Bahriyemiz*, s.321-323; ATASE, *Çanakkale 3*, s.508 vd.).

184) M. Kemal bu kesimde gerekli önlemleri alır. Girişteki tepelerde dayanak noktaları, biraz geride berkitilmiş siperler hazırlatır (*Anafartalar Muhaberatına Ait Tarihçe*, s.4).

Arıburnu cephesinde birinci hatta kuzeyde 19. Tümen, güneyde 16. Tümen kalır. Ortadaki 5. Tümen Kuzey Grubu ihtiyatı olarak geriye çekilir.

Kabatepe ile Arıburnu arasına da, kısa bir süre sonra, dördüncü tümen olarak Kuzey Grubuna bağlanan 9. Tümen gelecek.

185) ATASE, *Çanakkale 3*, s.29; Türkler: 9. Tümen 7.000 kişi, 12. Tümen 8.600 kişi, Güney Grubu ihtiyatları 3.000 kişi, toplam **18.600** kişi; taarruza General Hamilton'a göre 24.000 İngiliz katılacaktır (ATASE, *Çanakkale 3*, s.34) + 10.000 Fransız (G. Göncü, Ş. Aldoğan, *Siperin Ardı Vatan*, s.93), toplam **34.000** kişi.

186) R.R. James, *Gelibolu Harekâtı*, s.300.

186a) İkisinin topu hasar gördü, birinin lastikleri parçalandı. Zırhlı araçlar geri çekildi. Bir işe yaramadılar (N. Steel-P. Hart, *Yenilginin Destanı*, s.138).

187) Bu taarruzların bir yararı olmayacak, buna karşılık Anzaklar çokça kayıp vereceklerdi.

Anzaklar sağ kanatta ilk hamlede iki Türk siperini ele geçirmişlerdi. 27. Alay Komutanı Şefik Bey üç kişilik bir fedai bomba ekibi kurdu. Bombacılar karanlıkta bu siperlere sessizce yanaşmayı başardılar. İlk siperdeki işgalcileri, hiç beklemedikleri bir anda, el bombası yağmuruna tutarak yok ettiler. Siperler geri alındı (Şefik Beyin raporu: ATASE, *Çanakkale 3*, s.567 vd.).

Bu siperlerde ilk kez siper periskopları (gözetleme aygıtları) ele geçti. Türkler bu aygıtı ilk kez görüyorlardı (ATASE, *Çanakkale 3*, s.41-42).

188) 3. Kirte Savaşı için genel: ATASE, *Çanakkale 3*, s.27 vd. ve 3. ciltteki 4., 5., 6., ve 7. ekler; K. Perk, *Çanakkale Savaşları Tarihi*, s.76-80; C.F. Aspinall-Oglander, 2. c., s.54 vd.; N. Steel-P. Hart, *Yenilginin Destanı*, s.135 vd.

19 Mayısta Arıburnu'nda büyük kayıp veren **2. Tümen** dinlenmesi ve bütünlenmesi için Seddülbahir'e alınmıştı. İhtiyat olarak geride bulunuyordu. Gerekince savaşa yine coşkuyla katılmış, kaybedilen siperlerin geri alınmasında büyük hizmeti geçmiştir (K. Perk, *Çanakkale Savaşları Tarihi*, s.78).

188a) Şimdi burada, bu destan için dikilmiş olan Sonok Anıtı bulunuyor.

189) Girmeyi başaran birlik İngiliz 42. Tümenidir. Türk cephesinin 900 metre derinliğine kadar girmiştir. Harp tarihleri 'İngilizlerin bu kesimi güçlendirmek yerine yedekleriyle başka kesimleri destekleyerek' yanlış yaptıklarını belirtiyorlar (ATASE, *Çanakkale 3*, s.59).

Örnek olarak *Yenilginin Destanı*: "Türklerin oluşturdukları dinamik direnme, hattın (cephenin) ortasındaki ilk başarıların uyandırdığı umutları söndürmüştü. (...) Belki de Hunter Weston bir başarıyı kaçırmıştı. Başarıyı desteklemiş olsaydı Alçıtepe köyünün ötesindeki Alçı Tepe'nin yamaçlarına varabilirdi." (s.140)

Sonok Anıtı

Kadri Perk bugünün olağanüstü kahramanlarından üçünün adını veriyor: Astsubay Hüseyin Hüsnü, Hüseyin oğlu İsmail Onbaşı, Er İbrahim oğlu Ramazan (s.79).

190) Olayı Korgeneral Arif Tanyeri anlatmış, N. Hakkı Uluğ not etmiş ve yazmıştır. N. Hakkı'nın yazısında bazı boşluklar, karışıklıklar var. Yazının genel akışa uygun olan bölümlerinden yararlandım: N.H. Uluğ, *Çanakkale Destanının Ellinci Yılı*, s.114-124; F. Gündoğan, *Çanakkale Savaşları*, s.215-216.

191) Türk kaybı: 3.000 şehit + 6.000 yaralı, biraz da esir = **9.000** kişi ATASE, *Çanakkale 3*, s.72-73); Birleşik Ordunun kaybı: İngiliz

kaybı 4.500 + Fransız kaybı 2.000 = **6.500** kişi (C.F. Aspinall-Og-lander, 2. c., s.66).

Yahya Çavuş da bu savaşın ilk günü sağ kanatta ağır yaralanmış, Eceabat hastanesine kaldırılmış, 5 Ağustos günü şehit olmuştur (Cemalettin Yıldız, *Seddülbahir Kahramanları*, s.77).

Gaziantep kahramanlarından ve Atatürk'ün yakın arkadaşlarından Kılıç Ali Bey (Asaf) de bugün Alçı Tepe'de ayağından yaralandı. İstanbul'a gönderildi.

192) ATASE, *Çanakkale 3*, s.82 (7 Haziran günlü Ordu emri).

193) Geri çekilmeyi önermesi: K. Perk, *Çanakkale Savaşları Tarihi*, s.78; Thauvenay'ın İstanbul'a yollanması: ATASE, *Çanakkale 3*, s.84; yarattığı sorunlar: ATASE, *Çanakkale 3*, s.83, 88, 97; Liman Paşa'nın Güney Grubu yönetiminden memnun olmayışı: ATASE, *Çanakkale 3*, s.84 vd. ve ekler.

193a) Jenny Macleod, *Gelibolu'nun Öteki Yüzü*, s.168; C.F. Aspinall-Og-lander, 2. c., s.69-80.

193b) Alan Moorehead, *Çanakkale Geçilmez*, s.317.

194) Nazmi Bey, *Çanakkale Deniz Savaşları Günlüğü*, s.76 (9 Haziran 1915).

195) M. Kemal, *Anafartalar Muhaberatına Ait Tarihçe*, s.8-15 (yazış-maların son bölümü ve söz konusu konuşma); İ. Çalışlar, *Atatürk'le İkibuçuk Yıl*, s.42.

196) Dayanak: Liman Paşa'nın 30 Mayıs 1331 (13 Haziran 1915) günlü, Harbiye Nezareti Muamelat-ı Zatiye Müdürlüğüne yazdığı yazı. Liman Paşa Halil Sami Bey'i 'yetersiz ve sağlıksız' olduğunu ileri sürerek zorunlu izinle İstanbul'a gönderdiğini açıklıyor, daha kolay bir göreve verilmesini ya da emekli yapılmasını öneriyor (Bu belge için İsmet Görgülü'ye teşekkür borçluyum). Harbiye Nezareti Halil Sami Bey'i emekliye ayırmıştır.

Hastalığı uzun sürmüş olmalı ki bu işleme 20 Eylül 1924 günü iti-raz edebilmiş, dilekçesinde 'hastalığı nedeniyle Milli Mücadele'ye katılamadığını' belirtmiştir.

196a) 1 Temmuza kadar İstanbul'a 56.394 yaralı yollanacaktı (E. Müter-cimler, *Gelibolu*, s.66).

197) Rapor aldığı halde köyüne gitmeyip birliğine dönen asker az de-ğildir (C. Erikan, *Çanakkale'de Türk Zaferi*, s.58); Çanakkale'de 8 doktor ölmüştür, ikisi şehit. İddiaların tersine, şehit olan Tıbbiye öğrencisi yoktur (Dr. Fatma Özlen, *Çanakkale'de Tıbbiyeli Şehitler, Bir Efsanenin Analizi*, www. galipoli1915. org).

198) Gelibolu yarımadasından Boğaz'a dökülen başlıca dereler: Morto Koyu'na akanlar: Kirte deresi, Kanlıdere; Boğaz'a karışanlar: (Gü-

neyden kuzeye doğru) Kerevizdere, Domuz deresi, Tenker deresi, Soğanlı dere, Havuzlar deresi.

198a) Direnek noktası: siperler, varsa tel örgülerle çevrili, birkaç makineli tüfekle donatılmış egemen bir nokta.

199) Taarruzdan kaç gün önce bombardımana başladıkları hakkındaki bilgiler çelişkili. Bir gün ile üç gün arasında değişiyor. Kadri Perk, *Çanakkale Savaşları Tarihi*, s.80; İbrahim Artuç, *1915 Çanakkale Savaşı*, s.246; ATASE, *Çanakkale 3*, s.122, s.595 (2. Tümen Komutanının savaş raporu).

Fransızların kullandığı mermi sayısı: 7,5'lik toplar 28.000, 6,5'lik toplar 10.000, ağır toplar 2.700, siper havanları 700 mermi atmışlar (K. Perk, s.80; C.F. Aspilall-Oglander, 2. c., s.96); dakikada 150 mermi attıkları hakkında bilgi: ATASE, *Çanakkale 3*, s.142 (Liman Paşa'nın Başkomutanlığa raporu).

Savaş mı bu, vahşet mi?

200) Kadri Perk, *Çanakkale Savaşları Tarihi*, s.178; Yüzbaşı Kemal Bey ertesi günü hastaneye yetiştirilir. 26 Haziran sabahı şehitlik rütbesine yükselecektir. Mezarı Havuzlar Şehitliğindedir. Savunduğu tepeye, adını ebedileştirmek için Kemalbey Tepesi adı verilmiştir.

201) ATASE, *Çanakkale 3*, s.115-136; C. F.Aspinall-Oglander, 2. c., s.94-98.

Türk kaybı 6.000, Fransız kaybı 2.500'den fazla. Türk kaybının büyük bölümü yoğun ve uzun bombardımandan dolayı.

2. Tümen birkaç gün sonra Asya yakasına sevkedilir.

202) Charles F. Roux, *Çanakkale'de Ne Oldu?*, s.130.

203) Charles F. Roux, *Çanakkale'de Ne Oldu?*, s.131-133.

204) Mareşal Fevzi Çakmak ve Günlükleri, 1. c., s.325; şaki: haydut.

205) Aktaran M. Bardakçı, *Hürriyet*, 21.9.2003; arşın: yaklaşık 70 cm. uzunluğunda bir Osmanlı ölçüsü.

206) İngiliz ve Fransız bayrağı altında dövüşen Hindistanlı ve Kuzey Afrikalı Müslüman askerleri Türk ordusuna katılmaya çağıran bildiriler de attı. Cihat fetvası ve bildirisi bir işe yaramamıştı, bu yarar mıydı? İngilizler zaman zaman Türkleri teslim olmaya çağıran bildiriler atıyorlardı siperler üzerine. İki yanın bildirilerinin hiçbir etkisi olmamıştır.

207) İngilizler bu savaşta bu sayıyı aşarak 16.260 mermi kullanırlar (C.F. Aspinall-Oglander, 2. c., s.100, 4 sayılı dipnot).

208) Ş. Güralp, *Çanakkale Cephesinden Filistin'e*, s.54.

209) Sığındere Savaşları hakkında genel: ATASE, *Çanakkale 3*, s.141 vd.; C.F. Aspinall-Oglander, 2. c., s.98-112; G. Göncü-Ş. Aldoğan, *Siperin Ardı Vatan*, s.97 vd.; F. Belen, *Birinci Cihan Harbinde Türk Harbi, 1915 Yılı Hareketleri*, s.198 vd.

210) Charles F. Roux, s.140 vd.; Gouraud, Türkler ve Atatürk ilişkileri hakkında ayrıntılı bilgi: Sermet Atacanlı, *Atatürk ve Çanakkale'nin Komutanları*, s.202-262 (Bu bölümde 'İntepe topları' hakkında bilgiler de var).

211) Taarruzun öncüsü olan 70. Alay 3. Tabur Komutanı Binbaşı Reşat Çiğiltepe yaralanır ama görevini bırakmaz. Zorlukla geri gönderilir. Rahmetli Çiğiltepe 27 Ağustos 1922'de görevini söz verdiği saatte yerine getiremediği için intihar eden 57. Tümen komutanıdır; bu taarruzda 3. Tabur imamı Hüseyin Efendi de ön safta yer almıştır (ATASE, *Çanakkale 3*, s.181; Kadri Perk, *Çanakkale Savaşları Tarihi*, menkıbeler bölümü, s.171 vd.).

212) ATASE, *Çanakkale 3*, s.175, 177, 178.

213) Hiçbir aşamada geri çekilmeyi düşünmemesi, çekilmeyi düşünenlere kesinlikle karşı çıkması, Liman Paşa'nın artılarının en önemlisidir.
Weber Paşa'nın geri çekilme emri ve sonrası hakkında: ATASE, *Çanakkale 3*, s.209-210; Şevki Yazman, *Türk Çanakkale*, s.141.

214) Faik Paşa'yı Güney Bölgesi gerisinde ihtiyat birliği olarak kurduğu 2. Kolordu, sonra da Saros Grubu Komutanlığına getirecektir. Faik Paşa Çanakkale'den sonra atandığı Doğu Cephesinde 1916'da şehit olur.

215) ATASE, *Çanakkale 3*, s.205-207; İ. Artuç, *1915 Çanakkale Savaşı*, s.249; 28-30 Haziran arası İngiliz kaybı 3.800 kişi (C.F. Aspinall-Oglander, 2. c., s.108, 2 nolu dipnot); daha sonraki kayıpları hakkında bilgi yok; savaşın akışına bakarak, bunun 1.200 kişi olduğunu tahmin ettim: 3.800 + 1.200 = 5.000 kişi.
Çanakkale Savaşı'nda en çok kayıp verilen, en kanlı savaşlar Sığındere savaşları olmuştur.

216) Sığındere Sargı Yeri Şehitliği Sığındere'nin kuzey kesiminde, Alçıtepe köyünün batısındadır. Buranın biraz güneyinde Nuri Yamut Sığındere Şehitliği var. Nuri Yamut Paşa, teğmen olarak Çanakkale Savaşı'na katılmıştır. Gelibolu'da 2. Kolordu Komutanıyken Sığındere şehitleri için burayı yaptırmaya başlamış, ödenek bitince tek evini satarak bu şehitliği tamamlamıştır. Ona da şehitlerimize de rahmet olsun!
Sargı yerinin İngiliz donanması tarafından ateş altına alınarak burada binlerce yaralının öldüğü hakkındaki iddia, gerçek dışıdır. Tarihe yalan katmadan duramıyoruz.

217) İngiliz Resmi Tarihi bu insanlığa ve gerçek askerliğe aykırı tutumun nedenini şöyle açıklıyor: Cesetler toplanır ve aradaki alan temizlenirse, Türkler taarruz ederlermiş. Oysa İngiliz askeri yor-

gun, cephane de kısıtlıymış. General Hamilton ateşkes önerisini bu yüzden kabul etmemiş (C.F. Aspinall-Oglander, 2. c., s.112). Gazla yakmaları: Mülazım Mehmet Sinan, *Harp Hatıralarım*, s.40; savaş alanının durumu: Prof.Dr. Abdülkadir Noyan'ın anıları, C. Yıldız, *Seddülbahir Kahramanları*, s.158-159).

Bu acımasızlıkları yaşayan Türkler sömürgeci ahlakını her gün biraz daha iyi anlıyor ve uyanıyorlardı.

Tarihi anlayarak okuyup öğrenenler bu uyanıklığı sürdürüyorlar. Çanakkale'yi insan aklı ve emeği olmadan kazanılmış bir zafer sananların uyanmaları ise çok zor. Onlar rüya âleminde yaşıyorlar. Türkiye dışında, Müslüman devletler ve toplumlar akılcı eğitime önem vermedikleri için her açıdan geriler, sömürülüyorlar, karışıklık içinde yaşıyorlar, demokrasiden uzaklar, insanlık ailesine yazık ki hiç bir katkıları yok. Batının buluşları ile yaşıyorlar. Biz de azar azar akılcı eğitimden uzaklaşmaktayız. Birçok aydınımız, bilim adamımız, yazarımız, politikacımız, hatta bazı öğretmenlerimiz bunun nasıl bir facia olduğunun farkında değil. Olaylara günübirlik bakıyor, tarihten ibret alarak ileriyi göremiyorlar. Osmanlı akılcı eğitimin önemini kavramadığı için durakladı, geriledi, çöktü ve öldü. Bunu hiç unutmamak gerek!

218) Şerif Güralp, *Çanakkale Cephesinden Filistin'e*, s.53.

219) Almanlar arası entrikalar, çekişmelerle ilgili hikâyeler sayısız. İkinci büyük çıkarmanın eşiğinde Berlin, İstanbul'daki Alman çevresinden yapılan şikâyetler üzerine Liman Paşa'yı geri çağıracak, Liman Paşa silahtan daha iyi kullandığı kalemi sayesinde yerinde kalmayı başaracaktır. Bu ilginç hikâye için: Liman von Sanders, *Türkiye'de Beş Sene*, s.107 vd.

220) Vehip Paşa'nın emrinde ikişer tümenli iki kolordu vardı. Birinin komutanı Alman Trommer Paşa'ydı, ikinci kolordunun komutanı Fevzi (Çakmak) Paşa'ydı. Trommer Paşa Türk cephesinin sağ kanadından, Fevzi Paşa sol kanadından (doğu) sorumlu olacak.

221) Enver Paşa bu dönemde de daha yeni savaştan çıkmış ve çok ağır kayıp vermiş olan Güney Bölgesinde yeni bir taarruz yapılmasını telkin etmektedir (ATASE, *Çanakkale 3*, s.224-225, Enver Paşa'nın emrinin 3. maddesi); Liman Paşa da Vehip Paşa'yı taarruza zorlayacak ama Vehip Paşa kabul etmeyecektir (ATASE, *Çanakkale 3*, s.303-304).

221a) Söz konusu yeni tümenler Lord Kitchener'in Ağustos 1914'teki çağrısına katılan gönüllülerden oluşuyordu. 10 ay eğitim görmüşlerdi. A. Oglander diyor ki: "Subaylar İngiliz kahramanlığının çiçeği idiler." Tugay ve tabur komutanları, yaş ve kıdem aranılan başlıca

nitelik olduğu için, elli yaşını geçkin subaylardı (C.F. Aspinall-Og-
lander, 2. c., s.155).

221b) Kurul üyeleri: Mehmet Emin Yurdakul, Ahmet Ağaoğlu, Hamdul-
lah Suphi Tarıöver, Ömer Seyfettin, Enis Behiç Koryürek, Orhan
Seyfi Orhon, Celal Sahir Erozan, Ali Canip Yöntem, İbrahim Ala-
addin Gövsa, Hıfzı Tevfik, Hakkı Süha, besteci Rauf Yekta, ressam
İbrahim Çallı, Yusuf Razi, Müfit Ratıp, Nazmi Ziya, Muhittin, Se-
lahattin (ATASE, *Çanakkale 3*, s.599-601, gezi ile ilgili resmi ra-
por).

Hava değişim raporuyla köylerine dönen erlerden bilenler, izinle
İstanbul'a giden subaylar M. Kemal adını yaymaya başlarlar. Bu ge-
ziden sonra M. Emin Bey *Tan Sesleri* adlı uzun şiirinde M. Kemal'in
adına yer verir: *Ey bugüne şahit olan sarp hisarlar/ Ey kahraman
Mehmet Çavuş siperleri/ Ey Mustafa Kemallerin aziz yerleri/ Ey
toprağı kanlı dağlar, yanık yerler.*

221c) Emin Erişirgil, *İslamcı Bir Şairin Romanı*, s.241 vd.; Kurul Kuzey
ve Güney Bölgelerini ziyaret edip 23 Temmuzda İstanbul'a döne-
cektir.

222) Bu savaşa İngilizler Kanlıdere Savaşı, Fransızlar bütün taarruzları-
nı dikkate alarak, Beşinci Kerevizdere Savaşı diyorlar. Savaş hak-
kında genel olarak: ATASE, *Çanakkale 3*, s.238 vd.; C.F. Aspinall-
Oglander, c. 2., s.113 vd.

Güney Grubu'nun yerleşik hale geçtiği zaman, genel kuvveti yakla-
şık 45.000 kişi olacak (ATASE, *Çanakkale 3*, s.228).

222a) ATASE, *Çanakkale 3*, s.247.

223) Miralay Süleyman Şakir, Cepheden Hatıralar (6. Tümen Komuta-
nı), s.110; ATASE, *Çanakkale 3*, s.250; F. Belen, *Birinci Cihan Har-
binde Türk Harbi, 1915 Yılı Haraketleri*, s.202.

Türklerin kaybı 9.500, İngiliz ve Fransızlarınki 4.000 (ATASE, *Ça-
nakkale 3*, s.251, 254; C.F. Aspinall-Oglander, 2. c., s.128).

Alçı Tepe'yi ele geçirmek için yaptıkları üç taarruzda İngilizlerin
toplam kaybı 12.300, Fransızlarınki 4.600, toplam 16.900. Ama
Alçı Tepe hâlâ İstanbul kadar uzak.

12 Temmuz günü bir top mermisi 1. Fransız Tümeni karargâhına
düşmüş, Tümen Komutanı ile Kurmay Başkanı ölmüştür (Charles
F. Roux, s.155).

224) Serpil Çakır, *Osmanlı Kadın Hareketi*, s.170; bu haberi veren *Ka-
dınlar Dünyası* yazarı soruyor: "Ecnebi Madam böyle derse, bu
tedbire müracaat ederse, biz Osmanlı hanımları mitralyözle mi so-
kağa çıkalım?"

Sokağa çıkan kadın laf atılmayı, rahatsız edilmeyi, tacizi hak etmiş
sayılıyordu. Anlayış böyleydi. Kimse de bu ilkelliği durdurmak için

bir şey yapmıyordu. Cumhuriyet kadınlar konusunda utandırıcı bir miras devralmıştır. Şimdilerde bu anlayış adım adım geri geliyor.

225) Liman Paşa Esat Paşa'nın bu olayı önemsemediğine anılarında değiniyor. Ama kendi de bu olayı iyi değerlendirmemiştir. Bunun bir çıkarma yapılacağını belirtecek yeterli bir alamet olmadığını yazıyor. Aklı yine Saros'a takılı (Liman von Sanders, *Türkiye'de Beş Sene*, s.106). Ama Kurmay Başkanı Kâzım Bey'in konuşmasından buranın savunmasını üzerine almadığı için Liman Paşa'nın M. Kemal'e içerlediği anlaşılıyor (F. Altay, *On Yıl Savaş ve Sonrası*, s.109).

225a) İsmail Çolak, *Çanakkale'nin Kahraman Mekteplileri*, s.22; bazı kitaplarda on binlerce üniversite, lise öğrencisi şehit olmuş gibi çarpıcı iddialar yer alıyor. Bu doğru değil. Çok abartılı bir iddia. Bu konuda ciddi, güvenilir bir araştırma var: Osman Kafadar-Ahmet Esenkaya, "Çanakkale Savaşlarında Kaybedilen Eğitim Görmüş Nesiller Üzerine Düşünceler ve Öneriler", *Çanakkale Araştırmaları Türk Yıllığı*, sayı 2, s.135 vd.

226) ATASE, *Çanakkale 3*, s.264, 269, 272, 297, 273.

227) Veliaht: Padişahın ölümü ya da tahttan indirilmesi halinde, padişah olacak şehzade.

228) Veliaht adına konuşan kimse Ayandan Hüsnü Paşa'dır. Veliaht buradan Seddülbahir'e geçer. Güney Bölgesini ziyaret edip İstanbul'a döner. Bir süre sonra ruhsal sorunları artacak, intihar edecektir (İ. Çalışlar, *Atatürk'le İkibuçuk Yıl*, s.47-48; F. Çakmak'ın Günlükleri, 1. c., s.330; Veliaht ve hastalığı hakkında bilgi için: Lütfi Simavi, *Osmanlı Sarayının Son Günleri*, s.220 vd.; Ali Fuat Türkgeldi, *Görüp İşittiklerim*, s.119-120, eğitimsizlikleri hakkında, s.124).

229) ATASE, *Çanakkale 3*, s.284-291; 8. Kolordunun Komutanı General Hunter Weston hastalanır, yerine geçici olarak 42. Tümen Komutanı General W. Douglas getirilir, sonra da İngiltere'den gelen General F.C. Davies.

229a) 25 Nisan-1 Ağustos günleri arasında Birleşik Ordu'nun kaybı yaklaşık 75.000 kişiydi. Bunun 25.000'i Fransızdı. Türk zayiatı yaklaşık 115.000 kişiydi. Bunun 35.000 kadarı şehitti (G. Göncü-Ş. Aldoğan, *Siperin Ardı Vatan*, s.104). İstanbul'a yollanan yaralılardan İstanbul tarafındaki hastanelerde şehit olanlar Edirnekapı şehitliğine gömülüyordu. Bu şehitlikte 20.000'den fazla şehidimiz var. Anadolu yakasında şehit olanların Karacaahmet mezarlığında toprağa verildiklerini sanıyorum.

230) ATASE, *Çanakkale 3*, s.280-281.

231) Bu konferans 1913 yılında, kapitülasyonlar kaldırılmadan önce verilmiştir. Konferansı yeni duruma göre, bu konudaki yazılardan alıntılar da yaparak düzenledim (Serpil Çakır, *Osmanlı Kadın Hareketi*, s.264 vd.). *Kadınlar Dünyası* dergisinde bu konuda kadınlarımızın bilgi ve bilinç düzeyinin yüksekliğini yansıtan çok ilginç yazılar var; milli ekonomi konusunda: Zafer Toprak, *Türkiye'de Milli İktisat 1908-1918.*

232) N.E. Yıldız-C. Yıldız, *Arıburnu Kahramanları, Emin Çöl'ün Anıları*, s.191-192; Emin Çöl yazmasa bu ince, şefkatli, yurtsever Mürefte Hanımlarını bilmeyecektik. Mürefte'de acaba bu hanımların anısı yaşatılıyor mu?

233) ATASE, *Çanakkale 3*, s.284, 288.

Beşinci Bölüm

1) 2 Ağustosta Anzakları güçlendirmek için Arıburnu'na 7.000 asker ve 40 top çıkarılır. Anzakların gücü 37.000 kişi eder (C.F. Aspinall-Oglander, 2.c., s.172).

2) Bundan sonra 4/5 Ağustos gecesi 3.200, 5/6 Ağustos gecesi 2.800, 7 Ağustos sabahı 1.900 kişi çıkarılacak = 17.900 kişi (ATASE, *Çanakkale 3*, s.289); bunun için ayın doğmasından önceki karanlık saatleri seçmişlerdi. Ayrıca 450 ton yiyecek ve 200 katır da çıkarıldı.

3) ATASE, *Çanakkale 3*, s.284-299.

3a) Sağ kesim, Kolordu Komutanı Trommer Paşa, 1. Tümen Komutanı Yarbay Cafer Tayyar Eğilmez, 10. Tümen Komutanı Yarbay Selahattin Köseoğlu; sol kesim: Kolordu Komutanı Fevzi Çakmak, 13. Tümen Komutanı Albay Havik, 14. Tümen Komutanı Yarbay Kâzım Karabekir.

4) ATASE, *Çanakkale 3*, s.313.

5) Milli Mücadele sırasındaki işgalciler de, isyancılar da temiz savaşmadılar. Şimdi de teröristin uyduğu hiçbir insanca kural, değer yok.

5a) ATASE, *Çanakkale 3*, s.327.

6) C.F. Aspinall-Oglander, 2. c., s.184-194.
İngiliz kaybına bir örnek: Taarruza 3.000 kişiyle başlayan 88. İngiliz Tugayı bugün 2.000 askerini kaybetti (C.F. Aspinall-Oglander, 2. c., s.189; ATASE, *Çanakkale 3*, s.316). Genel kaybı sonda vereceğim.

6a) "47. Alayın 1. Taburunun büyük kısmı, 3. Taburunun hemen hemen hepsi şehit düşmüştü. 2. Taburdan da ancak 50 yaralı ercik kalmıştı." (Esat Paşa, *Çanakkale Savaşı Hatıraları*, s.253).

7) ATASE, *Çanakkale 3*, s.328 vd.; Anzaklar Kanlısırt'a Lone Pine/Tek Çam diyorlar. Anzaklar cephe yakınına taşıdıkları obüs bataryasının yerini, Kızılhaç bayrağı çekerek sargı yeri gibi gösterip buradan savaşa soktular. Bu temiz savaşa aykırı bir tutumdu (ATASE, *Çanakkale 3*, s.334).

47. Alay K. Şehit Binbaşı Tevfik Bey

8) Liman Paşa'nın yaveri Carl Mühlman'ı okuyunca şu anlaşılıyor: Liman Paşa, Suvla çıkarması ve Sazlıdere kesimindeki hareketi öğrenince ilk dönemdeki kadar olmasa da yine paniklemiş (*Çanak-*

kale Savaşı, s.129). Düşman iki yere yüklenecek, iki yerde de yeterli birlik yok. Conkbayırı-Çimentepe boş sayılır, Suvla'da sadece 3.000 kişi var. Bu acı durum, orduyu askeri gereklere göre değil, takıntılara göre düzenleyip yerleştirmenin kaçınılmaz sonucudur. Şu anda Asya yakasında 3, Saros'ta 3 tümen, güney bölgesinin gerisinde yedekte 2 tümen var. Toplam 8 tümen, 100.000 savaşçı. Bu tümenlerden biri Suvla'da olsa savaşın gidişi bütünüyle değişirdi.

9) M. Kemal, *Anafartalar Muhaberatına Ait Tarihçe*, s.16; İ. Çalışlar, *Atatürk'le İkibuçuk Yıl*, s.50; ATASE, *Çanakkale 3*, s.342.

10) Krokiye bakınız! Bu kesimdeki ilerleyiş ve çatışmalar ile ilgili bir çok komutan, birlik ve yer (tepe, dere, bayır, sırt, dere yatağı vb.) adı var. Okuyanı bunaltmamak için olayı ana çizgileriyle yansıtacağım.

10a) ATASE, *Çanakkale 3*, s.342; 2. Tabur 19. Tümen emrine, Sazlıdere girişine yapılacak taarruzdan yarım saat önce saat 21.00'de yollanır. M. Kemal'in Conkbayırı'na yolladığı tabur, bu taburdur. Conkbayırı'nın kurtuluşunda bu taburun büyük katkısı olacaktır. Bu tabur bazı kaynaklarda '1. Tabur' olarak geçiyor.
Yarbay Willmer'e de grubundan bir taburu Arıburnu kuzey kanadına yaklaştırması emredilir. Bu tabur da sol kolun ilerleyişini önlemekte yararlı olur.

10b) ATASE, *Çanakkale 3*, s.389, son paragraf.

11) Kuşatma hareketi ve Conkbayırı savaşları bütün günler için genel: ATASE, *Çanakkale 3*, s.341 vd.; Cemil Conk, *Conkbayırı Savaşları*, s.17 vd.; İ. Artuç, *1915, Çanakkale Savaşı*, s.261 vd.; G. Göncü-Ş. Aldoğan, *Siperin Ardı Vatan*, s.112; K. Perk, *Çanakkale Savaşları Tarihi*, s.92; Ş. Yazman, *Türk Çanakkale*, s.154 vd.; F. Belen, *Birinci Cihan Harbinde Türk Harbi, 1915 Yılı Hareketleri*, s.212 vd.; C.F. Asipanall-Oglander, 2. c., s.200 vd.; N. Steel-P. Hart, *Yenilginin Destanı*, s.176 vd.; A. Moorehead, s.372 vd.

11a) ATASE, *Çanakkale 3*, s.394, son paragraf.

12) Robert Rhodes James, *Gelibolu Harekâtı*, s.350-351; N. Steel-P. Hart, *Yenilginin Destanı*, s.154: "Stopford'un seçilmesi Hamilton'un planlarına öldürücü darbeyi vuracaktı".

13) Çıkarma ve ilk günler için genel: ATASE, *Çanakkale 3*, s.381 vd.; K. Perk, *Çanakkale Savaşları Tarihi*, s.98 vd.; Ş. Yazman, *Türk Çanakkale*, s.168 vd. C.F. Aspinall-Oglander, 2. c., s.260 vd.; A. Moorehead, *Çanakkale Geçilmez*, s.349 vd.; Ian Hamilton, *Gelibolu Günlüğü*, s.223 vd.; F. Belen, *Birinci Cihan Harbinde Türk Harbi, 1915 Yılı Hareketleri*, s.215 vd.

14) Anafartalar Müfrezesi: İki piyade taburu, Gelibolu Jandarma Taburu, Bursa Jandarma Taburu, bir süvari bölüğü, bir istihkâm bölüğü, üç batarya (ATASE, *Çanakkale 3*, s.354).

15) ATASE, *Çanakkale 3*, s.390 (Çanakkale'de Türk ordusu böyle takıntılı bir ordu komutanı tarafından yönetiliyor, her gecikme binlerce can feda edilerek giderilebiliyordu).

    ATASE, *Çanakkale 3*, s.389'da özetle deniliyor ki: "Liman von Sanders Saros takıntısı yüzünden 19. Tümen Komutanı M. Kemal'in Anafartalar bölgesinden gelebilecek bir tehlike konusundaki uyarısını önemsememişti."

16) Ev, cami, köy, orman, insan yakma köklü bir Yunan âdetidir. Milli Mücadele'de çok kundakçılık yaptılar. Bağları bile yakarak kaçmışlardı.

17) ATASE, *Çanakkale 3*, s.380-382; Türkler de 8 şehit, 12 yaralı vermişlerdi.

18) İleri hatlara gelen 47. Alay Komutanı Binbaşı Tevfik Bey ile 15. Alay Komutanı Yarbay İbrahim Şükrü Bey şehit oldular (ATASE, *Çanakkale 3*, s.337); Tümen Kurmay Başkanı Yüzbaşı Nazım Bey de ateş hattına gelerek savaşa katılmıştır (ATASE, *Çanakkale 3*, s.376).

19) C.F. Aspinall-Oglander, 2. c., s.215-219; A. Moorehead, s.374 vd.; Peter Weir'in *Gallipoli* filminin finalindeki bütün Anzakların biçildiği hücum bu hücumdur. Taarruz ettikleri yerin adı Cesarettepe'dir, Anzaklar buraya Nek diyorlar.

    N. Steel-P. Hart diyor ki: "Hiçbir şey elde edilemedi ve popüler tarihte bu olay, beceriksiz bir İngiliz komutanının Avustralyalıların yaşamlarını boşuna harcadığı bir seferin simgesi oldu." (s.179)

20) M. Kemal, *Anafartalar Muhaberatına Ait Tarihçe*, s.19; İ. Çalışlar, *Atatürk'le İkibuçuk Yıl*, s.50; *ATASE Çanakkale Özet*, s.192, kroki 53; F. Belen, *Birinci Cihan Harbinde Türk Harbi, 1915 Yılı Hareketleri*, s.214.

20a) M. Kemal şöyle düşünüyordu: "Düşman girişimleri, 6 Ağustostan itibaren aynen vaki olmaya başladığı zaman, iki ay evvel maruzatımı takdir etmemekte ısrar edenlerin ne duyduklarını tasavvur edemem. Yalnız fikren hazırlanmamış oldukları düşman hareketleri karşısında, pek eksik önlemlerle genel durumu ve vatanı pek büyük tehlikelere maruz bıraktıklarına olaylar tanık oldu." (*Anafartalar Muharebatına Ait Tarihçe*, s.14-15)

21) ATASE, *Çanakkale 3*, s.347-348; Cemil Conk, *Conkbayırı Savaşları*, s.17-18; F. Altay, *On Yıl Savaş ve Sonrası*, s.108; G. Göncü-Ş.

Aldoğan, *Siperin Ardı Vatan*, s.113; Albay Kannengiesser'in anıları, aktaran: Cemil Conk, *Conkbayırı Savaşları*, s.20-21.

22) K. Perk, *Çanakkale Savaşları Tarihi*, s.96.

22a) General Hamilton raporunda diyor ki: "Taarruz kollarımız Türklere direnemeyecek kadar halsiz kalmışlardı. Bulundukları yerleri korumakla yetindiler." (Aktaran: C. Conk, *Conkbayırı Savaşları*, s.40)

23) ATASE, *Çanakkale 3*, s.390.

24) ATASE, *Çanakkale 3*, s.398.

25) ATASE, *Çanakkale 3*, s.349.

26) ATASE, *Çanakkale 3*, s.349, son paragraf; Şevki Yazman, *Türk Çanakkale*, s.163; M. Kemal ve Conkbayırı arasında bir yazgı bağı var.

27) Albay Hans Kannengiesser anılarını 1927'de *Gelibolu* adıyla yayımlamıştır. İlk ateşi kendisinin açtırdığını yazıyor. ATASE, *Çanakkale 3*'teki ifadeden ise bu tabur ve bölüğün önceden ateş çatışmasına girmiş oldukları anlaşılıyor. Savaş durumu ve vakit de bunu doğruluyor.

Conkbayırı'na ilk yetişen birliklerin M. Kemal'in yolladığı bu birlikler olduğu kesindir. Bunlar bin kişi dolayındaydı. Alayları geç kalan Albay Kannengisser bunlara komuta etmiştir. M. Kemal buraya ayrıca bir istihkâm bölüğü de yolladığını açıklıyor (*Anafartalar Muhaberatına Ait Tarihçe*, s.19, 4.paragraf). İki tabura yakın kuvvet eder bunlar. Daha sonra emrine verilen 4. Tümenden 10. Alayın 2 taburunu da 8 Ağustosta Conkbayırı'na göndermiştir (*a.g.e.*, s.22).

G. Göncü-Ş. Aldoğan, *Siperin Ardı Vatan*, s.113.

27a) F. Belen, *Birinci Cihan Harbinde Türk Harbi, 1915 Yılı Hareketleri*, s.214-215.

28) ATASE, *Çanakkale 3*, s.350; N. Steel-P. Hart, *Yenilginin Destanı*, s.180; C.F. Aspinall-Oglander, 2. c., s.225 vd.; A. Oglander Şahinsırtı'nı, üzerindeki iki tepeyi de (Apex ve Pinnacle) ayrıntılı olarak anlatıyor. Bizim kitaplarımızda bu tür ayrıntılar bulunmuyor. Çünkü çoğu, gerçek mekânlar görmeden yazılmıştır.

Şimdi buralar ormanlık olduğu için savaş alanı özgünlüğünü korumuyor. Anlayarak gezmek isteyenlere yardımcı olmak için böyle yerlere, bulunulan noktayı ve savaş durumunu gösteren güzel, çok sade krokiler konmalı. Bir savaş alanını açık müzeye dönüştürmeyi başaramıyoruz. Aynı sorun Sakarya Savaş alanı için de geçerli.

G. Göncü-Ş. Aldoğan, *Siperin Ardı Vatan*, s.167'de, Conkbayırı için "üç küçük platodan oluşan tepe" diyor. Cemil Conk, "Conkbayırı kuzeyden güneye doğru 200 metre kadar uzunlukta, dar bir sırttır. Tepesi sırtın kuzey ucundadır" diyor (*Conkbayırı Savaşları*, s.80). Olayın iyi anlaşılması için Conkbayırı'nın çok iyi bir tanımına ve oraya yerleştirilecek bir krokisine ihtiyaç var. Gezenlerin durumu doğru olarak anlamaları için bunu sağlanmak gerek.

Bir de Conkbayırı'nın (özellikle şimdi anıtların bulunduğu kesimin) Yeni Zelandalılarca gerçekten ele geçirilip geçirilmediği konusu var. Conkbayırı savaşını görüp yaşamış, anılarını yazmış, Conkbayırı ile ilgili her satırı bilgi ve kroki ile kanıtlamış bir kişi var: Cemil Conk Paşa. Öteki bütün tarihçiler, İngiliz resmi tarihine, İngiliz kitaplarına ve bazı İngiliz-Anzak askerlerinin açıklamalarına dayanıyorlar. Anılarını okuyan, Cemil Conk Paşa'nın ne kadar dürüst ve bilgili bir insan olduğunu anlar. Onun tanıklığına ve açıklamalarına öncelik tanıyorum.

Sayın G. Göncü ve Ş. Alpdoğan'ın, 57. Alayın güzergâhı gibi, Conkbayırı ve Yeni Zelandalılar konularına da resimli-krokili bir açıklık kazandırmalarını diliyorum.

29) ATASE, *Çanakkale 3*, s.398 (Suvla çıkarmasından 9 saat sonra...). Liman Paşa'nın Saros takıntısı geçmiş değildi, Saros Grubundan 6. Tümen ile 7. Tümenin bir alayını Saros'ta bıraktırdı. 7. Tümen iki alayıyla hareket etti.

30) Tugayın gücü 28 subaya ve bir tabur askere indi. Varlığının dörtte üçünü yitirmişti (C.F. Aspinall-Oglander, 2. c., s.192).

31) ATASE, *Çanakkale 3*, s.316-328; Türk kaybı: 7.510, bunun 2.758'si şehit (s.325); İngiliz resmi kaybı 3.419; Fransız kaybı 703 (G. Göncü-Ş. Aldoğan, *Siperin Ardı Vatan*, s.112).

Savaşın sonuna kadar Seddülbahir bölgesinde bir daha küçük cephe olaylarının dışında ciddi bir çatışma olmadı. Seddülbahir savaş sahnesi olmaktan çıkmıştı. Buradaki İngiliz ve Fransız birlikleri savaşı göze alacak halde değillerdi. Üç ay içinde savaş niteliklerini yitirmişlerdi.

C.F. Aspinall-Oglander, Seddülbahir savaşları bölümünün sonunda, 'Vehip Paşa'nın Alman olan kurmayının, İngiliz taarruzlarından korkarak bütün güney bölgesinin boşaltılmasını önerdiğini' yazıyor (s.194). Ne Vehip Paşa'nın kurmayı Alman, ne kurmaylığın böyle bir önerisi var. Bunu düşündürecek bir durum söz konusu bile değil. C.F. Aspinall-Oglander, Yarbay von Thauvenay ve Weber Paşa olaylarıyla ilgili bazı şeyler öğrenmiş, İngiliz taarruzlarının korku yarattığı izlenimini vermek için bu yanlış ve eksik bilgiyi birleştirip daha da abartarak buraya yakıştırmış. Olayın genel akışına uymayan yan bilgilere, denetlemeden önem ve yer veren her araştırmacının bu gibi şaşırtıcı yanlışlara düşmesi kaçınılmazdır. Bu durumun bizde de örneği çok.

32) Anafartalar Müfrezesinden 500 kişi, Sazlıdere-Ağıldere kesiminden kuzeye çekilen 14. Alayı takviyeye yollanmıştı. 14. Alay ve bu tabur, sol kuşatma kolunu Abdurrahman Bayırı-Kocaçimen Tepesi'nin önünde durdurmuştu.
İngilizler daha 27.000 kişiye ulaşmamışlardı. Çıkarma sürüyordu. 1.600 kayıp için: Alan Moorehead, *Çanakkale Geçilmez*, s.359; C.F. Aspinall-Oglander, 2. c., s.290.

32a) İ. Hakkı Sunata, *Gelibolu'dan Kafkaslara*, s.128.

33) Liman von Sanders, *Türkiye'de Beş Sene*, s.109.

34) Liman von Sanders, *Türkiye'de Beş Sene*, s.111; S. Bilbaşar, *Çanakkale 1915*, s.354 (Liman Paşa'yı acele taarruza sevk eden Ahmet Fevzi Bey'in bu iyimser, hesap dışı tahminidir).

35) C. Conk kitabında Ahmet Fevzi Bey'in Enver Paşa'ya verdiği raporu yayımlamıştır. Rapor, Ahmet Fevzi Bey'in yeni görevinin önemini, büyüklüğünü, özelliğini, durumun kritikliğini anlamadığını gösteriyor (*Conkbayırı Savaşları*, s.83 vd.); ATASE, *Çanakkale 3*, s.401.

36) Selim Sırrı Tarcan, *Yaşamı ve Hizmetleri*, s.23-24, 39-40, TED Y., Ankara, yayım yılı yok (anma toplantısı tarihi: 19.11.1997); Ethem Üngör, *Türk Marşları*, s.208, Ayyıldız Mat., Ankara, 1975.

37) ATASE, *Çanakkale 3*, s.400, sondan ikinci paragraf.
Bu ayrıntıları şunun için veriyorum: Liman Paşa'nın birçok yanlışını haklı olarak eleştiren yazarlarımız önyargıyla Liman Paşa'ya karşı Ahmet Fevzi Bey'i savunuyorlar. Savaş durumunu dikkate alsalar, Ahmet Fevzi Bey'in raporunu okusalar, daha doğru bir karara varacaklar.

38) ATASE, *Çanakkale 3*, s.402; Selahattin Adil, *Hayat Mücadeleleri*, s.258 vd.; Ahmet Fevzi Bey'in 8 Ağustos akşamı için ayrıntılı taarruz emri: ATASE, *Çanakkale 3*, s.403.

39) Bugün 25. Alay Komutanı İstanbul/Kısıklılı Yarbay Nail Bey ile Tabur Komutanı Vidinli Mehmet Ali Bey şehit olacaklar (C. Conk, *Conkbayırı Savaşları*, s.23).

40) Komutan Albay Muzaffer Bey 12. Tümen Komutanı Yarbay Selahattin Adil Bey'in ağabeyidir. Serdümen Harun'un torunu Ömer Tekinbaş'a verdiği bilgiler için teşekkür ediyorum; 30.000 mermi hakkında dayanak: *Mareşal Fevzi Çakmak ve Günlükleri*, 1. c., s.333.

41) N. Gülen, *Dünden Bugüne Bahriyemiz*, s.325 vd. (E-11 Ağustos sonunda Mondros'a geri döndü. 1 zırhlı, 1 torpido, 6 taşıt gemisi,

23 yelkenli batırmış, İstanbul-İzmit demiryolu üzerindeki Gebze köprüsünü yıkmayı düşünmüş ama başaramamıştı. İlerde, Fransızların Turquoise adlı denizaltısı vurularak ele geçirilecek, vuran top nişancısının adı verilecektir: Müstecip Onbaşı. E-20 İngiliz denizaltısı da Marmara'da batırıldı. İngilizler kaçana kadar Marmara'yı boş bırakmadılar, çok zarar verdiler ama deniz ulaşımını da bütünüyle durdurmayı başaramadılar. Gemiler geceleri yol alarak, sık sık limanlara girerek, dura dura Çanakkale'ye ulaşmayı becerdiler. İngiliz denizaltılarının batırdığı gemiler: 1 zırhlı, 1 muhrip, 5 gambot (torpido), 11 taşıt gemisi, 44 vapur, 148 yelkenli, C.F. Aspinall-Oglander, 1. c., s.376/dipnot).

42) N. Steel-P. Hart, *Yenilginin Destanı*, s.197-198; A. Moorehead, *Çanakkale Geçilmez*, s.354 vd.; Resmi tarih General Hamilton'u, karaya çıkmadığı, duruma el koymadığı için ağır biçimde eleştiriyor: C.F. Aspinall-Oglander, 2. c., s.292-293.

43) ATASE, *Çanakkale 3*, s.404.

44) Bu konuşmaları, açıklamaları, Ahmet Fevzi Bey'in kendini savunmak için Enver Paşa'ya verdiği rapordan aktarıyorum. Şu âna kadar Ordu Komutanının üç taarruz emrini de yerine getirmemiş oluyor.

Tümenler sabah 10.30'da savaş düzeni almışlar. Akşama kadar daha 6-7 saat var. Cephede 6-7 saat ne büyük nimettir. Öteki cephelerde asker başını siper duvarına dayayıp bir saat uyuyabilmeyi büyük nimet biliyor.

Arıburnu'ndaki iki tümen, Sazlıdere-Ağıldere kuzeyine çekilen askerler, Conkbayırı'ndaki birlikler iki-üç gündür uyumuyor ve savaşıyorlar.

Raporunda Ordu Komutanının üç kez taarruz emri verdiğini, üçünü de dinlemediğini adeta gururla yazıyor. Raporunda taarruzlar için kullandığı bazı deyimler şunlar: 'başarı beklenemez', 'başarı ümit etmiyorum', 'çok tehlikeli', 'bilinmeyen bir arazi', 'hezimetle sonuçlanır', 'tehlikeli görüyorum' vb. (Raporu aktaran Cemil Conk, *Conkbayırı Savaşları*, s.83-88).

Bu kadar pinpirikli, kararsız, ürkek bir komutanla Çanakkale Savaşı verilebilir miydi? Bütün komutanlar böyle olsa Çanakkale Zaferi'nden söz edilebilir miydi?

Karar sizin.

44a) 7. Tümen, Güneydoğu kesiminde Ruslarla savaşlar sırasında 3. Kolordu Komutanlığına bağlıydı. Albay Halil Bey başarısızlığı nedeniyle görevden alınır. Mütarekede İstanbul'da Polis Müdürlüğü yapacaktır (İ. Görgülü, *On Yıllık Harbin Kadrosu*, s.120).

45) Ahmet Fevzi Bey bir süre sonra Ordu Komutanıyla telefonla da konuşur, Ordu Komutanı bu akşam taarruz edilmesi için emir verir ve "Ne olursa olsun verdiğim emir bugün yapılacaktır!" der.

Ahmet Fevzi Bey raporunda şöyle yazıyor: "Ama ben taarruzun yapılmasında büyük tehlike gördüğümden her türlü mesuliyeti göze alarak bu taarruzu da erteledim." (Raporu aktaran C. Conk, *Conkbayırı Savaşları*, s.86-87)

A. Fevzi Bey 'bilinmeyen arazi' diyor. Savaşacakları arazi sabahtan beri ayaklarının altında. Bulundukları Anafarta tepelerinden savaş alanı, eksiksiz, apaçık görünüyor.

Bu arada Yarbay Willmer'in de Liman Paşa'yı tahrik ettiği anlaşılıyor: Ş. Yazman, *Türk Çanakkale*, s.180; *Türk Kurmay Subaylarının Gözüyle Çanakkale Savaşı*, Hayri Tarhan'ın konferansı, s.54.

Askeri tarih yazarı, emekli Tümgeneral Celal Erikan, İngilizlerin 8 Ağustostaki dağınık durumunu dikkate alarak, Ahmet Fevzi Bey'i '24 saat gecikerek bir tam zaferin elden kaçmasına neden olmakla' suçluyor (*Komutan Atatürk*, s.138-140).

46) Raporu aktaran C. Conk, *Conkbayırı Savaşları*, s.87; bu süreci o zamanki Grup Kurmay Başkanı Binbaşı Hayri Tarhan da verdiği bir konferansta anlatmıştır. Ama Ordu Komutanının emirlerinin ardarda reddedildiğini açıklamıyor, red olayını da gayet yumuşak yansıtıyor (*Türk Kurmay Subaylarının Gözüyle Çanakkale Savaşı*, s.27-61).

Bazı asker yazarlar, Ahmet Fevzi Bey'in raporunu okumadıkları, olayı özetleyen kaynaklarla yetindikleri için A. Fevzi Bey'i savunuyor, Liman Paşa'yı haksız buluyorlar. Askerliğin özü itaat. O konuda susuyorlar.

Bu sırada Conkbayırı çok zor durumda. Komutan da, kurmayı da, Suvla işini bir an önce bitirip Conkbayırı ile ilgilenmek gerektiğini nedense hiç düşünmüyorlar.

46a) Fikret Gündoğan, *Size Ölmeyi Emrediyorum*, s.340; bazı kitaplarda bu olay esirlerin yakıldığı biçiminde yer almaktadır. Bu doğru değil. Yakılmamışlardır. Ama bu yapılan da affedilir pislik değildir. İnsanoğlunun ehlileşmesi birçok hayvanın ehlileşmesinden daha güç oluyor.

47) M. Kemal, *Anafartalar Muharebatına Ait Tarihçe*, s.21-24; C. Conk, *Conkbayırı Savaşları*, s.46; Esat Paşa, *Çanakkale Savaşı Hatıraları*, s.289.

48) N. Steel-P. Hart, *Yenilginin Destanı*, s.198; C.F. Aspinall-Oglander, 2. c., s.298 vd.; 8 Ağustos gününü A. Oglander 'kaçırılmış bir gün ' başlığı altında yazıyor.

49) *Harp Mecmuası*, s.98.

50) M. Kemal, *Anafartalar Muharebatına Ait Tarihçe*, s.24; ATASE, *Çanakkale 3*, s.361.

51) C.F. Aspinall-Oglander, 2. c., s.310-313; N. Stell-P. Hart, *Yenilginin Destanı*, s.198-199.

52) Esat Paşa, *Çanakkale Savaşı Hatıraları*, s.293; M. Kemal, *Anafartalar Muharebatına Ait Tarihçe*, s.23, 44.

53) C. Conk, *Conkbayırı Savaşları*, s.87-88 (raporun sonu); Binbaşı Hayri Tarhan, *Türk Kurmay Subaylarının Gözüyle Çanakkale Savaşı*, s.60-61.

54) M. Kemal ile Kâzım Bey arasındaki ünlü telefon konuşmasını, bence büyük bir incelik ve askeri üslupla en iyi Şevki Yazman yazmıştır. Kurtuluş Savaşı hakkında iki çok güzel kitabı olan Şevki Yazman'ı da saygı ile anarak, bu sahneyi onun yazısını esas alarak aktarıyorum: *Türk Çanakkale*, s.181-183.

54a) M. Kemal diyor ki: "Mesuliyet yükü her şeyden, ölümden de ağırdır... Fakat [durumun zorluğuna rağmen] ben kemal-i iftiharla bu mesuliyeti kabul ettim." (*Anafartalar Muharebatına Ait Tarihçe*, s.24, 28)

F. Rıfkı Atay'a diyor ki: "Gerçi böyle bir sorumluluğu almak basit bir şey değildir. Fakat ben vatanım yok olduktan sonra yaşamamaya karar verdiğim için bu sorumluluğu yüklendim." (*Çankaya*, s.92)

55) M. Kemal, *Anafartalar Muharebatına Ait Tarihçe*, s.26; İ. Çalışlar, *Atatürk'le İkibuçuk Yıl*, s.50-51; F. Altay, *On Yıl Savaş ve Sonrası*, s.110.

55a) Celal Erikan, *Komutan Atatürk*, s.139.

56) M. Kemal, *Anafartalar Muharebatına Ait Tarihçe*, s.28; İ. Çalışlar, *Atatürk'le İkibuçuk Yıl*, s.50-51; ATASE, *Çanakkale 3*, s.362 (atama saati: 21.45).

Liman Paşa diyor ki: "O akşam Anafarta mıntıkasında toplanan bütün birliklerin komutasını Arıburnu Cephesinin kuzeyindeki 19. Tümenin Komutanı Albay M. Kemal Bey'e verdim. İlk askeri başarısını Trabblusgarp'ta kazanmış olan M. Kemal Bey, sorumluluk almasını seven, görevine bağlı bir komutan karakterine sahipti. Kendisi 25 Nisan sabahı 19. Tümen ile ve kendi kararıyla muharebeye müdahale ederek düşmanı sahile kadar sürmüş ve bundan sonra üç ay durmaksızın, kırılmaz bir dirençle şiddetli taarruzlara başarıyla karşı koymuştu. Kararlılık ve çalışkanlığına tamamen güvenebilirdim." (*Türkiye'de Beş Sene*, s.112-113)

57) M. Kemal'in veda yazısı: "Anafartalar Grubu Komutanlığını deruhte etmek üzere şimdi hareket ediyorum. 27. Alay Komutanı Şefik Bey Tümen Komutanlık Vekilliğine atanmıştır. Bugüne kadar bana, gayret ve fedakârlığınızla kazandırdığınız muvaffakiyetleri, yeni deruhte ettiğim bu vazifede dahi bana olan muhabbet ve itimadınızla tamamlayacağıma büyük inan içinde veda ediyorum." (*Anafartalar Muharebatına Ait Tarihçe*, s.29)
27. Alay Komutanlığına da Binbaşı Halis Ataksor atanır.

58) Kitabı boyunca Liman Paşa hakkında ağır eleştirilerde bulunan Şevki Yazman bu atama üzerine özetle diyor ki: "Bu atama ile bütün kabahatlerini affettirse yeridir." (*Türk Çanakkale*, s.181; Şevki Yazman o tarihte istihkâm subayı olarak Çanakkale Savaşı'nda)

58a) Albay Ahmet Fevzi Bey sabah ayrılır. İstanbul'a gelir. Emekli edilir. Sonra tekrar orduya alınır. Enver Paşa Ahmet Fevzi Bey'i Viyana'ya askeri ataşe olarak yollar. Sonra adı sanı duyulmaz olur.
Mustafa Fevzi Çakmak'la karıştırılmaması. Bu notu, karıştıranlar çok olduğu için koyuyorum. Karıştıranlardan biri de Alan Moorehead, s.382; çevirenin bir notla doğruyu açıklaması iyi olurdu. Fevzi Çakmak bu sırada Seddülbahir'de 5. Kolordu Komutanıdır.

59) İlerde Albay. Mütareke döneminde ilk gizli örgütlerden olan Moltke Grubu'nu kuran subay. Bu grup Ankara'nın temel örgütü olacak, Muharip adını alacaktır.

60) M. Kemal, *Anafartalar Muharebatına ait Tarihçe*, s.33 vd.; C. Abbas Gürer, *Cepheden Meclise*, s.71 vd.
Grup Kurmay Başkanı Hayri Tarhan, konferansında, bu şaşırtıcı durumdan hiç söz etmiyor, "saat 04.00'e kadar kendisine gerekli bilgiler verildi" diyor (Hayri Tarhan, *Türk Kurmay Subaylarının Gözüyle Çanakkale Savaşı*, s.61; kitabı yayına hazırlayan Sayın Burhan Sayılır bu konferansı gerekli açıklama ve notlar ekleyerek yayımlasaydı, okuyucuları aydınlatmış olurdu. Bu işlenmemiş ham metin gerçeği yansıtmıyor. M. Kemal'in görevi nasıl devraldığını anlattığı savaş raporu ATASE, *Çanakkale 3*'te de dikkate alınmamıştır, s.406).
M. Kemal bir hafta sonra Hayri Bey'i uzaklaştıracak, Grup Kurmay Başkanlığına 15 Ağustosta İzzettin Çalışlar'ı getirecektir: *Atatürk'le İkibuçuk Yıl*, s.52.

61) C. Conk, *Conkbayırı Savaşları*, s.54.

61a) Anıyı aktaran Ş. Yazman'ın kitabı yazdığı tarihte Sait Bey binbaşı. Ş. Yazman, *Türk Çanakkale*, s.187.

61b) Yüzbaşı Buddecke 4, Teğmen Meinecke 6 İngiliz-Fransız uçağı düşürmüşlerdir.

Çanakkale'de bir düşman uçağı düşüren ilk Türk havacıları , pilot Üsteğmen Ali Rıza ve gözlemci Teğmen Orhan'dır (makineli tüfeği gözlemci kullanıyor) . (Bülent Yılmazer, Çanakkale'de Küçük Gösteri: Hava Savaşları, *90.Yıldönümünde Çanakkale Savaşlarını Düşünürken*, s. 271 vd.)

Düşman uçakları Türk uçaklarından birkaç kat çoktu. Sayısal çoğunluk düşmana bir üstünlük sağlıyordu ama Türk-Alman uçakları az sayılarına rağmen etkili hücumlar ve yararlı keşifler yapıyorlardı. Yalnız Türk havacılarının görev yaptığı ilk dönem, Milli Mücadele dönemidir.

61c) 8.000 tüfek, 4 makineli tüfek ve 7 sahra bataryası (M. Kemal, *Anafartalar Muhaberatına Ait Tarihçe*, s.42); İngilizler 22 tabur (ATASE, *Çanakkale 3*, s.416; bir ingiliz taburu 1.200 kişi) ; C. Abbas Gürer, savaşçı sayısının 5.800 olduğunu yazıyor (Cepheden Meclise, s.83).

62) M. Kemal'in bu savaş boyunca verdiği emirler *Anafartalar Muhaberatına Ait Tarihçe* (s.36-44) ve *Atatürk Araştırma Merkezi* dergisinin 19. sayısında (İ. Görgülü'nün araştırması) ve AATASE, *Çanakkale 3*'te bulunmaktadır.

Anafartalar Savaşı'nın sonucu belli olmaya başladığı sırada Liman Paşa bir emirle Conkbayırı'ndaki 8. Tümeni ve oradaki bütün birlikleri Anafartalar Grup Komutanı M. Kemal'e bağladı. Böylece M. Kemal Conkbayırı'ndan da sorumlu oluyordu. Albay Ali Rıza Bey ile Yarbay Poetrich arasındaki yetki uyuşmazlığı da kendiliğinden sona eriyordu (ATASE, *Çanakkale 3*, s.369).

63) Ian Hamilton, *Gelibolu Günlüğü*, s.230-231.

64) ATASE, *Çanakkale 3*, s.412.

65) Yeni yarbay olmuştu.

66) ATASE, *Çanakkale 3*, s.415; İ. Artuç, *1915 Çanakkale Savaşı*, s.290; G. Göncü-Ş. Aldoğan, *Siperin Ardı Vatan*, s.120; Yusuf Ziya Bey de şehit olur. İki şehit alay komutanı Büyük Anafarta köyünde gömülüdür. Rahmetli Halit Bey'e bu nedenle Anafarta soyadını yakıştırmıştım.

Halit Bey Bombatepe'de şehit oldu. İngilizler buraya '60 yükseltili tepe' diyorlar.

67) 12. Tümenin kaybı 1.085, 7. Tümeninki 978, Bursa Jandarma Taburu 51 kişi. 3 subay, 59 er tutsak, 5 makineli tüfek, 800 kadar tüfek ganimet alınır. İngiliz kaybı İngiliz resmi harp tarihine göre 1.000 kişi.

M. Kemal savaşı şöyle özetliyor: "Düşmanın bir kolordusunu zayıf bir tümenimle Kireçtepe-Azmak arasında mağlup ve Tuzla gölüne kadar takip ve orada tesbit etmiştim." (*Anafartalar Muhaberatına Ait Tarihçe*, s.43)

Gelibolu ve Bursa Jandarma Taburları da bugün yine görevlerini olağanüstü yerine getirdiler.

Yaralıların savaş alanından kıyıya taşınmasını anlatan 10. Tümenden İrlandalı Bryan Coooper şöyle yazıyor: "Bu arada Türk makineli tüfekçilerini de takdir etmek gerekir. Yaralıları taşıdığımızı anladıklarında ateş etmeye son verdiler. Bunun gibi diğer vesilelerle de düşmanımızın Çanakkale'de asil davranış ve şövalyece tutumunu öğreniyor ve kendisine saygı duyuyorduk." (Mete Tunçoku, *Buzdağının Altı*, s.77)

68) *Anafartalar Muhaberatına Ait Tarihçe*, s.46; Liman von Sanders, *Türkiye'de Beş Sene*, s.113, 116, 378.

69) Zeki Doğan, ilerde, Orgeneral ve Hava Kuvvetleri Komutanı olacaktır.

70) M. Kemal, *Anafartalar Muhaberatına Ait Tarihçe*, s.45-47; C. Abbas Gürer, *Cepheden Meclise*, s.77 (karargâh kurulunun büyük bölümü yolu kaybeder, ancak sabah gelebilirler).

71) C. Abbas Gürer, *Cepheden Meclise*, s.29.

72) Bugün Atatürk'ün heykeli ile Yeni Zelandalılara ait anıtın bunduğu kesim hiçbir aşamada Yeni Zelandalıların eline geçmiş değildir

(ATASE, *Çanakkale 3*, s. 378 [çeşitli kaynaklara dayanarak], 454, Ek 14; C. Conk, *Conkbayırı Savaşları*, s.55, 60, 61, 63, 80).

Yeni Zelanda anıtının orada bulunması bir işgaldir. Atatürk heykelinin o anıtın yarısı kadar olması bizim ayıbımızdır. Oraya Yeni Zelanda anıtından büyük bir anıt dikmek o toprak, o doruk için şehit olmuş atalarımıza ve Atatürk'e karşı şeref ve vefa borcumuzdur. Yeni Zelanda anıtının yeri ancak Şahinsırtı ya da Conkbayırı'nın batı yamacı olabilir.

Binbaşı Allanson, birliğinin, kendi toplarının ateşi altında kaldığını iddia ediyor. C. Conk bu ateşin 4. Tümen topçusunun ateşi olduğunu yazıyor (*Conkbayırı Savaşları*, s.60, 61; Ateşin Türk ateşi olduğunu İngiliz resmi tarihi de kabul ediyor: C.F. Aspinall-Oglander, c. 2, s.243/dipnot).

Cemil Conk Binbaşı Allanson'un işgal ettiğini yazdığı yerin Conkbayırı değil Besimtepe olduğunu açıklıyor, İngilizlerin Q Tepesi dedikleri yer, Conkbayırı ile Kocaçimen Tepesi arasında (C. Conk, *Conkbayırı Savaşları*, s.60, 61 ve kitabın sonundaki krokiler).

Conktepe'yi işgal etmiş olmaları çok mu önemli? Sonunda yenilip kaçtıklarına göre önemli değil. Ama ele geçiremedikleri yere anıt dikmeleri, bizim de bunu kabul etmemiz yanlış; tarihe, gerçeğe, şehitlere, gazilere haksızlık. Mehmetçikler bir adım geri gitmemek için şehit olacaklar, biz buraları düşünmeden ikram edeceğiz.

73) M. Kemal, *Anafartalar Muhaberatına Ait Tarihçe*, s.49; ATASE, *Çanakkale 3*, s.372.

74) 23. Alay Komutanı Yarbay Recai Bey şehit olacaktır. 24. Alay Komutanı Binbaşı Nuri Conker M. Kemal'in gençlik arkadaşıdır, o da yaralanmıştır. Kurmay Başkanı Binbaşı Galip Türker M. Kemal'in değer verdiği bir kurmaydır.

75) Düşman iki tümenden de fazla, ATASE, *Çanakkale 3*, s.372.

76) M. Kemal, *Anafartalar Muhaberatına Ait Tarihçe*, s.49-52.

77) C.F. Aspinall-Oglander, 2. c., s.342; düşman Şahinsırtı'nın batı bölümünde kalacak, her an bir Türk hücumu başlayacağı korkusuyla azap içinde bekleyecektir.

77a) ATASE, *Çanakkale 3*, s.417 vd.; Türk kaybı 1.100 kişi, İngiliz kaybı, son üç gün için (Suvla-Anzak) 18.000 kişi (C.F. Aspinall-Oglander, 2. c., s.344, 4.paragraf).

78) R.E. Ünaydın, *Anafartalar Kumandanı M. Kemal ile Mülakat*, s.51 vd., Çanakkale Hatıraları, 3. c.; M. Kemal, *Anafartalar Muhaberatına Ait Tarihçe*, s.52 vd.; ATASE, *Çanakkale 3*, s.374 vd.; F. Belen, *Birinci Cihan Harbinde Türk Harbi, 1915 Yılı Hareketleri*, s.229-231; G. Göncü-Ş. Aldoğan, *Siperin Ardı Vatan*, s.116-117; İ. Artuç,

1915 Çanakkale Savaşı, s.294-298; C.F. Aspinall-Oglander, 2. c., s.338 vd.; Alan Moorehead, s.391.

M. Kemal parçalanmış saatini savaş anısı olarak Liman Paşa'ya, o da kendi saatini M. Kemal'e verir (M. Kemal, *Anafartalar Muhaberatına Ait Tarihçe*, s.56).

79) Bugün kahraman 23. Alayın Komutanı Yarbay Recai Bey de şehit oldu.

80) Fikret Gündoğan, *Size Ölmeyi Emrediyorum*, s.342; Ashmead Barlett 28. Alayı durduran makineli tüfekleri anlatıyor (Yazı 19 Ağustosta *Times*'da yayımlanacaktır).

6-10 Ağustos günleri, Arıburnu, Suvla, Conkbayırı'nda genel kayıp (yaklaşık):

Türkler 20.000, İngiliz-Anzak 25.000.

Conkbayırı: Türkler 9.200, İngiliz-Anzak 12.000.

(ATASE, *Çanakkale 3*, s.377; C.F. Aspinall-Oglander, 2. c., s.344).

81) ATASE, *Çanakkale 3*, s.420.

82) S. Çakır, *Osmanlı Kadın Hareketi*, s.153-194; bu yazı gerçekte daha sonraları yazılmıştır. Bu tarihe aldım. Yansıtırken sadeleştirdim, çok az da süsledim. Tepkileri de, sonuca, gelişmelere, başka yazılara bakarak öyküleştirdim.

83) İlk 'Kadın Taburu'nun kuruluşu, kadınlara çağrı, kurallar, ünifomalar vb. hakkında: Zafer Toprak, *Türkiye'de Milli İktisat*, s.412-413.

İstanbul'un işgalinden bir hafta sonra gazetelere Kadıköy Kadınları imzasıyla bir bildiri geldi: "Milli haklarımızı ve namusumuzu koruyacak hükümet ve erkek yoksa, biz varız." Bu bildiriyi yazan yiğit kadınlar yerden bitmedi. Çanakkale Savaşı sırasında, cephe gerisinde uygarlık, özgürlük savaşı veren kadınlardı bunlar. Milli Mücadele başlayınca, bir kısmı Anadolu'ya geçti, bir kısmı İstanbul'daki gizli örgüt çalışmalarına, Kızılay etkinliklerine katıldı, sonra da Cumhuriyet'e kol kanat gerdiler, çağdaşlaşmanın öncüsü oldular.

84) ATASE, *Çanakkale 3*, s.422.

Norfolk Taburu'nun imha edilmesi, yıllar sonra, iki iddiaya yol açtı: Birinci iddia: Norfolk Taburunun bir 'buluta binip gittiği' ya da 'bir bulutun taburu alıp götürdüğü'; ikinci iddia ise bu taburun esir olduktan sonra Türkler tarafından öldürüldüğüdür. Ne bulut alıp götürmüştür, ne de esir olduktan sonra öldürülmüşlerdir. Cesurca savaşarak ölmüşlerdir (14 subay, 142 er). Bizde de hurafeye yol açan bu olayı belgeli olarak aydınlatan iki araştırma var: Erol Mütercimler, *Gelibolu*, s.586-593; Dr. Tuncay Yılmaz, Bir Bulut Hikâyesi, M.

Albayrak'ın yayına hazırladığı *Çanakkale Savaşı* adlı kitap içinde, s.215-227.

85) Nazmi Akpınar, *Çanakkale Deniz Savaşları Günlüğü*, s.88-89, olayı süsledim.

86) *Bir Kahramanlık Abidesi 57. Piyade Alayı*, s.57-58 (13 Ağustos 1915, Cuma).

87) ATASE, *Çanakkale 3*, s.426; Türk kaybı: 3 subay 315 er şehit, 8 subay 1.238 er yaralı, 87 kayıp, toplam 1.696. İngiliz kaybı 2.000 kadar (*a.g.e.*, s.432).

88) Çanakkale'de şehitler için dikilen ilk anıt budur. Bu tarihi anıt hâlâ duruyor. Vefalı ziyaretçilerini bekliyor.

89) Alan Moorehead, *Çanakkale Geçilmez*, s.395 vd.; C.F. Aspinall-Oglander, 2. c., s.363-366, 369-372.

90) M. Kemal'in emrinde Anafartalarda beş, Conkbayırı'nda iki tümen toplanmıştı. Kuvveti Saros'tan ve Asya yakasından gelen alaylar ve taburlarla sekiz tümeni bulmuştu. Bu bir ordu demekti.
Seddülbahir'de Vehip Paşa'nın emrinde üç buçuk, Arıburnu'nda Esat Paşa'nın emrinde iki buçuk tümen, Asya yakasında Mehmet Ali Paşa'nın emrinde iki tümen vardı. Toplam on altı tümen.

91) M. Kemal'in Grup Komutanlığına atandığı gece eski Grup karargâhında yaşadıklarını unutmasına imkân yok. Raporuna o geceyi ayrıntılı olarak yazmıştır. Ama Hayri Bey'e kin tutmamış, yanından uzaklaştırmakla yetinmiştir. Hayri Tarhan Cumhuriyet döneminde tümgeneralliğe kadar yükselecektir.

92) General Hamilton takviye ve yeni birlikler istediği zaman bunun gerekçesi olarak Lord Kitchener'e şöyle yazmıştı: "Çok cesur savaşan ve iyi sevk ve idare edilen Türk ordusunun karşısında bulunuyoruz." (C.F. Aspinall-Oglander, 2. c., s.373)

93) 10., 11., 53. ve 54. Tümenler 30.000 kişi + 29. Tümen 10.000 + Süvari Tümeni 5.000 kişi + Anzak müfrezesi 3.000 kişi = 48.000 kişi (İngiliz resmi tarihine dayanarak ATASE, *Çanakkale 3*, s.449, 448, 447).

94) Refik Halit, *Üç Nesil Üç Hayat*, s.80, Semih Lütfi Kitabevi, İstanbul, yılı yok.

95) M. Kemal, *Anafartalar Muhaberatına Ait Tarihçe*, s.64, 66; ATASE, *Çanakkale 3*, s.451, 452, 455; F.R. Atay, *Çankaya*, s.319; F.R. Atay yanlış olarak Esat Bey'in Sadrazam A. İzzet Paşa'nın kardeşi olduğunu yazıyor, Doğu Ordusu'ndan istifa eden Hasan İzzet Paşa'nın kardeşidir.

96) ATASE, *Çanakkale 3*, s.442 vd. (genel olarak 2. Anafartalar Savaşı); Anzaklar 27 Ağustosta Bombatepe'yi almak için bir daha taar-

ruz ederler. Küçük bir mevzi dışında tepe tümüyle Türklerde kalır (*a.g.e.*, s.458).

97)   İ. Çalışlar, *Atatürk'le İkibuçuk Yıl*, s.53.

98)   ATASE, *Çanakkale 3*, s.453, Türklerin kaybı 2.600 kişiydi; Ian Hamilton 'yalnız İsmailoğlu Tepesi önünde 6.000 ölü verdiklerini' yazıyor (*Gelibolu Günlüğü*, s.250).

99)   Osmanlı İmparatorluğu'nun batış süreci 200 yıl sürmüştür. Büyük Britanya İmparatorluğu ise 30 yılda batacaktır. Elinde ne Hindistan kalacaktır, ne Mısır. Öteki sömürgeleri birer birer kopup gidecektir.

100) Fuat Bayramoğlu'dan aktaran H. Özdemir, *Anafartalardan Ankara'ya*, s.27; Y. Kemal Fuat Bayramoğlu'na diyor ki: "Adını efsaneleştiren zaferden sonra onun vatanı kurtaracak kimse olduğu inancı bende hasıl olmuştu. Onu İstanbul'da sohbetleri ve yazılarıyla ilk tebcil eden benim diyebilirim."

101) Ş. Süreyya Aydemir, *Tek Adam*, 1. c., s.259; *Harp Mecmuası*'nın kapağına konulan fotoğrafı da aynı düşünce ile çıkartılır.

102) Alan Moorehead, s.411 vd.

103) Yalnız Şehzade Ömer Faruk Efendi, 19.6.1915 günü Enver Paşa ile birlikte gelmiş ve birlikte İstanbul'a dönmüştür. Bu tarihte 19 yaşında.
Şehzade: Osmanlı hanedanından gelen erkek çocuklar. Sultanzade: Osmanlı hanedanından gelen kadınların çocukları. Damat, sultanlarla evli olanlar.

104) C. Abbas Gürer, *Cepheden Meclise*, s.130-133.

105) Ian Hamilton, *Gelibolu Günlüğü*, s.278-279.

106) C. Abbas Gürer, *Cepheden Meclise*, s.33.

107) M. Kemal Salih Bozok'a bu ayrılışı hakkında diyor ki: "Ben düşmanın çekileceğini anladığım için bir taarruz yapılmasını teklif etmiştim. Fakat benim bu teklifimi kabul etmediler. Bundan dolayı canım sıkıldı. Çok da yorgun olduğum için izin alarak İstanbul'a geldim." (*Hep Atatürk'ün Yanında*, s.177, Çağdaş Y., İstanbul, 1985) İngiliz resmi tarihi M. Kemal için diyor ki:
"Tarihte bir tümen komutanının, üç farklı yerde vaziyete nüfuz ederek yalnız bir maharebenin gidişine değil, aynı zamanda bir seferin akıbetine ve belki bir milletin mukadderatına tesir yapacak bir vaziyet yaratmasının bir benzerine tarihte nadiren tesadüf edilir." (C.F. Aspinall-Oglander, 2. c., s.537)
Düşmanın belirttiği bu gerçeği, bizde saklayan, çarpıtan, saptıran, küçülten insanlar var. Bu nankörlük, yalancılık, gerçeğe ihanet, insanı utandırıyor. Siyasi amaç için tarih değiştirilir mi? Bir yöneti-

cinin, yazarın, öğretmenin, siyasetçinin gerçeği bilmemesi de çok ayıp. Yakın tarihini doğru olarak bilecek!

Yıllarca yalanlar yazılsa ve söylense de, gerçekler tarihte değişmeden kaya gibi dururlar.

Tarihi doğru olarak bilsek, bölünmeyiz, gerçeklerin çevresinde toplanırız. Yakın tarihimiz hakkındaki yalanlar milleti çok derinden ikiye bölüyor! Devlet kırk yıldır bu duruma seyirci!

108) Suvla ve Anzak'ın boşaltılması: C.F. Aspinall-Oglander, 2. c., s.487 vd.; bu sırada bu iki yerde toplam 92.600 kişi vardı. Seddülbahir'de İngiliz ve Fransız 42.600 kişi. Genel toplam: 135.200 kişi.

109) Seddülbahir'in boşaltılması: C.F. Aspinall-Oglander, 2. c., s.510 vd.

Savaş boyunca Çanakkale'ye İngilizler 410.000, Fransızlar 79.000 kişi göndermişlerdir. Yarım milyona yakın İngiliz ve Fransız kuvveti Çanakkale'de tutulmuştur. İngilizler 205.000 (43.000 ölü, esir, kayıp, 72.000 yaralı, 90.000 hasta), Fransızlar 47.000 kişi kayıp vermiştir.

Türk kaybı: Şehit sayısı 57.084, yaralı 96.847; yaralılardan 18.746'sı hastanelerde ölmüştür. Bunlarla birlikte şehit sayısı= 75.830.

Yoğun savaş şartlarını ve kayıt zorluklarını dikkate alarak bu sayıyı 100.000'e yaklaştıranlar var. Ben de bu görüşü paylaşmaktayım (ATASE, *Çanakkale 3*, s.499-500 ve 4 sayılı cetvel). Tekrar ediyorum: 250.000 şehit söylemi kesinlikle yanlıştır. Çanakkale'yi büyük yapan şehit sayısı değildir.

110) Murat Çulcu, *İkdam Gazetesinde Çanakkale Cephesi*, 2. c., s.870 vd.

111) F. Altay, *On Yıl Savaş ve Ötesi*, s.114; İ. Hakkı Sunata, s.211 vd.

Sonuç

1) *Yüzbaşı Selahattin'in Romanı*, 2. c., s.10.
2) Selahattin Adil, *Hayat Mücadeleleri*, s.229; H. Himmetoğlu, *Kurtuluş Savaşına İstanbul'un Yardımları*, 1. c., s.63 vd.; ATASE, *Türk İstiklal Harbi*, 1. c., s.111.
3) C. Abbas Gürer, *Cepheden Meclise*, s.97.

EK - 1

Kilitbahir ile Eceabat arasında Boğaz'a bakan bir tepenin üzerinde, Mehmetçiğin dev bir resminin yanında Neclettin Halil Onan'ın bir şiirinin iki dizesi yazılıdır:

Dur yolcu! Bilmeden gelip bastığın
Bu toprak bir devrin battığı yerdir.

Asker sigarasının üzerindeki resmi ve iki dizeyi dağın yamacına işleyen Yedeksubay Seyran Çebi, bu görevi veren de 40. Piyade Alayı Bölük Komutanlarından Üsteğmen Turan Şekip Pınar'dır (İsmail Bilgin, *Çanakkale Destanı*, s.178-179).

Turan Şekip Pınar'ı niyeti için, Seyran Çebi'yi emeği için saygıyla anarım.

Ama bu şiirin Çanakkale Savaşı ile bir ilgisi yok. Büyük Zafer (30 Ağustos 1922) için yazılmıştır. Şiirin tamamını okuyan durumu kolayca anlar.

Doğrusu buraya M. Akif'in Çanakkale şiirinden bir dize yakışır. Böylece bu yanlışlık da sona erer.

Dur yolcu! Bilmeden gelip bastığın,
Bu toprak, bir devrin battığı yerdir.
Eğil de kulak ver, bu sessiz yığın,
Bir vatan kalbinin attığı yerdir.

Bu ıssız, gölgesiz yolun sonunda,
Gördüğüm bu tümsek, Anadolu'nda,
İstiklal uğrunda, namus yolunda,
Can veren Mehmed'in yattığı yerdir.

Bu tümsek, koparken büyük zelzele,
Son vatan parçası geçerken ele,
Mehmed'in düşmanı boğuldu sele,
Mübarek kanını kattığı yerdir.

Düşün ki, hasrolan kan, kemik, etin
Yaptığı bu tümsek, amansız, çetin,
Bir harbin sonunda, bütün milletin,
Hürriyet zevkini tattığı yerdir.

EK - 2

Çanakkale'de Şehit Olan Alay Komutanları[*]

45. Alay Komutanı Yb. Refik Bey
17. Alay Komutanı Yb. Hasan Bey
17. Alay Komutanı Bnb. Hüseyin Bey
33. Alay Komutanı Yb. Ahmet Şevki Bey
57. Alay Komutanı Yb. H. Avni Bey
18. Alay Komutanı Bnb. Mustafa Bey
47. Alay Komutanı Bnb. Tevfik Bey
14. Alay Komutanı Bnb. İ. Hakkı Oktürk Bey
15. Alay Komutanı Yb. İ. Şükrü Bey
23. Alay Komutanı Yb. Recai Bey
21. Alay Komutanı Yb. Yusuf Ziya Bey
20. Alay Komutanı Yb. Halit Bey
41. Alay Komutanı Yb. Fuat Bey
16. Alay Komutanı Yb. Hakkı Bey

---

[*] Dr. İsmet Görgülü, *10 Yıllık Harbin Kadrosu.*

KAYNAKÇA

Sarıkamış

Alptekin Müderrisoğlu, *Sarıkamış Dramı*, Kastaş Y., İstanbul, 2. basım, 2004.

Bingür Sönmez, Prof.Dr.-Reyhan Yıldız, *Ateşe Dönen Dünya: Sarıkamış*, İkarus Y., İstanbul, 2007.

Hanri Benazus, *Sarıkamış Faciası*, Toplumsal Dönüşüm Y., İstanbul, 2006.

Kaymakam Şerif Bey'in Anıları, *Sarıkamış*, Yayına Haz. Murat Çulcu, Kastaş Y., İstanbul, 2. basım, 1998.

Metin Tekin, Birinci Dünya Savaşı Anıları, *Sarıkamış'tan Sibirya'ya*, Timaş Y., İstanbul, 2006.

M. Rıza Serhadoğlu, *Savaşçı Doktorun İzinde, Kırım, Sarıkamış, Esaret Yılları ve Kurtuluş Savaşı*, Remzi Kitabevi, İstanbul, 2005.

Özhan Eren, *Sarıkamış'a Giden Yol, Rehin Alınan İmparatorluk*, Alfa Y., İstanbul, 2005.

Ziya Yergök, Tuğgeneral Ziya Yergök'ün Anıları - *Sarıkamış'tan Esarete (1915-1920)*, Y. Haz. Sami Önal, Remzi Kitabevi, İstanbul, 2005.

Kanal Seferi

Ali Fuad Erden, *Birinci Dünya Savaşı'nda Suriye Hatıraları*, Y. Haz. Alpay Kabacalı, Türkiye İş Bankası Y., İstanbul, 2. basım, 2006.

Ali Fuad Erden, *Paris'ten Tih Sahrasına*, Ulus Basımevi, Ankara, 2. basım, 1949.

Falih Rıfkı Atay, *Zeytindağı*, Bateş Y., İstanbul, 1981.

Kişiler

Benoist-Mechin, *Mustafa Kemal-Bir İmparatorluğun Ölümü*, Çev. Zeki Çelikkol ,Bilgi Y., Ankara, 1997.

Celal Erikan, *Komutan Atatürk*, Türkiye İş Bankası Y., İstanbul, 4. Basım, 2006.

Emin Erişirgil, *İslamcı Bir Şairin Romanı (Mehmet Akif Ersoy)*, Y. Haz. Prof.Dr. Aykut Kazancıgil, Prof.Dr. Cem Alpar, Türkiye İş Bankası Y., Ankara, 1986.

Emir Kıvırcık, *Cepheye Giden Yol (Behiç Erkin)*, Goa Y., İstanbul, 2008.

Ergun Göze, *Çanakkale'de Kumandanlar Savaşı*, Boğaziçi Y., İstanbul, 2. basım, 2006.

Sermet Atacanlı, *Atatürk ve Çanakkale'nin Komutanları*, MB Y., İstanbul, 2005.

Şerafettin Turan, Prof.Dr., *Mustafa Kemal Atatürk, Kendine Özgü Bir Yaşam ve Kişilik*, Bilgi Y., Ankara, 2004.

Şevket Süreyya Aydemir, *Enver Paşa*, 2. c., Remzi Kitabevi, İstanbul, 1971.

Şevket Süreyya Aydemir, *Tek Adam Mustafa Kemal*, 1. c., Remzi Kitabevi, İstanbul, 1963.

Kılavuzlar, Rehberler

Ekrem Boz, *Adım Adım Çanakkale Savaş Alanları*, İstanbul, 6. basım, 2006

Gürsel Göncü-Şahin Aldoğan, *Çanakkale Muharebe Alanları*, Gezi Rehberi, MB Y., İstanbul, 2006.

İlhan Akşit, *Çanakkale Savaşları Harp Sahaları ve Abideleri*, Fatih Y., İstanbul, 1973.

Şenay S. Okay-M. Vedat Okay, *Belgelere Göre Eceabat Kılavuzu*, Kale Seramik Y., İstanbul, 1981.

Ansiklopediler/ Belgeler/ Genel tarihler/ Kronolojiler

Birinci Dünya Savaşı Ansiklopedisi, 3 c., Görsel Y., İstanbul, 1976.

20. Yüzyıl Tarihi, 2 cilt, Arkın Kitabevi, İstanbul, 1980.

Atatürk'ün Bütün Eserleri, c. 1-2, Kaynak Y., İstanbul, 3. basım, 2003.

Osmanlı Belgelerinde Çanakkale Muharebeleri, 2 cilt, Y. Haz. Muzaffer Albayrak, Başbakanlık Basımevi, Ankara, 2005.

Alan Palmer, *Osmanlı İmparatorluğu - Son Üç Yüz Yıl - Bir Çöküşün Yeni Tarihi*, Çev. Belkıs Çorakçı İşbudak, Yeni Yüzyıl Tarih Dizisi, İstanbul, 1992.

Bernard Lewis, *Ortadoğu, Hıristiyanlığın Başlangıcından Günümüze Ortadoğu'nun İki Bin Yıllık Tarihi*, Çev. Selen Y. Kölay, Arkadaş Y., Ankara, 3. basım, 2003.

Enver Ziya Karal, Ord. Prof., *Osmanlı Tarihi*, 9. c., *İkinci Meşrutiyet ve Birinci Dünya Savaşı (1908-1918)*, TTK, Ankara, 1996.

İsmet Görgülü, *On Yıllık Harbin Kadrosu, 1912-1922, Balkan, Birinci Dünya ve İstiklal Harbi*, TTK, Ankara, 1993.

Mufassal Osmanlı Tarihi, 6.c., İskit Y., İstanbul, 1963.

Stanford J. Shaw, Ezel Kural Shaw, *Osmanlı İmparatorluğu ve Modern Türkiye*, 2 c., Çev. Mehmet Harmancı, E Y., İstanbul, 2. basım, 2004/2006.

Şerafettin Turan, Prof.Dr., *Türk Devrim Tarihi, 1. Kitap*, Bilgi Y., Ankara, 1991.

Tanzimat, Maarif Matbaası, İstanbul, 1940*

T. Yılmaz Öztuna, *Türkiye Tarihi*, 12. c., Hayat Kitapları, İstanbul, 1967.

Yusuf Hikmet Bayur, *Türk İnkılabı Tarihi*, 2. ve 3. ciltler (4 kitap), TTK, Ankara, 1991.

Utkan Kocatürk, Prof.Dr., *Kaynakçalı Atatürk Günlüğü*, Türkiye İş Bankası Y., 2. basım, Ankara, 1992.

T. Özakman, *Atatürk, Kurtuluş Savaşı ve Cumhuriyet Kronolojisi*, Bilgi Y., Ankara, 1999.

Albümler

Avustralya Resmi Tarihinde Gelibolu, Çanakkale, Y. Haz. Prof. Dr. Abdurrahman Güzel, ÇOMÜ Y., Çanakkale, 1996.

Demir Uğur, Prof.Dr., *Mustafa Kemal Arıburnu'nda*, 25 Nisan 1915, Ankara, 1984.

Destan ve Abide, Kültür ve Turizm Bk. Y., Ankara, 2005.

Haluk Oral, *Arıburnu 1915*, İşbankası Y., İstanbul, 2007.

Askeri tarihler/ Araştırmalar

Birinci Dünya Harbi'nde Türk Harbi, Osmanlı İmparatorluğu'nun Siyasi ve Askeri Hazırlıkları ve Harbe Girişi, 1. c., Ankara, 2. Basım, 1991.

Birinci Dünya Harbi İdari Faaliyetler ve Lojistik, 10. cilt, Ankara, 1985.

Birinci Dünya Harbi'nde Türk Harbi - Çanakkale Cephesi, 1. Kitap (Deniz savaşı), Ankara, 1993.

Birinci Dünya Harbinde Türk Harbi - Çanakkale Cephesi, 2. Kitap, Ankara, 1978.

Birinci Dünya Harbinde Türk Harbi - Çanakkale Cephesi, 3. Kitap, Ankara, 1980.

Birinci Dünya Harbinde Türk Harbi, Çanakkale'yle hakkında üç cildin özeti, ATASE Y., Ankara, 1997.

Bir Kahramanlık Abidesi, 57. Piyade Alayı, Şehitler Alayı, Milli Savunma Bakanlığı Y., Ankara, 2003.

Celal Erikan, *Çanakkale'de Türk Zaferi*, Türkiye İş Bankası Y., Ankara, 1964.

Çanakkale Muharebeleri 75. Yıl Armağını, ATASE Y., Ankara, 1990.*

Erol Mütercimler, *Korkak Abdul'den Coni Türk'e Gelibolu*, Alfa Y., İstanbul, 5. basım, 2005.

Fahri Belen, *20. Yüzyılda Osmanlı Devleti*, Remzi Kitabevi, İstanbul, 1973.

Fahri Belen, *Birinci Cihan Harbinde Türk Harbi, 1914 Yılı Hareketleri*, KKK Y., Ankara, 1964.

Fahri Belen, *Birinci Cihan Harbinde Türk Harbi, 1915 Yılı Hareketleri*, KKK Y., Ankara, 1964.

Fikret Günesen, *Çanakkale Savaşları*, Kastaş Y., İstanbul, 1986.

Fikret Günesen, *Size Ölmeyi Emrediyorum, Atatürk ve Çanakkale*, İleri Y., İstanbul, 2006.

Gürsel Göncü, Şahin Aldoğan, *Çanakkale Savaşı, Siperin Ardı Vatan*, M.B. Y., İstanbul, 2006.

İbrahim Artuç, *1915 Çanakkale Savaşı*, Kastaş Y., İstanbul, 2. basım, 2004.

İbrahim Artuç, *Balkan Savaşı*, Kastaş Y., İstanbul, 1988.

İsmet Görgülü, *Atatürk'ün Muharebe Emir ve Raporları, Çanakkale, Harp Akademileri*, İstanbul, 1988.

İsmet Görgülü, *Çanakkale Zaferi ve Atatürk*, Ankara Üniversitesi, Ankara, 1995.

Kadri Perk, "Çanakkale Savaşları Tarihi", *Askeri Mecmua*, Sayı 116/Mart 1940, İstanbul, 1940.

Mahmut Boğuşlu, *1. Cihan Harbi, Dört İmparatorluğun Çöküşü, Türkiye Cumhuriyetinin Doğuşu*, Kastaş Y., İstanbul, 1997.

Mahmut Boğuşlu, *Birinci Dünya Harbinde Türk Savaşları*, Kastaş Y., İstanbul, 1990.

M. Şevki Yazman, *Türk Çanakkale*, Ulus Basımevi, Ankara, 1938.

Muzaffer Albayrak, *Çanakkale Savaşı*, Yeditepe Y., İstanbul, 2006.*

Muzaffer Albayrak-Tuncay Yılmazer, *Sorularla Çanakkale Muharebeleri*, Yeditepe Y., İstanbul, 2007.

N. Hakkı Uluğ, *Çanakkale Destanının 50. Yılı*, Turizm ve Tanıtma Bak. Y., Ankara, 1965.

Sayhan Bilbaşar, *Çanakkale 1915*, Tekin Y., İstanbul, 1972.

Selahattin Çetiner, *Çanakkale Savaşı Üzerine Bir İnceleme*, İstanbul, 2001.

Şemsettin Çamoğlu, *Çanakkale Boğazı ve Savaşları*, Eski Muharipleri Cemiyeti, Çanakkale Şubesi Y., İstanbul, 1962.

Stratejik ve Taktik Sonuçlar Serisi No.4, *Arıburnu Savaşı*, HTD Y., Ankara, 1976.

Tuncay Yılmazer, *Alçıtepe'den Anafartalar'a Çanakkale Kara Muharebeleri*, Yeditepe Y., İstanbul, 2005.

Türk Kurmay Subaylarının Gözüyle Çanakkale Savaşı, Yayına Haz. Burhan Sayılır, Salyangoz Y., İstanbul, 2006.*

Şehitlerimiz, 5 cilt, T.C. Milli Savunma Bakanlığı, Ankara, 1998.*

Alan Moorehead, *Çanakkale Geçilmez*, Çev. Günay Salman, Milliyet Y., İstanbul, 1972.

C.F. Aspinall Oglander, *Büyük Harbin Tarihi, Çanakkale/Gelibolu Askeri Harekâtı*, 2 c., Yayına Haz. Metin Martı, Arma Y., İstanbul, 2. basım, 2005.

C.F. Aspinall Oglander, *Büyük Harbin Tarihi, Çanakkale, Gelibolu Askeri Harekâtı*, 2 c., Çev. As.Öğr. Tahir Tunay, Gnkur. Basımevi, İstanbul, 1939.

Edward J. Erickson, *Size Ölmeyi Emrediyorum, Birinci Dünya Savaşında Osmanlı Ordusu*, Çev. Tanju Akad, Kitap Y., İstanbul, 2. basım, 2003.

Frank Knight, *Çanakkale Savaşı*, Harp Akademileri Y., İstanbul, 1971.

Geoffrey Miller, *Straits-British Policy Towards the Ottoman Empire and the Origins of the Dardanelles Campaign*, Hulk London, 2. printed, 1997.

Harvey Broadbent, *Gallipoli the Fatal Shore*, Viking an imprint of Penguin Books, Australia, 2005.

Micheal Hickey, *Gallipoli*, Cambridge, London, 2. printed, 1999.

Nigel Steel-Peter Hart, *Gelibolu, Yenilginin Destanı*, Çev. Mehmet Harmancı, Epsilon Y., İstanbul, 3. basım, 2005.

Robert Rhodes James, *Gelibolu Harekâtı*, Çev. Haluk V. Saltıkgil, Belge Y., İstanbul, 1967.

Sovyet Devlet Arşivi Gizli Belgelerinde Anadolu'nun Taksim Planı, Yayına Haz. Hayri Mutluçağ, Belge Y., İstanbul, 2. basım, 1972.

Tim Travers, *Gallipoli 1915*, Tempus, USA, 3. basım, 2003.

Almanlar

İlber Ortaylı, *Osmanlı İmparatorluğu'nda Alman Nüfuzu*, İletişim Y., İstanbul, 6. basım, 2004.

Jehuda L. Wallach, *Bir Askeri Yardımın Anatomisi, Türkiye'de Prusya, Alman Askeri Faaliyetleri, 1835-1919*, Çev. Fahri Çeliker, Genelkurmay, Ankara, 2. basım, 1985.

Kâzım Karabekir, *Türkiye'de ve Türk ordusunda Almanlar*, Yayına Haz. Yrd.Doç.Dr. Orhan Hülagü, Ömer Hakan Özalp, İstanbul, 2001.

Anılar/ Günlükler/ Raporlar/ Notlar

Atatürk'ün Not Defterleri -VII, ATASE Y., Ankara, 2007.

Atatürk, M. Kemal, *Anafartalar Muharebatı'na Ait Tarihçe*, Yayına Haz. Uluğ İğdemir, TTK, Ankara, 2. basım, 1990.

Atatürk, M. Kemal, *Arıburnu Muharebeleri Raporu*, Yayına Haz. Uluğ İğdemir, TTK, Ankara, 3. basım, 1990.

Ahmed Emin Yalman, *Yakın Tarihte Gördüklerim ve Geçirdiklerim*, 1. c., Rey Y., İstanbul, 1970.

Ahmed İhsan Tokgöz, *Matbuat Hatıralarım*, İletişim Y., 1993.

Ahmet İzzet Paşa, *Feryadım*, 1. c., Yayına Haz. Süheyl İzzet Furgaç-Yüksel Kanar, Nehir Y., İstanbul, 1992.

Ali Fuad Türkgeldi, *Görüp İşittiklerim*, TTK, Ankara, 2. basım, 1951.

Ali İhsan Sabis, *Birinci Dünya Harbi*, 1. ve 2. c., Nehir Y., İstanbul, 1991.

Cahit Önder, *Yaşayan Çanakkaleli Muharipler*, Çanakkale Seramik Y., İstanbul, 1981.

Cemal Paşa, *Hatırat*, Yayına Haz. Metin Martı, Arma Y., İstanbul, 5. basım, 1996.

Cemil Conk, *Çanakkale Conkbayırı Savaşları*, HTD Y., Ankara, 1959.

Cemil Topuzlu Paşa, Opr.Dr., *İstibdat-Meşrutiyet-Cumhuriyet Devirlerinde, 80 Yıllık Hatıralarım*, Yayına Haz. Prof.Dr. Hüsrev Hatemi, Prof.Dr. Aykut Kazancıgil, Arma Y., İstanbul, 3. basım, 1994.

Cepheden Cepheye Esaretten Esarete, Ürgüplü Mustafa Fevzi Taşer'in Hatıraları, Yayına Haz. Yrd.Doç.Dr. Eftal Şükrü Batmaz, T.C. Kültür Bak. Y., Ankara, 2000.

Cevat Abbas Gürer, Atatürk'ün Yaveri, *Cepheden Meclise Büyük Önder ile 24 Yıl*, Der. Turgut Gürer, İstanbul, 2006.

Çanakkale Hatıraları, 3 c., Yayına Haz. Metin Martı, Arma Y., İstanbul, 2001-2003.*

Çanakkale 1915 Kanlısırt Günlüğü, Mehmet Fasih Bey'in Günlüğü, Yayına Haz. Murat Çulcu, Denizler Kitabevi, İstanbul, 2. basım, 2006.

Çanakkale, Savaşanlar Anlatıyor, Yayına Haz. Nurer Uğurlu, Örgün Y., İstanbul, 2006.*

Esat Paşa, *Çanakkale Savaşı Hatıraları*, İhsan Ilgar-Nurer Uğurlu, Örgün Y., İstanbul, 2. basım, 2003.

Fahrettin Altay, *10 Yıl Savaş ve Sonrası, 1912-1922*, İnsel Y., İstanbul, 1970.

Faik Tonguç, *Birinci Dünya Savaşı'nda Bir Yedek Subayın Anıları*, Türkiye İş Bankası Y., İstanbul, 3. basım, 2006.

Falih Rıfkı Atay, *Çankaya, 1881-1938*, Doğan Kardeş Mat., İstanbul, 1969.

Gazanfer Şanlıtop, *Çanakkale Geçilemedi, Yüzbaşı Mehmet Hilmi*, Goa Y., İstanbul, 2006.

Güliz Beşe Erginsoy, *Dedem Hüseyin Atıf Beşe*, anılar, Varlık Y., İstanbul, 2004.

Halis (Ataksor), *Çanakkale Raporu*, Eser Matbaası, İstanbul, 1975.

Halid Ziya Uşaklıgil, *Saray ve Ötesi*, 3. c., Hilmi Kitabevi, İstanbul, 1942.

Hüseyin Cahit Yalçın, *Siyasal Anılar*, Türkiye İş Bankası Y., İstanbul, 1976.

Hüseyin Cömert, *Çanakkale'den Hicaz'a Harp Hatıraları*, Kayseri Büyükşehir Belediyesi, Kayseri, 2005.

Hüseyin Kâzım Kadri, *Hatıralarım*, İletişim Y., İstanbul, 1991.

İbrahim Arıkan, *Harp Hatıralarım, Bir Mehmetçiğin Çanakkale-Galiçya-Filistin Cephesi Anıları*, Timaş Y., İstanbul, 2007.

İ. Hakkı Sunata, *Gelibolu'dan Kafkaslara Birinci Dünya Savaşı Anılarım*, Kültür Y., İstanbul, 2003.

İsmet İnönü, *Hatıralar*, 1. c., Yayına Haz. Sabahattin Selek, Bilgi Y., Ankara, 1985.

İzzettin Çalışlar, *Atatürk'le İkibuçuk Yıl*, Yayına Haz. Dr. İsmet Görgülü-İzzettin Çalışlar, YKB Y., İstanbul, 1993.

Kadri Ener, *Çanakkale'den Hatıralar*, MM Vekâleti Y., İstanbul, 1954.*

Kâzım Karabekir, *Birinci Cihan Harbine Nasıl Girdik*, Emre Y., İstanbul, 1994.

Kâzım Karabekir, *Birinci Cihan Harbine Neden Girdik*, Emre Y., İstanbul, 2. basım, 1995.

Lütfi Simavi, *Osmanlı Sarayının Son Günleri*, Pegasus Y., İstanbul, 2006.

Mahmut Şevket Paşa'nın Günlüğü, Der. Adem Sarıgöl, IQ Kültür Sanat Y., İstanbul, 2001.

Mithat Şükrü Bleda, *İmparatorluğun Çöküşü*, Yayına Haz. Turgut Bleda, Remzi Kitabevi, İstanbul, 1979.

Muhittin Birgen, *İttihat ve Terakki'de On Sene*, 2 c., Kitap Y., İstanbul, 2006.

Mülazım Mehmet Sinan, *Harp Hatıralarım, Çanakkale-Irak-Kafkas Cephesi*, Yayına Haz. Hasan Babacan, Servet Avşar, Muharrem Bayar, Vadi Y., Ankara, 2006.

Münim Mustafa, *Cepheden Cepheye, Çanakkale ve Kanal Seferi Hatıraları*, Yayına Haz. Metin Martı, Arma Yayınları, İstanbul, 3. basım, 2002.

Nazmi Bey, Bnb., *Çanakkale Deniz Savaşları Günlüğü, 1914-1922*, Yayına Haz. Dr. Ahmet Esenkaya, Çanakkale Deniz Komutanlığı Y., İstanbul, 2004.

Nilüfer Hatemi, *Mareşal Fevzi Çakmak ve Günlükleri*, 2 c., YKB Y., İstanbul, 2002.

Rahmi Apak, *Yetmişlik Bir Subayın Hatıraları*, Genelkurmay Y., Ankara, 1957.

Ruşen Eşref, *Anafartalar Kumandanı Mustafa Kemal ile Mülakat*, Hamit Matbaası, İstanbul, 1930.

Ruşen Eşref Ünaydın, *Çanakkale'de Savaşanlar Dediler ki*, Yayına Haz. Uluğ İğdemir, TTK, Ankara, 2. basım, 1990.*

Selahattin Adil Paşa, *Hayat Mücadeleleri*, Zafer Matbaası, İstanbul, 1982.

Süleyman Şakir, Miralay, *Cepheden Hatıralar, Altıncı Fırka Çanakkale Harbi'nde*, Yayına Haz. Servet Avşar-Hasan Babacan, Vadi Y., Ankara, 2006.

Şefik Aker, "Çanakkale, Arıburnu Savaşları ve 27. Alay", 99 sayılı *Askeri Mecmua*'nın tarih kısmı, İstanbul, 1935.

Şerif Güralp, *Çanakkale Cephesinden Filistin'e*, Güncel Y., İstanbul, 2003.

Talat Paşa, *Hatıralarım ve Müdafaam*, Kaynak Y., İstanbul, 2. basım, 2006.

Yahya Kemal, *Siyasi ve Edebi Hatıralarım*, Yahya Kemal Enstitüsü Y., İstanbul, 3. basım, 1986.

Ziya Yergök, *Tuğgeneral Ziya Yergök'ün Anıları, Harbiye'den Dersim'e*, Yayına Haz. Sami Önal, Remzi Kitabevi, İstanbul, 2006.*

Aubrey Herbert ve Henry Morgenthau, *Devler Ülkesinde Devler Savaşı Çanakkale*, Çev. Seyfi Yaz, Ataç Y., İstanbul, 2005.

Carl Mühlman, *Çanakkale Savaşı-Bir Alman Subayının Anıları*, Çev. Sedat Umran, Timaş Y., İstanbul, 5. basım, 2004.

Charles F. Roux, *Bir Fransız Subayın Günlüğünden Çanakkale Savaşları'nın Perde Arkası, Çanakkale'de Ne oldu?*, Yayına Haz. Burhan Sayılır, Phoenix Y., Ankara, 2007.

Hans Guhr, *Türklerle Omuz Omuza*, Çev. Eşref Özbilen, Türkiye İş Bankası Y., İstanbul, 2007.

Harry Stuermer, Dr., *Konstantinopl'de Savaşın İki Yılı*, Çev. Yurdakul Fincancıolu, Büke Y., İstanbul, 2002.

Ian Hamilton, *Gelibolu Günlüğü*, Çev. Osman Öndeş, Hürriyet Y., İstanbul, 1972.

Joseph Pomiankowski, *Osmanlı İmparatorluğunun Çöküşü (1914-1918) 1. Dünya Savaşı*, Çev. Kemal Turan, Kayıhan Y., İstanbul, 3. basım, 2003.

Liman Von Sanders, *Türkiye'de Beş Sene, Askeri Tarih Encümeninin Cevaplarıyla*, Çev. Osmanlı Genelkurmayı Askeri Tarih Encümeni Tercüme Heyeti, Yeditepe Y., İstanbul, 2. basım, 2006.

Sağlık

Çanakkale Acı İlaç, Deva Holding A.Ş. Y., İstanbul, 2005.

Kemal Özbay, Dr. General, *Türk Asker Hekimliği ve Asker Hastaneleri*, 2 c., Yörük Basımevi, İstanbul, 1976.

Metin Özata, Prof.Dr., *Atatürk ve Tıbbiyeliler*, Umay Y., İzmir, 2007.

Deniz ve Hava

Birinci Dünya Harbi Türk Hava Harekâtı, 9. cilt, HTB, Ankara, 1969.

Bülent Yılmazer, *Çanakkale Hava Savaşları*, Mönch Türkiye Y., Ankara, 2005.

Erol Mütercimler, *Destanlaşan Gemiler*, Kastaş Y., İstanbul, 1987.

Fevzi Kurtoğlu, "Çanakkale ve 18 Mart 1915", 336 Sayılı *Deniz Mecmuası*'nın eki, İstanbul, 1935.

Haydar Alpagut, *Büyük Harbin Türk Deniz Cephesi*, Genelkurmay Y., İstanbul, 1937.

Nejat Gülen, *Dünden Bugüne Bahriyemiz*, Kastaş Y., İstanbul, 1988.

Saim Besbelli, "Çanakkale'de Türk Bahriyesi", 1914-1918, 424 Sayılı *Donanma Dergisi* eki, Ankara, 1959.

Yavuz Kansu, Sermet Şensöz, Yılmaz Öztuna, *Havacılık Tarihinde Türkler*, Hava Kuvvetleri Basım ve Neşriyatı, Ankara, 1971.

A. Thomazi, Çanakkale Deniz Savaşı, Çev. Hüseyin Işık, Genelkurmay, Ankara, 1997.

E. Makela, *Yavuz'un (Goeben) İzinde*, Çev. Namık Kemal Ebiz, Deniz Basımevi, İstanbul, 2006.

Emil Vedel, *Çanakkale'de Bahriyelilerimiz*, Çev. A. Lütfullah, sadeleştiren: Yard.Doç.Dr. Ahmet Esenkaya, Çanakkale Deniz Müzesi Komutanlığı Y., Ankara, 2006.

Fred ve Elisabeth Brenchley, *Stoker'ın Denizaltısı*, Çev. Pervin Yanıkkaya, Ayhan Matbaası, İstanbul, 2003.

Otto Hersing, *Çanakkale Denizaltı Savaşı*, Çev. Bülent Erdemoğlu, Türkiye İş Bankası Y., İstanbul, 2007.

Bilim/ Ekonomi/ Kültür/Sanat/ Siyaset/ Toplum

Ahmet Yaşar Ocak, *Zındıklar ve Mülhidler*, Tarih Vakfı Yurt Y., İstanbul, 1998.

Ali Bilgenoğlu, *Osmanlı Devleti'nde Arap Milliyetçi Cemiyetleri*, Yeniden Anadolu ve Rumeli Müdafaa-i Hukuk Yayınları, Antalya, 2007.

Ali Birinci, *Hürriyet ve İtilaf Fırkası*, Dergâh Y., İstanbul, 1990.

Ali Nejat Ölçen, *Kendini Yok Eden Osmanlı*, Ümit Y., Ankara, 2006.

Ali Rıza Bey, Balıkhane Nazırı, *Bir Zamanlar İstanbul*, Tercüman 1001 Temel Eser, İstanbul, tarihsiz.

Ayşe Baykan, Belma Ötüş- Baskett, *Nezihe Muhittin ve Türk Kadını*, İletişim, İstanbul, 1999

Ayfer Özçelik, Prof.Dr., *Kimliğini Arayan Meşrutiyet*, İlgi Kültür Sanat, İstanbul, 2006.

Aynur Demirdirek, *Osmanlı Kadınlarının Hayat Hakkı Arayışının Bir Hikâyesi*, İmge Kitapevi, Ankara, 1993.

Bilal N. Şimşir, *Ermeni Meselesi (1774-2005)*, Bilgi Y., Ankara, 3. basım, 2006.

Bozkurt Güvenç, *Türk Kimliği-Kültür Tarihinin Kaynakları*, T.C. Kültür Bak. Y., Ankara, 1993.

Cengiz Özakıncı, *İslamda Bilimin Yükselişi ve Çöküşü*, Otopsi Y., İstanbul, 10. basım, 2007.

Cevdet Kudret, *Abdülhamit Döneminde Sansür*, 1. c., Cumhuriyet Y., İstanbul, 2000.

Erdoğan Aydın, *İslamcılık ve Din Politikaları*, Kırmızı Y., İstanbul, 3. basım, 2006.

Erol Köroğlu, *Türk Edebiyatı ve Birinci Dünya Savaşı, 1914-1918*, Propagandadan Milli Kimlik İnşasına, İletişim Y., İstanbul, 2004.

Esma Torun, Yard.Doç.Dr., *Türkiye'de Kültürel Değişimler*, Yeniden Anadolu ve Rumeli Müdafaa-yı Hukuk Y., Antalya, 2006.

Feruz Ahmet, *İttihat ve Terakki*, Sander Y., İstanbul, 1971.

Fethi Karaduman, *Çöküş ve Doğuş*, Günizi Y., İstanbul, 2006.

Hafız Hakkı, *Bozgun*, Tercüman Y., İstanbul, tarihsiz.

Halil Ersin Avcı-Mehmet Ali Bingöl, *Çanakkale Savaşı Karikatürleri*, Truva Y., İstanbul, 2006.

İbrahim Alaettin Gövsa, *Çanakkale İzleri*, Atatürk Kültür Dil ve Tarih Yüksek Kurumu Y., Ankara, 1989.

İlhan Selçuk, *Yüzbaşı Selahattin'in Romanı*, 1. c., Remzi Kitabevi, İstanbul, 2. basım, 1975.

İsmayıl Hakkı Baltacıoğlu, *Batıya Doğru*, Sebat Basımevi, İstanbul, 1945.

İsmail Hakkı Baltacıoğlu, *Türk'e Doğru*, Türkiye İş Bankası Y., Ankara, 1972.

İ. Hakkı Sunata, *İstibdattan Meşrutiyete, Çocukluktan Gençliğe*, Türkiye İş Bankası Y., İstanbul, 2006.

Kâmuran Gürün, *Ermeni Dosyası*, Bilgi Y., Ankara, 4. basım, 1988.

Kâzım Karabekir, *İttihat ve Terakki Cemiyeti, 1896-1909*, Emre Y., İstanbul, 1993.

Mukbile Cemile Tarkan, *Çanakkaleliden Anılar*, Der. Prof.Dr. Nesrin Tarkan, İstanbul, 2006.

Murat Çulcu, *Osmanlı'da Çağdaşlaşma-Taassup Çatışması*, Erciyaş Y., İstanbul, 2. basım, 2004.

Niyazi Berkes, *Batıcılık, Ulusçuluk ve Toplumsal Devrimler*, Yön Y., İstanbul, 1965.

Niyazi Berkes, *İki Yüz Yıldır Neden Bocalıyoruz*, İstanbul Matbaası, İstanbul, 2. basım, 1965.

Nurer Uğurlu, *Türkiye'nin Parçalanması ve İngiliz Politikası, 1900-1920*, derleme, Örgün Y., İstanbul, 2005.

Modern Türkiye'de Siyasi Düşünce, c. 1, *Cumhuriyet'e Devreden Düşünce Mirası, Tanzimat ve Meşrutiyet'in Birikimi*, Yayına Haz. Mehmet Ö. Alkan, İletişim Y., İstanbul, 7. basım, 2006.*

Modern Türkiye'de Siyasi Düşünce, c. 3, *Modernleşme ve Batıcılık*, Yayına Haz. Uygur Kocabaşoğlu, İletişim Y., İstanbul, 4. basım, 2007.*

Modern Türkiye'de Siyasi Düşünce, c. 4, *Milliyetçilik*, Yayına Haz. Tanıl Bora, İletişim Y., İstanbul, 2. b.asım, 2003.*

Modern Türkiye'de Siyasi Düşünce, c. 5, *Muhafazakârlık*, Yayına Haz. Ahmet Çiğdem, İletişim Y., İstanbul, 3. basım, 2006.*

Modern Türkiye'de Siyasi Düşünce, c. 6, *İslamcılık*, Yayına Haz. Yasin Aktay, İletişim Y., İstanbul, 2. basım, 2005.*

Mustafa Ragıp, *İttihat ve Terakki Tarihinde Esrar Perdesi*, Örgün Y., İstanbul, 2004.

Oğuz Akay, *Hedef Gelibolu*, Truva Y., İstanbul, 2006.*

Özdemir Nutku, Prof.Dr., *Darülbedayi'in Elli Yılı*, Ankara DTCF Y., Ankara, 1969.

Peyami Safa, *Türk İnkılabına Bakışlar*, İnkılap Kitabevi, İstanbul, 2. basım, tarihsiz.

Refik Halit Karay, *Üç Nesil Üç Hayat*, Semih Lütfi Kitabevi, İstanbul, tarihsiz.

Serpil Çakır, *Osmanlı Kadın Hareketi*, Metis Y., İstanbul, 2. basım, 1996.

Sina Akşin, Doç.Dr., *Jön Türkler ve İttihat ve Terakki*, Gerçek Y., İstanbul, 1980.

Şerafettin Turan, *Türk Kültür Tarihi*, Bilgi Y., Ankara, 3. basım, 2000.

Taha Akyol, *Medine'den Lozan'a*, Milliyet Y., İstanbul, 3. basım, 1997.

Taner Timur, *Osmanlı Kimliği*, Hil Y., İstanbul, 1986.

Tarık Z. Tunaya, *Türkiye'de Siyasi Partiler (1859-1952)*, İstanbul Üniversitesi Y., İstanbul, 1952.

Tevfik Çavdar, *Osmanlıların Yarı-Sömürge Oluşu*, Ant Y., İstanbul, 1970.

Şevket Süreyya Aydemir, *Suyu Arayan Adam*, Öz Y., Ankara, 1959.

Vasfi Raşit, *İnkılâpların Öğrettikleri*, Gazetecilik ve Matbaacılık T.A.Ş., İstanbul, 3'üncü bin, 1934.

Zafer Toprak, *İttihad Terakki ve Cihan Harbi, Savaş Ekonomisi ve Türkiye'de Devletçilik (1914-1918)*, Homer Kitabevi, İstanbul, 2003.

Zafer Toprak, *Türkiye'de Milli İktisat (1908-1918)*, Yurt Y., Ankara, 1982.

Zafer Toprak, *İttihat-Terakkli ve Cihan Harbi*, Homer Kitabevi, İstanbul, 2003.

Zerrin Ediz, Dr., *Kadınların Tarihine Giriş*, Adım Y., İstanbul, 1995.

Ziya Gökalp, *Kitaplar*, Yayına Haz. M. Sabri Koz, YKB Y., İstanbul, 2007.

Ziya Gökalp, *Türkçülüğün Esasları*, Milli Hareket Y., İstanbul, 1969.

Ziya Gökalp, *Türkleşmek İslamlaşmak Muasırlaşmak*, Serdengeçti Y., Ankara, 2. basım, 1963.

Ziya Şakir, *1914-1918, Cihan Harbini Nasıl İdare Ettik?*, Muallim Fuat Gücüyener Y., İstanbul, 1944.*

Ernest Jackh, Dr., *Yükselen Hilal, Bir Milletin Yeniden Doğuşu, Türkiye'nin Dünü, Bugünü, Yarını*, Çev. Perihan Kuturman, Temel Y., İstanbul, 1999.

François Georgeon, *Osmanlı-Türk Modernleşmesi (1900-1930)*, Çev. Ali Berktay, YKB Y., İstanbul, 2006.

Peter Hopkirk, *İstanbul'un Doğusunda Bitmeyen Oyun*, Çev. Mehmet Harmancı, Sabah Kitapları, İstanbul, 1995.

Stefanos Yerasimos, *İstanbul 1914-1923, Kaybolup Giden Bir Dünyanın Başkenti ya da Yaşlı İmparatorlukların Can Çekişmesi*, Çev. Cüneyt Akalın, İletişim Y., İstanbul, 1996.

Uriel Heyd, *Türk Ulusçuluğunun Temelleri*, Çev. Kadir Günay, Kültür Bakanlığı Y., Ankara, 1979.

Dünya ve Çanakkale Savaşı Hakkında Genel

Ahmet Altıntaş, Yard.Doç.Dr., *Belgelerle Çanakkale Savaşları*, ÇOMÜ Y., Çanakkale, 1997.

A. Cemaleddin Saraçoğlu, *Çanakkale Zaferi –18 Mart 1915– Düşman Geliyor Top Başına*, Yeditepe Y., İstanbul, 2007.

A. Mete Tunçoku, *Anzakların Kaleminden Mehmetçik*, TBMM Kültür, Sanat ve Yayın Kurulu Y., Ankara, 2005.

A. Mete Tunçoku, *Çanakkale 1915-Buzdağının Altı*, Türk Tarih Kurumu, Ankara, 2002.

Aydın Ayhan, *Çanakkale Ah Çanakkale*, Şehitkale Y., İzmir, 2004.

Baha Vefa Karatay, *Mehmetçik ve Anzaklar* [Son bölümde Fahri Belen'in Çanakkale Savaşı hakkında araştırması var], Türkiye İş Bankası Y., Ankara, 1987.

Burhan Sayılır, *Çanakkale Ümitler, Yanılgılar, Gerçekler*, Yeni Türkiye Y., Ankara, 2003.*

1915'te Çanakkale'de Türk, Milli Müdafaa Vekâleti, Deniz Basımevi, Ankara, 1957.

Cemalettin Taşkıran, *Ana Ben Ölmedim, Birinci Dünya Savaşında Türk Esirleri*, Yayına Haz. Mürşit Balabanlılar, Türkiye İş Bankası Y., İstanbul, 2001.

Cemalettin Yıldız, *Çanakkale-Arıburun Kahramanları*, Emre Basımevi, İzmir, 2006.

Cemalettin Yıldız, *Çanakkale-Seddülbahir Kahramanları*, Emre Basımevi, İzmir, 3. basım, 2005.

Çanakkale I ve II, 2 c., İstanbul Büyükşehir Belediyesi Y., İstanbul, 2006.*

Fuat Uluç-Mustafa Kepir, *1955 Yılı Kahramanlık Günleri*, E.U. Basımevi, Ankara, 1955.*

Halil Ersin Avcı, *Çanakkale Ruhu*, Metropol Y., İstanbul, 2007.

Harp Mecmuası, Yayına Haz. Ali Fuat Bilkan-Ömer Çakır, Kaynak Y., İstanbul, 2005.

Hikmet Özdemir, Prof.Dr., *Anafartalar'dan Ankara'ya*, Remzi Kitabevi, İstanbul, 2006.

Hikmet Özdemir, Prof.Dr., *Komutan ve Evlatları*, Anka Ajansı, Ankara, 2007.

İkdam Gazetesi'nde Çanakkale Cephesi, 2 c., Yayına Haz. Murat Çulcu, Denizler Kitabevi, İstanbul, 2004.

İsmail Bilgin, *Çanakkale Destanı*, Timaş Yayınları, İstanbul, 2006.

İsmail Bilgin, *Gelibolu, Yenilmezlerin Yenildiği Yer*, Babıâli Kültür Y., İstanbul, 3. basım, 2004.

İsmail Çolak, *Çanakkale'nin Kahraman Mekteplileri*, Lamure, İstanbul, 2006.

Mehmet Işık-Murat Tuna, *Çanakkale*, Yakamoz Y., İstanbul, 2007.

M. Orhan Bayrak, *Çanakkale Savaşları*, Birharf Y., İstanbul, 2005.

Murat Duman, *Cumhuriyetimizin Önsözü, Çanakkale, Savaşlar, Hatıralar, Yanılgılar*, Ares Kitap, İstanbul, 2006.

N. Ahmet Banoğlu, *Türk Basınında Çanakkale Günleri*, Kırmızı Beyaz, İstanbul, 2005.

Necati İnceoğlu, *Siper Mektupları*, Remzi Kitabevi, İstanbul, 2001.

Ramazan Eren, *Çanakkale Savaşlarının Manası ve 250.000 Şehidin Destanı*, Nesil Matbaacılık, İstanbul, 7. basım, 2005.

Recep Şükrü Apuhan, *Çanakkale Geçilmez*, Timaş Y., İstanbul, 2006.

Recep Şükrü Apuhan, *Çanakkale, Ölüme Koşanlar*, Timaş Y., İstanbul, 2007.

Recep Yüzüak, *Çanakkale Destanı, Gelibolu Savaşları*, Gelibolu, tarihsiz.

Servet Avşar, *Birinci Dünya Savaşında İngiliz Propagandası*, Kim Y., Ankara, 2004.

Turhan Seçer, *Destanlaşan Çanakkale, Deniz Kara Hava Savaşları, Bütün Yönleriyle Anılar ve Yorumlar*, Kastaş Y., İstanbul, 2005.*

Uluğ İğdemir, *Atatürk ve Anzaklar*, TTK Y., Ankara, 2. basım, 1985.

Yeni Mecmua'nın Nüsha-i Fevkaladesi-Çanakkale 18 Mart 1915, Yayına Haz. Murat Çulcu, E Y., İstanbul, 2006.

Yusuf İzzettin Barış, Prof.Dr., *Çanakkale Savaşları, Mehmetçiğin Fedakârlığı, Vatanseverliği, İnsanlığı*, Ankara, 2000.*

Ellis Ashmead Bartlett, *Çanakkale Gerçeği*, Yayına Haz. M. Albayrak, Yeditepe Y., İstanbul, 2005.

George H. Cassar, *Çanakkale ve Fransızlar*, Çev. Nejat Dalay, Milliyet Y., İstanbul, 1974.

Jenny Macleod, *Gelibolu'nun Öteki Yüzü*, Çev. Sinem Hocaoğlu, Güncel Y., İstanbul, 2005.

Kevin Fewster, Vecihi-Hatice Hürmüz Başarın, *Gelibolu 1915, Savaşla Başlayan Dostluk*, Çev. İbrahim Keskin, Galata Y., İstanbul, 2005.

Pierre Renouvin, *1. Dünya Savaşı ve Türkiye, 1914-1918*, Çev. Örgen Uğurlu, Örgün Y., İstanbul, 2004.

Güliz Beşe Erginsoy, *Dedem Hüseyin Atıf Beşe*, Varlık Y., İstanbul, 2004.

Kırıkkaleli Şehitler, Yayına Haz. Ercihan Çakmak, Kırıkkale Ticaret ve Sanayi Odası, Ankara, 2006.

Fahri Dadaloğlu'nun Anıları, basılmamış.

Çanakkale'den Cumhuriyetimizin Kuruluşuna Bolulu Şehitler, Yayına Haz. Bolu Belediye Başkanlığı, Bolu, 2006.

Hadi Erdoğan'ın Hatıraları (1888-1970), basılmamış.

Tevfik Hasköy'ün Anıları, basılmamış.

Salih Karasabul'un Hatıraları, basılmamış.

Dergiler/ Yıllıklar/ Sempozyumlar

Askeri Tarih Bülteni
Atlas Dergisi, Nisan 2005
Atatürk Araştırma Merkezi dergisi
Hayat Tarih Mecmuası
Tarih ve Toplum
Türkiye Eski Muharipler dergisi (1965/3-4, 18 Mart özel sayısı, G. Yetkin: Yaratanların Ağzından)
Çanakkale Araştırmaları Türk Yıllığı, sayı 1-4, Çanakkale Onsekiz Mart Üniversitesi, Atatürk ve Çanakkale Savaşları Araştırma Merkezi, Y., Çanakkale, 2003-2006.*
"Çanakkale Savaşları Sebep ve Sonuçları", Uluslararası Sempozyum, 14-17 Mart 1990, TTK, Ankara, 1993.*
Doksanıncı Yıl Dönümünde Çanakkale Savaşını Düşünürken, bildiriler, ÇÖMÜ Y., Çanakkale, 2005.*

----

* işaretli kitaplarda birçok anı, araştırma, inceleme ve bildiri bulunmaktadır.

Avustralya, Yeni Zelanda, İngiltere, Fransa ve Türkiye kaynaklı Çanakkale/Gelibolu ile ilgili bütün önemli web siteleri taranmıştır. Bir arama motoru yardımıyla hepsine kolayca ulaşabilirsiniz.